| 2nd edition |

산과마취학

Obstetric Anesthesia

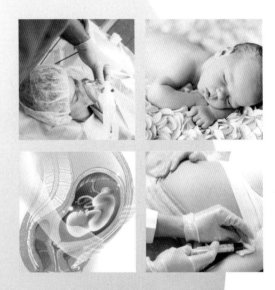

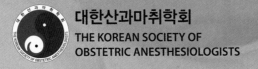

대한산과마취학회
THE KOREAN SOCIETY OF
OBSTETRIC ANESTHESIOLOGISTS

군자출판사

산과마취학
Obstetric Anesthesia

첫째판 1쇄 인쇄 | 2009년 6월 10일
첫째판 1쇄 발행 | 2009년 6월 15일
둘째판 1쇄 인쇄 | 2016년 10월 14일
둘째판 1쇄 발행 | 2016년 10월 26일

지 은 이   대한산과마취학회
발 행 인   장주연
기   획   조은희
편집디자인   김영선
표지디자인   이상희
발 행 처   군자출판사
등   록   제 4-139호(1991. 6. 24)
본   사   (10881) **파주출판단지** 경기도 파주시 서패동 474-1(회동길 338)
              Tel. (031) 943-1888   Fax. (031) 955-9545

ISBN 979-11-5955-100-0

정가 70,000원

머리말

대한산과마취학회에서 지난 2009년에 산과마취학 초판 교과서를 출간한 이래 7년만에 개정판 교과서를 출간하게 되었습니다. 마취통증의학의 세부전공 분야를 다루는 국내의 전문 교과서가 거의 없는 상황에서, 번역본이 아닌 원본 교과서를 완성하여, 더욱 풍성한 내용으로 초판에 이어 이번에 개정판 교과서를 권해드릴 수 있게 되어 저희 학회를 대표하여 무척 자랑스럽게 생각합니다. 또한 올해 스무번째 학술대회를 치르고, 내년에 학회창립 20주년을 맞는 시점에 새로운 교과서를 출간하게 되어 더욱 뜻깊게 생각합니다.

최근 우리나라에서는 고령화 사회가 진행되면서 신생아의 수는 매년 감소 추세에 있으나, 늦은 결혼 및 출산에서 기인하는 고령임산부는 그 비중이 점차 커지고 있습니다. 이와 같은 여러 원인에서 초래되는 난산의 증가가 정부의 출산장려정책과 맞물리면서 산과마취의 중요성과 함께 산과마취학에 대한 전문 지식의 필요성이 더욱 부각되고 있습니다. 이러한 시점에 본 교과서가 수술실이나 분만장에서 산과마취를 담당하는 여러 전문의 및 전공의 선생님들에게 유용한 지식을 제공하는 훌륭한 지침서가 될 것으로 믿어 의심치 않는 바입니다.

마지막으로 이번 개정판 교과서의 편찬을 위하여 열정과 수고를 아끼지 않으신 김상태 위원장을 비롯한 개편위원회의 여러 위원들과 알찬 내용을 보내주신 모든 집필진, 또한 군자출판사의 관계자 등 여러분의 노고에 깊이 감사드립니다.

2016년 10월
대한산과마취학회 회장 도상환

개편위원회 (가나다 순)

개편위원장

김상태   충북대학교병원 마취통증의학과

개편위원

강효석   노원을지대학교병원 마취통증의학과
나효석   분당서울대학교병원 마취통증의학과
이재우   강동경희대학교병원 마취통증의학과
최성욱   고려대학교안암병원 마취통증의학과
최우종   울산대학교서울아산병원 마취통증의학과

(가나다 순) **집필진**

강효석 노원을지대학교병원 마취통증의학과	윤희조 단국대학교제일병원 마취통증의학과
곽경화 경북대학교병원 마취통증의학과	이애령 제주대학교병원 마취통증의학과
김경옥 동국대학교일산병원 마취통증의학과	이재우 강동경희대학교병원 마취통증의학과
김계민 인제대학교상계백병원 마취통증의학과	이정우 전북대학교병원 마취통증의학과
김동연 이화대학목동병원 마취통증의학과	이준호 연세대학교신촌세브란스병원 산부인과
김상태 충북대학교병원 마취통증의학과	이해진 가톨릭대학교의정부성모병원 마취통증의학과
김운영 고려대학교안산병원 마취통증의학과	이혜미 영남대학교병원 마취통증의학과
김종학 이화대학목동병원 마취통증의학과	임혜자 고려대학교안암병원 마취통증의학과
김형태 예수병원 마취통증의학과	장윤실 성균관대학교삼성서울병원 소아청소년과
나효석 분당서울대학교병원 마취통증의학과	정금희 차의과학대학교분당차병원 마취통증의학과
도상환 분당서울대학교병원 마취통증의학과	정기태 조선대학교병원 마취통증의학과
민상기 아주대학교병원 마취통증의학과	정찬종 동아대학교병원 마취통증의학과
박희연 가천대학교길병원 마취통증의학과	지영석 건양대학교병원 마취통증의학과
배홍범 전남대학교병원 마취통증의학과	최덕환 성균관대학교삼성서울병원 마취통증의학과
소금영 조선대학교병원 마취통증의학과	최성욱 고려대학교안암병원 마취통증의학과
신상욱 양산부산대학교병원 마취통증의학과	최우종 울산대학교서울아산병원 마취통증의학과
신일우 경상대학교병원 마취통증의학과	최준권 동국대학교일산병원 마취통증의학과
엄대자 연세대학교원주세브란스병원 마취통증의학	한영진 전북대학교병원 마취통증의학과
오경준 분당서울대학교병원 산부인과	한정열 단국대학교제일병원 산부인과
오수영 성균관대학교삼성서울병원 산부인과	황정원 분당서울대학교병원 마취통증의학과
옥성호 창원경상대학교병원 마취통증의학과	

v

목차

Chapter 15. 동반질환이 있는 임산부의 마취관리

1부

임산부와 태아의
해부 생리학

산과마취학의 소개

1. 산과마취의 역사

진통(labor pain)은 해산에 필요한 자궁의 수축에 기인하는 연속적인 통증을 말한다. 하지만 이러한 통증 자체가 해산에 도움이 되는 것은 아니며, 단지 출산의 과정을 알리는 신호에 불과하다. 그러나 태고부터 임산부의 진통은 출산을 위한 숙명적인 아픔으로 인식되어 왔다. 이 아픔을 진정시키는 것을 진통(analgesia)이라 부르며, 분만진통(labor analgesia)에서부터 산과마취의 역사가 시작된다.

현대적인 산과마취는 19세기 중반 현대마취의 태동기에 시작되었다. 1846년 10월에 Morton이 ether마취를 최초로 시작한지 석달 후인 1847년 1월에 James Young Simpson이 난산 임산부에 ether를 투여한 것이 산과마취의 시작이었다. 같은 해 11월 Simpson은 최초로 chloroform을 분만에 사용하기에 이르렀다. 분만 시 마취를 하는 것에 대해 특히 성직자들이 성경구절을 들어 종교적 반대를 했다. 이에 대해 Simpson은 창조자 자신도 불필요한 육체적 고통을 참아야 하는 나약한 인간을 구하기 위해 아담을 깊이 잠들게 하였다는 성경 구절을 인용해 반박함으로써 단기간에 산과마취를 세계적으로 전파시키는 계기를 마련하였다.

1853년에 영국의 Victoria 여왕이 여덟째 아이인 Leopold 왕자를 분만할 때 최초의 산과마취 전문의사라고 할 수 있는 John Snow가 chloroform을 사용하여 무통분만에 성공하였고 이는 일반 대중에게도 분만을 위한 마취에 대해 널리 알리는 일대 사건이 되었다.

이후 상당기간의 침체기를 거쳐 20세기 들어 산과마취에 사용되는 여러 가지 부위마취의 술기들이 개발되기 시작하였다. 1900년 전후에 산과환자에서 척추마취가 처음 시도된 이래, 1909년 Stoeckel이 산과환자에게 미추마취를 처음 시술하였다. 경막외마취는 1935년 Graffignino에 의해 처음 시술되었으며, 1940년대 들어 산과환자의 무통과 마취를 위해 지속적 척추마취, 미추마취와 경막외마취 등이 순차적으로 처음 시술되기에 이르렀다(표 1-1). 또한 Guedel과 Webster는 각각 1911년과 1915년에 아산화질소와 공기(또는 산소)의 혼합기체를 이용하여 분만 시 통증을 조절하는 방법에 대해 보고하였다.

20세기의 초반에 여러 마취제와 장치 및 기술의 발달로 마취과학에 괄목할 만한 발전이 이루어지면서 1940년대 이후로 북미를 중심으로 산과마취에 헌신하는 의사들의 노력으로 산과마취의 체계적 발전이 이루어지게 되었다. 이들은 산과마취에 대한 첫 교과서를 저술하였으며, Virginia Apgar는 신생아의 상태를 평가하는 신뢰성 있는 지표를 개발함으로써 현재에도 전세계적으로 두루 사용되는 Apgar score에 이름을 남기게 되었을 뿐 아니라 산과마취의 발전에도 큰 족적을 남기게 되었다.

1940년대 이후 현대적인 산과마취 서비스의 확산에 기여한 요인으로는 세 가지를 들 수 있다. 첫째 요인은

표 1-1 산과환자의 무통과 마취를 위한 부위마취의 발달 과정

1900	Kries, Doloris	산과환자에서 척추마취 처음 시술
1902	Hopkins	미국에서 제왕절개술을 위해 척추마취 처음 시술
1908	Mueller	질식분만을 위해 음부신경차단 처음 시술
1909	Stoeckel	산과환자를 위해 미추마취 처음 시술
1926	Gelert	분만통증에 자궁경부주위차단 처음 시술
1927	Dellepiane	분만통증에 요추 교감신경차단 처음 시술
1928	Pitkin	산과환자에서 procaine을 이용하여 조절되는 척추마취 처음 시술
1931	Aburel	분만통증의 조절을 위해 지속적 자궁경부주위차단 처음 시술
1934	Cosgrove	분만통증, 질식분만, 제왕절개술에 광범위한 척추마취 시술
1935	Graffignino	산과환자에 요추 경막외마취 처음 시술
1940	Lull & Ullery	산과환자의 무통과 마취를 위해 지속적 척추마취 처음 시술
1942	Hingson & Edwards	산과환자의 무통과 마취를 위해 지속적 미추마취 처음 시술
1943	Lundy et al.	지속적 미추마취를 위해 카테타 처음 사용
1943	Adriani et al.	산과환자의 무통과 마취를 위해 표준화된 안장차단 시술
1949	Flower et al.	산과환자의 무통과 마취를 위해 지속적 요추 경막외마취 처음 시술

여러 임상연구를 통해 24시간 가동되는 산과마취 서비스의 실용성을 입증한 것이며, 둘째 요인은 미국과 영국에서 진행된 조사 및 연구를 통해 마취가 모성사망에 중요한 역할을 한다는 것을 입증한 점이라고 할 수 있다. 이와 더불어 전 세계의 여러 나라에서 출판물이나 매스미디어를 통해서 임산부들의 무통분만에 대한 기대와 요구가 증가한 점도 산과마취 서비스의 확산에 일조를 하게 되었다.

또한 마취통증의학과의사, 산과의사 및 기초 과학자들에 의해 수행된 여러 주산기 연구 결과 임산부와 태아 및 신생아에 대한 여러 기초의학 지식이 늘어났다. 이에 따라 태아의 심음과 자궁수축에 대한 감시장치뿐 아니라 신생아의 상태를 평가할 수 있는 여러 검사방법이 개발되면서 주산기의학과 함께 산과마취학을 발전시키는 계기로 작용하였다. 이와 함께 산과마취에 사용되는 국소마취제, 정맥마취제, 흡입마취제 등에 대한 약리학적 지식이 축적되고 여러 산과마취 기법의 부작용과 합병증의 기전을 이해하게 되면서 더욱 안전한 산과마취 서비스가 가능하게 되었다. 이로써 국소마취제와 아편양제제를 이용한 지속적 요추경막외 진통법이 임산부와 태아에게 안전한 보편적인 무통분만법이 되기에 이르렀다.

국내에서는 1970년대 초부터 수술실 내에서 경막외마취가 간혹 시행되다가 1980년대에는 통증 치료목적으로 경막외시술이 종종 시행되어 왔다. 지난 2005년에 경막외진통법의 수가가 건강보험에서 급여화가 되고, 이후 본인부담이 면제되면서 무통분만이 더욱 활성화되는 계기가 되었다.

대한산과마취학회는 1997년 7월 25일에 발기인대회를 거쳐, 1997년 12월에 창립총회 및 제 1회 학술대회를 개최하였다. 2016년 현재 300명이 넘는 회원을 보유하고 있으며, 정기학술대회를 포함해서 다양한 학술활동을 전개하고 있다.

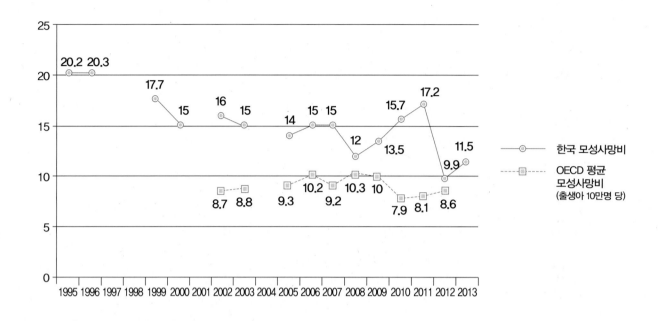

그림 1-1. **모성사망비 (통계청, 2013; OECD, 2012)**

2. 모성사망과 영아사망

모성사망은 임산부가 임신, 분만, 산욕기에 사망하는 것을 의미하며, 모성사망비는 10만 생존출생 당 모성사망수를 말한다. 우리나라는 1977년 의료보험제도가 도입된 이래 의료의 공급이 확대되면서 모자보건의 수준이 꾸준히 향상됐다. 모성사망비를 살펴보면 1995년 20명 수준에서 지속적으로 감소하여 2008년에 12명까지 낮아졌었으나, 이후 다시 증가하여 2010년에 17.2명으로 올랐다가 다시 감소하여 2012년에 9.9명, 2013년에

11.5명을 기록하였다. 이러한 수치는 개발도상국에 비해서는 낮지만, 경제협력개발기구(OECD) 34개국의 평균 모성사망비인 8.6명(2012년)에 비해서는 높은 수준이다 (그림 1-1).

최근 수년간 모성사망비의 증가 원인으로는 분만을 취급하는 산부인과 병의원과 전문의의 감소 및 산부인과 병·의원의 지역적 분포의 불균형을 들 수 있다. 또한 매년 출산률이 감소하는 것과는 반대로 고령임산부(35세 이상)의 비율이 지속적으로 증가하는 점도 또 하나의 원인이라고 할 수 있다(그림 1-2).

모성사망의 원인을 분석하면 최근 통계(2012년)를

표 1-2 **연도별 영아사망률**

	1993	1996	1999	2002	2005	2006	2007	2008	2009	2010	2011	2012	2013	2014
사망률 (명, 출생아 천명 당)	9.9	7.7	6.2	5.3	4.7	4.1	3.6	3.5	3.2	3.2	3	2.9	3	3
OECD 사망률 (명, 출생아 천명 당)				5.9	5.2	4.9	4.7	4.6	4.4	4.2	3.9	4.1	4	4.5

*OECD 평균은 자료 이용이 가능한 34개 국가의 가장 최근자료를 이용하여 계산

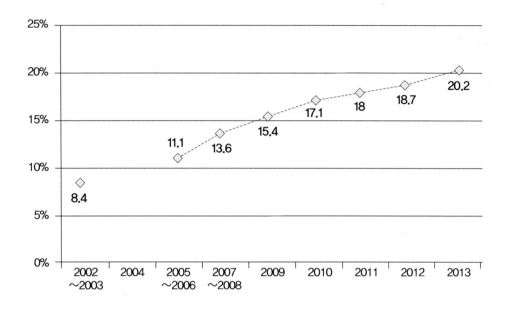

그림 1-2. **고령임산부(35세 이상)의 구성비(통계청, 2013)**

볼 때 산욕기의 합병증과 산과적 색전증이 30% 전후를 차지하고 있으며, 출혈을 포함한 진통 및 분만의 합병증은 15%로 최근 들어 지속적으로 비중이 감소하고 있는 추세이다. 미국의 통계를 보면 모성사망의 원인 중 마취와 관련된 사망이 신생아 100만명당 4.3명(1979~1981)에서 1.0명(2000~2002) 정도로 지속적으로 감소하고 있는 것을 볼 수 있다.

우리나라의 영아사망률 또한 사회경제적 발전과 함께 지속적으로 감소하고 있다. 1993년 출생아 1,000명당 9.9명에서 지속적으로 감소하여 2013년 3명으로 오히려 OECD 평균 4명보다 낮은 수치를 보인다(표 1-2). 영아사망의 원인은 출생 전후기에 기원한 특정병태(52.3%)와 함께 선천기형, 변형 및 염색체 이상(20.8%)이 대부분이었다(2013년).

참고문헌

전재규: 산과마취의 과거. 대한산과마취학회 제11차 학술대회 초록집. 2007: 55.

통계청: 2009~2011년 사망원인 보완조사 결과 (영아 · 모성 · 출생전후기사망) 2012.

통계청: 2010~2012년 영아사망 · 모성사망 · 출생전후 기사망 통계 2013.

통계청: 2013년 사망원인통계 2014.

통계청: 2013년 출생 · 사망통계(잠정), 국가승인통계 제 10103호 출생통계. Seoul; 2014.

통계청: 영아사망의 출생자료 연계분석(2005~2009). 2011.

산과학: 제5판. 대한산부인과학회. 군자출판사. 2015.

Apgar V: A proposal for a new method of evaluation of the newborn infant. Curr Res Anesth Analg 1953; 32: 260.

Guedel AE: Nitrous oxide - air anesthesia self administered in obstetrics. Indianapolis Med J 1911; 14: 476.

Heaton CE: The history of anesthesia and analgesia in obstetrics. T His Med 1946; 1: 567.

Hingson RA, Hellman LM: Organization of obstetric anesthesia on 24 hour basis in large and small hospitals. Anesthesiology 1951; Miller RD: Miller's Anesthesia 6th ed. Philadelphia, Churchill Livingstone. 2005.

Miller RD: Miller's Anesthesia 6th ed. Philadelphia, Churchill Livingstone. 2005.

Simpson WG, editor: The Works of Sir JY Simpson, Vol II: Anesthesia. Edinburgh, Adam and Charles Black, 1987: 177.

Snow J: On the administration of chloroform during parturition. Assoc Med J 1853; 1: 500-2.

Suresh MS: Anesthesia for obstetrics, 5th ed. Lippincott Williams & Wilkins p 365.

Chapter 2

임신의 생리학적 변화

임신 중 임산부는 자궁이 커지면서 나타나는 신체 변화, 난소와 태반으로부터 생성되는 호르몬이 많아지면서 나타나는 생리학적인 변화를 겪게 되는데, 이러한 생리 해부학적 변화는 태아의 발달을 위한 정상적인 적응 과정이다. 심혈관계, 혈액계, 호흡계, 위장관계와 간담도계, 신장계, 뇌신경계, 근골격계에 이르는 생리학적 변화는 임신을 유지하고, 태아가 적절히 자랄 수 있는 영양과 환경을 제공할 수 있게 한다. 이 장에서는 정상 임신에서의 임산부의 생리학적 변화에 대해 알아보고자 한다.

1. 심혈관계(Cardiovascular system)

임신 중에는 자궁과 심장의 크기가 커지면서 심장의 위치가 변하기 때문에 심혈관계 검사 시 변화가 나타나게 된다. 임산부에서는 혈액량이 증가하면서 심장의 크기가 커지고, 이에 따라 심장의 수축력도 증가하게 된다. 심장초음파에서는 임신 12주부터 약 50%의 좌심실 비대를 관찰할 수 있다. 또한 자궁이 커지면서 횡격막이 상승하게 되면서, 청진상 제1심음이 연장되어 승모판과 삼첨판의 심음이 분리되어 들릴 수 있으며, S3, S4 심음과 수축기 동안 잡음이 들릴 수 있다. 심장박동이 가장 크게 들리는 곳이 조금 더 좌측으로 이동되게 된다. 심전도 검사에서는 심박수가 증가되면서 PR 간격과 QT 간격이 짧아지는 것이 관찰되며, ST분절 하강이 종종 관찰될 수 있다.

임산부에서는 저항성이 낮은 융모사이공간(intervillous space)의 혈관망이 발달하고, prostacyclin, estrogen, progesterone 등의 호르몬에 의해 혈관이 이완되면서, 전신혈관저항(systemic vascular resistance, SVR)이 감소하게 된다(표 2-1). 전신혈관 저항의 변화로 임산부에서 수축기, 이완기, 그리고 중심

표 2-1 임신중 심혈관계 변화

측정변수	변화량
심박출량	+50% ↑
일회박출량	+25% ↑
심박수	+25% ↑
좌심실이완기말용적	↑
좌심실수축기말용적	→
심박출률	↑
심근수축력	±10%
중심정맥압	→
폐모세혈관쐐기압	→
전신혈관저항	20-35% ↓
수축기혈압	5% ↓
이완기혈압	15% ↓
폐혈관저항	30% ↓
폐동맥압	↓
혈장량	50% ↑
적혈구용적	20% ↑
혈액량	35% ↑

동맥압이 감소하는데, 임신 중기에 감소되었다가 임신 말기가 가까워짐에 따라 정상범위로 돌아오게 된다. 임신 초기에서 중기까지는 이완기 혈압이 수축기 혈압보다 더 감소하며, 임신 전에 비하여 약 20%가 감소한다. 이러한 혈압의 감소와 전신혈관저항의 감소는 일치하는 경향을 보이는데, 전신혈관저항은 임신 초기에 감소하기 시작하여 임신 20주에 약 35% 정도 감소한 후 임신 후기에 증가하게 된다. 하지만 임신 후기에 혈압이 정상범위로 회복되는 것에 비해 전신혈관저항은 분만 시까지도 임신 전에 비해 약 20% 감소된 상태로 남아있게 된다.

임산부에서는 혈액량이 증가하고 좌심실이완기말용적(left ventricular end-diastolic volume, LVEDV)은 증가하지만 중심정맥압과 폐동맥이완기압, 폐모세혈관쐐기압(pulmonary capillary wedge pressure, PCWP)은 정상범위를 유지하게 된다. 이는 심근의 비후와 동반된 심실의 확장으로 좌심실충만압이 증가되지

않기 때문이다. 또한, 임신 중에는 좌심실이완기말용적이 증가하더라도 좌심실수축기말용적(left ventricular end-systolic volume, LVESV)은 변화가 없는 상태로 유지되기 때문에 심박출률(ejection fraction)이 증가하게 된다.

심박출량(cardiac output, CO)의 증가는 임신 5주부터 시작되는데, 임신 제1삼분기 말까지 약 35~40%가 증가하고, 지속적으로 증가하여 임신 제2삼분기에는 약 50%가 증가되어 임신 제3삼분기까지 비슷하게 유지 된다(표 2-1, 그림 2-1). 임신 초기의 심박출량 증가의 원인은 임신 4~5주에 나타나는 맥박수의 증가 때문인데, 임신 제1삼분기의 심박수는 임신 전에 비해 15%~25% 증가된다. 반면, 임신 제1삼분기 이후 지속적인 심박출량의 증가는 일회박출량(stroke volume, SV)의 증가 때문이다. 일회박출량의 증가는 estrogen 증가와 연관이 있는데, 임신 제1삼분기동안 약 20% 증가하여, 임신

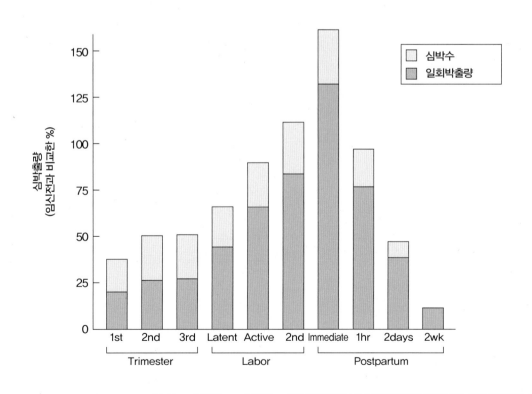

그림 2-1. 임신 중의 심박출량과 일회박출량의 변화

제2삼분기에 이르러서는 25~30%가량 증가하게 된다. 이러한 심박출량의 변화는 임산부의 신장과 사지, 그리고 태아가 자라는데 필요한 혈액공급 요구량이 증가되는 것을 충족시키기 위한 것인데, 자궁순환으로 제공되는 심박출량은 임신 전 5%에서 임신 후기에 12%로 증가되며, 자궁혈류는 임신 전 50 ml/min에서 임신 만기에 700~900 ml/min에 이르게 된다.

심박출량은 분만 시 최고로 증가하게 되는데, 분만 전에 비해 분만 1기 초기에 약 10%, 분만 1기 후기에 약 25%, 그리고 분만 2기에 40%가 증가하게 된다. 분만 직후에 심박출량은 75%까지 증가하며, 이는 복귀정맥혈(venous return)이 증가하고 교감신경계 활동의 변화에 의한 일회박출량이 증가하기 때문이다. 자궁이 수축하는 동안 자궁내 압력이 증가하면서 약 300~500 ml의 혈액이 융모사이공간(intervillous space)에서 난소정맥을 통해 중심 순환으로 들어오는 자가순환(autotransfusion)이 발생하게 된다. 또한, 분만 후에는 하대정맥의 압박이 줄어들고, 하지의 정맥압이 감소하며, 자궁태반순환(uteroplacental circulation)이 중단되면서 임산부의 혈관용적(vascular capacitance)이 감소되어 심박출량이 증가하게 된다. 그러므로 심혈관계가 허약한 임산부는 분만 직후가 가장 위험하다. 무통분만은 산통 중 교감신경계의 항진을 억제하고 분만 직후에도 혈관용적을 증가시켜 분만에 따른 과다한 심박출량 증가를 예방한다. 심박출량은 분만 후 24시간 후에 분만 전의 상태로 감소하게 되며, 분만 12~24주 후에야 임신 전 상태로 돌아가게 된다. 맥박수는 빠르게 감소하여 분만 2주에 임신 전과 같은 상태로 돌아간다.

자궁이 커지면서 점차 대동맥과 하대정맥이 압박을 받게 되어 대동정맥압박(aortocaval compression)이 발생할 수 있다. 대동정맥압박의 정도는 임신 주수와 자세에 따라 다르게 나타난다(그림 2-2). 하대정맥은 임신 13~16주에 압박을 받기 시작하여, 앙와위에서 대퇴정맥의 압력이 약 50% 증가하게 되고, 임신 말기에는 앙와위에서 대퇴정맥과 하대정맥 하부의 압력이 비임산부의 약 2.5배가 되어, 하대정맥이 거의 막혀있는 상태가 된다. 이때, 하지에서 돌아오는 혈류는 골내정맥(intraosseous veins), 척추정맥(vertebral veins), 척추주위정맥(paravertebral veins), 경막외정맥(epidural veins) 등을 통한 곁순환을 통해 돌아오게 된다. 그러나 이러한 곁순환들은 하대정맥을 통해 환류되는 양보다 적기 때문에 좌심실의 압력이 감소하게 된다.

대부분의 임산부에서는 앙와위를 취하더라도 곁순환 때문에 혈압이 떨어지지 않는데, 임산부의 혈압이 정상으로 유지되더라도 자궁정맥압은 여전히 증가된 상태이므로 자궁관류압이 감소하게 되어 태아절박가사(fetal distress)가 발생할 수 있다. 특히 임신 말기의 임산부가 앙와위를 취하는 것은 좌심실의 충만압을 감소시켜 일회박출량과 심박출량을 10%~20% 감소시키며, 이 경우 자궁혈류는 20%가 감소한다. 오랜 기간에 걸쳐 부분적으로 하대정맥의 폐쇄가 있는 경우 정맥혈 정체, 정맥염, 하지부종을 일으키고 정상적으로 혈액응고가 증가되어 있는 임산부에게서 혈전색전증(thromboembolism)과 폐색전증(pulmonary embolism)의 위험을 증가시킨다.

또한 임신 말기에는 앙와위에서 대동맥이 눌리게 되는데, 이 때문에 대퇴동맥의 압력이 상완동맥의 압력보다 낮아지게 된다. 하대정맥의 압박과는 달리 대동맥의 압박은 특별한 증상을 보이지 않는 경우가 많지만, 하체로 가는 혈류가 감소하게 되므로 이미 하대정맥의 압박에 의해 감소된 자궁관류압이 더욱 감소될 수 있다.

대동정맥압박(aortocaval compression)은 임신 자궁에 의해 대동맥과 하대정맥이 동시에 압박되는 상태로 태아곤란의 원인이 된다. 대동정맥압박이 혈관이완을 일으키는 약제, 전신마취, 부위마취에 의한 저혈압과 동반되면 쉽게 태아질식(fetal asphyxia)을 일으킬 수 있으며, 특히 부위마취에 의한 교감신경 차단은 혈관수축으로 복귀정맥혈의 감소에 대응하려는 정상적 방어기전

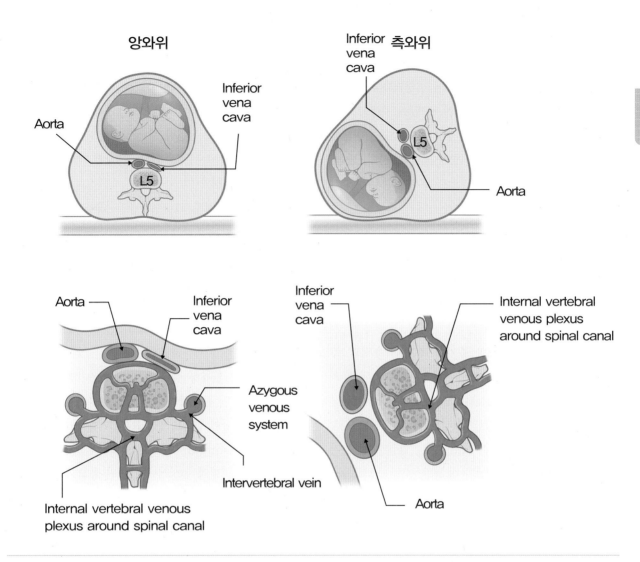

앙와위

측와위

그림 2-2. 측와위와 앙와위에서 대동정맥의 압박

을 차단한다. 그러므로 만삭의 임산부는 절대 앙와위를 취하면 안되며, 측와위를 취하던지 우측 둔부 밑에 쐐기 (10~15 cm 쐐기)를 거치시켜 15~20도 정도의 좌측자궁전위(left uterine displacement)를 시행해야 한다(그림 2-2). 임산부가 측와위를 취했을 때는 부분적으로 하대정맥이 압박을 받아 약 75%의 대퇴정맥의 압력 증가가 있으나 곁순환들에서 정맥환류가 유지되므로 좌심실압이 감소하지 않게 된다. 임신 말기에 임산부가 좌측으로 측와위를 취하는 것은 앙와위나 우측 측와위를 취

했을 때 보다 심장의 교감신경계 활동을 증진시키며, 심장의 미주신경의 활동의 감소가 줄어들게 된다. 다태임신, 양수과다증 등에 의해 자궁이 클 경우에는 쐐기를 30도 정도 높여야 하는 경우도 있다. 좌측자궁전위가 우측자궁전위에 비해 하대정맥의 압박이 덜 된다고 한다. 임산부가 쐐기를 대지 않은 채로 Tredelenburg 자세를 취하는 경우 자궁에 의한 대동정맥압박이 더 심해져 혈압이 더욱 감소할 수 있다.

약 15%의 임산부에서는 앙와위에서 지속적으로 서

맥과 혈압감소를 경험하게 되는데 이는 앙와위저혈압증후군(supine hypotensive syndrome)이라고 한다. 이는 심혈관계에서 보상범위를 넘어서는 정맥환류의 심각한 장애 때문에 발생하며, 서맥과 저혈압이 발생할 때까지는 수분이 걸릴 수 있고, 저혈압이 발생하기 전 빈맥이 대개 먼저 발생한다. 이때 쇼크증상(저혈압, 창백, 발한, 오심, 구토)을 보일 수 있고 옆으로 누우면 증상이 사라진다.

2. 혈액계(Hematologic system)

임산부에서는 혈장량의 증가가 적혈구 용적의 증가보다 많기 때문에 생리적빈혈이 발생하게 된다(표 2-2). 혈색소농도(hemoglobin concentration)는 임신 전 12~15.8 g/dL에서, 임신 제1삼분기에 11.6~13.9 g/dL, 임신 제2삼분기에 9.7~14.8 g/dL, 임신 제3삼분기에 9.5~15.0 g/dL으로 감소하게 된다.

임산부의 혈장량은 임신 6주부터 증가하기 시작해서, 임신 34주에는 약 50%가 증가하게 되고, 이후로는 일정하게 유지되거나 약간 감소하게 된다. 혈장량은 49~67 ml/kg로, 총 혈액량은 76~94 ml/kg로 증가하게 되며, 적혈구용적은 27 ml/kg로 거의 변화가 없다. 적혈구 용적은 임신 첫 8주 동안 감소한 후, 임신 16주에 임신 전과 같은 수준으로 회복되고, 이후에

표 2-2 임신 중 혈액계의 변화

측정변수	변화량
혈액량 (blood volume)	+35% ↑
혈장량 (plasma volume)	+50% ↑
적혈구용적 (red blood cell volume)	+30% ↑
혈색소농도 (hemoglobin concentration, g/dL)	11.6
적혈구용적률 (hematocrit)	35.5%

는 30%가량 증가하게 된다. 적혈구용적의 회복은 적혈구형성인자(erythropoietin)의 증가와 progesterone, 프로락틴(prolactin), 태반락토젠(placental lactogen)의 조혈효과에 의한 것이다. 적혈구용적률은 임신 전 35.4%~44.4%에서, 임신 제1삼분기에 31%~41%, 임신 제2삼분기에 30%~39%, 임신 제3삼분기에 28%~40%로 감소하게 된다.

이러한 생리적인 과다혈량증은 태아에게 영양분을 전달하는 것을 촉진하고, 임산부를 저혈압에서 예방하며, 분만 중 출혈과 관련된 위험을 줄이는 것과 관련이 있다. 생리적빈혈에도 불구하고 조직의 산소운반능은 감소되지 않는데, 심박출량의 증가, 동맥혈산소분압의 증가, 산소혈색소해리곡선(oxyhemoglobin dissociation curve)의 우측 이동, 자궁혈관의 이완, 혈액희석에 의한 주요 장기 혈류량 증가에 의한 보상기전 때문이다. 적혈구용적률이 감소하면서 혈액의 점성이 감소하게 되어 혈류의 저항이 감소하게 되는데, 이를 통해 자궁태반혈관(uteroplacental vascular bed)의 소통을 유지할 수 있게 된다. 혈액 점성이 증가하면 융모사이공간혈전(intervillous thrombosis)과 경색(infarction)이 발생할 수 있다. 임산부에서 높은 혈색소(>14 g/dL)를 보이면 자간전증, 고혈압, 부적절한 이뇨제 사용에 의한 저혈량증을 의미한다. 임산부에서는 태아소모로 인한 철엽산결핍성 빈혈이 쉽게 발생한다. 또한 혈장량의 증가는 혈관의 저항이 감소된 상태에서도 혈압을 유지할 수 있게 해준다. 일반 질식분만의 경우 출혈량은 600 ml이며 제왕절개술의 경우 1,000 ml인데 만삭에는 혈액량이 1,000~1,500 ml가 증가하고 분만 후 융모사이공간량(intervillous space volume, 500 ml) 만큼 임산부 혈관용적(maternal vascular capacitance)이 감소하게 되어 혈액소실을 견딜 수 있게 되므로 건강한 임산부에게서 1,500 ml 정도의 출혈은 수혈의 적응증이 되지 않는다. 혈액량의 증가는 분만 1~2주 후에 임신 전 상태로 돌아간다.

임산부에서는 항이뇨호르몬(antidiuretic hormone)의 분비 역치가 변해 수분의 재흡수가 증가하므로 혈장삼투압(plasma osmolality)은 8~10 mOsm/kg 정도 감소한다. 혈장 나트륨은 감소하고 혈장교질삼투압(plasma colloid oncotic pressure)은 5 mmHg 감소한다. 임산부의 estrogen과 progesterone은 임신 중 거의 100배정도 증가하게 된다. 에스트로겐은 혈장 레닌의 활성을 증가시켜 레닌-안지오텐신-알도스테론 시스템(renin-angiotensin-aldosterone system)을 통한 나트륨과 수분의 흡수를 증가시킨다. Progesterone 역시 알도스테론 생성을 증가시킨다. 이러한 변화로 혈장 레닌의 활성과 알도스테론이 증가하여 약 900 mEq의 나트륨과 7,000 ml의 총 수분량이 체내에 저류되게 된다.

또한 백혈구증가증(leukocytosis > 21,000/μL)이 나타나는데 특히 다형핵백혈구(polymorphonuclear cell)가 증가된다. 이는 cortisol과 estrogen의 증가에 의한 것으로 화학주성(chemotaxis)과 항원부착능(antigen adherence)은 저하되어 있다. 림프구, 호산구, 호염기구는 감소하고 단핵구수는 변하지 않는다. 세포매개면역(cell-mediated immunity)이 감소되어 있으므로 바이러스에 감염되기가 쉽고 자가면역질환의 증상은 임신 중 감소하는 경향이 있다.

임신 시에는 factor I, VII, VIII, IX, X, XII를 포함한 대부분의 혈액응고인자가 모두 증가된다(표 2-3). 이중 임신 제3삼분기에 factor VIII의 증가가 두드러진다. Factors VII, VIII, IX과 fibrinogen의 경우 100% 이상 증가된다. Factor II와 factor V는 변화가 없으며, factor XI과 factor XIII은 감소하게 된다. 대부분의 혈액응고인자의 증가와 antithrombin III의 감소로 인해, prothrombin time (PT)은 약 20% 감소되고, 혈액응고시간(clotting time)은 19.6~12.9초로 단축되며(비임산부: 12.7~15.4초), activated partial thrombopalstin time (aPTT)은 24.7~35초로 단축된다(비임산부:

표 2-3 임신 중 혈액계의 변화

변수	변화
Factor I (Fibrinogen)	↑
Factor VII (proconvertin)	↑
Factor VIII (antihemophilic factor)	↑
Factor IX (Christmas factor)	↑
Factor X (Stuart-Prower factor)	↑
Factor XII (Hageman factor)	↑
Fibrinopeptide A	↑
Fibrin degradation products	↑
Plasminogen	↑
Factor II (prothrombin)	-
Factor V (proaccelerin)	-
Platelet count	→ 또는 ↓
Factor XI (thromboplastin antecedent)	↓
Factor XIII (fibrin-stabilizing factor)	↓
Prothrombin time	20% ↓
Partial thromboplastin time	20% ↓
Antithrombin III	↓
Thromboelastography	과응고

26.3~39.4초).

이러한 혈액응고계의 변화는 분만 후 실혈을 감소시키려는 방어 기전으로 여겨진다. 하지만 이때문에 임산부는 심부정맥혈전증(deep vein thrombosis)과 혈전색전증(thromboembolism)의 위험이 증가하는데 이들은 임산부 사망의 주요원인이 된다. 분만 후 3~5일 사이에 섬유소원과 혈소판이 가장 증가하므로 이때 혈전관련 부작용이 생기기 쉽다. 섬유소용해(fibrinolysis activity)는 정상이거나 임신 제3삼분기에 증가된다.

연구에 따르면, 혈소판 수는 감소하거나, 변화가 없는 것으로 보이는데, 이는 혈소판 생산이 보상적으로 증가하기 때문으로 생각된다. 혈소판 수는 대개 임신 제3삼분기에 감소하여, 약 8%의 임산부에서는 혈소판 수가 150,000/mm³ 미만으로, 그리고 0.9%의 임산부에서는 100,000/mm³ 미만으로 감소하는 것으로 추정된다. 임신 제3삼분기에 경미한 혈소판감소증이 나타날 수 있는데, 이는 혈소판 파괴가 증가하고 혈장량 증가에 의한 희석 때문에 발생하는 것으로, 다른 부작용과 관련이 없다. 임산부가 안정적으로 50,000/mm³ 정도의 혈소판 수치를 보일 경우, 혈소판감소증이 없는 임산부와 관리에 차이는 없다. 이전에는 부위마취에 금기가 되는 기준 혈소판 수치가 100,000/mm³ 이하였지만 현재는 이 기준이 절대적이지 않으며 50,000~75,000/mm³인 경우라도 수치가 안정적으로 유지되고 다른 혈액응고장애가 발견되지 않는 경우 부위마취를 시행할 수 있다. 혈액응고 상의 변화는 분만 2주가 지나야 임신 이전 수준으로 회복된다.

3. 호흡계(Respiratory system)

임산부에서는 후두와 비인두(nasopharynx) 및 입인두(oropharynx)의 모세혈관이 임신 제1삼분기부터 확장되기 시작되어 임신 중 지속적으로 증가하게 된다. 에스트로겐의 영향으로 비점막이 충혈되고 비염증상이 발생할 수 있으며, 이로 인하여 비강호흡이 힘들어지고, 비출혈이 발생할 수 있다. 점막 미세혈관의 확장과 부종이 흔히 발생하기 때문에, 흡인(suction) 등의 작은 자극으로도 부종이 심해지고 출혈과 기도손상을 일으킬 수 있으므로 비강을 통한 기관삽관은 절대 피해야 하며, 반복적으로 기관삽관을 시행하여 손상을 주는 것도 피해야 한다. 임신 시의 정상적인 기도부종 상태에서 가벼운 상기도감염, 수액과다, 자간전증 등은 부종을 악화시켜 기도가 심하게 좁아질 수 있다. 거짓성대(false vocal cords)의 부종 때문에 성문 개대(glottic opening)도 감소되어 있으므로 기관내관(endotracheal tube)은 작은

것을 사용해야 하며(내경 6.0~6.5) 임산부의 큰 가슴으로 인해 짧은 핸들의 후두경이 필요 할수 있다.

또한, 임산부에서는 기도부종, 큰 가슴과 비만 때문에 마취 유도 후 환기가 안되거나 기관삽관이 어려운 경우가 종종 발생한다. 기관삽관 실패는 1/280의 빈도로 보고되고 있으며, 아주 힘들었던 기관삽관의 빈도는 2%라고 알려져 있다. 저산소증이 빠르게 발생하고, 기관삽관이 어렵고, 위식도 역류의 높은 가능성 때문에 임산부에서의 전신마취는 이환율과 사망률을 높일 수 있으므로, 각별한 주의가 필요하고, 될 수 있으면 전신마취를 피하는 것이 좋다.

임신 중에는 골반인대를 이완시키는 relaxin 호르몬의 영향으로 늑골하부의 인대부착이 이완되게 된다. 따라서, 늑골하부의 각도는 임신 전 68.5도에서 임신 후 103.5도까지 점차 넓어지게 되고, 흉강의 직경은 2 cm씩 증가되어, 흉강 하부의 둘레는 약 5~7 cm 정도 넓어지게 된다. 이러한 변화는 임신 37주에 가장 두드러지며, 출산 후에도 늑골하부의 각도가 임신 전보다 20% 정도 넓어진 상태로 유지되게 된다. 하지만, 임신으로 인하여 횡격막이 상승하게 되므로, 흉강의 수직길이는 약 4 cm정도 감소하게 된다.

임신 중 여러 가지 해부학적 및 생리학적 변화에도 불구하고 폐기능에는 상대적으로 영향이 적은 것은 임산부의 특이점 중 하나이다(표 2-4). 임산부는 흉곽이 이미 커져있는 상태에서 추가적인 확장이 힘들고, 횡격막이 자궁에 의하여 상승되어 있는 상태이므로, 호흡은 거의 횡격막의 운동에 의존하여 이루어지게 된다. 실제로 자궁에 의한 횡격막의 상승에도 불구하고 횡격막의 운동은 2 cm정도 증가하게 된다.

임신 중에는 progesterone 등의 호르몬에 의한 영향과 증가하는 산소요구량과 이산화탄소 배출량(약 30% 증가, 300 ml/min)을 감당하기 위해서 분시환기량(minute ventilation, MV)과 호흡운동량이 증가한다. 이때, 호흡 회수의 증가는 미미하므로, 분시환기량의 증

가는 주로 일회호흡량(tidal volume, TV)의 증가에 기인하게 된다(표 2-4).

임신 중 총폐활량(total lung capacity, TLC)이 약간 감소하는 것에 비해 일회 호흡량은 약 45% 증가하여 450~600 ml가 된다. 이러한 일회 호흡량의 변화는 임신 제1삼분기부터 나타나게 되는데, 이는 흡기예비량(inspiratory reserve volume, IRV)의 감소와 관련이 있다. 전체 사강과 일회호흡량의 비는 임신기간 동안 일정하기 때문에 폐포환기는 임신 전에 비해 약 30~50% 증가하게 되며, 이로 인해 임신 중 PaO_2는 100~105 mmHg까지 증가하게 된다(표 2-4). 하지만, 임신이 진행되면서 산소소모량이 지속적으로 증가하면서 혼합정

표 2-4 임신 중 호흡기계의 변화

변수	변화
Diaphragm excursion	↓
Chest wall excursion	↓
Pulmonary resistance	50 % ↓
Oxygen consumption	20~50% ↑
Respiratory rate	15% ↑
MV	+45% ↑
Alveolar ventilation	+45% ↑
IRV	+5%
TV	+45%
ERV	-25%
RV	-15%
FEV1	→
FEV1/FVC	→
CC	→
FRC	-20%
RC	+15%
VC	→
TLC	-5%
PaO_2	5~10% ↑
$PaCO_2$	15% ↓
HCO_3	15% ↓

MV: minute ventilation, IRV: inspiratory reserve volume, TV: tital volume, ERV: expiratory reserve volume, RV: residual volume, FEV1: forced expiratory volume in 1 second, FVC: forced vital capacity, CC: closing capacity, FRC: functional residual capacity, RC: residual capacity, VC: vital capacity, TLC: total lung capacity.

맥산소포화도는 감소하게 된다.

임산부에서는 흡입마취제에 의한 전신마취 시 마취유도가 빠르게 일어나는데 이는 기능잔기용량(functional residual capacity, FRC)의 감소와 분시환기량의 증가로 인한 흡입마취제의 빠른 흡수 때문이다. 여기에 흡입마취제에 대한 민감도가 증가하여 최소폐포농도(minimum alveolar concentration, MAC)가 약 30% 감소하므로, 저농도의 흡입마취제에서 의식과 방어적 기도 반사가 소실된다. 또한 보통 농도의 흡입마취제에서 심혈관 억제가 심하게 일어날 수 있다.

임신 중에는 기도전도(airway conductance)가 증가하는데 progesterone, cortisone, relaxin 등에 의해 후두 이하의 기도가 확장되기 때문이다. 유량-용량곡선(flow-volume curve)의 모양은 정상이며, FEV1 (forced expiratory volume in one second), FEV1/FVC (forced vital capacity) 역시 큰 변화가 없다.

임산부에게서 가장 중요한 호흡역학의 변화는 기능잔기용량의 감소인데 임신 5개월부터 감소하기 시작하여 만삭 시에는 20% 정도 감소한다. 기능잔기용량의 감소는 횡격막의 상승, 일회호흡량 증가로 인한 호기예비량(expiratory reserve volume, ERV)의 감소(25%, 200~300 ml), 잔기용량(residual volume, RV)의 감소(15%, 200~400 ml) 때문에 발생하게 된다(그림 2-3).

폐쇄용적(closing capacity, CC)은 변화가 없기 때문에, FRC/CC는 감소하게 되어 소기도가 빨리 닫히므로 저산소증이 쉽게 발생한다. 임산부가 만삭 때에 앙와위를 취하면 기능잔기용량이 더 감소하여 선 자세의 70%에 불과하게 되고 거의 50%의 임산부에서는 폐쇄용적이 기능잔기용량을 능가하게 된다. 때문에, 임신 중기 이후에 임산부의 PaO_2는 100 mmHg 이하로 감소할 수 있으므로, 임산부를 앉아있게 하거나 측와위를 취하게 하는 것은 동맥혈 산소포화도를 증가시키는데 도움이 된다. 임산부에게서 저산소증이 쉽게 발생하는 이유

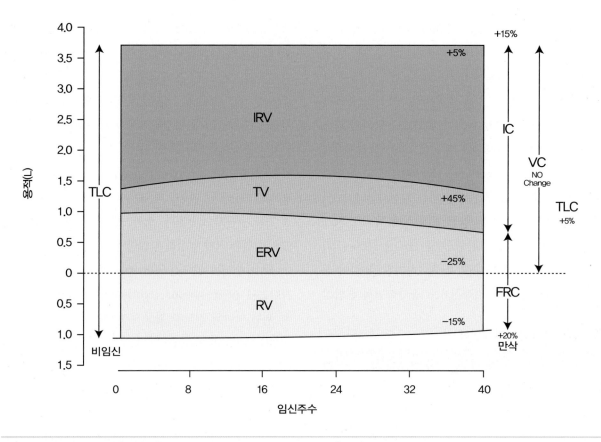

그림 2-3. 임신에 따른 폐용량과 폐용적의 변화

IRV: inspiratory reserve volume, TV: tital volume, ERV: expiratory reserve volume, RV: residual volume,
FRC: functional residual capacity, IC: inspiratory capacity, VC: vital capacity

는 기능잔기용량의 감소, 산소소모량의 증가와 소기도 폐쇄 때문인데, 이는 마취 전에 100% 산소를 3~5분 흡입하도록 하면 예방할 수 있다. 응급 상황에서는 100% 산소를 이용해 4회의 최대용량호흡(maximal capacity breathing)을 시행한다. 임신 전에는 호기말 CO_2가 동맥혈 CO_2와 차이가 있지만, 임신초기, 분만시기, 그리고 분만 직후에는 두 측정값이 차이가 나지 않는다. 이는 생리적사강(physiologic dead space)의 감소, 폐포운동성의 변화, 심박출량 증가, 혈액희석 때문이다. 폐션트(pulmonary shunt)는 2~5%에서 13~15%로 증가한다. Progesterone은 이산화탄소에 대한 호흡중추를 예민하게 하므로 $PaCO_2$는 임신 12주에 약 30 mmHg까지 감

소한 채 임신기간 동안 유지되게 된다. 이때 보상 반응인 HCO_3의 감소(18~22 mmol/L)로 호흡성 알칼리증을 예방하게 된다(pH 7.44). 그러므로 임신 12주부터는 인공환기 시에 $PaCO_2$를 30 mmHg에 맞추어 환기해야 하며 40 mmHg에 맞추면 호흡성 산증이 발생한다.

분만 1기 중에 분시환기량은 70~140%까지 증가하고, 2기에는 120~200%까지 증가한다. 산통이 심한 경우 분시환기량이 비임신에 비해 300%까지도 증가할 수 있으며, $PaCO_2$는 10~15 mmHg까지 감소될 수 있다. 이러한 저탄산증(hypocarbia)과 알칼리혈증(alkalemia, pH > 7.55)은 산소혈색소해리곡선을 더욱 좌측으로 전위시켜 태아가 저산소증에 빠질 수 있다. 또

16

한 임산부는 심한 과호흡으로 의식을 잃거나 산통과 산통 사이에 보상적 저호흡에 빠지게 될 수 있다. 경막외진통은 이러한 임산부의 과호흡과 저호흡, 이로 인한 태아 저산소증을 예방할 수 있다.

경막외진통 및 마취는 전신마취에 따른 위험을 피할 수 있는 것과 더불어 산통으로 인한 과호흡과 보상적 저호흡을 줄여줄 뿐만 아니라 과도한 산소소모량의 증가도 막을 수 있다. 분만 1기 중에 산소소모량은 40% 증가하고, 2기에는 75%가 증가하므로, 산소공급량보다 산소소모량이 많아 혐기대사가 일어나고 체내에 젖산이 축적된다. 부위마취 시에는 보조적으로 산소를 투여해야 하는데 이는 경막외마취가 $PaCO_2$와 분시환기량에는 영향을 미치지 않으나 복근을 마비시켜 강제호기와 기침의 힘을 감소시키고 기능잔기용량을 더 감소시키기 때문이다.

분만 후 기능잔기용량은 점차 증가하지만 1~2주간은 임신 전에 비해 감소된 상태로 유지되게 된다. 산소요구량, 일회호흡량, 분시환기량은 분만 후 6~8주까지는 증가된 채로 유지된다.

4. 위장관계와 간담도계(Gastrointestinal & hepatobiliary system)

임신 동안에 위는 횡격막의 왼쪽 방향으로 앞쪽으로 전위되게 되며, 수직 위치의 축이 약 45도 정도 오른쪽으로 회전하게 된다. 이러한 변화는 복강 내의 식도를 흉강쪽으로 전위시켜 위 내용물의 역류를 막는 하부 하부식도고압력부위(lower esophageal high-pressure zone)의 압력이 감소되게 된다. 또한 progestin이 하부식도고압력부위(lower esophageal high pressure zone)를 이완시킨다. 위내압은 만삭에 가까우면서 증가하는데 비만, 다태임신, 양수과다증(hydramnios)의 경우 40 cmH₂O 이상에 이를 수 있다. 그러므로 임산부에

서는 위식도역류(gastroesophageal reflux)와 식도염(esophagitis)이 흔히 발생하며 기도흡인이 쉽게 일어나는 상태로 변한다.

대략 30~50%의 임산부가 위식도역류증(gastroesophageal reflux disease, GERD)을 호소하는데, 80%에서 역류를 경험하고, 20%에서는 가슴앓이(heartburn)를 호소한다. GERD의 유병률은 임신 제1삼분기에 약 10%, 임신 제2삼분기에 약 40%, 임신 제3삼분기에 약 55%에 이른다. 이는 하부식도고압력부위(lower esophageal high pressure zone)의 압력이 임신 제1삼분기에는 거의 변화가 없다가 2기에 이르러 압력이 약 50% 정도 감소하여 유지되다가, 분만 후 1~4주에 회복되기 때문이다. GERD의 위험인자로는 임신 시 연령, 임신 전 가슴앓이가 있었던 경우, 다분만의 과거력이 있는 경우이다. 하지만, 임신 전 BMI, 임신 중 체중증가는 관련이 없고, 임산부의 나이는 역의 비례관계를 가진다.

또한, 임신 중에는 progesterone이 위장관의 수축운동을 억제하여 식도와 장의 운동성이 감소하게 되는데, 이는 progesterone이 motilin의 혈중 농도에 미치는 영향 때문에 생기는 간접적인 작용이며, 임신이 지속될수록 이 영향은 감소하게 된다. 약 40%의 임산부에서 변비를 호소하는데, 임신 제2삼분기에 가장 많이 발생하며, 임신 제3삼분기에 들어서는 감소하게 된다.

위배출시간은 임신기간 동안 변화가 없으며, 위산분비 역시 변화가 없다. 이전의 연구에서 임산부와 비임산부의 위내 pH와 위내용물의 양을 비교했을 때, 임산부 및 비임산부 모두 약 80%에서 pH가 2.5 미만이었으며, 약 50%에서 위내용물이 25 ml 이상으로 두 군간에 차이가 없었다. 또한, 혈중 gastrin 농도 역시 임산부와 비임산부 간에 차이는 없었다.

하지만, 산통 중에 있는 임산부와 아편유사제를 정주, 근주, 척추강 내로 투여받은 임산부에서는 위배출시간이 지연될 수 있다. 산통 중의 임산부는 식도 괄약근

의 압력이 감소하며, 산통 시의 오심, 통증, 공포, 케톤증, 약제, 질병, 비만, 최근의 음식섭취 등으로 기도 흡인의 위험이 높다. 아편유사제는 하부식도괄약근압을 낮추고 위식도역류를 악화시키고 위배출시간을 지연시키는데 국소마취제만 사용한 경막외마취나 경막외강으로 소량 투여된 fentanyl(50 μg 일회 주입이나 2.5 μg/ml 농도로 지속주입)은 위배출시간을 지연시키지 않는다고 한다.

약 80%의 임산부들에서 오심과 구토를 경험하게 된다. 오심과 구토는 특징적으로 임신 4~9주 사이에 시작되어 12~16주까지 지속된다. 약 1~5%의 임산부는 임신기간 내내 오심과 구토를 호소하는데 이를 임신입덧(hyperemesis gravidarum)이라고 한다.

임신 말기에 간이 위로, 뒤로, 오른쪽으로 전위가 되지만, 간의 크기와 모양, 혈류 및 간기능은 큰 변화가 없다. 혈중 bilirubin, alanine aminotransaminases, aspartate aminotransferase, lactic acid dehydrogenase가 약간 증가하지만 정상범위 내에 있으며, serum alkaline phosphatase가 태반 분비로 인해 증가한다. 알부민은 혈장량의 증가로 말미암아 약간 감소하여 혈장교질삼투압이 감소한다. 혈장 알부민 농도는 4.5 g/dL 에서 3.3 g/dL로 감소하나 글로불린은 만삭 시에 임신 전에 비해 10% 증가된 상태가 되어 알부민/글로불린 비율이 1.4에서 0.9로 감소한다. 국소마취제가 결합하는 α-1 acid glycoprotein과 알부민이 감소되어 있으나 일상적 농도의 bupivacaine (1 μg/ml)으로는 이들 단백질을 포화시키지 않기 때문에 비임산부와 비교해서 국소마취제의 대사에 차이가 나타나지 않는다. Plasma pseudocholinesterase activity가 25~30% 감소하지만 임상적으로 의미 있게 succinylcholine의 작용시간이 연장되지 않으며 mivacurium과 ester type의 국소마취제 역시 대사에 영향을 받지 않는다. Pseudocholineesterase activity는 분만 후 6주까지 정상화되지 않는다. Progesterone의 증가로 인해

cholecystokinin의 분비가 억제되어 담낭에서의 담즙 배출이 저해된다. 또한 임신 시 담즙에서 cholesterol의 분비가 증가하게 되는데, 이로 인해 임신 중 담낭질환의 위험성이 증가한다. 임산부에서 담석의 유병률은 5~12%이다.

분만 중에는 위배출이 지연이 되며, 위 내용물이 증가하고 위산 분비가 감소할 수 있다. 위배출지연, 위내용물 및 pH 값은 분만 후 18시간 내에 임신 전으로 회복되게 된다.

5. 신장계(Renal system)

임신 중에는 전체혈관용적의 증가로 인하여 신장의 혈관 및 간질의 용적이 증가하게 된다. 이러한 용적의 증가로 신장이 커지게 되는데, 신장의 용적은 약 30%까지 증가하게 된다. 신배(renal calyces), 신우(renal pelvis), 요관(ureters) 등이 확장되게 된다. 약 80%의 임산부에서 임신 중기에 수신증(hydronephrosis)이 발생할 수 있다. 때문에 임산부에서는 요정체가 일어나 요도감염이 쉽게 일어난다.

임신 중에는 신장 혈관 저항의 감소로 인하여 콩팥혈장유량(renal plasma flow)과 사구체여과율(glomerular filtration rate, GFR)이 특징적으로 증가하게 되는데, 콩팥혈장유량은 임신 16주에는 비임산부에 비해 75%까지 최고로 증가하며, 임신 제1삼분기 말에 사구체여과율은 50% 이상 증가한다. 증가된 사구체여과율은 분만 후 3개월이 되어야 정상으로 감소한다. 크레아티닌청소율(creatinine clearance)은 임신 초기부터 정상(120 ml/min)에 비해 증가하여 임신 제1삼분기 말에 150~200 ml/min로 최고에 이르고, 분만 시기에 조금씩 감소하여, 분만 후 8~12주에 정상으로 감소한다.

사구체여과율의 증가는 혈중 요소대사물의 농도를 감소시켜, 임신 제1삼분기말에 혈액요소질소(blood urea nitrogen, BUN)는 8~9 mg/dL까지, 크레아티닌은 0.5~0.6 mg/dL까지 감소하게 된다. 임산부에게서 BUN, 크레아티닌이 약간이라도 증가되어 있는 것은 신기능이 크게 감소되어 있는 것을 의미한다. 혈중 uric acid는 사구체여과율 증가에 따라 임신 초기부터 감소하여, 임신 24주에 2.0~3.0 mg/dL까지 감소한 후, 증가하여 임신 말기에는 임신 전과 같이 증가하게 된다.

임산부에서는 사구체여과율의 증가와 신세뇨관 흡수의 감소로 정상적으로 당뇨와 단백뇨가 나타날 수 있다. 신장에서의 단백질과 알부민의 배설은 비임신부에 비해 증가되어, 평균 24시간 총단백 배설은 200~300 mg, 알부민 배설은 12~20 mg에 이른다. 임신 중에는 근위 세뇨관에서의 당 재흡수 능력이 변화하여, 당배설이 증가하게 된다(1~10 g/d).

신장은 또한 산/염기 상태를 유지하기 위해 호흡성 알칼리증에 대한 보상으로 중탄산염의 배설이 증가하게 되며, 임산부에서는 중탄산염의 감소가 나타나게 된다(18~22 mmol/L).

6. 뇌신경계(Central nervous system)

임신 시에는 전신마취제와 국소마취제에 대한 민감도가 증가한다. 모든 흡입마취제에 대한 최소폐포농도(minimum alveolar concentraton, MAC)가 40%까지 감소하고, 분시환기량 증가와 기능잔기용량 감소로 인하여 폐포내마취제농도가 빠르게 증가하여 마취 유도가 빨라진다. 마취유도를 위한 thiopental에 대한 용량도 18~35% 감소하게 되고, 제거반감기는 26.1시간으로 길어지게 된다. 하지만, 임산부에 있어서 의식소실을 위한 propofol의 용량과 제거 반감기는 비임산부와 다르

지 않다.

임산부는 통증에 대한 역치가 증가하게 되는데, 그 기전은 불분명하다. 하지만, progesterone의 진정효과가 관련되어 있을 것으로 생각된다. 또한 임산부에게서 뇌척수액과 혈중의 엔도르핀(endorphin)과 엔세팔린(encephalin)의 증가가 관찰되고 있는 것으로 보아 엔도르핀 역시 관계가 있을 것으로 생각된다.

임산부에서 경막외마취 또는 척추마취를 위한 국소마취제의 요구량이 25% 정도 감소되게 되며, 척추마취 시 임산부에서 빠른 마취유도와 작용시간의 연장을 볼 수 있다. 척주의 변화가 적어 해부학적 영향이 적은 임신 제1삼분기에는 임신으로 인한 progesterone 증가 등 호르몬 변화에 의한 직간접적인 영향과 중추신경계 세로토닌 활성도 증가, 엔도르핀시스템의 활성화, 뇌척수액의 조성 변화(산/염기 변화, 단백질 감소, pH 증가)로 인한 신경조직의 민감도의 변화가 그 원인으로 생각된다. 그러나 임신 중반부와 후반부에는 임신에 따른 신체적 변화가 국소마취제 용량 감소에 크게 기여하게 된다. 임신자궁에 의해 하대정맥이 눌려 측부순환으로 경막외혈관의 확장되고 경막외 혈류량이 증가되는데 이로 말미암아 뇌척수액의 용적이 감소하고 경막외강압이 증가하여 척추마취 시 국소마취제의 두부 이동이 증가하게 된다.

또한, 앙와위로 누웠을 때 흉부척추후만증(thoracic kyphosis)의 가장 낮은 곳이 두부쪽으로 이동하고, 측와위에서 골반의 확장에 의한 머리쪽이 낮아지게 되어 고비중 국소마취제가 두부쪽으로 더 잘퍼지는 것(그림 2-4) 등도 이유가 된다. 산통 시에는 통증과 태아만출을 위한 복부압 증가로 경막외혈관이 더욱 확장하고 경막외강압과 수막강압이 더욱 증가하므로 동량의 척추마취제의 차단높이가 더 증가할 수 있다.

분만 후에는 24~48시간 내에 국소마취제 요구량이 임신 전 수준으로 빠르게 변화하게 된다. 이는 뇌척수액 용량의 증가와 하대정맥 압박이 소실되는 것이 원인으로

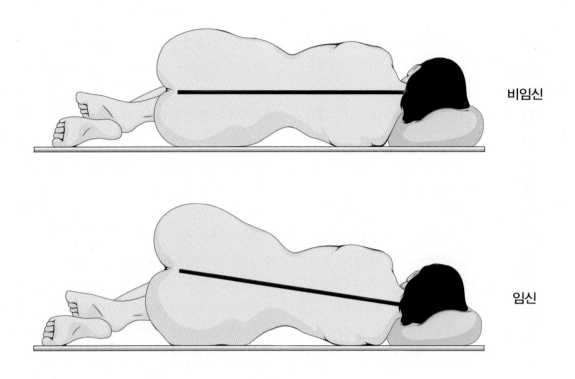

그림 2-4. **임신 중 측와위를 취했을 때 일어나는 head-down tilt**

생각된다.

척추마취제와는 달리 경막외마취제의 요구량에 대해서는 논란이 있다. 일반적으로 경막외마취제의 요구량도 임산부에서 감소하는 것으로 알려져 있으나, 일부에서는 경막외강은 상대적으로 단단한 주변 조직에 의해 둘러싸인 비교적 고정된 공간으로 경막외혈관 확장이 뇌척수액의 용적을 주로 감소시키고 경막외강의 용적은 별로 감소시키지 않기 때문에 임산부나 비임산부에서 경막외마취 시 국소마취제가 차단하는 범위에는 차이가 없다고 주장하기도 하였다. 하지만, 많은 용량을 경막외로 투여하여 넓은 범위의 차단을 목적으로 할 때 임산부와 비임산부에서 차단 범위가 차이가 없었으며, 적은 용량을 사용하여 일정한 분절만을 차단할 때는 비임산부에 비해 임산부에서 요구되는 국소마취제의 용량이 적었다고

보고되고 있다. 따라서 적은 용량의 국소마취제를 사용할 때는 임산부에서 국소마취제가 더 잘 퍼진다고 할 수 있다.

임산부는 혈역학적 안정성을 유지하기 위해 교감신경계에 의존하게 되는데, 그 의존도는 임신기간동안 점차 증가하여 분만 시 최고에 이른다. 교감신경계는 자궁에 의한 하대정맥의 압박으로 인한 복귀정맥혈의 감소에 대항하여 하지정맥의 용량을 조절하는 주 기전으로 작용하게 된다. 임신 중 증가된 교감신경계의 의존도는 분만 후 36~48시간에 비임산부와 같은 수준으로 떨어진다.

임신 시에는 α-아드레날린성 작용제에 의한 동맥의 수축 반응은 저하되나 정맥의 수축은 증가하여 복귀 정맥혈이 유지된다. 그러므로 임산부에서 척추나 경막외마취에 의한 교감신경 차단이 일어나면 비임산부에 비해

급격한 혈압 하강이 일어난다.

　임산부에서 교감 신경계의 기능이 비교적 유지되는데 반하여 미주신경긴장(vagal tone)은 크게 감소되어 있으므로 고위 교감신경차단이 일어난 경우에도 심각한 서맥이 발생하지 않는다. 임산부에서는 α-와 β-아드레날린성 수용체가 하향조절(down regulation) 되어 있어 isoproterenol, epinephrine 등의 심박촉진제(chronotropic agents)에 대한 반응이 저하되어 있다. 그러므로 국소마취제의 혈관 내 주입을 알아보기 위한 시험 용량 투여가 비임산부에 비해 덜 효과적이다.

　임신에 의한 경막외혈관의 확장은 경막외 바늘에 의한 혈관 천자와 도관의 혈관내 거치 빈도를 높이고 경막외강압의 증가는 경막외강 확인에 어려움을 일으켜 경막천자의 가능성을 높인다. 경막외강압은 비임신시 -1

cmH$_2$O에서 임신 시 1 cmH$_2$O로 바뀌고 분만 1기에는 4~10 cmH$_2$O로 증가했다가 분만 2기에는 60 cmH$_2$O에 이르게 된다.

　임신은 lidocaine에 의한 신경독성이나 bupivacaine에 의한 심장 독성에 대한 민감성을 증가시키지 않는다. 동물실험 결과, 임신동물과 비임신동물 사이에 bupivacaine, levobupivacaine, ropivacaine에 의한 심각한 독작용(저혈압, 무호흡, 심혈관 허탈, 심실부정맥)의 빈도에는 차이가 없었다.

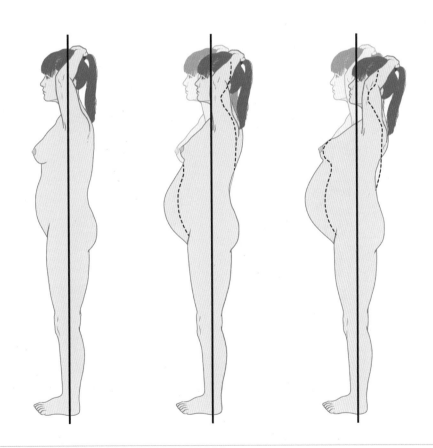

그림 2-5. **임신 중, 중력 중심의 변화.**

7. 근골격계(Musculoskeletal System)

임신 중에는 요통이 흔하게 발생하는데, 임신 12주에는 19%, 임신 24주에는 24%, 임신 36주에 49%의 임산부에서 요통을 호소한다. 하지만, 출산 후 요통의 유병률은 9.4%로 감소한다. 이러한 요통은 여러 원인에 의해서 발생하게 되는데, 자궁이 커지면서 요추의 척추전만(lordosis)이 심해지면서 허리에 기계적인 긴장이 진행는 것, 콜라겐 섬유와 골반의 결합조직의 재형성과 관계 있는 relaxin이 황체와 태반에서 분비되어 증가하는 것이 원인으로 생각되고 있다. 대부분의 환자에서 요통은 활동과 자세교정으로 좋은 효과를 볼 수 있으며, 운동 역시 복근과 등근육을 강화시켜 도움이 될 수 있다. 주기적으로 다리를 올려 엉덩이를 굽혀서 요추의 척추전만을 줄여주는 것은 근육연축과 통증을 감소시키는데 도움이 된다.

임신 중에는 요추의 척추전만이 증가하면서 하지로 전달되는 중력의 중심이 변하게 된다(그림 2-5). 요추의 척추전만이 심해질수록 가쪽넓다리피부신경(lateral femoral cutaneous nerve)이 신전되어 넓다리신경이 상증(meralgia paresthetica)이 발생할 수 있으며, 목이 앞으로 굴곡되고 어깨가 내려앉은 자세가 되어 팔신경얼기의 신경병증(brachial plexus neuropathy)이 발생할 수 있다.

임신 중에는 태아의 이동을 준비하기 위해 천장(sacroiliac) 관절, 천미(sacrococcygeal) 관절, 치골(pubic) 관절의 움직임이 증가한다. 임신 30주에는 relaxin과 임신으로 인한 인대의 생물역학적 신장으로 인하여 치골유합(pubic symphysis)이 넓어지는 것이 두드러진다. Relaxin의 증가는 결합조직의 성질을 바꾸어 수근관에 체액 흡수를 증가시키므로, 임신중에는 수근관증후군(carpal tunnel syndrome)이 발생하기 쉽다.

인간의 태아는 분만 시까지 골격의 발달을 위해 약

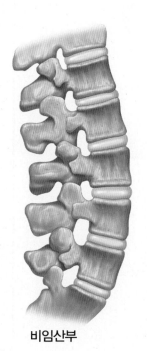 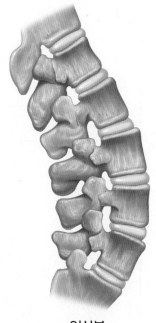

비임산부   임산부

그림 2-6. **임신 중 요추의 변화.**

30 g의 칼슘을 필요로 한다. 비록 이러한 요구량을 맞추기 위해 임신 12주에 임산부의 장에서 칼슘 흡수가 증가한다 하더라도, 태아의 요구량을 충족시키기에는 불충분하기 때문에 임산부의 골격에서 재흡수가 증가하게 된다. 하지만, 이러한 재흡수가 장기적으로 골격의 칼슘 양이나 힘에 변화를 일으키지는 않는다. 쌍태아 임신인 경우 더 많은 칼슘이 필요하므로, 단태아 임산부에 비해 골격에서의 칼슘 재흡수가 많다.

임산부의 증가된 요추의 척추전만은 척주의 극돌기 사이의 간격을 감소시켜 경막외마취나 척추마취 시 기술적으로 어려울 수 있다(그림 2-6).

참고문헌

Abbassi-Ghanavati M, Greer LG, Cunningham FG. Pregnancy and laboratory studies: a reference table for clinicians. Obstet Gynecol 2009; 114: 1326-31.

Bernstein IM, Ziegler W, Badger GJ. Plasma volume expansion in early pregnancy. Obstet Gynecol 2001; 97: 669-72.

Bobrowski RA. Pulmonary physiology in pregnancy. Clin Obstet Gynecol 2010; 53: 285-300.

Borg-Stein J, Dugan SA, Gruber J. Musculoskeletal aspects of pregnancy. Am J Phys Med Rehabil 2005; 84: 180-92.

Datta S, Lambert DH, Gregus J, Gissen AJ, Covino BG. Differential sensitivities of mammalian nerve fibers during pregnancy. Anesth Analg 1983; 62: 1070-2.

Flo K, Wilsgaard T, Vartun A, Acharya G. A longitudinal study of the relationship between maternal cardiac output measured by impedance cardiography and uterine artery blood flow in the second half of pregnancy. BJOG 2010; 117: 837-44.

Goldsmith LT, Weiss G, Steinetz BG. Relaxin and its role in pregnancy. Endocrinol Metab Clin North Am 1995; 24: 171-86.

Gunderson EP, Chiang V, Lewis CE, Catov J, Quesenberry CP, Jr., Sidney S, et al. Long-term blood pressure changes measured from before to after pregnancy relative to nonparous women. Obstet Gynecol 2008; 112: 1294-302.

Hignett R, Fernando R, McGlennan A, McDonald S, Stewart A, Columb M, et al. A randomized crossover study to determine the effect of a 30 degrees head-up versus a supine position on the functional residual capacity of term parturients. Anesth Analg 2011; 113: 1098-102.

Higuchi H, Adachi Y, Arimura S, Kanno M, Satoh T. Early pregnancy does not reduce the C(50) of propofol for loss of consciousness. Anesth Analg 2001; 93: 1565-9, table of contents.

Hirabayashi Y, Shimizu R, Fukuda H, Saitoh K, Igarashi T. Soft tissue anatomy within the vertebral canal in pregnant women. Br J Anaesth 1996; 77: 153-6.

Kadir RA, McLintock C. Thrombocytopenia and disorders of platelet function in pregnancy. Semin Thromb Hemost 2011; 37: 640-52.

Kinsella SM, Whitwam JG, Spencer JA. Aortic compression by the uterus: identification with the Finapres digital arterial pressure instrument. Br J Obstet Gynaecol 1990; 97: 700-5.

Kovacs CS. Calcium and bone metabolism disorders during pregnancy and lactation. Endocrinol Metab Clin North Am 2011; 40: 795-826.

Liu J, Yuan E, Lee L. Gestational age-specific reference intervals for routine haemostatic assays during normal pregnancy. Clin Chim Acta 2012; 413: 258-61.

Richter JE. Review article: the management of heartburn in pregnancy. Aliment Pharmacol Ther 2005; 22: 749-57.

Thornton P, Douglas J. Coagulation in pregnancy. Best Pract Res Clin Obstet Gynaecol 2010; 24: 339-52.

Chapter 3

태아의 발달과 평가

하나의 세포인 정자와 난자가 만나 접합체(zygote)를 형성하고 분할과정을 거쳐 자궁내 착상이 일어나고 주요장기들이 형성되는 임신과정 동안 태아는 놀라운 속도로 발달한다. 임신 중 산전태아평가(antepartum fetal assessment)의 목적은 진통 전 태아사망 및 영구적인 신경학적 손상을 감소시키는 것이다. 진통 전에 태아가 사망하는 경우는 전체적으로는 드물게 발생하는 일이라고 생각되지만 실제로는 출생 후 발생하는 영아돌연사증후군(sudden infant death syndrome)에 비하여 10배 정도 많은 빈도로 발생하며 임상에서 비교적 흔하게 부딪히게 된다. 임신 중 각 시기별 태아발달의 단계를 이해하고 태아상태를 평가하는 여러 도구를 통해 태아발달을 평가하는 내용을 다루고자 한다.

1. 태아의 발달(Fetal development)

1) 임신의 과정

배란이 일어난 난자는 2~3분만에 난관채(fimbriae)에 잡혀 난관(oviduct)으로 들어와, 난관팽대부(ampulla) 안에서 정자와 만나 수정하게 된다. 난자와 정자의 수정가능한 기간을 살펴보면, 난자는 배란된 후 12~24시간 이내, 정자는 사정된 후 48~72시간 이내로 생각되나, 확실히 알려져 있지는 않다. 수많은 정자와 난자가 서로 만나게 되면 이들 간에 일련의 생화학적 반응이 일어나게 되고, 통상 하나의 정자만이 난자로 들어가서 수정(fertilization)이 일어나게 된다. 정자와 난자가 합해져서 만들어진 접합체(zygote)는 분할 과정을 통해 분할세포(blastomere)로 분화된다. 접합체는 2세포기, 4세포기, 8세포기 등을 거쳐, 수정 후 약 3일 뒤에는 12개 이상의 분할세포로 구성된 상실배(morula)가 형성되어 자궁 내로 들어오게 된다. 이후 상실배는 내부에 용액이 차고 겉이 세포로 둘러싸인 주머니배(blastocyst)로 변하고, 수정 후 4~5일 후에는 자궁내막상피(endometrial epithelium)에 붙게 되는데, 이를 착상(implantation)이라고 한다. 결과적으로 수정이 되고 나서 착상이 일어날 때까지 약 일주일의 시간이 소요된다(그림 3-1).

착상이 일어난 후에는 분화의 과정이 일어나면서 주요 장기들이 형성되기 시작하고 임신을 유지하게 해주는 다른 기관들도 만들어지기 시작한다. 임신이 진행되는 동안 태아와 모체간의 막이 결합하여 태반(placenta)이 형성되는데, 모체로부터 공급되는 영양분, 수분과 산소 등이 태반으로부터 제대(umbilical cord)를 통하여 태아에게 가게 되고, 태아의 노폐물은 반대로 모체쪽으로 향하게 된다. 이렇게 진행되는 임신은 40주 경이 되면, 자궁이 수축하여 분만 진통이 발생하게 되고, 모체로부터 태아가 완전히 만출되는 분만(birth, delivery)이 일어나게 된다.

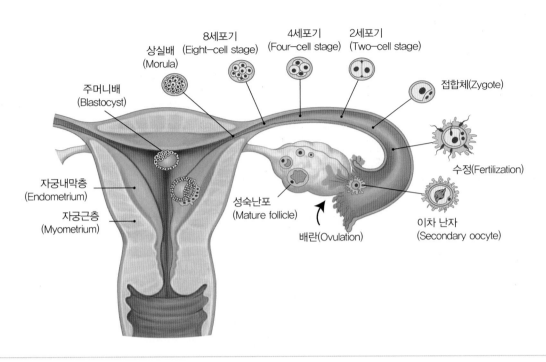

그림 3-1. 임신의 과정

2) 임신 기간

임신 기간은 일반적으로 최종 월경시작일(last menstrual period, LMP)을 기준으로 하며 평균 280일(40주)이다. 분만예정일(estimated date of confinement, EDC)을 계산하는 방법은 월경력이 28일 주기로 규칙적인 경우, 최종 월경시작일에서 7을 더하고 월에서 3을 뺀다. 그러나, 생리를 불규칙하게 하는 여성인 경우에는 배란일이 부정확한 경우가 종종 있기 때문에, 임신 초기에 초음파검사를 시행하여 배아(embryo) 또는 태아(fetus)의 길이를 측정하여 임신 주수를 재산정하여 교정된 분만예정일(corrected EDC)을 사용해야 하는 경우도 있다. 임신 기간은 편의상 삼분기(trimester)로 분류하며, 임신 제1삼분기는 최종 월경시작일로부터 임신 14주까지, 임신 제2삼분기는 임신 28주까지를 말하고 그 이후를 임신 제3삼분기로 정의한다(그림 3-2).

3) 태아의 형태학적인 성장

(1) 난자(Ovum), 접합체(Zygote), 및 주머니배 (Blastocyst)의 형성

배란 후 첫 2주간 수정 및 주머니배의 형성 및 착상이 일어나게 되며 착상 후 바로 원시적인 융모막융모(chorionic villi)가 형성된다.

(2) 배아기(Embryo period)

배아기는 통상적으로 배란(수정) 후 3주(임신 5주)부터 8주(임신 10주)까지를 배아기라고 한다. 이 시기에 배아원반(embryonic disc)을 형성하게 되며, 모체의 혈액을 포함하는 진정한 의미의 융모막융모가 형성된다. 임신 5주에 융모낭(chorionic sac)의 크기는 1 cm 정도가 되며, 임신 6주 말에 융모낭의 크기는 2~3 cm 정도, 배아의 크기는 약 4~5 mm로 측정되며 원시 심장이 형성되기 시작한다. 수정 후 6주 말(임신 8주 말)에는 배아

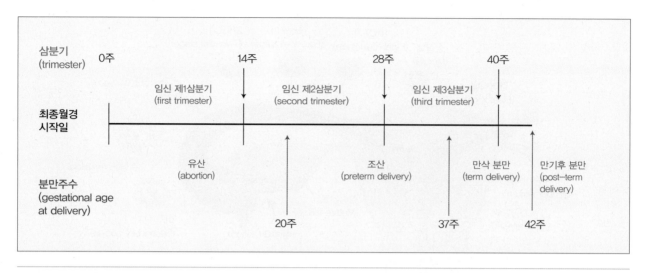

그림 3-2. 임신 기간

의 크기는 약 15 mm로 측정되고 심장이 완성되며 머리가 몸통에 비해서 크고 손발이 발생한다. 배아기의 말기에는 태아의 크기는 3 cm 정도의 길이를 갖게 되고 폐를 제외한 주요 장기들의 형성되는 중요한 시기이다.

(3) 태아기(Fetal period)

수정 후 9주(임신 11주)부터는 태아기(fetal period)라고 말하며, 태아의 기관 및 구조의 성장 및 성숙이 이루어지는 시기이다. 임신 12주에 비로소 자궁은 치골 결합 바로 위에서 촉지되면서, 골반을 벗어나게 되며, 대부분의 태아골의 골화중심(ossification center)이 출현한다. 손가락과 발가락이 분화되기 시작하고, 피부와 손톱이 발달하며, 외부생식기가 발달하기 시작하고, 태아의 움직임이 자주 관찰된다. 태아의 성적 분화를 살펴보면, 여성 외부생식기는 임신 11주에 나타날 수 있으나, 남성 성기는 임신 14주에 완결되기 때문에, 그 이후에야 초음파검사로 태아의 성별을 확인할 수 있다. 임신 20주가 되면, 태아는 약 300g 정도 되고 피부의 투명도가 감소되기 시작하면서 부드러운 배냇솜털(lanugo)이 태아의 몸을 덮게 되고 태아의 머리털이 발달하기 시작한다. 초산부의 경우, 대개 이 시기에 태동을 처음으로 느끼며, 자궁저(fundus of uterus)는 임신부의 배꼽 부위에서 만져진다. 임신 24주가 되면, 태아는 약 630 g 정도에 해당하고 피부 주름이 생기고 지방 축적이 시작되며 눈썹과 속눈썹이 보인다. 폐 발달의 측면에서 볼 때, 임신 24주는 세관시기(canalicular period)에 해당하며 기관지(bronchi)와 세기관지(bronchiole)가 커지고 허파꽈리관(alveolar duct)이 발달하는 시기이다. 임신 28주가 되면, 태아의 예상 체중은 평균 1100 g 정도가 되고 피부는 태지(vernix caseosa)로 덮여 있다. 이 시기에 태어나면 사지의 움직임이 활발하고 약하게 울며 출생 신생아의 평균 생존율은 약 90% 정도로 알려져 있다. 임신 32주의 태아는 예상 체중이 약 1800 g 정도가 되며 피부는 아직 빨갛고 주름져 있다. 임신 36주가 되면, 예상 체중은 약 2500 g 정도가 되며 피하 지방의 축적으로 몸이 더 살찌게 되고 얼굴의 주름은 사라진다. 임신 40주가 되면 태아의 발달은 완성되고 평균 키는 36 cm 정도, 체중은 3400 g 정도에 해당한다.

4) 태아의 발달 과정에서 태반의 역할

태반은 모체로부터 산소와 영양소를 공급받아 태아

에 전달하고, 태아로부터 이산화탄소 및 노폐물을 제거하는 역할을 하는 매우 중요한 기관이다. 기본적으로 태아와 임산부의 혈액은 직접적인 교류와 섞임은 없으며, 태아의 모세 혈관이 들어있는 융모막융모(chorionic villi)가 임신부의 혈액으로 가득차 있는 융모사이공간(intervillous space)에 떠 있는 형태를 하고 있다(그림 3-3). 그러나, 가끔 융모막융모에 갈라진 틈(break)이 발생하고 이를 통해서 태아의 적혈구나 백혈구가 임신부의 혈액으로 들어갈 수 있으며, 바로 이러한 기전을 통하여 D음성 임신부가 D양성인 태아를 임신했을 때 감작(sensitization)이 된다. 결론적으로, 이러한 예외적인 임신부와 태아의 혈액 교류를 제외하고는 태아 혈액과 임신부 혈액 사이에는 "태아의 내피세포(endothelial cell)-융모내 간질(stroma)-영양막층(trophoblast layer)"의 장벽(barrier)이 존재하게 된다.

(1) 융모사이공간(Intervillous space)

이는 태아-모체간 전달이 일차적으로 이루어지는 생물학적 공간으로, 모체의 혈액으로 가득 차 있으며, 임신부의 혈액에 영양막세포(trophoblast) 및 태아모세혈관(fetal capillary)으로 이루어진 융모막융모(chorionic villi)가 떠있는 구조를 하고 있다. 이러한 융모사이공간 및 융모막융모는 태아의 폐, 위장관, 및 신장과 같은 기능을 한다. 만삭에 모체의 혈액 중 자궁으로 가는 혈류의 양은 분당 500~600 ml 정도이고, 모체 혈액의 대부분이 융모사이공간으로 들어가게 된다. 분만 진통시 자궁수축이 본격적으로 개시되면, 융모사이공간의 모체 혈액의 감소를 초래하게 되며 이는 자궁수축의 강도와 시

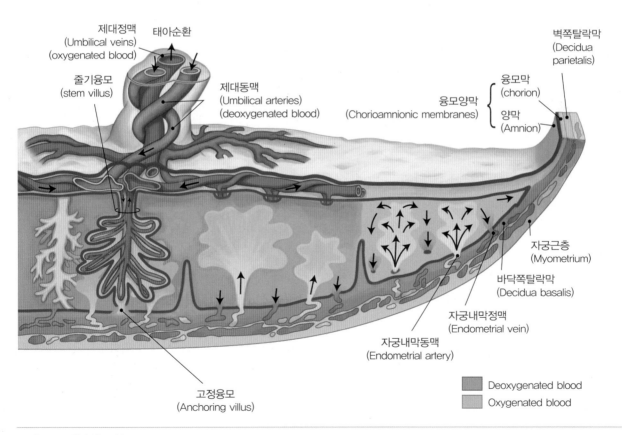

그림 3-3. 태반의 모식도

간에 따라 달라지게 된다.

(2) 융모막융모(Chorionic villi)

모체 혈액과 태아 혈액 사이의 물리적인 장벽을 구성하는 조직학적인 경계는 융합세포영양막(syncytiotrophoblast), 융모사이공간의 간질(stroma), 태아의 내피세포로 구성된다. 이들은 모체와 태아간의 물리적, 면역학적 장벽으로서의 역할을 함과 동시에 모체-태아간의 산소와 영양분의 이동에 중요한 역할을 담당하는 단위이다. 이 중에서 특히 융합세포영양막은 임신의 전 기간을 통해서 태아로 가는 다양한 물질들이 전달되는 양이나 정도를 조절하는 중요한 역할을 담당한다. 임신이 진행되면서, 태반의 융모는 가지를 많이 치고, 세포영양막(cytotrophoblast)은 감소하며, 융합세포영양막은 얇아지게 된다. 반면, 태아혈관은 증가하고 융모의 표면에 가깝게 위치하게 되어, 태아가 성장함에 따라 필요한 물질의 전달과 교환을 증가시키는 방향으로 성숙된다. Luckhardt 등은 임신말기에 가스교환이 일어나는 융모의 표면적은 13 m²에 이르고, 융모의 모세혈관내 혈액양은 전체 태아-태반 혈액량의 25%에 해당하는 80 ml 정도에 이르는 것으로 보고한 바 있다.

(3) 태반을 통한 전달의 조절(Regulation of placental transfer)

태반을 통한 모체-태아간의 물질의 효과적인 이동에 영향을 미치는 요인으로는 다음과 같은 것들이 있다.

① 모체 혈액내의 물질의 농도: 여기에 추가적으로 결합 단백질의 농도가 영향을 미칠 수 있다.

② 태아 혈액내 물질의 농도, 특히 결합 단백질과 결합되지 않은 구획

③ 태아나 모체 혈액내의 특정한 결합 또는 운반 단백질

④ 융모사이공간을 흐르는 모체의 혈류량

⑤ 융모의 모세혈관을 통한 태아의 혈류량

⑥ 융모막 상피세포(villous trophoblast epithelium)를 통한 교환에 이용되는 면적

⑦ 교환이 일어나는 태아 혈관의 면적

⑧ 확산에 의해서 전달되는 물질의 경우, 융모사이공간과 태아의 혈관내피세포의 물리적인 장벽

⑨ 능동 수송되는 물질의 경우, 태반 자체의 생화학적 전달 능력

⑩ 태반에서 대사되는 양

(4) 태반을 통한 전달의 기전

분자량이 500 Da 이하의 대부분의 물질은 단순 확산(simple diffusion)을 통하여 태반을 통과하나, 분자량이 작아도 태아의 성장에 필수적인 물질들은 낮은 모체혈액내 농도에도 불구하고 능동적으로 이동하기도 한다. 단순 확산에 의해서 이동하는 물질로는 산소, 이산화탄소, 물, 대부분의 전해질, 마취가스 등이 해당된다. Insulin, steroid 호르몬, 갑상선 호르몬은 태반을 통해서 천천히 이동하는 물질에 해당하며, 인간융모성생식샘자극호르몬(human chorionic gonadotropin, hCG) 또는 사람태반락토겐(human placental lactogen, hPL)과 같이 융합세포영양막에서 합성되는 호르몬은 모체의 혈액보다 태아 혈액에 높은 농도로 존재한다. 일반적으로 분자량이 큰 물질은 태반을 통과하지 않지만, 예외적으로 면역글로불린G(immunoglobulin G, IgG)는 분자량이 160,000 Da에 달하지만 영양막세포에 존재하는 특이 수용체를 통하여 이동한다.

(5) 산소 및 이산화탄소의 이동

태반을 통한 산소의 이동은 주로 혈류량에 의해 좌우된다(blood flow limited). 태아 혈액내의 정상적인 산소 및 이산화탄소의 분압과 pH는 그림 3-4와 같다. 융모사이공간의 평균 산소포화도는 65~75% 정도이고 산소 분압은 약 30~35 mmHg 정도이며, 제대정맥의 산소포화도도 이와 비슷하고 산소분압은 이보다 약간 낮

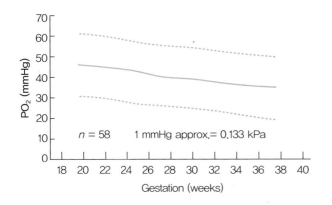

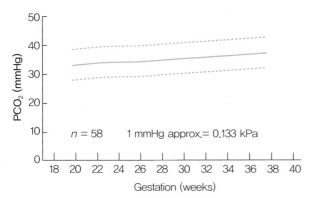

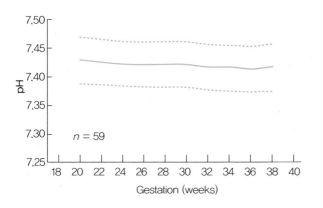

그림 3-4. **태아 혈액내의 정상적인 산소 및 이산화탄소의 분압과 pH**

다. 태반을 통한 이산화탄소의 이동은 확산(diffusion)에 의하여 이루어지며, 태반은 이산화탄소에 대한 투과성이 산소에 비하여 훨씬 높다. 만삭에서 제대동맥의 평균 이산화탄소 분압은 48 mmHg 정도이며, 이는 융모사이공간의 모체 혈액의 이산화탄소 분압에 비하여 5 mmHg 정도 높다. 이산화탄소에 대한 친화성(affinity)이 태아 혈액에서 모체의 혈액보다 낮고, 임산부의 경한 과호흡(mild hyperventilation)으로 인해 모체의 혈액 내 이산화탄소 분압이 낮기 때문에, 이산화탄소는 태아으로부터 모체로 이동을 더 잘 하게 된다.

(6) 선택적 이동 및 촉진 확산(Selective transfer and facilitated diffusion)

영양막세포 및 융모막융모 단위(chorionic villi unit)는 많은 경우에 선택적 전달의 기전을 통해서 모체에서 태아로 물질을 이동시키며 이러한 이동을 하는 대표적인 물질로는 ascorbic acid와 iron 등이 있으며, 결과적으로 이들은 태아 혈액에서 모체의 혈액보다 높은 농도를 유지하게 된다.

2. 태아의 생리(Fetal physiology)

1) 양수

양수의 성분은 임신 시기에 따라 차이가 있다. 임신 초기에는 주로 모체 혈장의 초미세여과(ultrafiltration)에 의해 생성되다가 임신 제2삼분기에는 태아의 혈장이 태아의 피부를 통하여 확산된 세포외액이 양수의 주요 구성성분이 된다. 임신 중기 이후에는 태아 피부의 각질화로 인해 태아 피부를 통한 확산은 거의 없어지고, 태아 소변이 양수의 주요 구성성분이 된다(그림 3-5). 태아의 폐액은 양수양의 작은 부분을 차지한다. 양수의 양은 개인에 따라 차이가 있으나, 일반적으로 임신 12주에 약 50 ml 정도, 임신 중기에 400 ml 정도가 되고, 임신 32~36주에 최고가 되어 약 1,000 ml 정도가 되며, 만삭이 가까워지면 양수의 양은 점차 감소한다(그림 3-6). 양수의 기능은 크게 여섯 가지로 볼 수 있는

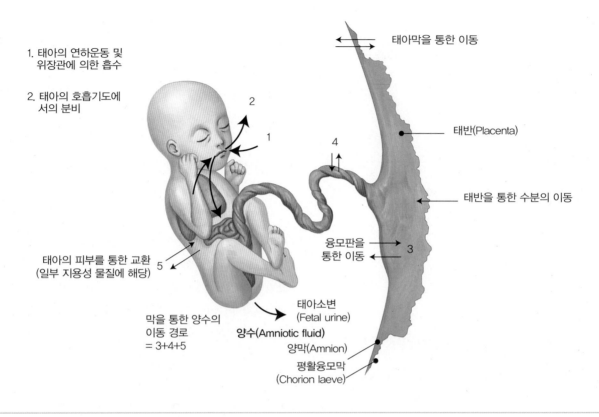

1. 태아의 연하운동 및 위장관에 의한 흡수

2. 태아의 호흡기도에서의 분비

태아막을 통한 이동

태반(Placenta)

태반을 통한 수분의 이동

융모판을 통한 이동

태아의 피부를 통한 교환 (일부 지용성 물질에 해당)

막을 통한 양수의 이동 경로 = 3+4+5

태아소변 (Fetal urine)

양수(Amniotic fluid)

양막(Amnion)

평활융모막 (Chorion laeve)

그림 3-5. **태아와 양수간의 수분의 이동**

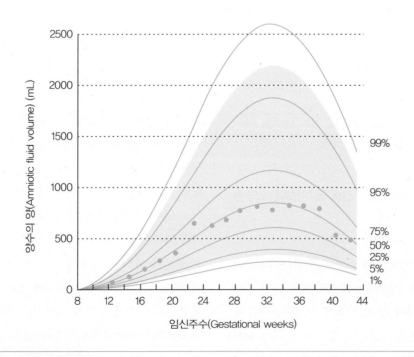

그림 3-6. **임신 주수에 따른 양수의 양**

데, ① 태아의 움직임을 용이하게 하여 태아의 성장을 돕고, ② 태아를 외부의 충격으로부터 보호하며, ③ 일정한 온도를 유지시키고, ④ 양수내에 포함된 다양한 성장호르몬을 통해 태아의 성장과 발달을 돕는 중요한 역할을 수행한다. 특히 양수에는 epidermal growth factor (EGF) 또는 EGF-like growth factor와 같은 성장 인자들이 존재하며 이들은 태아의 swallowing 또는 inhalation을 통하여 태아의 위장관 및 기관지 폐포의 성장과 분화를 돕게 된다. 그 외에도 ⑤ 태아의 건강에 관한 정보를 제공하고, ⑥ 분만 진통시 양수가 자궁개대 및 숙화를 진행시켜 분만진행에 도움을 주는 중요한 역할을 한다.

2) 태아의 혈액 순환(Fetal circulation)

태아 시기의 혈액 순환은 폐를 통해 산소를 공급받는 것이 아니라 태반을 통해 산소를 공급받기 때문에, 성인의 혈액 순환과 근본적으로 다르며, 평행순환(parallel circulation)이라는 특징을 갖는다. 태아 심박출량의 약 40%가 태반순환에 사용되며, 태아 혈액 순환의 과정을 정리하면 다음과 같다. 태아의 성장과 발달에 필요한 산소 및 영양분은 태반에서 제대정맥을 통하여 태아에게로 전달된다. 제대정맥은 정맥관(ductus venosus)과 문맥동(portal sinus)으로 나누어지는데, 태반에서 오는 제대 혈류의 50% 정도가 정맥관을 경유하여, 간을 거치지 않고, 곧바로 하대정맥으로 연결된다. 정맥관을 통해 들어온 산소포화도가 높은 혈액은 복부 하대정맥에서 온 산소포화도가 낮은 혈류와 섞이지 않고, 곧바로 우심방-난원공(foramen ovale)을 통하여 좌심실로 들어가서, 산소포화도가 높은 혈액을 태아의 심장 및 뇌에 공급하는데 중요한 역할을 담당한다. 반면, 문맥동으로 들어간 혈액들은 태아의 간정맥을 통하여 하대정맥으로 들어가서 우심방-우심실-폐동맥-동맥관(ductus arteriosus)으로 연결되는데, 이는 상대적으로 산소포화도가 낮은 혈액을 포함하고 있으며, 태아 하지 부분의 혈액 공급을 담당한다. 하대정맥의 내측벽에는 산소포화도가 높은 혈액이, 하대정맥의 외측벽에는 산소포화도가 낮은 혈액이 흐르게 된다(그림 3-7).

태아의 평행 순환을 유지하는데 중요한 태아 고유의 구조물은 정맥관, 난원공, 동맥관, 이 3가지이며, 이는 출생 후 신생아의 호흡이 시작되고 폐를 통한 산소의 유입이 개시되면서 점진적으로 퇴화하게 된다. 즉, 출생 후에는 동맥관의 기능적인 폐쇄 및 폐포의 확장과 함께 우심실에서 폐동맥을 통한 혈류가 현저히 증가하게 되고, 태아기의 평행순환(parallel circulation)에서 직렬순환(serial circulation)으로 변하게 된다. 정맥관은 기능적으로는 출생 후 10~96시간 후에 닫히고, 해부학적으로는 2~3주 후에 닫혀서 결국엔 정맥관인대(ligamentum venosum)로 퇴화된다. 난원공도 출생 후 수분 내에 기능적으로 막히게 되고 해부학적으로는 수일에서 수주 사이에 막히게 된다.

3) 태아의 혈액

태아의 조혈작용이 이루어지는 기관은 임신 시기에 따라 다르다. 임신 약 10주까지의 초기 배아기 시기에 태아의 조혈작용은 난황낭에서 이루어지고, 이후 간, 가슴샘(thymus)으로 옮겨가다가 최종적으로는 골수에서 이루어지게 되며, 조혈작용을 담당하는 기관에 따라 임신 시기를 중아세포기(mesoblastic period), 간성조혈기(hepatic period), 골수조혈기(myeloid period)로 구분하기도 한다. 태아 혈액에서 처음 발견되는 적혈구는 핵을 가지고 있고 대구성(macrocytic)의 특징을 갖고 있어 이 시기의 평균 적혈구 용적은 180 fL 정도이다. 태아의 평균 적혈구 용적은 임신 주수가 경과할수록 감소하여 만삭에는 용적이 105~115 fL 정도이고 핵이 없는 형태를 갖는다. 태아가 성장함에 따라 혈색소(hemoglobin)의 농도도 변하는데, 임신 중기 태아

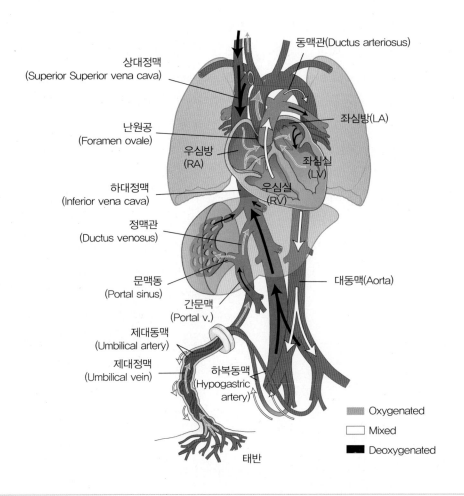

상대정맥
(Superior Superior vena cava)

동맥관(Ductus arteriosus)

난원공
(Foramen ovale)

좌심방(LA)

우심방
(RA)

좌심실
(LV)

하대정맥
(Inferior vena cava)

우심실
(RV)

정맥관
(Ductus venosus)

문맥동
(Portal sinus)

대동맥(Aorta)

간문맥
(Portal v.)

제대동맥
(Umbilical artery)

제대정맥
(Umbilical vein)

하복동맥
(Hypogastric artery)

Oxygenated
Mixed
Deoxygenated

태반

그림 3-7. 태아기 순환의 모식도

의 평균 혈색소의 농도는 12 g/dL인 반면, 만삭에는 18 g/dL에 이른다. 태아 적혈구의 평균 수명은 성인에 비해 3분의 2정도로 짧지만, 적혈구 생성 속도는 성인보다 3~4배가 빠르다. 따라서 태아 혈액은 망상적혈구 (reticulocyte)의 분획이 상대적으로 높으며, 이는 만삭으로 갈수록 점진적으로 감소하여 만삭의 태아 혈액내 망상적혈구의 분획은 4~5% 정도를 차지한다. 태아의 적혈구의 생산은 일차적으로 태아에서 직접 만들어지는 적혈구형성인자(erythropoietin)에 의해 조절되는 것으로 알려져 있다. 태아-태반 순환계에 존재하는 혈액양은 만삭에 체중 당 125 ml(125 ml/kg) 정도로 알려져

있다.

4) 태아의 신경계 및 감각기관(Nervous system and sensory organs)

태아의 중추 신경계는 임신의 초기부터 시작되어 일련의 복잡한 과정을 거쳐서 단계적으로 발달을 하게 된다. 발생학적인 측면에서 임신 4~5주가 되면 외배엽 (ectoderm)에서 신경판(neural crest)이 형성되기 시작하고 이러한 원시신경판(primitive neural crest)은 이후 신경능선(neural crest)과 신경관(neural tube)

으로 나누어진다. 신경관은 임신 6주경에 척수와 원시뇌(primitive brain)로 분화를 한다. 임신 7~8주에는 전뇌(prosencephalon), 중간뇌(mesencephalon), 마름뇌(rhombencephalon)의 세 부분에 일차 뇌세포가 생긴다. 이어 전뇌는 종뇌(telencephalon)와 간뇌(diencephalon)로 분화를 하고, 종뇌는 후에 대뇌 반구 및 측뇌실(lateral ventricle)을 형성하고 간뇌는 셋째뇌실(third ventricle)과 같은 중심 구조물(midline structure)을 형성한다. 마름뇌는 이후 후뇌(metenencephalon)와 숨뇌(myelenencephalon)로 분화를 하게 되며, 연수(medulla)와 넷째 뇌실(fourth ventricle)의 하방을 형성하게 된다. 태아기의 중추신경계는 위와 같은 구조적인 발달과 동시에 기능적인 발달 및 분화를 하게 되는데, 이는 크게 신경발생(neurogenesis), 이동(migration), 세포분화 및 시냅스의 형성(cytodifferentiation & synaptogenesis)의 세 단계로 이루어지며, 각각의 과정은 배아기 또는 태아기에 어느 정도 겹쳐져서 나타난다.

임신 8~9주에 척수에서 시냅스의 기능이 증명됨에 따라, 태아의 최초움직임은 척수의 운동신경세포(spinal motor neuron)에 의한 것으로 간주된다. 또한, 임신 8~10주에는 근육모세포(myoblast)의 융합에 의해서 근육세포가 형성되어, 국소적인 자극에 의한 반응으로 눈을 가늘게 뜨거나 입을 열거나 손가락을 불완전 하게 쥐고, 발가락을 굴절시킬 수 있게 된다. 태아의 위장관의 발달에 중요한 연하운동은 임신 10주부터 시작되고, 태아의 호흡 운동은 임신 14~16주에 명확해지기 시작한다. 임신 24주 이전에 출생한 신생아는 빠는(sucking) 능력이 거의 없다. 한편, 태아의 내이가 완성되어 태아가 소리를 들을 수 있게 되는 것은 임신 24~26주 정도이며, 임신 28주부터는 빛에 민감하게 반응하게 되지만, 형태를 인지하고 색깔을 알게 되는 것은 출생 후의 발달에 의존한다.

5) 태아의 소화기계(Gastrointestinal system)

태아의 연하운동(swallowing)은 임신 10~12주에 시작되며 이 시기에 소장의 연동운동이 시작되고 소장을 통한 포도당의 흡수가 일어난다. 태아의 연하운동은 앞서 언급한 바와 같이, 양수내 여러 성장인자들의 도움으로 소화관의 성장과 발달에 중요한 역할을 할 뿐만 아니라, 임신 후반기에는 양수내 불용성물질(insoluble debris)들을 제거하는 역할을 하기도 한다. 또한 임신의 후반기에는 대부분 태아 연하운동에 의해 양수량이 조절되어, 태아의 연하운동이 정상적으로 이루어지지 못하는 상태에서는 양수과다증이 발생한다. 임신 후반기에 태아가 삼키는 양수의 양은 하루에 450 ml 정도로 알려져 있다.

(1) 태변

태변(meconium)은 태아가 연하운동으로 삼킨 양수 중 소화되지 않은 찌꺼기들과 위장관에서 분비되거나 탈락되는 여러 가지 물질로 구성된다. 태변이 암록색을 띄는 것은 담록소(biliverdin)라는 색소 때문이다. 태아가 자궁강안에서 태변을 보는 경우가 있는데, 이는 태아에 대한 미주신경 자극(vagal stimulation)에 의해서 정상적으로 일어나는 생리적인 현상으로 생각되며, 만삭의 태아에서 흔하게 관찰된다. 그러나 한편으로는 태아의 저산소증으로 인하여 태아의 뇌하수체에서 아르기닌 바소프레신(arginine vasopressin, AVP)의 분비가 자극되고, 분비된 AVP가 태아 대장의 평활근을 자극하여 자궁내에서 태아가 태변을 배출할 수도 있다고 알려져 있다. 그러나, 자궁내에서 태아가 태변을 배출하는 것이 반드시 태아 저산소증을 의미하는 것은 아니다.

(2) 간

태아의 간에서 만들어지는 효소의 농도는 임신 주수가 경과할수록 증가하기는 하나 양이 적은 편이다. 태아의 간은 유리빌리루빈(free bilirubin)을 빌리루빈 디 글루크로나이드(bilirubin diglucuronide)로 전환시키는 능력이 적고, 또한 태아의 적혈구는 수명이 짧기 때문에 상대적으로 더 많은 빌리루빈이 생산된다. 따라서 대부분의 빌리루빈은 태반을 통하여 모체 혈액 순환을 옮겨오게 되고 태아의 간에서는 소량의 빌리루빈의 결합(conjugation)만을 담당하며 최종적으로는 담록소(biliverdin)로 산화된다. 태아 콜레스테롤의 대부분은 태아의 간에서 만들어지고 이를 통하여 태아의 부신에서 필요한 LDL 콜레스테롤을 제공한다. 태아간내 당원(glycogen)의 농도는 임신 중반부에는 낮게 유지되다가, 임신 후반부에 가까울수록 급격히 증가하기 시작하여, 만삭에는 성인의 2~3배로 매우 높으나, 분만 후 급격히 감소한다.

(3) 췌장

임신 9~10주에 태아의 췌장에서 insulin을 함유한 과립이 관찰되고, 임신 12주에는 태아의 혈액에서 insulin이 측정된다. 태아의 췌장은 고혈당에 대한 insulin 분비능을 갖고 있어서, 당뇨병임신부의 신생아 혈청에는 insulin 농도가 높아 태아가 과발육되고, 분만 후 신생아 저혈당이 올 수 있다. 글루카곤 역시 태아의 췌장에서 임신 8주경부터 생산되며, 많은 췌장의 효소(trypsin, chymotrypsin, phopholipase A, lipase)가 임신 16주경부터 생산되면서 태아의 혈액에 낮은 농도로 존재하다가 임신 주수가 증가하면서 농도도 같이 증가하게 된다. 그러나, 일반적으로 태아 췌장의 외분비(exocrine)기능은 매우 제한되어 있다.

6) 태아의 비뇨기계(Renal system)

태아 신장의 발달은 앞콩팥(pronephros) 및 중간콩팥(mesonephros)의 단계를 지나 뒤콩팥(metanephros)으로 발전되어 이루어진다. 임신 14주 정도에는 태아의 신장의 Henle's loop가 기능을 하여 재흡수가 일어나며, 새로운 콩팥단위(nephron)의 개수는 임신 36주까지 지속적으로 증가한다. 태아의 신장이 기능적으로 발달함에 따라 점차 소변량은 늘어나지만, 소변을 농축시키고 pH를 조절하는 능력은 아직 미숙해서, 태아의 소변은 전해질의 낮은 함량 때문에 태아의 혈액보다 저장성(hypotonic)이다. 임신 20주 경 이후에는 양수의 90% 이상이 태아의 소변으로 구성된다. 사구체여과율(glomerular filtration rate)은 임신 주수가 지나면서 증가하지만, 태아시기와 분만 직후 신생아 시기에는 여전히 낮은 편이다. 특히, 저산소증과 같은 자극 시에는 신장으로 가는 혈류가 감소하면서 사구체 여과율이 감소하고 따라서 소변의 생산이 감소된다. 만삭으로 출생한 신생아는 사구체 여과율이 20 ml/min/1.73 m^2 정도이나, 출생 1개월 후에는 50 ml/min/1.73 m^{2}으로 증가한다. 태아의 신장은 임신 12주에 처음 소변을 생산하기 시작하여 18주에는 하루에 7~14 ml 정도의 소변을 생산하고 이후 점점 증가하여 만삭에는 분당 27 ml, 하루에 650 ml 정도의 소변을 생산한다.

7) 태아의 호흡기계(Pulmonary system)

(1) 태아 폐의 발달은 해부학적으로 다음과 같은 4단계를 거쳐서 이루어진다.

① 거짓샘시기(Pseudocanalicular stage): 임신 6~16주, 구역속 기관지나무(intrasegmental bronchial tree)가 발달하는 시기

② 소관기(Canalicular stage): 임신 16~26주, 선포세포(acinus)와 혈관생성이 이루어지는 시기

③ 종말낭(Terminal sac stage): 임신 26~32주, 폐포(alveoli)가 종말낭인 원시폐포가 되는 시기

④ 폐포기(Alveolar stage): 세포외기질, 모세혈관 그물 및 림프계가 형성되고 제2형 폐세포(type II pneumocyte)에 의해서 표면활성제(surfactant)

가 형성되는 시기

출생시 신생아의 폐포의 수는 성인 폐포의 15% 정도이며 이는 생후 8세까지 계속 증가한다. 이러한 태아의 폐의 발달 과정에 여러 가지 외적 요인이 영향을 끼칠 수 있는데, 예를 들어 태아의 신장이 없는 경우(bilateral renal agenesis)에는 폐 발달의 초기 단계부터 필요한 양수가 없기 때문에 위의 단계에서 모두 결함을 나타낸다. 또한 임신 20주 이전에 조기양막파수가 되어 양수감소증이 발생한 경우는 기관지의 분지형성과 연골발달은 정상적이지만, 태아 폐포는 미성숙한 상태가 된다. 임신 24주 이후에 조기양막파수가 발생한 경우에는 폐구조에 거의 영향을 미치지 않는 것으로 알려져 있다.

(2) 표면활성제(Surfactant)

표면활성제(surfactant)는 출생 후 숨을 내쉴 때, 즉 폐포의 조직-공기 경계면(tissue-air interface)에서 압력이 떨어질 때 폐포가 쭈그러들지 않게 하는 역할을 하는데, 이는 제2형 폐세포에서 생산된다. 표면활성제는 세포질세망(endoplasmic reticulum)에 있

는 여러 효소에 의해 합성되어 골지(golgi)체를 거쳐 층판체(lamellar body)에 결집되어 있다가 세포외유출(exocytosis)에 의해서 분비된다. 표면활성제의 구성은 84%의 인지질, 8%의 중성지질, 8%의 단백질로 되어있다(그림 3-8). 인지질의 80%는 포화 또는 불포화 인지질콜린(phosphatidylcholine, lecithins) 성분이고, 이 중 dipalmitoyl phosphatidylcholine (DPPC) 성분이 50%를 차지하고 있으며, 표면활성제의 주된 역할을 한다. 두 번째로 중요한 역할을 하는 표면활성제의 성분은 phosphatidyl glycerol (PG)로써 약 8~15%를 차지한다. 표면활성제와 결합하는 단백질(surfactant protein, SP)은 SP-A, B, C, D의 4종류가 밝혀져 있는데, 이 중 SP-A가 가장 주된 단백질이다. SP-A는 역시 제2형 폐세포에서 생산되며, 태아 폐성숙이 진행하면서 양수내 SP-A의 증가한다. 태아의 폐성숙이 진행함에 따라서 양수내 L/S ratio (lecithin/spingomyelin ratio)가 증가하고 dipalmitoyl phosphatidylcholine (DPPC)이 증가하며 phosphatidyl glycerol (PG)은 증가하고 phosphatidyl inositol은 감소한다. 태아의 폐성숙에 관

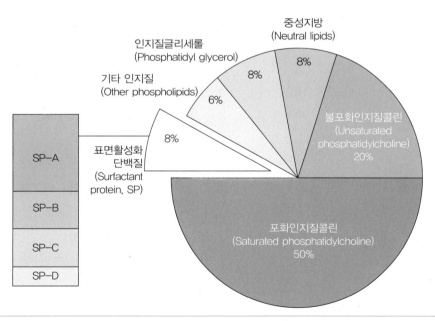

그림 3-8. **표면활성제의 조성**

여하는 호르몬으로써 가장 중요한 것이 글루코코르티코이드(glucocorticoid)이다. 태아의 내인성 cortisol은 폐포에서의 표면활성제의 합성을 증가시키며 많은 임상 연구들을 통하여 조산의 위험이 있는 임산부에서 투여하는 글루코코르티코이드 치료(antenatal corticosteroid therapy, ACS)는 표면활성제의 부족으로 발생하는 조산아의 신생아 호흡곤란증후군의 발생을 현저히 감소시킴이 이미 잘 알려져 있으며 이는 산과적 치료의 중요한 부분 중의 하나이다. 태아 흉벽의 움직임은 임신 11주부터 관찰되며, 임신 4개월 초부터 태아는 기관지를 통한 양수의 흡입 능력을 갖게 되는데, 이는 폐포의 발달에 기여한다.

8) 태아의 내분비계(Endocrine system)

(1) 뇌하수체전엽(Anterior pituitary gland)

태아의 뇌하수체전엽은 5개의 세포형태가 있으며 6종의 단백 호르몬을 분비하는데, 락토트로프세포(lactotropes)에서는 프로락틴(prolactin, PRL)을, 성장자극세포(somatotropes)에서는 성장호르몬(growth hormone, GH)을, 코르티코트로프세포(corticotropes)에서는 부신피질자극호르몬(corticotropin, ACTH)을, 갑상샘자극세포(thyrotropes)에서 갑상샘자극호르몬(thyroid stimulating hormone, TSH)을, 마지막으로 생식샘자극세포(gonadotropes)에서 황체형성호르몬(luteinizing hormone, LH)과 난포자극호르몬(follicular stimulating hormone, FSH)을 분비한다. 부신피질자극호르몬은 임신 7주 경에 처음으로 발견되고, 성장호르몬과 황체형성호르몬은 임신 13주 경에 태아의 뇌하수체에서 발견되며, 임신 17주 경의 태아는 모든 종류의 뇌하수체호르몬을 생성하고 저장한다.

(2) 신경뇌하수체(Neurohypophysis)

태아의 신경뇌하수체는 임신 10주에서 12주 경에 잘 발달되며, 이 시기부터 oxytocin과 아르기닌 바소프레신(arginine vasopressin, AVP)이 검출된다. Oxytocin과 AVP는 폐나 태반에서 주로 작용하여 수분을 저장하는기능을 수행한다.

(3) 태아뇌하수체중엽(Fetal intermediate pituitary gland)

태아에서는 잘 발달되어 있으나 만삭 이전에 사라지기 시작하여 성인에서는 나타나지 않는다.

(4) 갑상샘

태아의 뇌하수체-갑상샘 축은 임신 제1삼분기 말에 기능을 시작하나, 갑상샘자극호르몬과 갑상샘호르몬의 분비는 임신중반까지 낮은 상태이며, 그 뒤에 서서히 증가한다. 갑상샘자극호르몬은 거의 태반을 통과하지 못한다. 태아의 갑상샘은 임신 10~12주 경부터 갑상샘호르몬을 생산할 수 있게 된다. 임신 12주 이후부터 태반은 주로 태아측에 요오드(iodide)를 집중시키는 작용을 하며, 태아의 갑상샘도 모체의 갑상샘보다 요오드에 대한 친화력이 더 강하다. 따라서 임신부에게 투여하는 방사능 요오드나 상당한 양의 요오드는 태아의 갑상샘에 영향을 끼칠 수 있으므로 주의를 요한다. 태아의 갑상샘호르몬은 태아의 뇌를 비롯한 모든 조직이나 기관의 발달에 매우 중요하다. 태반 및 양막은 임신부의 갑상샘호르몬을 불활성화시켜서 태아로 전달되는 것을 막는 기능을 가지고 있으나, 모체의 혈액에 높은 농도로 존재하는 여러 가지 종류의 항갑상샘 항체는 태반을 통과하여 태아의 갑상선기능저하증을 초래할 수 있다.

(5) 부신(Adrenal gland)

태아의 부신은 성인과 비교하면 태아체중에 비하여 매우 큰데, 이러한 태아부신의 지나친 비대는 태아의 부신 피질에 있는 태아대(fetal zone) 때문이다. 이러한 태아대는 출생 직후 빠르게 위축된다.

3. 태아 안녕평가

1) 산전태아평가(Antepartum fetal assessment)

산전태아평가(antepartum fetal assessment)의 목적은 진통 전 태아사망 및 영구적인 신경학적 손상을 감소시키는 것이다. 진통 전에 태아가 사망하는 경우는 전체적으로는 드물게 발생하는 일이라고 생각되지만 실제로는 출생 후 발생하는 영아돌연사증후군(sudden infant death syndrome)에 비하여 10배 정도 많은 빈도로 발생하며 임상에서 비교적 흔하게 부딪히게 된다. 미국의 질병관리본부의 보고에 의하면 2005년 미국의 주산기사망률은 1,000명 당 6.6명이었으며 이 중 태아사망률은 약 50% 정도였다. 태아사망(fetal death)은 크게 진통 이전의 시기(antepartum period)에 태아가 사망하는 경우와 진통의 시기(intrapartum period)에 태아가 사망 하는 경우의 크게 두 가지로 나눌 수 있으며 진통 이전에 태아가 사망을 하는 경우가 전체 태아사망의 70~90%를 차지한다. 진통 이전의 태아사망의 원인은 크게 4가지로 분류할 수 있는데 첫째는 다양한 원인에 의한 태아의 만성적인 저산소증(chronic asphyxia) 둘째, 선천성 기형, 셋째, Rh 동종 면역, 태반 조기박리, 태아 감염과 같은 임신의 합병증이 동반된 경우, 마지막으로 원인 불명의 경우이다. 태아사망률은 최근 20~30년 동안 적절한 산전 관리 등의 도움으로 현저하게 감소되었으며 구미의 한 보고에 의하면 1960년에 1,000명당 11.5명의 태아사망률이 1990~1993년에 1,000명당 3.2명으로 감소하였으며 이러한 감소에 기여한 중요한 요인들로 Rh동종 면역에 대한 감작 치료, 산전 태아감시(antepartum fetal surveillance), 자궁내 태아성장제한(intrauterine growth restriction, IUGR)의 진단, 산전 초음파검사를 통한 태아 기형의 진단, 당뇨 및 임신성 고혈압에 대한 치료의 향상 등

을 들 수 있다. 이러한 배경 하에 특히, 고위험 임산부의 산전 관리에서 산전 태아감시(antepartum fetal surveillance)를 시행하는 것이 태아사망률을 현저 하게 감소시킨다는 것은 이미 대규모의 연구 결과에서 밝혀졌다. 진통전 태아 평가 방법들은 태아의 심박동변화에 근거를 두고 지난 30여 년간 발달해왔으며 최근에는 초음파검사 및 Doppler 검사가 많이 사용되고 있다. 현재 진통 전 태아 평가는 당뇨 또는 자궁내 태아발육지연 등의 고위험 임산부의 산전 관리에 있어서 매우 중요한 부분을 차지하고 있으며, 그 외에도 다양한 적응증으로 시행되고 있다(표 3-1). 산전 태아안녕평가에서 정상 검사 결과를 보인 경우 일주일 이내에 태아가 사망하는 경우는 거의 없어서, 정상 검사 결과는 매우 신뢰성이 높은 것으로 생각된다. 저위험 임산부를 대상으로 한 연구에서 비수축검사, 수축검사, 생물리학 계수와 같이 흔히 사용되는 산전 태아안녕평가 방법들의 음성예측치(negative predictive value; a true negative test)는 99.8~99.9%로 매우 높게 보고되고 있다. 반대로, 비정상검사 결과에 대한 양성예측치(positive predictive value; a true positive test)는 낮은 편이며 매우 다양

표 3-1 진통 전 태아 감시 시행의 적응증

1. 자궁태반기능부전이 의심되는 경우
지연임신
당뇨
고혈압
사산의 과거력
자궁내 태아 발육지연 의심
고령 임산부
체중의 차이가 큰 쌍태 임신
항인지질항체증후군
2. 다른 검사에서 태아의 안녕이 의심되는 경우
자궁 내 태아 발육지연 의심
태동의 감소
양수감소증
3. 일반 산전 태아 평가

한 인자들에 영향을 받는다. 이 장에서는 주로 진통 전 산전 태아 검사(antepartum fetal surveillance)로 시행하는 검사의 종류와 그 내용 및 의미에 대해서 간략하게 소개하겠다.

(1) 태동(Fetal movement)

태동은 태아 생존의 신호이며 태아의 중추신경계 발달 및 기능을 반영한다. 임산부는 보통 18주에서 20주경부터 태동을 감지하며 일부는 이보다 이른 16주경에 태동을 감지하기도 한다. 초음파를 이용할 경우 태아의 움직임은 임신 7~8주경부터 관찰되며, 12~13주면 태아의 손이 움직이는 것을 관찰할 수 있고, 14주경이면 각각의 사지운동이 관찰된다. 태아의 활동상태는 크게 4가지로 나뉘는데, 제1상태(stage 1F)는 고요한 수면상태(quiet sleep)로, 태아의 움직임이나 안구의 운동이 없고, 태아심박수는 좁은 진폭으로 진동하는 양상을 보인다. 제2상태(stage 2F)는 빠른눈운동(rapid eye movement, REM) 혹은 활동성 수면기(active sleep)에 해당하는 시기로, 반복적인 몸통 및 사지의 움직임과 지속적인 안구 움직임이 관찰되며, 태아심박수 진동의 폭이 커진다. 태아는 대부분의 시간을 제1 혹은 제2상태로 지낸다. 제3상태(stage 3F)는 신체의 움직임이 없으면서 지속적인 안구의 움직임이 나타나며, 태아심박수의 증가(acceleration)가 없는 상태이다. 이 상태는 드물게 매우 짧게 나타나며, 만삭이전에는 거의 관찰되지 않는다. 제4상태(state 4F)는 만삭에 가까운 태아에서 제1, 2상태에 비하여 적은 빈도로 관찰되는 영아의 각성상태(awake state)에 해당하는 시기이다. 임신 20주에서 30주 사이의 태동은 점차 조직화되고 휴식기와 활동기가 반복되는 주기성을 나타내게 된다. 실시간 초음파를 통해 관찰한 결과, 임신 제3분기의 태아는 하루의 약 10% 동안 gross movement를 보이며, 평균적으로 시간당 약 30회의 움직임을 보인다. 태동의 평가에는 이러한 태아의 수면-각성 주기를 이해하는 것이 매우 중요하

며, 이는 임신부의 수면-각성 주기와는 독립적으로 나타난다. 태아의 수면-각성 주기는 그 정상 범위가 20분에서 75분까지 넓게 보고되고 있으며, 이 때문에 제1상태와 결합된 비수축검사의 무반응성(non-reactive)은 길게는 2시간 까지도 나타날 수 있다. 이러한 시기에도 초음파를 이용한 검사에서는 태아의 사지, 입, 몸통 등에서 태아의 운동이 관찰되는 경우도 많으므로, 어떠한 태아검사에서 이상이 발견되는 경우 여러 방법을 이용하여 태아의 상태를 평가하는 것이 도움이 된다

정상 임신에서도 태동의 정도와 빈도는 매우 다양하기 때문에, 정상범위를 정의하기가 매우 어렵다. 그러나, 임산부가 인지하는 태동의 감소가 자궁내 태아사망과 연관이 있을 수 있으므로, 어떠한 경우의 태동감소가 의미 있는 것인지를 구분하기 위한 노력이 필요하다. 태동은 태아의 정상적인 수면으로부터, 자궁내 성장제한, 저산소증, 태아빈혈, 중추신경계-근골격계이상과 같은 태아 질환 및 임산부의 약물 복용, 양수과다증 혹은 양수감소증, 정서적 불안과 같은 모체 요인에 의하여 감소할 수 있다. 태동을 정량화하기 위해 흔히 사용하는 방법 중 하나는, 임신부를 옆으로 눕힌 자세에서 태동에 집중하여 2시간 동안 횟수를 측정하게 하고 10회의 태동을 인지하면 정상으로 간주하는 것이다. 그 외에도 임산부가 일상적인 생활을 하면서 12시간동안 최소 10회의 태동을 인지하는 경우 정상으로 평가하는 방법, 일주일에 3회, 각 1시간씩 태동을 측정하게 하여 이전에 측정된 태동의 빈도와 비교하여 같거나 증가하면 안심할 수 있는 것으로 평가하는 방법 등이 이용되고 있다. 대부분의 태아사망이 임신부가 태동의 감소를 인지하여 내원한 시점에 이미 발생하는 것으로 보고되고 있으나, 태동감소 후 생존해 있는 태아에서 사망률이 그렇지 않은 군보다 약 3배 증가한다는 보고도 있다. 따라서 어떠한 방법이든 태동의 감소가 인지된 경우, 반드시 태아의 상태를 평가하기 위한 노력이 뒤따라야 한다. 이 때 가장 일차적으로 사용되는 방법은 비수축검사이며, 필요에 따라

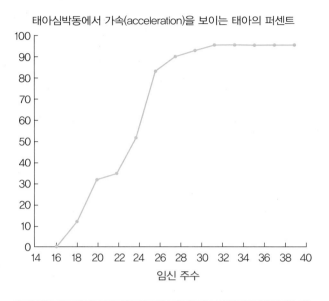

태아심박동에서 가속(acceleration)을 보이는 태아의 퍼센트

임신 주수

그림 3-9. 임신 주수에 따른 비수축검사 양성률

초음파검사, 생물리학계수 및 도플러검사 등을 이용하여 태아의 안녕을 평가하여야 한다.

(2) 비수축검사(Nonstress test)

20세기 중반경부터 태아의 운동, 자궁의 수축이나 자극에 의하여 태아 심박동의 상승(acceleration)이 발생함이 알려졌으며, 1975년 Freeman 등이 태아의 움직임에 따른 태아 심박동의 상승(acceleration)을 태아의 건강 상태를 반영하는 지표로 사용할 수 있음을 처음 보고하였다. 기본적으로, 비수축검사는 산혈증이나 신경학적 이상이 없는 태아의 경우 자율신경계가 성숙함에 따라 태아의 운동과 더불어 심박수가 일시적으로 증가한다는 것을 전제로 한다.

비수축검사를 시행하는 방법은 임신부가 약간 옆으로 기울여 누운 자세에서 Doppler 탐촉자로 태아의 심박동의 상승을 기록하면서 임산부가 느끼는 태아의 움직임을 기록한다. 태아의 심박수가 기선(baseline)으로부터 적어도 분당 15회 이상으로 상승하여 15초 이상 지속되는 가속(acceleration)이 있는지 관찰하며

대개 10~15분내에 검사가 종료된다. 결과는 반응성(reactive)과 무반응성(nonreactive)으로 판정하며(그림 3-9), 반응성이 있다고 판단하는 기준은 20분의 검사 기간 중에 임신부의 태동 인지와 상관없이 고점이 15회/분 이상으로 15초 이상 지속되는 태아심박수의 가속(acceleration)이 2회 이상 있는 경우이다(그림 3-10). 그러나 무반응성으로 판정하기 위해서는 태아의 수면-각성 주기를 고려할 때 적어도 40분 이상의 지속적인 관찰이 필요하다.

반응성 결과를 보이는 경우 1주일 이내의 태아 사망을 기준으로 한 위음성 비수축검사의 빈도는 매우 낮아 약 1,000 태아 당 1.9명 정도이다. 위음성의 원인은 조기태반박리, 탯줄꼬임과 같이 예측하기 어려운 급성 이상 등이 있으며, 가장 흔한 부검소견은 태변흡인이었다. 필요에 따라 다른 지표들을 혼합하여 태아상태를 평가하는 것이 필요한데, 특히 임신 중 고혈압/당뇨, 자궁내 성장제한과 같은 위험인자가 있는 경우 태아사망률이 증가함에 따라 비수축검사의 위음성률도 증가하게 된다. 따라서 검사결과의 향상을 위해 추가적인 검사를 시행하기도 하며, 이 때 흔히 사용하는 것이 양수양의 평가, 수축자극검사, 생물리학계수, 도플러 초음파 등이다. 수축검사나 생물리학계수의 경우 위음성률이 각각 비수축검사에 비하여 낮다.

무반응성이 나타나는 원인은 태아의 저산소증이나 산혈증, 태아의 미성숙, 임산부의 흡연, 심리적 요인 등 다양하며, 위양성도가 50~60%까지 보고되고 있다. 태아가 미성숙한 경우, 자산소증이나 산혈증과 무관하게 무반응성으로 나오는 경우가 많다. 재태연령이 증가함에 따라 무반응성의 빈도는 감소하게 되는데, 24~28주에는 약 50%에서, 28~32주 사이에는 약 10~20%에서 무반응성의 결과를 보인다. 이 때문에 미국 국립 아동보건 및 인간발달연구소(National Institute of Child Health and Human Development, NICHD)의 2008년 태아감시워크샵(fetal monitoring workshop)

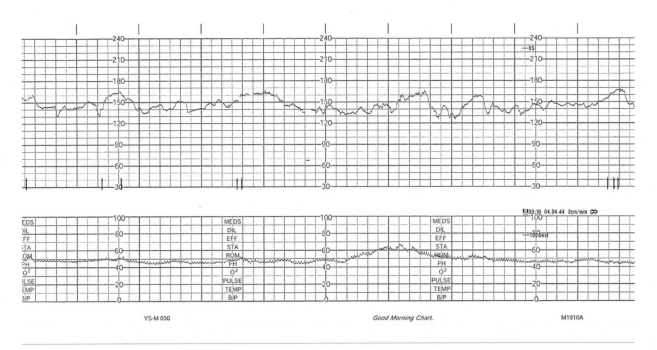

그림 3-10. 비수축검사의 반응성(양성)의 예
화살표는 임산부가 느끼는 태동을 표시함. 태아의 움직임에 따른 태아 심박동의 상승이 관찰됨

에서는 32주 미만의 태아의 경우, 태아심박수의 가속(acceleration)을 고점이 분당 10회 이상이고 10초 이상 지속되는 것으로 정의하였다. 무반응성 결과를 보이는 경우, 위양성의 감별을 위해 우선적으로 음향자극검사를 시행하거나 생물리학계수, 도플러와 같은 추가적인 검사를 시행하도록 한다. 특히 태아심박수의 변이가 정상적인 상태에서 나타나는 무반응성을 태아곤란으로 섣불리 판단하여 불필요한 조산 및 이른 분만을 하지 않도록 주의하여야 한다.

한편 심박수의 감소가 발생하기도 하는데, 일회성의 30초 미만의 짧은 기간 심박수의 감소에 대하여는 특별한 산과적 처치가 필요하지 않다 하지만 1분 이상의 태아심박수 감소가 나타나는 경우 자궁 내 태아사망의 위험성도 증가하며, 3회 이상 반복되는 다양감속(variable deceleration)의 경우에도 위험도가 증가하므로 추가검사를 병행하여 평가하도록 한다. 특히 무반응성과 동반하여 심박동간 변이가 감소하거나 없는 경우는 매우 심각한 태아 상태를 반영할 수 있으므로 깊은 주의가 필요하다.

(3) 음향자극검사(Acoustic stimulation test)

비수축검사 시행 시 수면주기에 있는 태아를 각성시키기 위해서 소리 자극을 주는 검사 방법을 말한다. 음향기계를 임신부의 복부에 대고 약 1~2초간 음향자극을 주며, 3회까지 반복하여 시행하다. 이 때 사용하는 소리의 강도는 약 100~105 dB 정도에 해당하며 임산부의 복부를 통해서 약 1~2초간 자극을 주게 되며 3회까지 자극을 줄 수 있다. 이러한 방법을 통하여 비수축검사를 시행하는데 걸리는 평균시간을 단축할 수 있으며, 비수축검사의 위양성률을 낮출 수 있다.

(4) 수축자극검사(Contraction stimulation test, CST)

수축자극검사는 자궁수축이 있을 때 혈관 압박에 따

라 융모사이공간으로의 혈류가 감소하게 되는 점에 착안하여, 자궁수축 시 태아의 심박동의 감속이 발생하는지를 알아보는 검사이다. 즉 태반관류기능이 정상적으로 유지되는 상태에서는 자궁수축이 발생하더라도 필요 이상의 태반관류가 유지되어 심박동의 감속이 나타나지 않으나, 이미 태반관류기능이 저하된 경우 생리적인 자궁수축에 대하여도 심각한 태반관류저하가 발생하여 태아 심박동의 감속이 나타나게 된다.

수축자극검사는 옥시토신(oxytocin)을 정주하거나 유두 자극을 통해 자궁수축을 유발하며, 10분에 40초 이상 지속되는 수축이 3회 이상 유발되는 경우 결과를 판정할 수 있다. 결과의 판정은 아래의 표와 같이 시행한다(표 3-2). 수축검사 결과 양성이면서 적절한 조치를 하지 않을 경우 자궁 내 태아사망의 가능성이 7~15% 정도로 매우 높다. 한편 수축자극검사는 위양성률이 30% 정도로 보고되어 단독으로는 태아의 상태를 평가하는 방법으로 제한점이 있으며, 또한 검사를 시행하는데 90분 정도의 비교적 긴 시간이 필요하다는 단점이 있어 최근에 많이 시행되는 검사는 아니다.

(5) 생물리학계수(Biophysical profile, BPP)

생물리학계수(biophysical profile, BPP)는 1980년대 초반 초음파의 발달과 함께 태아의 물리적 상태를 객관적으로 평가하고 이를 통해 태아의 중추신경계 기능을 평가하는 방법으로 고안되었다. 생물리학계수는 즉각적인 태아의 상태를 반영하는 급성 생물리학 지표

인 비수축검사(non-stress test, NST), 태아호흡운동(fetal breathing movement, FBM), 태아운동(fetal movement, FM), 태아근긴장도(fetal tone, FT)와 태아의 만성적인 상태를 반영하는 생물리학 지표, 즉 양수 양(amniotic fluid volume)으로 구성되어 있다(표 3-3).

태아호흡운동은 재태연령 20~21주면 규칙적으로 관찰되며, 호흡 중추는 중뇌의 아래 쪽에 위치한다. 빠른 눈운동 시기에 보다 자주 관찰되며, 태아호흡운동이 관찰되지 않는 경우 태아의 저산소증을 의심할 수 있다. 하지만 수면주기, 임산부의 혈당상승, 중추신경억제제의 사용과 같은 외부 요인도 영향을 미친다. 태아운동은 임신 7~8주면 관찰되기 시작된다. 태아의 생물리학 지표들은 이른 재태연령에 시작된 것일수록 태아의 상태가 악화됨에 따라 가장 나중에 없어지는 경향을 보인다. 따라서 임신 제2삼분기 후반부에서 제3삼분기에 보이는 뚜렷해지는 태아심박수의 상승과 같은 조절은 이론적으로 태아상태의 악화와 동반되어 가장 먼저 이상을 보이나, 반드시 순서대로 진행되는 것은 아니다. 각각의 지표들은 주산기사망률의 상승과 연관이 있다. 예를 들어 태아호흡운동이 없는 경우 주산기사망률은 14배나 증가한다고 알려져 있다. 하지만 각각의 지표들의 위양성률은 50~79% 정도로 보고되고 있으며, 이들을 종합하여 생물리학계수를 이용할 경우의 위양성률은 20%까지 낮아지는 것으로 보고되고 있다.

표 3-4는 생물리학계수에 따른 처치 권고안이다. 각

표 3-2 수축검사의 해석

양성(Positive)	자궁수축의 50% 이상에서 만기형 심장박동감속이 나타나는 경우
음성(Negative)	만기형 또는 의미있는 다양성 심장박동감속이 나타나지 않는 경우
불확실-의심	간헐적인 만기형 심장박동감속이 있거나 의미있는 다양성 심장박동감속이 있는 경우
불확실-과수축	자궁수축의 빈도가 2분에 한번 또는 90초 이상 지속되는 자궁수축이 있으면서 태아심박동의 감속이 나타나는 경우
불충분	자궁수축의 빈도가 10분에 3번 미만인 경우 또는 기타 해석불가능한 경우

표 3-3 태아 생물리학계수의 평가기준

태아생물리학적 변수	정상(점수=2점)	비정상(점수=0점)
태아호흡운동	30분간 관찰 시, 30초 이상 지속되는 호흡운동이 1회 이상 있을 때	태아의 호흡운동이 없거나 30초 미만으로 지속될 때
태아운동	불연속적인 태아의 몸통 및 사지의 움직임이 적어도 3번 이상 있는 경우	불연속적인 태아의 몸통 및 사지의 움직임이 두 번 이하인 경우
태아긴장도	태아의 사지나 몸통을 능동적으로 폈다가 굽히는 운동 또는 손을 폈다가 쥐었다가 하는 운동이 적어도 1회 이상 있는 경우	태아의 사지나 몸통의 움직임이 천천히 펴지면서 능동적인 굽히는 운동이 없거나 태아의 움직임이 없는 경우
태아심박동	20~40분간 관찰 시, 20초 이상, 분당 20회 이상 지속되는 태아심박수의 상승이 2번 이상 있는 경우	태아심박수 상승이 1회 이하로 있는 경우
양수양	두 개의 수직한 평면에서 측정한 양수 pocket이 2×2 cm 이상인 경우	두 개의 수직한 평면에서 측정한 양수 pocket이 2×2 cm 이하인 경우

각의 검사결과의 합이 10점이거나 양수양이 정상이면서 8점인 경우 태아가 1주일 안에 사망할 가능성은 매우 낮다는 것을 의미한다. 같은 8점이라고 하더라도 양수양이 감소한 경우에는 태아의 만성적인 저산소증의 상태로 급격히 나빠질 가능성이 있으므로 만삭의 경우 분만을 고려하고, 미성숙한 경우 반복적 생물리학계수 평가 및 추가적인 평가가 필요하다. 생물리학 계수가 6점이면 재태연령 및 임산부와 태아의 위험인자를 고려하여 분만 여부를 결정하여야 한다. 태아 생물리학계수의 지표 중 양수양이 정상이면, 약 2/3에서는 24시간 이내에 재검을 하였을 때 정상으로 돌아오는 것으로 알려져 있다. 따라서 임신 36주 이후로 태아가 성숙하고 자궁경부가 숙화된 경우에는 분만을 시도할 수 있으며, 분만이 가능한 상황이 아닐 경우 재검을 하여 반복적으로 6점 이하이면 분만을 고려하여야 한다. 지속적으로 같은 결과를 보이는 경우 태아사망의 위험도는 약 5% 정도로 보고되었다. 생물리학 계수가 4점인 경우 분만하거나, 필요한 경우 같은 날 재검하여 6점 이하이면 분만을 적극적으로

표 3-4 태아 생물리학적 계수에 따른 처치

점수	해석	처치
10	정상, 태아가사의 위험성 낮음	1주 후 재검(질환에 따라 주 2회)
8, 정상양수	정상, 태아가사의 위험성 낮음	질환에 따라 검사 반복
8, 양수과소증	정상, 태아가사의 위험성 낮음	질환에 따라 검사 반복
6	태아가사 위험성 있음	양수양이 비정상이면, 분만 임신 36주 이후이고 자궁경부가 양호하면 분만 재검사 6 이하이면 분만 재검사 8 이상이며, 관찰 및 재검
4	태아가사 위험성 높음	당일 재검하여 6 이하이면 분만
0-2	태아가사 위험도 매우 높음	분만

고려하여야 한다. 생물리학계수가 4점 이하인 경우 태아사망, 산혈증의 빈도가 급격하게 증가한다. 생물리학 계수가 0점이나 2점인 경우 태아가사상태가 거의 확실하다고 판단되며 예외적인 경우가 아니라면 즉각적인 분만이 필요하다.

태아 생물리학계수가 주산기사망과 관련이 있다는 것은 이미 잘 알려져 있으며, 이러한 태아 생물리학계수의 측정 및 이에 따른 처치가 주산기사망률(perinatal mortality)을 현저히 감소시켰다고 보고되었다. Manning 등은 생물리학계수를 시행한 경우 주산기사망률 및 신생아 사망률이 약 30% 정도 감소한다고 하였다. 또한 일주일마다 생물리학계수를 시행하였을 때 자궁내 사망의 예측에 대한 위음성률은 0.6/1000, 위양성률은 약 50%라고 보고하였다. 위음성의 원인은 만석적인 저산소증보다는 갑작스런 제대압박, 태아모체출혈, 태반조기박리 등의 급성 변화에 기인한다.

(6) 수정생물리학계수(Modified biophysical profile)

수정생물리학계수란 기존의 생물리학계수 검사 중 비수축검사(NST)와 양수지수(amniotic fluid index, AFI)만을 시행하는 검사 방법으로 1994년 Nageotte 등에 의해서 고안되었다. 이론적으로 비수축검사는 생물리학계수 중 급성기 태아상태를 잘 반영하며, 가장 먼저 이상이 나타나는 검사이고, 양수양은 만성적인 태반 이상을 평가할 수 있는 항목이다. 수정생물리학계수의 위음성률은 약 0.8/1000으로 수축검사나 완전한 생물리학계수 검사와 큰 차이가 없으며, 위양성률은 약 60% 정도로 보고되었다. 수정 생물리학 계수 검사 결과, 비수축검사에서 무반응성을 보이거나 양수과소증을 보이는 경우에는 완전한 태아 생물리학계수를 확인하여야 한다.

(7) 도플러 초음파(Doppler ultrasound)

태아의 안녕을 평가하는 방법으로 태아 순환 및 각 기관의 관류를 보기 위해 태아 동맥 및 정맥 파형을 측정한다. 이 때 흔히 측정하는 혈관은 제대동맥(umbilical artery, UA), 중대뇌동맥(middle cerebral artery, MCA)과 같은 동맥 및 제대정맥(umbilical vein), 정맥관(ductus venosus)정맥이다. 제대동맥 또는 중대뇌동맥 등의 동맥 도플러 파형은 혈관 저항을 반영하며 정맥관, 제대정맥 등의 정맥도플러파형은 태아 심박출량의 forward distribution을 반영한다. 동맥 도플러 파형은 수축기 및 이완기의 이중(biphasic) 패턴으로 나타나는 반면, 정맥도플러파형은 심장의 수축력, 후부하 등에 의해 결정되고 삼중(triphasic) 패턴으로 나타난다.

① 제대동맥(Umbilical artery)

제대동맥은 태아 도플러검사에서 가장 쉽고 널리 사용된다. 제대동맥 도플러는 태아-태반의 혈액 관류를 반영하는 중요한 지표이다. 제대동맥의 혈류속도파형은 흔히 다음의 세 지표(index)로 계산하여 분석한다.

가. Pulsatility index (PI) = (S–D)/A

나. Resistance index (RI) = (S–D)/S (Pourcelot index)

다. S/D ratio (S, maximum peak systolic velocity D, end-diastolic velocity A, mean Doppler shift velocity)

이 중 S/D ratio는 비교적 많은 산과의사들에게 익숙하여 흔히 사용되며, pulsatile index는 측정 오차가 적고 참조치(reference value)의 범위가 적어 이론상 가장 우수하다.

제대동맥의 혈류는 임신 주수가 증가함에 따라 증가하고, 임신 제1삼분기의 높은 혈관 저항은 임신 말기로 갈수록 감소한다. 이와 같은 변화는 태반의 성장과 태반 혈관의 수가 증가함에 기인한다. 임신 12~14주까지는 정상적으로 제대동맥의 이완기 혈류는 관찰되지 않는다. 태반 혈관 저항이 임신 주수가 증가함에 따라 감소 하면 제대동맥 혈류는 전체 심주기(cardiac cycle) 동안 전방 혈류를 유지하게 된다(그림 3-11A). 일반적으로 20주 경이면 S/D ratio가 약 4.0이고, 만삭이면 2.0까지 감소하며, 30주 이후에는 3.0 이하이다. 그러나 태반 융모 혈관(placenta villous vessel)이 소실 되거나 태아-태반 혈관의 저항이 증가하면 제대동맥의 이완기말 혈류가 감소하고(그림 3-11B), 심한 경우 소실 또는 역전되는 현상이 일어난다(그림 3-11C, D). 제대동맥의 이완기말 혈류 감소는 태반 기능 소실의 정도와 비례한다고 보고되고 있다. 예를 들어 태반 융모 혈관의 30%가 손상이 되면 제대동맥 이완기말 혈류가 의미 있게 감소하기 시작하고, 손상의 범위가 60~70%가 되면 제대동맥 이완

기말 혈류가 소실 또는 역전된다는 연구 결과들이 있다.

제대동맥 혈류속도파형의 이상은 재태연령의 평균보다 표준편차 2배를 초과하는 값을 보이거나, 이완기말 혈류가 소실-역전(absent/reversed end diastolic flow)되는 경우로 정의한다. 탯줄동맥의 혈류속도파형은 선별검사로 사용되지는 않으며, 자궁내 성장제한이 있는 경우에는 임상적으로 유용하다. 미국산부인과학회(2013) 권고안에서는 자궁내 성장제한이 있는 경우에 제대동맥 혈류속도파형의 이상을 확인함으로써 예후를 향상시킬 수 있다고 하였다. 제대동맥 혈류속도파형의 이상에 따른 분만시기에 대하여는 논란이 있으나, 일반적으로 이완기말 혈류가 소실되는 경우 다른 태아안녕검

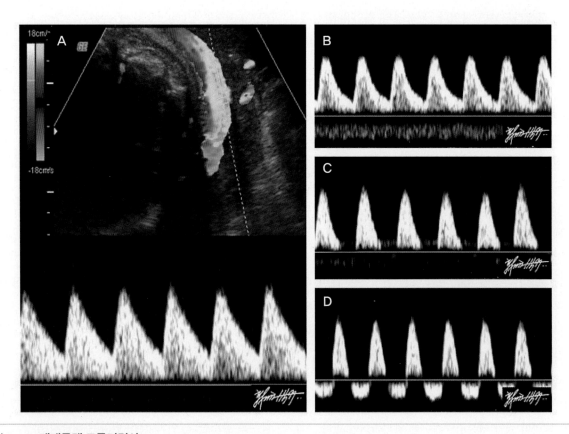

그림 3-11. 제대동맥 도플러검사

(A) 정상 태아의 제대동맥 도플러 소견
(B) 자궁내태아발육지연의 태아로 제대동맥 도플러에서 이완기말혈류(end diastolic flow)가 감소된 소견을 보임
(C) 제대동맥 도플러에서 이완기말혈류의 소실(absence of end diastolic flow)을 보임.
(D) 제대동맥 도플러에서 이완기말혈류의 역전(reverse of end diastolic flow)을 보임.

사에서 이상이 없더라도 34주에는 분만을 권고하고 있으며, 역전이 발생하는 경우 다른 검사에서 이상이 없더라도 32주에는 분만을 권고하고 있다. 32주 이전이라고 하더라도 적극적인 태아안녕검사의 시행 및 처치를 고려하여야 한다.

② 중대뇌동맥(Middle cerebral artery)

태아의 뇌혈류 순환은 내경동맥(internal carotid artery), 중대뇌동맥(middle cerebral artery), 후대뇌동맥(posterior cerebral artery), 전대뇌동맥(anterior cerebral artery) 등에서 도플러를 이용하여 측정할 수 있다. 이 중 중대뇌동맥은 다른 뇌동맥에 비해 도플러 검사가 쉽고 자궁내 성장제한 및 태아 수종과 관련된 합병증 진단에 있어 높은 민감도를 보이므로 가장 많이 사용되고 있다. 중대뇌동맥은 아두대횡경(biparietal diameter) 측정 평면의 약간 하방에서 관찰된다. 이 평면에서 중대뇌동맥은 대뇌동맥고리(circle of Willis)에서 기시하여 전측방으로 주행한다. 도플러검사는 중대뇌동맥의 기시부에서 가까운 쪽에서 측정한다(그림 3-12A). 태아의 중대뇌동맥은 전체 심주기 동안 전방 혈류를 유지한다. 중대뇌동맥의 pulsatile index는 임신 중기 이후 임신 주수가 증가할수록 감소한다. 자궁내 성장제한 태아의 중대뇌동맥 pulsatile index는 정상 태아에 비해 감소하는 반면, 수축기 평균 혈류 속도는 증가한다. 특히 태아가 저산소증 또는 빈혈 상태에 있게 되면 뇌로 가는 혈류의 재분배, 소위 "brain sparing" 현상이 일어나 대뇌 혈관의 저항이 감소하고, 중대뇌동맥 pulsatile index가 2 표준편차 미만으로 감소하게 된다(그림 3-12B, C). 자궁내 성장제한 태아의 저산소증 상태가 더욱 심각해져 뇌부종이 발생하면 오히려 중대뇌동맥의 pulsatile index는 증가하기 시작하고, 심지어 이완기 혈류가 소실되거나 역전되기도 한다. 중대뇌동맥의 이완기 혈류 소실 또는 역전은 자궁내 태아사망이 임박했다는 징후로 나타나기도 한다. 중대뇌동맥의 혈류속도파형의 평가는 제대동맥의 분석에 보조적으로 이루어지나, 분만시기의 결정 등에 도움이 된다는 근거는 아직 없다.

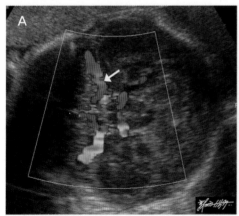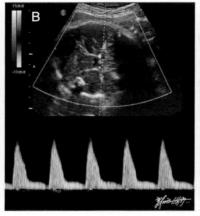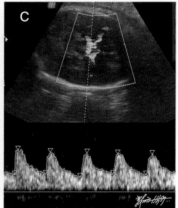

그림 3-12. 중뇌동맥 도플러검사
(A) 중뇌동맥이 윌리스환(circle of Willis)에서 앞쪽으로 주행하는 것이 관찰됨.
(B) 정상적인 중뇌동맥 도플러검사 소견
(C) 자궁내태아발육지연의 태아로 중뇌동맥 PI (pulsatility index)가 감소된 소견을 보임.

③ 정맥관(Ductus venosus) 및 제대정맥
(Umbilical vein)

태반으로부터 제대정맥(umbilical vein)을 통해 태아의 몸으로 들어간 산소와 영양분이 풍부한 혈액은 간을 거치지 않고 정맥관(ductus venosus)을 형성한 후 하대정맥(inferior vena cava, ICV)으로 연결되어 바로 우심방으로 들어간다. 태아의 상체로부터 상대정맥(superior vena cava, SVC)을 통해 혈류가 우심방으로 들어간다. 정맥관은 트럼펫 모양으로 생긴 작은 정맥으로 임신 7주에 발달하여 직경이 크게 증가하지 않아 제대정맥의 1/3 정도가 된다. 이로 인해 정맥관으로 가는 혈류는 속도가 증가되어 빠르게 하대정맥으로 들어가게 되며 왼쪽간정맥(left hepatic vein)을 통해 들어오는 혈액과 합쳐져 우심방(right atrium, RA)으로 들어간 후 난원공을 통해 좌심방(left atrium, LA)으로 들어가게 된다. 이와 반대로 오른쪽 간정맥(right hepatic vein)과 중심간정맥(central hepatic vein)에서 하대정맥으로 올라온 혈류는 상대적으로 느리며 이는 정맥관에서 들어온 혈액과 거의 섞이지 않고 삼천판(tricuspid valve)을 통해 우심실(right ventricle)로 들어간다. 정상적인 환경에서 60~70%의 제대정맥혈은 간으로 공급되고 나머지는 심장으로 공급된다. 만성적 저산소증에서는 이러한 분배에 조정이 일어나 더 많은 비율의 제대정맥혈이 간을 거치지 않고 바로 심장으로 공급된다.

제대정맥의 도플러 초음파는 양수내 제대에서 측정하는 것이 추천되고 정맥관은 태아 상복부에서 midsagital view 또는 transverse view에서 측정이 가능하며 색도플러(color Doppler)는 협부를 찾는데 도움이 된다(그림 3-13A,B). 태아 초음파에서 정맥관은 간정맥과 하대정맥 사이에 있어 세 혈관이 삼지창 모양으로 보인다(그림 3-13A). 정맥관 도플러검사는 isthmus 부위에서 측정한다(그림 3-13 B,C). 제대정맥 및 정맥관 혈류는 전체 심주기 동안 전방 혈류를 유지한다. 제대정맥의 파동은 보통 임신 8주에는 모든 태아에서 관찰되며 9주부터 서서히 줄어들어 임신 13주경부터는 박동성이 없는 혈류가 관찰된다. 제대정맥의 파형이 있더라도 다른 이상 소견 없이 단상성(monophasic) 파동이 임신 제3삼분기 태아의 20%에서 나타나나, 다상성 파동은 비정상적 소견으로 태아의 심부전을 시사하는 소견이며 매우 불량한 예후를 보인다. 정맥관의 최대 혈류속도는 임신 18주 때 65 cm/s 에서 만삭 시기에 75 cm/s 까지 증가하며, 각각의 중심정맥에서 다른 파형을 보이나 임신 주수가 증가할수록 모든 중심정맥에서 수축기대 심방기 비율(S/a ratio)이 작아진다. 정맥관에서 역류가 생기는 경우 비정상적인 파형이며 Doppler index 가 임신 주수 기준으로 2 표준편차 이상일 때 비정상적인 파형이다. 비정상 정맥 혈류속도 파형은 자궁내 성장제한 태아가 산증의 위험에 처해있음을 시사하는 소견이다. 다양한 정맥 도플러를 조합한 경우 태아 산증의 진단의 민감도는 약 70~90%, 특이도는 70~80% 정도로 보고되고 있고, 임박한 태아 사망과도 연관이 있는 것으로 알려져 있으나, 동맥 도플러검사 단독에 비하여 주산기 예후를 향상시킨다는 근거는 없다.

(8) 현재의 산전검사 권고안(Current antenatal testing recommendations)

미국 산부인과학회에서 권고안에 따르면 태아안녕을 평가할 수 있는 한가지의 최상의 검사는 없다고 하였다. 따라서 결론적으로 수축검사, 비수축검사 및 태아 생물리학계수 검사 도플러검사 방법의 결과를 종합하고 임산부의 임상적인 상황과 임신 주수를 최종적으로 고려하여 분만을 할 것인가 또는 임신을 유지할 것인지를 결정해야 한다.

미국 산부인과학회의 일반적인 권고사항은 다음과 같다.

① 자궁내 태아사망의 위험도가 높은 고위험 임신에 대해서는 비수축검사, 수축검사, 태아생물리학계수 또는 변형 태아 생물리학계수와 같은 진통전

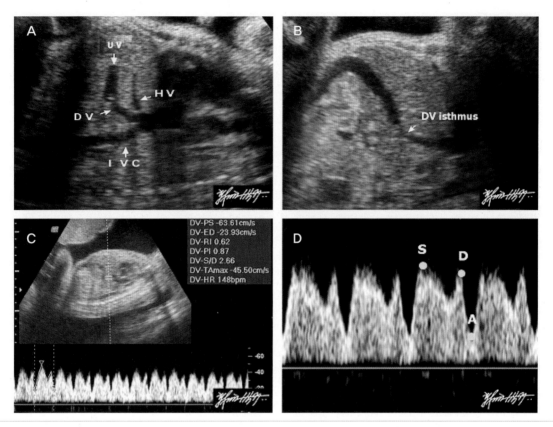

그림 3-13. 정맥관 도플러검사

(A) 제대정맥(umbilical vein, UV), 정맥관(ductus venosus, DV), 하대정맥(inferior vena cava, IVC), 간정맥(hepatic vein, HV).
(B) 제대정맥에서 기시하는 트럼펫 모양의 정맥관이 관찰됨.
(C) 정상 태아의 정맥관 도플러검사
(D) 정맥관 도플러 파형(S, 수축기혈류; D, 이완기혈류; A, 심방수축기 혈류)

태아 감시 검사를 시행한다.

② 검사를 시작하는 시기는 대개 임신 32~34주가 적당하지만 다태임신 또는 당뇨가 합병된 임신 등에서는 이보다 더 이른 시기인 26~28주에 시작할 수도 있다. 검사를 시행하는 간격은 임의로 일주일에 한번 정도를 시작하나 태아의 상태에 따라서 더 자주 검사를 시행한다.

③ 비수축검사나 변형 태아 생물리학계수에서 이상을 보이는 경우는 수축검사를 시행하거나 태아생물리학계의 전체 항목을 확인하고 임신 주수, 양수감소증, 또는 임산부의 상태에 따라서 분만여부를 결정된다.

④ 양수감소증이 의미 있게 발생한 경우는 분만 또는 임산부 및 태아의 상태에 대한 면밀한 감시를 요한다.

⑤ 진통 전 태아 감시 장치에서 이상이 발견되어 분만을 고려해야 하는 경우, 제왕절개술을 시행해야하는 산과적 적응증이 있지 않는 한 지속적인 진통 중 태아 심박동수를 모니터 하면서 자연 분만을 시도하고 만약 만기심장박동감속이 나타나면 제왕절개술을 시행한다.

⑥ 자궁내 성장제한이 의심되는 태아에게서 제대동맥 도플러검사를 시행하는 것이 도움이 된다.

2) 진통 중 태아의 평가

정상적인 진통과정은 반복적인 자궁의 수축과 그로 인한 태아 산소공급의 일시적인 감소가 특징이다. 대부분의 태아는 이러한 과정을 잘 견디지만, 일부에서는 산소공급의 저하가 심각한 태아 저산소증으로 이어질 수 있다. 태아심박수(fetal heart rate)를 측정하는 것은 태아심박수를 평가함으로써 간접적으로 혈압변화, 산/염기상태, 자궁수축에 따른 산소공급 변화에 대해 심혈관계 및 중추신경계의 반응을 간접적으로 평가하고자 함이다.

분만 진통 중 태아심박수를 모니터하는 이유는 태아의 저산소증과 연관이 있는 심박수의 변화를 식별함으로써 태아의 심각한 저산소증에 의한 손상과 사망을 줄이기 위함이다. 몇몇 연구결과들을 통해 분만 진통 중 태아감시가 태아사망을 감소시키는 것을 확인하였으나, 장기적인 신경학적 이상을 감소시킬 수 있는 지는 불분명하다. 이는 대부분의 연구들이 지속적인 전자태아심박감시(continuous electronic monitoring)와 간헐적인 태아심음청취(intermittent ausculatation) 간의 차이를 비교하는 연구이기 때문이다. 진통 중 태아감시를 시행한 것과 시행하지 않은 군간의 무작위 비교연구는 보고된 바 없으며, 이러한 연구는 윤리적으로도 시행이 불가능할 것이라 생각된다. 현대 산과학에서 진통 중 태아 심박동 감시는 가장 기본적인 사항 중 하나이다.

진통 중인 태아의 심박동을 평가하는 방법에는 간헐적인 태아심음청취(intermittent ausculatation)를 이용하는 방법과 지속적으로 태아의 심음을 모니터하는 방법(continuous electronic monitoring)이 있다. Alfirevic 등은 지속적 전자태아심박감시와 간헐적 태아심음청취 방법을 비교한 37,000명 이상의 환자를 포함한 13개의 전향적인 연구결과를 메타분석한 결과, 1960년대 후반부터 도입 된 진통 중 전자태아심음감시는 신생아 경련을 줄이는데는 기여하였지만(RR 0.50, 95% CI 0.31~0.80), 전체적인 주산기사망률이나 신생아의 신경학적 이상의 발생빈도와 같은 장기적인 예후의 향상과는 연관이 없었다. 오히려 제왕절개분만이 지속적 전자태아심박감시를 시행하는 군에서 유의하게 증가하였으며, 이러한 결과는 저위험군 및 고위험군 모두에서 공통적으로 확인되었다. 그러나 1980년대 이후의 최근의 연구에서는 제왕절개분만율의 유의한 차이가 없었고, 주로 1980년대 이전에 발표된 연구에서만 제왕절개분만율이 상승하였다. 위 분석에서는 주산기사망률 또한 차이가 없었다고는 하나, 최근의 주산기사망률의 저하 등으로 인해 주산기사망률의 차이를 비교할 수 있는 충분한 검증력이 부족하다고 하였다. 오히려, Vintzileos 등이 1995년 발표한 메타분석에서는 태아 저산소증에 의한 주산기사망률이 지속적 전자태아심박감시 시행군에서 간헐적 청진 시행군보다 유의하게 감소하였다(0.7 vs. 1.8/1000; OR 0.41, 95% CI 0.17~0.98). 2009년 미국산부인과학회 권고안에는 합병질환이 없는 임신에서는 두 방법이 모두 사용될 수 있으나, 자간전증, 자궁 내 태아성장제한, 제 1형당뇨와 같은 합병증이 발생한 임신에서는 진통기간에 지속적인 태아심음 감시가 필요하다고 하였다. 위와 같은 이유 외에도 간헐적인 태아심음청취를 하기 위해서는 숙련된 의료인이 환자 옆에서 1:1로 간호해야 하기 때문에 현실적으로는 인력 등의 문제로 인해 거의 대부분 지속적 전자태아심박감시를 시행하게 된다. 결과적으로 진통 중 태아의 평가 방법으로 가장 많이 사용되는 방법은 지속적인 전자태아감시(electronic fetal monitoring, EFM)이며 앞으로는 이를 중심으로 기술하겠다.

기본적으로 태아의 심박동의 조절은 태아의 중추 신경계를 통하여 이루어진다. 태아의 뇌는 화학수용체(chemoreceptor), 압력수용체(baroreceptor), 태아 뇌의 대사 변화에 의한 직접 자극 등에 반응하여 태아 심장으로 신호를 전달하고 이것이 태아심박동수의 변화로 나타나게 된다. 태아의 평균 심박동수는 교감신경 및 부교감신경의 균형에 의하여 결정되는데 태아가 성장하면서 부교감신경이 성숙하게 되고 이에 따라 태아심박동수가 감소하게 되는데 예를 들면 임신 16주에는 분당 평균 160회이던 태아의 심박동수가 임신 40주에는 140회 정도로 감소한다 임신 제3삼분기의 태아의 평균 심장 박동수는 분당 120~160회이다. 진통 중 전자태아감시의 목적은 태아의 심박동을 통하여 태아의 산소공급 상태(oxygenation)를 알아보기 위한 것이다. 그러나 태아의 심박동의 조절에 관여하는 인자는 태아에게로의 산소공급뿐만 아니라 태아 중추신경계 자체에 영향을 끼치는 여러 가지 요인들, 예를 들면 태아의 성숙도, 태아의 수면 주기, 임산부에게 투여되는 약물 등에 많은 영향을 받는다는 점에서 전자태아감시는 특이성이 떨어지는 단점이 있다. 즉 태아의 심박동이 정상적으로 유지되는 경우에는 적어도 태아에게 산소의 공급이 원활하게 되고 있음을 비교적 높은 신뢰도를 가지고 예상할 수 있지만 반대로 태아의 심박동이 완전히 정상이라고 볼 수 없는 상태의 경우에는 이것이 태아의 저산소증뿐만 아니라 태아의 심박동에 영향을 미치는 다른 요인에 기인할 수 있다. 따라서 미국 산부인과학회에서는 기존에 태아심박동의 해석에서 사용하였던 태아절박가사(fetal distress)란 용어를 폐지하고 태아심박동의 해석을 "안심할 수 있는(reassuring)" 또는 "안심할 수 없는(nonreassuring)"으로 분류하였다. 전자태아감시의 또 다른 문제점 중의 하나는 해석의 재현성(reproducibility)이 낮다는 점이다. 즉, 여러 연구들에서 지적된 바와 같이 여러 의사들에 의한 해석 결과의 차이뿐만 아니라 심지어 같은 의사에서도 관찰자내 변이(intraobserver variance)를 보인다는 것이 제한점이다. 여러 연구들에서 전자태아감시 해석에 있어서 의사간의 일치도는 55~66%로 비교적 높지 않게 보고되었고 심지어 같은 의사에게 두 달 후에 동일한 환자의 전자태아심음감시 결과를 보여주었을 때 약 5분의 1에서 해석이 달라졌다는 보고가 있다.

이러한 전자태아심음감시가 갖는 낮은 특이도 및 해석의 재현성에도 불구하고 전자태아심음감시는 현재 진통 중인 태아의 상태를 평가하는 표준관리 중의 하나로 이미 자리 잡았으며 상대적으로 높은 민감도를 갖는 특징을 갖는다. 진통 중인 태아로의 산소공급을 결정하는데 가장 중요한 두 가지 요인은 자궁수축(uterine contraction)과 자궁으로 가는 혈류량이다. 진통 중인 자궁은 일정한 주기를 가지고 수축을 하게 되는데 이러한 자궁수축시 나선동맥(spiral artery)이 눌리게 되고 결과적으로 태반으로 가는 혈류량이 감소하게 되며 이는 진통의 강도 및 지속 정도에 영향을 받는다. 그러나 질식분만의 과정에서 나타나는 생리적인(physiologic) 진통 및 자궁수축 시에는 태아는 이러한 혈류 정체기를 잘 견디어 의미있는 저산소증이 발생하지 않는다. 반면 비정상적으로 길어진 자궁수축 시에는 태아의 일시적인 저산소증(hypoxemia)이 초래될 수 있다. 태아로의 산소공급에 중요한 역할을 하는 두 번째 요인은 자궁으로 가는 혈류량인데 예를 들어 임산부가 앙와위(supine position)를 취할 때 자궁은 하대정맥을 압박하게 되고 결과적으로 임산부의 앙와위저혈압(supine hypotension)이 초래된다. 한편, 임산부에게 행해지는 부위마취(regional anesthesia)는 혈류의 재분배를 일으키고 결과적으로 자궁으로 가는 혈류량을 감소시키게 되는데 이는 임상에서 매우 흔하게 관찰되며 전치태반이나 태반 조기박리 등으로 인한 임산부의 출혈이 있는 경우에도 자궁으로 가는 혈류량이 감소된다. 또한 임산부의 고혈압, 임신 중독증, 당뇨병성혈관병증(diabetic vasculopathy), 지연임신(postterm pregnancy) 등의 경우에는 정상 임신에 비하여 자궁으로 가는 혈류량이 이미 감소되어 있는 상태이므로 부위마취 등에 의한 임산부의 저혈압에 태아가 더 취약하게 된다.

(1) 기초태아심박동(Baseline fetal heart rate)의 이상

① 태아빈맥(Fetal tachycardia)

태아빈맥은 태아심박동수가 분당 160회 이상인 경우를 말하며 분당 180회 이상인 경우를 심한 태아 빈맥(severe fetal tachycardia)으로 분당 161에서 180사이를 경한 태아빈맥(mild fetal tachycardia)으로 정의한다. 태아의 빈맥을 일으키는 가장 흔한 원인 두 가지는 임산부의 발열과 약물이며 이외의 원인으로 모체의 갑상선 기능항진증, 태아저산소증, 태아 빈혈, 태아 패혈증, 태아 심부전, 융모양막염 등이 있다. 태아빈맥 단독으로는 태아가 저산소증에 관련되는 경우는 드물다. 태아빈맥이 있지만 태아 심박동의 상승(acceleration)이 관찰되고 태아심박동의 변이성(variability)이 정상인 경우에는 "안심할 수 있는"(reassuring) 것으로 판단한다. 반대로 태아빈맥이 있으면서 심박동의 변이성 소실(loss of variability)이 있거나 만기심장박동감속(late deceleration)이 동반되는 경우는 "안심할 수 없는"(nonreassuring) 것으로 판단한다.

② 태아서맥(Fetal bradycardia)

태아서맥은 태아심박동이 분당 110회 이하인 경우로 정의하며 정도에 따라서 중등도 서맥(moderate bradycardia, 분당 100~109회)과 심한 서맥(severe bradycardia, 분당 100회 미만)으로 나눈다. 중등도 서맥은 다른 조기심장박동감속(early deceleration) 처럼 태아 머리의 압박에 대한 보상 기전일 수 있으며 태아의 다른 심박동의 이상이 동반되지 않고 심박동의 변이성(variability)이 좋은 경우에는 일반적으로 태아곤란증(fetal compromise)을 의미하지는 않으며 이러한 중등도 서맥은 정상 진통의 약 2%에서 평균 50분 정도에서 발생했다는 보고되었다. 반면 분당 80회 미만의 심한 서맥의 경우는 일반적으로 "안심할 수 없는"(nonreassuring) 것으로 판단하며 태아의 저산소증이나 방실차단(AV block)과 같은 태아의 심장질환과 연관된다. 그 외 태아서맥의 드문 원인으로 전신마취나 심한 신우신염에 동반된 임산부의 저체온증(hypothermia)

등이 있다.

(2) 태아심박동의 변이도(Variability)

태아심박동의 변이도는 태아 심혈관 기능의 매우 중요한 지표이며 자율신경계 즉 교감신경 및 부교감신경의 조화에 의해서 조절된다. 태아의 심장은 정상적인 상태에서 박동 대 박동 간격(beat to beat interval)이 불규칙하게 나타나는 변이(variability)를 갖는 특징이 있다. 태아 심장박동수의 이러한 변화를 기초변이도(baseline variability)라고 한다. 과거에는 변이도를 태아 심박동수에서 하나의 박동에서 다음번 박동으로의 즉각적인 변화로 정의되는 박동 대 박동 변화(beat to beat variability), 즉 단기변이도(short term variability)와 일정 기간 동안에 주기성을 가지고 변화하는 장기변이도(long term variability)로 나누기도 하였으나 2008년 미국 국립아동보건 및 인간 발달연구소(National Institute of Child Health and Human Development, NICHD) 지침에서는 이 구분을 없애고 변이도(variability)자체로 통일하였다. 태아 심박동 변이도는 진폭이 없는 경우를 무변이도(absent variability), 진폭이 분당 5회 미만이면 최소 변이도(minimal variability), 분당 6~25회 사이면 중등도변이도(moderate variability), 분당 25회 이상이면 심한변이도(marked variability)로 구분한다. 일반적으로 태아심박동의 변이도가 무변이도를 보이면서 반복적인 태아심박동의 저하, 즉 만기심장박동감속(late deceleration) 또는 다양심장박동감속(variable deceleration)과 동반된 경우는 태아의 저산소증과 같은 태아곤란(fetal compromise)의 상태로 "안심할 수 없는"(nonreassuring) 태아심박동의 가장 중요한 소견이다. 반면 태아심박동의 저하가 동반되지 않는 변이도의 감소는 임상적인 해석이 어려운 경우가 많은데 그 이유는 태아의 심박동의 조절은 기본적으로 태아의 중추신경계를 반영하는 것으로 예를 들어 태아가 생리적인 수면

주기에 있는 경우, 태아의 중추신경계에 영향을 끼칠 수 있는 약물들, 태아의 중추신경계 기형 또는 선천성심기형, 26주 이전의 미숙아 등에서는 정상적으로 태아심박동 변이도의 감소가 관찰될 수 있기 때문이다.

(3) 태아심박동의 주기적 변화(Periodic fetal heart rate change)

태아심박동의 주기적 변화는 기초태아심박동(baseline fetal heart rate)에서 상대적으로 짧은 기간 동안 태아심박동이 상승(acceleration) 또는 하강(deceleration)하는 것을 말한다. 이러한 주기적 변화는 진통시에 자궁수축과 관련되어 나타나기도 하지만 태아의 움직임 시에도 나타날 수 있다.

① 태아심장박동수의 상승(Acceleration)

태아심장박동수가 기초태아심박동(baseline fetal heart rate)에서 갑자기(증가의 시작점과 최고점 사이의 시간이 30초 미만) 증가하는 것을 말한다. 태아심장박동수의 상승(acceleration)은 태아심박동의 최고점이 분당 15회 이상으로 상승하는 것이 15초 이상 지속되는 것으로 정의되며 지속성 상승 (prolonged acceleration)은 2분 이상 10분 미만으로 정의된다. 10분 이상 동안 상승되어 있는 것은 태아심박동의 기초변화에 해당된다. 임신 32주 이전에 태아심장박동수의 상승은 분당 10회 이상으로 상승하는 것이 10초 이상 지속되는 경우로 정의한다. 태아심장박동수의 상승이 나타나는 경우는 태아의 움직임, 자궁수축, 제대의 일시적 압박, 내진 후 이며 태아심박동의 상승이 관찰되는 당시에는 적어도 태아의 산혈증(acidemia)은 없다는 "안심할 수 있는"(reassuring) 소견으로 매우 중요하다.

② 태아심장박동수의 감속(Deceleration)

태아심장박동수의 감속은 자궁수축과의 상호관계에 따라서 이른(early), 늦은(late) 또는 다양(variable) 감속으로 구분한다.

ⅰ) 이른심장박동감속(early deceleration)

자궁수축의 시작과 동시에 태아심박동의 하강이 시작되어 자궁수축이 끝남과 동시에 태아심박동도 정상으로 회복된다. 하강 및 회복이 점진적이며 대칭적인 특징을 갖고 있으며 자궁수축의 최고점(peak)과 태아심박동의 하강(deceleration)의 최저점(nadir)이 일치하며 대개 분당 100~110회 이하나 baseline에서 20~30회 이하로 떨어지지 않는다. 조기감속의 발생 기전은 자궁수축으로 인하여 발생하는 생리적으로 가해지는 태아 머리의 압박(fetal head compression)으로 인한 미주신경(vagal nerve) 활성화에 의한 것이며 따라서 주로 태아의 머리가 임산부의 골반으로 진입(engagement)하는 시기인 자궁 경부가 4~7 cm 정도 개대되는 시점에 자주 관찰된다. 태아심박동수의 조기감속은 태아곤란증(fetal compromise)과는 관련이 없다.

ⅱ) 늦은심장박동감속(Late deceleration)

태아심박동의 하강의 형태에 있어서는 조기심장 박동감속(early deceleration)과 유사하나 태아심박동의 하강이 자궁수축의 최고점 이후에 시작되고 이후에 서서히 회복된다. 따라서 만기하강에서 태아 심박동의 시작, 최저치, 회복은 모두 자궁수축의 시작, 최고치, 종결보다 늦게 일어나며 대개 baseline에서 분당 10~20회 정도 서서히 떨어지는 소견을 보이고 baseline에서 분당 30~40회 이하로는 잘 떨어지지 않는다. 자궁수축의 시작에서 하강의 시작 시점까지의 시간을 lag period라고 하며 이는 태아의 basal oxygenation상태를 반영하는 것으로 태아의 자궁수축이전에 이미 산소분압이 낮을수록 만기심장박동감속의 하강 시작이 빨리 발생하게 된다. 만기 하강의 발생기전은 자궁-태반 혈류 감소(uteroplacental insufficiency)에 의한 것이다. 임상적으로 만기심장박동감속의 가장 흔한 원인은 과도한 자궁수축(주로 oxytocin 사용과 관련)과 부위마취에 의한 임산부의 혈압 저하이다. 기타 자궁-태반 혈류 감소와 관련된 임산부의 질환 즉, 고혈압, 당뇨, 교원성질환 (collagen vascular disease)이 있을 때 만기심장박동 감속이 나타날 수 있다.

진통 중 늦은심장박동감속이 발생하는 경우에는 임산부를 측와위로 취하고 산소를 공급하며 oxytocin을 중단하고 저혈압을 교정하는 등 원인 인자를 먼저 찾고 교정하는 것이 중요하다. 이러한 방법으로 자궁으로 가는 혈류를 최대화하였음에도 불구하고 만기심장박동감속 이상이 반복적으로 즉, 수축의 50% 이상에서 나타나는 경우에는 태아의 산증을 의심해야 한다. 또한 만기심장박동감속과 함께 심박동의 변이도(variability)가 감소되는 소견을 보인다면 이는 대표적인 "안심할 수 없는"(nonreassuring) 심박동 소견으로 신속한 제왕절개수술을 요한다.

iii) 다양심장박동감속(Variable deceleration)

이는 정상적인 진통의 과정에서 가장 흔하게 관찰되는 태아심장박동수의 감소로 급격한 변화를 특징으로 한다. 대개 태아심장박동수 감소의 시작과 최저점에 이르기까지의 시간이 30초 이하이며 지속 기간은 2분 이내이다. 만약 2분 이상 지속되는 태아심박동의 하강이 있다면 이는 지속성감속(prolonged deceleration)으로 정의한다. 다양심장박동감속은 형태와 지속시간이 일정하지 않고 자궁수축과도 일정한 관계를 보이지 않아 다양하게 나타난다. 다양심장박동감속의 발생기전은 제대압박이나 제대내의 혈류를 억제하는 기타 요인에 의해서 발생한다. 다양심장박동감속의 대부분 경우 태아심박동의 상승이 선행되는데 이는 제대가 압박되었을 때 제대정맥이 먼저 눌리게 되고 이로 인하여 태아로 들어가는 혈류가 감소되어 태아의 저혈압이 나타나고 태아의 저혈압에 대해서 압수용체가 반응하여 태아는 심박출량을 유지하기 위해서 심박동수의 증가를 보이기 때문이다. 이러한 기전으로 다양심장박동감속 이전에 태아심박동의 상승이 나타나게 되는 것이며 제대압박이 계속되어 제대동맥까지 눌리게 되면 태아의 전신 고혈압이 생기게 되

고 태아의 압수용체에서 반응, 태아심박동수의 감소가 나타나게 된다. 결론적으로 다양심장박동감속은 제대압박에 대한 반사의 작용으로 나타나는 것이므로 태아곤란증과는 연관되지 않는다. 그러나 만약 제대압박이 지속적이고 반복적이라면 이로 인하여 대사성 산증이 발생할 수 있다. 반복적으로 의미있게 발생하는 다양심장박동감속에 대한 해석 및 판단이 어려운 경우가 많이 있으므로 주로 다른 변수들을 종합하여 태아의 상태를 파악하게 되며 변이도(variability)의 감소가 동반되거나 정상 심박동으로의 회복이 느린 경우는 주의해야 한다.

iv) 지속심장박동감속(Prolonged deceleration)

지속심장박동감속은 태아심박동의 감소가 2분 이상 10분 이하로 지속되는 경우를 말한다. 10분 이상인 경우는 기초태아심박동(baseline fetal heart rate)의 변화로 간주한다. 지속심장박동감속은 여러 가지 원인에 의하여 발생하므로 해석하기 어려운 경우가 많다. 지속심장박동감속의 비교적 흔한 원인으로는 내진, 과도한 자궁수축, cord entanglement 및 임산부의 저혈압 등이 있다. 무통분만시 임산부의 경막외마취 또는 척추마취 후에 지속심장박동감속가 나타나는 경우도 1~4%로 발생하는 것으로 보고되었다.

(4) 진통 중 태아심박동수 이상에 대한 해석

2008년 미국 국립아동보건 및 인간발달연구소 (National Institute of Child Health and Human Development, NICHD)에서는 진통 중 태아심박동수 이상을 다음과 같이 분류하였다(표 3-5).

① Category I : 정상(normal) 태아심박동인 상태로 관찰 당시 태아의 정상 산염기 상태를 강하게 예측할 수 있는 상태로(strongly predictive) 특별한 조치가 필요하지 않음.

② Category II : 중급(intermediate), 비정상적인 태아의 산염기 상태를 예측하지는 않지만 category I 을 만족하지 못하는 경우로 당시의 임

표 3-5 Three-tier fetal heart rate interpretation system

category I

태아심박동이 다음의 <u>모든</u> 조건을 만족할 때

기초태아심박동이 분당 110~160회 사이
태아심박동의 변이도가 중등도
만기 또는 다양심장박동감속이 없음
조기심장박동감속은 있을수도 있고 없을수도 있음
태아심박동의 상승은 있을수도 있고 없을수도 있음

Category II

Category I 또는 category III를 만족하지 않는 모든 태아심박동
category II의 심박동의 예들은 다음과 같다.
기초태아심박동
변이도의 소실이 동반되지 않는 태아서맥
태아빈맥
태아심박동의 변이도
최소변이도
반복적인 감속이 동반되지 않는 무변이도
심한 변이도
태아심박동의 상승
자발적 또는 유발시에도 태아심박동의 상승이 없음
주기적 감속
최소변이도 또는 중등도 변이도를 동반한 다양심장박동감속이 반복적으로 나타날 때
2분 이상 10분 이하의 지속성감속
중등도 변이도를 갖으면서 만기심장박동감속이 반복적으로 나타날 때
"overshoots" 또는 "shoulders" 등을 동반한 다양심장박동감속

Category III

태아심박동이 다음의 하나의 소견이라도 보일 때

태아심박동이 무변이도를 보이면서 다음의 소견을 보일 때
- 반복적인 만기심박동감속
- 반복적인 다양심박동감속
- 태아서맥
굴모양(sinusoidal) 심박동이상을 보일 때

상 상황에 맞추어 면밀한 평가 및 재평가가 필요한 상태임.

③ Category III : 비정상(abnormal) 태아심박동 상태로 관찰 당시 태아의 비정상적인 산염기 상태를 예측할 수 있는 상태로 즉각적인 평가가 필요한 상태임. 따라서 임산부의 체위를 측와위로 변경하고 산소를 투여하고, oxytocin을 중단하고 임산부의 저혈압을 교정하는 등 임상적인 상황에 맞는 조치가 필요함.

태아심박동의 해석에 있어서 일반적으로 고려해야 할 사항은 다음과 같다.

① 진통 중인 태아의 심박동의 변화는 기본적으로 역동적(dynamic process)인 상태에 있다. 앞서 기술한 바와 같이 태아의 심박동은 기본적으로 태아의 중추신경계의 조절을 받으며 태아의 중추신경계의 도달하는 혈류량이나 산소 분압 등의 여러가

지 자극이나 중추신경계 자체의 각성상태에 따라서 변하고 특히 진통 중에는 자궁수축과 임산부의 혈압 등에 의해 많은 변화를 갖게 된다. 따라서 태아 심박동수 이상에 대한 category는 역동적이며 일시적인 것으로 잦은 평가(assessment)를 통하여 하나의 category에서 다른 category로 변화하는 경우가 흔하게 발생한다.

② 진통 중인 태아의 심박동에 대한 해석은 임산부 및 태아의 여러 가지 임상 양상(clinical circumstances)을 고려하여 평가되어야 한다.

③ 진통 중인 태아의 심박동 평가의 위음성 요소에 대한 고려.

진통 중인 태아의 심박동 평가에서 태아 심박동의

상승(acceleration)을 보이는 경우는 그 당시 태아의 대사성산증은 없는 것으로 예측할 수 있지만 상승이 없다고 하여서 태아의 대사성 산증이 있는 것은 아니다. 비슷하게 진통 중인 태아의 심박동에서 변이도가 중등도 이상인 경우 적어도 태아의 대사성산증은 없는 것으로 예측할 수 있지만 무변이도 또는 최소변이도(minimal)를 보이는 경우라고 해서 태아의 대사성 산증이 있는 것을 신뢰도를 가지고 예측하기는 어렵다.

④ 진통 중 태아의 심박동 평가는 태아의 현재의 산염기도에 대한 정보만을 제공할 뿐이며 출생 이후 뇌성마비의 발생 예측에 대한 정보를 제공할 수 없다.

참고문헌

ACOG practice bulletin no.145 - Antepartum fetal surveillance. July 2014.

Alfirevic Z, Devane D, Gyte GM. Continuous cardiotocography (CTG) as a form of electronic fetal monitoring (EFM) for fetal assessment during labour. Cochrane Database Syst Rev 2013; 5:CD006066.

Baschat AA, Harman CR. Antenatal assessment of the growth restricted fetus. Curr Opin Obstet Gynecol 2001; 13: 161-8.

Boyd JD, Hamilton WJ. The human placenta. Cambridge: England Heffer; 1970.

Brace RA, Wolf EJ. Normal amniotic fluid volume changes throughout pregnancy. Am J Obstet Gynecol 1989; 161: 382-8.

Chestnut DH, Wong CA, Tsen LC, Ngan Kee WD, Beilin Y, Mhyre JM, Nathan N. Chestnut's Obstetric Anesthesia: Principles and Practice. 5th edition. Elsevier Saunders; 2014.

Clark SL, Sabey P, Jolley K. Nonstress testing with acoustic stimulation and amniotic fluid volume assessment: 5973 tests without unexpected fetal death. Am J Obstet Gynecol 1989; 160: 694-7.

Cousins LM, Poeltler DM, Faron S, Catanzarite V, Daneshmand S, Casele H. Nonstress testing at </= 32.0 weeks' gestation: a randomized trial comparing different assessment criteria. Am J Obstet Gynecol 2012; 207: 311. e1-7.

Creasy RK, Resnik R, Greene MF, Iams JD, Lockwood CJ, Moore TR. Creasy & Resnik's Maternal-Fetal Medicine. Principles and Practice. 7th edition. Elsevier Saunders; 2014.

Cuckow PM, Nyirady P, and Winyard PJ. Normal and abnormal development of the urogenital tract. Prenat Diagn 2001; 21: 908-916.

Cunningham FG, Leveno KJ, Bloom SL, Spong CY, Dashe JS, Hoffman BL, Casey BM, Sheffield JS. Williams Obstetrics. 24th edition. McGraw-Hill Company; 2014.

Freeman RK, Anderson G, Dorchester W. A prospective multi-institutional study of antepartum fetal heart rate monitoring. I. Risk of perinatal mortality and morbidity according to antepartum fetal heart rate test results. Am J Obstet Gynecol 1982; 143: 771-7.

Kiserud T. Physiology of the fetal circulation. Semin Fetal Neonatal Med 2005; 10: 493-503.

Kostovic I, Jovanov-Milosevic N. The development of cerebral connections during the first 20-45 weeks' gestation. Semin Fetal Neonatal Med 2006; 11: 415-422.

Langston C, Kida K, Reed M, and Thurlbeck WM. Human lung growth in late gestation and in the neonate. Am Rev Respir Dis 1984; 129: 607-613.

Luckhardt M, Leiser R, Kingdom J, Malek A, Sager R, Kaisig C, Schneider H. Effect of physiologic perfusion-fixation on the morphometrically evaluated dimensions of the term placental cotyledon. J Soc Gynecol Investig 1996; 3: 166-71.

Mangesi L, Hofmeyr GJ, Smith V. Fetal movement counting for assessment of fetal wellbeing. Cochrane Database of Systematic Reviews 2007, Issue 1. Art. No.: CD004909.

Manning FA, Snijders R, Harman CR, et al. Fetal biophysical profile scoring. VI. Correlations with antepartum umbilical venous pH. Am J Obstet Gynecol 1993; 169: 755.

Manning FA. Fetal biophysical profile: a critical appraisal. Clin Obstet Gynecol. 2002; 45: 975-85.

Mari G, Abuhamad AZ, Cosmi E, Segata M, Altaye M, Akiyama M. Middle cerebral artery peak systolic velocity: technique and variability. J Ultrasound Med 2005; 24: 425-30.

National Institute of Child Health and Human development Research Program Workshop. Electronic fetal heart rate monitoring: Research guidelines for interpretation. Am J Obstet Gynecol. 1997; 177: 1385.

Pillai M, James D. The development of fetal heart rate patterns during normal pregnancy. Obstet Gynecol 1990; 76: 812-6.

Polin R, Fox W, Abman S. Fetal and Neonatal Physiology, 4th edition. Elsevier Saunders; 2011.

Saastad E, Winje BA, Stray Pedersen B, Frøen JF. Fetal movement counting improved identification of fetal growth restriction and perinatal outcomes--a multi-centre, randomized, controlled trial. PLoS one 2011; 6: e28482.

Schneider H. Oxygenation of the placental-fetal unit in humans. Respir Physiol Neurobiol 2011; 178: 51-8.

Seeds AE. Current concepts of amniotic fluid dynamics. Am J obstet Gynecol 1980; 138: 575.

Soothill PW, Nicolaides KH, Rodeck CH, Campbell S. Effect of gestational age on fetal and intervillous blood gas and acid-base values in human pregnancy. Fetal Ther. 1986;1(4):168-75.

Tavian M, Peault B. Embryonic development of the human hematopoietic system. Int J Dev Biol 2005; 49: 243-250

Underwood MA, Gilbert WM, and Sherman MP. Amniotic fluid: not just fetal urine anymore. J Perinatol 2005; 25: 341-348

Schneider H. Oxygenation of the placental-fetal unit in humans. Respir Physiol Neurobiol 2011; 178: 51-8.

Seeds AE. Current concepts of amniotic fluid dynamics. Am J obstet Gynecol 1980; 138: 575.

Smith CV, Phelan JP, Platt LD, Broussard P, Paul RH. Fetal acoustic stimulation testing. II. A randomized clinical comparison with the nonstress test. Am J Obstet Gynecol 1986;155:131-4.

Soothill PW, Nicolaides KH, Rodeck CH, Campbell S. Effect of gestational age on fetal and intervillous blood gas and acid-base values in human pregnancy. Fetal Ther. 1986;1(4):168-75.

Tavian M, Peault B. Embryonic development of the human hematopoietic system. Int J Dev Biol 2005; 49: 243-250

Tveit, JV, Saastad, E, Bordahl, PE, Stray-Pedersen, B, Froen, JF. The epidemiology of decreased fetal movements. Proceedings of the Norwegian Perinatal Society Conference, November 2006.

Underwood MA, Gilbert WM, and Sherman MP. Amniotic fluid: not just fetal urine anymore. J Perinatol 2005; 25: 341-348

Vintzileos AM, Nochimson DJ, Guzman ER, et al. Intrapartum electronic fetal heart rate monitoring versus intermittent auscultation: a meta-analysis. Obstet Gynecol 1995; 85:149-160.

2부

주산기 약리학

Chapter 4

자궁태반혈류량과 약물의 이동

자궁태반혈류는 태아의 발달과 성장에 매우 중요한데, 이를 통하여 태아에게 산소와 영양소가 공급되고, 대사성 노폐물이 제거되기 때문이다. 자궁태반혈류의 급격한 감소는 태아의 생존을 위협할 수 있으므로 이에 영향을 미치는 여러 요인에 대하여 이해하는 것은 매우 중요하다. 임산부에서 척추마취나 경막외마취를 시행할 때 저혈압은 흔히 발생하는 부작용이며, 혈압의 감소 정도에 비례하여 자궁혈류량은 감소하게 된다. 그러나, 진통(labor)이 없는 건강한 임산부에서 저혈압이 동반되지 않는 척추, 경막외마취는 자궁혈류량에 영향을 미치지 않는다. 또한 임산부에 사용되는 국소마취제, 정맥마취제, 흡입마취제 및 심혈관계 약제들이 실제 태아에게 미치는 영향은 여러 요인의 영향을 받는데, 모체에서 태반에 도달하기까지의 약동학적 과정, 태반을 통한 약물의 이동 정도, 태아에서 일어나는 대사 및 배설 등에 의해 다양하게 영향을 받게 된다. 그리고 임신에 따른 호흡가스의 변화 및 심혈관계의 변화도 태반 혈류량과 태아로의 약물 이동에 영향을 미치게 된다. 이와 같이 여러 인자들이 자궁태반혈류량과 태아로의 약물이동에 영향을 주게 되므로, 임신 중 약물의 이동에 관한 기전 및 영향을 주는 인자를 이해하는 것은 태아의 안전에 중요하다.

1. 자궁태반혈류량

1) 자궁태반혈류의 해부 및 생리적 특성

태반의 구조는 모체 쪽에 위치한 기저판(basal plate)과 태아 쪽에 위치한 융모막판(chorionic plate) 사이에 융모사이공간(intervillous space)이 자리를 잡고 있는 형태로, 융모사이공간에서 모체와 태아의 순환이 접하게 된다(그림 4-1). 태반의 구조는 동물의 종에 따라 차이가 있으며, 상피융모막태반(epitheliochorial placenta), 내피융모막태반(endotheliochorial placenta), 혈융모태반(hemochorial placenta)의 유형이 있다. 사람은 혈융모태반을 가지며, 융모막(chorion)에 둘러싸인 태아 조직인 융모(villi)가 임산부의 혈액에 직접 에워싸인 형태이다. 한편, 자궁태반혈류를 연구하는데 많이 사용되는 양(sheep)의 경우, 상피융모막태반 구조를 가지고 있어서 사람의 태반 구조와 차이가 있으므로 양을 대상으로 한 연구 결과들을 사람에 적용할 때에는 이러한 차이를 염두에 두어야 한다.

자궁태반혈류는 자궁에서 시작되는데, 자궁의 혈류는 주로 자궁동맥으로부터 공급받고, 자궁동맥은 기저판에서 나선동맥들(spiral arteries)로 나뉘어진다. 나선동맥들에서 뿜어져 나온 혈액은 융모막판 쪽으로 흘러가며 융모사이공간으로 들어가서 융모에 있는 태아의 모세혈관과 산소, 이산화탄소, 영양소 및 대사 산물을 교환하게 된다. 이후 임산부의 혈액은 다시 기저판 쪽으로 되돌아와서 자궁정맥으로 흘러나간다. 한편, 태아의 혈액은 두 개의 배꼽동맥(umbilical artery)을 통해 태반으로 유입된 후 분지로 나뉘어지며, 융모의 모세혈관에서 모체의 혈액으로부터 산소 및 영양소를 공급받고, 이산화탄소 및 대사산물을 배출하게 된다. 이와 같은 과정을 통하여 산소를 충분히 함유하게 된 혈액은 하나의 배꼽 정맥(umbilical vein)으로 모아져서 태반을 나가 태아에게 공급된다.

임신 중 영양막(trophoblast)의 침범에 의해 나선동맥의 재형성(remodeling)이 이루어지며, 혈관이 확장되고 혈관저항이 현저히 감소함으로써 자궁혈류량이 증가하게 된다. 자궁혈류량은 임신 초기에는 50 ml/min 정도이지만, 임신 전반에 걸쳐 지속적으로 증가하여, 임신 말기에는 대략 700 ml/min에 이르며, 이것은 임산부의 심박출량의 10% 정도에 해당한다. 자궁혈류량의 약 80%는 융모사이공간(태반)으로 공급되어 태아와의 물질 교환에 참여하며, 나머지는 자궁근육층을 비롯한 태반 이외 조직으로 공급된다. 자궁혈류량은 다음의 식으로 표시될 수 있다.

$$자궁혈류량 = \frac{(자궁동맥압-자궁정맥압)}{자궁혈관저항}$$

여기에서 자궁동맥압과 자궁정맥압의 차이는 자궁관류압을 의미하며, 자궁혈류량은 자궁관류압에 비례하고 혈관저항에는 반비례한다.

임신을 하지 않았을 때의 자궁 순환은 자동조절(autoregulation)이 유지되지만, 임신 중 자궁 태반 순환은 정상 상태에서 최대한 확장되어 있는 상태로 혈관저항이 매우 낮고, 자동조절이 거의 없어 평균관류압에 비례하여 자궁혈류량이 변화한다. 그러나 α-아드레날린성 작용이 증가하면 혈관수축이 일어날 수 있다. 임신 중 자동조절이 소실되고, 혈관이 최대로 확장되어 있음에도 불구하고 estrogen, prostaglandin E1, bradykinin 등이 투여될 경우 자궁혈관은 더욱 확장된다고 보고된 바 있다. 이것은 태반 이외의 자궁혈관의

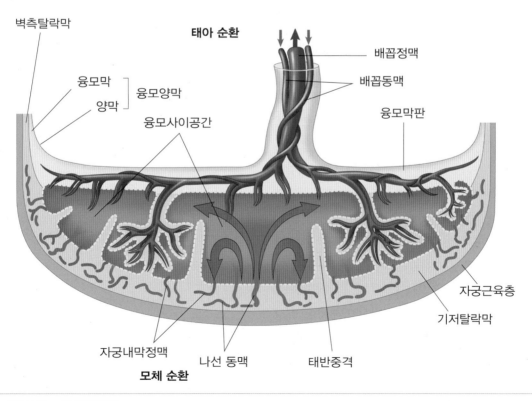

그림 4-1. **태반의 구조 및 혈액공급**

경우 태반혈관과 달리 임신 중에도 자동조절이 유지되기 때문으로 여겨진다. 일반적으로 자궁 내 혈관들은 정상 범위의 호흡가스 변화에는 반응하지 않지만, 심한 과탄산혈증($PaCO_2$ > 60 mmHg)이나 저탄산혈증($PaCO_2$ < 20 mmHg)이 있을 경우 자궁혈류량은 감소하여 태아의 저산소증이나 산증을 유발할 수 있다.

태아태반순환에 관여하는 배꼽혈류량(umbilical blood flow)은 임신 말기 정상 태아에서는 평균적으로 약 120~145 ml/kg/min 정도이며, 배꼽혈류량은 급성의 중등도 저산소증에는 변화가 없으나 중증의 저산소증이 있을 경우 감소한다. 또한 카테콜아민의 투여는 배꼽혈류량을 감소시킨다.

2) 자궁태반혈류에 영향을 미치는 요인

정상적인 경우에 자궁혈류량은 태아의 산소 요구량을 초과할 만큼 충분하며, 자궁혈류량이 절반 정도까지 감소하여도 태아에게 해로운 징후는 관찰되지는 않는다. 하지만, 자궁혈류량의 감소는 태아의 안전을 심각하게 위협할 수 있으므로 관련 요인에 대해 숙지할 필요가 있다.

자궁동맥압의 감소 또는 자궁정맥압의 증가는 자궁관류압을 감소시킴으로써 자궁혈류량을 떨어뜨린다. 또한 자궁혈관저항의 증가도 자궁혈류량의 감소를 초래한다. 자궁수축 시에는 자궁내압의 증가로 자궁정맥압이 증가되어 자궁혈류량이 감소하며, 자궁내막 나선 세동맥의 압박도 자궁혈류량의 감소에 기여한다.

자궁혈류량이 적절한 수준으로 유지되지 않을 때에는 자궁혈류량을 감소시키는 요인들(표 4-1)을 제거함으로써 자궁혈류량을 개선할 수 있다. 예를 들면, oxytocin과 같은 자궁수축제를 중단하고, β-아드레날린 작용제나 nitroglycerin을 투여하여 자궁 이완을 도모하거나, 임산부에게 저혈압, 고혈압, 심박출량 감소의 소견이 있을 때 이를 치료하고, 경막외 통증치료 등을 이용하여 분만진통을 치료하며, 산소를 공급하는 것 등

이 치료책이 될 수 있다.

3) 산과 마취 및 관련 약물들이 자궁혈류량에 미치는 영향

(1) 척추, 경막외마취 및 관련 약물

임산부에서 척추마취나 경막외마취를 시행할 때 저혈압은 흔히 발생하는 부작용이며, 혈압의 감소 정도에 비례하여 자궁혈류량은 감소하게 된다. 그러나, 진통(labor)이 없는 건강한 임산부에서 저혈압이 동반되지 않는 척추, 경막외마취는 자궁혈류량에 영향을 미치지 않는다. 진통이 있거나 임신고혈압이 있는 임산부의 경우, 척추, 경막외 마취는 통증과 불안을 감소시키고 교감신경을 차단함으로써 자궁혈류량을 오히려 증가시킨다.

국소마취제가 자궁혈류에 미치는 영향은 용량에 따라 차이가 있다. 임상에서 경막외마취를 시행할 때처럼 국소마취제의 혈중농도가 낮을 경우에는 국소마취제가 자궁혈류량을 유의하게 감소시키지 않지만, 다량이 정맥으로 주입될 때와 같이 혈중 농도가 높아질 경우에서는 자궁혈류량을 감소시킨다. 국소마취제는 혈관수축 작용 및 자궁근육 수축에 의해 자궁혈류를 감소시키는데, 임신한 양에서 평균 자궁혈류를 40% 정도 감소시키는 lidocaine, mepivacaine, procaine, bupivacaine

표 4-1 자궁혈류량이 감소하는 원인

1. 자궁동맥압의 감소
   저혈압: 출혈, 저혈량증, 교감신경차단, 앙와위저혈압증후군, 심박출량의 감소
2. 자궁정맥압의 증가
   자궁수축
   자궁과긴장(uterine hypertonus): 태반박리, 약물(oxytocin, cocaine 등)에 의한 과도한 자궁수축
3. 자궁혈관저항의 증가
   고혈압: 본태성 고혈압, 임신 고혈압
   내인성 카테콜아민: 불안 및 스트레스로 인한 교감신경 흥분
   외인성 혈관수축제: α-아드레날린성 약물(예외: ephedrine)

의 혈중농도는 각각 200, 40, 40, 5 μg/ml로 보고되었다. 이러한 농도들은 임산부에서 경막외마취 시 국소마취제의 정맥 주입이 되지 않는 한 도달하기 어려운 고농도이다. 한편, 혈관수축 작용이 강한 cocaine의 경우 0.5~2.0 mg/kg의 용량범위로 정맥 투여 시 용량에 비례하여 자궁혈류량을 감소시키므로, 임산부에서는 이 약물의 사용을 피해야 한다.

흔히 경막외마취 시 국소마취제에 소량의 epinephrine를 혼합하여 사용하는데, 건강한 임산부에서 경막외강에서 흡수된 epinephrine은 자궁혈류량에 영향을 미치지 않는다. 하지만, epinephrine이 의도치 않게 정맥으로 주입되거나, 만성적인 태아질식이 있는 고혈압 임산부에서 경막외로 투여될 경우에는 자궁혈관저항이 증가하고 자궁혈류량이 감소할 수 있으므로 주의를 요한다.

분만진통의 치료를 위하여 경막외강이나 수막공간내(intrathecal)로 아편유사제를 투여하는 경우가 많은데, 경막외강으로 투여된 fentanyl, morphine, sufentanil은 자궁혈류량의 변화를 초래하지 않는다. 그러나 수막공간 내로 투여된 meperidine, sufentanil은 저혈압을 유발할 수 있으므로 자궁혈류량을 감소시킬 위험이 있다.

(2) 척추-경막외마취 시 저혈압 치료를 위한 혈압상승제

주로 α-아드레날린성 작용에 의한 혈관수축제들은 자궁혈류를 감소시키므로 태아에 해로운 영향을 미칠 위험이 있다. 임신한 동물을 대상으로 한 실험에서 척추마취로 인한 저혈압의 치료를 위해 투여한 norepinephrine, methoxamine, phenylephrine은 자궁혈류량을 감소시키지만, ephedrine과 mephentermine은 자궁혈류량을 정상적으로 회복시켰다.

임상에서는 제왕절개술을 위한 척추마취 시 발생하는 저혈압의 치료를 위해 ephedrine이나 phenylephrine이 널리 사용되고 있으며, 이 두 약물이 자궁혈류량이나 태아에 미치는 영향에 대해서는 비교적 많은 연구가 이루어졌다. Phenylephrine의 경우 자궁혈관저항을 증가시키는데 반하여, ephedrine은 자궁혈관보다는 전신혈관에 더 선택적으로 작용하며 자궁혈관저항을 증가시키지 않으므로 자궁혈류량 개선에 더 효과적이라고 알려져 있다. 이와 같은 이유로 과거에는 제왕절개술의 척추-경막외마취 시 발생하는 저혈압의 치료제로 ephedrine이 선호되었다. 하지만 제왕절개술을 위해 척추마취를 받은 임산부를 대상으로 한 여러 임상 연구 및 메타분석 결과, 저혈압의 치료를 위해 ephedrine보다는 phenylephrine을 투여할 때 태아 배꼽동맥의 pH와 염기과잉(base excess)이 더 높게 유지된다는 것이 입증되었다. 이것은 phenylephrine과 같은 α-아드레날린성 작용제가 태반 혈관보다는 주로 자궁근육 혈관의 저항을 증가시키고, 자궁혈류량을 감소시키더라도 어느 정도의 안전역이 있어서 태아에게 위해를 초래할 가능성은 높지 않기 때문이다. 또한 ephedrine은 phenylephrine에 비해 태반을 더 쉽게 통과하므로 태아에서 β-아드레날린성 작용을 나타내고, 산소요구량을 증가시킨다. 최근에 시행된 메타분석에서 정규 수술로 제왕절개술을 받는 임산부에서 척추마취 후 저혈압을 치료하기 위해 투여된 phenylephrine과 ephedrine을 비교한 결과, 두 군간 Apgar 점수에 있어서는 차이가 없지만, phenylephrine 군에 비하여 ephedrine 군에서 태아 산증(pH < 7.2)의 발생 위험이 유의하게 높고, 태아의 염기과잉은 작았다. 한편 배꼽동맥의 $PaCO_2$는 두 군간 차이가 없었으므로 ephedrine군에서 관찰되었던 태아 산증은 대사성 효과에 의한 것으로 확인되었다. 태아 산증은 예후에 영향을 미치는 요인으로 주목을 받았는데, 출생 시 배꼽동맥혈 pH의 저하는 신생아의 사망 및 이환(morbidity)의 위험도와 관련이 있음이 입증된 바 있다.

요약하자면 임산부에서 척추마취, 경막외마취 후

발생하는 저혈압을 치료하기 위해서 ephedrine과 phenylephrine 모두 사용 가능하다. 다만 ephedrine은 자궁혈류량을 유지시키는 면에서는 이점이 있지만 태아 산증을 초래할 위험이 있고, phenylephrine은 자궁혈류량을 감소시킬 위험은 있지만 태아 산증의 위험성은 낮다는 점을 염두에 두어야 한다. 일반적으로 임산부에서 서맥이 없고, 태아에게 위협이 될 만한 합병증이 없는 경우 태아의 산/염기 상태 면에서 유리한 phenylephrine을 우선적으로 고려하는 것이 권장된다. 한편, 태아의 상태가 좋지 않은 응급 제왕절개수술과 같은 경우에도 phenylephrine의 이점이 있을지에 대해서는 추가적인 연구가 필요해 보인다.

(3) 정맥마취제 및 진정제

정맥마취제를 사용한 전신마취 유도 시 혈압의 변화와 기도삽관과 같은 자극으로 인한 교감신경 반응은 자궁혈류량에 변화를 초래한다. 임신한 양을 대상으로 한 실험에서, 전신마취 유도 시 thiopental은 자궁혈류량을 약 20~40% 정도 감소시키지만, propofol은 자궁혈류량의 변화를 초래하지 않았다. 자궁혈류량을 살펴본 연구는 아니지만, 제왕절개술을 받는 임산부를 대상으로 thiopental 4 mg/kg 또는 propofol 2 mg/kg로 마취 유도 및 기도삽관을 시행하였을 때 thiopental 군에서 임산부의 혈압 상승 정도 및 norepinephrine 농도 증가가 유의하게 높았다. 하지만 신생아의 Apgar 점수, 신경행동검사(neurobehavioral testing) 소견 및 혈액가스 검사 결과에서는 차이가 없었다. Etomidate는 심장질환이 있는 임산부의 제왕절개술 마취 시 사용되는 경우가 많지만, 자궁혈류량에 미치는 영향에 대해서는 잘 알려져 있지 않다. Ketamine은 1 mg/kg 이하에서는 자궁혈류량을 감소시키지 않지만, 2 mg/kg 이상의 용량에서는 자궁긴장도(uterine tone)를 증가시키므로 자궁혈류량을 감소시킬 수 있다. Diazepam 0.5 mg/kg는 임신한 양에서 자궁혈류량을 변화시키지 않는다.

(4) 흡입마취제

할로겐화 흡입마취제들은 용량에 비례하여 자궁이완 효과를 나타내며, 태아회전술 및 만출(version and extraction), 둔위분만(breech delivery), 잔류태반, 강직수축(tetanic contractions), 수술적 조작 등 자궁 이완이 필요한 산과적 시술에 유용하다. 또한 흡입마취제의 자궁이완 효과는 태반조기박리(placenta abruption), oxytocin 등으로 자궁 긴장도가 증가되어 있는 경우에 자궁혈류를 개선시키는 데 효과적일 수 있다.

할로겐화 흡입마취제들이 자궁혈류량에 미치는 효과는 투여 용량에 따라 차이가 있다. 임신한 양을 대상으로 한 연구에서, 1.0~1.5 MAC의 halothane과 isoflurane은 모체 혈압을 약간 감소시키지만(20% 미만) 자궁혈관확장을 일으킴으로써 자궁혈류량의 감소를 초래하지 않으며, 태아의 저산소증이나 대사성산증도 유발하지 않았다. 그러나, 2 MAC 정도의 고농도에서는 모체의 혈압 및 심박출량이 35% 이상 감소되어 자궁혈류량이 감소하고 태아 저산소증 및 산증이 초래되었다. 또 다른 연구에서는 2 MAC의 isoflurane과 sevoflurane은 자궁혈류량은 유지시키지만, 모체와 태아의 혈압을 감소시켰다. Desflurane의 경우 1.5~2.5 MAC에서 자궁혈류량의 감소가 관찰되었으며, 2.5 MAC의 desflurane 투여 시 1.5 MAC 투여군에 비하여 태아의 pH가 유의하게 낮았다.

사람을 대상으로 한 연구에서도 유사한 결과를 보였는데, 1 vol% (1.3 MAC)의 halothane에서는 임산부나 태아에게 해로운 효과는 없었지만, 1.5 vol% (2 MAC)의 halothane은 임산부의 저혈압과 태아 산증을 초래하였다고 보고되었다.

요컨대, 흡입마취제들이 자궁혈류량에 미치는 영향은 마취제의 종류에 상관없이 유사한 경향을 보이며, 고농도 투여 시 자궁혈류량의 감소, 임산부의 저혈압 및 심박출량 감소를 초래할 위험이 있다. 따라서, 임산부를 마취할 때 흡입마취제는 1.5 MAC 이하로 사용하는 것이 바람직하다.

(5) 그 외 약물

Hydralazine은 임신성 고혈압의 치료 목적으로 널리 사용되는 항고혈압제이다. 임신한 양을 대상으로 중증 고혈압과 자궁혈류량의 감소를 유발시킨 동물실험 모델에서 hydralazine은 혈압을 떨어뜨리는 반면 자궁혈류량은 증가시키는 효과를 보이며, 이는 자궁혈관저항의 감소와 관련이 있다. 그러나, hydralazine이 혈압은 정상 수준으로 떨어뜨리는데 비하여 자궁혈류량은 증가시키되 정상수준까지 회복시키지는 못하였다는 보고도 있다. 한편, phenylephrine으로 고혈압 및 자궁혈류량 감소를 유발한 동물 실험에서 hydralazine은 자궁혈류량을 회복시키는 반면 nitroprusside는 자궁혈류량을 회복시키지 못하였다고 보고된 바 있다.

α-, β-아드레날린성 차단제인 labetalol은 자간전증이 있는 경우 정맥 투여 시 자궁혈류량의 변화를 초래하지 않으며, 심한 자간전증 임산부의 전신마취 시 기도삽관에 따르는 혈압 상승을 둔화시키기 위하여 흔히 사용된다. Nitroglycerin은 자궁 긴장도를 감소시키는 효과가 있으므로, 자궁과자극(hyperstimulation)으로 태아의 심박수가 감소된 경우에 설하로 투여하거나, 태아에게 수술을 시행할 때 자궁을 이완시키기 위하여 정맥 투여할 수 있다. Nitroglycerin 투여 시 혈압은 감소하지만 자궁의 긴장도가 떨어지므로, 자궁혈류량은 증가하게 된다. 칼슘통로 차단제로 조기산통(preterm labor)의 치료에 흔히 사용되는 nifedipine은 자궁혈류를 감소시키는 것으로 알려져 있지만, 사람을 대상으로 한 연구에서 변화가 없다는 보고도 있다.

Magnesium sulfate는 자간증, 자간전증의 치료에 널리 사용되는 약물이다. 임신한 양을 대상으로 한 동물실험에서 정상혈압 또는 고혈압이 있는 경우 모두 magnesium sulfate 2~4 g을 투여 시 혈압이 5~10

분 정도 감소하지만, 2~4 g/hr의 속도로 지속주입 시 혈압의 변화는 없고, 자궁혈류량은 약간 증가한다고 알려졌다. Vincent 등의 동물 실험에서도, magnesium sulfate 4 g을 일시 정주 후 4 g/h로 지속 주입했을 때 (이는 자간전증 임산부에서 치료에 적절한 혈중 농도를 유지하는 용량임), 동맥압은 일시적으로 7 ± 2% 감소하였지만, 자궁혈류량은 12 ± 3% 증가하였다. 조기산통이 있거나 심한 자간전증이 있는 임산부에서도 magnesium sulfate 투여 후 자궁혈류량의 증가가 관찰되었으며, 자간전증이나 자궁내 성장지연이 있는 임산부에서 magnesium sulfate의 주입은 자궁혈류를 증가시키고, 적혈구의 변형성(deformability)을 향상시킴으로써 태아에게 산소를 공급하는 면에서 장점이 있다고 보고되었다.

심혈관계에 작용하는 약물로 dopamine, epinephrine은 자궁혈류량을 감소시키며, clonidine의 경우 경막외강으로 투여 시에는 자궁혈류량을 감소시키지 않으나, 정맥 투여 시는 자궁혈류량을 감소시킨다.

(6) 호흡가스의 영향

중등도의 저산소증, 고탄산혈증 및 저탄산혈증은 자궁태반혈류량에 영향을 미치지 않는다. 그러나, 심한 저산소증이나 고탄산혈증($PaCO_2$ > 60 mmHg)은 자궁혈관저항을 증가시키고 자궁혈류량을 감소시킬 수 있는데, 이는 아마도 교감신경의 활성화와 카테콜아민 분비에 의한 것으로 생각된다.

심한 저탄산혈증($PaCO_2$ < 20 mmHg) 역시 자궁태반혈관을 수축시키고 자궁혈류량을 감소시킨다는 보고도 있지만, 이와 다른 의견도 있다. Levinson 등은 임신한 양에서 기계환기로 과환기를 유도한 상태에서 이산화탄소를 흡입시키는 방식으로 $PaCO_2$를 17~64 mmHg로 변화시켜도 자궁혈류량은 계속 감소된 상태로 유지되었음을 보여주었으며, 기계환기 시 과환기로 인한 자궁혈류량의 감소는 저탄산혈증에 의한 것이 아니라 양압 환

기의 기계적 효과(mechanical effect)에 기인한 것이라고 추측하였다.

2. 태반을 통한 호흡가스 및 약물의 이동

산소나 영양소뿐 아니라 임산부에게 투여되는 많은 약물들이 태반을 통해 태아에게 이동하므로 태아에게 영향을 미칠 수 있다. 이러한 이동은 주로 확산에 의해 이루어지며 그 외 여러 기전들이 관여한다. 태반을 통해 이동한 약물들은 배꼽정맥을 통해 태아에게 도달하는데, 배꼽정맥 혈류의 75% 정도는 간으로 이동하고 나머지 약 25%는 정맥관(ductus venosus)을 통해 간을 우회하여 전신 순환에 합류한다. 따라서, 배꼽정맥을 통해 간에 도달하는 약물들은 태아의 심장과 뇌에 도달하기 전에 대사과정을 거치게 된다.

임산부에게 투여되는 약물들이 실제 태아에게 미치는 영향은 여러 요인의 영향을 받는데, 모체에서 태반에 도달하기까지의 약동학적 과정, 태반을 통한 약물의 이동 정도, 태아에서 일어나는 대사 및 배설 등이 그것이다. 여기에서는 태반을 통한 약물 이동에 대해서 살펴보도록 하겠다.

1) 태반에서의 물질 이동 기전

어떤 물질이 태반막을 통과하는 기전에는 확산(수동확산 및 촉진확산), 능동운반(active transport), 용적흐름(bulk flow), 포음작용(pinocytosis) 및 포식작용(phagocytosis), 장벽의 갈라진 틈(barrier break) 의 다섯 가지가 있다.

(1) 확산(Diffusion)

임산부와 태아 간 산소, 이산화탄소 및 탄수화물의 이동은 태아의 성장과 생존에 매우 중요한데, 이들의 교환은 확산에 의한다. 확산은 에너지를 필요로 하지 않으며, 농도경사(concentration gradient)에 따라 농도가 높은 곳에서 낮은 곳으로 물질의 이동이 일어난다. 확산에는 수동확산(passive diffusion)과 촉진확산(facilitated diffusion)이 있다.

① 수동확산

수동확산은 태반에서 물질의 교환이 일어나는 가장 기본적인 방식으로 산소, 이산화탄소, 지방산, Na^+, Cl^-와 같은 작은 전해질이 수동확산에 의해 운반된다. 수동확산에 의한 물질 이동 속도는 아래에 간략하게 표현한 Fick의 확산 공식에 의해 설명될 수 있으며, 세포막을 가로지르는 농도경사, 표면의 면적(확산 면적), 투과도 및 세포막의 두께에 의해서 결정된다.

$$물질\ 이동\ 속도 = \frac{농도경사 \times 면적 \times 투과도}{세포막의\ 두께}$$

여기에서 투과도(permeability)는 세포막과 물질의 물리화학적 특성에 의해 결정되는데, 물질의 분자량이 작을수록, 지질용해도가 클수록, 비이온화(non-ionized) 형태일수록 투과성이 좋다.

② 촉진확산

촉진확산은 포도당 및 그 외 탄수화물의 이동과 관련이 있는데, 수동확산처럼 농도경사에 따라 물질이 이동하지만, 이동 속도는 수동확산에서 보다 더 빠르다. 촉진확산에 의한 물질 이동에는 세포막의 운반체(carrier molecule)가 관여하며, ATP와 같은 에너지를 사용하지는 않는다.

수동확산에서는 농도경사에 비례하여 물질의 이동 속도가 계속 증가하는데 반하여, 촉진확산에 의한 물질 이동 속도는 물질의 농도경사가 점점 커지면 점차 증가하다가 최대 운반속도(V_{max})에 도달하면 더 이상 증가하지 않는 포화(saturation) 상태에 도달하며, 이는 Michaelis-Menten 식으로 나타낼 수 있다.

$$V = \frac{V_{Max}[S]}{K_m + [S]}$$

여기서 V는 기질의 농도가 [S]일 때의 운반속도이고, V_{Max}는 최대운반속도이다. K_m은 V가 ½V_{Max}일 때 [S] 값과 같다.

또한 촉진확산은 수동확산과 달리 물질에 대하여 입체특이성(stereospecificity)을 보이는데, D-포도당 이성체(isomer)들은 촉진확산에 의해 잘 운반되지만 광학이성체인 L-포도당은 거의 운반되지 않는 것은 이러한 특성과 관련이 있다. 또한 운반체와의 결합장소에 대해 비슷한 구조를 가진 물질 간에 경쟁이 일어나므로 경쟁억제(competitive inhibition) 현상을 보인다. 촉진확산에서 관찰되는 포화현상, 기질에 대한 입체특이성, 경쟁억제는 운반체(carrier)를 매개로 하는 물질의 이동에서 공통적으로 나타나는 특징이다.

(2) 능동운반(Active transport)

능동운반은 양쪽간의 농도경사에 역행하여 물질을 이동시키는 기전으로, 운반체를 통해서 이루어지며, 에너지를 소모한다. 촉진확산과 같이 포화 현상 및 경쟁억제의 특성을 보인다. 능동운반은 Na^+, K^+, Ca^{2+}, H^+, Cl^-, Fe^{2+} 등의 이온의 이동과 아미노산, 수용성 비타민의 이동에 관여한다.

능동운반에는 일차능동운반(primary active transport)과 이차능동운반(secondary active transport)이 있다. 일차능동운반이란 특정 운반체를 통하여 ATP를 소모하여 농도경사에 역행하여 물질을 운반하는 것을 말하며, Na^+, K^+, Ca^{2+}, H^+, Cl^- 및 그 외 이온들의 이동에 관여한다. 일차능동운반의 대표적 예는 Na^+/K^+ ATPase 펌프를 통한 나트륨, 칼륨의 이동으로, ATP를 소모하여 농도경사에 역행하여 나트륨을 세포

밖으로 퍼내고, 칼륨은 세포 내로 이동시키게 된다. 이 과정은 세포막을 가로지는 나트륨과 칼륨의 농도 차이를 유지하는데 관여하며 세포 내부가 음 전압을 띄도록 유지시킨다.

이차능동운반이란 ATP 이외의 에너지, 즉 막을 가로지르는 Na^+, Cl^-, H^+ 등의 전기화학 경사(electrochemical gradient)와 같은 에너지를 이용하여 농도경사에 역행하여 물질이 이동되는 것을 말한다. 예를 들어 나트륨이 전기화학 경사에 따라 운반체를 통해 이동할 때 함께 운반됨으로써 농도경사에 역행하여 물질이 이동하는 경우가 이에 해당한다. 이차능동운반의 유형에는 공동수송(co-transport)과 역방향운반(countertransport : exchange라고도 함)이 있다.

능동운반에 관여하는 운반체들은 모체 쪽의 솔가장자리(brush border)와 태아 쪽의 기저막(basal membrane)에 위치하고 있어서 모체에서 태아 쪽으로 혹은 태아에서 모체 쪽으로의 물질 이동에 관여한다. 능동운반에 관여하는 운반체의 대표적 예로 P-glycoprotein이 있는데, 이는 ATP-binding cassette (ABC) transporter family에 속하는 유출수송체(efflux transporter)의 일종이다. 그 외에도 serotonin transporter (SERT), norepinephrine transporter (NET), extraneuronal monoamine transporter (OCT3)와 같은 monoamine transporter, breast cancer resistant protein (BCRP), novel Na^+-driven organic cation transporter 2 (OCTN2), Na^+-dependent sodium/multivitamin transporter (SMVT) 등의 수송체가 있다.

(3) 용적흐름

용적흐름이란 정수압이나 삼투압 차이에 의해 물질이 이동하는 기전을 말하며, 삼투압 차이에 의한 물의 이동이 그 예이다. 물은 삼투압에 따라 모체와 태아 쌍방향으로 이동할 수 있으며, 이때 전해질도 같이 이동할

수 있다. 임신 말기에는 1 mOsm 미만의 삼투압 차이에 의해서도 태아로 물이 이동할 수 있다. 양수과다, 양수과소, 비면역성 태아수종의 경우 수분 투과성이나 이동에 이상이 초래될 수 있다.

(4) 포음작용 및 포식작용

에너지를 필요로 하며, 정상적으로 세포막을 통과할 수 없는 분자량이 큰 단백질 등이 세포막을 통과하는 기전으로, 물질이 세포표면의 특정 수용체에 부착한 후 함입되어 세포막에서 유래한 작은소포(vesicle)에 둘러싸여 운반된다. 이 과정은 매우 느리게 일어나므로, 태아의 약물농도 변화에는 거의 기여하지 않는다. 면역글로불린 G가 모체로부터 태아에게 이동하는 것은 이와 같은 방식에 의한 것으로 보인다.

(5) 갈라진 틈

융모는 매우 얇아서 융모사이공간에서 파괴되기도 하는데, 그 결과 태아의 혈액이 임산부의 혈액으로 이동하기도 하며, 반대로 임산부의 혈액이 태아에게로 이동하기도 한다. 융모의 갈라진 틈을 통해 나온 Rh 양성인 태아의 적혈구가 Rh 음성인 임산부의 혈액으로 유입되게 되면 동종면역과 태아적혈모구증(erythroblastosis fetalis)을 초래할 수 있다.

2) 태반에서의 물질의 확산에 영향을 미치는 요인

태반에서 산소, 이산화탄소 및 대부분의 약물들은 수동확산에 의해 이동한다. 태반을 통한 물질 이동은 그 특성에 따라 '투과성-제한적' 혹은 '혈류-제한적'으로 분류되는데, 투과성이 낮은 물질의 경우 혈류량이 증가하더라도 확산을 통한 물질의 이동이 잘 일어나지 않고 오로지 투과성의 영향을 받으므로 '투과성-제한적' 특성을 보인다. 반면 산소, 이산화탄소와 같이 투과성이 큰 물질들은 혈류량의 변화가 태반이동속도를 좌우하므로

'혈류-제한적' 특성을 가진다고 표현된다.

태반에서 물질의 확산에 영향을 미치는 요인들인 물질의 농도경사(임산부와 태아 간 농도 차이), 태반막의 면적, 태반막의 투과성, 확산거리에 대해서 좀 더 자세히 살펴보도록 하자.

(1) 물질의 농도경사

태반에서의 확산 과정을 막을 사이에 둔 2구획 모형으로 단순화시켜 볼 때, 확산을 일으키는 농도경사는 임산부 동맥혈과 태아 동맥혈 간 단백질결합(protein binding)이 되어 있지 않은 물질(free, unbound substance)의 농도 차이라고 볼 수 있다. 약물의 단백질 결합에는 혈장 알부민과 α_1-acid glycoprotein (AAG) 농도가 중요한데, 일반적으로, 산성 약물은 알부민에 결합하고, 염기성 약물은 AAG에 결합한다. 혈장 단백질 결합 정도가 큰 약물의 경우 알부민이나 AAG의 혈장 농도의 변화에 따라 free form의 약물 농도가 달라지게 되며, 이것은 태반을 통한 물질의 확산에도 영향을 미친다. 임신 중 혈중 알부민 농도는 다소 감소하는 반면 태아의 알부민 농도는 점점 증가하게 되는데, 임신 12~15주 경 알부민의 F/M ratio는 0.38에 불과하지만, 임신 말기에는 1.20이 된다. 한편, 임신 중 AAG의 혈중 농도는 감소 없이 유지되고 태아의 AAG 농도는 점차적으로 증가하며, 임신말기의 AAG의 F/M ratio는 0.37 정도이다. 즉, 임신 말기에는 태아의 알부민 농도가 임산부에 비해 더 높고, 태아의 AAG 농도는 임산부보다 훨씬 낮다.

태반막을 통하여 확산 및 평형 상태를 이루는 것은 free form 약물인데, 알부민 결합 약물의 경우를 예로 들어 단백질결합과 태반을 통한 약물의 이동을 살펴보면, 임신 말기에는 임산부에 비해 태아의 혈장에서 알부민 결합량이 많고 free form 약물농도는 감소하게 되므로 free form의 약물이 임산부로부터 태아로 이동하도록 작용한다. 또한 알부민과의 결합에 있어서 약물과 경

쟁적 반응을 보이는 혈중 free fatty acid (FFA) 농도는 임신 말기 임산부에서 태아의 3배에 이르는데, 이 역시 임산부의 free form 약물 농도를 증가시키고, 약물이 임산부로부터 태아로 이동하게끔 한다. 이러한 기전에 의해서 diazepam, valproic acid와 같이 알부민 결합 정도가 큰 약물의 경우 태아에 약물이 더 많이 축적되므로 F/M ratio가 1보다 큰 특성을 보인다.

또한 자궁동맥과 배꼽동맥으로부터 태반으로 향하는 혈류량의 비율 역시 농도경사에 영향을 줄 수 있는데, 자궁동맥과 배꼽동맥 혈류 중 일부는 태반으로 향하지 않기 때문이다. 그 외에도, 물질이동 부위에서 임산부 혈액과 태아 혈액의 관류 분포 또한 확산에 영향을 미치는 요인이다. 확산이 일어나는 막을 사이에 두고 흐르는 양쪽의 혈류 방향도 확산에 영향을 미치는데, 양쪽의 혈류 방향이 서로 반대 방향일 때 확산이 더욱 효과적으로 일어난다고 알려져 있다. 그 외에도 확산에 의해 이동하는 물질이 조직에서 대사되거나 소모될 경우 농도경사에 영향을 미치게 된다.

(2) 태반의 면적

확산 이동 속도는 태반의 면적에 비례하는데, 만삭의 임산부에서 융모의 표면적은 11 m²이다(참고로 폐포 면적은 70 m²). 태반조기박리, 고혈압 임산부, 자궁내감염이나 선천성 기형의 동반 등 여러 경우에 태반의 면적이 감소될 수 있으며, 그로 인하여 태반막을 통한 물질의 확산에 문제가 생길 수 있다.

(3) 태반막의 투과성

물질에 대한 태반의 투과성에 영향을 미치는 주요 요인은 물질의 분자량, 지질용해도, 이온화 정도(pKa)와 같은 물리화학적 특성인데, 분자량이 작고, 지질용해도가 크고, 비이온화 형태일수록 태반을 잘 통과한다. 분자량이 500 daltons (Da)을 초과하면 태반 통과가 불완전하며, 분자량이 약 1000 Da 이상인 물질은 태반을 통

과하기 어렵다. 분자량이 6000 Da 이상(6000~30000 Da)인 heparin의 경우 태아에 영향을 미치지 않지만, 분자량이 330 Da에 불과한 warfarin은 태반을 통과하여 태아의 INR을 연장시키므로 위험하다. Enoxaparin과 같은 저분자량 heparin 역시 분자량이 커서 태반을 통과하지 않는다. 임산부의 제왕절개술을 위한 전신마취에 흔히 사용되는 근이완제인 succinylcholine은 분자량이 작지만, 이온화 정도가 높아서 태반을 통과하기 어렵다.

대부분의 약물은 약산성 혹은 약염기이며, 체내에서 약물의 이온화 정도는 약물의 pKa와 주변의 pH에 의해 결정된다. 정상 상태에서 태아의 혈액은 임산부에 비해 약간 더 산성을 띄고 있으며, pH는 임산부에 비하여 약 0.1 정도 낮다. 정상 상태에서는 모체와 태아 간 pH 차이가 약물의 이온화 정도에 미치는 영향이 미미하다. 그러나, 태아절박가사(fetal distress)가 있는 경우 태아 혈액의 pH는 더 감소하고 모체와 태아간 pH 차이가 커지게 되는데, 이 경우 국소마취제와 같은 약염기성 약물들은 더 많이 이온화되어 태아의 혈장에 축적되는 현상 즉, 이온포착(ion trapping)이 초래된다.

(4) 확산거리

Fick의 확산 공식에서 살펴보았듯이 확산 거리 즉, 태반막의 두께는 확산 속도에 영향을 미친다. 임신 말기의 태반막의 평균 두께는 3.5 µm 정도이다(참고로, 폐에서 폐포와 모세혈관 사이의 최단 거리는 0.5 µm이다). 태반확산거리는 태아적혈모구증(erythroblastosis fetalis), 선천성 매독, 당뇨, 자간전증 등의 병태생리가 있을 경우 증가한다.

요약하자면, 태반을 통한 물질의 수동확산은 물질의 물리화학적 특성, 임산부와 태아 혈액간 물질의 농도경사, 태반막의 표면적 및 두께, 태반혈류량, 단백질결합 정도, 임산부와 태아 혈액의 pH 등의 영향을 받는다.

3) 태반을 통한 호흡가스의 교환

태반에서의 호흡가스 교환에 영향을 미치는 가장 중요한 요인은 임산부와 태아로부터 오는 태반혈류량과 가스 교환이 일어나는 태반의 면적이라고 할 수 있다. 따라서, 앞에서 살펴보았던 자궁태반혈류량에 대하여 이해하는 것 역시 중요하다.

(1) 산소의 이동

태반막에서의 산소 이동 및 태아로의 산소 공급에 영향을 미치는 요인들로는 임산부와 태아로부터 오는 태반혈류량, 태반막의 표면적, 태반막 두께, 임산부와 태아 간 동맥혈 산소분압 차이, 임산부와 태아 헤모글로빈의 산소 친화도(affinity), 임산부와 태아의 헤모글로빈 농도(즉, 산소 운반능)를 들 수 있다.

혈류량과 태반막에 대해서는 앞에서 기술된바 있으므로 그 외 요인들에 대해 간단히 살펴보자. 대기로 호흡할 때 자궁동맥의 산소분압은 약 100 mmHg이고, 배꼽동맥의 산소분압은 18 mmHg 정도이다. 태아 헤모글로빈-산소 해리곡선은 임산부에 비하여 좌측으로 이동되어 있는 상태로(태아 헤모글로빈의 P_{50}는 18 mmHg, 임산부의 헤모글로빈 P_{50}는 27 mmHg), 태아의 헤모글로빈은 임산부에 비하여 산소 친화도가 더욱 높다. 또한 임산부의 헤모글로빈 농도는 약 12 g/dL 정도인데 비해 임신말기 태아의 경우 약 15 g/dL로 태아의 헤모글로빈 농도가 더 높다. 이 모든 특징들은 모체로부터 태아로 산소 이동이 용이하게끔 한다. 또한, 혈액의 pH가 저하될 때 헤모글로빈과 산소와의 친화력이 저하되는 현상인 Bohr 효과도 태반을 통한 산소 이동을 증가시키는데 관여한다. 즉, 태아에게서 모체로 운반된 이산화탄소는 융모사이공간에 있는 혈액의 pH를 감소시킴으로써 헤모글로빈과 산소와의 친화력을 감소시키지만(헤모글로빈-산소 해리곡선이 더 우측으로 이동됨), 태아에서는 이와 반대현상으로 헤모글로빈과 산소와의 친화력이 증가한다(헤모글로빈-산소 해리곡선이 더 좌측으로 이동됨). 그 결과 모체에서 태아에게로 산소가 이동하는 과정이 촉진되는데, 이것을 'double Bohr effect'라고 한다.

태반막에서의 산소 이동에 영향을 미치는 또 다른 요인들로는 태반 내 모체 혈류와 태아 혈류가 흐르는 방향, 가스 교환이 일어나는 부위에서 모체와 태아 혈액의 관류비, 가스교환 부위를 우회하는 혈류량, 태반의 산소 소모 등이 있다.

(2) 이산화탄소의 이동

대사에 의해 생산되는 이산화탄소는 적혈구에 있는 carbonic anhydrase에 의해 촉매되는 아래의 반응을 통해 여러 형태로 존재하며, 용존 이산화탄소, H_2CO_3, HCO_3^-, 카르바미노헤모글로빈(carbaminohemoglobin)의 형태로 혈액 내에서 운반된다.

$$CO_2 + H_2O \leftrightarrow H_2CO_3 \leftrightarrow H^+ + HCO_3^-$$

태반막을 통과하는 것은 용존 이산화탄소인데, 이산화탄소는 산소에 비해 확산계수가 20배 더 크므로, 태반을 매우 잘 통과한다. 임산부에 비하여 태아의 $PaCO_2$가 약간 더 높으므로 태아에서 임산부로 이산화탄소가 이동하는데, 이산화탄소 운반에 영향을 미치는 요인들은 앞에서 언급되었던 산소 운반의 경우와 유사하다.

헤모글로빈의 산소화 상태가 이산화탄소 해리곡선에 영향을 주는 현상인 Haldane 효과는 태아에서 임산부로 이산화탄소가 이동하는데 영향을 미친다. 즉, 융모사이공간의 임산부 혈액에서는 산소가 떨어져 나가면서 deoxyhemoglobin 양이 점점 증가하게 되는데, deoxyhemoglobin은 oxyhemoglobin에 비하여 이산화탄소에 대한 친화력이 더 높으므로 이산화탄소가 모체 쪽으로 운반되도록 촉진한다.

4) 태반을 통한 약물의 이동

임산부의 경우 임신 유지 기간에서부터 분만이나 제

왕절개술에 의해 출산을 하기까지 다양한 종류의 약물에 노출될 수 있다. 이러한 약물들은 태반을 통해 이동하는 정도에 따라 태아에게도 영향을 미칠 수 있으므로 태반을 통한 약물 이동은 임상적으로 중요한 의미를 가진다.

대부분의 약물들은 수동확산에 의해 태반막을 통과하며, 확산 속도에 영향을 미치는 요인들에 대해서는 앞에서 살펴보았다. 대부분의 약물은 분자량이 1000 Da보다 작은데, 분자량이 500 Da 이하인 약물들은 수동확산에 의해 태반을 잘 통과하며, 1000 Da을 초과하게 되면 수동 확산에 의해 태반을 통과하기 어렵다.

태반을 통한 약물 이동 정도 혹은, 임산부에게 투여한 약물에 태아가 노출되는 정도를 살피기 위한 척도로 태아/모체 혈장약물농도 비(F/M ratio)가 흔히 이용되며, 동물 실험, 사람의 태반을 이용한 태반관류 실험 모형, 혹은 임상 연구를 통하여 다양한 약물에 대한 F/M ratio가 보고되었다. 하지만 각각의 방법마다 제한점이 있어서 같은 약물이라도 연구자에 따라 차이가 있는 결과들이 많다. 동물 실험의 경우 동물의 종에 따라 태반의 구조에 차이가 있으므로 그 결과를 사람에게 적용하는 것은 문제가 있으며, 태반관류 실험모형에서는 단백질결합을 포함한 약동학적 요인들을 조절할 수 없다는 단점이 있다. 임상 연구는 대개 분만에 즈음해서 약물을 임산부에게 투여하고 분만 후 임산부의 혈액과 제대혈에서의 약물 농도를 비교하는 방식으로 이루어지는데, 이때 약물을 투여한 시점으로부터 분만 후 채혈 시점까지의 경과 시간에 따라 그 결과는 달라질 수밖에 없다. 앞에서 언급하였듯이 연구자에 따라, 연구방법(실험 연구 vs 임상 연구), 단백질결합 등의 약동학 요인, 채혈 시점의 차이에 따라 F/M ratio에 차이가 크다.

표 4-2에는 F/M ratio의 대략적인 구간에 해당하는 약물들의 예가 정리되어 있다.

대부분의 정맥마취제들은 태반을 쉽게 통과하며 ketamine의 경우 F/M ratio가 1.26으로 매우 높다. Thiopental 역시 F/M ratio가 1에 가깝다고 알려져 있지만, 0.4 정도로 보고한 연구 결과도 있다. Etomidate의 F/M ratio는 0.5로 알려져 있다. 흡입마취제 역시 태반을 쉽게 통과하며, 임산부에게 장시간 투여할 경우 태아가 약물에 노출되는 시간 역시 길어진다. Sevoflurane의 F/M ratio는 halothane이나 enflurane과 유의한 차이가 없다고 보고된 바 있다. Desflurane의 F/M ratio에 대한 보고는 없지만, 임상에서 신생아의 Apgar 점수나 NACS (neurologic and adaptive capacity score)에 있어서 sevoflurane과 desflurane 간에 차이는 관찰되지 않았다.

아편유사제의 경우, morphine이나 remifentanil에 비해 alfentanil의 F/M ratio는 상대적으로 낮다. 그러나, 전신마취 유도 전에 alfentanil 10 μg/kg 투여 시 신생아의 Apgar 점수를 다소 저하시켰다는 보고가 있다. 반면, 경막외마취를 받는 임산부에게 remifentanil을 0.2 μg/kg/min로 정주하였을 때 F/M ratio는 0.88로 태반 통과 정도가 상당하지만, 배꼽동맥농도/배꼽정맥농도 비는 0.29로 태아에서 대사가 매우 빨리 일어나며, 비록 임산부에서 진정 상태 및 호흡 억제가 발생하였음에도 태아에게는 부작용이 발생하지 않았다. 이와 같이 remifentanil의 경우 F/M ratio가 높더라도 태아에서 신속히 대사되므로 태아에 미치는 영향은 크지 않을 것으로 추측할 수 있으며, 제왕절개술을 위한 전신마취 시 투여된 remifentanil은 신생아의 Apgar 점수나 호흡에 유의한 영향을 미치지 않는다고 보고된 바 있다. 한편, 최근에 Noskova 등에 의한 무작위대조시험에서 전신마취 유도 30초 전에 remifentanil 1 μg/kg를 투여하였을 때 remifentanil 군에서 신생아의 1분 Apgar 점수가 유의하게 낮고, 호흡억제의 위험이 높았지만 5분 Apgar 점수는 대조군과 차이가 없었다고 알려졌다. 이들의 연구에서 마취 유도로부터 신생아 분만까지의 소요 시간이 4분 정도로 매우 짧았다는 점이 1분 Apgar 점수를 저하시킨 소견과 관련이 있을 것으로 추측되며, 5분 Apgar 점수에 있어서는 양군간 차이가 없었으므로 임상

표 4-2 **F/M ratio에 따른 약물의 대략적인 분류**

	F/M ratio ≤ 0.2	0.2 < F/M ratio ≤ 0.5	0.5 < F/M ratio ≤ 1.0	1 < F/M ratio
Intravenous anesthetics and sedatives		Etomidate (0.5)	Propofol Thiopental (0.4-1.1) Midazolam Dexmedetomidine	Ketamine Diazepam
Inhalation anesthetics			Nitrous oxide Halothane Enflurane Isoflurane	
Opioids		Fentanyl Alfentanil	Morphine Remifentanil Sufentanil Butorphanol Nalbuphine	
Muscle relaxants	Succinylcholine Rocuronium Atracurium Vecuronium Pancuronium			
Anticholinergics	Glycopyrrolate		Atropine (1.0) Scopolamine (1.0)	
Local anesthetics		Bupivacaine Ropivacaine	Lidocaine	
Vasopressors	Phenylephrine		Ephedrine	
Antihypertensives	Esmolol	Labetalol	Atenolol (0.94) Metoprolol (1.0) Hydralazine	

괄호 속의 숫자는 해당 약물의 F/M ratio임.

적으로 중대한 문제가 되는 수준은 아니라고 볼 수 있다.

이온화 정도가 크고 지질용해도가 낮은 succinylcholine과 비탈분극성 근이완제는 F/M ratio 가 0.2 미만으로 매우 낮으며, 태반을 통하여 이동하는 정도는 매우 제한적이다. Succinylcholine의 경우, 임산부에게 임상 용량을 투여할 때에는 제대혈에서 전혀 검출되지 않으나, 300~500 mg의 매우 고용량을 일시에 정주할 경우에는 소량이지만 태아의 제대혈에서 검출될 수 있다. 그러나, 이 경우에도 태아에서 succinylcholine의 효과가 나타나지는 않는다. 예외적인 경우로, 임산부와 태아 모두 비정형 가성콜린에스테라아제(atypical pseudocholinesterase) 동

형접합체(homozygote)를 가진 경우에 임상용량의 succinylcholine 투여 후 태아에서 심한 근이완 효과가 나타났다는 보고도 있다. 제왕절개를 받는 임산부에게 비탈분극성 근이완제 투여 후 신생아에서 근이완 효과가 나타나는 경우는 거의 없다.

Glycopyrrolate, heparin, 저분자량 heparin 역시 태반막을 잘 통과하지 않는 약물이다. 척추마취를 받는 임산부에서 저혈압 치료제로 흔히 사용되는 ephedrine은 F/M ratio가 0.71로 태반을 쉽게 통과하며, 태아에게 β-아드레날린성 효과를 나타낸다. 반면, phenylephrine은 태반을 잘 통과하지 않는다.

F/M ratio를 살펴봄으로써 태아가 약물에 노출되는

정도를 가늠할 수 있지만, 실제 약물이 태아에게 미치는 효과를 살펴볼 때에는 약물 투여 지속 시간, 임산부에서 혈중 농도가 높게 유지되는 기간, 태아에서 대사되는 정도 등 여러 측면을 고려해야 한다. 예를 들어, 마취 유도를 위해 투여되는 thiopental의 경우 재분포에 의해 임산부의 혈중 농도는 매우 빨리 감소하므로 태아가 약물에 노출되는 시간은 매우 짧다. 또한 thiopental은 태반을 통과한 후 태아의 간에 흡수(uptake)되므로 이후 전신 순환에서의 농도는 그리 높지 않게 된다. 따라서 제왕절개술의 마취 유도 때 임산부에게 thiopental을 투여하여도 신생아에 미치는 영향은 관찰되지 않는다.

참고문헌

American Society of Anesthesiologists Task Force on Obstetric Anesthesia and the Society for Obstetric Anesthesia and Perinatology. Practice Guidelines for Obstetric Anesthesia: An Updated Report by the American Society of Anesthesiologists Task Force on Obstetric Anesthesia and the Society for Obstetric Anesthesia and Perinatology. Anesthesiology 2016; 124: 270-300.

Baraka A, Haroun S, Bassili M, Abu-Haider G. Response of the newborn to succinlycholine injection in homozygotic atypical mothers. Anesthesiology 1975; 43: 115-6.

Battaglia FC, Meschia G. Review of studies in human pregnancy of uterine and umbilical blood flows. Med Wieku Rozwoj 2013; 17: 287-92.

Cosmi EV, Marx GF. The effect of anesthesia on the acid-base status of the fetus. Anesthesiology 1969; 30: 238-42.

Galloon S. Ketamine for obstetric delivery. Anesthesiology 1976; 44: 522-4.

Gin T, Ngan-Kee WD, Siu YK, Stuart JC, Tan PE, Lam KK. Alfentanil given immediately before the induction of anesthesia for elective cesarean delivery. Anesth Analg 2000; 90:1167-72.

Gin T, O'Meara ME, Kan AF, Leung RK, Tan P, Yau G. Plasma catecholamines and neonatal condition after induction of anaesthesia with propofol or thiopentone at caesarean section. Br J Anaesth 1993; 70: 311-6.

Greiss FC Jr, Still JG, Anderson SG. Effects of local anesthetic agents on the uterine vasculatures and myometrium. Am J Obstet Gynecol 1976; 124: 889-99.

Heesen M, Klöhr S, Hofmann T, Rossaint R, Devroe S, Straube S, et al. Maternal and foetal effects of remifentanil for general anaesthesia in parturients undergoing caesarean section: a systematic review and meta-analysis. Acta Anaesthesiol Scand 2013; 57: 29-36.

Hutson JR, Garcia-Bournissen F, Davis A, Koren G. The human placental perfusion model: a systematic review and development of a model to predict in vivo transfer of therapeutic drugs. Clin Pharmacol Ther 2011; 90: 67-76.

James FM 3rd, Greiss FC Jr, Kemp RA. An evaluation of vasopressor therapy for maternal hypotension during spinal anesthesia. Anesthesiology 1970; 33: 25-34.

Kan RE, Hughes SC, Rosen MA, Kessin C, Preston PG, Lobo EP. Intravenous remifentanil: placental transfer, maternal and neonatal effects. Anesthesiology 1998; 88: 1467-74.

Karaman S, Akercan F, Aldemir O, Terek MC, Yalaz M, Firat V. The maternal and neonatal effects of the volatile anaesthetic agents desflurane and sevoflurane in caesarean section: a prospective, randomized clinical study. J Int Med Res 2006; 34: 183-92.

Keeley MM, Wade RV, Laurent SL, Hamann VD. Alterations in maternal-fetal Doppler flow velocity waveforms in preterm labor patients undergoing magnesium sulfate tocolysis. Obstet Gynecol 1993; 81: 191-4.

Kvisselgaard N, Moya F. Investigation of placental thresholds to succinylcholine. Anesthesiology 1961; 22: 7-10.

Levinson G, Shnider SM, DeLorimier AA, Steffenson JL. Effects of maternal hyperventilation on uterine blood flow and fetal oxygenation and acid-base status. Anesthesiology 1974; 40: 340-7.

Malin GL, Morris RK, Khan KS. Strength of association between umbilical cord pH and perinatal and long term outcomes: systematic review and meta-analysis. BMJ 2010; 340: c1471.

Morgan DJ. Drug disposition in mother and foetus. Clin Exp Pharmacol Physiol 1997; 24: 869-73.

Nag DS, Samaddar DP, Chatterjee A, Kumar H, Dembla A. Vasopressors in obstetric anesthesia: A current perspective. World J Clin Cases 2015; 3: 58-64.

Ngamprasertwong P, Michelfelder EC, Arbabi S, Choi YS, Statile C, Ding L, et al. Anesthetic techniques for fetal surgery: effects of maternal anesthesia on intraoperative fetal outcomes in a sheep model. Anesthesiology 2013; 118: 796-808.

Noskova P, Blaha J, Bakhouche H, Kubatova J, Ulrichova J, Marusicova P, et al. Neonatal effect of remifentanil in general anaesthesia for caesarean section: a randomized trial. BMC Anesthesiol 2015; 15: 38.

Okutomi T, Whittington RA, Stein DJ, Morishima HO. Comparison of the effects of sevoflurane and isoflurane anesthesia on the maternal-fetal unit in sheep. J Anesth 2009; 23: 392-8.

Palahniuk RJ, Shnider SM. Maternal and fetal cardiovascular and acid-base changes during halothane and isoflurane anesthesia in the pregnant ewe. Anesthesiology 1974 ;41: 462-72.

Rosenfeld CR, Morriss FH Jr, Battaglia FC, Makowski EL, Meschia G. Effect of estradiol-17 beta on blood flow to reproductive and nonreproductive tissues in pregnant ewes. Am J Obstet Gynecol 1976; 124: 618-29.

Santos AC, Arthur GR, Roberts DJ, Wlody D, Pedersen H, Morishima HO, et al. Effect of ropivacaine and bupivacaine on uterine blood flow in pregnant ewes. Anesth Analg 1992; 74: 62-7.

Schauf B, Mannschreck B, Becker S, Dietz K, Wallwiener D, Aydeniz B. Evaluation of red blood cell deformability and uterine blood flow in pregnant women with preeclampsia or IUGR and reduced uterine blood flow following the intravenous application of magnesium. Hypertens Pregnancy 2004; 23: 331-43.

Still JG, Greiss FC Jr. The effect of prostaglandins and other vasoactive substances on uterine blood flow and myometrial activity. Am J Obstet Gynecol 1978; 130: 1-8.

Syme MR, Paxton JW, Keelan JA. Drug transfer and metabolism by the human placenta. Clin Pharmacokinet 2004; 43: 487-514.

Veeser M, Hofmann T, Roth R, Klöhr S, Rossaint R, Heesen M. Vasopressors for the management of hypotension after spinal anesthesia for elective caesarean section. Systematic review and cumulative meta-analysis. Acta Anaesthesiol Scand 2012; 56: 810-6.

Vincent RD Jr, Chestnut DH, Sipes SL, Weiner CP, DeBruyn CS, Bleuer SA. Magnesium sulfate decreases maternal blood pressure but not uterine blood flow during epidural anesthesia in gravid ewes. Anesthesiology 1991; 74: 77-82.

Woods JR Jr, Plessinger MA, Clark KE. Effect of cocaine on uterine blood flow and fetal oxygenation. JAMA 1987; 257: 957-61.

Chapter 5

약제와 태아 독성

임산부의 상당수는 출산을 위해서 또는 출산과 관련 없는 비산과적 수술을 위해서 마취하에 수술을 받아야 한다. 출산을 위해서 제왕절개술을 받는 경우는 국내의 경우 30%가 넘는다. 그리고 임산부에서 비산과적 수술을 받는 경우도 1~2%인 것으로 알려져 있다.

임신 중 비산과적 수술을 위한 적응증의 빈도를 보면 충수염, 담낭염, 장폐색, 난소염전 및 외상 순이다(표 5-1).

적지 않은 태아가 임신 중 불가피한 수술로 인해 마취 약물에 노출되며, 임신부도 수술로 인해 불안정한 상태에 있게 된다. 태아는 태반을 통해서 마취 약물이나 진통제 등에 노출되어 부정적인 영향을 받을 가능성이 있다. 마취 약물인 아산화질소(nitrous oxide)의 경우 메티오닌 합성효소의 억제제로 DNA 합성에 영향을 미칠 수 있는 것으로 알려져 있다.

임신부도 수술에 필요한 약물에 의해 영향을 받아 생리적인 변화를 겪을 수밖에 없다. 생리적인 변화로 저혈압이 발생하거나 저산소증이 발생하는 경우 태반을 통하는 혈액량이 감소하고 산소량이 줄어들어 태아는 산증(acidosis)에 빠지거나 가사(asphyxia) 상태에 이를 수 있다. 따라서 Walton 등은 임신부의 마취 시 마취과 의사는 태아와 임신부 모두의 안전을 위해 다음의 목표를 염두에 두어야 한다고 지적하고 있다.

1) 모체의 정상 생리적 기능을 최적화하고 유지한다. 2) 자궁-태반 혈류량과 산소전달을 최적화하고 유지해야 한다. 3) 태아에게 약물에 의한 원치 않는 영향을 피한다. 4) 자궁 수축을 유발하는 자극을 피하라. 5) 가능하면 국소마취를 이용한다.

1. 태아 독성의 원칙

마취 약물이 태아에게 미치는 영향은 기존에 알려진 태아독성약물들과 마찬가지로 태아 독성의 기본원리에 따를 것이다. 태아 독성의 기본원리는 Wilson (1973)에 의해서 제안되었다.

1) 태아 독성의 감수성(susceptibility)은 태아의 유전형에 의존한다.

특정 유전형이 기형을 유발하는 환경적 인자와 상호작용함으로써 기형을 발생시킨다. 예로는 hydantoin, carbamazepine, phenobarbital 같은 항간질제에 노출된 태아에게서 에폭사이드 가수분해효소(epoxide hydrolase)를 만들어내는 유전자의 변형이 있는 경우 에폭사이드 가수분해효소 수준이 낮아져 산화성 독성물질인 에폭사이드가 증가하여 독성을 유발할 수 있다. Buehler 등에 의하면 에폭사이드 가수분해효소를 만드는 유전자가 열성대립유전자(recessive allele)인 경우 에폭사이드 가수분해효소가 표준보다 30% 미만인 경우 태아하이단토인증후군(fetal hydantoin syndrome)이 더 잘 발생하는 것으로 알려져 있다(그림 5-1).

2) 태아 독성의 감수성(susceptibility)은 노출 시기와 태아의 발달단계에 의존한다.

기형유발물질은 시기−특이성(time−specificity)으로 태아 독성을 유발한다.

(1) 착상전기(Preimplantation period)(임신 4주 이전)

임신 4주 이전은 정상 월경 시작부터 수정 후 착상까지의 기간을 일컫는다. 이 시기는 세포단계로 이때 태아독성물질에 의해서 세포손상이 크면 세포의 사멸(cell death)이 일어나지만 세포손상이 작다면 보상이 가능하여 정상적인 발달이 가능한 시기이다. 이 시기는 all or nothing 시기라 할 수 있다. 즉 유산 아니면 정상아로 출산할 수 있다.

(2) 배아기(Embryonic period)(임신 4주부터 임신 10주까지)

배아가 착상된 후 활발한 세포분열을 통해서 외배엽, 내배엽, 중배엽 기관들이 형성되는 시기이다. 이 시기는 태아독성물질에 가장 민감한 시기이다. 하지만 이 시기에 태아독성물질에 노출되었다고 해서 모든 태아 독성을 유발하는 것은 아니고, 특정 시기에 특정 약물에 의해서 특정 독성이 발생하는 시기이다. 예를 들면, thalidomide에 의해서 팔다리짧은증(phocomelia)과 심장기형, 신장기형 같은 내부기관 기형이 발생하는 시기는 임신 34~50일 노출 시 발생하는 것으로 알려져 있다.

(3) 태아기(Fetal period)(임신 10주부터 출생까지)

태아기에는 기관의 성숙과 기능적 발달이 일어나는 시기이다. 이 시기는 태아독성물질에 의해서 구조적 기형이 유발되지는 않지만, 알코올 같은 신경 기형물질에 의해서 지능저하나 행동장애가 유발될 수 있다.

3) 태아독성물질에 의해 발달 세포와 조직에 비정상적 발달을 일으키는 것은 특정한 기전

많은 기형유발물질이 특징적 기형을 유발하는 것을 발견하였고 이를 요인−특이성(agent specificity)으로 간주하였다. 요인−특이성의 기전은 분화되고 성장하는 배아에서 특이적 방식으로 특정 대사과정을 방해함으로써 각 요인이 작용한다. 요인−특이성의 예로 diethylstilbesterol은 에스트로겐 수용체에 결합함으로써 생식기에 기형을 유발할 뿐만 아니라 질암(vaginal

표 5-1. **Indications for non-obstetric surgery during pregnancy**

Indications	Incidence
Appendicitis	1:1,500 pregnancies
Cholecystitis	1:1,500 to 1:10,000 pregnancies
Bowel obstruction	1:1,500 to 1:3,500 pregnancies
Adnexal torsion	1:3,000 to 1:4,000 pregnancies
Breast or cervical disease	1:3,000 to 1:5,000 pregnancies
Trauma	Variable (trauma complicates 4 to 8 percent of all pregnancies, but the incidence of sever life-threatening trauma possibly requiring surgery is 0.3 to 0.4 percent)

cancer)을 유발한다. 또한, methotrexate는 엽산을 길항함으로써 DNA를 만드는 뉴클레오타이드의 합성을 방해함으로써 신경관결손증(neural tube defect) 등의 기형을 유발한다.

4) 태아독성물질이 발달 세포에 영향을 미치는 것은 물질의 특성에 의존한다.

대부분의 화학적 태아독성물질(chemical teratogens)이 발생하고 있는 배아나 태아의 조직에 영향을 미치기 위해서는 태반을 통과해야 한다. 태반 통과는 물질의 분자량 크기 600 g/mol 미만인 경우 태반통과가 용이하다. 그리고 지질용해도(lipid solubility)가 높을수록, 분자의 이온화(molecular ionization)가 적을수록, 단백질결합(protein binding) 및 다른 분자와의 결합이 적을수록 태반을 잘 통과한다.

5) 태아 독성의 표현형은 사망(death), 기형(malformation), 성장지연(growth retardation), 그리고 기능적 손상(functional deficit)이다.

태아독성물질에 의해서 발생하는 표현형은 사망, 기형, 성장지연, 그리고 기능적 손상이 고전적인 소견이지만, 최근보다 세분화되어 자연유산, 성장지연, 소뇌증(microcephaly), 소기형(minor malformations)과 대기형(major malformations), 대사이상(metabolic dysfunction), 인지이상(cognitive dysfunction), 지능결핍(mental deficiency), 이상사회행동(altered social behavior), 그리고 malignancy까지도 포함한다. 각 표현형은 노출 시기에 영향을 받는다.

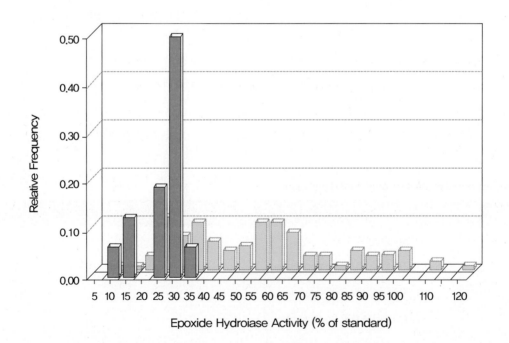

그림 5-1. Distribution of Epoxide Hydrolase Activity in 100 Random Samples of Amnicytes (Gray Bars) and in Fibroblasts (12 Samples) or Amniocytes (4 Samples) from Infants Determined Retrospectively or Prospectively to Have the Fetal Hydantoin Syndrome (Blue Bars)

6) 태아 독성은 노출 용량에 따라 빈도와 정도가 달라진다.

기형유발물질이 기형을 유발하기 위해서는 용량(dose)이 역치(threshold) 수준에 도달해야 한다. 역치는 배아나 태아의 반응이 노출에 대하여 보상할 수 없는 상태가 되어 손상을 받게 되는 점의 용량이다. 이는 역치 수준보다 낮은 용량에 노출 시에는 해를 입지 않지만, 높은 용량에 노출 시에는 해를 입는다는 의미이다.

척추이분증(spina bifida)의 발생은 혈중 valproate 용량에 따라서 달라짐을 보여준다(표 5-2).

2. 태아 독성의 평가

1) 동물실험(Animal test for teratogenicity)

대부분의 태아 독성을 나타내는 약물들은 동물에서뿐만 아니라 사람에서도 나타날 수 있다. 약물이 시판되기 전에 동물실험을 통한 태아 독성에 관한 평가는 해당 약물이 사람에서 태아 독성을 일으킬지 예측하는 데 도움이 된다. Thalidomide 사건 이후 약물의 태자 독성 실험에 대한 규제가 강화되어 최소 2종 이상의 동물에서 실험을 의무화하고 있고 일반적으로는 쥐와 토끼에서 시행하고 있다. 일반적으로 기형 발생에 관해 쥐(rat)와

토끼(rabbit)는 사람과 일치율(concordance rate)이 약 65% 정도이다. 이러한 결과는 근본적으로 사람과 동물은 약물에 대한 유전적 감수성(genetic susceptibility) 및 생리가 다르고, 노출량(exposed dose)의 차이가 있기 때문이다. 따라서 동물실험의 결과를 활용하여 약물의 기형유발성 평가 시 주의가 필요하다.

2) 역학 연구(Epidemiologic studies)

약물의 태아 독성을 평가하기 위한 역학 연구는 동물실험과 달리 사람에서 연구된다는 점에서 보다 직접적이다. 사람에게서의 연구는 윤리적인 문제로 무작위비교연구(randomized controlled trials)를 하기 어렵고, 연구의 결론을 얻기에는 표본수의 한계가 있으며, 또한 행동발달이나 인지 등의 장기적인 연구결과를 도출하는 데 많은 어려움이 있다. 특히 임신 중 수술을 받는 경우 마취 약물의 태아 독성은 수술에 의한 자궁의 자극, 수술이 필요한 임신부의 상태 등의 혼란요인(confounder)에 의해서 평가하는 데 어려움이 있을 수 있다.

(1) 증례 보고(Case report)

많은 태아 독성 약물은 초기에 증례 보고를 통해서 알려졌다. 예로는 warfarin, diethylstilbesterol, 그리고 isotretinoin이 초기에 증례 보고를 통해서 기형유발 물질임이 밝혀졌다. 하지만 bendectin의 경우 증례 보고에서 기형 발생과 관련 있다고 보고되었으나 많은 역

표 5-2. **Spina bifida is associated with a significantly higher dose of valproate**

	Infants with spina bifida (n = 5)	Exposed, but normal (n = 84)	P-value
Valproate conc. mg/l	73.4 ± 25	43.9 ± 21.6	0.023
Peak dose admin.	650 ± 124	384 ± 19	0.022

Omtzigt JG et al. 1992

학연구에 의해서 기형 발생과 상관없다고 보고되었고 최근 미국 FDA에 의해서 입덧 치료를 위해 시판할 수 있도록 재승인 되었다. 따라서 증례 보고는 유용할 수도 있고 전혀 쓸모 없을 수도 있다.

(2) 환자-대조군 연구(Case-control study)

환자-대조군 연구는 후향적 연구로 특정 태아 독성을 가진 환자군과 그 태아 독성이 없는 대조군을 선정하여 태아 독성과 관련이 있다고 생각되는 어떤 배경 인자나 위험요인에 대해 노출된 정도를 상호 비교하는 연구방법이다. 단기간에 적은 비용으로 특정 태아 독성과 의심되는 노출과의 연관성을 파악할 수 있는 장점이 있다.

하지만 의심되는 특정 태아 독성이 있는 아이를 출산했던 환자군에서는 연구대상이 되는 특정 약물 노출에 관해 더 잘 기억하는 반면 정상아를 출산했던 대조군의 경우 잘 기억하지 못함으로써 통계학적 연관성이 있는 것처럼 만드는 회상편견(recall bias)이 끼어들 수 있다. 예를 들면, diazepam의 경우 초기 환자-대조군 연구에서는 구열(oral cleft)과 연관이 있다고 보고되었지만, 이후 보다 잘 짜여진 연구에서는 연관이 없는 것으로 보고되기도 하였다.

(3) 전향적 코호트 연구(Prospective cohort study)

모집단에서 어떤 질병의 원인으로 의심되는 위험요인에 노출된 집단(노출 코호트)과 노출되지 않은 집단(비노출 코호트)을 대상으로 일정 기간 두 집단의 태아 독성발생 빈도를 추적 조사하여 위험요인에 대한 노출과 특정 태아독성발생의 연관성을 구명하는 연구방법이다. 이 연구는 후향적 환자-대조군 연구에서의 회상에 의한 편견(recall bias)을 줄일 수 있다는 장점이 있지만, 연구결과를 모으는 데 많은 시간이 걸리는 단점이 있다. 이 연구방법은 기형유발물질정보서비스(Teratology Information Service)에서 이용하는 전형적 연구방법

으로 약물에 노출된 임신부를 대상으로 기형 발생의 위험(risk)에 대한 상담 후 임신결과를 모르는 상태에서 임신부의 약물 노출등록(drug exposure registry in pregnancy)을 통해 출산까지 추적 후 특정 약물의 기형 유발성을 평가한다. 예로서 기형유발물질정보서비스인 한국마더세이프전문상담센터에서 수행한 전향적 코호트 연구로 수정 시기에 경구용 피임약에 노출된 임신부의 임신 결과를 조사한 연구가 있다.

또한, 다기관 전향적 코호트 연구가 있다. 이는 임신 중 노출이 드문 약물에 대하여 단기간에 다기관의 참여로 다수의 노출 임신부를 연구에 포함시켜 결과를 내는 장점이 있다. 예로써 임신중 골다공증 치료제인 bisphosphonates에 노출된 후 임신결과를 조사한 연구가 있다.

(4) 메타분석(Meta-analysis)

약물의 기형유발성(teratogenicity)을 평가하는 역학적 연구방법의 하나로 개별적 연구들이 갖는 한계인 연구방법론과 표본수의 문제를 극복하기 위하여 통계적 기법을 사용하여 포괄적이고 거시적이며 객관성을 지닌 결론을 이끌어내는 장점이 있지만 출판편향(publication bias) 등에 따른 문제가 있을 수 있다. 약물의 기형유발성에 대한 평가에서 중요한 역학과 증거-기반 의학(evidence-based medicine)에 널리 사용되고 있다. 연구 예로는 최근 항우울제인 파록세틴(paroxetine)을 임신 제1삼분기에 사용 시 선천성 심장기형의 증가와 관련됨이 메타분석을 통해서 증명되기도 하였다.

3. 마취 약물과 태아 독성(Teratogenicity of anesthetic drugs)

임신 중 사용되는 약물은 노출량, 노출 경로, 노출 시기에 따라 태아에게 부정적인 영향을 미칠 수 있다. 마찬가지로 마취 약물도 태아에게 부정적인 영향을 줄 수 있다. 알려진 바로는 마취 약물이 세포의 분화와 기관형성 시기에 세포의 신호전달, 유사분열, DNA 합성에 영향을 미치는 것으로 밝혀져 있다.

마취 약물이 태아에 영향을 미칠 수 있다는 우려에도 불구하고 실제 인간을 대상으로 시행한 연구에서 마취 약물이 태아에 치명적인 영향을 미치는지에 대한 명확한 증거는 나타나지 않고 있다. 이유는 물론 이에 대한 연구가 부족하기도 하지만 무작위 연구를 위한 윤리적인 문제와 임신부와 유사한 동물모델이 없는 것도 이유라 할 수 있다.

대규모 후향적 연구로 임신 중에 수술을 경험한 여성에게서 임신결과를 평가한 연구가 스웨덴에서 발표되었다. 이 연구자들은 1973년부터 1981년 사이의 임신부 레지스트리를 이용하였다. 총 72만 명의 임신부 중 5,405명(0.75%)이 비산과적 이유로 수술하였다. 이중 약 50%에 해당하는 2,252명은 임신 제1삼분기에 수술을 받았고 54%가 대부분 아산화질소(nitrous oxide)를 이용하여 전신마취를 받았다. 이 연구에서 부정적 임신결과의 평가는 선천성기형, 사산, 7일 내 신생아 사망, 초저체중아와 저체중아의 발생률이 포함되었다. 결과는 수술을 받았던 군과 수술을 받지 않았던 대조군 사이에 선천성기형과 사산의 발생률에 통계학적 차이가 없었다. 하지만 임신 제1삼분기에 수술을 받았던 군에서 신경관결손증(neural tube defect)이 증가한 것으로 나타났고, 수술군에서 초저체중아와 저체중아의 발생률이 증가하였다. 이는 조산과 자궁 내 태아 성장지연과 관련되었다. 또한, 7일 내 사망한 신생아도 증가하였다. 마취와 수술의 종류가 불량한 임신결과와 연관성이 나타나지는 않았다.

한편, 다른 연구에서 아산화질소는 DNA 합성에 영향을 미치고 동물에서 기형을 유발한다고 보고하였고, 마취 의료진이 마취가스로 사용된 아산화질소에 노출된 경우 난임과의 연관성을 보고한 문헌도 있다. Rowland 등은 치과에서 마취가스로 사용된 아산화질소가 배기되지 않은 체 임산부에게 노출되는 것이 유산의 증가와 관련된다고 하였다. 하지만 적절한 마취가스배기 설비를 사용하는 경우 아산화질소에 대한 노출을 90% 이상 줄일 수 있어 불량한 임신결과를 나타내지 않는 것으로 보고하고 있다.

마취와 관련하여 사용되는 약물 중에서 벤조다이아제핀계는 임신부의 환자-대조군 연구에서 구개열(cleft palate)과 심장기형의 증가와 관련됨을 보고한 적이 있다. 이는 회상에 의한 편견(recall bias)의 결과로 파악되었고 전향적 코호트 연구에서는 연관성을 보이지 않았다.

임신 중 수술이 태아 및 임신결과에 미치는 영향을 확인하기 위해 메타분석이 진행되었고, 12,452명의 여성이 임신 중 수술을 받았다. 이 연구는 모체 사망률 1/10,000 미만, 비산과적 수술은 주요 기형을 증가시키지 않음, 수술과 전신마취가 유산의 원인은 아님, 복막염을 동반한 급성충수염 시 태아 사망과 관련됨을 발견하였다.

마취 약물이 행동발달에 미치는 영향은 어떨까? 몇몇 연구에서 마취 약물에 노출된 미성숙 설치류(rodent)의 뇌의 신경세포에서 가속된 세포사멸사(apoptosis)가 발견되어 마취 약물에 의한 신경 손상 유발에 대한 상당한 우려가 있다. 동물에서 마취 약물에 의해서 발생된 세포사멸사에 최고로 취약한 시기는 왕성한 뇌 발달과 활동에 의존하는 시냅스 형성 기간이다. 전신마취 약물은 시냅스 전달을 억제한다. 중요시기에 시냅스 활동의 감소는 부적절한 세포사멸사와 중요한 시냅스 연결을 비정상적으로 발달하게 할 수 있다. 하지만 빠른 시냅스 형성 기간은 설치류에서는 출산 후 잠깐 일어나고 인간에서는 임신 중기부터 출산 후 여러 해까지 지속된다. 인간에서는 시냅스 형성 기간이 길기 때문에 마취 약물에 민감한 노출 기간을 상대적으로 짧게 함으로써 임신 중 마취 약물에 의해 발생할 수 있는 행동발달에 미치는 부정적인 영향이 적다. 따라서 동물에서 마취 약물에 의한 행동발달에 미치는 부정적 영향에 대한 결과를 인간에 적용하는 것은 한계가 있다.

4. 각 약물의 특징

1) 마취 약물

(1) 마취유도제

① Thiopental sodium

Thiopental sodium은 전신마취의 유도제로 사용되며 빠른 작용발현시간과 짧은 지속시간을 가진 barbiturate이다. 반감기는 3~8시간이며 분자량은 264.32 g/mol로 상대적으로 작아 태반을 잘 통과할 수 있다. 따라서 태아의 순환계에 들어가고 태아의 간을 거쳐서 태아의 뇌에 도달할 수 있는 것으로 알려져 있다.

ⅰ) 동물실험

Rats와 mice에서 thiopental sodium은 선천성기형을 증가시키지 않았다고 보고하였다.

임신한 goats에서는 thiopental sodium이 progesterone 감소와 코티솔(cortisol)의 증가와 관련된 보고가 있다.

ⅱ) 인간대상 연구

Collaborative Perinatal Project(1988) 연구에 의하면 임신 첫 4개월 동안 thiopental sodium로 치료받은 기왕력이 있는 152명의 임신부에서 출산한 아이들에게 선천성기형의 증가는 나타나지 않았다.

ⅲ) 기형유발성 요약

동물실험과 인간을 대상으로 한 연구에 근거하면 thiopental sodium은 태아에 기형을 유발할 가능성은 크지 않아서 주된 기형유발물질일 가능성은 작지만, 이러한 결론을 지지할만한 인간을 대상으로 하는 교란변수가 잘 통제된 연구가 필요하다. 즉 thiopental sodium은 태반 통과가 가능하고 동물실험에서 cortisol 등의 호르몬 변화를 가져오는 것이 밝혀졌으므로 인간에게 이와 관련된 유해효과(adverse effects)에 대한 추가적인 연구가 필요하다.

② Propofol

Propofol은 단기적으로 작용하는 진정, 최면제이고 전신마취의 유도와 유지에 사용된다. 마취유도와 장시간 주입 후에도 각성이 빨라 외래마취에도 자주 이용되고 있다. 약동학적으로 반감기가 2~24시간이고 분자량은 178.27 g/mol이며 태반을 통과한다.

ⅰ) 동물실험

임신한 rats와 rabbits은 propofol 노출 후 태아독성과 관련된 부작용을 보이지 않았다. 일부 연구에서는 neuronal chick culture 연구에서 인간에게 사용하는 4배 이상의 용량에서 신경독성(neurotoxic)이 있는 것으로 나타났다.

또한, 임신 18일 된 rat에서 propofol 투여 시 지연된 신체적 반사발달이 나타났고 뇌와 체중의 무게 감소가 나타났다.

ⅱ) 인간대상연구

출산 시 사용된 propofol은 신생아의 안위에 영향을 주지 않는 것으로 보고되고 있다. 하지만 제왕절개 시 임산부의 마취제로 thiopental sodium을 사용했던 군과 비교했을 때 propofol을 사용했던 군에서 신생아에게서 일부 신경행동학적 상태의 이상이 나타남을 보고하였다.

iii) 기형유발성 요약

Propofol은 동물실험과 인간대상연구에 근거하여 선천성기형을 유발하는 주요 기형발생물질일 가능성은 작지만, 동물실험과 인간대상연구에서 신경독성을 보인다고 알려졌다. 인간에서 propofol이 신경행동발달에 미치는 영향에 대한 장기적인 연구가 필요하다.

③ Etomidate

Etomidate는 마취 유도에 사용되는 이미다졸 최면유도제이며 심장혈관, 호흡계통에 대한 억제가 미미한 것으로 알려져 있다. 약동학적으로 반감기는 2.9~5.3시간이고 분자량은 244.29 g/mol이며 태반을 통과할 수 있다.

i) 동물실험

Rats에서 기형 발생에 대한 연구는 인간에게 사용되는 권장량의 40배 용량에서 기형을 증가시키지 않는 것으로 나타났다.

ii) 인간대상연구

임산부의 제왕절개술 시 etomidate를 마취유도제로 사용한 후 태어난 신생아에게서 Apgar 점수, 호흡에 부정적인 영향은 거의 없는 것으로 보고되어 있다. 신경행동학적 발달에 대한 장기적 연구는 아직 없다.

iii) 기형유발성 요약

Etomidate는 rat에서 배아의 발달에 영향을 미치지 않았다. 인간 배아에 미치는 영향에 대한 연구는 찾을 수 없다. 제왕절개술 시 사용하는 경우 단기간 신생아에 미치는 영향은 없지만, 장기적 신경행동발달에 대한 연구가 없다.

(2) 전신마취제

① 정맥주사용 마취제

i) Remifentanil

Remifentanil은 뮤 수용체에 작용하는 아편 유사 작용제로서 매우 빠른 효과를 보이며 상황민감성반감기가 주입시간에 거의 연관되지 않으므로 장시간 정주해도 축적작용이 거의 없다. 반감기가 10~20분이며 분자량은 376.45 g/mol이다. Rats와 rabbits에서 태반을 통과한다.

가. 동물실험

Remifentanil은 rat (5 mg/kg)와 rabbit (0.8 mg/kg)에서 기형을 유발하지 않았다. 이들 용량은 각각 인간에서 사용할 수 있는 최대량의 400배와 125배에 달한다.

나. 인간대상연구

Remifentanil은 인간에서 기형유발효과와 관련된 연구 보고는 찾을 수 없다. 하지만 태아만출 전 사용된 경우 호흡억제와 같은 아편유사제효과(opioid effects)가 신생아에게서 나타날 수 있다.

다. 기형유발성 요약

동물실험에 근거하여 remifentanil이 선천성기형을 일으키는 주요기형발생물질일 가능성은 작아 보인다. 출산 전에 사용 시 호흡억제와 아편유사제 효과를 나타낼 수 있어서 태아에 미칠 잠재적 위험을 정당화할 수 있는 경우에만 사용해야 한다.

ii) Dexmedetomidine

Dexmedetomidine은 알파작용제로서 진정, 진통작용이 있으며 호흡억제가 경미하고 각성이 용이한 장점이 있다. 중환자실 환자의 진정과 간단한 시술 시 진정, 기관삽관된 환자의 진정에도 사용된다. 약동학적으로 반감기는 2시간이고 분자량은 200.28 g/mol이며 태반 통과가 가능하다.

가. 동물실험

인간 상용량의 2배 용량에서 생존자지수(live offspring)가 감소하였고, 운동발달(motor development)의 장애를 일으켰다. rat나 rabbit에서 기형 발생을 증가시키지 않았다.

나. 인간대상연구

Dexmedetomidine이 임신 말기에 투여된 경우 태반을 통과하여 태아에 넘어가는 양은 태반에서의 결합으로 인해 제한되어 상대적으로 적은 양만이 태아에게 옮겨갈 수 있다. 진통 중 또는 제왕절개 시 이 약물을 사용했던 증례 보고들이 있으며 결과는 태아에 영향을 미치지 않았던 것으로 보고되어 있다.

다. 기형유발성 요약

Dexmedetomidine은 동물실험에 근거하였을 때 선천성기형을 증가시킬 가능성은 작지만, Rat에서 생존아 수의 감소와 저체중과 관련될 수 있다. 인간에게는 추가적인 연구가 필요하다.

② 흡입마취제

ⅰ) Sevoflurane

전신마취의 유도와 유지를 위해서 사용되는 흡입마취제로 할로겐불화물이다. 자극성 냄새와 기도 자극이 없어 임산부의 마취유지제로 널리 사용된다. 약동학적으로 반감기는 21시간이며 분자량은 200.06 g/mol이다. 태반통과가 가능하다.

가. 동물실험

임신한 쥐에게 8시간 동안 노출 시 자손에서 구개열(cleft palate)의 발생이 증가한다. 이는 모체 독성의 결과로 추정한다. 임신한 rats와 rabbits에서 0.3 최소폐포농도(minimum alveolar concentration, MAC) 노출은 배아의 발달에 영향을 미치지 않는다.

나. 인간대상연구

일본에서 임신 13주에 sevoflurane 노출에 의해서 발달에 부정적인 영향을 나타내지 않은 증례를 보고하였다. 제왕절개수술을 하는 25명의 임신부에게 sevoflurane 노출 시 부정적인 영향을 나타내지 않았다.

다. 기형유발성 요약

동물실험 및 인간 대상연구에 근거하여 sevoflurane은 선천성기형 발생을 증가시킬 가능성은 작다. 제왕절개 시 사용은 신생아에게 부정적인 영향을 미치지 않는다.

ⅱ) Desflurane

전신마취의 유지를 위해 사용되며 다른 가스에 비해 마취유도와 각성이 매우 빠른 마취제이나 기도자극성이 있다. Highly fluorinated methyl ethyl ether이다. 약동학적으로 반감기는 분당 환기량에 따르며 분자량은 168.08 g/mol이다. 태반통과가 가능하다.

가. 동물실험

제품설명서에 의하면 rats와 rabbits에서 1 hour/day 동안 소량으로 노출 시 선천성기형아 발생이 증가하지 않는다.

나. 인간대상연구

인간에서 출산 전 노출 시 신생아 결과에 부정적인 영향은 없었으며 신경학적 수용능력(neurological adaptive capacity)에도 영향을 미치지 않았다. 임신 중 노출을 위한 안전한 용량이 확립되어 있지 않아 독일의 연구자들은 직장 내 노출에 관한 주의가 필요함을 언급하였다.

다. 기형유발성 요약

동물실험에 근거했을 때 desflurane은 선천성기형을 증가시킬 가능성은 작지만, 직장 내 노출 시 주의가 필요하다.

(3) 국소마취제

① 리도카인(Lidocaine)

Lidocaine은 국소마취제의 하나로 약동학적으로 반감기는 90~120분이며 분자량은 234.34 g/mol이다. 다른 국소 마취제와 마찬가지로 태반을 통과한다.

ⅰ) 동물실험

임신한 rats이 만성적으로 lidocaine에 노출된 경우라도 기형 발생을 유발되지 않았다. 임신 6일 된 쥐에서는 6 mg/kg을 투여 시 행동 이상을 유발하였다.

ⅱ) 인간대상연구

임신 초기에 lidocaine에 노출된 임신부 293명과 다양한 임신 시기에 lidocaine에 노출된 임신부에게서 선천성기형 발생의 증가는 나타나지 않았다.

iii) 기형유발성 요약

인간대상연구에 근거하여 lidocaine은 주요기형 발생물질일 가능성은 작다. 동물실험에서 이상행동이 나타난 것과 관련하여 향후 임신부에게서의 행동 관련 연구가 필요하다.

② Bupivacaine

Bupivacaine은 국소마취제로 약동학적으로 반감기는 2.7시간이고 분자량은 288.43 g/mol이며 태반을 통과한다.

i) 동물실험

원숭이를 이용한 동물기형학 검사에서 출산 전 경막외마취 사용에 의해 행동학적 이상(behavioral alterations)이 나타났다.

ii) 인간대상연구

일부 연구에서 신생아 행동에 이상 소견이 보고되었지만, 대부분의 연구에서 신경행동적 발달 상태가 정상이었다.

iii) 기형유발성 요약

경막외마취 시 bupivacaine의 사용이 태아에게 부정적인 영향을 미칠 가능성은 작다.

(4) 근육이완제

① Succinylcholine

Succinylcholine은 탈분극근이완제로 매우 빠른 발현시간을 가진다. 약동학적으로 반감기는 5~10분이고 분자량은 290.40 g/mol로 태반통과가 가능하며 투여 후 5~10분 후에 태아에게서 최고농도에 도달한다.

i) 동물실험

현재까지 동물에서 succinylcholine의 최기형성(teratogenicity)에 관한 연구 보고 없다.

ii) 인간대상연구

Collaborative Perinatal Project 연구에 의하면 임신 제1삼분기 내에 succinylcholine에 노출된 임신부 26명에게서 태어난 신생아에게 어떤 기형도 발생하지 않았다.

iii) 기형유발성 요약

Succinylcholine은 인간대상연구를 근거로 볼 때, 주요기형 발생물질일 가능성은 작다.

② 로큐로니움(Rocuronium)

Steroid형 비탈분극근이완제이다. 약동학적 반감기는 2.4시간이고 분자량은 529.77 g/mol이다. 태반의 통과는 단지 소량만 가능하다.

i) 동물실험

최기형성시험(Teratogenicity test)에서 rats와 rabbits의 기형 발생 증가는 나타나지 않았다. 고용량에서는 유산이 증가하였지만 이는 산소결핍에 기인한 것으로 추정된다.

ii) 인간대상연구

전신마취하에 제왕절개술을 시행한 40명의 임신부에게 rocuronium 사용한 경우 임신부와 태아 모두 안전한 것으로 보고하고 있다.

iii) 기형유발성 요약

임신 초기 인간을 대상으로 한 결과는 없지만, 태반통과가 적고 동물실험에 근거할 때 주요기형 발생물질일 가능성은 작다.

③ 베큐로니움(Vecuronium)

Vecuronium은 비탈분극근이완제이다. 약동학적으로 반감기는 36~17분이다. 태반 통과는 소량이며 제대혈에 모체용량의 11%가 도달한다.

i) 동물실험

동물에서 기형발생시험은 수행되지 않았다.

ii) 인간대상연구

Vecuronium이 전신마취하에 진행된 제왕절개술 시 사용되었을 때 임상적으로 신생아에게 부정적인 영향을 나타내지 않았다.

iii) 기형유발성 요약

임신 초기에 vecuronium 사용이 태아에 미치는 영향에 대한 보고는 없지만, 제왕절개술 시 전신마취 중 사용 되었을 때 태아에 영향을 미칠 가능성은 작다.

(5) 근육이완회복제

① Neostigmine

Neostigmine은 항콜린에스테라아제제이다. 약동학적으로 반감기는 24~113분이며 분자량은 223.29 g/mol이다. 이 약물은 높은 이온화 상태여서 태반을 통과할 가능성은 작은 것으로 알려져 있다.

ⅰ) 동물실험

Rats와 rabbits의 배아-태아 발달 연구에서 기관형성기에 human equivalent dose의 8.1과 13 μg/kg/day에서 기형 발생의 증거는 없었다.

ⅱ) 인간대상연구

중증근무력증(Myasthenia gravis)의 치료를 위해 만성적으로 사용했던 임신부에게서 태아 기형 뿐만 아니라 다른 부정적 임신결과는 관계가 없는 것으로 보고되었다.

iii) 기형유발성 요약

Neostigmine은 태반통과 가능성이 작으며 인간대상연구에 근거하여 보았을 때 주요기형 발생물질일 가능성은 작다.

② Sugammadex

Sugammadex는 steroid형 비탈분극근이완제와 직접 결합하여 차단된 신경근육의 회복을 일으킨다. 매우 빠르게 근이완을 역전시킨다. 약동학적으로 반감기는 2.2시간이며 2,178 g/mol로 분자량이 커서 수동확산에 의해서 태반을 통과할 가능성은 작다. Rat와 rabbit에서 태반통과는 2~6% 미만인 것으로 알려져 있다.

ⅰ) 동물실험

동물실험에서 기관형성기에 사람에게 권장되는 최대 용량의 6배와 8배의 용량에 각각 노출되었을 때 기형 발생의 증거는 없었다.

ⅱ) 인간대상연구

임신부에서 sugammadex의 사용과 관련된 보고는 없다.

iii) 기형유발성 요약

임신부에서 sugammadex 사용과 관련된 보고는 없지만, 동물실험에서 기형 발생의 증가가 나타나지 않아 주요기형 유발물질일 가능성은 작다.

2) 마취과에서 자주 사용되는 약물

(1) 혈압강하제

① Esmolol

Esmolol은 속효성의 베타차단제(β-길항제)로 약동학적으로 반감기는 9분이며 분자량은 295.37 g/mol이다. 태반을 통과하지만, 모체용량의 8%만 태아로 전달된다.

ⅰ) 동물실험

양(ewe)에서 esmolol은 베타차단제로서 저혈압을 유발한다. 기형발생연구에 대한 보고는 없다.

ⅱ) 인간대상연구

출산 직전 esmolol 1 g 이상을 투여한 임신부의 출생아에게서 근력이 감소하고 울음이 약하고 48시간에 무호흡 증상이 나타났다. 이후 행동과 발달은 정상소견을 나타냈다.

iii) 기형유발성 요약

Esmolol은 베타차단제로서 출산 전 모체에 투여 시 베타수용체 차단에 따른 증상이 신생아에게 나타날 수 있다. 선천성기형 발생위험률은 다른 베타차단제와 마찬가지로 낮다.

② Labetalol

라베타롤은 alpha/beta adrenergic antagonist

표 5-3. Teratogenicity of anesthetic drugs

		$T_{1/2}$	MW (g/mol)	FDA categorization	Teratogenicity
마취유도제	Thiopental sodium	3~8 hours	264.32	C	동물실험 및 인간대상연구에 근거하여 태아에서 기형을 증가시키지 않음.
	Propofol	2~24 hours	178.27	B	동물실험에 근거하여 태아에 기형을 증가 시킬 것 같지 않음.
	Etomidate	2.9~5.3 hours	244.29	C	동물실험에 근거하여 태아에 기형을 증가 시킬 것 같지 않음. 제왕절개술 시 사용에 의해 태아에 부정적 영향을 미치지 않음.
전신마취제 — 정맥주사	Remifentanil	10~20 min.	376.45	C	동물실험에 근거하여 기형을 증가시킬 것 같지 않음.
	Dexmedetomidine	2 hours	200.28	C	동물실험에 근거하여 기형을 증가시킬 것 같지 않음.
전신마취제 — 흡입	Sevoflurane	21 hours	200.06	B	동물실험에 근거하여 태아에 기형을 증가시킬 것 같지 않음. 제왕절개술 시 사용에 의해 태아에 부정적 영향을 미치지 않음.
	Desflurane	분당 환기량에 의존	168.04	B	동물실험에 근거하여 선천성기형을 증가시킬 것 같지 않음.
국소마취제	Lidocaine	90~120 min.	234.34	B	동물실험 및 인간대상연구에 근거하여 태아에서 기형을 증가시키지 않음.
	Bupivacaine	2.7 hours	288.43	C	경막외마취를 위해 사용하는 경우 태아에 부정적 영향 미치지 않음.
근육이완제	Succinylcholine	5~10 min.	290.40	C	태아에 부정적 영향을 미치지 않음.
	Rocuronium	2.4 hours	529.77	C	동물실험에서 기형증가 시키지 않음. 제왕절개 시 사용하는 경우 태아에 영향을 미치지 않음.
	Vecuronium	36-117 min.	637.73	C	임신 초기 기형발생관련 연구 보고는 없지만 임신 말기 태아에게 부정적 영향을 미치지 않음.
근육이완회복제	Neostigmine	24 - 113 min.	223.29	C	동물실험 및 인간대상연구에 근거하여 선천성 기형을 증가시킬 가능성 거의 없음.
	Sugammadex	2.2 hours	2178	-	태반통과가 어려워 태아에서 기형 및 부작용을 증가시킬 가능성 적음.

FDA categorization

Category B: 동물실험에서는 태아에 대한 위험을 보였으나 사람에서는 위험을 보이지 않은 경우, 또는 인체에 대한 적절한 임상연구가 시행되지 않았으며 동물에서도 위험성이 증명되지 않은 경우, 즉 인체 태아에 대한 위험성의 증거가 없는 경우

Category C: 사람에 대한 연구결과가 없으며 동물실험이 위험성을 보이거나 보이지 않은 경우, 잠재적 위험성에도 불구하고 약물사용의 유익성이 약물사용을 정당화할 수도 있는 경우, 즉 위험성을 완전히 배제할 수 없는 경우

이다. 약동학적으로 반감기는 5~8시간이며 분자량은 328.41 g/mol이다. Labetalol은 친지질성이며 태반을 통과한다.

ⅰ) 동물실험

Rats와 rabbits에서 고용량(300 mg/kg in rat, 200 mg/kg in rabbit)에 노출 시 체중을 감소시킬 수 있으나 기형 발생을 증가시키지는 않는다.

ⅱ) 인간대상연구

임신 중 labetalol에 노출된 300명과 methyldopa에 노출된 923명의 임신부의 신생아 비교 시 labetalol로 치료된 임신부에게서 태어난 신생아에서 호흡곤란증후군(RDS), 패혈증, 경련이 50% 정도 더 높은 것으로 나타났다. 선천성기형아 발생 증가에 관한 보고는 없다.

ⅲ) 기형유발성 요약

동물실험과 인간대상연구에 근거하여 labetalol은 주요기형 발생물질일 가능성은 작다. 일부 연구에서 다른 항고혈압약보다 호흡곤란증후군 등의 발생률이 더 높아 사용 시 주의가 요구된다.

③ Nicardipine

니카르디핀은 calcium channel blocker이다. 약동학적으로 반감기는 8.6시간이고 분자량은 479.53 g/mol이다. 태반통과가 가능하나 모체 용량의 6%를 넘지 않는다.

ⅰ) 동물실험

Rats와 rabbits의 기형검사에서 선천성기형 증가와 관련되지 않았다.

ⅱ) 인간 대상연구

기형유발물질 정보서비스의 nicardipine (n = 18)에 관한 연구에서 기형 발생의 증가는 나타나지 않았다. 조기진통억제와 고혈압에 사용되는 경우 폐부종(pulmonary edema)을 유발한다는 보고가 있다.

ⅲ) 기형유발성 요약

동물실험 및 인간대상연구에 근거하여 nicardipine은 주요기형 발생물질일 가능성은 작다. 임신 말기에 조기진통과 고혈압에 사용 시 폐부종을 일으킬 수 있다.

④ Captopril

Captopril은 안지오텐신전환효소억제제(angiotensin converting enzyme inhibitor)이다. 약동학적으로 반감기는 2시간이고 분자량은 217.29 g/mol이며 태반통과가 잘 된다.

ⅰ) 동물실험

Rabbit과 sheep에서 태아사망이 높아진다. 이들 동물에서 신장과 혈류역학(hemodynamic)의 기능 유지를 방해한다.

ⅱ) 인간대상연구

Captopril은 지속적인 레닌안지오텐신계(renin-angiotensin system)의 억제와 태반통과에 의해 태아에게 심한 저혈압을 일으키고 이로 인해 양수과소증과 신생아 무뇨가 발생한다. 신장발생장애(renal dysgenesis), 두개결손(skull defects), 태아 사망, 동맥관조기폐쇄와 관련된다.

ⅲ) 기형유발성 요약

Captopril은 안지오텐신전환효소 억제제로 임신 제2삼분기 이후 사용 시 태아의 무뇨로 인한 양수과소증을 유발하며 태아의 두개결손(skull defects) 및 태아 사망을 증가시킬 수 있다.

⑤ Valsartan

Valsartan은 angiotensin II receptor antagonist (ARB)로 약동학적으로 반감기는 5~15시간이고 분자량은 435.52 g/mol이며 태반을 통과한다.

ⅰ) 동물실험

Mice, rats, rabbits에서 실험 시 선천성기형 발생률을 증가시키지 않았다.

ⅱ) 인간대상연구

임신 24주까지 valsartan과 아테놀롤에 노출되어 무뇨(anuria)가 발생한 증례 보고가 있다. 임신 제2삼분기 이후 노출에 따른 양수과소증과 태아 이상에 대한 여러 보고가 있다. 임신 제1삼분기에 노출 시 태아 이상 소견은 나타나지 않았다.

iii) 기형유발성 요약

임신 제1삼분기 이후에 valsartan의 사용 시 양수과소증, 발달장애, 태아 사망을 증가시킬 수 있다.

(2) 신경안정제

① 디아제팜(Diazepam)

디아제팜은 안정제로 또는 근육이완제로 사용되는 benzodiazepine계 약물의 하나이다. 약동학적으로 반감기는 200시간이고 분자량은 284.7 g/mol이며 태반을 통과한다.

ⅰ) 동물실험

Mice에서 얼굴갈림증(facial clefts)을 유발한다고 보고되었다. 자궁 내 지속적인 노출 시 신경행동학적 영향을 유발한다.

ⅱ) 인간대상연구

임신부에게 노출 시 얼굴갈림증 증가와 관련된 보고가 있다. 이는 핀란드에서 시행한 후향적 연구 결과인데 다른 약물에 대한 영향은 배제되어 있다. 이후 전향적 연구에서 얼굴갈림증과 다른 기형의 증가와 관련되지 않음을 보고하였다. 하지만 헝가리인 case-control surveillance에서 OR 1.2(95%CI: 1.0~1.4)의 약한 연관성을 보고하기도 하였다.

습관적으로 디아제팜을 사용한 임신부에게서 태어난 신생아에게서 금단증상으로 처짐, 젖을 잘 빨지 못함, 청색증 등이 유발된다.

ⅲ) 기형유발성 요약

디아제팜은 동물실험에서는 구개열(cleft palate)을 증가시키지만, human 연구에서는 구개열이나 다른 기형을 증가시키지 않았다. 임신 말기에 사용 시 신생아 금단증상을 유발한다.

② Alprazolam

알프라졸람은 안정제로 사용되며 benzodiazepine계 약물의 하나이다. 약동학적으로 반감기는 11.2시간이며 분자량은 308.77 g/mol이다. 태반 통과에 대한 보고자료는 없지만, 같은 군의 약물처럼 태아에 축적될 수 있다.

ⅰ) 동물실험

알프라졸람은 rats, rabbits에서 고용량을 사용하는 경우를 제외하고는 기형을 증가시키지 않았다. 설치류의 연구에서 행동 이상과 관련된다.

ⅱ) 인간대상연구

Hungarian case-control surveillance에 의하면 선천성 기형군에서 0.25%(57/22,865)의 노출이 있었고, 대조군 정상아에서 0.20%(75/38,151)의 노출로 차이가 나타나지 않았다. 시판 후 평가에서는 임신 제1삼분기에 노출된 542사례에서 부정적 임신결과의 증가는 없었다.

ⅲ) 기형유발성 요약

알프라졸람은 동물실험과 인간대상연구에서 기형 발생의 증가를 나타내지 않았다. 다른 benzodiazepine계처럼 신생아 금단증상이 발생할 수 있다.

(3) 진통제

① 케토롤락(Ketorolac)

Ketorolac은 비스테로이드성소염진통제 중의 하나이다. 약동학적으로 반감기는 4~6시간이고 분자량은 255.27 g/mol이며 태반통과는 가능하지만 적게 통과한다.

ⅰ) 동물실험

임신한 rabbits에서 기형을 증가시키지 않았다. 임신한 rat에서 임신 9, 10일에 25 mg/kg/day의 농도로 노출 시 심실중격결손증의 발생이 증가하였다.

ⅱ) 인간대상연구

NSAID(비스테로이드성소염진통제)는 동맥관의 조기폐쇄를 유발할 수 있지만, 조기진통 시 진통억제제로

표 5-4. **Teratogenicity of drugs used with anesthesia**

		$T_{1/2}$	MW	FDA categorization	Teratogenicity
혈압강하제	Esmolol	9 min.	295.37	C	태반통과가 가능하며 태아서맥을 유발할 수 있다. 임상에서 사용량보다 고용량에서 동물실험에서 기형증가와 관련되지 않음.
	Labetalol	5~8 hourd	328.41	C	동물실험 및 인간대상연구에 근거하여 선천성기형을 증가시킬 것 같지 않음.
	Nicardipine	8.6 hours	479.53	C	태반통과가 잘 되지 않아 인간에서 기형발생을 증가시킬 것 같지 않다. 임신말기에 자궁이완제와 고혈압에 사용시 폐부종을 유발할 수 있다.
	Captopril	2 hours	217.29	D	Captopril은 임신 제1삼분기 이후 사용 시 fetal oliguria, skull defects, and death를 유발할 수 있다.
	Valsartan	5~15 hours	435.52	D in 2nd, 3rd trimester C in 1st trimester	Valsartan은 임신 제1삼분기 이후에 사용시 ACE억제제 배아병증(oligohydramnios, abnormal development, and fetal death)을 유발할 수 있다.
신경안정제	Diazepam	200 hours	284.7	D	대부분의 Human studies는 cleft palate나 다른 기형을 증가시키지 않는다. 하지만, 임신 말기에 신생아 금단증상을 일으킬 수 있다.
	Alprazolam	11.2 hours	308.77	D	동물실험에 근거하여 기형을 증가시킬 것 같지 않다. 임신말기에는 신생아에서 금단증상을 일으킬 수 있다.
진통제	Ketorolac	4~6 hours	255.27	C	동물실험에 근거하여 ketorolac은 선천성기형을 증가시킬 것 같지 않다. 하지만 다른 NSAIDs처럼 동맥관조기폐쇄와 관련될 수 있어서 임신 말기에 피해야 한다.

사용하기도 한다. 증례 보고에 의하면 자궁근육무력증(uterine atony)과 출산 후 출혈과 관련된다.

iii) 기형유발성 요약

동물실험에 근거하여 ketorolac은 선천성기형을 증가시킬 가능성은 작지만, NSAID의 사용으로 동맥관폐쇄를 일으킬 수 있다.

요약

임신부가 비산과적 수술을 받는 빈도는 1~2%로 충수염, 담낭염, 장폐색, 난소염전 등이 포함된다. 임신부의 마취 시 마취통증의학과 의사는 임신부와 태아 모두의 안전에 목표를 두어야 한다. 가능하면 전신마취를 피

하고 자궁태반 혈류량과 산소전달의 최적화가 필요하다. 사용되는 마취 약물 중 일부 아산화질소를 제외한 대부분의 마취 약물은 태아에게 부정적인 영향을 유발하지 않는다. 하지만 이들 약물은 대부분 태반을 통과하기 때문에 장기적인 관점에서 태아에 미치는 영향에 대한 추가적인 연구가 필요한 상황이다. 따라서 가능하면 마취 약물에 태아가 노출되는 양을 최소화해야 한다.

마취와 관련된 약물 중 항고혈압제인 안지오텐신전환효소억제제제(angiotensin converting enzyme inhibitor)나 Angiotensin receptor blocker (ARB)는 태반을 통과하여 태아 혈압을 낮춤으로써 양수과소증을 유발하고, 태아의 이상 및 사망을 유발할 수 있다. 안정

제나 근육이완제로 쓰이는 benzodiazepine계 약물은 일부 연구에서 얼굴갈림증(facial clefts)과 관련되며 신생아에서 금단증상을 유발할 수 있다. Ketorolac은 자궁근육무력증(uterine atony) 등으로 인한 출혈경향과 관련된다. 임신 중 마취 약물 및 마취와 관련된 약물 선택 시 태아 독성의 감수성을 고려하여 가능하면 기관형성기는 피하는 것이 바람직하다. 또한, 용량에 따른 감수성 등을 고려하여야 한다.

참고문헌

Abouleish E, Abboud T, Lechevalier T, Zhu J, Chalian A, Alford K. Rocuronium (Org 9426) for caesarean section. Br J Anaesth 1994; 73: 336-41.

Ahn HK, Choi JS, Han JY, Kim MH, Chung JH, Ryu HM, et al. Pregnancy outcome after exposure to oral contraceptives during the periconceptional period. Hum Exp Toxicol 2008; 27: 307-13.

Ala-Kokko TI, Pienimäki P, Lampela E, Hollmén AI, Pelkonen O, Vähäkangas K. Transfer of clonidine and dexmedetomidine across the isolated perfused human placenta. Acta Anaesthesiol Scand 1997; 41: 313-9.

Berkane N, Carlier P, Verstraete L, Matthiew E, Heim N, Uzan S. Fetal toxicity of valsartan and possible reversible adverse side effects. Birth Defects Res A Clin Mol Teratol 2004; 70: 547-9.

Buehler BA, Delimont D, van Waes M, Finnell RH. Prenatal prediction of risk of the fetal hydantoin syndrome. N Engl J Med 1990; 322: 1567-72.

Chambers DC, Hall JE, Boyce J. Myasthenia gravis and pregnancy. Obstet Gynecol 1967; 29: 597-603.

Cohen-Kerem R, Railton C, Oren D, Lishner M, Koren G. Pregnancy outcome following non-obstetric surgical intervention. Am J Surg 2005; 190: 467-73.

Dailey PA, Fisher DM, Shnider SM, Baysinger CL, Shinohara Y, Miller RD, et al. Pharmacokinetics, placental transfer, and neonatal effects of vecuronium and pancuronium administered during cesarean section. Anesthesiology 1984; 60: 569-74.

Daston G. Do teratogenic exposure act through common pathways or mechanism of action? In: Brent RL, et al. Teratology primer. 1st ed. Virginia: Teratology society. P. 29, 2005.

Diemunsch P, Alt M, Diemunsch AM, Treisser A. Post cesarean analgesia with ketorolac tromethamine and uterine atonia. Eur J Obstet Gynecol Reprod Biol 1997; 72: 205-6.

Drábková J, Crul JF, van der Kleijn E. Placental transfer of 14C labelled succinylcholine in near-term Macaca mulatta monkeys. Br J Anaesth 1973; 45: 1087-96.

Fujinaga M, Baden JM. Methionine prevents nitrous oxide-induced teratogenicity in rat embryos grown in culture. Anesthesiology 1994; 81: 184-9.

Gilson GJ, Knieriem KJ, Smith JF, Izquierdo L, Chatterjee MS, Curet LB. Short-acting beta-adrenergic blockade and the fetus. A case report. J Reprod Med 1992; 37: 277-9.

Goodman S. Anesthesia for nonobstetric surgery in the pregnant patient. Semin Perinatol 2002; 26: 136-45.

Heinonen OP, Slone D, Shapiro S. Birth Defects and Drugs in Pregnancy. Publishing Sciences Group Inc., Littleton, Massachusetts, USA p. 358, 360, 1977.

Hemminki K, Kyyrönen P, Lindbohm ML. Spontaneous abortions and malformations in the offspring of nurses exposed to anaesthetic gases, cytostatic drugs, and other potential hazards in hospitals, based on registered information of outcome. J Epidemiol Community Health 1985; 39: 141-7.

Kanazawa M, Kinefuchi Y, Suzuki T, Fukuyama H, Takiguchi M. The use of sevoflurane anesthesia during early pregnancy. Tokai J Exp Clin Med 1999; 24: 53-5.

Karaman S, Akercan F, Aldermir O, Terek MC, Yalaz M, Firat V. The maternal and neonatal effects of the volatile anaesthetic agents desflurane and sevoflurane in caesarean section: a prospective, randomized clinical study. J Int Med Res 2006; 34: 183-92.

Kress HG. Effects of general anaesthetics on second messenger systems. Eur J Anaesthesiol 1995; 12: 83-97.

Levy S, Fayez I, Taguchi N, Han JY, Aiello J, Matsui D, et al. Pregnancy outcome following in utero exposure to bisphosphonates. Bone 2009; 44: 428-30.

Mazze RI, Källén B. Reproductive outcome after anesthesia and operation during pregnancy: a registry study of 5405 cases. Am J Obstet Gynecol 1989; 161: 1178-85.

McElhatton PR. The effects of benzodiazepine use during pregnancy and lactation. Reprod Toxicol 1994; 8: 461-75.

Moore J, Bill KM, Flynn RJ, McKeating KT, Howard PJ. A comparison between propofol and thiopentone as induction agents in obstetric anaesthesia. Anaesthesia 1989; 44: 753-7.

Nina Kylie Dorothy Walton, Venkata Krishnaker Melachuri. Anaesthesia for non-obstetric surgery during pregnancy. Contin Educ Anaesth Crit Care Pain 2006; 6: 83-5.

Nulman I, Atanackovic G, Koren G. Teratogenic drugs and chemicas in humans. In: Koren G editor. Maternal-fetal toxicology: a linicians' guide. 3rd ed. New York: Marcel Dekker, Inc. p. 65, 2001.

Omtzigt JG, Los FJ, Grobbee DE, Pijpers L, Jahoda MG, Brandenburg H, et al. The risk of spina bifida aperta after first-trimester exposure to valproate in a prenatal cohort. Neurology 1992; 42: 119-25.

Persaud TVN. Investigations on the teratogenic effect of barbiturates in experiments on animals. Acta Biol Med Ger 1965; 14: 89-90.

Regaert P, Noorduin H. General anesthesia with etomidate, alfentanil and droperidol for caesarean section. Acta Anesthesiol Belg 1984; 35: 193-200.

Rosenberg L, Mitchell AA, Parsells JL, Pashayan H, Louik C, Shapiro S. Lack of relation of oral clefts to diazepam use during pregnancy. N Engl J Med 1983; 309: 1282-5.

Rowland AS, Baird DD, Shore DL, Weinberg CR, Savitz DA, Wilcox AJ. Nitrous oxide and spontaneous abortion in female dental assistants. Am J Epidemiol 1995; 141: 531-8.

Saxén I. Associations between oral clefts and drugs taken during pregnancy. Int J Epidemiol 1975; 4: 37-44.

Schardein JL, Keller KA. Potential human developmental toxicants and the role of animal testing in their identification and characterization. Crit Rev Toxicol 1989; 19: 251-339.

Scherer R, Holzgreve W. Influence of epidural analgesia on fetal and neonatal well-being. Eur J Obstet Gynecol Reprod Biol 1995; 59: S17-29.

Weber-Schoendorfer C, Hannemann D, Meister R, Elfant E, Cuppers-Maarschalkerweerd B, Arnon J, et al. The safety of calcium channel blockers during pregnancy: a prospective, multicenter, observational study. Reprod Toxicol 2008; 26: 24-30.

Xie R-h, Guo Y, Krewski D, Mattison D, Walker MC, Nerenberg K, et al. Association between labetalol use for hypertension in pregnancy and adverse infant outcomes. Eur J Obstet Gyn Reprod Biol 2014; 175: 124-8.

Chapter 6

정맥 투여 약제

임신 중 투여하는 정맥 투여 약제는 여러 가지 목적(임신 유지, 통증 조절, 고혈압, 내분비 질환 등)으로 일정기간 동안 사용하게 되는 정맥제제와, 출산 시 일회적으로 투여하게 되는 약제로 구분할 수 있다. 그러나 임신 중 사용하게 되는 모든 약제에 대해 다루는 것은 너무 광범위하고, 다른 장에서와 내용이 중복되기 때문에, 이 장에서는 임신 중 사용하는 약제들 중 마취과 영역에서 주로 사용하는 약제들의 기본 약리학과 기형발생(teratogenecity)에 대해서 다루고자 한다.

1. 임신 중 투여되는 약제의 기형발생

여성이 임신 기간 동안 사용하는 약제들로는 항구토제, 항히스타민제, 제산제, 진통제, 항생제, 항고혈압제, 진정제, 이뇨제 등 다양한 약제들이 있다. 이렇게 임신 기간 중에 사용하게 되는 약제들의 기형발생 가능성 여부는 매우 중요하기에 처방을 할 때는 신중하여야 한다. 일반적으로 기형유발물질로 알려져 있는 약제나 물질들은 매우 다양하지만, 이들 약제 또는 물질들이 기형유발 물질이 되기 위해서는 이 물질이 태반을 통과해야 하고, 또한 태아의 중요한 발달 시기에 노출이 되어야 한다. 일반적으로 임산부에게 투여된 약이 태아의 혈중으로 얼마나 통과되어 들어가는지를 보는 F/M ratio(모체와 태아 혈중 약물의 농도비)가 임산부에게 투여된 약에 태아가 노출 되는 정도에 대한 정보를 줄 수 있다(표 6-1).

미국 FDA (The Food and Drug Administration)에서는 임신 중 사용하는 약제들을 기형 발생 여부에 따라서 다음과 같은 5가지의 범주로 분류하였다.

A. Controlled studies show no risk; 임신의 모든 기간 중 태아에게 위험성을 증명하지 못함

B. No evidence of risk in humans; 인간 태아에게 유해한 이상은 증명하지 못하였으나 태아에게 손상을 줄 가능성은 있는 경우

C. Risk cannot be ruled out; 인간 태아에게 유해성은 증명되지 않았지만 동물에서는 유해성이 증명됨. 위험성을 감수하고 약물 효과를 위해 투여해야 할 수 있음

D. Positive evidence of risk; 인간 태아에게 유해함이 증명되었지만 그 사용이 생명이 위중한 환자에게 유용할 수 있어 위험성을 감수하고도 투여할수도 있음

E. Contraindicated in pregnancy; 인간 태아에게 기형이 증명된 경우

그러나 이러한 분류에 대해 Teratology Society는 위의 분류가 애매한 경우가 많아 사용하는 것이 바람직하지 않다고 하였기에, 어떤 약제를 임산부에게 투여하는 경우 신중하게 검토하여야 하며 확인을 하기 위해서는 다음과 같은 정보를 사용할 수도 있다.

(http://www.micromedex.com, http://www.reprotox.org, http://www.otispregnancy.org.)

일반적으로 기형유발물질로 잘 알려져 있는 약제들은 알코올, 항경련 약제, warfarin, retinoids, 호르몬제, 항암제, 항생제, 항진균제, 항바이러스제 등이 있다.

표 6-1 Reported Fetal/Maternal Drug Ratios

Drug	F/M Ratio
INDUCTION AGENTS	
Thiopental	0.43~1.1
Propofol	0.74~1.13
Ketamine	1.26
Etomidate	0.5
OPIOIDS	
Fentanyl	0.37
Sufentanil	0.4
Remifentanil	0.88
Alfentanil	0.28~0.31
Meperidine	0.35~1
Morphine	0.61
Nalbuphine	0.69~0.75
LOCAL ANESTHETICS	
Lidocaine	0.7~0.9
Bupivacaine	0.3~0.56
Ropivacaine	0.25
Mepivacaine	0.53
BENZODIAZEPINES	
Diazepam	2.0
Midazolam	0.15~0.28
Lorazepam	1.0
ANTIHYPERTENSIVE AGENTS	
Propranolol	1.0
Sotalol	1.1
Phenoxybenzamine	1.6
Labetalol	0.38
Hydralazine	0.72
Metoprolol	1.0
Atenolol	0.94
Esmolol	0.2
Methyldopa	1.17
Clonidine	1.04
Dexmedetomidine	0.88
Nitroglycerine	0.18
Nitroglycerin	1.0
ANTIEMETICS	
Ondansetron	0.41
Metoclopramide	NR
Dexamethasone	NR

NR : not reported

2. 비스테로이드 항염증제(NSAIDs)

임신후기에 NSAIDs를 사용하면 태아의 동맥관 조기 폐쇄, 태아의 신장 손상, 혈소판 응집장애, 분만 진통 지연 등의 부작용이 있을 수 있다. Indomethacin은 신생아에서 폐고혈압을 일으킬 수 있고 태아의 요량과 양수의 양을 감소시키지만 대부분 약제 투여를 중지하면 가역적으로 되돌아오게 되나, 이외 뇌실출혈, 기관지폐이형성(broncho-pulmonary dysplasia), 괴사성장염(necrotizing enterocolitis)등이 일어난다는 보고가 있다. 영국이나 호주에서는 Ketorolac은 임신 중이나 분만, 진통 중에 금기 약이고, 미국에서는 임신 30주 이후와 분만, 진통 중에 금기 약이며, FDA 분류로는 임신 30주 전에는 C이고 30주 이후에는 D로 분류되어 있다.

3. 아편유사제(Opioids)

아편유사제란 중추신경계의 아편유사제 수용체와 결합하여 작용하는 모든 약물을 말하며, 분만 시 가장 흔히 사용하게 되는 진통제이다. 아편유사제에 속한 약제로는 meperidine, morphine, fentanyl, nalbuphine, butophanol 등이 있고 이들 약제를 분만시 사용하게 될 때 저환기, 반사작용의 둔화, 기립성 저혈압, 신생아 억제와 같은 부작용을 일으킬 수 있다. Butorphanol은 신생아의 호흡억제를 일으키며 자궁 내에서 sinusoidal heart rate를 나타내기도 한다. 일반적으로 아편유사제가 심혈관기능은 억제시키지 않는 것으로 되어있으나, 말초혈관확장으로 인한 저혈압이 일어날 수 있고 뇌간의 호흡중추를 억제하며 이산화탄소반응곡선을 좌측으로 이동시킨다. 소량에서는 대부분 호흡억제가 일어나더라도 그 기간이 짧으나 어떤 경우는 치료 용량에서 무호흡이 발생하기도 하므로 의식이나 호흡 상태에 대한 주의 깊은 관찰이 필요하다. 그 외에 연수의 화학수용체를 자극하여 오심, 구토를 일으키고 위운동을 감소시킬 수 있으며, 태반을 빨리 통과하기 때문에 신생아의 호흡 저하를 일으킬 수 있고 Apgar 점수에도 영향을 미칠 수 있다.

1) 아편유사작용제(Agonists)

(1) Meperidine

Meperidine은 산과에서 흔히 사용되는 아편유사제에 속하며, 주입한지 6분 내 임산부와 태아의 혈중농도가 평형을 이룬다. 상용량은 근주시 50~100 mg이며, 정주시는 매 2~4시간마다 25~50 mg을 사용할 수 있다. 진통 효과는 정맥주사 시에는 5분, 근육주사 시에는 45분 내로 나타나고, 반감기는 모체에서 2.5~3시간, 신생아에서 18~23시간이다. Meperidine은 간에서 분해되는데 그 대사산물 중 normeperidine은 활성을 가지며 강력한 호흡 억제를 나타내며, 태반을 통과하여 태아에게 전달된 meperidine 역시 분해되어 normeperidine이 된다. 신생아에서 normeperidine의 반감기는 약 60시간으로, meperidine보다 더 오래 신생아에 존재하게 되므로, 임산부에게 meperidine을 투여한 후 분만까지 걸린 시간이 신생아 억제 정도와 밀접한 관련이 있다. 임산부에게 투여된 meperidine이 투여 2~3시간 후에 태아 조직에서 가장 높게 나타나기 때문에, 이때 출생한 신생아의 경우에서 억제도 가장 많이 나타난다. 분만 1시간 전에 100 mg 이내의 meperidine을 투여한 경우에는 신생아 억제가 투여하지 않은 경우와 차이가 없지만 분만 2~3시간 전에 투여한 경우에는 낮은 용량에서도 신생아 억제가 심하게 나타난다.

(2) Fentanyl

Fentanyl은 발현시간이 빠르고 작용기간이 짧으며

진통작용이 강력하고 역가가 morphine의 75~100배, meperidine의 800배에 달하는 합성 아편유사제이고 활성 대사물이 없어 분만 시 흔히 사용되는 진통제이다. 상용량은 근주시 50~100 μg이며 정주시 25~50 μg이다. 그러나 과량 투여 시에는 약물의 축적이 일어날 수 있고 빠르게 태반을 통과하여 투여 후 1분 내에 태아 순환이 되어 5분에 최대 혈중농도를 나타낸다. 모체의 혈역학적 변화를 거의 일으키지 않으며 Apgar 점수에도 영향을 주지 않고 제대혈액가스수치나 pH, 신경행동평점에 영향이 없다.

(3) Sufentanil, Alfentanil, and Remifentanil

Sufentanil은 fentanyl에서 유도된 약물로 histamine을 유리하지 않고 대량을 사용하여도 심혈관 기능을 억제하지 않고 발작을 일으킬 가능성도 적으나 서맥을 유발할 수 있다. Sufentanil은 역가가 fentanyl 보다 5~10배 높기 때문에 임산부에게 전신적으로는 사용하지 않으며 진통시 경막외나 지주막하로 투여한다.

Alfentanil은 또 다른 fentanyl 유도체로 morphine보다는 역가가 높지만 fentanyl의 1/4 정도로 역가가 낮다. 빠른 발현과 짧은 작용 기간에도 불구하고 meperidine과 비교하였을 때 신생아의 neurobehavioral score를 억제하는 정도가 높아 산과 마취에 잘 사용되지 않는다.

Remifentanil은 뮤 수용체에 작용하는 진통제로 혈액과 조직의 비특이성에스테라제(non-specific plasma esterase)에 의한 빠른 에스테르 가수분해로 분해되어 최종 소실 반감기가 10분 이내인 작용시간이 극도로 짧은 아편유사제이기에 지속 투여하더라도 축적 작용이 일어나지 않는다. 임산부에게 정주시 빠른 속도로 태반을 통과하지만 태아에서 약물의 재분포와 대사도 매우 신속하게 일어나기 때문에, 임산부에게 사용하는 적정 용량에 대해서 많은 연구가 이루어지고 있다.

(4) Morphine

Morphine은 신생아에 대한 호흡억제 등의 부작용 때문에 임상에서 잘 사용하지 않는 추세이지만, 임산부의 진통을 위한 용량은 2~5 mg 정주 또는 5~10 mg 근주이다. 작용 발현은 정맥주사 후 3~5분, 근육 주사 후 20~40분에 나타나는데, 최대 진통감소 효과는 정주 후 20분, 근주 후 1~2시간에 나타나며 작용 기간은 4~6시간이다. 간에서 morphine-3-glucuronide로 대사되어 신장을 통해 배출되는데, 모체에 morphine을 투여하면 빠른 속도로 태반을 통과하여 태아 심박수의 변동성을 감소시키고 기저심박수를 감소시키기도 한다. Morphine은 발현시간이 느리고 작용시간이 길며 간혹 모체에 과도한 진정상태를 유발하고, meperidine보다 신생아의 뇌혈관 장벽을 잘 통과하여 신생아 호흡 억제가 심하게 나타나므로 분만의 진통에 임상적으로 장점이 없어서 산과에서는 선호되지 않는다.

2) 아편유사부분작용제(Agonist-antagonists)

이들 약제들은 뮤 수용체와 결합하여 부분작용 혹은 경쟁적 대항작용을 나타내는데 이러한 대항작용으로 인하여, 이어서 투여되는 아편유사작용제의 효과를 약화시킨다. 그 외 카파나 델타 수용체에 결합하여 부분촉진작용을 나타내기도 한다. 아편유사부분작용제의 장점은 호흡부전의 천정 효과이고, 임산부에서는 진통작용에도 천정 효과를 나타낸다.

(1) Nalbuphine

합성 아편유사부분작용제로 화학적으로 oxymorphone이나 naloxone과 연관되어 있고 진통작용의 강도, 발현시간, 지속시간은 morphine과 유사하며 대항작용의 강도는 nalorphine의 1/4이다. Nalbuphine은 분만 시 정주용 진통제로 흔히 사용 되는데, 작용발현 시간이 정주시 2~3분으로 빠르고 근주나 피하주사 시 15분이며 작용 기간은 3~6시간이다. Nalbuphine은 근육 내 주사 시에 30 mg까지는 morphine과 유사한 호흡억제를 일으키지만 그 이상의 용량에서는 천정효과가 있어서 더 이상 호흡억제가 심해지지는 않는다고 한다. Nalbuphine의 역가는 morphine의 0.7~0.8배이며 분만 중인 임산부에 정주 시 신생아의 혈중 농도는 임산부의 1/3~6배까지 다양하고 nalbuphine의 F/M(태아/임산부) 비는 0.69~0.75로 높으나 이는 nalbuphine의 용량과는 관계가 없다. 제거 반감기가 2.5시간이고 신생아의 혈장 내 약물 반감기는 4.1시간으로 어른보다 길다. Nalbuphine은 태아에서 심장의 지속적인 sinusoidal pattern과 서맥, 빈맥, 박동대박동변이도의 감소 등을 보였다는 보고가 있다.

(2) Butorphanol

급성통증완화에 사용되는 butorphanol의 역가는 morphine의 5배이며 meperidine의 40배이다. Pentazocine과 구조는 유사하나 촉진 혹은 대항작용이 20배이고, 분만 중 상용량은 정주 또는 근주로 1~2 mg이다. 2~3 mg의 근육주사 시 morphine 10 mg과 유사한 호흡 억제가 발생하나 용량 증가에 따른 천정효과가 있다. Butorphanol 1~2 mg과 fentanyl 50~100 μg을 1~2시간마다 정주시 butorphnol군에서 통증감소 효과가 높아서, 약물의 요구량은 fentanyl군에서 더 많았지만, 임산부 및 태아의 부작용은 차이가 없었다고 한다. Butorphanol의 장점은 진정작용과 우수한 통증감소효과, 짧은 반감기와 호흡억제의 천정작용, 신생아의 신경행동학적 영향이 적고 대사물이 불활성이라는 점이다. 간대사를 거쳐 담즙으로 배설되고 진정, 오심, 발한 등의 부작용이 나타날 수 있으며, sinusoidal pattern 태아심박동수와 강한 연관성이 있다는 보고가 있다. Butorphanol 투여 후 혈압과 심장박출량이 증가하며 폐모세혈관쐐기압, 폐혈관저항 및 심근운동량이 증가된다. 이 약제를 전처치제로 사용할 경우 진통작용뿐만 아니라 대항작용이 강하여서 수술중 투여되는 아편유사작용제의 효과를 상쇄시킬 수 있다.

(3) Pentazocine

Benzomorphan 유도체로서 뮤 수용체의 대항제, 카파수용체의 부분작용제, 시그마수용체의 작용제로 작용한다. 대항작용의 강도는 nalorphine의 1/5정도이지만, 마약성 진통제에 대해서 길항작용을 나타내기 때문에 마약중독자에 투여하면 금단증상이 나타난다. Pentazocine은 중독성이 작으므로 경증에서 심한 만성 통증까지 많이 사용되었고, 효과는 morphine의 1/2~1/6 정도로 대개 morphine 10 mg과 pentazocine 20~30 mg이 효능이 같고, 호흡억제 정도도 유사하다. 호흡억제와 위 내용물 배출지연 등은 다른 마약제와 유사하나 오심, 구토 등이 적다. 중증도의 통증완화에 10~30 mg을 정맥 혹은 경구로 투여한다. 간대사를 거쳐 신장으로 배설되므로 신기능이 감소된 환자에게서는 세심한 주의가 요구되며, catecholamine의 혈중농도를 증가시켜 심박수와 혈압을 상승시킨다.

3) 아편유사대항제(Antagonists)

Naloxone은 아편유사제의 순수 길항제로서 모든 아편유사제 수용체에 뮤 수용체와 카파, 델타, 시그마 수용체에 모두 작용한다. Naloxone은 0.1 mg씩 정맥주사로 분할해서 사용해야 급작스러운 역전에 의한 불쾌감, 심한 통증, 흥분, 심혈관 자극, 폐부종 등을 피할 수 있고 정주시 작용시간이 아편유사제보다 짧기 때문에 이후 아편유사제의 효과가 다시 나타날 수 있다.

4. 국소 마취제

국소 마취제는 대부분 신생아 기형과는 관련이 없고 lidocaine의 F/M 비는 0.76~1.1로 태반을 통해 다양한 정도로 태아에게 전달되어 태아의 산증을 유발할 수도 있지만 실제적으로 태아의 심박 수, 혈압, 동맥혈 pH 등에 변화를 일으키지는 않는다고 한다. 심장독성이 없어서 현재 bupivacaine 대신 많이 사용되는 ropivacaine의 F/M 비는 0.25로 모체 순환에 있는 비이온화 ropivacaine의 농도에 일차적으로 의존한다. 다른 연구자는 모체의 ropivacaine이 태아에에게 큰 영향을 주지는 않는다고 하였고, 경막외마취 등에 사용하는 국소마취제는 신생아 Apgar 점수에 영향을 주지 않는다.

5. 항고혈압제

대부분의 항고혈압제는 임산부에게 안전하게 사용할 수 있다.

(1) β-아드레날린성 차단제

Beta-blocker는 태반을 통과하여 태아에게서 insulin 농도를 증가시키고 glucagon을 감소시켜서 일시적인 저혈당증이 발생될 수 있다고 하나, 이것이 태아의 선천성 기형의 위험성을 증가시키지는 않는다.

(2) 이뇨제

이뇨제는 만성 고혈압에 자주 쓰이는 약제이나 선천성 기형과는 관련이 없고, thiazide 이뇨제는 신생아 혈소판감소증과 관련이 있다. 흔히 사용되는 furosemide는 태반을 통과하여 태아의 뇨 생성을 증가시킨다.

(3) Angiotensin 전환효소억제제제

임신 중, 후반기에 태아의 신부전을 일으켜 oligohydramniosis와 폐 발육부전을 일으킨다.

(4) 칼슘통로차단제

임신 중 만성 고혈압에 흔히 사용하는 약제이며, 많은 배아기의 과정들이 calcium channel과 관련이 있다. 임신 초반기에 verapamil 사용 후 사지 장애를 일으킨 증례가 있으나 인과 관계가 확립은 되지 않았고 임신 중, 후반기에 사용 시 자궁혈류가 감소한다고 한다. Nicardipine도 임신의 종결과 태아의 사지 손상 등의 보고가 있으나 대부분의 연구에서 태아의 위해성이 증명되지는 못하였다.

6. 항응고제

Warfarin은 태반을 통과하여 유산, 미숙아, 사산 및 점상연골형성 장애(chondrodysplasia punctata)와 관련이 있고 이러한 warfarin embryopathy는 노출된 임산부의 5%에서 발생하며, 태아의 출혈 경향도 증가시킬 수 있는 것으로 알려져 있다. 특히 first trimester의 경우에는 warfarin의 사용이 권장되지 않으며, 그 이후의 시기에도 드물지만 신경계 이상이나 출혈 등의 위험이 있으므로 임신 중 사용은 피하는 것이 바람직하다.

임신한 여성에서 heparin은 안전하게 사용 가능하다고 하며, 사용할 경우에는 unfractionated heparin을 지속정주 혹은 피하주사하거나 low molecular weight heparin을 사용해야 하는데, 이때는 activated partial thromboplastin time (aPTT) 혹은 anti-Xa level을 모니터링 하면서 용량을 조절해야 한다. 유도분만을 시행하는 것이 안전하고 분만 12시간 전에 heparin을 끊어야 한다.

7. 항구토제

Bendectin, puperazine, phenothiazine 등 대부분의 항구토제의 기형발생 가능성에 대해서 명확하게 규명되지 않은 채 임산부들이 사용을 해왔기에, FDA에 의해 2013년 공인된 diclegis (doxylamine과 pyridoxine의 혼합제)가 현재 미국에서는 주목받고 있다. 현재 마취과 영역에서 많이 사용하는 ondansetron는 아직 임신 중 사용하는 것이 태아에 안전한지에 대해서 많은 연구가 되고 있고 필요한 경우에 정주로 사용할 수는 있으나, 태아의 기형 발생에 대해 안전한지에 대해서는 더욱 연구가 필요하다.

8. Benzodiazepines

임상적으로 흔히 쓰이는 benzodiazepine계 약물은 diazepam, lorazepam, midazolam이 있다. 이 약물들은 진정, 최면 작용 이외에도 항불안, 항경련, 근이완 작용 및 선행성 기억상실작용 등을 나타내며, 임산부에게 진정, 항경련, 전처치제로 사용된다. Benzodiazepine계 약물은 다른 진정제에 비해 보다 특이적인 항불안 효과를 나타내고, 주된 작용기전은 중추신경계통 특히 대뇌피질(cortex)에 있는 특수수용체에 작용하여 억제성 신경전달 물질인 γ-aminobutyric acid (GABA)와 glycin의 효과를 증가시켜 나타난다. 척추신경에 대한 glycine-mimetic 작용은 근이완 효과를 나타내고, 뇌의 GABA receptor에 작용해 진정과 항경련의 효과를 나타낸다. 항불안의 효과는 뇌줄기(brain stem)와 피질에 있는 glycine과 GABA를 통한 신경 경로의 억제를 통해서 나타난다. 이 약물들은 태반을 통과하고 제거 반감기는 diazepam의 경우 20~40시간이다. 그리고 그 대사물인 N-desmethyldiazepam의 경우 반감기가 30~100시간으로 120시간까지도 지속되고, 창자간순환(enterohepatic)을 다시 거쳐 6~8시간 이후 졸음을 다시 유발할 수 있다. 임신 시 benzodiazepine에 대한 노출은 대체로 정상 분만과 분만 후 신생아의 정상적인 성장에 영향이 없는 것으로 알려져 있으나 기형을 유발할 수 있다는 연구도 있다. 분만 중 benzodiazepine계 약물의 사용은 신생아의 진정, 저긴장 상태, 청색증, 스트레스반응의 장애와 연관되기도 한다. 흔히 쓰이는 benzodiazepine계 약물의 분자량은 비교적 적은 편이고 생체 pH에서 지용성이다. 특히 인체에서 midazolam이 가장 지용성이지만 용해도가 pH 의존적이기 때문에 산성 완충액(pH 3.5)에서는 수용성이다. Midazolam의 imidazole ring은 용액에서 안정적이고 빠른 대사를 가능하게 해준다. 지용성이 커지면 중추신경계 작용이 빨라지고 분포용적도 커진다.

생체 전환은 간에서 일어나는데, 간내 미세소체의 산화작용(hepatic microsomal oxidation) 또는 glucuronide conjugation이 두 가지 주요 경로이다. 산화작용은 외적인 영향에 민감하게 반응하고 고령, 간경화 환자에게서, 산화용적(oxidizing capacity)에 장애를 주는 약물(예: cimetidine)과 상호 작용 시 장애를 받는다. Conjugation은 이러한 요소에 덜 민감하다. Midazolam과 diazepam은 산화-환원 또는 제1상 반응(phase I reaction)을 간에서 거친다. 결합된 imidazole ring은 간에서 빠르게 산화되기 때문에 midazolam이 diazepam보다 간 청소율이 빠르다. Lorazepam은 효소 유도(enzyme induction)에 영향을 덜 받으며 cytochrome P450과 phase I enzyme의 영향을 받는다. 예를 들어 cimetidine에 의한 산화효소의 억제는 diazepam의 청소율에는 장애를 주나 lorazepam에는 영향이 없다. 나이가 들수록 diazepam의 청소율은 감소하고, 흡연은 diazepam의 청소율은 증가시키지만 midazolam의 생체 전환에는 영향이 없다. 습관적인 알코올 섭취는 midazolam의 청소율을 증가시킨다. Benzodiazepine계 약물의 대사물은 중요한데, diazepam은 두 가지 활성화 대사물, oxazepam과 desmethyldiazepam을 형성하고 이것들은 약물의 영향을 증가시킨다. Midazolam은 hydroxymidazolam으로 생체 전환되어 활성화되고 축적 될 경우 오랜 기간 활성을 가지고 이러한 대사물들은 conjugation되어 소변으로 배설된다.

표 6-2에 benzodiazepine계 약물들의 약력학적 특성을 나타내었다.

대사와 청소율에 따라서 마취과 영역에서 사용되는 세가지 benzodiazepine계 약물을 short (midazolam), intermediate (lorazepam), long lasting (diazepam)으로 나눈다. 청소율은 midazolam 4~8 ml/kg/min, lorazepam 0.8~1 ml/kg/min, diazepam 0.2~0.5 ml/kg/min인데 이러한 청소율의 차이로 서로 다른 혈장 농도 감소 곡선을 예상할 수 있다. 이들은 서로 다른 상황민감성 반감기(context-sensitive half-times)를

표 6-2 **Benzodiazepine계 약물의 약력학적 비교**

종류	분포반감기(분)	제거반감기(시간)	청소율(ml/kg/min)
Diazepam	10~15	20~40	0.25~0.50
Lorazepam	3~10	10~20	0.75~1.0
Midazolam	7~10	2.0~2.5	4.0~8.0

갖는다. 이러한 약물들의 작용소실은 대뇌로부터 다른 세포로 재분포 될 때이지만 매일 반복해서 투여하거나 지속적으로 투여 시에 다른 약물들 보다 midazolam이 간 청소율이 크기 때문에 혈장 약물 농도가 더 빨리 감소한다. Diazepame은 midazolam과 달리 나이에 따라 민감하게 청소율이 감소한다. Lorazepam은 나이, 성별, 신질환에 영향을 크게 받지 않는다. 이 세 가지 약물들은 비만에 의해 영향을 받는데, 지방세포의 분포용적이 증가하면 청소율은 변화가 없으나 제거 반감기는 지연될 수 있다.

수용체 친화도(역가)는 lorazepam, midazolam, diazepam순으로 lorazepam과 midazolam은 각각 diazepam의 5~10배, 3~6배이다.

1) Diazepam

진정과 최면의 목적으로 흔히 사용되고 물에 잘 녹지 않는 지용성의 끈적한 용액이며, 주사제에는 propylene glycol과 안식향산 나트륨 등의 유기용매제를 포함하고 있어서 주사 시 통증이 있고 정맥자극이 심한 것이 단점이다. 간에서 주로 대사되며 성인에서 제거 반감기가 매우 길고(20~40시간) 혈장단백과의 결합률은 98%로 매우 높다. Diazepam은 경미한 진정에서부터 심한 혼수상태까지 중추신경계통을 억제시키며 기억소실을 유발하면서 동시에 골격근 이완작용과 강력한 항경련작용을 가지고 있다. 심혈관계에 대한 억제가 적고 정맥주사 시 중등도의 호흡억제를 보인다.

Diazepam은 정맥 주입 후 수 분 내에 태아와 임산부의 혈중 약물 농도가 비슷해질 정도로 태반을 빠르게 통과하며, F/M 비가 2로서 매우 높은데 이것의 의미는 임산부에게 투여된 diazepam이 빠르게 태반을 통과하여 태아에게 축적될 수 있다는 것이다. 임산부에게 diazepam을 정주하면 30~60초 내에 제대혈에 diazepam이 나타나게 되고 5~10분 내로 태반을 통해

평형을 이룬다고 하지만, 임산부에게 diazepam 5mg을 정주하여도 Apgar 점수에는 영향이 없다고 보고되었다. 신생아는 소량의 diazepam은 대사시킬 수 있으나, 임산부에게 30 mg 이상이 투여될 때는 Apgar 점수가 낮아질 수 있고, 신생아에게 적어도 일주일 동안 약물과 그 대사물이 약리적 활성을 가지는 농도로 유지된다. 제왕절개술을 위한 부위마취 시 환자의 불안을 감소시키기 위해 2.5~10 mg의 diazepam을 정주할 때 Apgar 점수 8~10점의 비율이 71%로 diazepam을 투여하지 않은 군 72%와 비교할 때 신생아를 진정시키지 않고 또한 제대정맥, 동맥산소포화도, 산염기평형에도 영향을 미치지는 않으나, 신생아의 근육긴장을 저하시킨다는 연구가 있다.

Diazepam은 높은 지질 용해도를 가져 분만 1기 태반을 쉽게 통과하며, 임신 6개월 이후에는 태반에서 cytotrophoblast가 소실됨으로써 diazepam의 태반통과가 더욱 쉬워지고, diazepam과 N-desmethyl diazepam은 태아 혈장 단백에 모체 혈장 단백보다 더욱 강하게 결합하게 되어, 임산부에게 근주나 정주하면 태아에서 모체의 약물농도보다 1.2~2.0배 가량 높게 나타나게 된다. 임신 제3삼분기 또는 분만 시에 diazepam을 사용하면 신생아의 무호흡, 저긴장, 저체온을 야기하고, 임신중부터 분만 시까지 1일 30~40 mg 이상을 비경구적으로 투여하게 되면 신생아에게 과긴장, 과반사, 청색증, 무호흡, 설사, 성장지연 등으로 금단증상이 나타날 수 있고 이런 증상이 수일에서 수주까지 지속될 수 있다. 또한 분만 중 사용되는 diazepam은 영아저긴장 증후군(floppy infant syndrome)을 야기할 수 있는데, 이 증후군은 저체온, 졸림, 부적절한 호흡, 섭식의 어려움으로 나타난다. 분만 중 투여되는 diazepam이 야기할 수 있는 다른 문제점은 태아의 심박동 변이의 감소, 태아 움직임의 감소가 있다.

2) Lorazepam (Ativan)

Lorazepam의 F/M비는 1.0이고, 제거 반감기는 신생아에서 느려서 이 약물에 노출된 만삭아에서 8일후까지도 약물이 배출된다. Diazepam보다 5~10배 강력한 효과가 있으며 물에 잘 녹지 않으나 유가용매제인 propylene glycol에는 잘 녹고 주사 시 통증이나 정맥염을 일으키지만, diazepam보다는 덜하다. 간에서 대부분 대사되어 불활성대사산물로 소변으로 배설되며, 제거반감기는 10~20시간으로 diazepam보다 짧아서 benzodiazepine계 약물중에서 중간 정도이고 1% 이하만이 다른 형태의 대사물로 전환된다. 지방용해도가 diazepam보다 낮아서 중추신경계통효과는 보다 느리게 나타나지만, 제거 반감기가 짧음에도 불구하고 임상적인 효과의 지속시간이 더 길게 나타난다. 정맥주사 시의 진정효과는 diazepam 10 mg과 lorazepam 2 mg이 같지만 기억소실효과는 lorazepam이 더 크고 선행성 기억소실효과가 있다. 제왕절개술 90분전 0.05 mg/kg의 전처치는 항불안, 기억상실의 효과가 없으며 neurobehavioral scores (Brazelton Neonatal Behavioral Assessment Scale in the neonate)를 감소시킨다는 연구가 있고, 신생아에게서 생후 7일까지 호흡수를 증가시킨다는 보고도 있지만, Apgar 점수나 생후 48시간까지의 혈액가스, 체온, 섭식에도 부작용이 없었다는 보고도 있다. 다른 연구에서는 임산부에게 1 mg의 경구 전처치로 신생아 섭식에 문제가 생기며 2 mg으로는 신생아 호흡억제가 발생한다고 한다. Lorazepam은 짧은 반감기를 가지며, 약리학적 활성을 가지는 대사물도 거의 없으나 작용지속 시간이 길고 분만 중 정맥투여에 대한 이점이 많지 않고 안정성에 대한 연구가 더 필요하다.

3) Midazolam (Dormicum, Versed)

Diazepam보다 2~4배 효과가 강력하며 물에 잘 녹고 작용시간이 짧으며, 주사 시 통증이 없고 정맥주사시 3~5분경, 근육주사시 15~30분경에 최대 효과가 나타난다. 제거 반감기는 benzodiazepine계 약물 중에서 비교적 짧은 2~4시간이고, 뇌혈류량과 뇌대사를 감소시킨다. Midazolam과 그 대사물인 1-hydroxymethylmidazolam의 F/M 비는 0.15~0.28 범위로 보고 되고, 이것들의 제거반감기와 분포 반감기는 동일하다. Midazolam의 사용이 신생아에게서 진정작용을 일으키지 않는다고 하나, 분만 전이나 제왕절개술 직전에 midazolam 5 mg을 정맥투여하면 Apgar 점수를 감소시킨다고 하고 임산부에게서 전향성 기억상실이 나타난다. 부위마취로 제왕절개술을 시행 받은 임산부에게 출산 후 0.075 mg/kg midazolam을 정맥으로 투여하였을 때 임산부는 분만의 기억은 가지고 있으면서 이후 회복실 이송까지는 기억이 없었다. 그러나 다른 연구에서 제왕절개술 동안 2~7 mg의 midazolam으로 수술 24~48시간 후 임산부가 출산을 기억 못하는 경우도 있었다. 마취유도용량(0.2 mg/kg)에서의 심혈관계 영향은 thiopental 유도 시와 비슷하여 혈압하강과 심박수의 증가를 보이고, 용량에 비례하여 진정효과, 기억소실, 호흡억제가 나타나며 진통효과는 없다. 0.1~0.3 mg/kg을 1분간에 걸쳐 서서히 정주하여 마취를 유도할 수 있으나, thiopental, propofol에 비해서 유도시간이 상당히 길어서 잘 쓰이지 않는다. 현재는 부위마취 시 진정, 최면제로 많이 쓰인다.

4) Flumazenil

Flunmazednil은 benzodiazepine계 약물과 경쟁적으로 benzodiazepine receptor에 결합하는 길항제로 benzodiazepine계 약물에 의해 야기된 무의식, 호

흡억제, 진정, 기억상실을 역전시킬 수 있다. Receptor ligand 결합은 천분의 일초에서 몇 초에 이른다. 길항제(antagonist)가 존재할 때 수용체에 대한 작용제(agonist)의 결합은 양 작용설(mass action)의 법칙을 따르며 수용체에 대한 친화성, 농도에 따라 달라진다. Flumazenil은 수용체에 높은 친화도를 보여 충분한 용량을 준다면 상대적으로 약한 친화도를 가지는 diazepam을 대체할 수 있다. 그러나 flumazenil의 제거는 빠르게 일어나 작용제가 수용체에 결합하는 비율이 증가하게 되고 다시 진정상태로 돌아갈 수 있는 가능성이 있다. 이러한 상황은 다른 benzodiazepine계 약물 중 빠른 청소율을 가지는 midazolam을 flumazenil이 역전시킬 때는 발생하지 않는다. 투여용량은 0.1~0.2 mg을 1~2분 간격으로 3.0 mg까지 benzodiazepine계 약물의 효과를 역전시키기 위해 사용할 수 있다. 혈장 반감기는 1시간으로 이후 benzodiazepine에 의한 진정이 다시 나타날 수 있어 지속주입(0.5~1 µg/kg/min)이 추천되기도 하며, peak effect는 1~3분에 나타난다.

9. Thiopental

Thiopental은 F/M 비가 1~0.43의 넓은 범위로 보고되고, 카테고리 C에 해당하는 약물로 사람을 대상으로 thiopental의 기형발생이나 태아독성에 대해 직접 연구된 것은 없고 임산부에서 오랫동안 안전하게 사용해 온 역사를 가지고 있기 때문에 현재까지도 산과마취 시 마취유도제로 쓰이고 있다. Thiopental의 작용 기전은 뇌줄기(brain stem)에 위치하는 망상활성계(reticular activating system)의 억제와 acetylcholine과 같은 흥분성신경전달물질의 분비를 감소시키고 GABA 같은 억제성신경전달물질의 분비를 촉진시키는 것으로 알려져 있다. Thiopental을 한번 투여할 때 작용 효과가 빠르게 나타나고 빠르게 사라지지만, 반복 투여 시에는 축적된다. Thiopental은 물이나 생리식염수에 잘 녹으며 임상에서는 2.5%의 용액으로 사용하고 있으며, 강한 알칼리성(pH > 10)이므로, 정맥 외부로 유출되면 조직에 손상을 입힐 수 있다. 특히 부주의로 동맥내로 주사하게 되면 혈관수축, 혈전 및 조직괴사를 초래하는 심각한 합병증을 유발할 수 있다. 생리적 산도에 가깝거나 그 이상의 pH에서는 약산성이며 높은 지방용해도를 가지고, 비이온화성이기 때문에 즉각적인 태반 전이가 이루어진다. Thiopental을 정맥주사하면 태반을 빠르게 통과하여 투여 1분 후에 제대정맥에, 2~3분 후에 제대동맥에서 최고 농도에 이르며 임산부에게 대량의 barbiturate를 주사하면 태아억제가 유발된다. 그러나 제왕절개술 시 마취유도제로 thiopental(4 mg/kg)을 사용하여도 출생한 신생아는 별다른 영향을 받지 않고 잘 우는데, 이것은 태아에게서 thiopental이 빠르게 간으로 uptake 되어 대사되거나 정맥관(ductus venosus)을 거쳐 하대정맥에 들어가면서 희석되어 뇌에 도달되는 혈장의 thiopental 농도가 낮아지기 때문이다. Thiopental(4 mg/kg)은 즉시 태반을 통과하여 2~3분 내 태아 최대치가 되고 10분 후에 최대치의 반으로 감소한다. 4 mg/kg 이하의 induction dose에서는 신생아가 크게 영향을 받지 않지만, 대량 투여(8 mg/kg)시에는 신생아에게서 졸음, 이완, 저환기 등이 나타난다. 임상적으로 억제가 초래되지 않는 소량에서도 신생아의 주의력이 2~4일간 감소될 수 있다고 한다.

10. Propofol

제왕절개술 시 마취유도제로 투여된 propofol의 F/M 비는 여러 연구에서 0.74~1.13으로 태아 관류액(fetal perfusate)에서의 알부민 농도에 따라 다양하게 나타나며, propofol에 대해서 사람을 대상으로 한 연구는 없지만 동물에서 기형 발생이 나타나지 않아 카테고리 B로 분류된다. Propofol이 전신마취를 유발하는 기전은 γ-aminobutyric acid (GABA)에 의해 중재되는 억제성 신경전달의 촉진이고, alkylphenol 유도체이므로 물에 잘 녹지 않고 thiopental과 유사한 작용을 갖는 진정, 최면제이다. 물에 잘 녹지 않아서 정맥으로 투여하기 위해 1.0% propofol(10 mg/ml), 콩기름(10%), 글리세롤(2.25%), 및 난황인지질(1.2%)로 구성된 난황레시틴 유탁액으로 사용되어 왔는데 이런 유탁액은 세균이 번식할 수 있어서 사용시 무균조작이 필요하고 개봉된 앰플은 6시간 이내에 사용해야 한다. 정주시 32~67% 환자에서 주사부위 혈관통증을 호소하므로 lidocaine 전투여나 혼합투여, 아편유사제 사용, 약물을 차게 하여 주사하는 등 정주통을 없애려는 연구가 많이 이루어졌다. 지질용해도가 높아서 마취유도가 빠르며 일회 정주 후 초기 분포 반감기가 2~8분이라서 각성이 매우 빠르다. 제왕절개술 시 마취 유도제로써 propofol을 투여하면 태반을 통과하여 빠르게 태아 순환에 도달하는데, thiopental과 비교하여 신생아의 Apgar 점수에 차이가 없고, 자궁수축을 억제하지 않아 술중 실혈의 위험이 증가하지 않는다. 마취 유도제로써 propofol은 thiopental에 비해 기관내삽관 시 혈압상승이나 catecholamine 증가 억제에 더 효과적이다. 하지만 propofol로 장시간 또는 150 μg/kg/min의 농도로 마취유지를 할 경우 신생아의 억제가 일어날 수 있다. 또한 propofol은 청소율이 높아서 계속적인 정주 후에도 비교적 빠른 회복을 보이고, histamine을 유리시키지만 기관지수축의 빈도가 낮아서 천식환자에게 금기는 아니다. Propofol은 뇌혈류량, 두개강내압과 뇌산소대사율을 감소시키고 thiopental과 유사한 뇌파변화를 보이며 국소허혈시 뇌보호작용도 유사하다. 또한 항가려움효과가 있고, 여러 연구에서 술후 오심과 구토의 빈도가 낮게 보고되어 항구토효과가 있는 것으로 알려져 있다.

11. Ketamine

Ketamine을 근주 또는 정주하면 눈을 뜬 채로 깨어있는 것처럼 보이지만 기억이나 의식이 전혀없는 선잠 상태에서 강한 진통 효과를 보이는 해리성 마취(dissociative anesthesia) 상태를 유발하고, 환각과도 관계가 있으며 이런 효과가 각성후에도 지속되는 단점이 있다. 질식분만 시 10~15 mg의 ketamine을 간헐적으로 정맥주사하면 임산부에서 의식소실 없이 강력한 진통작용을 나타내며 1분 이내에 진통효과가 발현되어 5~15분 동안 효과적인데, 30분 이내에 100 mg, 총량 3 mg/kg를 넘지는 말아야 한다. 제왕절개술을 위한 마취시 정맥 주사한 ketamine의 F/M비는 1.26으로 전신마취 유도시에는 ketamine 1~2 mg/kg를 사용하면, 정주된 ketamine은 태반을 빨리 통과하지만 1 mg/kg 이상 사용하지 않으면 신생아 억제를 유발하지 않는다.

Ketamine을 정맥주사후 수분동안 호흡수는 빨라지고 일회호흡량은 작아지나 그 후 정상으로 돌아오며 과량투여시 드물게 기도폐쇄나 호흡억제가 나타날 수 있다. 호흡억제는 용량에 비례하여 나타나지만 2 mg/kg 이하의 마취유도용량에서는 미약하여 임상적으로 문제가 되지 않는다. 특징적으로 ketamine은 교감신경계통의 직접적인 자극효과에 의해서 카테콜아민의 분비가 증가되어 혈압과 심박수를 증가시키기에 심한 저혈량상태 환자등에서 신속하게 마취유도를 해야 할 때에 유용하다. 그러나 동맥혈압이 10~20% 상승하므로 예기치 않은 고혈압이 발생할 수 있어서 고혈압 임산부에게 투여해서는 안 된다. 임산부에게 투여 시 모체의 합병증 발생과 신생아의 낮은 Apgar 점수는 용량에 비례하여 나타날 수 있는데, 0.5 mg/kg의 용량에서도 신생아 억제 등의 합병증은 없지만 대부분의 임산부에서 환각을 보일 수 있고, 마취 유도 용량(1.5 mg/kg)에서는 회복 시에 종종 불쾌한 꿈을 꾸는 경우도 있다. Ketamine 투여 후의 회복시간은 투여된 총용량에 비례하므로 많은 양을 반복해 주사한 경우 각성시간이 늦어지고, 회복기에 꿈을 꾸는 등의 각성기섬망은 thiopental 50~75 mg이나 diazepam 5~10 mg을 정맥주사하면 소실 될 수 있고, 아편유사제 투여로도 감소시킬 수 있다. Ketamine을 이용한 무통 질식분만 시 부위마취와 비교할 때 임산부와 영아의 동맥혈 가스 분석에 차이는 없었으며, ketamine은 용량에 따라서 자궁수축에 영향을 주고, 진통 용량(0.2~0.4 mg/kg)은 자궁수축을 증가시키는데 이는 임신하지 않은 자궁에도 같은 효과를 가진다.

12. Etomidate

Etomidate는 최면유도제로 thiopental과 비슷하나 진통작용이 없고 심혈관계통과 호흡계통에 대한 억제가 거의 없다는 것이 가장 큰 장점이다. 마취유도용량인 0.2~0.6 mg/kg을 정맥주사하면 1분이내에 의식소실이 오고 작용시간은 3~12분 정도로 thiopental보다 다소 빠른 회복을 보인다. 심한 심혈관질환을 가진 환자에게 0.6 mg/kg까지 정주해도 심근 대사, 심장 박출량, 말초순환이나 폐순환에 대한 영향이 거의 없다. Thiopental과 같이 뇌혈류량, 뇌대사율, 뇌압 및 안압을 감소시키며, 환자의 1/3 정도에서 마취유도 시 불수의적인 간대성근경련운동(myoclonic movement)이 나타나는데, 아편유사제나 benzodiazepines를 전투약하면 발생 빈도를 줄일 수 있다. Etomidate는 간에서 빠르게 대사되며, FDA 분류 C이고, 임산부에게 사용하는 것에 대한 충분한 연구가 되어있지 않으므로 모체에 대한 장점과 태아에 대한 위험성을 고려하여 신중하게 사용하여야 하며, 제왕절개술을 포함한 산과영역에서는 추천되어지지 않는다.

이들 정맥마취약제들의 일반적 특성은 표 6-3과 같다.

표 6-3 정맥마취제의 일반적 특성

	제거반감기 (hr)	청소율 (ml/kg/min)	전신마취 유도용량 (mg/kg IV)	전신마취시 유지용량	pKa	분자량 (daltons)	FDA category
Propofol	4~7	18~25	1~2.5	50~150 μg/kg/min IV with N_2O or an opiate	11	178	B
Etomidate	2.9~5.3	12~17	0.2~0.6	10 μg/kg/min IV with N_2O and an opiate	4.1	244.3 kd	C
Thiopental sodium	7~17	3~4	3~4	50~100 mg q10-12 min	7.6	264.3 kd	C
Ketamine	2.5~2.8	12~17	2~2.5	0.5~1 mg/kg IV prn with 50% N_2O	7.5	238 kd	B

참고문헌

David C. Campbell et al: Shnider and levinson's Anesthesia for Obstetrics. 5th ed. Philadolphia, Lippincott Williams & Wilkins, pp 46-53.

Iqbal MM, Sobhan T, Ryald T: Effect of commonly used benzodiazepines on fetus, the neonate, and nursing infant. Psychiatr Serv 2002; 53: 39-49.

Kim HB, Lee SH, Shin MK, Kim IK, Shog PO:Comparative Maternal and Neonatal Effects of Propofol, Propofol-Ketamine and Ketamine as Induction Agents in Cesarean Section. Korean Journal of Anesthesiology 1997; 33: 653-9.

Koren G. Treating morning sickness in the United States--changes in prescribing are needed. Am J Obstet Gynecol. 2014;211(6):602-6

Lee CH, Sur EH, Kim CH, Kim JH: Maternal and Neonatal Effects of Thiopentone and Propofol as Induction Agents for Cesarean Section. Korean Journal of Anesthesiology 1994; 27: 1402-11.

Miller RD: Miller's Anesthesia. 8th ed. Philladelpia, Elsevier Churchill Livingstone. 2015, pp 821-957.

Muzi M, Berens RA, Kampine JP, Ebert TJ: Venodilation contributes to propofol-mediated hypotension in humans. Anesth Analg 1992; 74: 877-83.

Ornov A, Arnon J, Shechtman S, Moerman L, Lukashova I: Is benzodiazepine use during pregnancy really teratogenic? Reprod Toxicol 1998; 12: 511-5.

Van de Velde M, Teunkens A, Kuypers M, Dewinter T, Vandermeersch E: General anaesthesia with target controlled infusion of propofol for planned caesarean section: maternal and neonatal effects of a remifentanil-based technique. International Journal of Obstetric Anesthesia. 2004;13:153-8.

Volikas I, Butwick A, Wilkinson C, Pleming A, Nicholson G: Maternal and neonatal side-effects of remifentanil patient-controlled analgesia in labor. Br J Anaesth 2005; 95: 504-9.

White PF, Negus JB. Sedative infusions during local and regional anesthesia: a comparison of midazolam and propofol. J Clin Anesth. 1991;3:32-9.

White PF, Way WL, Trevor AJ. Ketamine--its pharmacology and therapeutic uses. Anesthesiology. 1982;56:119-36.

Chapter 7

부위마취 약제

부위마취 약제를 사용한 신경축차단(neuraxial block)은 임산부와 태아에게 안전하고 진통작용이 우수하여 산과마취 영역에서 자주 적용되고 있다. 다양한 국소마취제와 아편유사제가 무통분만과 제왕절개술을 위한 차단법에 사용되는데, 수막내 또는 경막외 투여에 따른 특징적인 약리학적 성질을 이해해야 안전하게 사용할 수 있을 것이다.

1. 국소마취제

1) 일반적인 약리학적 특징

(1) 분자구조

현재 임상에서 사용되고 있는 대부분의 국소마취제는 방향족 고리와 아민기가 탄화수소 연쇄에 의해 결합된 구조를 가지고 있으며, 이 탄화수소 연쇄가 방향족 고리에 연결되는 방법에 따라 ester계와 amide계로 구분한다. 이 결합 방식의 차이에 의해 상반되는 특성을 갖는데, ester계는 혈장의 pseudocholinesterase에 의해 가수분해 되어 대사 되고 이 과정에서 생성되는 para-aminobenzoic acid (PABA)는 알레르기반응을 일으키고 태반을 자유롭게 통과하지만, amide계의 국소마취제는 간에서 대사 되어 PABA의 생성이 없고 알레르기반응이 극히 드물다.

(2) 작용기전

국소마취제는 신경세포 세포막의 나트륨통로를 가역적으로 차단함으로써 활동전위 발생과 전달을 막아 신경세포 흥분을 억제시킨다. 국소마취제가 나트륨통로에 결합하는 부위는 통로의 세포 안쪽이므로 마취효과가 발현되기 위해서는 반드시 세포막을 뚫고 통과하여 신경세포 안으로 들어가야 한다. 약물의 분자가 세포막을 뚫고 들어가기 위해서는 비이온화 또는 비극성인 상태이어야만 한다. 임상에서 사용되고 있는 국소마취제는 염기성이므로 용액 상태에서 H^+이온과 결합된 이온화 분자와 그렇지 않은 비이온화 분자가 용액의 pH에 따라 일정한 비율로 분포하게 된다. 이온화 분자와 비이온화 분자가 동량으로 존재하는 pH를 약물의 pKa라 하고 국소마취제 종류에 따라 고유의 값을 갖는다(표 7-1). 국소마취제의 pKa는 생리적 pH 7.4보다 약간 높으므로 인체 조직은 상대적으로 산성(acid)적인 환경으로 작용해 H^+이온과 결합한 이온화 분자가 많아진다. 그러므로 pKa와 생리적 pH 간의 차이가 적을수록 이온화 분자 비율이 적어지고 비이온화 분자가 많아져 작용발현 속도가 빨라진다.

일단 세포막을 통과한 비이온화 상태의 국소마취제 분자는 세포질 내에서 다시 이온화 분자와 비이온화 분자로 평형을 이루고, 이온화된 분자가 나트륨 통로의 세포 안쪽 부위에 있는 특수한 수용체에 가역적으로 결합하여 통로를 통한 나트륨 이동을 막아 활동 전위의 발생과 전달을 억제시킨다(그림 7-1).

국소마취제의 지질용해도는 국소마취제의 역가와 작용발현 속도에 영향을 미친다. 국소마취제가 효과를 나타내기 위해서는 우선적으로 신경 주변으로 확산하고

표 7-1 국소마취제의 일반적 특성

	분자량 (Dalton)	pKa	지질용해도	단백결합(%)
Ester계				
Chloroprocaine	271	9.1	-	-
Tetracaine	264	8.4	++++	80
Amide계				
Lidocaine	234	7.8	++	65
Mepivacaine	246	7.7	+	75
Prilocaine	220	8.0	+	55
Bupivacaine	288	8.1	++++	95
Ropivacaine	274	8.1	++	94

세포막을 통과해야 하므로 지질용해도가 높을수록 일반적으로 역가가 높고 발현속도도 빨라진다. 그렇지만, 경막외로 주입된 약물은 경막외 공간의 지방조직으로의 약물 이동과 약물의 경막과 거미막 통과 능력이 발현속도에 영향을 주는 중요한 인자이기 때문에 단순히 지질용해도가 높다고 발현속도가 빨라지지는 않는다.

단백결합 능력은 국소마취제의 작용시간과 관련 있는데, 단백결합률이 높으면 신경조직 주변의 단백질과 결합하여 국소마취제의 전신흡수가 감소하기 때문에 작용시간이 길어진다. 또한 국소마취제의 작용시간은 혈관분포에 영향을 받는데, 국소마취제는 임상적인 농도에서 혈관확장을 일으키고 혈류를 증가시켜 국소마취제의 전

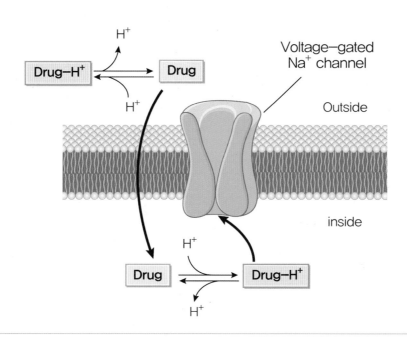

그림 7-1. **국소마취제의 작용기전**

신흡수를 증가시킨다.

2) 임산부에서 약리학적 특징

분만 또는 제왕절개술 중에 투여된 국소마취제는 태아에게 전달 되는데, 임산부의 혈중 약물농도가 가장 중요한 결정인자이다. 국소마취제는 주로 경막외나 수막내로 투여하므로 국소적으로 투여된 약물의 흡수와 분포, 배설 등의 약력학적 및 약동학적인 특징과 임산부와 태아 사이의 태반을 통한 약물 이동에 대한 이해가 필요하다.

(1) 약력학적 특징

전신흡수율에 영향을 주는 주된 인자는 국소 관류와 약물주입부에서 조직에 대한 약물의 결합능력이며, 그다음은 약물의 생화학적 특성과 혈관에 대한 작용능력이다. 불행히도 약물의 흡수, 분포, 제거 과정은 서로 겹치기 때문에 약물을 경막외나 수막내로 주입한 후 전신순환으로의 약물 흡수율을 혈장 농도−시간 곡선으로 직접적으로 얻을 수는 없지만 동위원소법을 이용하여 lidocaine, bupivacaine, ropivacaine을 경막외 또는 수막내로 주입한 후 흡수율을 연구한 보고가 있다. 경막외 주입 후 전신흡수는 첫 번째 빠른 흡수시기와 두 번째 매우 느린 흡수시기로 구분된다(표 7-2). 첫 번째 빠른 흡수시기의 흡수율은 주입된 약물용액과 혈액 사이의 높은 농도 차이에 의해 이루어지고 국소마취제의 혈관확장에 의해 가속화된다. 국소마취제의 초기의 빠른 흡수 속도는 약물의 최고 혈중 농도를 결정하며 초기의 흡수 속도와 최고 혈중 농도에 도달하는 시간은 서로 상응한다. 두 번째 느린 흡수 시기의 흡수율은 약물의 지질용해도와 관련이 있다. 지질용해도가 높을수록 주위 조직으로의 약물 이동이 많아져 혈액으로의 흡수가 줄어들게 된다. 결과적으로 지방 용해도가 높은 bupivacaine이 lidocaine보다 전신흡수 속도가 느려 더 긴 작용시간을 갖는다. Ropivacaine은 lidocaine과 비슷한 지질용해도를 보이지만 작용시간이 긴데, ropivacaine 자체의 혈관수축 작용으로 인해 전신흡수가 낮기 때문이다.

수막내로 투여한 경우에는 경막외로 투여한 경우보다 첫 번째 흡수율이 느려 혈중 최고농도에 도달하는 시간이 연장된다. 수막내 투여 시 첫 번째 흡수율이 느려지는 이유는 척수액에 의한 희석과 수막내의 혈액관류가 적기 때문이다. 수막내 흡수가 느리고 약물 요구량이 작기 때문에 일반적으로 수막내 투여 후의 국소마취제의 혈중 최고농도는 임상적으로 크게 중요하지 않다.

임산부에서는 태아가 성장함에 따라 커진 자궁이 아래대정맥을 압박하여 곁순환이 증가하게 된다. 척수정맥 또는 경막외정맥의 팽창과 증가된 혈류량은 일반적으로 경막외나 수막내로 주입한 국소마취제의 전신흡수를 증가시킨다. 그러나, bupivacaine의 경우에는 임산부와 비임산부에서 경막외 투여 후 혈중 최고농도의 차이가

표 7-2 경막외 국소마취제의 전신흡수율

	F1	$t_{1/2a1}$	F2	$t_{1/2a2}$	$F_{(1+2)}$
Lidocaine	0.38	0.16	0.58	1.36	0.96
Bupivacaine	0.28	0.12	0.66	6.03	0.94
Ropivacaine	0.52	0.23	0.48	4.20	0.98

F1, $t_{1/2a1}$: 빠른 흡수시기의 전신흡수율과 반감기, F2, $t_{1/2a2}$: 느린 흡수시기의 전신흡수율과 반감기, $F_{(1+2)}$: 최종적인 전체 추정 전신흡수율.

없었다는 연구도 있었는데, 임산부에서의 심혈관계의 변화, 혈장 단백결합의 변화, 효소 활성도의 변화 등의 인자가 국소마취제의 흡수, 분포 및 배설에 복합적으로 영향을 미치기 때문이다. 일반적으로 산과영역에서 사용하는 국소마취제는 지질용해도가 높아 혈관-뇌장벽이나 태반을 포함한 세포막을 잘 통과하므로 신체 주요 조직으로의 분포는 조직의 관류에 의존하고 총체액량과 관련 있다. 또한 국소마취제의 단백결합 능력도 약물의 분포에 영향 준다. 혈장의 특정 단백질(주로 알부민)과 결합 능력이 클수록 전신 조직으로의 분포가 적어지고 혈액에 단백질과 결합된 형태로 장시간 유지된다. 그러므로 임산부에서 혈장 단백질의 감소는 혈액 내에서 단백질과 결합하지 않은 자유형태(free form)의 약물 총량을 증가시키고 전신 조직으로의 국소마취제의 분포를 증가시킨다.

Ester계의 국소마취제는 혈장 pseudocho-linesterase, 적혈구와 간의 esterase에 의해 매우 빠르게 가수분해되어 대사되고, amide계는 간에서 주로 대사되어 제거된다. Amide계의 lidocaine 청소율은 비교적 높은 편이고 간혈류량에 매우 의존적인 반면, bupivacaine과 ropivacaine 청소율은 낮은 편이고 간효소의 활성도에 의존적이다. 임신 말기에 발생하는 간효소 억제는 간에서의 bupivacaine 청소율을 약간 감소시킨다. 그러나 현재 알려져 있는 임신 중의 국소마취제 분포와 제거는 동물연구의 자료로 인간에서의 결과를 추정하는 것은 어렵다. 예를 들면 임신한 암양에서 lidocaine 청소율은 매우 증가했지만 실제 임산부에서 lidocaine 청소율은 거의 변화가 없었다. 또한 국소마취제의 투여 부위에 따라 제거율이 달라지는데, 약물의 경막외 투여는 정맥 투여와 다른 반감기를 갖는다. 이는 경막외나 수막내 투여 후 전신혈류로의 흡수율이 생체 내에의 약물의 제거에 영향을 미치기 때문이다.

임산부는 비임산부 보다 국소마취제의 요구량이 감소되어 용량을 줄여서 투여하지만 만약 정맥 내로 잘못 주입될 경우 임산부와 태아를 위태롭게 할 수 있기 때문에 주의해야 한다. 만약 경막외 국소마취제가 정맥 내로 잘못 주입될 경우 가능한 빨리 분만을 하는 것이 추천되고 여의치 못할 경우에는 태아에서 다시 임산부로의 약물이동이 충분히 될 때까지 분만을 연기하는 것도 한 방법이 될 수 있다.

(2) 약동학적 특징

경막외 및 척추마취 시 국소마취제의 차단범위 (spread)와 강도(depth)는 비임산부보다 임산부에서 더 크기 때문에 더 적은 용량을 주어야 한다. 그 원인으로 과거에는 팽창된 경막외정맥이 경막외강과 지주막하공간을 줄여 국소마취제의 차단범위를 증가시킨다고 여겼으나, 이것만으로는 경막외 또는 지주막내공간에 혈관의 직경의 변화가 생기기 전인 임신초기에도 차단범위가 증가하는 이유를 설명할 수 없었다. 최근 연구에 따르면 임신 중 호르몬 특히 progesterone에 의한 국소마취제의 감수성 증가가 관련될 것으로 보인다. 또한, 제왕절개술을 받는 임부에서 척수액의 pH가 동일한 연령의 일반 여성과 비교했을 때 더 높았으며, 이것은 국소마취제의 비이온화 비율을 증가시켜 약물의 신경막을 통한 확산을 촉진하여 국소마취제의 감수성 증가에 기여한다.

(3) 태반 이동

대부분의 국소마취제는 약물의 농도 차에 따른 단순 수동확산으로 태반을 통과하는데, 확산속도는 확산에 관계되는 표면적에 비례하고 확산이 일어나는 표면의 두께에 반비례한다. 확산에 관계하는 다른 요인으로는 약물이 가진 분자량, 분자의 모양, 지질용해도 등이 있다. 확산 요인들 간의 관계는 Fick's 법칙으로 설명된다. Fick's 법칙은 다음과 같다.

$$Q/t = K \times A \times ([M] - [F]) / D$$

Q/t는 확산속도이고 K는 약물 고유의 확산 상수, A

는 확산에 이용되는 표면적, [M]은 태반의 모체측 단백질과 결합이 되지 않은 자유형태의 비이온화 약물 농도, [F]는 태반의 태아측 자유형태의 비이온화 약물 농도, D는 확산이 일어나는 표면의 두께이다. 일반적으로 K는 분자의 크기, 지질용해도, 이온화정도에 영향을 받는다. 태반통과는 지질용해도가 높은 약물일수록 쉽고 분자량에는 반비례한다. 태반통과가 가능한 분자량은 지질용해도가 높을 경우 약 600 Dalton이고 지질용해도가 낮은 친수성일 경우에는 약 100 Dalton 정도이다. 국소마취제는 분자량이 약 250~300 Dalton이고 지질용해도가 비교적 높아 태반통과가 쉽다. 또한, 단백질과 결합되지 않은 자유형태의 비이온화된 약물만이 태반을 통과할 수 있으므로 단백결합 정도와 이온화 정도가 중요한 요인이다. 약물이 투여 되면 우선적으로 이온화와 비이온화 분자 사이에서 평형을 이룬 후에 단백결합 부분에 평형을 이룬다. pKa가 생리적 pH인 7.4에 가까울 수록 비이온화된 약물의 비율이 증가하므로 pKa가 7.9인 lidocaine이 pKa가 8.1인 bupivacaine보다 태반을 통과하기 쉽다. 또한, 단백결합능력 측면에서도 단백결합 능력이 높은 bupivacaine이 lidocaine 보다 태반 통과가 적을 것으로 예상할 수 있다.

그렇지만, 국소마취제의 태반 통과에 있어 pKa와 단백결합 능력이 약물의 태반 이동에 미치는 영향은 복잡하다. 과거 여러 연구에서 pKa와 단백결합 능력에 따라 국소마취제의 태반통과 정도는 예상과 달리 상반된 연구결과를 보였다. 아마도 지질 용해도와 단백결합 이외에도 자궁으로의 혈류 변화, 모체의 생화적인 변화 등이 관여하기 때문일 것이다. 임산부나 태아에서 산증이 발생하면 혈액에서 국소마취제의 이온화 비율이 증가할 것이고 이는 약물의 태반통과를 어렵게 한다. 만약 모체에 비해 태아 측의 산증이 심하다면 모체에서 태아로 이동했던 약물이 반대로 태반을 통해 모체로 다시 확산되는 것이 어려워져 태아의 약물농도가 높아지는데, 이러한 현상을 이온포착(ion trapping)이라 한다.

3) 국소마취제의 종류

(1) Ester계

① Chloroprocaine

Chloroprocaine은 작용발현 시간이 빠른 ester 계열의 국소마취제이다. 전신순환으로 흡수된 chloroprocaine은 혈장 pseudocholinesterase에 의해 빠르게 가수분해 되고 혈중 반감기는 15초 미만이다. 임신 말기에는 pseudocholinesterase 활성도가 30~40% 정도 감소하지만 반감기는 여전히 11~21초로 빠르다. 반감기가 짧아 태반통과가 적으며 만약 태반을 통과하더라도 태아에서도 대사가 여전히 빠르게 일어나기 때문에 전신적인 독성이 적어 산과적으로 이상적인 국소마취제다.

그렇지만, chloroprocaine은 운동기능을 보존하면서 선택적으로 감각만을 차단할 수 있는 농도조절이 어렵다. 분만을 위해서는 복부와 하지의 운동기능이 보존되어야 하므로 분만통 조절에는 잘 사용되지 않는다. 제왕절개술을 위한 경막외마취에는 좋은 약제이며 보통 3% chloroprocaine 20 ml를 사용한다. 비임산부의 성인에서 3% chloroprocaine 20~30 ml을 경막외 투여 시 작용발현 시간은 5~15분, 작용시간은 30~60분이고, epinephrine을 첨가하면 90분까지 연장된다. 작용시간이 짧기 때문에 경막외 카테터를 통한 추가 투여가 필요할 수 있다.

과거에 chloroprocaine에서 신경독성이 보고되었는데, 이는 보존제인 sodium bisulfite에 의한 것으로 밝혀졌다. 현재는 보존제가 없는 제재가 사용되는데, 이 제재도 일시적인 신경학적 증상(transient neurologic symptoms) 발생률이 0.6%로 보고되고 있으나 이는 lidocaine의 14%보다는 매우 낮다. 최근에는 작용시간이 짧은 장점으로 인해 외래환자의 척추마취에 적용되고 있다.

② Tetracaine

Tetracaine도 혈장 pseudocholinesterase에 의

해 가수분해되는데, 분해 대사 시간이 chloroprocaine 의 10배 정도로 길다. 일반적인 척추마취 용량은 0.5% 5~15 mg이다. 그러나 마취의 강도와 작용시간을 예측 하기 어려워 현재는 bupivacaine, lidocaine에 비해 선호도가 줄고 있다. 특히 경막외마취에서 마취의 높이를 조절하거나 예측하기가 매우 힘들고 많은 용량이 요구되기 때문에 전신적인 독성 발생 가능성이 높아 거의 사용되고 있지 않다.

(2) Amide계

① Lidocaine

Lidocaine은 다른 amide계열의 국소마취제에 비해 지방용해도와 단백결합률이 낮다. 척추마취 용량은 비임산부에서 50~100 mg이고 약 90분 정도의 작용시간을 보인다. 전통적으로 척추마취에는 5% lidocaine을 이용하였으나 영구적인 신경 손상과 일시적인 신경학적 증상(TNS)이 많이 보고되었다. 물론 bupivacaine에서도 TNS가 보고되고 있으나, 현재까지 보고된 바로는 lidocaine이 bupivacaine 보다 TNS 발생 위험이 5.1배 높다. 신경독성이 발생한 대부분의 경우에 고농도의 약물 사용이 연관되어 있어서 약물의 농도를 최소화하는 것이 추천된다. 일부 연구에서 수막내 lidocaine 투여 시 2% 75 mg 이내를 사용하고 epinephrine을 첨가하지 않고 쇄석위와 같은 요추 및 천추의 신경 root를 신전시키는 자세를 피하는 것을 권고하고 있다. 임신이 lidocaine의 신경독성 감수성에 영향을 주는지는 아직 밝혀지지 않았지만 임산부에서 lidocaine 60~75 mg는 제왕절개술을 시행하는데 충분한 마취를 제공하며, 아편유사제를 첨가하면 lidocaine 용량을 줄이면서 차단의 질을 높일 수 있다.

Lidocaine도 chloroprocaine과 유사하게 감각차단만을 선택적으로 시행하기 어려워서 분만통 조절에는 bupivacaine 또는 ropivacaine 보다는 잘 이용되지 않는다. 비임산부에서 일반적인 경막외마취 용량은

1~2% lidocaine을 20~30 ml 사용하고 작용발현 시간은 10~15분으로 비교적 빠르며 작용시간은 80~120분이다. 임산부에서는 제왕절개술을 위한 경막외 투여량을 줄여야 하며 20 ml를 초과하는 것은 피하는 것이 좋다. 경막외 lidocaine은 수막내 투여와 달리 일시적인 신경학적 증상 발생이 많지 않다.

② Prilocaine

Prilocaine은 lidocaine을 기초로 해서 1965년에 개발되었다. 오래 전에 소개되었음에도 불구하고 임상에 널리 사용되지 않아 용량에 대한 연구가 다른 국소마취제에 비해 적은 편이다. 일반적인 척추마취용량은 2% prilocaine 40~60 mg이며, 이 용량에서 100~130분 정도의 작용시간을 보인다. 산과마취 영역에서는 제왕절개술에 적용하기 적당한 작용시간을 가지고 있으며 유사한 작용시간을 보이는 lidocaine과는 달리 수막내 사용에 있어 영구적인 신경손상 및 TNS 발생이 매우 적다는 장점이 있다. 경막외마취에는 2~3% 농도가 쓰이며, 운동차단은 최소화하면서 감각차단을 시키는 특징이 있다. 경막외로 투여할 경우 작용발현 시간은 15분이며 작용시간은 약 100분이다. Prilocaine은 신경독성은 적으나 대사물인 ortho-toludine이 methemoglobinemia를 일으킬 수 있으며 이는 600 mg 이상 투여에서 발생한다. 그러므로 많은 투여용량이 필요할 경우에는 사용이 제한적이고, 특히 산과영역에서의 경막외마취나 분만통증 조절에는 거의 적용되지 않고 있다.

③ Mepivacaine

Mepivacaine은 lidocaine보다 약간 긴 작용시간을 보이며, 척추마취 용량으로 30~80 mg을 사용할 수 있다. 초기에는 hyperbaric으로 사용하였으나 lidocaine과 유사한 빈도의 TNS 발생으로 인해 그 사용이 제한을 받았다. Isobaric mepivacaine은 TNS 발생이 hyperbaric에 비해 적은 것으로 알려져 있다. 일반적인 경막외마취에는 2% 농도를 사용하며 작용발현 시간은 약 15분이며 작용시간은 lidocaine보다 약간 길다. 산과

영역에서는 신생아에서 mepivacaine의 반감기가 길어 그 사용에 제약이 있다.

④ Bupivacaine

Bupivacaine은 1963년에 소개된 약물로 mepivacaine의 piperidine ring에 3개의 methyl기가 추가된 약물로써, 현재 산과영역뿐만 아니라 일반적인 척추마취에서 가장 많이 사용되고 있으며, 분만통증 조절에도 널리 쓰이고 있는 국소마취제이다. 일반적인 척추마취 용량으로는 10~20 mg이고 작용시간은 120~300분이여서 3시간 정도의 수술에 적용할 수 있다. 0.5% isobaric과 hyperbaric이 모두 널리 사용되고 있으며, 우리나라에서는 hyperbaric이 주로 사용되고 있다. 제왕절개술을 위한 수막내 용량은 일반적인 용량보다는 적은 9~12 mg을 투여하며 적은 용량으로 인해 작용시간이 짧아질 수 있다. Bupivacaine의 수막내 사용에서도 TNS 발생이 보고되고 있지만, 그 발생은 lidocaine에 비해 매우 드물다.

경막외로 0.065~0.125% bupivacaine을 투여하면 운동기능은 보존하면서 감각차단만을 상대적으로 강하게 할 수 있어 운동기능 보존을 목적으로 하는 분만통증 조절에 적합하다. 최근 임산부와 비임산부 여성에서 경막외로 bupivacaine을 투여한 후 약역학을 비교한 연구에서 bupivacaine의 흡수, 혈중 농도-시간 곡선, 제거시간(10~13시간)이 차이가 없음이 보고되었다. Bupivacaine은 주로 간에서 대사되지만, 투여한 용량의 약 1% 미만은 비극성 형태의 bupivacaine으로 소변으로 배출된다. 임신은 bupivacaine의 소변으로의 배출에는 영향이 없다고 밝혀졌지만, 경막외로 투여된 bupivacaine은 전신혈류로의 흡수가 느리고 제거 반감기가 길어서 분만 후 3일까지도 임산부의 소변에서 bupivacaine이 검출된다.

제왕절개술을 위한 경막외마취에서는 bupivacaine이 잘 사용되지 않는데, 이는 작용발현시간이 20~30분으로 느리고 운동차단 능력이 상대적으로 적어 척추

마취보다 고농도(0.75%)가 요구되어 결국 많은 용량의 bupivacaine이 필요하여 임산부와 태아에게 전신적인 독성을 야기할 수 있기 때문이다. 최근 liposomal bupivacaine이 소개되었으며, 이는 plain bupivacaine과 작용발현 시간은 비슷하고 작용시간은 더 길며 심혈관계 독성이 적다고 보고되었다.

⑤ Levobupivacaine

Levobupivacaine은 racemic(R) bupivacaine의 거울상 이성질체(enantiomer)인 S-bupivacaine이다. Levobupivacaine은 bupivacaine과 작용발현 시간과 작용시간이 비슷하고 마취 역가는 bupivacaine보다 약간 적은 것으로 알려졌다. 그렇지만, 실제 많은 임상실험에서 척추마취시에는 bupivacaine과 유의한 차이는 없다고 보고 되었다. 경막외마취에서의 사용도 bupivacaine과 매우 유사하지만 다른 점은 심혈관계 독성이 적다는 장점이 있다. 많은 실험실적인 연구에서는 levobupivacaine의 심혈관 독성은 bupivacaine과 ropivacaine의 중간 정도로 보고되고 있지만, 아직까지는 산과영역에서 bupivacaine 보다 확실히 심혈관계 위험성이 적다고 결론 내리기에는 임상 연구 결과가 부족하다.

⑥ Ropivacaine

Ropivacaine은 1996년에 소개된 단백결합 능력이 높은 amide계 국소마취제이다. 분자구조가 bupivacaine과 유사하지만 S-이성질체로만 되어 있고, 작용발현시간과 작용시간이 bupivacaine보다 약간 짧다. 마취 역가는 척추마취 시에 ropivacaine이 bupivacaine 보다 약 40% 낮으며, 제왕절개술에 필요한 척추마취 용량은 18~25 mg이다. 경막외마취를 위해서는 0.5~1.0% 농도를 사용하는데, 운동기능을 완전히 차단하려면 0.75~1.0%의 높은 농도가 요구된다. Bupivacaine과 비교해서 ropivacaine은 심혈관계 및 중추신경계 독성이 적고 운동-감각의 선택적 차단 능력이 좋아 산과영역에서 bupivacaine의 대체 약물로 많이

이용되고 있다.

동량의 ropivacaine과 bupivacaine을 경막외로 투여한 후 최고 혈장농도는 두 약물에서 차이가 없지만, 제거 반감기는 ropivacaine(4.5~6시간)이 bupivacaine(10~13시간) 보다 짧고, 특히 정맥 내로 국소마취제가 잘못 주입되었다는 가정 하의 동물실험에서 ropivacaine이 bupivacaine 보다 제거 반감기가 유의하게 짧았다. 그렇지만, ropivacaine과 bupivacaine의 비교연구 대다수는 약물의 역가를 고려하지 않고 동량의 용량을 비교하였으므로 마취역가를 고려하면, ropivacaine에서 더 많은 용량이 필요하므로 심혈관계 독성 측면에서 bupivacaine보다 안전한지는 명확히 증명되지 않았다. Ropivacaine에서도 의도치 않은 혈관내 주입 또는 비교적 고용량의 경막외 주입으로 심정지가 발생된 증례들이 보고되었다. 그렇지만, ropivacaine에 의한 심정지가 bupivacaine에 의한 것보다는 소생이 잘 되는 것으로 보고되었다.

4) 임신 중 국소마취제의 독성

(1) 중추신경계 독성

임신이 국소마취제에 의한 발작 유발의 역치를 낮출 수 있는지는 아직 불분명하다. 동물연구에서 발작을 일으키는 국소마취제의 용량이 임신에 의해 변화가 없다는 결과와 발작을 일으키는 국소마취제의 용량이 감소한다는 상반된 결과들이 있다.

(2) 심혈관계 독성

임신에 의한 생리학적인 변화는 이론적으로 국소마취제의 심혈관계 독성을 증가시킬 수 있을 것으로 보인다. 임산부는 비임산부에 비해 폐의 기능적 잔기용량이 적어 부위마취에 의한 호흡억제로 인해 저산소증 발생 가능성이 높고, 수막내와 경막외의 혈류량이 증가하므로 투여된 약물이 심장에 빠르게 도달할 가능성이 있다. 그

러나, 임신이 국소마취제의 심혈관계 독성에 미치는 영향에 대한 많은 연구들은 서로 상반된 결과를 보고하였다. 현재까지는 임신이 국소마취제의 전신독성 발생의 빈도를 증가시키지 않거나 증가시키더라도 그 영향은 적을 것으로 받아들여지고 있다.

임산부에서 bupivacaine과 ropivacaine에 의한 심정지가 종종 보고되고 있으며, 미국 식약청에서는 임산부에게 0.75% bupivacaine의 사용을 금지하였다. 또한, 0.25~0.5% bupivacaine 일지라도 의도치 않게 정맥으로 투여된 후 임산부에서 심정지가 발생한 보고가 있으므로, 적절한 경막외 시험용량(epidural test dose)을 적용하고, 분할 투여하는 것이 임산부에서 전신독성을 예방할 수 있는 최선의 방법이다.

(3) 전신독성의 치료

임부에서 국소마취제의 전신독성이 발생하면 일반적인 심폐소생술에 준한 치료와 더불어 임신과 관련된 특수한 상황, 자궁의 좌측 전위가 충분히 되어있는지 확인하고 산소공급과 함께 확실한 기도 유지가 반드시 필요하다. 중추신경계 독성 증상인 흥분, 발작에는 진정과 항경련 효과가 있는 midazolam(1~2 mg)이 도움이 되며, propofol 10~20 mg도 효과가 있지만 심혈관계가 불안정할 때에는 주의해서 사용해야 한다.

임부의 순환유지를 위해 승압제를 투여해야 하는데, 국소마취제는 전신혈관 확장과 함께 심근억제를 동시에 유발하므로 순수한 α-agonist의 단독 투여보다는 β-agonist 효과가 있는 약물을 적절히 병용 투여하는 것이 좋다. Epinephrine은 일반적인 심폐소생술에서 사용하는 용량보다 감소시켜 일회 정주 용량이 1 μg/kg을 초과하지 않도록 하며, 혈관 수축효과만 강력한 vasopressin은 추천되지 않는다. 부정맥 치료에는 국소마취제인 lidocaine은 반드시 피해야 한다.

전신독성 치료에 지방유탁액(lipid emulsion)이 효과가 있다는 보고가 있다. 이론적으로 bupivacaine의

지방용해도가 높은 성질을 이용하는데, 지방유탁액은 심근에 작용하고 있는 bupivacaine이 분리되어 나오게 하고 혈중 비결합 약물(free drug)을 감소시킨다고 여겨진다. 아직 임상연구는 충분하지 않지만 신경학적 증상이 발생한 후 심혈관계 허탈이 발생할 가능성이 있는 환자에서 전신독성의 진행을 막았다는 증례와 반복적으로 심정지가 발생했던 전신독성을 성공적으로 치료한 증례가 보고되었다.

2. 아편유사제

아편유사제를 수막내 또는 경막외로 투여하면 감각소실 없이 훌륭한 진통효과를 보인다. 아편유사제와 국소마취를 함께 투여하면 서로의 투여 용량을 줄임으로 각각의 합병증을 최소화시키는 장점이 있다. 산과영역에서 morphine, fentanyl, sufentanil, meperidine 등이 척추마취와 경막외마취 및 분만통증 조절에 많이 이용되고 있다.

1) 작용기전

아편유사제를 전신적으로 투여해서 적절한 진통효과를 얻기 위해서 많은 용량이 필요하고 이는 원하지 않은 합병증을 유발할 수 있는데, 임부에서는 태아에게 심각한 부작용을 초래할 수 있다. 척수의 후각에 아편유사제 수용체가 존재하고 이곳에 소량의 아편유사제를 투여하면 훌륭한 진통효과를 얻을 수 있다는 것이 밝혀짐에 따라 국소마취제의 용량을 줄이고 차단의 강도를 높이기 위해 아편유사제를 혼합하여 사용하기 시작하였다.

아편유사제 수용체는 μ-, κ-, δ-수용체가 존재하며, 이 세 수용체 모두가 진통작용에 관여하며 이 중 μ-와 κ-수용체가 임상적으로 중요하다. 산과영역에서 사용하는 morphine, fentanyl, sufentanil, meperidine은 뮤 수용체에 작용한다.

2) 약역학과 약동학

경막외로 투여된 아편유사제가 진통작용을 나타내기 위해서는 일단 경막과 거미막을 통과해야 한다. 경막과 거미막을 통과한 약물은 뇌척수액을 따라 확산된 후 연질막과 척수의 백색질을 통과해서 회색질에 있는 후각에 도달해야 수용체에 작용할 수 있다. 아편유사제가 여러 가지 장벽을 통과해서 수용체까지 도달하는 데 지질용해도가 가장 큰 영향을 준다. 지질용해도가 높은 약물일수록 경막, 거미막 등 생체의 장막을 잘 통과하므로 작용발현 시간이 빠르다. 예를 들어 fentanyl은 morphine보다 약 600배 이상의 지질용해도를 갖고 있어 그 작용발현 시간이 빠르다(표 7-3). 그러나, 지질용해도의 차이만큼 작용발현 시간에서 차이를 보이지는 않는데, 이는 지질용해도가 높은 약물이 경막을 통과하는 비율이 많지만 또한 경막외 지방조직이나 주변 혈관으로의 이동도 많아지기 때문이다. 또한, 거미막은 여러 층으로 이루어져 있고 층간에는 세포외액이 존재하므로 거미막을 통과하는데 있어서는 높은 친지질성 보다는 중간 정도의 친지질성을 갖는 분자가 잘 통과한다. 약물의 지질용해도 이외에도 분자량, pKa, 단백결합능력이 아편유사제의 역가와 작용시간을 결정하는데 중요한 인자로 작용한다. 아편유사제가 투여된 주위 조직의 pH와 약물의 pKa의 차이가 적을수록 비이온화 형태가 많아지고 빠른 발현속도를 보인다.

거미막을 통과한 아편유사제는 뇌척수액을 통해 확산된다. 뇌척수액에서 아편유사제가 머리 쪽으로 퍼지는 속도와 양은 부작용의 발생과 심각도를 결정한다. 아편유사제의 뇌척수액 확산은 이론적으로는 친수성이 큰 약물일수록 넓은 범위로 확산될 것으로 예상된다. Morphine과 같은 친수성 약제는 뇌척수액에서 비교적

표 7-3 아편유사제의 물리 화학적 특징

	분자량 (Dalton)	pKa	지질용해도	단백결합(%)
Morphine	285	7.9	+	35
Meperidine	253	8.7	+	70
Fentanyl	336	8.4	+++	84
Sufentanil	387	8.0	++++	93

자유롭게 이동하여 연수의 호흡중추까지 도달할 수 있어 호흡억제를 일으킬 수 있다. 뇌척수액을 따라 확산된 아편유사제가 척수의 후각에 도달하는 과정에도 약물의 지질용해도가 중요한 역할을 한다. 이론적으로는 임상에서 사용되고 있는 morphine이 지질용해도가 가장 낮아 경막을 비롯한 여러 장벽을 통과하는데 있어 가장 어려워 생체이용률이 가장 낮을 것으로 보이지만 실제 많은 연구에서 지방용해도가 높은 fentanyl이나 sufentanil보다 morphine의 생체이용률이 높음이 확인되었다. 이렇게 경막외강으로 투여된 morphine의 높은 생체이용률에 대한 정확한 기전은 아직 정확히 밝혀지지 않았지만 경막외강에 주입된 친수성 약물은 전신흡수가 상대적으로 매우 적어 경막외 공간에서 비교적 오랜 시간 동안 높은 농도를 유지하게 된다. 또한, 수막내로 직접 아편유사제를 투여한 경우에도 morphine이 fentanyl이나 sufentanil에 비해 후각의 뮤 수용체로 가장 많은 양이 이동하는데, 지질용해도가 극도로 높은 sufentanil은 뇌척수액에서 경막외 공간으로 많은 양이 이동하고 척수의 백색질을 통과하면서 백색질에 상당한 양이 축적되어 실제로 수용체에 도달하는 양은 morphine보다 적다.

경막외 공간으로 주입된 아편유사제가 전신순환으로 어느 정도가 흡수되는지에 대한 연구는 아직 부족하지만, 지질용해도가 높은 아편유사제는 국소마취제와 유사하게 경막외강으로 일회 주입 후 초기에 빠른 전신흡수가 이루어져 최고 혈장농도에 도달한 후 감소하였다가 후기에 느리게 다시 혈장농도가 상승하는 이상형(biphasic)의 전신흡수를 보일 것으로 추정된다. 지질용해도가 높은 fentanyl이나 sufentanil을 경막외로 소량으로 지속 주입하면 주위 조직이나 전신으로 빠르게 흡수되므로 경막외 공간에 자유로운(free) 약물 농도는 낮아지게 되어서 척수를 통한 진통효과를 얻기 어려울 수 있다. 그러므로 소량의 지속 주입보다는 일시 주입에서 좋은 진통효과를 보인다.

3) 태반이동

경막외강에서 전신순환으로 흡수된 아편유사제는 빠르게 신체 조직에 분포된다. 임산부에서는 국소마취제와 유사하게 지질용해도가 높은 아편유사제는 경막외강으로 투여하더라도 비교적 빠르게 임산부의 전신순환으로 흡수되고 태반을 비롯한 생물학적 장벽을 쉽게 통과하여 태아에 영향을 끼친다.

아편유사제를 포함한 약물의 태반이동을 정확히 이해하는 것은 어렵다. 임부에서 약물의 주입경로, 주입된 곳의 흡수와 분포, 제거, 태반으로 가는 임부의 심박출량 등이 임부에서 태반으로 이동하는 약물의 양을 결정하고, 태아의 심박출량, 태아의 전신 조직의 약물 분포 등이 태아에서 태반으로 이동하는 약물의 양을 결정한다. 태반을 통한 약물이동은 모체측과 태아측의 pH, 약물의 지질용해도, 약물의 pKa에 따른 이온화 비율, 단백결합능력 등 여러 가지 요인이 복합적으로 작용한다. 따라서 약물의 태반이동은 동적인 성향을 갖고 있는 많은 변수들이 작용하므로 임의의 시간에 임부와 태아 또는 신생아의 약물농도를 측정한 결과는 동적인 성향을 갖는 약물의 태반이동을 모두 설명할 수는 없다. 따라서 주산기 약리학 연구에 사용되고 있는 태아의 제대정맥의 약물농도를 모체의 정맥내 약물농도로 나누는 태아정맥약물농도/모체정맥약물농도 비율은 약물의 태반이동을 정확히 반영하지 못하는 한계가 있다.

4) 태아에 대한 영향

임부에게 투여된 아편유사제는 태반을 통과하여 태아에게 직접적으로 영향을 준다. 또한 태아는 모체에서 발생한 아편유사제의 부작용에 의해서도 간접으로 영향을 받을 수 있다.

분만통증 조절 중인 임부에서 경막외 또는 수막내 아편유사제는 일시적으로 태아에게 서맥 또는 후기 심장박동감소(late deceleration)를 일으킬 수 있는데, 주로 수막내로 fentanyl이나 sufentanil을 투여하였을 때 보고되었다. 아직 논란은 있지만, 분만통이 빠르게 조절됨에 따라 임산부의 혈중 epinephrine 감소를 원인으로 보고 있다. 분만 중 epinephrine은 자궁의 β_2-수용체를 자극해서 자궁을 이완시키므로 epinephrine이 감소하면 자궁의 수축항진(tachysystole)이 초래되어 태아에서 서맥이 발생한다. 수막내 아편유사제에 의해 태아 심박수 이상이 발생하는 빈도는 15~20%이고 다른 투여경로와 비교한 상대위험도는 1.8배로 보고되었다. 그렇지만, 이렇게 발생한 태아 심박수 이상때문에 제왕절개술을 받을 위험성은 다른 방법으로 분만통 조절을 받은 경우와 차이가 없었다. 태아 심박수 저하가 발생하면 임산부에게 산소를 공급하면서 체위를 변경하여 자궁이 대동맥과 아래대정맥을 압박하는 것을 최소화시키고 승압제나 수액주입을 통해 저혈압을 교정하는 것이 도움이 된다. 지속적으로 자궁 수축항진에 의한 태아 서맥이 관찰되면 자궁수축제인 oxytocin 투여를 중단하고 β_2-작용제(terbutaline)나 nitroglycerin을 투여해 볼 수 있다.

분만 중 임부에게 투여한 아편유사제는 신생아에게 호흡억제를 야기할 수 있는데, 이는 태반을 통해 태아에게 전달된 약물의 양과 관련된다. 신생아 호흡억제 발생 위험성에 있어 아편유사제의 수막내나 경막외 주입이 전신적인 투여보다 확실히 우수하다고 결론 내리기는 힘들지만, 경막외 아편유사제가 전신적 투여보다는 제대혈 pH에서 더 좋은 결과를 보여주었고 이는 태반혈류가 잘 유지되었다는 증거로 전신적 투여보다는 장점이 많다.

5) 주요 아편유사제

분만통 조절에 이상적인 진통제는 빠른 발현시간, 긴 작용시간, 저혈압이나 호흡억제 등의 부작용이 없어야 하고 운동기능과 고유의 감각 기능은 보존하면서 태아에 악영향이 없어야 한다. 아편유사제의 선택과 사용량 결정은 부작용 특히, 호흡억제를 최소화하는 데에 중심을 두어야 한다.

Morphine은 친수성이어서 뇌척수액에 장시간 머물며 연수까지 이동하여 투여 6~12시간 후에도 호흡억제를 발생시킬 수 있다. 현재 추천되고 있는 수막내 투여용량은 0.1~0.2 mg이고, 경막외 투여용량은 1~2 mg이다. 분만통 조절에서는 경막외 아편유사제의 추가 투여는 매우 신중히 결정해야 하며 일반적으로는 추천되지 않는다. 임산부와 관련된 경막외 morphine 용량에 대한 연구가 적어 안전한 용량을 정하기는 힘들지만, 제왕절개술 이후 경막외 morphine의 진통효과를 본 연구에서 morphine 3.75 mg까지는 용량에 비례하여 진통효과가 좋아졌지만 5 mg 이상에서는 더 이상의 통증조절의 질이 좋아지지는 않았다고 하였다.

Fentanyl의 수막내 용량은 10~25 μg이고, 경막외 용량은 50~100 μg이다. Sufentanil은 지질용해도가 매우 커서 뇌척수액과 경막외 공간 사이에 약물이동이 매우 빨라 수막내와 경막외 용량이 5~10 μg로 비슷하게 적용되고 있다. 그러나 일부 연구에서 sufentanil의 수막내 용량을 2.5~5 μg로 줄여도 진통효과에 차이가 없었다고 하였다.

6) 독성

현재 임상에서 사용되고 있는 아편유사제 중 일부 제형의 morphine을 제외한 대부분의 아편유사제는 수막내 또는 경막외 투여에 확실한 안정성이 확보되지는 않았다. 몇몇의 연구들에서 fentanyl과 sufentanil이 신경독성을 일으킬 수 있음을 보여주었는데, 이들 연구는 모두 동물실험 이었고 임상적인 사용량보다는 매우 큰 용량을 사용한 경우이었다. 중추신경계 차단에 있어 아편유사제가 인간에서 신경독성을 유발했다는 보고는 없었다.

7) 부작용

Sufentanil을 수막내에 단독 투여한 후 감각이상이 발생하였다는 보고가 있었다. 감각이상은 경추부 피부분절 부위까지 넓게 나타날 수 있으며, 임산부는 호흡곤란이나 연하장애 등을 호소하지만, 이는 오로지 감각 기능의 이상으로 호흡근의 운동 기능은 정상이므로 임산부를 안심시키는 것이 중요하다. 증상은 한 시간 정도까지 지속될 수 있다.

어떤 경로로든 아편유사제의 투여는 호흡억제 위험성을 증가시킨다. 일반적으로 fentanyl과 sufentanil 같은 지질용해도가 높은 약물은 주로 투여 2시간 안에 호흡억제가 발생한다. 반대로 morphine과 같은 친수성 약물은 투여 후 12시간이 지난 후에도 호흡억제가 발생할 수 있으므로 투여한 약물에 따라 충분한 시간을 감시해야 한다. 또한 수막내로 아편유사제를 투여하기 전에 정맥으로 아편유사제를 투여했다면 호흡억제의 위험성은 증가한다.

그 외에도 수막내 또는 경막외로 투여한 아편유사제는 오심, 구토, 소양증, 저혈압, 소변정체 등이 발생할 수 있다.

3. 기타 약물

1) 혈관수축제

Epinephrine는 국소마취제의 작용시간을 연장시키며 차단의 질을 높이는데, 작용시간이 연장되는 이유는 epinephrine의 혈관수축 작용으로 인해 국소마취제의 전신흡수가 저하되기 때문이다. Epinephrine의 작용시간 연장효과는 지질용해도가 낮은 약물인 lidocaine에서 확연하지만, lidocaine보다 지질용해도가 약 10배 큰 bupivacaine에서는 거의 없다. Ropivacaine은 자체의 혈관수축 작용이 있어 지질용해도는 lidocaine과 비슷하게 낮지만 epinephrine에 의한 작용시간 연장효과는 없다. 국소마취제의 전신흡수 억제와 더불어 epinephrine은 α2-수용체를 통한 직접적인 진통효과가 있어 국소마취제 차단의 강도를 높인다. Ropivacaine은 epinephrine에 의해 작용시간이 연장되지는 않지만 차단의 강도는 높아진다.

일반적으로 사용되는 경막외 투여 epinephrine 농도는 5 μg/ml (1:200,000)이고 이보다 낮은 농도에서도 효과를 보인다는 보고도 있었다. 경막외 주입 전 사용하는 시험용량에 첨가된 epinephrine이 의도치 않게 정맥 투여 되었을 때 혈압과 심박수를 증가시켜 이를 판단할 수 있게 한다. 전통적으로 수막내 용량은 epinephrine 0.1~0.6 mg이 사용되었지만, 아직은 정확한 용량에 대한 연구는 부족하다.

Phenylephrine도 epinephrine과 유사하게 국소마취제의 작용시간을 연장시킬 수 있지만, 현재는 수막내 투여는 TNS와 관련되어 거의 사용되지 않고, 경막외 투여는 epinephrine에 비해 작용시간 연장 효과가 적어 그 사용이 줄어들었다.

2) 중탄산염

중탄산염을 국소마취제에 첨가하면 작용발현 속도를 빠르게 한다. 모든 국소마취제 용액은 약염기이므로 중탄산염은 국소마취제 용액을 알카리화 시켜 용액의 pH와 약물의 pKa 차이를 감소시켜서 조직에 주입되었을 때 비이온화 형태의 비율을 증가시켜 작용발현 속도를 증가시킨다. 주의해야 할 사항은 중탄산염 첨가는 국소마취제와 반응하여 침전물을 형성할 수 있으므로 첨가하는 중탄산염의 용량에 주의해야 한다. 일반적으로 첨가하는 용량은 lidocaine 10 ml에 8.4% sodium bicarbonate 1 ml이고 bupivacaine 10 ml에는 0.1 ml이다.

3) α2 작용제

α2 작용제인 clonidine은 직접적으로 진통효과를 갖고 있어 국소마취제나 아편유사제에 첨가하면 진통효과의 질을 높을 수 있다. 국소마취제와 아편유사제의 조합만으로 통증조절이 쉽지 않을 경우 추가적인 clonidine은 좋은 선택이 될 수 있다. 일반적인 용량은 수막내에는 15~30 μg, 경막외에는 75 μg이다. Clonidine 투여 후 저혈압으로 인한 혈역학적 불안정이 보고 되었으므로 투여 후에는 세심한 관리가 필요하다. 선택적 α2 작용제인 dexmedetomidine은 아직 경막외 사용이 허가되지는 않았지만 최근 clonidine을 대체하는 약물로 연구되고 있다.

참고문헌

Alahuhta S, Räsänen J, Jouppila P, Kangas-Saarela T, Jouppila R, Westerling P, et al. The effects of epidural ropivacaine and bupivacaine for cesarean section on uteroplacental and fetal circulation. Anesthesiology 1995; 83: 23-32.

Baumann H, Alon E, Atanassoff P, Pasch T, Huch A, Huch R. Effect of epidural anesthesia for cesarean delivery on maternal femoral arterial and venous, uteroplacental, and umbilical blood flow velocities and waveforms. Obstet Gynecol 1990; 75: 194-8.

Bern S, Weinberg G. Local anesthetic toxicity and lipid resuscitation in pregnancy. Curr Opin Anaesthesiol 2011; 24: 262-7.

Bernards CM, Hill HF. Physical and chemical properties of drug molecules governing their diffusion through the spinal meninges. Anesthesiology. 1992; 77: 750-6.

Chaney MA. Side effects of intrathecal and epidural opioids. Can J Anaesth 1995; 42: 891-903.

Collis RE, Davies DW, Aveling W. Randomised comparison of combined spinal-epidural and standard epidural analgesia in labour. Lancet 1995; 345: 1413-6.

Coppejans HC, Vercauteren MP. Low-dose combined spinal-epidural anesthesia for cesarean delivery: a comparison of three plain local anesthetics. Acta Anaesthesiol Belg 2006; 57: 39-43.

Datta S, Camann W, Bader A, VanderBurgh L. Clinical effects and maternal and fetal plasma concentrations of epidural ropivacaine versus bupivacaine for cesarean section. Anesthesiology 1995; 82: 1346-52.

Debon R, Boselli E, Guyot R, Allaouchiche B, Lemmer B, Chassard D. Chronopharmacology of intrathecal sufentanil for labor analgesia: daily variations in duration of action. Anesthesiology 2004; 101: 978-82.

Englesson S, Grevsten S. The influence of acid-base changes on central nervous system toxicity of local anaesthetic agents. II. Acta Anaesthesiol Scand 1974; 18: 88-103.

Fagraeus L, Urban BJ, Bromage PR. Spread of epidural analgesia in early pregnancy. Anesthesiology 1983; 58: 184-7.

Freedman JM, Li DK, Drasner K, Jaskela MC, Larsen B, Wi S. Transient neurologic symptoms after spinal anesthesia: an epidemiologic study of 1,863 patients. Anesthesiology 1998; 89: 633-41.

Kamibayashi T, Maze M. Clinical uses of α2-adrenergic agonists. Anesthesiology 2000; 93: 1345-9.

Kuhnert PM, Kuhnert BR, Stitts JM, Gross TL. The use of a selected ion monitoring technique to study the disposition of bupivacaine in mother, fetus, and neonate following epidural anesthesia for cesarean section. Anesthesiology 1981; 55: 611-7.

Lee GY, Kim CH, Chung RK, Han JI, Kim DY. Spread of subarachnoid sensory block with hyperbaric bupivacaine in second trimester of pregnancy. Clin Anesth 2009; 21: 482-5.

Manglik A, Kruse AC, Kobilka TS, Thian FS, Mathiesen JM, Sunahara RK, et al. Crystal structure of the μ-opioid receptor bound to a morphinan antagonist. Nature 2012; 485: 321-6.

Mather LE, Copeland SE, Ladd LA. Acute toxicity of local anesthetics: Underlying pharmacokinetic and pharmacodynamic concepts. Reg Anesth Pain Med 2005; 30: 553-566.

Miguel R, Barlow I, Morrell M, Scharf J, Sanusi D, Fu E. A prospective, randomized, double-blind comparison of epidural and intravenous sufentanil infusions. Anesthesiology 1994; 81: 346-52.

Neal JM, Bernards CM, Butterworth JF, Di Gregorio G, Drasner K, Hejtmanek MR, et al. ASRA Practice advisory on local anesthetic toxicity. Reg Anesth Pain Med 2010; 35: 152-161

Ngan Kee WD, Ng FF, Khaw KS, Lee A, Gin T. Determination and comparison of graded dose-response curves for epidural bupivacaine and ropivacaine for analgesia in laboring nulliparous women. Anesthesiology 2010; 113: 445-53.

O'Brien JE, Abbey V, Hinsvark O, Perel J, Finster M. Metabolism and measurement of chloroprocaine, an ester-type local anesthetic. J Pharm Sci 1979; 68: 75-8.

Pihlajamäki K, Kanto J, Lindberg R, Karanko M, Kiilholma P. Extradural administration of bupivacaine: pharmacokinetics and metabolism in pregnant and non-pregnant women. Br J Anaesth 1990; 64: 556-62.

Rosenblatt MA, Abel M, Fischer GW, Itzkovich CJ, Eisenkraft JB. Successful use of a 20% lipid emulsion to resuscitate a patient after a presumed bupivacaine-related cardiac arrest. Anesthesiology 2006; 105: 217-8.

Sanchez V, Arthur GR, Strichartz GR. Fundamental properties of local anesthetics. I. The dependence of lidocaine's ionization and octanol: buffer partitioning on solvent and temperature. Anesth Analg 1987; 66: 159-65.

Santos AC, DeArmas PI. Systemic toxicity of levobupivacaine, bupivacaine, and ropivacaine during continuous intravenous infusion to nonpregnant and pregnant ewes. Anesthesiology 2001; 95: 1256-64.

Santos AC, Pedersen H, Morishima HO, Finster M, Arthur GR, Covino BG. Pharmacokinetics of lidocaine in nonpregnant and pregnant ewes. Anesth Analg 1988; 67: 1154-8.

Strichartz GR, Sanchez V, Arthur GR, Chafetz R, Martin D. Fundamental properties of local anesthetics. II. Measured octanol: buffer partition coefficients and pKa values of clinically used drugs. Anesth Analg 1990; 71: 158-70.

Ummenhofer WC, Arends RH, Shen DD, Bernards CM. Comparative spinal distribution and clearance kinetics of intrathecally administered morphine, fentanyl, alfentanil, and sufentanil. Anesthesiology 2000; 92: 739-53.

Wood M, Wood AJ. Changes in plasma drug binding and alpha 1-acid glycoprotein in mother and newborn infant. Clin Pharmacol Ther 1981; 29: 522-6.

Yao AC, Moinian M, Lind J. Distribution of blood between infant and placenta after birth, Lancet 1969; 2: 871-873.

7

3부

분만을 위한 **통증** 및 마취관리

Chapter 8

분만진행과 분만통의 기전

분만이란 자궁근이 강하고 규칙적으로 수축하고, 자궁경부가 숙화 · 개대되어 태아가 자궁과 산도를 통해 나오는 생리적 과정이다. 이는 순차적으로 일어나는데, 분만진통이 시작되기 전에 자궁경부 결합조직의 생화학적인 변화가 먼저 일어나고 이어 자궁경부가 부드러워지는 과정인 숙화가 일어나며 이후 자궁이 수축하면서 자궁경부의 개대가 진행된다.

통증의 발생, 전달, 조절 등은 현대의학에서 가장 복잡한 영역의 하나로, 이에 대한 광범위한 연구가 진행되어온 것과 달리 분만진통의 신경생리학적인 기전이나 치료에 대한 연구는 제한적이며 정확한 기전은 아직 밝혀지지 않았다. 또한 분만통증은 개개인에 따라 통증을 느끼는 정도가 매우 상이하여 분만통증의 주관적인 본질은 근본적으로 연구하기 어려운 측면이 있다. 그러나 통증에 대한 해부학적 · 신경생리학적 측면에 대한 이해는 분만통증의 기전과 그에 근거한 치료방법을 이해하고 새로운 치료방법을 개발하는데 유용할 것으로 생각된다.

1. 분만의 진행

1) 분만의 단계(Phases of parturition)

분만은 임신 중 자궁근과 경부의 생리학적 변화에 따라 휴지기, 준비기, 진행기, 산욕기로 나눌 수 있다. 휴지기는 수정될 때부터 자궁이 활성화되기 전까지의 기간으로, 자궁근이 평온하며 자궁경부가 견고하게 구조를 유지한다. 임신초기에는 자궁의 근육세포 수가 증가되고 이후 세포의 크기가 커진다. 임신 후기로 진행됨에 따라 자궁체부는 늘어나고 얇아진다. 한편 자궁경부는 임신이 진행되는 동안 콜라겐의 양은 감소하고 섬유소가 증가하며 세포외 기질의 변화가 일어난다. 이 시기가 끝나고 비동시적으로 발생하던 자궁수축이 협조적으로 발생하게 되는 시기인 준비기가 시작되면 자궁수축을 조절하는 단백질인 수축관련단백(contraction associated protein)이 자궁근의 옥시토신(oxytocin) 수용체 및 자궁근 세포 사이의 간극결합(gap junction)을 증가시켜 자궁수축 반응을 촉진시킨다. 분만 수주 전 분만을 준비하기 위하여 생화학적 변화가 일어나는데 이는 자궁경부의 숙화 및 연화(cervical ripening and softening)를 촉진한다. 규칙적인 통증을 수반하는 자궁수축의 강도와 빈도가 증가되고 자궁경부가 숙화되고 개대되어 태아 및 태반이 만출되는 시기를 분만의 진행기라 한다. 분만이 시작되면 자궁상부는 점차 두꺼워져 태아를 밀어내는데 도움을 주고, 자궁하부의 근육수축은 수동적으로 일어나 자궁하부는 얇아지고 확장됨에 따라 상부와 하부 사이에 홈이 생기게 되는데 이를 생리적인 수축륜(physiologic retraction ring)이라 한다. 폐쇄분만(obstructed child birth)에서는 자궁 하부가 매우 얇아져 수축륜이 현저하게 나타나는데 이를 병적 수축륜(pathologic retraction ring)이라 하고 자궁파열이 임박함을 알리는 징후가 될 수 있다. 분만 후 임신기간 중 변화되었던 자궁, 자궁경부 및 골반기관이 비임신 상태로 회복하는 기간은 분만 후 6주 정도로 산욕기라고 한다. 이 시기 동안 산욕기수축, 자궁퇴화, 태아 생존을 위한 유즙생성과 분비, 분만 후 수태력의 회복이 이루어진다.

2) 분만진통의 단계적 분류(Stages of labor)

분만진통의 과정은 순차적으로 발생하며 임상적으로 세 단계로 분류할 수 있다.

(1) 분만 1기(The first stage of labor)

분만 1기는 충분한 빈도, 강도 및 지속시간을 가진 규칙적인 자궁의 수축에 의해 자궁 경관의 소실과 개대가 시작될 때부터 약 10 cm 정도로 태아가 산도를 통과할 수 있을 만큼 자궁경관이 완전히 개대될 때까지의 기간으로 경관소실 및 경관개대기(stage of cervical effacement and dilatation)라고 부르기도 한다. Friedman은 자궁경부의 개대 정도를 시간 변화에 따라 그래프로 나타내었는데 정상적으로 진행되는 자궁경부의 개대 양상은 특유의 S자 형태의 곡선으로 나타난다 (그림 8-1).

Friedman은 제 1단계를 다시 두 기로 나누어 전반기를 진통잠복기(latent phase), 후반기를 자궁경부의 개대가 활발하게 진행되는 활성기(active phase)로 나누었다. 또한 활성기는 자궁경부의 개대가 활발히 시작되어 자궁경부가 약 4 cm 정도 개대될 때까지인 가속기(acceleration phase), 자궁경부의 개대가 가장 신속하게 일어나는 절정기(phase of maximum slope), 자궁경부가 약 9 cm 정도 개대된 이후 진행속도가 느려지는 감속기(deceleration phase)로 구분하였다. 임상적으로 잠복기가 비정상적으로 길어진 경우를 잠복기 지연이라고 하며 일반적으로 초산부(nullipara)의 경우 20시간 이상, 다산부(multipara)는 14시간 이상인 경우로 정의한다. 그러나 분만진통의 시작을 임산부가 말하는, 통증을 동반한 자궁수축이 규칙적으로 발생한 시점으로 간주하기 때문에 가진통(false labor)이 시작된 시간을 배제할 수 없어 정확한 시작 시점을 판단하기는 쉽지 않다.

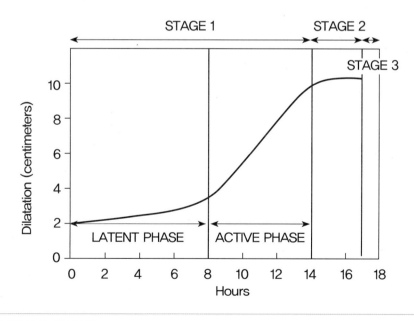

그림 8-1. **분만진통의 단계적 분류**

Friedman에 의하면 활성기 동안 자궁경부의 개대 속도는 미분만부의 경우 최소 시간당 1.2 cm, 다산부는 최소 시간당 1.5 cm 개대 속도를 나타내며 이 시기에 자궁경부 개대가 원활하지 않을 경우 일차 기능부전성분만(primary dysfunctional labor)이라 한다. 또한 활성기 동안 2시간 이상 자궁경부의 개대가 멈추고 진행되지 않으면 정지장애(arrest of dilation)라고 하였다. 그러나 최근연구에 의하면 자궁경부가 6 cm 정도 개대되기 전에는 진행속도가 느리기 때문에 자궁경부의 개대가 활발히 진행되는 절정기는 4 cm이 아니라 6 cm 정도 개대되는 시점이며 Friedman에 의해 기술된 감속기는 대개 존재하지 않는다고 한다. 또한 활성기 동안 정지장애를 진단할 때 4시간까지는 정상 범위로 보는 것이 적절하다는 의견이 제기되고 있다.

잠복기 지연은 제왕절개술의 빈도를 증가시키고 아두골반불균형(cephalopelvic disproportion)과 연관이 있을 수 있고 활성기의 지연은 아두골반불균형과 관련이 있는 것으로 보고되나 향후 더 많은 연구가 필요하다.

(2) 분만 2기(The second stage of labor)

분만 2기는 자궁경관이 완전히 개대된 이후부터 태아가 만출될 때까지의 기간으로 태아만출기(stage of expulsion of fetus)라고도 한다. 미분만부의 경우 이 기간이 2시간 이상, 무통분만을 위하여 경막외 진통제를 사용한 경우는 3시간 이상을 지연이라고 간주한다. 다산부의 경우 이 기간이 1시간 이상, 경막외마취를 병용한 경우 2시간 이상 지속되는 경우를 분만 제 2기의 지연으로 본다. 그러나, 최근 보고에 의하면 분만 2기 지연에 대한 정의는 좀 더 시간이 늘어나 1시간씩 증가한 것을 기준으로 한다(참조 표9-4-3). 분만 2기의 지연은 임산부의 산과적 손상, 분만후 출혈, 감염, 신생아가사와 신생아 집중치료실 입원률 증가와 관련이 있는 것으로 보고된다. 그러나 최근의 연구는 태아심장박동률(fetal heart rate) 양상이 정상적이고 태아의 하강이 지속된다면 분만 2기의 지연을 더 길게 볼 것을 제안한다.

(3) 분만 3기(The third stage of labor)

분만 3기는 태아가 만출된 직후부터 태반이 만출될 때까지의 기간으로 태반분리 및 만출기(separation and expulsion of the fetus)라고 한다. 이 시기가 30분 이상 지속되는 경우를 분만 3기의 지연으로 정의한다.

(4) 분만 4기(The fourth stage of labor)

분만 4기는 태반이 만출된 직후부터 약 1시간 동안을 말하며 산후출혈에 대한 임상적 관찰에 중요한 시기이다.

3) 분만진통의 기능적인 분류

정상적인 분만진행이 이루어지기 위해서는 자궁수축에 따른 자궁경부 개대와 태아의 하강이 효과적으로 진행되어야 한다. 그러므로 분만진행에 대한 임상적 평가를 위해서 분만진행을 자궁경부의 기능적 측면에서 세 단계로 구분하기도 한다.

(1) 분만준비기(Preparatory division)

제 1단계는 자궁경부의 개대는 거의 일어나지 않지만 자궁경부 세포기질에 많은 변화가 일어나는 시기이다.

(2) 경관개대기(Dilatational division)

제 2단계는 자궁경부의 개대가 가장 신속하게 진행된다.

(3) 골반기(Pelvic phase)

제 3단계는 자궁경부의 감속기(deceleration phase)의 시작에서 분만진통의 제2기까지로, 두정위의 분만 과정 중 기본운동이 일어나는 시기이다.

2. 분만통의 기전

1) 분만통의 해부학적 경로

분만 1기의 통증은 자궁에서 오는 내장성통증(visceral pain)으로 자궁 수축과 자궁경부 확장이 주요한 원인이다. 자궁하부와 자궁경관(endocervix)에서 지각되는 구심성 C 신경섬유와 구심성 Aδ 신경섬유를 경유하여 아랫배신경얼기(hypogastric plexuses), 허리와 아래가슴 교감신경줄기(lumbar and lower thoracic sympathetic chain), 10번째에서 12번째 흉추신경(T10, T11, T12)과 1번째 요추신경(L1)을 거쳐 척수(spinal cord)로 전달된다. 주로 구심성 C 신경섬유를 통해서 전달된다. 분만 2기의 통증은 태아 머리 하강에 따른 질과 회음부의 신전으로 일어나는 체성통증(somatic pain)으로 2번째, 3번째, 4번째 천골신경(S2, S3, S4)에서 유래되는 음부신경(pudendal nerve)에 의해 척수로 전달된다. 주로 구심성 Aδ 신경섬유가 반응한다.

분만 1기에 느끼는 내장성통증의 특징은 다른 내장성통증과 마찬가지로 정확한 통증 위치를 말하기 어려울 수 있고 원인 장기와 다른 곳에서 통증을 느끼는 연관통(referred pain)을 호소하기도 한다. 분만 시 자궁 수축에 의한 요통이 연관통에 해당하며 자궁 수축은 주로 하복부, 허리, 넓적다리의 윗부분 등 신체의 넓은 부분에서 느끼게 된다. 자궁 수축은 처음에는 둔한 통증의 양상을 보이다가 수축이 강해질수록 통증의 강도가 증가한다. 분만 2기의 통증은 내장성통증과 달리 날카롭고 찌르는 듯한 특징을 가지고 질, 회음부에 국소화되어 나타나는 체성통증이다.

2) 분만통의 신경생리학적 기전

통증을 유발하는 자극이 신체에 가해지면 구심성 신경의 통각수용기가 활성화되고 전기적 통증신호가 만들어지는데 이 신호가 구심성 신경을 타고 척수후근을 통해 척수로 진입하고 척수의 다양한 경로를 통해 상행하면서 척수 및 뇌의 신경세포와 신경아교세포에 의해 정보가 가공되어 뇌로 전달된다.

(1) 말초신경과 말초감작

기계적 확장과 같은 조직의 뒤틀림은 구심성신경 말단에 있는 다양한 이온채널들(brain sodium channel-1, acid-sensing ion channel-2, vanilloid receptor type 1)의 발현을 증가시키고 흥분성 신경전달물질을 분비시켜 이온채널을 활성화시킨다. 이러한 과정이 분만통증에서 직접적으로 연구되지는 않았지만 자궁경부 신전과 같은 기계적 신호가 구심성신경 말단의 다양한 이온채널의 활성을 통해 전기적 신호를 전달할 것으로 여겨진다. 자궁경부에 분포하는 구심성 C 신경은 분비되는 신경전달물질의 종류에 따라 분류될 수 있으며, P 물질(substance P), 칼시토닌유전자관련펩티드(calcitonin gene related peptide, CGRP)를 분비하는 구심성 C 신경은 티로신 키나아제(tyrosine kinase A) 수용체를 통하여 신경성장인자(nerve growth factor)에 반응하는 반면 소마토스타틴(somatostatin)을 분비하는 구심성 C 신경은 c-ret 복합체(c-ret complex)를 통하여 교세포유래성장인자(glially derived growth factor)에 반응한다. 분만통증에 관여하는 이러한 이온채널과 구심성 C 섬유들에 대한 연구를 통해 분만통증을 치료하는 새로운 표적치료제의 개발이 가능할 것이다.

말초의 염증반응은 수술 후 통증이나 만성 관절염으로 인한 통증과 마찬가지로 분만통증에서도 중요한 역할을 한다. 대부분의 종에서 에스트로겐의 갑작스런 저하는 사이클로옥시게나아제(cyclooxygenase)의 발현을 증가시켜 프로스타그란딘(prostaglandin)의 합성을 증가시킨다. 특히 prostaglandin 증가는 자궁경부의 숙화와 개대에 중요한 역할을 하는 것으로 알려져 있으며 분만통증이 시작되기 24~72시간 전 prostaglandin수용체, 염증성 사이토카인 인터루킨 1β(IL-1β), 종양괴사인자 α(tumor necrosis factor α, TNF-α), 기질금속단백질분해효소(matrix metalloproteinases type 2, 9)의 활성화로 자궁 콜라겐의 파괴가 시작된다. 분만 전 혹은 분만 동안 자궁경부에서 분비되는 사이토카인, 특히 인터루킨 1β는 후근신경절(dorsal root ganglia)과 척수에서 cyclooxygenase와 P 물질의 활성을 증가시킨다. 종양괴사인자 α는 구심성 섬유의 자발적 활성도를 증가시키고 세포배양실험에서 후근신경절의 칼시토닌유전자관련펩티드와 바닐로이드 수용체 1(vanilloid receptor type 1)의 발현을 증가시킨다. 이러한 다양한 염증성 물질(PG, cytokines, growth factor)의 국소적 합성과 분비는 자궁경부의 숙화나 분만에 관여할 뿐만 아니라 말초신경을 감작시켜서 후근신경절 세포수 증가, 펩타이드 발현과 분비, 수용체의 수와 이온 채널 발현 등을 증가시켜서 통각과민 혹은 통증을 지속시키는 상태를 초래한다. 이와 같이 말초의 염증반응과 통증유발물질의 생성과 관련된 복합기전에 의하여 일차구심성섬유 말단의 역치가 낮아지는 것을 말초감작이라 한다.

(2) 척수와 중추감작

통증자극에 의해 척수내 Aδ와 C 구심성 신경섬유말단에 활동 전위가 전달되면 전압개폐칼슘채널이 열려 세포내 칼슘의 농도가 증가하고 이는 척수후각(dorsal horn) 시냅스부위에서 통증관련 신경전달물질을 분비시키고 시냅스 후 수용체 자극 등을 통해 통증전달을 조절한다.

통증의 구심성 자극전달은 척수후각 시냅스부위의 구심성 신경말단에서 glutamate, 아스파라진산염(aspartate)과 같은 흥분성 아미노산이나 P 물질, neurokinin A와 같은 흥분성 신경펩티드를 유리시키고 이들은 척수신경세포의 특정 시냅스 후 수용체(glutamate에 대한 NMDA 수용체, P 물질에 대한 NK1 수용체)와 반응한다.

구심성 신경말단에서 분비되는 GABA는 억제성 신경전달물질이며 구심성 신경말단의 GABA 수용체를 자극하여 신경전달물질의 분비를 억제시킨다. 척수사이신경에서 분비되는 엔케팔린(enkephalin)과 뇌교에서 척수후각으로 하행성 경로를 통해 분비되는 노르에피네프린(norepinephrine)은 구심성 신경세포말단에서 분비되는 신경전달물질의 분비를 감소시킨다. 엔케팔린과 norepinephrine은 각각 뮤 아편수용체(μ-opioid receptor)와 α2-아드레날린 수용체(α2 adrenergic receptor)에 작용하며 척수강내 투여된 마약제와 α2-아드레날린 작용제(α2 adrenergic agonist)는 분만통증을 감소시킨다.

지속적인 구심성 섬유의 통증전달은 척수후각의 통증자극에 대한 반응이 지속적으로 증가하면서 촉진되는 상태를 유발한다. 이러한 척수 중추감작에는 NMDA 수용체가 매우 중요한 역할을 한다. 정상상태에서 척수후각신경세포의 NMDA 수용체 이온통로는 magnesium sulfate로 차단되어 있으나 지속되는 통증자극은 시냅스후막(postsynaptic membrane)에서 탈분극현상을 일으켜 magnesium sulfate 차단현상이 제거되고 glutamate가 NMDA 수용체를 활성화시켜 칼슘이 통과할 수 있게 된다. 이러한 결과로 세포내 칼슘이온이 증가하고 세포막이 지속적인 탈분극현상을 일으켜 척수후각세포의 중추감작을 유발한다. NMDA 수용체 길항제인 ketamine의 척수강내 투여는 신경독성으로 사용이 제한되어 있고 magnesium sulfate 정주는 수술 후 통증을 감소시키는 것으로 보고된다. 하지만 산과적 목적으로 사용되는 magnesium sulfate 정주가 분만통증을 감소시키는 효과는 미미하다.

(3) 상행성 통증 투사(Ascending pain projections)

구심성 신경섬유를 통해 척수후각에 들어온 통증 수용성 정보(nociceptive inputs)는 척수를 거쳐 시상(thalamus)과 뇌간(brain stem)으로 전달된다. 통증을 조절하는 하행성 경로는 중추신경계의 여러 부분에 존재하지만 가장 중요한 것은 수도관주위회색질(periaqueductal gray)에서 척수후각으로 분비되는 세로토닌 또는 노르아드레날린성 경로이며 구심성 신경말단에서 분비되는 신경전달물질의 분비를 감소시킨다. 정신적 무통분만법, 엔케팔린나제 억제제(enkephalinase inhibitor), 단가아민재흡수차단제(monoamine reuptake blockers)의 투여는 하행성경로를 활성화시켜 척수후각으로 들어오는 통증을 감소시킨다. 한편, 분만통증에 의한 뇌간의 활성화는 교감신경계와 호흡중추를 활성화시키고 뇌간의 지속적인 자극은 하행성경로를 활성화시켜 통증을 오히려 증가시킬 수도 있다.

분만이 진행되는 동안 분만진통에 의해 활성화되는 뇌의 부위에 대한 연구는 제한적이다. 그러나 건강한 지원자를 대상으로 한 연구에서 내장성 통증은 체성통증보다 공포를 비롯한 부정적 감정을 관장하는 뇌를 더 많이 활성화시키고, 의미있는 다른 감각자극으로 통증을 인지하지 못하게 하거나 무시하게 하는 전환요법(distraction method)은 시상의 활성에는 영향을 미치지 않으나 대뇌피질의 활성을 감소시킨다고 한다. 따라서 통증을 감소시키기 위한 정신치료요법의 효과나 개개인간의 통증인지의 차이는 통증신호의 시상상부조절(suprathalamic modulation)을 통해 이루어지는 것으로 보인다.

3) 분만통증이 신체에 미치는 영향

(1) 분만경과에 미치는 영향

분만통증은 분만의 진행과 경과에 영향을 미칠 수 있다. 분만통증은 교감신경계의 활성도를 증가시켜 β아드레날린성 자궁수축억제(β adrenergic tocolysis) 효과가 있는 epinephrine의 혈장내 농도를 증가시킨다. 분만통증을 감소시키기 위해 척수강내 투여된 마약성 진통제의 빠른 작용은 혈장내 epinephrine 농도를 급작스럽게 감소시켜 일시적인 자궁수축 증가와 이로 인한 일시적인 태아가사와 태아 심박수 이상을 초래할 수 있다고 보고된다. 한편 Ferguson 반사는 상행척수로, 특히 천골감각신경으로부터의 신경자극을 중뇌에 전달하여 oxytocin의 분비를 촉진시킨다. 분만통증을 감소시키기 위한 신경차단은 이러한 반사를 억제하여 분만 진행 특히 분만 2기를 지연시킬 수 있다고 하나 이를 뒷받침할 만한 증거는 불충분하다. 신경경로를 통해 전달되는 분만통증은 자궁의 활성도를 증가시키고 자궁경부를 확장시킬 수 있는 oxytocin과 같은 물질을 분비시키거나 반대로 이를 억제할 수 있는 epinephrine을 분비시킬 수 있다. 따라서 분만진통을 위해 투여된 약제나 신경차단은 분만의 진행에 다양한 영향을 미칠 수 있으며 이는 개인에 따라 다르게 작용할 수 있다.

(2) 심폐혈관계와 소화기계에 미치는 영향

증가된 혈중 카테콜라민은 임산부의 심박출량과 말초혈관의 저항을 증가시키고 자궁태반간 혈류를 감소시킨다. 동물실험에서 epinephrine 15 μg을 정맥 내로 투여했을 때의 혈중 epinephrine의 농도는 분만통증이 있는 임산부의 혈중농도와 유사하며, 이는 자궁혈류량을 심하게 감소시킬 수 있는 용량이다. 경막외마취와 같은 효과적인 통증차단법은 임신부의 혈중 epinephrine 농도를 50% 감소시킬 수 있다.

자궁수축으로 인한 간헐적인 통증은 호흡계를 자극하여 간헐적인 과호흡을 유발할 수 있으며, 임산부에게 보조적인 산소투여를 하지 않을 경우 자궁수축 사이의 보상적 호흡감소는 임산부 혹은 태아의 일시적인 저산소증을 초래할 수 있다.

분만통증, 불안, 심리적 자극은 가스트린(gastrin)의 분비를 증가시키고 위장관계와 요도의 운동성을 감소시킨다. 이로 인해 임산부의 위산과 위내용물이 증가하고 방광배출이 지연되며, 응급제왕절개술을 위한 전신마취 유도시 위내용물의 구토로 인한 흡인(aspiration of gastric content)의 위험이 증가한다.

(3) 태아에 미치는 영향

임산부의 분만통증이 직접적으로 태아에게 미치는 영향은 없지만 자궁태반간 혈류량에 영향을 주는 인자들이 태아의 안녕에 영향을 미칠 수 있다. oxytocin과 epinephrine 분비정도에 따른 자궁 수축의 빈도와 강도, norepinephrine과 epinephrine 분비정도에 따른 자궁동맥의 혈관수축, 임산부의 간헐적 과호흡 및 그에 따른 호흡감소로 인한 임산부의 산화헤모글로빈 포화도 등의 변화들은 태반으로 가는 혈류량을 변화시켜 태아에게 영향을 미칠 수 있다. 그러나 정상적인 자궁태반간 혈류를 가진 대부분의 임산부들에서는 이러한 변화들이 미치는 영향은 크지 않으며 통증조절을 통해 효과적으로 차단되어진다.

참고문헌

Abrao KC, Francisco RP, Miyadahira S, Cicarelli DD, Zugaib M. Elevation of uterine basal tone and fetal heart rate abnormalities after labor analgesia. A randomized controlled trial. Obstet Gynecol 2009;113:41-7.

Ballantyne JC. Bonica's management of pain. 4th ed. Philadelphia, Lippincott Williams & Wilkins. 2009, pp 791-805.

Benedetti F, Arduino C, Amanzio M. Somatotopic activation of opioid systems by target-directed expectations of analgesia. J Neurosci 1999;19:3639-48.

Bennett DL, Michael GJ, Ramachandran N, Munson JB, Averill S, Yan Q, et al. A distinct subgroup of small DRG cells express GDNF receptor components and GDNF is protective for these neurons after nerve injury. J Neurosci 1998;18:3059-72.

Berkley KJ, Robbins A, Sato Y. Functional differences between afferent fibers in the hypogastric and pelvic nerves innervating female reproductive organs in the rat. J Neurophysiol 1993;69:533-44.

Cao YQ, Mantyh PW, Carlson EJ, Gillespie AM, Epstein CJ, Basbaum AI. Primary afferent tachykinins are required to experience moderate to intense pain. Nature 1998;392:390-4.

Chelmow D. Kilpatrick SJ. Laros RK Jr. Maternal and neonatal outcomes after prolonged latent phase. Obstet Gynecol 1993;81:486-91.

Chesnut DH. Chesnut's obstetric anesthesia, Principles and practice. 5th ed. Philadelphia, PA : Elsevier Saunders, 2014, pp 383-426.

Cleland JG. Paravertebral anaesthesia in obstetrics. Surg Gynecol Obstet 1933;57:51-62.

Friedman E. Labor: Clinical Evaluation and Management, 2nd ed. New York, Appleton-Century-Crofts, 1978.

Inoue A, Ikoma K, Morioka N, Kumagai K, Hashimoto T, Hide I, et al. Interleukin-1beta induces substance P release from primary afferent neurons through the cyclooxygenase-2 system. J Neurochem 1999;73:2206-13.

Jones AK, Kulkarni B, Derbyshire SW. Pain mechanisms and their disorders. Br Med Bull 2003;65:83-93.

Khan IM, Marsala M, Printz MP, Taylor P, Yaksh TL. Intrathecal nicotinic agonist-elicited release of excitatory amino acids as measured by in vivo spinal microdialysis in rats. J Pharmacol Exp Ther 1996;278:97-106.

Leem JG, Bove GM. Mid-axonal tumor necrosis factor-alpha induces ectopic activity in a subset of slowly conducting cutaneous and deep afferent neurons. J Pain 2002;3:45-9.

Leighton BL, Norris MC, Sosis M, Epstein R, Chayen B, Larijani GE. Limitations of epinephrine as a marker of intravascular injection in laboring women. Anesthesiology 1987;66:688-91.

Lombard MC, Besson JM. Attempts to gauge the relative importance of pre- and postsynaptic effects of morphine on the transmission of noxious messages in the dorsal horn of the rat spinal cord. Pain 1989;37:335-45.

Ludwig M, Sabatier N, Bull PM, Landgraf R, Dayanithi G, Leng G. Intracellular calcium stores regulate activity-dependent neuropeptide release from dendrites. Nature 2002;418:85-9.

Lyons CA, Beharry KD, Nishihara KC, Akmal Y, Ren ZY, Chang E, et al. Regulation of matrix metalloproteinases (type IV collagenases) and their inhibitors in the virgin, timed pregnant, and postpartum rat uterus and cervix by prostaglandin E(2)-cyclic adenosine monophosphate. Am J Obstet Gynecol 2002;187:202-8.

Samad TA, Moore KA, Sapirstein A, Billet S, Allchorne A, Poole S, et al. Interleukin-1beta-mediated induction of Cox-2 in the CNS contributes to inflammatory pain hypersensitivity. Nature 2001;410:471-5.

Sato T, Michizu H, Hashizume K, Ito A. Hormonal regulation of PGE2 and COX-2 production in rabbit uterine cervical fibroblasts. J Appl Physiol 2001;90:1227-31.

Stygar D, Wang H, Vladic YS, Ekman G, Eriksson H, Sahlin L. Increased level of matrix metalloproteinases 2 and 9 in the ripening process of the human cervix. Biol Reprod 2002;67:889-94.

Shnider SM, Abboud TK, Artal R, Henriksen EH, Stefani SJ, Levinson G. Maternal catecholamines decrease during labor after lumbar epidural anesthesia. Am J Obstet Gynecol 1983;147:13-5.

Suresh Maya. Shnider and Levinson's anesthesia for obstetrics. 5th ed. Lippincott Williams & Wilkins, 2012, pp155-64.

Winston J, Toma H, Shenoy M, Pasricha PJ. Nerve growth factor regulates VR-1 mRNA levels in cultures of adult dorsal root ganglion neurons. Pain 2001;89:181-6.

Mardirosoff C, Dumont L, Boulvain M, Tramèr MR. Fetal bradycardia due to intrathecal opioids for labour analgesia: a systematic review. BJOG 2002;109:274-81.

Zhang J, Landy HJ, Branch DW, Burkman R, Haberman S, Gregory KD, et al. Contemporary Patterns of Spontaneous Labor With Normal Neonatal Outcomes. Obstet Gynecol 2010;116:1281-7.

Zhang J, Troendle JF, Yancey MK. Reassessing the labor curve in nulliparous women. Am J Obstet Gynecol 2002;187:824-8.

8

무통분만을 위한 시술과 진통

9-1 비약물적 방법

분만 과정에서 통증 완화를 위해 약물요법이나 부위진통 방법이 널리 적용되고 있으나 수 세기 동안 다양한 비약물적 방법들이 이용되어 왔으며 이 중 많은 것들은 오늘날까지 분만을 위해 사용되고 있다. 산과 마취의가 이러한 심리적이며 기술적인 요법들에 존중을 가지고 익숙해진다면 그들의 손에서 분만과정을 거치는 임산부들에게 좀 더 만족스러우면서 고귀한 출산을 경험하도록 하게 할 것이다.

산과 마취의로서 비약물적인 진통요법을 원하는 임산부를 대할 때 특이하면서도 어려운 과제에 직면하는 경우가 있다. 이는 임산부들이 관례적으로 행해지는 효과적이면서도 완전한 진통요법과 똑같은 효과를 기대하며 또한 매우 심한 통증을 느낀 경우를 제외하고는 비약물적 요법이 성공적으로 이루어진 많은 임산부들이 매우 만족스런 출산이 이루어졌다고 느끼기 때문이다. 이런 점들은 마취통증의학과의사들이 이해하기 어려운 점들이었다. 이와 달리, 비현실적인 기대를 가지고 있는 임산부에 있어서, 약물요법을 하였을 경우 진통이 효과적으로 이루어졌음에도 불구하고 결과적으로는 출산에 대한 만족도는 떨어지게 되는 경우도 있다. 비약물적 진통요법으로 분만한 경우 복잡한 심리적, 사회적 역학 관계가 존재하며, 이는 종종 이전의 출산 경험이나 여러 경로로 습득한 지식들에 의해 형성되는데 이런 것들은 인터넷, 책, 텔레비젼, 잡지, 지인, 분만 교실 등에 의해 습득된 비전문적인 지식들로 임산부들은 종종 잘못된 정보를 제공받기도 한다. 그렇다고 부위진통요법이 다른 비약물적 요법으로 인해 완전히 배제되지는 않는다. 부위진통요법은 분만 중 많은 다른 진통법들에 우선해서 아주 적합하게 쓰여 질 수 있으며 산과 마취의들은 이런 경우 분만 과정에 있어서 중요한 역할을 수행하게 된다. 그러나 비약물적인 통증 제거 방법도 임산부들의 통증을 줄이는데 도움이 되며 아편유사제의 사용을 줄이고 부위진통방법을 시행하는 시기를 분만의 정도가 더욱 진행될 때까지 늦추게 하여 임산부와 아기에게 도움을 줄 수도 있다.

1. 보완대체의학(Complementary and Alternative Medicine)과 출산 심리요법(Birth Philosophies)

분만 과정에서 비약물적인 진통요법으로는 지역, 문화, 인종 등에 따라 많은 방법들이 있으나 크게 보완대체의학과 출산 심리요법의 두 가지로 나눌 수 있다. 보완대체의학(complementary and alternative medicine, CAM)의 정의에 대해서도 많은 변화가 있었는데, 일반적으로 제도권 또는 정통의학(conventional medicine)의 범주에 속하지 않는 다양한 의료 및 보건제도, 시술, 제조품을 포괄적으로 의미한다. 의사, 물리 치료사, 심리학자, 그리고 등록된 간호사 같은 전문가에 의해 이루어지는 제도권 의학과 함께 사용될 때 이를 보완의학(complementary medicine)으로, 보완대체의학이 제도권 의학 대신 사용될 때 이를 대체의학(alternative medicine)으로 규정할 수 있다. 이 단원에서는 만족스런 분만을 위하여 사용되는 보완대체의학과 출산 심리요법의 종류와 그 안정성 등에 대하여 간단히 살펴보고자 하며 산과마취의로서 이들에 대하여 생각해 보는 것도 그 의미가 크다 할 것이다.

보완대체의학이나 분만 중 통증을 줄여주는 심리요법에 대한 효과를 논의할 때, 효과에 대한 주관적인 성격을 충분히 고려해야 한다. 마취통증의학과의사가 무통분만을 위해 주로 중추신경계 관련 술기들을 고려하는 반면, 보완대체의학이나 심리요법 지지자들은 임산부의 통증을 줄이고 대응할 수 있는 방법이나 힘을 주려는 목적을 가진다. 약을 쓰지 않고 출산하길 원하는 임산부에게서 비약물적 방법을 통해 성공적인 분만이 이루어졌을 때 높은 만족감을 가지게 된다. 그 이유가 무엇이든 간에, 우리는 비약물적인 요법을 통해 출산을 한 여성이 약물이나 경막외진통법을 이용하여 훨씬 적은 통증으로 출산한 여성보다 더 만족도가 높다는 사실도 알아야만 한다. 따라서 일부 여성에게서는 분만 시 통증의 경감이 분만의 만족도와 일치하는 것이 아니다.

보완대체의학이 분만 시 통증을 줄여주는 효과가 있는지 과학적으로 증명하는 것은 어렵다. 더군다나 특정 방법이 다른 것보다 더 효과가 있는지 증명하는 것은 더더욱 어렵다. 2002년 발표된 보고서는 다섯 가지(지속적인 분만지지, 목욕, 마사지, 임산부의 운동과 자세, 요통완화를 위한 멸균수차단법) 비약물적 진통요법을 평가하였는데, 이러한 요법들이 효과가 있는지는 더 연구를 해봐야 하겠지만, 이 방법들이 안전하다고는 결론지었다. 침술, 바이오피드백, 최면, 멸균수차단법, 마사지, 그리고 호흡자율운동법에 관한 12가지 연구에 대해 2004년 발표된 보고서에 따르면 멸균수차단법을 제외한 다른 방법들은 진통 효과에 관한 증거가 불충분하다고도 결론지었다. 분만 시 통증을 줄이는 것이 결과적으로는 중추신경마취와 연관이 있어왔지만, 2005년 발표된 경막외진통법과 비경막외 또는 비진통요법간의 비교에 관한 코크란 리뷰에 따르면, 통증 완화와 임산부의 만족도는 정립되지 않았다. 이러한 결과들은 보완대체의학과 심리요법을 지지하는 이들에 의해 일관되게 강조되어 왔

으며, 즉 통증 완화와 만족도는 다른 것이라 하였다. 그러므로 보완대체의학과 심리요법들은 전반적인 출산의 경험과 마찬가지로 그들의 통증 완화와 임산부의 만족도를 향상시키는 역할을 하고 있다.

마취통증의학과의사로서 개개인의 임산부에게 가치있는 다양한 보완대체의학과 심리요법을 시행하는 것은 중요하다고 할 수 있으며, 실제로 임산부의 보다 나은 만족도를 위해 중추신경 또는 전반적인 진통요법들과 연계되어 사용되어질 수 있다. 특히 마취통증의학과의사가 없는 상황이나 중추신경계 진통요법이 금기인 경우, 중추신경계 진통요법이 실패하는 경우 사용되어질 수 있다. 그리고 보완대체의학이나 심리요법들에 대해 부정적인 태도를 보이기 보다는 임산부에게 있어서 그들의 통증 완화에 관한 개개인의 결정을 존중하고 지지하며, 그들을 진통요법의 결정과정에 참여시키고 조절하게 하며, 긍정적인 의료진-환자 관계를 만들어 주는 것이 마취통증의학과의사로서 중추신경계 진통요법을 통한 통증의 제거와 더불어 중요할 수 있다.

2. 보완대체의학의 방법들

1) 최면(Hypnosis)

최면이라는 단어는 고대 그리스어의 수면이라는 뜻의 hypnos에서 파생된 단어이나 이는 잠을 자는 상태를 나타내는 것이 아니라 아주 강한 집중력을 한 곳으로 모은 상태로 주위 환경이나 최면술사로부터의 암시나 신호에 아주 증대된 반응을 보여주는 상태를 의미한다. 최면상태에 도달하는데 중요한 요인인 암시성(suggestibility)은 사람에 따라 다양하게 나타나는데 대략적으로 전체 인구의 15% 가량은 최면에 걸리기 아주 쉽고, 70% 가량은 어느 정도의 최면에 걸릴 수 있고,

15% 가량은 최면에 걸리기 어려운 것으로 나타났다.

현재 이러한 최면술이 널리 사용되고 있지는 않지만 산과학에서는 19세기부터 분만통을 줄이기 위하여 일차적으로 사용되어 왔다. 최면요법들(hypnotic-based techniques)은 임산부들이 주위의 상황을 비교적 완전히는 아니지만 신경쓰지 않고 집중을 할 수 있게 하는 긴장완화용 오디오 테이프와 가이드된 이미지를 이용하는 등 여러 가지 방법을 이용한다. 이러한 방법들 중 많은 수는 임산부가 긴장하지 않도록 전형적인 용어들보다 더욱 부드러운 단어들을 사용한다. 예를 들어, 자궁수축(contraction) 대신, 밀려들다 혹은 휩싸다(surge); 고통(pain)보다 압박/느낌/조임(pressure/sensation/tightening); 양막 터짐(rupture)보다는 해방(release); 호흡을 참고 힘을 주기(pushing) 보다는 재촉하다(breathing down); 코치보다는 출산 동반자(birthing companion); 확장(dilation)보다는 개화(blossoming) 등이 그 예라 할 수 있다.

출산중의 통증 지각을 바꾸는데 흔히 사용되는 최면기술로는 자기최면(self-hypnosis)과 최면후암시(posthypnotic suggestion)의 두 가지가 있다. 자기최면은 임산부가 최면진통(hypoanalgesia)을 출산과정 중 자기 자신에게 사용할 수 있게 가르친다. 임산부는 힘든 진통을 극복하기 위해서 또는 지연되는 산통에 자신을 몰입시키기 위해 자기최면을 사용할 수도 있다. 일반적인 방법들로는 이완(relaxation), 적극적으로 상상하기(active imagination), 주의 분산(distraction), 장갑형 무감각(glove anesthesia)이 있다. 이 중 장갑형 무감각은 임산부가 자기자신의 손에 암시(suggestion)를 통해 무감각을 만들어서 그 무감각한 손을 자기가 원하는 몸 부분에 올려 무감각함이 퍼지도록 하는 방법으로 산전진찰 기간 중에 반복적으로 연습을 하게 된다. 최면후암시(posthypnotic suggestion)는 산전진찰 기간 중에 출산과 분만 체험을 최면에 걸린 상태로 준비하는 최면 출산 교육에서 암시와 반복을 통해 출산으로 생기는 공포-긴장-반응(fear-tension-response)을 변형시킬 수 있다. 이렇게 임산부가 분만통에 대한 반응과 그것을 인지하고 해석하는 것을 변형함으로써, 위안의 조건반사(conditioned reflex of comfort), 조절, 그리고 출산에 대한 신뢰를 배울 수 있게 된다.

최면을 통증 조절의 과학적인 방법으로 분석하는 한 방법으로 최면 시에 양전자방출단층촬영술(positron emission tomography, PET)로 촬영한 결과, 전방띠이랑(anterior cingulate gyrus)의 신경활동을 억누름으로써 통증을 조절하는 것으로 나타나기도 하였다. 많은 연구에서 출산 및 분만 과정에 최면술을 사용하는 것이 불안을 감소시키고 진통제 사용량을 줄이며 통증을 덜 느끼게 하는 효과가 있다고 보고하였으나 이 중 많은 연구들이 제대로 디자인 되지 않았고 아직까지 적절한 무작위 실험이 실시되지는 않았다. 2004년 발표된 보고서는 최면이 약물적 분만 진통의 요구를 줄이는 것과 연관성이 있고 oxytocin 사용 빈도를 줄였다고 제시하였다. 일부 연구에서는 최면술의 사용이 갑작스런 심리적 반응, 기존 질환의 악화, 유의한 신체질환을 인식하지 못하게 하는 것, 그리고 정신역동학적으로 의미 있는 신경증적 증상을 찾아내지 못하게 하는 등의 위험을 초래할 수 있다고 보고하기도 하였다.

최면은 감성적인 환자에게 특히 유용한 방법이다. 지지자들 사이에서는 잘 받아들여 지고 있으며, 중추신경계 진통요법이 금기에 해당될 때 성공적인 진통방법 중의 하나로 여겨져 왔다. 또한 최면요법(hyponotic techniques)은 부위진통방법(regional analgesic techniques)의 사용과 같이 사용될 수 있는 방법 중의 하나가 될 수 있다.

2) 침술(Acupuncture)

전통적인 중국 의학이나 한의학의 기본 패러다임은 몸 전체에 흐르는 에너지의 불균형이나 막힘, 파괴 등이 통증이나 병을 유발한다는 것이다. 침술은 전통적인 중국 의학이나 한의학의 한 분야로 다양한 방법으로 피부의 일정한 장소 특히 경혈점(acupuncture point)에 자극을 주어 에너지의 조화를 되찾게 하여 질병을 치료하며 건강을 증진시킨다는 개념을 가지고 있다. 과학적으로 침을 놓을 때 opioid peptides가 분비되고 침을 놓아서 생기는 진통효과가 아편유사물질 길항제에 의해서 없어진다는 것을 밝혀냈다. 침술에 면역기능의 변화, 신경전달물질 분비, 신경호르몬의 분비, 혈류 조절 등의 기능도 있음이 알려졌다. 그러나 이런 변화 중 어떤 것 때문에 침술이 치료적인 효과를 갖는지는 명확하지 않다.

스웨덴에서 시도한 무작위, 대조군의 연구에서 분만 중 침술을 시행 받은 임산부와 시행 받지 않은 임산부에서 진통과 마취를 위해 침술이외의 방법이 얼마나 필요했는지를 비교함으로써 분만 중 침술의 진통효과를 검토한 보고가 있었다. 실험군 90명 임산부는 분만 중 최소 3 cm가 열린 후부터 간헐적으로 침을 맞았고 그 외에 일반적으로 사용할 수 있는 방법인 경막외차단, 회음부차단, meperidine 주사, 아산화질소 흡입 등도 사용하였으며, 대조군은 일반적으로 사용되는 통증완화방법만 사용되었다. 침을 맞은 임산부 그룹의 60%는 진통제를 추가로 요구하지 않았지만, 대조그룹의 임산부는 13%를 제외한 대부분의 임산부들이 추가의 진통제를 필요로 했다. 또한 추가로 진통제를 필요로 한 임산부들 중에서도 침을 맞은 임산부들은 회음부차단, meperidine 주사, 아산화질소를 사용하는 숫자가 훨씬 적었다. 그리고 침을 맞은 것에 대해서는 어떤 부작용도 없었고 침을 맞은 임산부의 94%가 다음 출산 때도 침술을 고려할 것이라고 하였다.

2010년 발표된 침술의 분만 중 통증 감소에 대한 메타분석(meta-analysis)은 침술이 최소 침술(minimal acupuncture, 경혈이 아닌 곳에 침을 놓는 방법)을 하였을 때와 비교하여 더 우월하지 않음을 보고하였다. 그러나 상기 메타분석을 포함해서 대부분의 연구들이 맹검에 있어서 부족한 부분이 있다고 하였다. 맹검은 침술 연구에서 채택하기 어려움이 있다. 위약이나 피부를 찌르지 않는 침 없이 흉내만 내는 엉터리 침 시술 기구들이 있기도 하고 침술 연구에서 맹검 검사를 하는 다른 방법으로는 최소 침술(minimal acupuncture, 경혈이 아닌 곳에 침을 놓는 방법)이 있기는 하나 정확한 맹검법을 적용하기에는 부족한 부분이다.

침술 자체는 대개 안전한 방법으로 매우 적은 합병증만이 보고되고 있으며, 분만 중에 시행 되었을 때는 아직 한 건의 보고도 없었다. 몇몇 연구에서 임신 및 출산 동안에 다양한 목적으로 침술의 효과를 제시하고 있기는 하다. 임신 초기 침술이 입덧을 줄이는 것을 볼 수 있었다는 보고, in vitro에서 수정시 임신률과 정상 출산률을 높인다는 보고, 침술과 뜸 치료가 무작위 연구에서 거꾸로 선 애기를 정상 위치로 돌리는데 유용하다는 보고, 침술이 유도 분만을 돕는다는 보고, 최근 경혈 P6(손목 안쪽)을 자극하는 것이 임신중, 출산, 그리고 마취약제 투여시 나타날 수 있는 메스꺼움을 치료하는데 어느 정도 도움이 될 수 있다는 보고 등이 그 예이다. 정확한 기전은 불명확하지만 최근 무작위 대조군 연구에서 36명의 만삭 임산부를 전자침술 그룹과 대조군으로 나누어 실험한 결과 전자침술을 받은 그룹에서 더 적은 통증 강도, 더 많은 긴장 완화, 말초혈액에서 대조군보다 훨씬 많은 농도의 β-endorphin, 5-hydroxytryptamine들이 검출되었다고 보고하기도 하였다.

그러나 자궁의 혈류나 태아 움직임을 증가시킨다고 생각되는 특정 경혈점들에 침을 놓는 것은 상대적으로 조산이나 유산 같은 위험이 있어 임신 초기에는 금기이다. 그리고 침을 놓는 것은 분만이 시작되었거나 둔위 태아를 돌리기 위함과 같은 특정한 환경에서 늦은 임신 기간 중에 시행되어야 함이 바람직하며 침술을 산과적 진통법으로 사용하는 것을 더욱 이해하기 위해서는 보다 정확하고 많은 연구가 필요하다.

9-1

3) 멸균수차단법(Sterile Water Blocks)

멸균수차단법은 산파들에 의해 알려진 것으로 천골(sacrum) 부위의 피부에 멸균수를 피부 내(intradermal or intracutaneous) 주사하는 방법이다. 이 방법은 1 ml 주사기에 25 G 바늘을 사용하여 무보존제 멸균수를 피부내 주사하여 4개의 0.1~0.15 ml 구진을 천골 몇 cm 위 피부에 사각형 모양으로 만든다(그림 9-1-1). 천골의 테두리를 따라 4개 중 두 대가 후상장골극(posterior superior iliac spines)에 주입되고 나머지 두 개는 먼저 주입된 곳에서 2 cm 하방, 1 cm 안쪽부분에 주입하게 된다. 강하고 날카로운 통증 또는 작열통이 약 20~30초간 생기고 등의 통증 완화는 대체로 45분에서 2시간 정도 유지된다. 이 기전은 gate control theory나 경피전기신경자극(transcutaneous electrical nerve stimulation, TENS)과 비슷한 주의

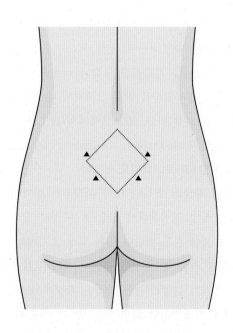

그림 9-1-1. **멸균수차단법**

분산(distraction) 방법의 일종이다. 이것은 주사를 맞을 때 β-endorphin을 증가시키는 침술과 비슷한 기전을 가질 지도 모르며, 아니면 이러한 이론들이 복합적으로 나타난 것일 수도 있다.

128명의 임산부를 대상으로 무작위 대조군 실험을 한 결과 멸균수차단법이 더 많은 진통효과, 더 많은 긴장완화를 보였다는 보고가 있으나, 대조군과 비교하였을 때 정맥내 마약진통제 투여나 경막외마취의 사용에는 큰 차이점이 없었다. 그리고, 멸균수와 생리수를 비교하였을 때, 두 용액 모두 진통효과는 있었으나 멸균수가 더 효과적이었다. 그러나 출산 중에 좋은 통증 완화에도 불구하고 어떤 임산부들은 멸균수 구진으로 인한 잠시 동안의 통증이 출산 도중의 요통보다 심하여 다음 출산 때는 이 방법을 택하지 않을 것이라고도 하였다. 이 멸균수차단법은 바늘을 찌르는 것에 다른 문제가 생기지 않는다면 별다른 위험은 없으나 대부분의 연구에서 보다 더 탄탄하고 엄격한 기준이 제시된 연구를 추천하고 있다.

4) 경피전기신경자극(Transcutaneous electrical nerve stimulation, TENS)

역사적으로 전기를 이용한 진통은 그리스와 로마 시대 때 200볼트를 만들 수 있는 전기가오리(torpedo fish)를 이용한 것에서부터 시작되었다고 할 수 있다. 현대에 들어서 전자공학의 발달과 1965년도에 발표된 통증에 대한 관문이론(gate control theory) 이후로 구심성 신경계를 전기적으로 자극하는 진통인 경피전기신경자극(TENS)에 대해 관심을 갖게 되어 분만과정중의 비약물적 진통방법으로 1970년대 이후부터 사용되어졌다. 몇몇 보고에서는 영국에서는 이 기구들이 전체 분만에서 약 25% 정도까지 사용된다고 한다.

통증에 대한 관문이론은 중추신경계 영역인 dorsal horn의 substantia gelatinosa가 통증 감각에 대한 관

문으로 작용하여 통증이 의식되어지는 두뇌에 도달하기 전에 관문을 활성화 시키거나 닫음으로써 통증을 억제한다는 것이다. 이 이론에 따르면, 전기적 자극이 중추신경 쪽으로 큰 구심 신경을 통해 전달되고 이때 통증 자극이 들어오는 것을 막는다는 것이다. 또한 TENS가 뇌에서의 엔도르핀 분비를 증가시킨다는 것이다. 이러한 것들이, 분만 중 통증을 줄임으로써 긴장을 줄이고, 여성의 통제감을 증가시키며, 통증을 잊게 해준다.

TENS는 매우 간단하게 시술할 수 있으며 장비도 간단하고 임산부가 자극을 조절할 수 있도록 하여 진통을 관리할 수 있다. 37 × 150 mm 크기의 전도력이 있는 접착물(conductive adhesive)로 만들어진 피부전극(skin electrode)들을 척추의 T10과 L1의 영역에 양 쪽으로 대칭되게 붙인다(그림 9-1-2). 경우에 따라 이 부분에 더해서 더 작은 전극 패드들을 진통의 두 번째 단계 때 엉치부분(sacral area)에도 붙여서 같이 쓸 수 있다. 전류는 30~250 μsec 이중파로 진폭은 0~75 mA, 주파수는 40~150 Hz이다. 산과학에서 가장 좋은 결과를 얻는 것은 진통 중에는 계속적으로 낮은 수준의 자극을 하다가 자궁수축동안에는 더 높은 수준으로 자극하

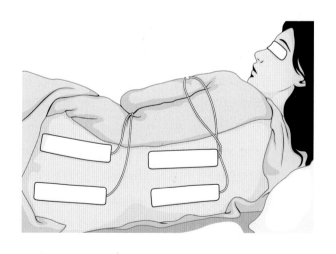

그림 9-1-2. 경피전기신경자극(TENS) 전극을 환자의 등에 붙인 모습

는 것이다. 자극의 기준선은 출산이 진행될수록 증가되는데 이렇게 증가시키지 않으면 통증감소효과가 점진적으로 사라지게 되기 때문이다. 임산부는 전극들 주위가 저리다고 느끼고 최고의 진통감소효과는 그 부분의 근육이 자극될 때까지 자극 강도를 계속 늘릴 때 얻을 수 있다. 그러나 환자가 필요로 하고 또한 견딜 수 있는 자극의 정도는 환자에 따라 다양하다.

이렇듯 TENS는 아주 안전하다고 생각되어 지지만 이 방법의 가장 큰 위험은 만족스럽지 못한 통증감소효과이다. 무작위 대조군 연구나 메타분석에서 TENS에서 얻는 명확한 진통효과의 이점에 대해서 증거를 입증하지 못하였고 제왕절개술 후의 통증을 줄이는 것에 대해서는 아직까지 보고된 바가 없다.

5) 물담금법 또는 물치료(Water Immersion or Hydrotherapy)

분만 중의 통증 완화와 이완을 위해 따뜻한 물 속에서 출산하는 방법이 오랫동안 이용되어 왔지만 그 방법을 실제적으로 산과학 논문에서 다루기 시작한 것은 1980년대 부터이고 국내에서는 1990년대 후반부터이다. 분만 중 수중 분만용 대형 욕조, 튜브의 사용은 미국을 비롯한 여러 나라의 많은 병원과 출산센터에서 점점 더 인기를 얻고 있으며 국내에서도 언론에서의 홍보 등으로 그 사용이 늘어나고 있는 추세이다.

진통 효과를 나타내는 기전은 명확하지 않지만, 따뜻한 물 속으로 들어감으로써 많은 여성들이 분만 중 몸과 마음을 편안하게 하는데 도움이 되고 또 그 물 속에서 임산부의 몸으로 전달된 열이 근육의 긴장을 풀게 해주며 정신적으로도 진정시키는 분위기를 도와주고 더불어 부력이 도움이 되는 것이 아닐까 여겨진다. 대부분 병원에서 분만 중 물치료의 금기는 조산, 다태 임신, 제왕절개 이후의 분만 시도, 유도 분만, 음부 헤르페스나 감염, 양막 파수 또는 태변으로 혼탁한 양수의 존재, 또는 질

9-1

출혈이 있는 경우로 비슷한 기준을 가지고 있으나 물치료의 방법은 다양하다. 튜브에서 출산을 진행하지는 않고 분만 진통 시에만 튜브를 사용하는 방법, 분만 진통 시와 출산 시 모두 사용하는 방법이 있다. 또한 수온과 침수 깊이에 대한 가이드라인도 다르고 일부 병원에서는 임산부가 그들 스스로 수온과 침수 기간을 선택하도록 하기도 한다. 물치료의 확산과 함께 새로운 장치들은 임산부가 물속에 들어가 있을 때조차 태아의 심박수를 지속적으로 감시할 수 있도록 한다. 그러나 일반적으로, 마취통증의학과의사들은 경막외진통요법을 시행한 임산부가 튜브를 사용하거나 샤워하는 것을 원치 않는다.

물치료를 통한 수중 분만을 진행하는 경우 좀 더 빠른 분만, 좀 더 작은 회음부열상, 그리고 다른 진통요법의 요구량이 적다고 보고한 관찰 연구가 있으며 열상, 출혈, 양막 파수, 또는 수술적 분만 같은 산과적 중재술의 확률이 감소한다고 보고하기도 하였다. 흥미로운 것은 물치료가 초기 분만 진통이 있을 경우는 큰 효과를 가지지만 출산 시에는 효과가 적다고 보고되고 있다. 어떤 연구들은 물치료를 할 경우 분만 시의 통증은 좀 더 천천히 증가하지만, 출산과정 끝 무렵의 통증은 관습적인 출산을 진행한 여성이 겪는 통증과 유사하다고 한다. 물담금법의 특성 때문에 맹검의 연구가 이루어질 수 없어서 통증에 대한 임산부의 주관적인 면으로만 진통 효과를 평가해야 하는 점이 있기는 하나, 몇몇 연구에서는 관습적인 분만 과정과 비교하여 물치료를 하였을 경우 전반적으로 더 나은 만족감과 편안함을 보여준다고 한다. 더군다나 물치료를 한번 받은 여성들은 다음 분만 시에도 다시 받기를 선호한다는 보고도 있다.

물치료에 있어서 주요한 점은 분만, 출산 시 물을 이용함으로써 발생하는 합병증에 관해서 주의해야 한다는 것이다. 수중 분만 과정 중 출생 시 신생아가 흡인을 하였고, 중등도 이상의 호흡 곤란, 그리고 흉부 촬영상 물에 빠진 아이의 전형적인 모양의 폐부종을 나타내는 4건의 보고가 있었다. 하지만 감염의 위험성이 가장

널리 알려진 수중 분만의 합병증이다. Pseudomonas aeruginosa와 Klebsiella pneumoniae가 출산 욕조, 호스, 그리고 가온 시스템에서 보고되고 있다. 한마디로 물 치료는 일반적으로 안전하지만 이는 반드시 신생아의 흡인이나 감염을 피하기 위해 신생아의 위험성에 대해 인지를 하고 있는 숙련된 의료진에 의해 시행되어야 하며, 시설의 적절한 위생은 아무리 강조해도 지나치지 않다. 이러한 수중분만을 위해 남편이 같이 들어갈 경우 반드시 물 속에 들어가기 전에 샤워를 통해 감염의 위험을 더욱 낮춰야 한다. 비록 유의한 진통효과가 있는지에 관해서는 아직 충분한 연구가 이루어지지 않았지만, 수중 분만을 진행하는 여성에게서 중추신경계 또는 정맥주사를 통한 진통요법은 거의 이용되지 않고 있다.

6) 분만 지지(Labor Support)

임산부가 분만 시 지속적으로 지지해주는 동반자가 있는 것은 통증 감소에 가장 도움이 되는 방법 중의 하나이며 대부분의 임산부가 원하고 무엇보다도 큰 부작용이 없다. 지지해주는 사람은 의사, 간호사, 남편, 친구, 가족, 분만 교육자, 출산 중 도움을 줄 수 있게 교육을 받은 사람들일 수 있다. 이러한 지지는 더 짧은 분만과정과 자연분만의 증가, 분만 중 진통제 사용의 감소, 그리고 출산 경험의 만족도를 높이게 된다. 분만 시의 도움에는 지속적으로 옆에서 안심을 시켜주는 감정적 지지, 물을 떠다 준다거나 마사지 등의 편안한 행동을 해주는 물리적 지지, 정보 제공, 충고, 옹호 등이 있다. 지속적인 지지가 만삭인 임산부에게 더 나은 결과를 보여주는 것은 무엇보다도 이들이 임산부의 불안감을 줄여주기 때문인 것으로 생각된다. 불안감은 혈중의 카테콜아민 양을 올라가게 하고 이것은 자궁 수축을 줄이고 태반, 자궁으로의 혈류를 감소시키게 된다. 즉, 분만 중의 원활하고 적극적인 지지를 통해 적은 불안감을 경험한 여자가 더 효과적인 자궁수축을 일으키고 더 많은 태반

혈류를 공급하게 된다는 것이다.

분만 지지에 관한 연구들은 개개인의 상대성이 존재하고 문화적·지역적 차이점 때문에 연구하기에 어려움이 있으며 이를 일반화 시키기에도 어려운 점이 있다. 예를 들어, 과테말라에서 나온 보고를 보면 이 지역은 문화적인 특성상 분만 중 가족 구성원이나 친구들이 곁에 있지 못한다. 이 연구에서 분만 지지를 받은 임산부가 더 적은 제왕절개를 시행하고 더 짧은 분만기간을 가지며 그들의 아기와 더 좋은 관계형성을 가진다는 것을 보여주었다. 하지만 이 연구에서, 전체적인 환경은 유난히 스트레스가 많은 상황이었고 대조군 임산부들은 혼자 있었기 때문에 분만 지지자의 효과가 더 두드러지게 보였을 수도 있다.

어느 정도까지가 적당한 출산 스트레스이고 어느 정도 이상일 때 임산부나 태아에게 해로운 영향이 더 있을 것이라고 정하기는 어렵지만, 모든 경우에 임산부를 돕고 지지해주는 도우미가 출산 중 임산부가 받는 스트레스를 줄여준다는 사실은 주목할 만 하다. 최근에는 국내를 비롯한 많은 나라에서 출산 중에 남편이나 배우자가 함께 있는 것을 임산부가 원하며 도움이 된다고 하지만 경우에 따라서 감염이나 감정조절이 안 되는 지지자들에 의한 임산부에 대한 부적절한 지지 등이 원활한 분만에 방해가 될 수도 있으므로 동반자나 지지자의 역할에 대한 내용을 조금은 명확하게 정의하는 것에 대한 연구가 필요하다.

7) 기타 요법들

임산부는 보통 출산 중 자세를 자주 바꾸어가며 가장 편한 자세를 찾게 되는데, 이는 개개인의 생활 습관이나 자세 등에 따라 매우 다양하게 나타나게 된다. 체위 변경의 효과에 대한 논문이 발표되기는 하였으나 서로 모순되는 면이 많이 있으며, 서 있는 자세, 보행, 혹은 운동기구 공에 앉는 것 등의 행동들이 진정 진통효과가 있

는지 아니면 더 쉽고 적은 진통으로 분만한 여성이 그들만의 의견을 내는 것인 지는 분명치 않다.

분만 중 비약물적 진통을 원하는 임산부들은 다양한 부드러운 접촉이나 마사지 등을 선호하기도 하고 방향요법이 사용되기도 한다. 이러한 음악, 마사지, 방향요법들의 긴장완화 방법들은 비록 진통효과는 미미할지 모르지만, 차분하고 부드러운 분위기를 만든다는 점에서 스트레스에 미치는 영향과 임산부나 아기에게 별다른 위험성이 없다는 점은 좋은 출산 경험을 만들어주려고 노력하는 마취통증의학과의사들에게도 주목할 만하다.

3. 심리요법의 방법들

1) 자연분만법(Natural Childbirth)

Dick-Read는 1933년 자연분만의 심리요법을 처음 소개하였는데 자연분만을 본래 아프지 않은 자연적인 생리현상으로 간주하였고 출산과정에서의 통증은 사회적으로 유도된 아플 것이라는 예상 때문에 일어난다고 설명하였다. 이러한 여성의 두려움이 자궁 하부에 긴장을 주고 그 긴장이 통증으로 인식되는 것이라고 하였다. Dick-Read는 임산부에게 정상진통과 분만 과정을 가르쳐서 분만통에 관한 예상을 바로 잡고 근육 이완요법과 호흡법을 가르치며 남편의 참여를 권함으로써 통증을 줄여줄 수 있다고 믿었다. 이러한 자연분만법은 분만 자체가 통증이 없는 경험이라는 주장 때문에 널리 퍼지지는 못하였다.

2) 라마즈 분만법(Lamaze Philosophy)

라마즈 분만법은 현재 가장 널리 인정받는 출산 심리요법으로 자연분만 때 일어나는 진통을 심리요법을 통해

최소화하는 러시아의 민간요법에 기원을 둔 분만법이며 출산을 미리 준비하고 기다림으로써 진통의 강도를 줄일 수 있다는 내용이다. 현재처럼 본격적인 분만법으로 모습을 갖춘 것은 프랑스의 산과 의사인 페르낭 라마즈(Fernand Lamaze)가 1951년 러시아에서 배운 심리적 예방법(psychoprophylactic method)을 서유럽에 소개한 이후로 그 이후 미국에도 알려지게 되었다. 이 방법은 출산과정에 대해 교육하고 임산부에게 긍정적 조건화(positive conditioning)를 시켜서 두려움을 줄이고 출산통증을 극복하는 기술을 가르치는 것을 목적으로 하며 대뇌피질활동을 재편성함으로써 분만의 통증을 억제한다고 믿는 것이다. 자궁 수축과 회음부팽만과 관계된 조건통증반사(conditioned pain reflexes)는 새로이 만들어진 긍정적 조건반사(positive conditioned reflexes)로 바뀌어 질 수 있다. 임산부는 자궁수축이 시작될 때 깊게 숨을 들이쉬고 부드럽게 내쉰 후 자궁수축이 끝날 때까지 특정한 호흡법으로 숨쉬도록 배운다.

라마즈 분만법은 연상법, 이완법, 호흡법의 세 분류로 나눌 수 있는데 그에 앞서 출산 진행에 따른 자신의 몸 변화와 아기 상태를 이해하는 것이 라마즈 분만법의 시작이다. 그리고 연상법, 이완법, 호흡법을 통해 진통의 강도를 줄이고, 출산의 진행을 빠르게 진척시킨다. 연상법이란 말 그대로 기분 좋은 어떤 상황을 머릿속으로 그려서 체내에 엔돌핀의 분비를 증가시키도록 하는 것이다. 어떤 연상이라도 기분이 좋아지는 효과가 있으면 되지만 동적인 경험(등산, 번지점프 등)보다는 정적인 경험(연애시절 기억 ~ 상상 등)을 생각하는 것이 좋다. 이외에 평상시 좋아하는 조용한 음악을 듣거나 종교가 있는 사람은 기도문을 암기하는 것도 효과적이다. 임산부가 통증을 느끼면 몸의 근육이 경직되고 근육의 경직은 산도가 열리는 것을 방해해 진통 시간을 연장시키는 결과를 초래하므로, 이완법을 진통과 진통 사이에 실시해서 다음 진통 전에 몸을 풀어주는 역할을 할 수 있는데, 근육의 힘을 빼기 위해서는 관절의 힘을 빼는 연

습을 하는 것이 좋다. 손목과 발목의 힘을 빼는 연습부터 팔꿈치, 어깨관절, 무릎관절, 고관절, 목관절의 힘을 빼는 연습을 차례로 한다. 호흡법은 분만 중 불규칙해지는 호흡을 바로잡아 임산부와 태아에게 산소 공급을 원활하게 해주며, 진통에만 쏠리는 신경을 호흡 쪽으로 바꿔주는 효과가 있다. 가슴을 들썩이며 하는 흉식호흡을 기본으로 하며, 호흡법은 자궁구가 완전히 열리는 분만 1기에 사용하는 3가지와 태아 만출기인 분만 2기에 하는 힘주기와 힘빼기 호흡법을 합해 모두 5가지 호흡법으로 나눈다. 아기가 태어난 후 뱃속에 있는 태반이 빠져나오는 분만 3기에는 진통이 이미 끝난 후이므로 특별한 호흡을 할 필요는 없다.

출산이라는 급박한 상황에서 몸을 이완시키고 특정한 호흡을 하기 위해서는 무의식 중에라도 연상과 이완, 호흡을 동시에 할 수 있도록 많은 연습을 해두어야 한다. 즉 임산부의 노력에 따라 라마즈 분만이 분만에 도움을 줄 수도 있고, 아무 소용이 없을 수도 있다. 분만지지(labor support)와 유사하게 남편이 분만에 참여할 수 있다는 점이 이 분만법의 또 다른 특징인데, 남편이 분만에 참여함으로써 임산부는 심리적인 안정을 얻을 수 있으며, 출산을 공동 체험함으로써 부부의 유대관계도 깊어지게 된다. 심리요법과 최면이 유사한 것처럼 보일 수 있으나 심리요법의 지지자들은 자신들의 기술은 임산부의 의식적이고 협동적인 노력을 필요로 한다는 점을 주장한다.

60여 년 넘게 사용되고 있는 이러한 심리적 예방법 또는 심리요법이 분만 중 무통과 마취제 사용에 미치는 영향에 관한 연구들은 일관성 없는 결과들을 보여주고 있다. 그러나 라마즈 요법의 등장은 임산부 스스로 출산을 능동적으로 준비하게 하였고 남편도 출산의 준비 과정에 참여케 하는 등의 긍정적인 효과뿐만 아니라 이 요법을 이용한 두려움의 감소, 긴장 완화, 출산 과정에서 임산부의 권한 증대, 정맥주사나 중추신경계의 약물적 진통 요법과 병용하여 사용될 수 있는 장점 등으로 현재

가장 광범위하게 사용되고 있다.

3) 기타 심리요법들

산과 의사이자 자연분만 지지자인 브래들리(Dr. Robert Bradley)는 1965년 Bradley 요법이라 불리어지는 출산 심리요법을 소개하였다. 분만중인 여성에게 호흡법을 가르치고, 분만 환경이 산만하지 않게 유지되도록 남편이나 배우자를 가르치며 수술, 약물, 그리고 의학적 중재 없이 자연분만을 달성하도록 하는 것을 그 목표로 한다. 그러므로 Bradley 요법은 분만중인 임산부에게 정맥주사나 중추신경계 진통 요법을 사용하는 것을 지지하지 않는다. 아직까지는 Bradley 요법을 평가한 무작위 대조군 연구는 없다.

르봐이예(Frederic Leboyer)는 1974년 평온한 환경을 조성하기 위해 인도 요가를 통해 호흡하는 심리요법을 소개하였는데 이는 태아도 어른과 같은 시각, 청각, 촉각, 감정 등이 있다고 보고, 환경변화에 따른 자극을 감소시켜야 한다는 태아를 배려한 심리요법이다. 르부아예 분만법에 따르면 우선 태아의 감각 중 가장 발달한 감각이 청각이므로 출생 시 주변환경을 조용하게 해야 하고, 태아의 시력을 보호하고 안정감을 주기 위하여 분만실의 조명을 어둡게 한다. 또 출산 후 탯줄을 자르지 않은 상태에서 임산부의 품에 안도록 하여 모자간의 유대감을 형성한다. 탯줄호흡에서 폐호흡으로 원활하게 전환되도록 분만 5분 후에 탯줄의 박동이 그친 후 탯줄을 자르며 출산 후 태아를 자궁과 같은 따뜻한 온도의 물에서 목욕시킨다.

라마즈 분만법을 제외하고는 다른 심리요법에 대하여 아직까지 잘 연구되진 않았지만 그들의 일반적인 원리 중 일부는 현대의 자연 분만 교육에 포함되어 있다.

9-1

참고문헌

Suresh MS et al: Scnider and Levinson's Anesthesia for Obstetrics. 5th ed. Philadelphia, Lippincott Williams&Wilkins. 2013, pp 81-91.

Chestnut DH et al: Obstetric Anesthesia Principles and Practice. 4rd ed. Philadelphia, Elsevier. 2009, pp 405-14.

Miller RD et al: Miller's Anesthesia. 8th ed. Philadelphia, Elsevier. 2015, p 2339.

Simkin PP, O'Hara M. Nonpharmacologic relief of pain during labor: systematic reviews of five methods. Am J Obstet Gynecol 2002; 186: S131-59.

무통분만을 위한 시술과 진통

9-2 전신적 약물 투여 방법

역사적으로 무통분만을 위하여 전신적 약물 투여 방법이 사용되기 시작한 것은, 그 시작이 주로 흡입마취제를 사용한 것으로, diethyl ether와 chloroform의 합성이 성공한 1800년대 중반으로, 1847년 James Young Simpson이 무통분만을 위해 diethyl ether를 투여한 것과, 영국 Victoria 여왕의 Leopold 왕자의 분만(1853년)과 Beatrice 공주의 분만(1857년)에 John Snow가 chloroform을 사용한 기록에서 볼 수 있다. 그 후 전신 약물 투여에 의한 무통분만은, 과다수면과 전신마취가 태아에게 미치는 부작용을 방지하고, 분만에 임산부가 적극적으로 참여하고자 하는 의욕이 커짐에 따라, 무통분만에 대한 관심의 증가와 함께 활발한 발전이 이루어지게 되었다.

부위진통법들의 사용 빈도는, 미국과 캐나다의 경우, 1980년대에 비하여 2000년 이후 전신 약물 투여법의 시행 빈도보다 상회하고 있다. 그러나 이와는 대조적으로 영국의 경우에는 2011년 보고에 의하면, 진통과 분만과정에서 1/3 미만의 임산부들만이 부위진통법을 받은 것으로 조사되었다.

부위진통법의 증가에도 불구하고, 전세계적으로 많은 의료기관에서의 일반적인 분만에는 아직도 전신적 약물 투여법이 일반화 되어 있는데, 이런 현상은 첫째, 부위진통법에 대한 안전성이 아직 확보되지 않은 많은 병원에서 진통과 분만이 이루어지는 원인이 있을 수 있을 것이다. 둘째, 어떤 임산부들은 부위진통법을 거절하고, 분만 초기에 전신 진통제를 원하는 경향이 있기도 하다. 마지막으로 응고장애가 동반되어 부위진통법이 금기되거나, 심한 척추만곡증과 같은 질환으로 인하여 기술적으로 어려움이 있는 경우도 발생할 수 있기 때문일 것이다.

1. 정주용 아편유사제의 진통법

아편유사제는 저렴한 가격, 사용의 편리함, 전문장비와 전문인력 없이도 사용할 수 있는 장점들로 인하여 무통분만에 가장 많이 사용되는 약물이다. 그러나 아편유사제는 중등도의 통증을 완화할 수는 있지만, 임산부들은 때때로 완벽한 진통보다는 실제 통증에 대한 dissociation을 호소하기도 하며, 구역과 구토, gastric emptying의 지연, 불쾌감, 어지러움, 호흡억제 등의 부작용으로 인하여, 사용빈도가 감소하고 있기는 하다. 그러나 자가조절진통법(patient-controlled analgesia, PCA)의 사용이 증가하면서, 다시 관심이 증가하고 있는 상황이다.

오랜 기간 동안 아편유사제가 사용되어 오기는 하였으나, 하나의 약물이 다른 것 비해 우월하다는 과학적 근거를 제시하기는 어렵다. 또한 각 기관의 정책이나 개인의 선호도에 의하여 선택되고 있다. 약물의 효과와 부작용의 발생빈도는 어떤 약물을 사용할 것인지 보다는(drug-dependent), 약물의 용량에 의한 영향(dose-dependent)이 더 크다고 알려져 있다.

높은 지질 용해도와 낮은 분자량(< 500 Dalton)으로 인하여, 모든 아편유사제는, 확산(diffusion)에 의하여 태반을 쉽게 통과하기 때문에, 임산부와 신생아 모두

에게 호흡억제와 신경행동학적 변화를 유발할 수 있으며, 자궁 내 태아에게도 영향을 줄 수 있다. 태아와 신생아는 특히 몇 가지 원인에 의하여 특히 취약하다고 할 수 있다. 임산부에 비하여 이들 약물의 대사와 제거가 지연되며, 혈액뇌장벽이 덜 발달되어 있으므로, 중추신경작용이 더 크게 나타날 수 있다. 아편유사제는 태아 심박수 변이성을 감소시키며 태아의 산소포화도, 산/염기 상태에 영향을 미칠 수도 있다. 한편 분만 직후에는 명백한 태아 억제 현상을 보이지 않더라도, 수일 후에 태아의 행동에 미묘한 변화를 보일 수도 있다. Reynolds 등의 메타분석에 의하면, 아편유사제의 경막외투여법이 전신 정주 투여법에 비해 분만 시 태아의 산/염기 상태가 더 개선된다고 보고하고 있다. 하지만 Halpern 등의 연구에 의하면, 자가조절진통법을 이용한 아편유사제 투여 시 일반 정주법보다 경막외투여법에서 적극적인 신생아 소생술을 더 많이 시행하였다고 보고하고 있다(13% versus 52%).

2. 아편유사제의 간헐적 정주법

아편유사제는 피하, 근주, 정주로 간헐적으로 투여할 수 있다. 투여 방법 및 시간은 임산부에서의 흡수 및 태반을 통한 태아로의 이동에 영향을 줄 것이다. 피하 혹은 근주 투여는 용이하다는 장점이 있지만 통증이 심하다. 그리고 투여부위와 국소혈류량에 의해서도 약물의 흡수가 영향을 받으므로 작용발현시간, 효능, 지속시간 등이 차이가 많이 난다. 반면 정주 투여는 작용발현시간이 빠르고, 최고혈중농도에 도달하는 시간과 정도를 더 쉽게 예측할 수 있으며, 약물효과를 더 쉽게 조절할 수 있어서 더 선호된다. 분만통을 위한 전신 투여 진통제들의 용량과 특성은 표 9-2-1에 기술되어 있다.

1) Meperidine (Pethidine)

분만통을 위해서 1947년에 최초로 사용되었으며, 2008년 현재 영국에서 분만통 진통에 가장 많이 사용되

9-2

표 9-2-1 분만통을 위한 전신 투여 약물의 용량 및 시간

아편유사제	용량		최대작용시간		지속시간
	정주	근주	정주	근주	
Meperidine	25~50 mg	50~100 mg	5~10 min	45 min	2~3 h
Morphine	2~5 mg	5~10 mg	10 min	30 min	3~4 h
Diamorphine	5~10 mg	5~10 mg	2~5 min	5~10 min	90 min
Fentanyl	25~50 µg	-	2~4 min	-	30~60 min
Nalbuphine	10~20 mg	10~20 mg	2~3 min	15 min	3~6 h
Butorphanol	1~2 mg	1~2 mg	5~10 min	30~60 min	4~6 h
Meptazinol	-	50~100 mg		30 min	2~3 h
Pentazocine	30~60 mg	30~60 mg	2~3 min	20 min	3~4 h
Tramadol	50~100 mg	50~100 mg	10 min	-	2~4 h

는 약제이다. 근주에 4시간에 한번씩 50~100 mg을 사용하는 것이 가장 일반적이다. 투여 후 10~15분 후 진통작용을 보이며, 45분 후 최대효과를 나타낸다. 작용시간은 대개 2~3시간으로 알려져 있다.

Meperidine은 지질 용해도가 높고, 태반을 쉽게 통과하여, 임산부-태아간의 평형이 6분 이내에 도달한다. Meperidine은 간에서 대사되어 normeperidine이 생성되며, 이것은 약리학적으로 활성 대사물(active metabolite)이므로, 호흡억제를 유발하며, 태반을 통과하여 태아에게도 영향을 준다.

임산부에게 투여된 meperidine은, 태아의 대동맥혈류, 근활동성 그리고 태아 심박수 변이성을 감소시킨다. 정주로 투여된 100 mg의 meperidine은 분만 시, 제대동맥혈의 산증의 빈도를 증가시킨다고 한다. 임산부에게 근주로 meperidine이 분만 전 3~5시간 전에 투여될 경우 태아호흡억제의 위험성이 최대이며, 분만 전 1시간 이내에 투여할 경우가 위험성이 낮다고 하며, 신생아 Apgar 점수의 감소 및 근력의 감소를 보일 수 있다. Normeperidine이 축적되는 경우에는, 신생아가 깨어 있는 시간이 감소하고, 주의력의 감소, 수유 장애와 같은 행동 상의 변화를 보인다. 임산부에서의 부작용은 임상적으로 간과될 수도 있으나, 구역 및 구토와 불쾌감이 발생할 수 있다.

임산부에서 meperidine의 반감기는 2.5~3시간 이지만, normeperidine의 반감기는 14~21시간이다. 그러나 이 두 제재는 신생아에서는 배설이 지연되는 이유로, 3배 정도 반감기가 길어진다. 결과적으로 분만 후, 72시간 후에도 부작용이 발생할 수 있을 것이다. 그리고 meperidine은 naloxone으로 길항되지만, normeperidine은 길항되지 못한다. 이 점은 특히 중요한데, meperidine을 길항하기 위해 naloxone을 투여하게 되다면 meperidine 자체의 항경련작용이 억제되어, normeperidine에 의한 발작이 오히려 악화될 수 있기 때문이다.

분만에서 meperidine의 진통효과에 대하여 그간 의문시 되어왔는데, 진통이 있는 임산부에서 통증완화에 대한 만족스러운 점수를 받는 경우가 20% 미만이라고 보고된 몇몇 논문들이 있다. Meperidine 50 mg 정주는 acetaminophen 1000 mg 정주와 유사한 효과를 보이지만, 부작용은 높은 빈도를 보인다는 연구가 있다 (64% versus none). 무작위 이중맹검위약연구에서도 meperidine은 통증점수를 의미 있게 감소시켰으나, 정중 visual analog pain score 변화는 30분에서 11 mm 정도의 변화를 보이고, 68% 임산부에서 추가진통제가 투여되는 정도로, 진통효과가 중등도였다고 한다. 분만의 진행에 대한 meperidine의 효과도 불확실하다. 역사적으로 meperidine은 난산(dystocia) 임산부에서 분만 1기의 시간을 단축시켜주는 것으로 알려져 있으나, 최근 연구들에서는 이런 효과를 입증하지 못하고 있으며, 저자들은 이런 목적을 위한 meperidine의 투여를 권고하지 않고 있다. 그러나 이런 연구들에도 불구하고 meperidine은 전세계적으로 가장 많이 사용되고 있는데, 친숙하고, 투여가 용이하며, 쉽게 구할 수 있고, 저렴한 가격 때문 일 것이다.

2) Morphine

수십 년 전, morphine은 분만 중에 소위 'twilight sleep'(반마취 상태)을 위하여 scopolamine과 함께 투여하였다. 그러나 이러한 진통법은 과다한 임산부의 최면과 신생아 억제라는 대가를 치러야 했다. Morphine은 분만 시 자주 사용되지는 않았으나. 정주로 0.05~0.1 mg/kg, 혹은 근주로 0.1~0.2 mg/kg를 4시간마다 투여하였으며, 최대효과는 10~30분에 발현되고, 정주 및 근주의 효과시간은 3~4시간 정도이다.

Morphine은 주로 conjugation에 의하여 간에서 대사가 되며, 70% 이상이 비활성 morphine-3-glucuronide가 된다. 나머지는 활성 morphine-6-

glucuronide로 변화하는데, 이것은 morphine에 비하여 13배 이상 강력하고 진통작용도 강하다. 두 가지 대사물 모두 소변으로 배출되며, 정상 신장기능인 경우 반감기는 4.5시간이다. Morphine은 빠르게 태반을 통과하며, 5분 후 태아-임산부 혈중농도 비율은 0.96으로 관찰된다. 신생아에서의 제거반감기는 성인보다 더 길다.

임산부에서의 부작용으로는 호흡억제와 histamine 분비에 따른 발진과 소양증이 발생할 수 있다. 다른 많은 아편유사제와 마찬가지로 morphine은 구역/구토를 유발할 수 있으며, 용량이 증가하면 진정과 불쾌감을 유발할 수 있다.

신생아에게 가장 큰 문제는 호흡억제이다. 신생아에서 이산화탄소를 측정한 연구에 의하면, 동가(equipotent)의 meperidine보다 근주 morphine의 호흡제가 더 심했는데, 이는 신생아의 뇌가 morphine에 대한 투과성이 더 높기 때문이라고 보고하고 있다.

임산부는 비임산부에 비하여 약동학적으로 차이를 보인다. 혈중 제거율이 크게 증가하고, 제거 반감기가 짧아지며 대사물의 농도가 최고에 도달하는데 걸리는 시간이 짧아진다. 따라서 이론상으로는 이런 특성에 의하여 태아에 대한 영향이 감소한다고 할 수 있을 것이다. 분만 중 투여된 morphine이 태아 억제현상을 보이지 않았다는 Gerdin 등의 연구는, 분만 진통을 위한 morphine의 사용을 재평가 해야 한다고 결론 내리기도 하였다. 그러나 그 후, Oloffson 등은 분만 3기 진통 때마다 0.05 mg/kg의 morphine을 최대 0.2 mg/kg까지 정주한 연구에서, 의미 있는 진통 효과를 관찰하지 못하였으며, 이들 연구자들은 0.15 mg/kg까지의 morphine 정주와 1.5 mg/kg의 meperidine를 투여하더라도 통증점수는 여전히 높게 관찰되며, 임산부의 수면만 심하게 유지됨을 보고하고 있다.

3) Diamorphine

Diamorphine (3, 6-diacetylmorphine, heroin)은 합성 morphine 유도체로, 영국의 경우 분만 시 34%의 기관에서 사용되고 있다. Diamorphine은 morphine에 비하여 두 배 강력하다. 약물 자체는 아편유사제 수용체에 직접적인 친화력은 없으나, 혈장 esterase에 의하여 신속히 가수분해되면 활성대사물이 생성되어 이것이 임상적인 작용을 나타낸다. 대사물인 6-monoacetylmorphine은 진통작용에 있어 상당한 역할을 나타내며, 그 후 morphine으로 대사된다.

정맥 혹은 근주로, 일반적으로 5~10 mg을 투여한다. 무통분만을 위하여 주로 근주로 투여되며, 작용시간은 90분 정도이다. Diamorphine과 활성대사물인 6-monoacetylmorphine은 morphine에 비하여 지질 용해도가 높으므로, 진통효과가 빠르고 이상황홀감이 생기며, 구역/구토는 거의 없다. 이런 약물학적 특성 때문에 임산부의 호흡억제를 유발할 수도 있고, 신속히 태반을 통과하므로, 신생아 호흡억제를 발생시킬 수도 있지만, 고용량 사용 시에만 보고되어 있다.

Diamorphine 7.5 mg을 일 회 근주 후에, 제대혈에서의 자유 morphine 농도와 태아의 상태 및 약물주입 간격에 대한 연구에 의하면, 약물주입간격과 제대혈의 morphine농도는 의미 있는 역상관 관계를 보이며, 제대혈의 농도와 1분 Apgar 점수간에는 의미 있는 상관관계가 없다고 보고하였으며, 연구자들은 diamorphine 투여 직후에 태어난 신생아가 호흡억제의 위험도가 높다고 하였다.

Meperidine 150 mg 근주법과 diamorphine 7.5 mg 근주법을 비교한 연구에서는, 60분 후 meperidine 군에서 진통효과가 미약하거나 없다는 빈도가 의미 있게 높았으며, 각 군에서 40% 정도의 환자들이 다른 이차적인 추가 진통방법을 사용해야 하였고, 두 약물 모두 진통효과가 부족하다고 보고하였다. 임산부의 진정 빈도는

9-2

서로 비슷하였지만, diamorphine군에서 구토가 덜 발생하였고 신생아 1분 Apgar 점수도 높았다. 비록 소규모의 연구지만 diamorphine이 임산부의 부작용과 초기 신생아의 상태에 있어서는, meperidine 보다 장점이 더 있다는 결과를 보인다고 하였다.

4) Fentanyl

Fentanyl은 지질수용성이 높고 단백 결합력이 높은 합성 아편유사제로, μ-아편유사제수용체에 선택적으로 작용해 morphine의 100배, meperidine의 800배의 진통작용을 보인다. 2~4분에 최고 효과를 보이는 빠른 작용 발현시간, 30~60분의 작용지속시간, 활성대사물을 생성하지 않으므로 무통분만에 유용하다. 근주로 투여하기도 하지만 대개 정주로 투여하여 약물의 효과를 조절하기 쉽고 PCA로도 많이 사용되고 있다.

소량의 fentanyl은 빠르게 재분포 되지만, 과량 혹은 반복 투여 시에는 체내에 축적될 수 있다. 중요한 점은 체내에서 제거되는 청소율은 재분포의 20%에 불과하므로, 주입기간이 길어지면 상황민감성반감기가 길어지게 된다. Fentanyl은 morphine에 비하여 비록 제거반감기는 길지만, 간에서 비활성 대사물로 대사되며 소변으로 배출된다.

Fentanyl은 태반을 쉽게 통과한다. 그러나 평균 제대정맥혈/임산부정맥 비율은 낮은데, 임산부에서 단백 결합이 많이 되고 재분포가 일어나기 때문이라 할 수 있다. 장기간 기구를 거치한 양을 대상으로 한 연구에 의하며, 엄마 양에게 fentanyl 투여 1분 후, 태아 혈액에서 농도가 감지되었으며, 그 비율은 2.5배 엄마 쪽이 높았다고 한다.

임산부의 요구가 있을 때마다 50~100 μg의 fentanyl을 투여한 군과, 무통분만을 받아 본 경험이 없는 군간의 비교 연구에서는 평균 fentanyl 투여량은 140 μg(범위, 50~600 μg)이고, fentanyl 투여군에서는 평균 45분 정도 진통효과와 약간의 수면, 그리고 30분 후 태아심박수변이성이 미약하게 감소하였고, 신생아 Apgar 점수와 호흡상태는 차이를 보이지 않았다고 한다. Fentanyl 정주법(매시간 50~100 μg 투여)과 동등용량의 meperidine 정주법(매 2~3시간 25~50 mg)을 비교한 연구에서는, fentanyl군에서 수면, 구토, 신생아 naloxone 투여 빈도가 낮았다고 한다. 그러나 두 군 모두 통증점수가 높은 점으로 보아, 두 약제 모두 진통효과가 적은 것으로 보고하였다.

5) Nalbuphine

Nalbuphine은 κ-아편유사제수용체에 작용하는 혼합성 아편유사제작용제/대항제이므로 진통작용을 나타내며, μ-아편유사제수용체에 부분적으로 작용하므로, 호흡억제는 미약하다. 부분적인 작용제는 고용량으로 투여하더라도, 전체적인 작용제에 비하여는 최대효과에 미치지 못하는 효과를 나타낸다. Nalbuphine은 근주, 정주, 피하투여가 가능하며, 4~6시간마다 10~20 mg을 투여한다. 정주로 투여하면 작용발현시간은 2~3분 이내이며, 근주 혹은 피하로 투여하면 15분 이내에 작용을 나타낸다. 간에서 비활성 대사물로 대사되며, 담즙으로도 배설되며, 대변으로 배설된다.

Nalbuphine과 morphine은 동일한 진통강도를 보이면, 유사용량에서 수면과 호흡억제를 나타낸다. 그러나 혼합수용체 친화성으로 인하여, 0.5 mg/kg nalbuphine은 호흡억제에서 천정효과를 나타낸다. Nalbuphine은 morphine에 비하여 구역/구토, 이상황홀감의 빈도가 낮다. 그러나 남자에서 항진통작용을 보이는 경우가 있어, 2003년 이후 영국에서는 사용이 중단되었다.

Nalbuphine 20 mg 근주법과 meperidine 100 mg를 무통분만에서 비교한 연구에 의하면, nalbuphine에서 구역/구토의 빈도는 적으나 임산부 수면 빈도는 높았다. 그리고 진통은 비슷하고 2~4시간 이후 신생아 신경 행동학적 점수가 낮았다. 하지만 24시간에는 차이를 보이지 않았으며 태아정맥혈/임산부정맥혈의 약물농도 비율은 nalbuphine이 더 높았다. 그 후 연구들에서 진통에 있어서의 장점을 보고하는데 실패한 연구들이 많고, nalbuphine에서 일시적인 신생아 신경학적 억제가 다시 보고되기도 하였다.

6) Butorphanol

Butorphanol은 아편유사제작용제/대항제 성질을 가진 아편유사제로, nalbuphine과 비슷하다. Morphine에 비하여 5배, meperidine에 비하여 40배 강력하다. 분만에는 1~2 mg 정주 혹은 근주로 사용된다. Butorphanol은 95%가 간에서 비활성 대사물로 대사되며, 주로 신장으로 배설된다. 한계를 나타내는 호흡억제 현상을 보이는데 butorphanol 2 mg은 morphine 10 mg 혹은 meperidine 70 mg에 의한 호흡억제 정도와 비슷하지만, 용량을 더 증가하여 Butorphanol 4 mg를 투여하면 morphine 20 mg 혹은 meperidine 140 mg 보다는 호흡억제 정도가 감소한다고 한다.

Butorphanol 1~2 mg 근주법과 meperidine 40~80 mg 근주법을 무통분만에 사용 비교한 연구에서는 두 약제 모두 태반을 신속히 통과하며 유사한 진통효과를 보이며, 태아정맥혈/임산부정맥혈 농도의 비율은 butorphanol(0.84)과 meperidine(0.89)이 유사한 결과를 보여 태아의 상태에도 큰 차이가 없다고 한다.

Butorphanol 1~2 mg 정주법과 meperidine 40~80 mg 정주법을 비교한 연구에서도, 진통효과는 거의 유사하였으나, butorphanol을 사용한 임산부에서 구역/구토, 어지러움증의 발생빈도는 더 적었으며 태아 및 신생아의 상태에는 차이가 없다고 하였다.

그러나 butorphanol 1~2 mg 정주법과 meperidine 40~80 mg 정주법을 비교한 또 다른 연구에서는,

butorphanol 군에서, 약물 투여 후 30분과 1시간에서 통증점수가 더 낮았다고 하였고, 신생아의 상태에는 차이가 없었으나, 태아심박수가 butorphanol 군에서 더 높게 유지되었다고 한다.

두 약물간 상승작용에 대한 연구로 butorphanol 1 mg 정주법, meperidine 50 mg 정주법 그리고 각 약물의 절반의 용량씩을 혼합 투여하는 방법에 대한 연구에서는, 세 군 모두 비슷한 통증완화를 보였다고 하였으나, 효과 면에서는 단지 29% 환자에서 임상적으로 의미 있게 통증이 완화되었다. 또한 임산부에서의 부작용, 신생아 점수간에는 차이가 없었고 두 약물을 혼합 투여해도 특별한 장점이 없다고 보고하였다. Butorphanol 1~2 mg 정주법과 fentanyl 50~100 µg 정주법을 비교한 연구에서는 butorphanol 투여군이 초기에 더 우수한 진통효과를 나타내며 추가진통제의 투여, 경막외진통법으로 전환 빈도가 더 적었다고 한다.

7) Meptazinol

Meptazinol은 µ-아편유사제수용체에 작용하는 부분적 아편유사제작용제로, 근주 시 작용발현시간이 15분으로 빠르게 효과가 나타난다. 50~100 mg 근주로 분만에서 작용지속시간은 meperidine과 유사하다. 부분적 작용제이므로 수면, 호흡억제, 내성 위험성이 다른 아편유사제보다 덜하다. Meptazinol은 간에서 glucuronidation으로 대사되며 소변으로 배설된다. 이런 대사과정은 meperidine의 대사과정에 비하여 신생아에서 더 안정적이며 반감기는 성인에서 2.2시간, 신생아에서 3.4시간이다. 이론적으로는 이런 빠른 제거가 meperidine에 비하여, 신생아에서의 부작용의 발생빈도가 낮을 것이다. 동량의 meptazinol과 meperidine 100 mg을 각각 근주한 연구에서 meptazinol의 진통효과가 의미 있게 우수하고, 임산부 부작용의 발생빈도는 유사하였다고 한다. 동일한 용량을 사용한 또 다른 연구

에서는 meptazinol 군에서 45분, 60분 후의 진통이 우수다. 또한 진통지속시간은 동일하고 임산부 및 신생아의 상태는 차이가 없었으나, meptazinol을 투여 받은 임산부의 신생아에서 1분 Apgar 점수가 8 이상인 신생아의 빈도가 더 높았다고 한다. Meptazinol은 초기 신생아의 상태에서 약간의 장점이 있다고는 하지만, 널리 사용되지는 않는다. 영국의 경우 14% 기관에서 사용되는데, meperidine보다 가격이 비싸며 미국에서는 사용되지 않는다.

8) Pentazocine과 Tramadol

Pentazocine은 선택적 κ-아편유사제수용체에 대한 작용제이며, μ-아편유사제수용체에 대한 미약한 대응제이다. 경구, 근주, 정주로 투여되며 정주는 2분 내, 근주는 20분 내 약물효과가 발현된다. 동가의 morphine, meperidine과 유사한 정도의 호흡억제를 보이며 pentazocine 60 mg 이상에서는 천정효과를 나타낸다. 특히 고용량에서 불쾌감과 환각이 발생하므로 사용이 제한되기도 한다.

Tramadol은 모든 아편유사제수용체에 미약하게 작용하는 합성 아편유사제이다. Norepinephrine과 serotonin의 재흡수를 억제하고 시냅스이전 serotonin 분비를 증가시켜 진통작용을 보인다. Morphine에 비하여 호흡억제가 적으며, 임상 용량에서는 거의 호흡억제가 발생하지 않는다. 무통분만을 위한 tramadol과 meperidine을 동일 용량 근주법을 비교한 연구에서는 meperidine의 진통효과가 더 우수하고, 임산부에서 구역 피로의 발생빈도 역시 적었고, 태아의 상태에는 차이가 없으나, 신생아에서는 tramadol군이 더 많은 보조산소투여를 받아야 했다고 보고하고 있다.

3. 환자자가통증조절법

술후 통증관리에 사용되던 자가조절진통법(patient controlled analgesia, PCA)이 최근 산과영역에서 분만통을 조절하기 위하여 자리잡게 되었다. 처음에는 혈소판감소증으로 부위진통법이 불가한 임산부에서 사용하기 시작된 이후, 사용빈도가 증가하였다. 영국에서 시행한 2007년 조사에 의하면, 산과가 있는 병원의 49%에서 무통분만을 위하여 PCA가 시행된다고 한다. PCA의 장점은 소량의 약물로도 우수한 진통효과를 나타낼 수 있으며, 일회 정주법에 비하여 임산부의 호흡억제 빈도가 감소한다. 또한 약물의 태반이동이 적고 항구토제의 요구량도 감소하며 환자 만족도가 높은 점들을 들 수 있을 것이다. 또한 소량을 자주 투여하게 되므로 비교적 약물의 혈중농도가 안정적으로 유지되어 진통효과가 일관성 있게 유지할 수 있다. PCA는 부위진통법을 원하지 않고 불가능하거나 금기일 경우, 그리고 수기가 실패할 경우에도 유용하게 사용될 수 있다. 임산부는 진통제의 요구량을 진통 정도에 따라 점차적으로 감소해 나갈 수도 있으며, 의료진이 투여법을 변경하여 진통에 대처해 나갈 수도 있다.

그러나 단점들이 없는 것은 아니다. 투여빈도를 증가시키더라도, 아편유사제의 최대효과시간과 자궁수축이 잘 조화를 이루기 어려운 경우가 생긴다면, 적절한 진통에 미치지 못하게 투여될 수도 있다. 또한 비교적 소량의 약물이 투여될 경우, 산통이 심해지면서 통증을 조절하는데 효과적이지 못 할 수 있다. 마지막으로 임산부와 태아에서 부작용이 보고된 경우들이 있다. 지속정주법을 사용하거나 사용하지 않았던 여러 약물의 자가진통조절법들은 표 9-2-2에 기술되었다.

표 9-2-2 **무통분만을 위한 자가조절진통법**

아편유사제	일회정주량	잠금시간 (min)
Meperidine	5~15 mg	10~20
Nalbuphine	1~3 mg	6~10
Fentanyl	10~25 µg	5~12
Alfentanil	200 µg (+ 200 µg/h infusion)	5
Remifentanil	초기에 0.2~0.8 µg/kg, 차후 적정 0.25 µg/kg + 지속주입 (0.025~0.1 µg/kg/min)	2~3

1) Meperidine

Meperidine은 최초로 분만을 위한 PCA에 사용된 아편유사제이다. Isenor 등은 50~100 mg을 두 시간마다 근주하는 방법과 60 mg/h로 지속정주하면서 일회 주입량을 25 mg으로 최대 200 mg까지를 PCA로 주입하는 것을 비교했다. 그 결과 PCA군의 임산부가 더 낮은 통증점수를 보이며 임산부와 태아의 부작용, 태아 심박수이상, 신생아 Apgar 점수는 차이가 없다고 보고했다.

더 최근의 연구에 의하면, PCA를 이용할 경우 짧은 작용시간의 아편유사제에 비하여 meperidine은 덜 효과적이라고 보고하고 있다. Douma 등의 분만 중 임산부에 대한 연구에서, meperidine-PCA (Load: 49.5 mg, Bolus: 5 mg, Lockout: 10 min), remifentanil-PCA (Load: 40 µg, Bolus: 40 µg, Lockout: 2 min) 그리고 fentanyl-PCA (Load: 50 µg, Bolus: 20 µg, Lockout: 5 min)을 비교한 결과, meperidine은 초기 통증점수에 비하여 두 시간 후 큰 차이를 보이지 않으며, 진통에 덜 효과적이며 경막외진통법으로 전환하는 빈도가 높다고 보고하고 있다.

2) Morphine and Diamorphine

PCA를 이용하는 경우 morphine과 diamorphine은 잘 사용되지 않지만, 자궁 내 태아사망인 임산부에게는 차선책으로 사용되는 경우도 있다고 보고되어 있다. 활성 대사물인 morphine-6-glucuronide는 임산부에게 축적되면, 심각한 호흡억제를 유발할 것이다. 분만 중 간헐적으로 근주하는 경우와 PCA를 비교한 논문은 찾아보기 힘들며, diamorphine의 경우 간헐적 근주법에 비하여 PCA가 오히려 덜 효과적이고 만족도도 낮다고 보고하고 있다.

3) Fentanyl

Fentanyl은 약동학적으로 작용 발현 시간이 빠르고, 효과가 강하며 작용시간이 짧고 활성 대사물을 생성하지 않는 특성으로 무통분만 PCA에 가장 많이 사용되는 아편유사제이다. 영국의 경우 26%의 병원에서 분만을 위한 PCA가 시행되고 있다고 한다.

Nikkola 등은 fentanyl PCA (50 µg 부하용량, 20 µg 일회정주, 잠금시간 5분) 임산부의 50%에서 통증의 경감을 보였다고 보고하였다. 그러나 경막외진통법에 비해서는 전체적인 통증완화가 미약했으며, fentanyl의 사용으로 임산부의 어지러움증과 수면의 빈도가 높다고

9-2

시사하였다.

Rayburn 등은 50~100 μg의 fentanyl을 환자의 요구가 있을 때, 1시간에 한번씩 간헐적으로 정주 투여하는 방법과, fentanyl PCA (10 μg 일회정주, 잠금시간 12분)를 비교하였다. 진통, 임산부의 부작용, 신생아의 상태(Apgar 점수, naloxone 요구량, 신경행동학적 점수)는 두 군간 차이가 없었고, fentanyl 사용량 및 정맥혈 fentanyl 농도도 차이가 없었다.

Morley-Forster 등은 fentanyl PCA를 받는 임산부에서 출생한 32명의 신생아를 후향적으로 연구한 결과, 44% 신생아에서 중등도의 신생아억제(1분 Apgar가 6이하)를 보였으며, 9.4% 신생아가 naloxone을 투여 받았는데, fentanyl의 투여량이 많은 임산부의 신생아에서 더 빈번하였다고 하였다(총 fentanyl 투여량: 770 μg versus 298 μg). 이에 반해 Hosokawa 등의 fentanyl PCA(50 μg 부하용량, 일회정주 20 μg, 잠금시간 5분)와 진통법을 사용하지 않은 군과의 비교연구에서는, fentanyl을 투여 받은 129명의 신생아에서, 제대동맥 pH가 낮게 측정되기는 하였으나, 신생아의 합병증은(낮은 Apgar 점수, naloxone 투여 및 보조호흡치료) 거의 없었고 두 군간의 차이도 없었다고 한다.

4) Alfentanil

Alfentanil은 μ-opioid 수용체에 선택적으로 높은 친화력을 보이는 아편유사작용제로 주로 정주로 투여된다. 비록 무통분만에서는 자주 사용되지는 않으나, 전형적으로 PCA로 투여된다. Fentanyl 유도체이지만 fentanyl에 비해 효과가 10배 미약하며, 지질친화성이 덜하다. 또한 단백결합력은 강하며, 분포용적이 적고 pKa도 낮기 때문에 1분이내에 작용이 발현된다. 그리고 빠르게 배설되고(제거 반감기는 90분), 상황민감성반감기는 fentanyl보다 짧다. 간에서 demethylation되어 noralfentanil로 대사되어 conjugation된 이후, 소변으로 배설된다. Alfentanil의 호흡억제제는 강하므로 신생아의 부작용에 관심을 기울여야 한다.

Morley-Forster 등은 alfentanil PCA (200 μg 일회정주, 잠금시간 5분, 지속주입 200 μg/h)와 fentanyl PCA (20 μg 일회정주, 잠금시간 5분, 지속주입 20 μg/h)를 비교한 결과, 두 군 모두 초기 진통(자궁경부확장 6 cm)에서는 동일한 효과를 보였으며, fentanyl PCA에서 통증점수가 더 많이 감소하였으나, 임산부의 부작용과 태아의 상태에는 큰 차이가 없다고 하였다.

5) Pentazocine, Tramadol, Nalbuphine

서양에서 pentazocine은 특히 PCA로는 거의 사용되지 않고 있다. 남아프리카의 한 연구에서 meperidine PCA와 비교하였는데, 큰 차이는 없다고 보고되어 있다. Tramadol PCA는 거의 사용되지 않는다. 경막외진통법과 비교한 연구가 있는데, tramadol은 임산부에서 심한 심혈관계 억제와 태아 억제 빈도가 증가하였다고 한다. Nalbuphine PCA에 관한 연구도 거의 없으나, 한 연구에서 PCA와 간헐적 정주를 비교하였는데, 큰 차이가 없다고 한다. Nalbuphine PCA와 meperidine PCA를 비교한 연구에서는 nalbuphine이 더 효과적인 진통을 보이며, 임산부와 태아의 부작용 발생에는 큰 차이가 없다고 한다.

6) Remifentanil

Remifentanil은 합성 anilidopiperidine 유도체로서, 뮤 수용체에 선택적 친화성을 보이며, 지질용해도가 낮고 분포용적도 적다(0.39 L/kg). 기능적 두경부 MRI 연구에 의하면, 작용발현시간은 20~30초, 대뇌피질에서의 최대농도도달 시간은 80~90초이며, 1.2~1.4분 후, 뇌-혈류평형에 도달한다고 한다. Remifentanil은 혈액 및 조직의 비특이성 esterase에 의해 빠르게 가수분해되어 비활성 대사물이 되며, 제거 반감기는 9.5분으로 아주 짧다. 상황민감성반감기는 3.5분인데, 이는 주입시간과 관계없이 거의 일정하다. 유효효과반감기는 6분이므로 되풀이되는 산통에 효과적으로 대처할 수 있다. 비임산부에 비해 임산부의 remifentanil 혈중농도는 절반 정도로 유지되었는데, 원인으로는 임신에 따른 혈액량이 증가 및 단백결합의 감소로 인한 분포용적의 증가, 심박출량의 증가와 신혈류량의 증가로 인한 제거율의 증가에 따른 결과로 생각할 수 있다.

Remifentanil은 쉽게 태반을 통과하여, 태아-임산부 혈액비가 0.88을 유지한다. 그리고 제대동맥과 제대정맥의 비율이 0.29인 점을 고려하면, 태아에서 광범위하게 재분포가 일어나고, 대사됨을 알 수 있다. 이런 약동학적 특성은 무통분만에 이상적인 약물로 사용될 수 있으며, 신속하게 약물의 혈중농도를 적정화하고, 분만의 진행과 부작용 발생에 따라 용량을 쉽게 조절할 수 있을 것이다. 예를 들면, 지속정주 후 약물 투여를 중단하면, 5.4분 내에 분시호흡량의 50%가 회복된다. 또한 작용시간이 긴 다른 아편유사제들에 비하여, 빨리 제거되므로 신생아의 호흡억제 경향성을 감소시킬 수도 있다. 제왕절개술에서도 remifentanil 투여가 신생아 부작용을 발생하지 않는다는 보고도 있다.

(1) 다른 무통분만법과의 비교

① Remifentanil과 meperidine

Remifentanil-PCA (20 μg 일회정주, 잠금시간 3분)와 100 mg meperidine 근주법을 비교한 연구(2002년, Thurlow 등)에 의하면, remifentanil-PCA에서 투여 한 시간 후 통증점수가 의미 있게 낮았으며, 두 시간 후 정중최대 통증점수가 의미 있게 낮았다고 한다. 그러나 remifentanil-PCA는 수면과 저산소증의 빈도가 높았으나 구역/구토의 빈도는 적었고, 신생아 Apgar는 차이가 없었고, 환자와 조산사의 만족도는 높다고 보고하였다.

Remifentanil-PCA (25 μg 혹은 30 μg 일회정주, 잠금시간 3.75~4.5분)와 50 mg 혹은 75 mg meperidine 근주법을 비교한 연구(2011년, Ng 등)에 의하면, remifentanil-PCA에서, 처음 두 시간 동안 진통효과가 좋았으며, 추가진통제를 사용하기 시작하는 시간도 길었다고 하였다.

Remifentanil의 투여량을 증량시키는 PCA (0.27~0.93 μg/kg 범위에서 5 μg씩 증량하여 일회정주, 잠금시간 3분)와 meperidine군(30분간 75 mg 정주 후, 요구가 있을 때마다 50 mg, 최대 200 mg까지)을 비교한 연구(2005년, Evron 등)에서도 remifentanil-PCA가 진통에 더 우수하며, 임산부의 수면과 저산소증의 빈도가 낮다고 보고하고 있다.

2001년부터 2011년까지 발표된 총 12개의 연구에 대한 메타분석 결과 remifentanil-PCA는 meperidine 투여보다, 1시간 후 통증점수가 의미 있게 낮다. 그리고 부위마취로 전환하는 빈도도 적으며, 만족도도 높다고 하였다.

② Remifentanil과 아산화질소

분만 1기동안, remifentanil-PCA(0.4 μg/kg 일회정주, 잠금시간 1분)와 50% 아산화질소 흡입을 비교한 연구에서, 20분간 아산화질소를 흡입하고 20분간 배출 간격을 가지면서, 두 가지 진통법을 교차실험연구로 진행한 결과, 통증완화, 임산부의 진정 그리고 만족도에서 remifentanil이 더 효과적이며, 태아심박수 변화는 차이가 없었다고 한다.

③ Remifentanil과 경막외진통법

Remifentanil-PCA (0.3~0.7 μg/kg 일회정주, 잠금시간 1분)와 요부 경막외진통법(0.0625% levobupivacaine 20 ml, fentanyl 2 μg/ml)을 분만 초기에 비교한 연구(2008, Volmanen 등)에서, 자궁경부확장이 4 cm일 때 투여를 시작하여 1시간동안 비교 관찰했다. 그 결과, 경막외진통법에서 통증점수가 의미 있게 빠르게 감소했고 전반적인 통증 점수도 낮았으나,

9-2

통증완화점수는 양 군에서 큰 차이가 없었다. 수면과 산소포화도 감소는 remifentanil-PCA에서 더 빈번하였으며, 이는 remifentanil의 투여량이 0.5 μg/kg 이상에서 더 빈번하였다고 하였다. 신생아의 상태는 차이가 없었다. 저자들은 remifentanil-PCA 보다 경막외진통법이 더 우수하다고 결론을 내리고 있다.

이와 유사한 remifentanil-PCA(0.3~1.05 μg/kg 적정화된 일회정주, 잠금시간 2분)와 요부 경막외진통법(0.1% ropivacaine 10 ml, fentanyl 2 μg/ml)을 비교한 연구(2012년, Tveit 등)에 의하면, 두 방법 모두 효과적인 진통을 보인다. 분만 1기 말기와 2기 동안 모두 유사한 통증점수를 보이고, 만족도 또한 차이가 없었으나 수면, 산소포화도 감소 및 산소 투여는 remifentanil-PCA에서 더 빈번했다고 보고하고 있다.

(2) Remifentanil의 효능과 최적의 투여법

Remifentanil은 PCA로 일회정주, 지속주입 혹은 이 둘을 병용하여 투여할 수 있다. 많은 연구들이 고정된, 적정할 수 없는 PCA 용량을 사용하였지만, 무통분만을 위해 진통효과에 상응하는 최소유효용량을 적정한 연구(2008년, Volmanen 등)에서, 초기 0.2 μg/kg 일회정주, 1분의 잠금시간으로 시작하여 0.2 μg/kg씩 증가시킬 경우, 0.4 μg/kg이 정중유효용량이었다고 한다. 그러나, 59% 환자에서 산소포화도가 94% 이하로 감소하는 빈도가 높았으며, 임산부의 수면, 태아심박수변이성은 감소를 보였다고 한다.

Remifentanil의 지속주입률에 대한 연구(2009년, D'Onofrio 등)는 0.025부터 0.15 μg/kg/min 사이에서, 진통 중 통증점수가 4이하로 유지될 수 있도록 주입율을 적정하였는데, 적절한 진통은 30분 이내에 도달할 수 있었으며, 정중 지속주입률은 0.075 μg/kg/min 이었다고 보고하고 있으며, 모든 임산부에서 산소포화도가 95% 이상 유지되어 산소투여가 필요 없었으며, 신생아의 부작용도 발생하지 않았다고 하였다.

Remifentanil-PCA에서 일회정주와 지속주입법을 병용 투여할 경우, 어떤 것을 고정하고 어떤 것을 변동하면서 적정하여 투여하는 것이 좋은지에 관한 연구(2007년, Balki 등)에서는, 두 군에서 동일하게, 초기 일회 정주량은 0.25 μg/kg, 잠금시간은 2분 그리고 지속주입량은 0.025 μg/kg/min으로 투여를 시작한 후, 통증이 부족할 경우에는 지속주입량 혹은 일회 정주량을 일정량씩 증감시켜 주입하고, 최대 용량은 0.1 μg/kg/min 혹은 1.0 μg/kg으로 각각 제한하여 투여한 결과, 평균통증점수, 만족도, remifentanil 누적주입량은 차이가 없었으나, 일회주입량을 증가시키는 방법에서, 임산부에서 어지러움, 산소포화도가 95% 미만을 보이는 임산부의 빈도가 높았으며, 신생아의 상태에는 차이를 보이지 않아, 저자들은 일회정주량(0.25 μg/kg, 잠금시간 2분)을 고정하고 지속주입율(범위 0.025~0.1 μg/kg/min)을 적정하여 투여하는 방법을 추천하였다.

Remifentanil-PCA(15 μg/kg 일회정주, 잠금시간 5분)를 투여하면서 지속주입율을 각각 0.1 혹은 0.15 μg/kg/min로 유지하는 비교연구(2007년, Balcioglu 등)에서는 90분간 관찰한 결과, 통증점수는 높은 지속주입율을 투여한 임산부에서 낮았으나, 임산부의 만족도, 태아 및 신생아의 상태에는 차이가 없었다고 보고하고 있다.

전반적으로 이런 연구들에서 볼 수 있듯이, 고정된 투여량을 사용하는 remifentanil-PCA는, 투여량을 적정화하여 주입하는 방법에 비하여, 진통효과가 부족하거나 부작용의 발생빈도가 높으므로, 효율성이 적은 투여법이라고 할 수 있을 것이다. 한편, 지속주입을 사용하는 것이 추가적 이득이 있는 지에 대해서는 증거에 논란이 있는데, 특히, 지속주입률을 0.05 μg/kg/min에서 0.1 μg/kg/min로 증가시키는 과정에서 3분내에 무호흡이 발생하였다는 보고와 같이 임산부의 수면과 호흡억제의 위험성이 증가하는 점은 유의해야 할 것이다. 더구나 자궁수축통증이 반복적으로 지속되는 점에 맞추어 빠르게 작용시간이 나타나고 효과도 빠르게 없어지는 약물의 내재된 특성을 고려할 때 지속주입이 큰 이득이 없을 수도 있을 것이다.

Remifentanil의 최대효과발현시간이 1~3분임을 고려할 때, 처음으로 자궁수축이 인지되는 순간에 PCA 버튼을 누르도록 환자를 교육한다면, 진통효과를 증가시킬 수 있을 것이다. 얼마 전 소개된 PRAM (preemptive remifentanil analgesia modality)을 최근 3개의 자궁수축의 시간을 수학적으로 분석하여, 다음 수축이 예측되는 시간보다 45초 빠르게 약물을 주입하게 만든 방법으로, remifentanil의 최고효과와 자궁수축시간을 일치하도록 고안된 장치이다.

(3) Remifentanil의 부작용

Remifentanil은 호흡수와 일회호흡량을 감소시켜 심각한 호흡억제를 유발할 수 있다. 분만에서 사용되는 PCA에 대한 안정성에 대하여 특별히 평가되어 오고 있으나, 데이터에 대한 의견은 상반되는 경우가 있다. 50명의 임산부에서 remifentanil-PCA(0.5 µg/kg 일회정주, 잠금시간 2분)에 대한 임산부 및 신생아에 대한 연구(2011년, Volikas 등)에서는, 효과적인 진통은 86%의 임산부에서 보였으나, 44% 임산부가 경미한 어지러움증을 경험하였으며, PCA 투여 후 20분 이내에 중등도의 소양증과 태아심박수변화가 발생하긴 하였으나, 치료가 필요하지는 않았으며, 제대혈가스분석과 신생아 Apgar 점수와 신경학적 검사는 모두 정상이었다고 보고하였다.

임산부에서 remifentanil-PCA가 수면과 호흡억제의 빈도가 상대적으로 높은 원인에 대한 여러 분석들이 있다. 빠른 작용발현시간에도 불구하고, 평균 자궁수축 지속시간이 60~70초인 점을 감안하면, 자궁수축이 중지된 후에 약물의 효과가 시작되는 점을 생각해 볼 수도 있다. 따라서 자궁수축이 느껴지자마자 버튼을 누르는 방법을 추천하는 연구들도 있다. 다른 연구들은 자궁수축간의 사이 시간에 PCA를 사용하라고 제안하는 경우도 있다. 그러나, 일회정주 후, 2.5분에 호흡억제가 발생하고, 그 이전에 뇌파억제가 발생하는 점을 들어 반대하는 연구도 있다.

무통분만을 위한 remifentanil-PCA에 대한 연구들은 0~60%의 다양한 범위의 구역 발생빈도를 보고하고 있다. 소양증은 15%의 임산부에서 발생한다. 구역은 아편유사제에 의한 미주신경의 긴장도의 증가로 발생할 수 있으며, 평균 동맥압과 심박수가 감소하게 된다. 그러나 remifentanil-PCA를 사용하는 분만 중에는 잘 보고되지 않고 있는데, 아마 소량이 사용되는 점, 그리고 분만 중 임산부의 교감신경활성도가 증가되는 점이 원인일 수도 있을 것이다.

분만에 사용되는 remifentanil-PCA는 태아심박수 이상, 제대혈가스상태 그리고 Apgar 점수에는 영향을 주지 않는 것으로 알려져 있다. Meperidine에 비해서도, remifentanil은 태아심박수이상의 빈도가 낮을 것으로 보고되어 있다. Remifentanil이 함께 사용된 전신마취 후에 신생아억제가 보고된 연구가 있기도 하지만, 신생아에서도 빠르게 대사되는 점을 고려하면, 직접적인 원인으로 보기는 힘들 것이다.

Remifentanil의 분만통에 대한 진통효과는, 특히 분만 초기에, 여러 연구에서 입증되어 왔다. 적절한 무통분만을 위해서는, 분만이 진행됨에 따라 투여량이 적절하게 조절되어야 할 것이다. 그리고, 임산부 수면, 호흡억제와 같은 일반적인 부작용에 항상 대비하며, 각 병원의 protocol에 따른 안전성을 확보해야 할 것이다. 현재까지 무통분만을 위한 remifentanil의 사용에 대한 연구들은, 건강하고 위험도가 낮은 단태아(singleton) 임산부로 제한된 연구들이다. 따라서 이런 근거로 모든 분만에 적용하는 것은 추천되지 않으며, 각 환자의 상태에 기초하여 투여해야 할 것이다.

9-2

4. 흡입진통법

무통분만을 위하여 처음 약물이 사용되지 시작한 것은, 1800년대 중반으로, 처음 흡입마취제들이 사용되었다. 초기 종교적 권위에 의하여 사용이 허가되지는 않았으나, 미국과 영국에서, 분만에 마취를 요구하는 경우가 증가하게 되었다. 흡입마취제가 자주 사용됨에 따라, 신생아 억제와 임산부의 흡인성폐렴(aspiration of gastric content)의 발생이 보고되게 되었다. 1932년부터 1945년까지 44,016건의 분만 중에서 0.15%에 해당하는 66명의 임산부가 흡인성폐렴(aspiration of gastric content)의 부작용을 보였다. Mendelson에 의해 예방적 금식이 추천되어 사용된 이후, 음식물 섭취를 줄여 위내용물을 감소시키거나, 제산제의 사용 그리고 마취유도방법의 발전으로 임신 중 흡입마취제의 안전성이 많이 개선되었고, 이들은 지금은 무통분만보다 제왕절개술을 위한 전신마취를 위해 자주 사용되고 있기는 하다. 흡입마취제는 더 이상 무통분만에 잘 사용되지는 않는다. 그러나 아산화질소는 아직도 전세계적으로 사용 빈도가 높으며, 덜 침습적이어서 임산부들의 선호도도 높다. 1881년 분만에 아산화질소를 사용한 것이 Stanislav Klikovitch에 의해 기술되어 있다. Klikovitch는 아산화질소와 산소를 혼합하여, 산통이 있을 때마다 간헐적으로 사용할 것을 권고하였다. 아산화질소는 이런 방식으로 무통분만을 위하여, 유럽, 스칸디나비아 그리고 호주에서 많이 사용되고 있으나, 미국에서는 일반적이지 않다. 전형적으로 산소와 아산화질소를 50% : 50% 혼합하여 임산부가 자발적으로 흡입하여 투여한다. 아산화질소는 최근 메타분석 연구에서 통증점수의 감소가 14/100 (95% CI −4 에서 −24)로 의미 있게 통증완화에 효과가 있다고 보고되고 있다. 다른 연구에서는 정중 통증감소가 3.5/10 로 의미 있는 통증완화를 보고하는 논문들이 있다. 반면 다른 연구들에서는 통증감소에는 큰 차이가 없다고 보고되는 논문들도 있다. 그러나 역설적이지만, 효과가 없다는 결과를 내린 연구의 많은 임산부들이 연구기간 이후에도 계속 아산화질소를 투여 받기를 원했으며, 다른 연구에서도 아산화질소를 투여 받은 임산부들의 대부분은 차후 분만에도 동일한 방법으로 무통분만을 시행 받기를 원했다. 아산화질소의 진통효과는 진통이라는 개념과 무관하거나 혹은 유관하더라도, 진정과 이완효과에 의해 혼동되는 것일 수도 있을 것이다. 아편유사제를 병용 투여하지 않더라도, 50% 아산화질소는 산소와 함께 흡입 투여하면, 안전하고, 저산소증, 무의식, 기도반사의 소실 등을 초래하지 않는다고 할 수 있으며, 더불어 사용시간에 상관없이 자궁수축력의 감소, 신생아 억제가 발생하지 않는 장점이 있을 것이다.

참고문헌

Balcioglu O, Akin S, Demir S, Aribogan A. Patient-controlled intravenous analgesia with remifentanil in nulliparous subjects in labor. Expert opinion on pharmacotherapy 2007; 8: 3089-96.

Balki M, Kasodekar S, Dhumne S, Bernstein P, Carvalho JC. Remifentanil patient-controlled analgesia for labour: Optimizing drug delivery regimens. Can J Anaesth 2007; 54: 626-33.

Bucklin BA, Hawkins JL, Anderson JR, Ullrich FA. Obstetric anesthesia workforce survey: Twenty-year update. Anesthesiology 2005; 103: 645-53.

Douma MR, Verwey RA, Kam-Endtz CE, van der Linden PD, Stienstra R. Obstetric analgesia: A comparison of patient-controlled meperidine, remifentanil, and fentanyl in labour. British journal of anaesthesia 2010; 104: 209-15.

Evron S, Glezerman M, Sadan O, Boaz M, Ezri T. Remifentanil: A novel systemic analgesic for labor pain. Anesthesia and analgesia 2005; 100: 233-8.

Gerdin E, Salmonson T, Lindberg B, Rane A. Maternal kinetics of morphine during labour. J Perinat Med 1990; 18: 479-87.

Goerig M, Schulte am Esch J. [early contributions for the development of nitrous oxide-oxygen anesthesia in central europe]. Anaesthesiol Reanim 2002; 27: 42-53.

Halpern SH, Muir H, Breen TW, Campbell DC, Barrett J, Liston R, et al. A multicenter randomized controlled trial comparing patient-controlled epidural with intravenous analgesia for pain relief in labor. Anesthesia and analgesia 2004; 99: 1532-8; table of contents.

Hosokawa Y, Morisaki H, Nakatsuka I, Hashiguchi S, Miyakoshi K, Tanaka M, et al. Retrospective evaluation of intravenous fentanyl patient-controlled analgesia during labor. J Anesth 2012; 26: 219-24.

Isenor L, Penny-MacGillivray T. Intravenous meperidine infusion for obstetric analgesia. Journal of obstetric, gynecologic, and neonatal nursing : JOGNN / NAACOG 1993; 22: 349-56.

Kan RE, Hughes SC, Rosen MA, Kessin C, Preston PG, Lobo EP. Intravenous remifentanil: Placental transfer, maternal and neonatal effects. Anesthesiology 1998; 88: 1467-74.

Leppa M, Korvenoja A, Carlson S, Timonen P, Martinkauppi S, Ahonen J, et al. Acute opioid effects on human brain as revealed by functional magnetic resonance imaging. NeuroImage 2006; 31: 661-9.

McInnes RJ, Hillan E, Clark D, Gilmour H. Diamorphine for pain relief in labour : A randomised controlled trial comparing intramuscular injection and patient-controlled analgesia. BJOG : an international journal of obstetrics and gynaecology 2004; 111: 1081-9.

McIntosh DG, Rayburn WF. Patient-controlled analgesia in obstetrics and gynecology. Obstetrics and gynecology 1991; 78: 1129-35.

Morley-Forster PK, Reid DW, Vandeberghe H. A comparison of patient-controlled analgesia fentanyl and alfentanil for labour analgesia. Canadian journal of anaesthesia = Journal canadien d'anesthesie 2000; 47: 113-9.

Morley-Forster PK, Weberpals J. Neonatal effects of patient-controlled analgesia using fentanyl in labor. Int J Obstet Anesth 1998; 7: 103-7.

Ng TK, Cheng BC, Chan WS, Lam KK, Chan MT. A double-blind randomised comparison of intravenous patient-controlled remifentanil with intramuscular pethidine for labour analgesia. Anaesthesia 2011; 66: 796-801.

Nikkola EM, Ekblad UU, Kero PO, Alihanka JJ, Salonen MA. Intravenous fentanyl pca during labour. Can J Anaesth 1997; 44: 1248-55.

Olofsson C, Ekblom A, Ekman-Ordeberg G, Granstrom L, Irestedt L. Analgesic efficacy of intravenous morphine in labour pain: A reappraisal. Int J Obstet Anesth 1996; 5: 176-80.

Olofsson C, Ekblom A, Ekman-Ordeberg G, Hjelm A, Irestedt L. Lack of analgesic effect of systemically administered morphine or pethidine on labour pain. British journal of obstetrics and gynaecology 1996; 103: 968-72.

Rawal N, Tomlinson AJ, Gibson GJ, Sheehan TM. Umbilical cord plasma concentrations of free morphine following single-dose diamorphine analgesia and their relationship to dose-delivery time interval, apgar scores and neonatal respiration. Eur J Obstet Gynecol Reprod Biol 2007; 133: 30-3.

Rayburn WF, Smith CV, Leuschen MP, Hoffman KA, Flores CS. Comparison of patient-controlled and nurse-administered analgesia using intravenous fentanyl during labor. Anesthesiol Rev 1991; 18: 31-6.

Reynolds F. Labour analgesia and the baby: Good news is no news. International journal of obstetric anesthesia 2011; 20: 38-50.

Schnabel A, Hahn N, Broscheit J, Muellenbach RM, Rieger L, Roewer N, et al. Remifentanil for labour analgesia: A meta-analysis of randomised controlled trials. European journal of anaesthesiology 2012; 29: 177-85.

Thurlow JA, Laxton CH, Dick A, Waterhouse P, Sherman L, Goodman NW. Remifentanil by patient-controlled analgesia compared with intramuscular meperidine for pain relief in labour. British journal of anaesthesia 2002; 88: 374-8.

Tuckey JP, Prout RE, Wee MY. Prescribing intramuscular opioids for labour analgesia in consultant-led maternity units: A survey of uk practice. International journal of obstetric anesthesia 2008; 17: 3-8.

Tveit TO, Seiler S, Halvorsen A, Rosland JH. Labour analgesia: A randomised, controlled trial comparing intravenous remifentanil and epidural analgesia with ropivacaine and fentanyl. European journal of anaesthesiology 2012; 29: 129-36.

Volikas I, Butwick A, Wilkinson C, Pleming A, Nicholson G. Maternal and neonatal side-effects of remifentanil patient-controlled analgesia in labour. Br J Anaesth 2005; 95: 504-9.

Volmanen P, Sarvela J, Akural EI, Raudaskoski T, Korttila K, Alahuhta S. Intravenous remifentanil vs. Epidural levobupivacaine with fentanyl for pain relief in early labour: A randomised, controlled, double-blinded study. Acta anaesthesiologica Scandinavica 2008; 52: 249-55.

Volmanen PV, Akural EI, Raudaskoski T, Ranta P, Tekay A, Ohtonen P, et al. Timing of intravenous patient-controlled remifentanil bolus during early labour. Acta Anaesthesiol Scand 2011; 55: 486-94.

9-2

무통분만을 위한 시술과 진통

9-3 부위 진통 방법

신경축진통은 분만 1기와 분만 2기 분만진통을 완벽하게 조절할 수 있는 유일한 방법이다. 경막외진통, 전신적인 약물에 의한 진통, 아산화질소 등을 이용한 흡입 진통의 효과를 비교한 무작위 연구를 대상으로 한 메타 분석에서 경막외진통은 다른 방법보다 진통 효과가 탁월하며 임산부의 만족도가 높았다. 효과적인 경막외진통은 임산부의 카테콜아민 혈중 농도를 감소시키고, 자궁태반 순환과 자궁 수축을 촉진 시킬 수 있으며, 과호흡을 줄여 임산부와 태아의 산소 공급을 개선시키고, 응급 제왕절개시 전신마취를 피하고 효과적이고 신속한 경막외마취를 가능하게 한다. 본 장에서는 가장 효과적인 진통방법인 신경축진통 방법을 소개하고, 사용되는 국소마취제와 아편유사제 및 기타 첨가제의 효과와 부작용 및 주입 방법에 따른 효능 등에 대해 알아보고, 신경축진통 방법의 장, 단점에 대해서도 기술하였다.

1. 신경축진통의 준비

1) 적응증과 금기

금기 사항이 없다면, 임산부의 요구는 진통을 해야 하는 충분한 의학적 조건이라고 말할 수 있다. 경막외진통은 질식 둔위분만, 쌍태아 질식분만, 조기 질식분만, 자간전증 임산부의 혈압 조절에도 도움을 줄 수 있다. 경막외 혹은 척추 진통의 금기로는 환자의 거부, 뇌압 상승, 바늘 천차 부위의 피부 혹은 연조직 감염, 심한 혈액응고장애, 최근에 항응고제를 사용한 경우, 임신부의 교정되지 않은 저혈량, 미숙한 술기를 가진 경우, 모니터링과 심폐 소생에 부적합한 여건 등이다.

2) 신경축진통의 종류

(1) 경막외진통

경막외진통은 수세기 동안 무통 시술의 주류를 이루고 있는데, 경막외 카테터가 분만후까지 진통을 제공해 준다. 경막 천자가 필요 없으며, 이어지는 제왕절개시 경막외진통이 경막외마취로 전환될 수 있다. 경막외진통은 약물의 지속적인 주입, 마취통증의학과의사 혹은 환자에 의한 간헐적인 주입 혹은 이 두가지의 병용에 의해 이루어진다.

(2) 척추경막외병용진통

최근에 많이 이용되는 방법으로, 완전한 진통에 걸리는 시간은 경막외진통보다 빠르다(2~5분 vs 10~15분). 저용량(low-dose) 경막외진통과 척추경막외병용진통을 비교한 메타 분석에서 척추경막외병용진통은 저용량 경막외진통에 비해서 약 5.4분 마취 시작이 빠르다. 초기 10분에 측정한 통증 점수도 경막외진통보다 더 낮으며, 천골 진통(sacral analgesia)도 빠르고 강력하다. 빠른 천골 진통은 분만 1기의 후반에 무통 시술을 하거나, 급속 분만의 경우 임산부의 진통에 중요한 역할을 한다. 척추 진통은 경막외진통에 비해 필요한 마취제가 훨씬 적으므로 국소 마취제에 의한 전신 독성의 가능성이 적고, 투여된 약물의 전신 흡수 시 임산부와 태아의 혈중 농도도 더 낮다. 또한 척추 진통은 분만 초기에 국소 마취제 없이 지용성 아편유사제만으로도 완전한 진통이 가능하며, 이 경우 운동 차단이 없고, 저혈압의 위험이 적으며, 거동을 원하는 임산부나 심장의 전부하에 민감한 폐쇄성 심질환을 가진 임산부에게 적합하다. 또한 척추 경막외병용진통을 위한 카테터를 이용하여 제왕절개를 위한 경막외마취를 하는 경우 경막외진통을 위한 카테터를 이용하여 제왕절개를 위한 경막외마취를 하는 경우보다 마취의 실패율이 1/5에 지나지 않는다.

척추경막외병용진통은 경막천자를 해야 하는데 작은 바늘을 사용해서 경막 천자후 두통을 잘 일으키지는 않지만, 치명적인 부작용인 분만후 신경축 감염(postpartum neuraxial infection)을 일으킬 수 있다. 또한 척추경막외병용진통의 단점은 시술 후 1~2시간 이내에는 경막외진통을 위한 카테터가 적절히 거치되어 있는지 알기가 어렵다는 점이다. 그러므로 기도 삽관의 어려움이 예상되거나, 태아 심음의 이상 등 적절히 작동하는 경막외 카테터가 환자의 안전에 중요한 경우는 척추경막외병용진통이 무통 시술을 위한 적절한 선택이 아닐 수 있다. 가장 흔한 병용 진통의 방법은 바늘속바늘방법(needle through needle technique)이다. Simmons 등의 메타분석에서는 척추경막외병용진통은 저용량 경막외마취보다 진통 시작은 빠르지만 소양증의 발생률이 높고, 임산부의 만족도, 저혈압, 제왕절개 비율, 신생아 결과 등에서 차이가 없으므로 더 뛰어난 진통법이라고 보기 어렵다고 기술하였다.

(3) 지속척추진통

이 방법은 안내도관 바늘의 직경이 커서 경막천자후 두통을 잘 일으키므로 일반적으로 추천되지는 않으나, 의도치 않게 경막 천자가 된 경우 무통 시술을 위해 사용할 수 있는 방법 중 하나이며, 필요한 경우 쉽게 수술을 위한 마취로 전환될 수 있다.

(4) 미추 진통(Caudal analgesia)

현대 무통 시술에서는 잘 사용하지 않는 방법으로, 경막외진통에 비해 기술적으로 어렵고 흉부 부위까지 진통을 위해서는 많은 양의 마취제가 필요하며, 임산부의 혈중 약물 농도의 상승을 일으킬 수 있다.

3) 장비와 모니터

심각한 신경축진통의 부작용(저혈압, 전척추마취, 국소 마취제의 전신 독성)의 처치를 위해 소생 장비와 약물이 필요하다. 신경축진통을 시작하면서 임산부의 혈압은 15~20분 동안 혹은 임산부 혈압이 안정화될 때까지 2~3분 간격으로 지속적으로 측정하고, 이후는 저혈압이 없다면 15~30분 간격으로 측정하며, 산소 포화도는 지속적으로 측정한다. 태아 심박수는 신경축진통의 전후에 측정하고, 테스트 용량을 주입한 후 그리고 진통에 필요한 용량을 주입한 후, 감각 신경 차단 높이와 운동 신경 차단 정도를 측정하고, 이후는 감각 차단, 운동 차단, 통증의 정도를 일정한 간격으로 측정한다. 해부학적 기준점을 찾기 힘든 경우, 신경축진통 전 초음파를 이용하여 해부학적 구조를 파악하는 것이 도움이 될 수 있다.

4) 수액 주입

신경축진통전 정맥로를 확보하고 임산부의 저혈압 교정이 필요하다. 신경축진통을 하기 전 수액 주입이 안심할 수 없는(non-reassuring) 태아 심박동에 미치는 영향에 대한 연구는 일치된 결과를 보여 주지 않는다. 과거와 달리 요즈음에는 대개 신경축진통을 위해 경막외 공간으로 희석된 국소 마취제나 수막공간내로 아편유사제를 주입하므로 심각한 저혈압이 잘 일어나지 않는다. 수액의 급속 주입 시에는 균형 전해질 용액(balanced electrolyte solution)인 하트만씨 용액을 주로 사용하

9-3

며, 포도당이 포함된 용액은 적합하지 않다.

5) 임산부 자세

측와위나 좌위에서 신경축진통을 시행할 수 있는데, 자세 선택은 임산부의 편안함, 대동정맥 압박, 태아 심박수 측정, 마취통증의학과의사가 익숙한 자세 혹은 마취통증의학과의사의 숙련도, 해부학적 기준점의 촉진 용이함을 고려하여 임산부의 자세를 취한다. 척추 진통시는 임산부의 자세를 취할 때 마취약제의 비중을 고려하여야 하지만, 경막외진통 시는 임산부의 자세가 신경차단에 미치는 영향은 미약하며, 시술 후 대동정맥 압박을 피하기 위해 임산부는 좌측위를 취하도록 권한다.

2. 경막외진통 시작

일반적으로 경막외 카테터를 거치한 후 시험 용량을 주입하고, 결과가 음성이면 지용성 아편유사제와 함께 국소 마취제를 경막외강에 분할하여 주입한다.

1) 경막외 시험 용량

시험 용량을 주입하는 목적은 경막외강에 카테터를 거치한 후, 의도하지 않은 정맥 혹은 지주막하 약물 주입을 예방하는 것이다. 전신 독성이나 전척추마취를 일으키지 않을 정도의 소량의 국소 마취제와 epinephrine의 주입으로 정맥 내 혹은 지주막하 주입을 확인한다. 임산부에게 epinephrine을 시험 용량으로 사용하는 것은 자궁태반 순환의 감소와 태아 이상을 초래할 수 있다는 우려가 일부에서 제기되었으나, 신생아에 악영향을 미친다는 보고는 없다. 다중 구멍(multi orifice) 카테터를 이용한 흡인만으로도 98%의 감수성으로 경막외 카테터의 정맥내 거치를 알아낼 수 있으므로, epinephrine

테스트를 할 필요가 없다는 주장도 있다. 진통이 있는 임산부의 심박수는 진통에 따라 주기적으로 변화하므로 epinephrine 시험 용량의 주입이 비특이적일 수 있으므로, 빈맥이 통증에 의한 것인지 epinephrine의 정맥 내 주입에 의한 것인지 감별을 위해 진통 바로 후에 주입하여야 한다.

2) 약물의 선택

분만진통 조절을 위한 이상적인 진통제는 운동신경의 차단이 없으면서, 빠른 효과를 나타내고, 긴 작용시간을 가지며, 독성이 무시할 만하고, 자궁 활동, 자궁태반순환에도 거의 영향이 없는 특성을 가져야 한다. 또한 태반 통과가 적어 태아에 직접적인 영향이 거의 없어야 한다. 국소 마취제와 아편유사제의 조합이 이상적인 진통제에 근접하다고 할 수 있다.

수막공간내 아편유사제의 주입은 분만 1기의 초기에 발생하는 내장성 통증을 효과적으로 줄이고, 국소마취제와 혼합할 경우, 분만 1기의 후기와 분만 2기에 발생하는 체성 통증도 효과적으로 감소시킬 수 있다. 이러한 국소 마취제와 지용성 아편유사제의 혼합은 각각의 진통제의 농도를 감소시켜, 부작용의 발생을 최소화할 수 있다. 국소 마취제에 아편유사제의 첨가함으로 작용 시작 시간이 늦고 긴 작용시간을 가진 국소마취제의 잠복기를 줄일 수 있다. 그러므로 현대의 경막외진통은 지용성 아편유사제와 긴 작용시간을 가진 소량의 국소 마취제를 혼합하여 사용하는 추세이다.

(1) 국소마취제
① Bupivacaine

전통적으로 경막외진통 시 가장 흔하게 사용되었고, 대부분이 혈중 단백질과 결합하여, 태반 통과가 어렵고, 제대 정맥 대 임산부 정맥의 비율이 0.3정도이다. 아편유사제 없이 bupivacaine을 단독으로 경막외 주입

시 8~10분 후에 통증의 감소를 느끼나, 최대의 효과를 나타내기까지는 20분 정도가 필요하다. 진통 지속시간은 90분 정도이고, 진통의 시작을 위해서 bupivacaine 6.25 mg에서 12.5 mg (0.0625% 용액 10~20 ml, 혹은 0.125% 용액 5~10 ml)정도를 사용한다. 신경축진통에 사용하는 국소 마취제의 역가는 20 ml 경막외 일시 주입을 한 후 중앙 유효 농도(the median effective concentration)에 의해 측정될 수 있다. 이 농도는 최소 국소마취제 농도(minimum local anesthetic concentration, MLAC)라고 부르기도 하며, 분만진통의 초기보다 후기에서 높고, 지용성 아편유사제를 사용한 경우 낮아진다.

경막외진통을 시작하거나 유지할 때 국소 마취제의 용량(dose)뿐만 아니라 농도를 적절히 선택하는 것이 중요하다. Bupivacaine의 용량이 20 mg으로 같아도 4 ml(0.5%)를 주입한 경우보다 10 ml(0.2%)나 20 ml(0.1%)를 주입한 경우 진통 효과가 뛰어났으며, 진통의 지속 시간은 20 ml를 주입한 경우 가장 길었다. 국소 마취제의 용적(volume)은 50% 증가 시, 용량은 25% 감소하였을 때, bupivacaine 0.125%가 0.25%와 같은 진통효과를 나타낸다. 즉 0.125%의 bupivacaine이 0.25%의 bupivacaine보다 용량 감소 효과(dose-sparing effect)가 있다고 할 수 있고, 저농도, 고용적 투여가 좀 더 진통에 효과적이고 안전하다고 할 수 있다.

② Ropivacaine

비교적 최근에 개발된 아미드(amide)계 국소마취제로 bupivacaine과 구조와 약동학이 비슷하다. 다른 국소 마취제와 달리 racemic 혼합물이라기 보다는 단일-좌선성(levorotatory) 거울 상 이성질체로 제조되었다.

같은 용량(doses of equal mass)을 비교했을 때 bupivacaine에 비해 ropivacaine은 심장 기능 저하와 부정맥 유발이 덜하다. 양을 대상으로 한 실험에서 ropivacaine은 bupivacaine에 비해 정맥 주사 시 임신 혹은 비임신 시 좀 더 빨리 혈중 농도가 감소하

는 것으로 밝혀져서 bupivacaine에 비해 전신 독성을 유발시키는 용량이 더 크므로, 우발적인 정맥내 주입시 덜 위험할 수도 있다. 그러나 초기의 많은 연구들이 ropivacaine과 bupivacaine을 동일한 역가를 가진 것으로 가정하고 실험을 진행하였는데, 실제로는 ropivacaine은 bupivacaine에 비해 25~40% 역가가 낮다. 같은 역가를 나타내는 용량으로 bupivacaine과 ropivacaine을 비교했을 때, ropivacaine이 전신 독성을 적게 일으킨다고 볼 수 없으며, 희석된 국소 마취제를 쓰는 현재의 추세를 반영한다면 전신 독성 또한 큰 문제가 되지 않는다. Bupivacaine과 ropivacaine은 같은 농도로 주입하는 연구와 같은 역가(0.0625% bupivacaine과 0.1% ropivacaine)로 투여한 연구를 살펴보았을 때, 두 연구 모두 임상적 효능(efficacy)이 비슷하다는 결과가 나왔다. 이것은 역가는 변하지 않지만 임상적 효능은 여러 변수에 의해서 영향을 받으므로, 지속적 경막외 주입을 하는 경우 ropivacaine은 bupivacaine에 비해 지속 시간이 길기 때문에 ropivacaine의 낮은 역가가 상쇄되어 임상적 효능이 비슷하게 나타난 것으로 설명될 수 있다.

운동 신경 차단도 초기의 연구는 같은 농도에서 두 약제를 비교했으므로, ropivacaine이 운동 차단이 덜한 것이 아니고, 같은 농도에서 ropivacaine의 역가가 낮은 것이라고 볼 수 있다. 또한 같은 농도를 사용한다고 하더라도, 두 약제 모두 낮은 농도로 투여하기 때문에 운동 차단 정도를 비교하는 것이 의미가 없을 수 있으며, 메타 분석에서도 ropivacaine을 사용한 경우 운동 차단의 비율은 더 적었으나, 분만의 결과에 영향을 미치지는 않았다. 2010년 Beilin 등의 focused review에서 무통분만 시 ropivacaine의 사용이 bupivacaine에 비해서 일반적으로 이득이 없다고 결론지었다. 반면에 상완신경총마취나 제왕절개를 위한 경막외마취처럼 많은 양이 필요한 경우 ropivacaine은 좀 더 안전하다고 할 수 있다.

9-3

③ Levobupivacaine

Bupivacaine의 좌선성거울상 이성질체로 recemic 혼합물이 아니다. Levobupivacaine은 ropivacaine과 마찬가지로 bupivacaine과 같은 농도를 사용시 bupivacaine에 비해 심장 독성이 적고, ropivacaine과 역가는 비슷하다. 운동 신경 차단 정도도 bupivacaine에 비해 덜해 bupivacaine과 0.87정도의 역가비를 갖는다. ropivacaine이 bupivacaine에 비해 운동 신경 차단의 빈도가 낮지만 분만의 결과는 차이를 보이지 않고, 무통 시술 시 임상적인 이득을 얻기 힘들다.

④ 리도카인(Lidocaine)

Lidocaine은 중등도의 작용시간을 갖고, bupivacaine과 2-chloroprocaine의 중간에 위치하고 있다. 분만진통 중 0.75%에서 1% 정도의 농도에서 만족할 만한 진통을 보여준다. Bupivacaine, ropivacaine, levobupivacaine에 비해 작용시간이 짧아서 경막외진통에 잘 사용되지 않는다. Lidocaine은 다른 아미드 국소 마취제에 비해 단백질 결합이 약하고, 분만 시 제대 정맥/임산부 정맥의 비율이 bupivacaine의 두 배에 달한다. 초기의 연구는 경막외 lidocaine이 신생아 신경 행동 발달에 이상을 초래한다고 보고하였으나, 후속 대규모 연구에서는 lidocaine, bupivacaine, 2-클로로프로카인이 신생아에 비슷한 영향을 미친다고 밝혔다.

⑤ 2-chloroprocaine

에스테르(ester) 국소 마취제이며 작용 시작이 빠르다. 2% 2-클로로프로카인 10 ml를 경막외 주입시 약 40분 정도 효과적인 진통을 제공하며, 짧은 진통시간으로 인해 무통 분만에는 잘 사용하지 않는다. 또한 2-클로로프로카인 사용 후 경막외 공간에 투여한 bupivacaine과 아편유사제의 효과가 줄어 들 수 있다. 2-클로로프로카인은 기구 질식 분만(instrumental vaginal delivery) 혹은 응급 제왕 절개시 경막외진통의 연장시(extension of epidural labor analgesia) 주로 사용 된다.

(2) 아편유사제

① 지용성 아편유사제(Fentanyl, Sufentanil)

아편유사제중 morphine이 경막외진통을 위해 처음으로 사용되었으나, 작용 시작이 늦고 부작용이 많으며, 진통에 대한 효과도 일관성이 없어서 대부분 지용성 아편유사제로 대체되었다. 지용성 아편유사제는 작용 시작이 빠르며, 높은 지질 용해도로 인해 수용성 약물에 비해 작용 시간이 짧고 전신적인 흡수 또한 빠르다.

몇몇 연구가들은 척추내보다 척추위(supraspinal)에서의 작용이 아편유사제에서 더 중요하다는 이론을 제기하였으나, 이후의 연구에서 일시 주입 혹은 지속 주입시 모두 이 이론과 반대되는 결과를 보여주었다. Vella 등은 0.25% 경막외 bupivacaine에 fentanyl 80 μg을 경막외 혹은 정맥 주입을 한 결과, 정맥 주입 시 혈중 fentanyl의 농도는 높았으나, 경막외 fentanyl이 좀 더 빠르고, 완전하며 작용시간이 긴 진통 효과를 보여주었다. D'Angelo 등도 분만진통 중인 임산부에서 fentanyl의 지속적인 정맥 내 주입이 아닌 경막외 주입이 경막외 bupivacaine의 요구량을 줄인다고 보고 하였다.

경막외 fentanyl의 사용은 초기 분만진통에 중등도 정도의 진통 효과를 보이는데, 완전한 진통을 위한 용량을 사용하면 부작용(소양증, 오심, 임산부의 진정)이 심해진다. 또한 경막외 fentanyl 단독 사용은 분만 1기 후기, 혹은 분만 2기에서 적절한 진통을 제공하지 못한다. 실제 임상에서는 경막외 fentanyl 혹은 sufentanil은 작용 시간이 긴 저농도의 아미드 국소마취제와 같이 사용한다.

신경축진통을 위해 국소 마취제에 지용성 아편유사제를 사용하면 진통 시작이 신속해지고, 진통기간이 연장 되면, 진통의 질이 향상된다. 분만진통의 유지 시에도 경막외 fentanyl과 sufentanil은 저농도 bupivacaine의 용량을 감소시키는 효과가 있다. 국소 마취제의 총사용량이 감소하면 전신 국소 마취제의 독성, 고위 혹은 전척추마취의 위험, 태아와 신생아의 혈중 농도, 운동 신경 차단 정도가 감소한다. 경막외진통을 위해 사용되는 sufentanil과 fentanyl의 역가비는 6:1정도이다.

Bupivacaine에 첨가한 fentanyl 50 μg과 100 μg을 비교한 여러 연구에서 진통 작용 시작 시간, 진통 지속 시간, 진통의 정도는 일치된 결과를 보이지 않는다. Bupivacaine 0.125%에 첨가된 sufentanil 7.5 μg과 15 μg은 진통 작용 시작 시간, 진통 지속 시간, 진통의 정도는 차이를 보이지 않는다. 통증과 진통제의 요구도는 임산부의 분만 경력, 분만의 진행 정도, 양막 파열, oxytocin의 사용 여부, 국소 마취제에 아편유사제를 첨가했는지에 따라 다양하게 나타난다. 초산의 경우 분만 초기에 oxytocin의 사용은 분만 통증을 48% 증가시킨다는 보고가 있고, OPRM1 (A118 G)/MDR 1 유전자 다형성 같은 약물유전학적 요인도 경막외 아편유사제의 역가에 영향을 미칠 수 있다.

초기의 연구들은 경막외, 척추 진통제는 하루주기리듬(circadian rhythm)을 가지고 있고, 하루 중 시기에 따라 임산부의 반응이 상이하다는 이론을 제시하였으나 현재 확실한 결론은 없고 추후의 연구가 필요하다.

경막외 아편유사제를 분만진통의 초기나 국소마취제와 병용해서 투여하는 경우, 제시된 용량 중 가장 적은 용량을 사용하는 것이 추천되고, 많은 용량을 사용하는 경우 부작용의 발생이 증가하는데, 경막외 fentanyl과 sufentanil의 주요한 임산부의 부작용은 소양증이며, 태아에 미치는 영향은 미미하다고 볼 수 있다. 또한 국소마취제 주입후 fentanyl을 2 ml에서 20 ml까지 희석하여 용적을 다르게 해도 이러한 용적 변화가 경막외진통 시작과 지속 시간에 미치는 영향은 없다.

② 그 외의 아편유사제

Morphine은 경막외 아편유사제 중 가장 먼저 사용되었으나 진통 작용이 일정하지 않고, 약효 작용 시작이 늦으며(30~60분), 분만 후까지 지속되는 부작용 등 여러 약점을 가지고 있어서 지용성 아편유사제의 도입후 거의 쓰여지지 않는다.

Meperidine은 그 자제가 국소 마취제의 성질을 가지며, 국소 마취제 없이 사용될 수 있다. 경막외 meperidine 100 mg은 0.25% bupivacaine과 비슷한 정도의 진통 효과를 나타내고 운동 차단은 적지만, 이 정도의 meperidine 용량은 진정, 오심, 소양증 등 심한 부작용을 나타낸다. 경막외 meperidine은 분만 중 일어날 수 있는 오한에 효과가 좋다. 0.1% bupivacaine에 혼합하는 meperidine 1 mg/ml와 fentanyl 2 μg/ml를 비교했을 때, 진통 작용은 비슷했으나, 오심, 구토의 발생 비율은 meperidine을 투여한 경우 더 높았다. 현재, meperidine을 단독 혹은 국소 마취제와 병용 사용하는 방법이 작용시간이 긴 아미드 국소 마취제에 지용성 아편유사제를 사용하는 방법보다 이점은 발견되지 않는다.

Butorphanol은 뮤 수용체에 약한 작용, κ 수용체에 강한 작용을 나타내는 작용-길항제이다. κ 수용체가 내장성 통증의 조절에 관여하는데, 분만진통이 내장성 통증과 관련이 있으므로 부토파놀은 분만진통에 좋은 효과를 나타낼 수 있다. 기면(somnolence)이 가장 흔한 부작용이며 0.25% bupivacaine을 병용하는 경우 부토파놀 2 mg이 적절한 용량이고, 3 mg을 경막외로 투여하면 부토파놀을 정맥 투여하는 경우 나타나지 않는 일시적 태아 심박수 이상이 나타나기도 하기도 한다. 또한 κ 수용체 자극에 의한 부작용인 기면과 불쾌감(dysphoria)이 나타날 수 있다.

(3) 보조제(Adjuvant)

현대의 경막외진통은 지용성 아편유사제와 작용 시간이 긴 아미드 국소 마취제의 사용이 주를 이루나 보조제를 사용함으로 진통 기간을 연장하고, 다른 진통제 사용량을 감소시켜 특정한 부작용의 발생을 줄일 수 있다.

① Epinephrine

1.25~5 μg/ml (1:800,000~1:200,000) 정도의 소량의 epinephrine을 국소 마취제에 혼합하여 경막

9-3

표 9-3-1 **신경축진통의 시작시 쓰이는 약물(국소마취제, 아편 유사제)**

약물	경막외진통	척추 진통
국소마취제		
Bupivacaine	0.0625~0.125%	1.25~2.5 mg
Ropivacaine	0.08~0.2%	2.0~3.5 mg
Levobupivacaine	0.0625~0.125%	2.0~3.5 mg
Lidocaine	0.75~1.0%	(-)
아편유사제		
Fentanyl	50~100 μg	15~25 μg
Sufentanil	5~10 μg	1.5~5 μg
Morphine	(-)	125~250 μg
Meperidine	(-)	10~20 mg

외 주입할 수 있는데, 경막외 bupivacaine의 진통 효과 시작 시간을 줄이고, 작용 시간을 증가시킬 수 있다. epinephrine 66 μg을 첨가하는 경우 척수의 α 아드레날린 수용체의 자극에 의해 bupivacaine의 최소 국소마취제 농도를 29% 줄일 수 있다. Epinephrine은 아편유사제의 효능을 증가시킨다. Epinephrine의 전신 흡수는 β 아드레날린 수용체의 자극에 의해 임산부의 심박수를 늘리고 일시적으로 자궁 운동을 증가시킬 수 있다. 그러나 몇몇 연구에서는 epinephrine 첨가가 분만진통의 시간 증가와 관련 없고 신생아에도 영향이 없다고 보고하였다. Epinephrine 첨가의 문제점 중의 하나는 운동 차단이다.

② Clonidine

Clonidine의 진통작용은 α2 아드레날린 수용체의 자극과 척수 후각(dorsal horn)의 신경전달물질 분비 억제에 의해 일어난다. 경막외 clonidine의 투여는 중등도 정도의 진통작용을 나타내는데, clonidine 60 μg은 ropivacaine의 최소국소마취제 농도를 2/3로 줄인다. epinephrine과 달리 clonidine은 운동 차단을 일으키지 않으나 진정 작용이 있고, 저혈압과 서맥의 위험성으로 인해 임산부에서의 사용은 위험할 수 있으나 대개의 저혈압은 치료에 잘 반응한다. 150 μg 이상의 clonidine의 사용은 태아 심박수의 이상을 초래할 수 있다. 국소 마취제와 아편유사제를 혼용하여 사용함에도 돌발통이 발생하는 경우, 국소마취제의 추가 주입은 운동 신경 차단이 발생할 수 있으나, clonidine의 투여는 운동 신경 차단 없이 진통을 조절할 수 있다.

③ Neostigmine

Neostigmine은 척수 내에서 신경전달물질의 분비를 줄이는 acetylcholine의 분해를 억제하여 진통작용이 나타난다. Clonidine과는 상승작용이 있고, 임산부의 진정을 유발하나 임산부와 태아에 악영향을 미친다는 보고는 없다. 미국에서는 신경축마취 사용에 승인이 되지 않았으며, 임산부 신경축마취의 일상적인 사용에 대해서는 추후 연구가 필요하다.

표 9-3-2 **신경축진통에 쓰이는 보조제**

약물	경막외진통		척추 진통
	일시주입량	유지 용량	진통 시작시
Epinephrine	25~75 µg	25~50 µg/h	2.25~200 µg
Clonidine	75~100 µg	10~30 µg/h	15~30 µg
Neostigmine	500~750 µg	25~75 µg/h	(-)
Morphine	(-)	(-)	100~250 µg

3. 척추 진통의 시작

아편유사제 혹은 아편유사제와 국소 마취제를 수막공간 내(intrathecal) 주입하는 척추 진통은 대개 척추경막외병용진통의 일부로 시행된다. 척추 진통은 경막외진통에 비해 빠르고 10분 내에 효과를 나타내게 된다. 수막공간내 아편유사제는 내장성 통증이 주가 되는 초기 진통에 완전한 진통을 제공하며, 국소마취제는 아편유사제와 혼용할 수 있으나 단독으로는 잘 사용하지 않는다. 지용성 아편유사제는 분만 1기의 후기나 분만 2기처럼 천골진통이 필요한 경우 국소마취제와 혼합하여 사용된다. 경막외 아편유사제와 국소 마취제의 혼용처럼 수막공간내 아편유사제와 국소마취제의 혼용은 진통시간을 연장시키고 진통의 질을 향상 시키며 개별 약물의 사용량을 줄이는 효과가 있다.

1) 약물의 선택

(1) 아편유사제

① Fentanyl, Sufentanil

가장 흔히 사용되는 아편유사제이고 교감신경과 운동신경 차단 없이 완전한 진통을 보여준다. 신경축진통 시 사용되는 국소마취제에 의한 전부하의 감소에 민감한 협착성 심질환을 가진 임산부의 경우 특히 유용한 진통

방법이 될 수 있다. 수막공간내 fentanyl의 50% 유효용량(ED_{50})은 5.5~18 µg으로, 유효 용량이 넓은 범위를 나타내는 이유는 대상 임산부의 출산력, 척추 진통을 시작할 때의 자궁 경부의 개대 정도, 성공적인 진통의 정의가 다양하기 때문으로 생각된다. 95% 유효용량(ED_{95})은 17 µg정도이다. 진통 효과 기간은 투여된 약물의 용량에 의존하고, 15~25 µg을 투여한 경우 80~90분에 최고 농도에 이른다. Sufentanil의 ED_{50}과 ED_{95}는 각각 1.8~4.1 µg, 8~10 µg이며, 반감기는 fentanyl보다 약간 더 길다. 그러나 대개 척추 진통은 척추경막외병용진통의 일부로 시행되고, 척추 진통후 경막외진통을 바로 시작하므로, 척추진통시 사용되는 약제의 작용 시간은 대개 중요한 문제가 되지 않는다.

수막공간내 fentanyl과 sufentanil은 아미드 bupivacaine과 같은 국소 마취제와 혼합 사용하는데 국소 마취제의 혼합은 아편유사제의 용량을 줄일 수 있다. Sufentanil 1.5~2 µg과 bupivacaine 2.5 mg 혹은 fentanyl 10~15 µg과 bupivacaine 2.5 mg을 혼합사용하면 만족할 만한 진통을 얻을 수 있다.

② 그 이외의 아편유사제

Morphine은 작용 시작이 느리고, 작용시간이 길어 1 mg 정도의 많은 양을 사용하는 경우 분만 후 호흡저하 같은 치명적인 부작용이 나타날 수 있다. 수막공간내로 국소 마취제, 지용성 아편유사제와 함께 저용량 (0.1~0.25 mg)의 morphine을 사용하는 방법은 지속

9-3

적인 경막외진통이 어려운 경우 유용하게 사용될 수 있고, 척추경막외병용진통의 일부로 사용하여, 수막공간내 morphine을 같이 사용하면 수막공간내로 국소 마취제와 지용성 아편 유사제만 사용한 경우보다 돌발통의 발생이 적고 진통제의 소모량도 줄일 수 있다.

Meperidine은 약한 국소마취제의 성질을 갖고 있는데 10~20 mg을 수막공간내로 투여하면 2~12분내에 효과적인 진통을 보이고 1~3시간의 작용 시간을 나타낸다. Meperidine은 국소 마취제의 효과를 나타낼 수 있으므로 페타닐, sufentanil보다 분만 2기 등 분만이 좀더 진행된 경우 발생하는 분만진통에 효과적으로 작용한다. 그러나 fentanyl, 국소 마취제의 혼합 사용보다 오심, 구토의 발생이 흔하므로, 일반적으로 분만진통의 조절에 사용하지는 않는다.

(2) 국소 마취제

분만이 진행되어 분만 1기의 후반이나 분만 2기가 되면 체성 통증이 강해지므로, 국소 마취제가 아편유사제에 추가되어야 한다. 국소 마취제는 아편유사제에 상승적으로 작용하여, 두 약물의 사용량을 줄일 수 있다. Fentanyl과 sufentanil에 bupivacaine을 첨가하여 사용하는 경우, bupivacaine의 ED95 는 fentanyl 15 µg인 경우 1.7 mg, sufentanil 1.5 µg인 경우 3.3 mg이며, bupivacaine은 1.25 mg에서 2.5 mg 정도의 용량을 많이 사용한다. Ropivacaine과 levobupivacaine은 bupivacaine에 비해 역가가 낮으므로, 수막공간내 투여로는 잘 사용하지 않는다. 수막공간내 ropivacaine이나 levobupivacaine의 투여가 bupivacaine의 투여보다 운동신경의 차단이 덜 일어나는 것은 역가의 차이라기보다는 S(-) 이성질체의 감각-운동 분리(sensory-motor separation) 때문이라는 보고도 있으나 그렇다 하더라도, 국소 마취제를 수막공간내로 투여하는 경우 적은 용량을 사용하므로 임상적으로 의미는 없다고 볼 수 있다.

국소마취제와 아편유사제의 혼합 약물은 뇌척수액

에 비해 저비중이므로, 좌위에서 척추 진통을 하면 측와위척추에서 한 경우보다 감각 신경의 차단이 더 높을 수 있다.

(3) 보조제(Adjuvant)

Clonidine은 단독 혹은 아편유사제, 국소마취제에 첨가했을 때 진통 작용을 나타내고, 진통의 작용시간을 연장시킨다. 그러나 진정 작용과 저혈압, 태아 심장 박동수의 이상을 유발할 수 있으므로, 잘 사용하지 않는다. Neostigmine도 clonidine과 비슷한 효과가 있으나 항구토제에 반응이 없는 심한 오심을 유발할 수 있으므로 추천 되지 않는다.

4. 진통의 유지

1) 경막외진통

신경축진통의 유지는 대개 경막외 카테터를 통한 간헐적 혹은 지속적인 국소 마취제와 지용성 아편유사제의 혼합 주입에 의해 이루어진다

(1) 경막외진통을 위해 사용되는 약물

과거에는 국소마취제 단독으로 사용하였으나 현재는 대개 저용량 긴 작용시간을 가지는 아미드 국소마취제와 지용성 아편유사제를 혼합하여 사용한다. Lidocaine과 2-클로로프로카인은 작용시간이 짧고 빠른내성(tachyphylaxis)을 가지고 있어 임상에서 잘 사용되지 않는다. Lidocaine은 bupivacaine에 비해 태반 통과를 잘 하고, 감각 차단을 일으키는 농도와 운동 차단을 일으키는 농도의 차이가 작다. 아미드 국소마취제인 bupivacaine, ropivacaine, levobupivacaine은 서로간 우열을 가리기 어려우며, fentanyl은 sufentanil

에 비해 제대혈에서 높은 농도로 측정되나, 신생아에게 두 약제 모두 악영향을 미치지는 않는다. 0.0625% bupivacaine과 fentanyl 2 µg/ml의 경막외 투여는 0.125% bupivacaine과 비교시 임산부의 진통과 신생아에 비슷한 영향을 미치나 운동차단은 적게 일어났다.

현대 임상에서는 아편유사제와 혼합하여 사용하는 경우 bupivacaine은 0.05~0.125%의 농도를 사용한다. 특히 지속적 경막외 주입법을 이용하여 bupivacaine을 주입하는 경우 신경 차단을 피하기 위해서는 0.125%이하의 농도를 사용하는 것이 좋다.

임상적으로 많이 사용하는 fentanyl의 농도는 1.5~3 µg/ml이고 sufentanil의 농도는 0.2~0.33 µg/ml이다.

(2) 주입법

① 간헐적 일시 주입(Intermittent bolus)

주입 펌프가 도입되기 전에 경막외진통을 시작한 후 진통 작용이 약해지기 시작했을 때, 국소 마취제의 추가 일시 주입에 의한 간헐적 투여에 의해 경막외진통이 유지되었다. 일반적으로 국소 마취와 아편유사제 혼합용액 8~12 ml를 일시 주입한다.

표 9-3-3 경막외진통의 유지에 사용되는 약물

약물	용량(농도)
국소 마취제	
Bupivacaine	0.05~0.125%
Ropivacaine	0.08~0.2%
Levobupivacaine	0.05~0.125%
Lidocaine	0.5%~1.0%
아편유사제	
Fentanyl	1.5~3 µg/ml
Sufentanil	0.2~0.4 µg/ml

반복된 경막외 일시 주입은 천골 진통과 운동 신경 차단을 일으킬 수 있다. 여러 이유로 간호사가 추가 진통제를 주입하지 못하는 경우 마취통증의학과의사를 호출해야 하며 의료 인력의 작업량이 증가한다.

② 연속 주입

연속적인 경막외 주입의 잠재적인 혜택은 진통을 안정적인 수준으로 유지하고, 일시 주입의 횟수와 전신 국소 마취제의 독성의 위험을 줄일 수 있다. 또한 간헐적 일시 주입보다 저혈압과 비정상적인 태아 심박수의 이상이 덜 발생하였으나 신생아 결과는 두 방법이 유사 하였다. 간헐적 일시 주입보다 국소 마취제의 총 투여량이 증가하나, 분만시 임산부의 정맥 또는 제대 정맥의 국소 마취제의 농도가 상승하는 것은 아니다. 10~14 ml/h 속도의 0.125% bupivacaine의 주입은 운동 신경 차단을 유발할 수 있으며, 각 환자의 개인적인 요구에 맞추어 국소 마취제의 용량을 적정하고, 국소 마취제 농도를 낮추고 아편유사제를 첨가하여 국소 마취제의 총 용량을 감소시키는 것이 유효한 진통을 제공하면서 운동 기능 차단을 최소화하는 방법이다. 수막공간내, 경막하 혹은 정맥내로 경막외 카테터가 이동할 수 있다. 희석된 국소 마취제를 이용한 연속적인 경막외 주입시, 정맥내로 경막외 카테터가 이동하는 경우 전신 마취 독성은 잘 발생하지 않고, 오히려 진통의 질이 감소하며 마취의 감각차단높이가 감소한다. 경막외 연속 주입시, 환자가 예기치 않게 통증을 호소하는 경우 경막외 카테터의 정맥 이동을 의심해야한다. 경막하 혹은 지주막하 공간으로 경막외 카테터가 이동하면 0.125% bupivacaine을 5~8 ml/h정도의 속도로 주입하는 경우 감각 차단 수준이 느리게 상승하고 운동 차단이 강해지는데, 이보다 농도가 높거나 주입 속도가 빠르면 위험한 상황이 발생할 수 있다.

③ 경막외 자가통증조절

경막외 자가통증조절은 연속 경막외 주입에 비해 운동 신경 차단이 덜하고, 국소 마취제의 총 주입량이 감소하며, 의료진의 작업량을 감소시키나, 통증 점수, 환자의 만족도 및 임산부와 신생아 결과에 차이가 없다. 지속적 주입(background infusion)의 필요성에 대해서 논란이 있었는데, 여러 메타분석과 산과 마취를 위한 ASA Practice Guidelines에서는 경막외 자가통증조절에서 지속적 주입의 사용이 진통의 향상과 예상치 못한 진통제의 주입을 줄인다고 결론지었다. 저농도 국소 마취제를 사용하는 경우, 지속 주입에 따른 국소 마취제 투여량의 증가가 운동 차단을 증가시키거나 분만 결과에 불리한 영향을 미친다는 증거는 없다. 일반적으로 연속 주입량은 시간당 투여 허용량의 절반이나 1/3 정도로 정한다.

다양한 연구에서 5~30분의 잠금 간격, 2~20 ml의 일시주입량의 사용이 보고되었다. 현재까지 이상적인 잠금 간격과 일시 주입량은 확실히 정해지지 않았으며, 경막외 연속 주입과 마찬가지로, 희석된 국소 마취 용액과 아편유사제의 혼합 투여가 진통 효능의 저하없이 운동 신경 차단을 줄일 수 있다. 연속 주입이 없는 경우 일시 주입량은 8~12 ml, 잠금 간격은 10~20분, 연속주입을 병행하는 경우 연속 주입 속도는 4~8 ml/h, 일시 주입량은 5~8 ml, 잠금 간격은 10~15분이 추천될 수 있다.

④ 시간맞춤간헐적일시주입(Timed intermittent bolus injection)

일시 주입이 지속적 주입보다 진통 효과면에서는 더 좋은 결과를 나타내는데, 더 큰 용적을 높은 분사 압력으로 투여 할 때 아마도 경막외 공간에 마취제의 분포가 더 좋아지기 때문이다. 여러 연구에서 프로그램된 주입기를 통해 시간 맞춤(자동) 간헐적 일시 주입으로 30~60분마다 5~10 ml 정도의 용액을 경막외로 주입하면, 동일한 용량(drug mass)을 지속적 주입에 의해 주입한 경우보다 개선된 환자 만족도, 적은 약물사용량, 돌발통의 감소, 긴 지속 시간을 보여 주었다. 또한 기구 분만의 비율도 감소시킬 수 있었다. 메타분석에서는 시간 맞춤 간헐적 일시 주입이 총 마취 소모량의 감소와 환자 만족도를 증가시킨다고 결론을 내렸다.

2) 척추 진통

지주막하 공간에 카테터를 위치시켜 간헐적으로 혹은 연속 주입에 의해 국소 마취제와 아편 유사제를 함께 주입하여 지속적으로 분만진통을 관리하는 것으로 경막외진통 시술 중 의도하지 않은 경막 천자가 발생하는 경우 사용할 수 있다.

3) 보행(Ambulatory, Walking) 신경축진통

경막외진통은 기구 분만의 증가, 분만 2기 기간의 증가나 oxytocin 등의 자궁 수축제의 사용 증가 등의 부작용이 따를 수 있다. Lidocaine 45 mg과 epinephrine 15 µg을 이용한 시험용량의 주입만으로도 보행 시 필요한 감각, 운동 능력의 저하를 가져올 수 있다. 이러한 경막외진통의 부작용은 경막외진통으로 인한 운동 신경과 감각 신경의 강한 차단과 관련이 있을 수 있으므로, 운동 감각 신경의 기능 유지는 보행 혹은 서 있는 자세를 가능하게 하고, prostglandin의 분비 혹은 Ferguson 반사와 같은 생리학적 반사를 촉진시키고 자궁혈류를 증가시켜 분만을 도와주는 것으로 기대할 수 있다. 아편유사제를 병용하는 저용량 척추경막외진통 시 운동기능이 유지되므로 보행 혹은 움직일 수 있는 신경축진통이라는 용어가 사용되기 시작했고, 이 용어는 척추경막외진통뿐만 아니라, 안전하게 보행이 가능한 신경축진통의 모든 경우에 사용될 수 있을 것이다.

그러나 보행 자체가 분만 방법이나 분만의 기간에 영향을 주는지를 판단하는 대규모 무작위 연구가 없는 실정이고, 저용량 경막외 국소 마취제의 감각, 운동 능력, 척추 후각 기능의 유지에 대한 연구 역시 확실한 결론에 도달하지 못한 상태이다. 임산부는 보행 능력이 있어도 편안한 자세를 유지하는 것을 선호하는 경향이 강하다. 그러나 심한 운동 신경의 차단이 분만 결과에 영향을 미치므로 실제로 임산부가 걷느냐에 상관없이 보행이 가능한 신경축진통을 시행하는 것은 중요하며, 이러한 운동 감각 신경의 유지는 중력의 도움 없이 그 자체로 분만 과정에서 태아의 만출을 도와주는 힘이 유지된다는 것을 의미한다.

보행을 위해서는 보행전에 기립 시 임산부의 혈압과 심박수(기립시 혈압과 심박수가 누워있을 때의 10% 이하면서 증상이 없다), 운동 능력(앙와위에서 양쪽 다리를 뻗은 채로 올릴 수 있다), 균형을 점검하고, 태아 상태와 태아 선진부 진입(engagement of presenting part)을 확인하며, 15분마다 태아 심장 박동수를 체크해야 한다. 단독으로 보행해서는 안 되고 보호자 동행하에 보행을 해야 한다.

5. 신경축진통의 부작용

1) 저혈압

신경축진통에 의한 교감 신경 활동의 저하는 말초 혈관 확장과 정맥 환류의 감소를 가져온다. 저혈압이 심하면 태아에서 저산소증과 산증이 나타날 수 있으며 혈압 측정은 신경축진통 시작 후 혈압이 안정될 때까지 2~3분 간격으로 측정해야 한다. 저용량 경막외진통과 척추 경막외병용진통을 비교한 메타 분석에서는 저혈압의 빈도 차이는 없었다. 완전히 옆으로 누운 자세와 비스듬히 누운 자세에서의 저혈압의 빈도 차이는 확실히 밝혀진 바가 없다.

전통적으로 신경축진통을 시행하기 전에 정질액을 0.5~1.5 L를 정주하였는데 몇몇 무작위 연구에서 저용량 척추경막외병용진통을 하는 경우 이러한 교질액의 전부하는 저혈압의 빈도를 감소시키지 못하였다. 또한 수액 전부하와 안심할 수 없는 태아 심박동의 위험과의 연관은 확실히 밝혀진 바가 없다. 많은 마취통증의학과의

사는 수액 전부하를 하지 않는다. 저혈압이 발생하면 ephedrine이나 phenylephrine의 투여, 좌측위 자세, 수액 주입 등으로 치료할 수 있다. Ephedrine은 태반을 통과하여 태아 심박수에 영향을 미칠 수 있다.

2) 소양증

소양증은 경막외 혹은 수막공간내 아편유사제 투입 시 가장 흔한 부작용이며 용량 의존적으로 증가한다. 수막공간내로 주입하는 경우 경막외 주입보다 소양증의 발생이 흔하고 증상도 심하다. 수막공간내 아편유사제 주입의 경우 몇몇 연구에서는 소양증의 발생이 거의 100%에 육박하나 치료가 필요한 경우는 드물다. 국소 마취제의 병용 투여는 그 빈도를 줄이나 epinephrine의 혼합은 빈도를 증가시킬 수 있다. 소양증의 기전은 불확실하나 histamine 분비와 관련이 없다. 아편양 제제의 뮤 수용체의 길항제가 소양증의 증상을 줄이는 것으로보아, 뮤 수용체와 관련이 있어 보인다. 날록손(naloxone, 40~80 μg 정맥 일시 주입후 1~2 μg/kg/h의 속도로 지속적 주입), 날부핀(nalbupine, 2.5~5 mg 정맥 일시 주입)이 가장 효과적이나 진통 효과를 줄일 수 있으며, 항히스타민제은 효과가 없고, propofol 10~20 mg 정주는 비산과 환자와는 달리 임산부에서는 효과가 없는 것으로 나타났다. 세로토닌 수용체 길항제인 ondansetron 효과도 pentazocine (뮤 수용체 작용제이자 κ 수용체 부분 작용제)이나 항히스타민제보다 뛰어나지 않은 것으로 나타났다.

메타분석상 예방적 세로토닌 길항제는 위약에 비해 전체 소양증의 빈도를 줄이지 못했으나 치료를 요하는 심한 소양증의 빈도를 낮추었다.

대개의 소양증은 아편유사제 투입후 한시간이면 그 증상이 감소하며, 날부핀 2.5 mg을 정주하면 신경축진통의 진통 작용을 줄이지 않으면서, 중등도 이상의 소양증을 치료할 수 있다.

9-3

3) 오심, 구토

오심, 구토의 발생이 신경축 아편유사제의 주입과 직접적인 관련이 있는지는 불확실하며, 신경축진통으로 발생된 저혈압에 의한 이차 변화일 수도 있다. 임신 자체, 아편유사제에 의한 위배출의 지연, 전신적인 아편유사제 투여가 관여할 수 있다. 동일한 아편유사제를 분만진통 중 신경축진통을 위해 주입하는 경우와 제왕절개후 진통을 위해서 주입하는 경우를 비교하면, 신경축진통을 위해 주입하는 경우 오심의 발생률이 낮다. Metoclopramide, ondansetron, droperidol이 예방적으로 사용될 수 있으나, droperidol은 심한 부정맥을 유발할 수 있으므로 주의해서 사용해야 한다.

4) 발열

경막외진통을 하면 임산부의 체온 상승이 관찰되는데, 비감염성 태반염증, 인터루킨-6(interleukin-6)와의 관련이 제기되었다. 예방적으로 메틸프레드니솔론 100 mg을 투여한 경우 발열이 줄어들었다. 분만 중 발열의 임상적인 중요성은 확실치 않으나 발열이 있는 경우 기구분만과 제왕절개의 비율이 높아진다. 미국 질병통제예방센터(U.S. Centers for Disease Control and Prevention)에서는 임산부가 융모양막염(chorioamnionitis)이 의심되는 경우, 항생제를 쓰기 전에 혈액 배양 등의 검사를 실시할 것을 권하고 있다.

또한 임산부 발열은 신생아 발작, 뇌병증, 소아마비의 발생과 관련이 있을 수 있는데, 신생아 뇌 손상은 열 자체보다는 염증 반응과 관련이 있는 것 같다.

5) 오한

오한은 분만 중에 흔히 발생하고 경막외진통을 한 경우, 그 비율이 더 증가할 수 있다. 오한은 체온조절과 관련이 없이 발생할 수도 있으며, 분만 진통을 위해서 경막외 국소마취제, 아편유사제 병용주입을 한 경우와 전신적인 meperidine의 투여한 경우 발생률의 차이는 관찰되지 않았다. 경막외진통 시 아편유사제와 epinephrine 첨가는 오한을 증가시킬 수 있다.

6) 뇨저류

신경축 국소 마취제에 의한 천골 신경 마비에 의해 뇨저류가 발생한다. 수막공간내 유사 아편제는 용량 의존적으로 배뇨근(detrusor muscle)의 수축력과 배뇨 의지(urge sensation)를 저하시키며 이러한 뇨저류는 진통작용과 함께 시작된다. 그러나 신경축진통 없이 정상 분만 후에도 방광의 기능 이상은 나타날 수 있다. 방광 기능 이상은 대개는 분만 후 24시간 이내에 정상화된다. 신경축진통을 한 임산부가 수축시 치골상부 통증을 느낀다면 방광 팽창을 의심해야 한다.

참고문헌

Anim-Somuah M, Smyth R, Howell C. Epidural versus non-epidural or no analgesia in labour. Cochrane Database Syst Rev 2005; 4. Banerjee A, Stocche RM, Angle P, Halpern SH. Preload or coload for spinal anesthesia for elective Cesarean delivery: a meta-analysis. Can J Anaesth 2010; 57: 24-31.

Beilin Y, Halpern S. Ropivacaine versus bupivacaine for epidural labor analgesia. Anesth Analg 2010; 111: 482-7.

Buyse I, Stockman W, Columb M, Vandermeersch E, Van de Velde M. Effect of sufentanil on minimum local analgesic concentrations of epidural bupivacaine, ropivacaine and levobupivacaine in nullipara in early labour. Int J Obstet Anesth 2007; 16: 22-8.

D'Angelo R, Gerancher JC, Eisenach JC, Raphael BL. Epidural fentanyl produces labor analgesia by a spinal mechanism. Anesthesiology 1998; 88: 1519-23.

Dewandre PY, Kirsch M, Bonhomme V, Columb M, Hans P, Brichant JF. Impact of the addition of sufentanil 5 microg or clonidine 75 microg on the minimum local analgesic concentration of ropivacaine for epidural analgesia in labour: a randomized comparison. Int J Obstet Anesth 2008; 17: 315-21.

Halpern SH, Walsh V. Epidural ropivacaine versus bupivacaine for labor: a meta-analysis. Anesth Analg 2003; 96: 1473-9.

Hofmeyr G, Cyna A, Middleton P. Prophylactic intravenous preloading for regional analgesia in labour. Cochrane Database Syst Rev 2004: Cd000175.

Jones L. Pain management for women in labour: an overview of systematic reviews. J Evid Based Med. 2012; 5: 101-2.

Kinsella SM, Pirlet M, Mills MS, Tuckey JP, Thomas TA. Randomized study of intravenous fluid preload before epidural analgesia during labour. Br J Anaesth 2000; 85: 311-3.

Lee S, Lew E, Lim Y, Sia AT. Failure of augmentation of labor epidural analgesia for intrapartum cesarean delivery: a retrospective review. Anesth Analg 2009; 108: 252-4.

Simmons SW, Taghizadeh N, Dennis AT, Hughes D, Cyna AM. Combined spinal-epidural versus epidural analgesia in labour. The Cochrane Library 2012.

Vella LM, Willatts DG, Knott C, Lintin DJ, Justins DM, Reynolds F. Epidural fentanyl in labour. An evaluation of the systemic contribution to analgesia. Anaesthesia 1985; 40: 741-7.

Wilson MJ, MacArthur C, Cooper GM,Shennan A. Ambulation in labour and delivery mode: a randomised controlled trial of high-dose vs mobile epidural analgesia. Anaesthesia 2009; 64: 266-72.

9-3

무통분만을 위한 시술과 진통

9-4 분만 진행에 미치는 영향

무통분만(labor analgesia)을 위한 가장 효과적이면서 부작용이 적은 진통법은 부위마취방법의 한 방법인, 경막외진통법(epidural analgesia), 척수진통법(spinal analgesia)과 척추경막외병용진통법(combined spinal-epidural analgesia, CSE)으로 구성된 신경축진통(neuraxial analgesia)이다.

1. 신경축 진통법의 올바른 이해

초창기 관찰연구나 후향적 연구들에서는 신경축진통이 지연분만(prolonged labor)이나 수술적 분만(operative delivery, 제왕절개와 기구분만)과 연관이 있다고 발표하고 있고 그런 연구를 바탕으로 인과관계(cause and effect relationship)를 규명하고자 하는 많은 연구가 있어왔다. 이중맹검법(double-blinded)으로 무작위대조시험(randomized controlled trial, RCT)을 행하는 것이 가장 신뢰적인 연구방법으로 알려져 있으나 neuraxial 진통과 위약(placebo)을 RCT하는 것이 현실적으로 많은 어려움이 수반된다. 첫째, 생리적 식염수 등을 투여하는 무진통으로 대조군을 할당해야 하지만 윤리적인 문제가 있으므로 실제로는 meperidine등의 아편유사제를 전신적 투여한 군으로 대조군을 삼는 경우가 대부분이다. 엄격하게 말하면 이는 위약이 아니고 아편유사제로 분만진행에 일정 부분 영향을 줄 수 있다고 보아야 하기 때문에 대조시험에 한계를 지닌다. 둘째, 아편유사제를 투여한 대조군에 비해 신경축진통군은 진통효과가 월등히 차이가 나므로 시험 당사자인 임산부뿐 아니라 시험에 관여하는 의사나 간호사 등에 맹검상태를

유지하기 어렵다. 셋째, 높은 교차율(crossover rate)로 인해 결과가 왜곡되기 쉬운데 이는 처음 할당된 대조군에서 이탈하여 진통효과가 우수한 신경축진통군으로 옮겨가는 대상이 많기 때문이다. 마지막으로는 수술적 분만을 증가시킬 수 있는 다른 교락변수(confounding factor)들에 대한 조절이 어렵기 때문인데 이 변수로는 출산 수(parity), 인공양막파수(artificial rupture of membrane), oxytocin 사용, 담당산과의사 등을 들 수 있다.

경막외진통법이 분만진행에 미치는 영향에 관한 초창기의 후향적 연구에서는 선택오차(selection bias)가 심했던 것으로 지적이 되는데 이는 분만진행의 잠복기(latent phase)에서 통증이 심한 임산부가 경막외진통군으로 많이 할당이 되기 때문이었다. 분만과정에서 심한 통증을 호소하여 아편유사제의 투여가 많았던 대상 환자에서는 투여가 적은 경우에 비해 수술적 분만율이 높기 때문에 이런 환자가 치료군에 많이 할당되면 연구결과가 왜곡된다.

2. 제왕절개술(Cesarean delivery) 비율에 미치는 영향

1) 임팩트연구(Impact studies)

임팩트연구는 어떤 치료에 대한 환자의 영향을 규명하는 연구로서 특정한 치료법의 개시 전과 후를 비교하므로 전-후연구(before-after studies)라 불린다. 이런 연구방법은 RCT와는 달리 환자가 연구에 참가하는 것으로 말미암은 호손효과(Hawthorne effect)를 피할 수 있어 외적 타당성(external validity)을 강화시킬 수 있으며 RCT연구에서 흔히 볼 수 있는 높은 교차율의 문제도 피할 수 있다. 그러나 한 가지 제한 점은 치료개시 전과 후에 치료방법의 변화가 없다는 전제가 필요하다는 것이다.

경막외진통이 제왕절개율에 미치는 영향을 연구한 대표적인 임팩트 연구로는 하와이 Tripler 미군병원에서 Yancey 등이 행한 연구로 이 병원에서는 1993년 국가

정책의 변화로 경막외진통법이 갑자기 도입되어 그 전에 1%에서 1년 후에는 80%의 임산부에서 시행되었다. 이런 급작스런 진통법의 변화에도 불구하고 초산부에서의 제왕절개율은 전과 후가 19.0, 19.4%로 차이가 없었다.

또 다른 연구로 Impey 등이 더블린의 한 산과병원에서 행한 연구로 경막외진통법 시행율과 제왕절개율과의 상관관계를 규명하고자 했는데 1987, 1992, 1994년에 경막외진통법이 각각 10%, 45%, 57% 시행되었는데 제왕절개율은 각각 4%, 5%, 4%로 차이를 보이지 않았다 (그림 9-4-1).

Segal 등은 9개의 임팩트 연구들을 분석한 메타분석연구(meta-analysis)에서 총 37,000명이 넘는 임산부를 대상으로 분석한 결과 경막외진통법은 제왕절개율을 높이지 않았다(그림 9-4-2).

2) 무작위대조시험(Randomized controlled trial, RCT)

서론에서 지적한 대로 RCT방법은 매우 타당한 방

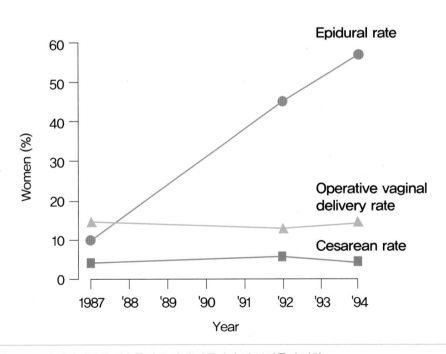

그림 9-4-1. **상이한 세 연도에서 경막외진통 시술률의 증가에 따른 수술적 분만률의 변화**

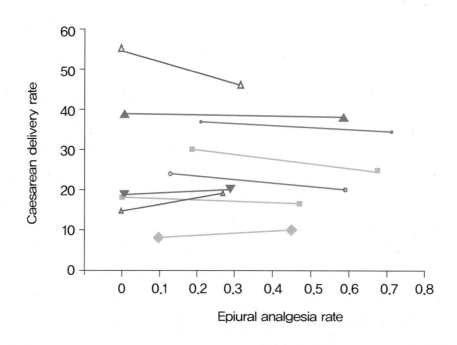

그림 9-4-2. 신경축진통이 제왕절개율에 미치는 영향에 관한 9개 임팩트연구의 메타분석

법이지만 경막외 무통분만에 관한 연구에서는 위약군의 설정이 어렵고 대조군과 통증정도의 차이가 심해 맹검상태의 유지가 어렵고 교차율이 높아 잠재적인 오차를 야기할 수 있으므로 그 결과의 분석이 중요하다. 수많은 연구들이 경막외진통법을 포함하는 신경축진통과 전신적인 아편유사제를 전향적인 RCT방법으로 비교하였다. 그 중에서도 미국 Parkland Hospital에서 행해진 여러 연구들이 있는데 Ramin 등이 시행한 첫번째 연구에서는 1,330명의 임산부를 대상으로 하여 경막외군이 대조군에 비해 9%와 3.9%로 높은 제왕절개율을 보였다. 그러나 이 연구가 교차율이 35%정도로 높았으나 intent-to-treat분석을 시행치 않아 왜곡이 심했다는 지적으로 Sharma 등이 재분석한 연구를 시행하여 두 군에서 똑같이 6%의 제왕절개율을 보였다는 발표를 하였다(표 9-4-1). 이 그룹이 시행한 후속 연구에서는 교차율을 줄이고자 자가조절진통법(patient-controlled

analgesia, PCA)을 시행하여 적절한 intent-to-treat 분석 후 두 군의 차이가 없음을 발표하였고 같은 저자들이 시행한 CSE와 전신적 opioid를 비교한 연구에서도 제왕절개율의 차이가 없음을 발표하였다. 또한 Sharma 등이 Parkland Hospital에서 시행한 모든 연구들을 메타분석(n = 4,465)한 연구에서는 위험률(risk ratio)이 1.04 (95% CI, 0.81~1.34)로 두 군의 차이는 없었다.

최근에 발표된 메타분석에서는 27개 연구(8,417명의 임산부)를 분석하였는데 신경축진통과 전신적 opioid(혹은 무진통)의 위험율은 1.10(95% CI, 0.97~1.25)로 역시 두 군의 차이는 없었다(그림 9-4-3).

3) 용량-반응연구(Dose-response study)

이 연구에서 대표적인 것이 'The COMET study'인데 1,000명의 임산부를 세 군으로 나눠 'high-dose 경

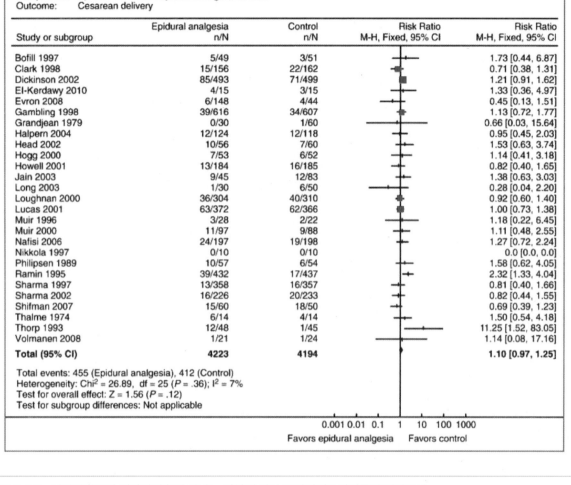

Review: Epidural versus nonepidural or no analgesia in labor
Comparison: Epidural versus nonepidural analgesia in labor
Outcome: Cesarean delivery

Study or subgroup	Epidural analgesia n/N	Control n/N	Risk Ratio M-H, Fixed, 95% CI	Risk Ratio M-H, Fixed, 95% CI
Bofill 1997	5/49	3/51		1.73 [0.44, 6.87]
Clark 1998	15/156	22/162		0.71 [0.38, 1.31]
Dickinson 2002	85/493	71/499		1.21 [0.91, 1.62]
El-Kerdawy 2010	4/15	3/15		1.33 [0.36, 4.97]
Evron 2008	6/148	4/44		0.45 [0.13, 1.51]
Gambling 1998	39/616	34/607		1.13 [0.72, 1.77]
Grandjean 1979	0/30	1/60		0.66 [0.03, 15.64]
Halpern 2004	12/124	12/118		0.95 [0.45, 2.03]
Head 2002	10/56	7/60		1.53 [0.63, 3.74]
Hogg 2000	7/53	6/52		1.14 [0.41, 3.18]
Howell 2001	13/184	16/185		0.82 [0.40, 1.65]
Jain 2003	9/45	12/83		1.38 [0.63, 3.03]
Long 2003	1/30	6/50		0.28 [0.04, 2.20]
Loughnan 2000	36/304	40/310		0.92 [0.60, 1.40]
Lucas 2001	63/372	62/366		1.00 [0.73, 1.38]
Muir 1996	3/28	2/22		1.18 [0.22, 6.45]
Muir 2000	11/97	9/88		1.11 [0.48, 2.55]
Nafisi 2006	24/197	19/198		1.27 [0.72, 2.24]
Nikkola 1997	0/10	0/10		0.0 [0.0, 0.0]
Philipsen 1989	10/57	6/54		1.58 [0.62, 4.05]
Ramin 1995	39/432	17/437		2.32 [1.33, 4.04]
Sharma 1997	13/358	16/357		0.81 [0.40, 1.66]
Sharma 2002	16/226	20/233		0.82 [0.44, 1.55]
Shifman 2007	15/60	18/50		0.69 [0.39, 1.23]
Thalme 1974	6/14	4/14		1.50 [0.54, 4.18]
Thorp 1993	12/48	1/45		11.25 [1.52, 83.05]
Volmanen 2008	1/21	1/24		1.14 [0.08, 17.16]
Total (95% CI)	**4223**	**4194**		**1.10 [0.97, 1.25]**

Total events: 455 (Epidural analgesia), 412 (Control)
Heterogeneity: Chi^2 = 26.89, df = 25 (P = .36); I^2 = 7%
Test for overall effect: Z = 1.56 (P = .12)
Test for subgroup differences: Not applicable

0.001 0.01 0.1 1 10 100 1000
Favors epidural analgesia   Favors control

그림 9-4-3. 경막외진통이 제왕절개술에 미치는 영향에 관한 무작위대조시험들의 메타분석

막외군'에서는 재래식경막외진통법(bupivacaine 0.25%)을, 'low-dose 경막외군'에서는 저용량경막외진통법(bupivacaine 0.1% with fentanyl 2 μg/ml의 일회용량과 경막외 지속주입)을, 'low-dose CSE군'에서는 저용량 CSE analgesia(수막강내 bupivacaine/fentanyl 주입 후 경막외 간헐주입)을 시행하였다. 세 군 사이에는 제왕절개율의 차이가 없었고 다만 재래식 경막외진통군에서는 기구분만율이 증가했다(그림 9-4-4).

그 밖의 재래식 경막외진통법(bupivacaine 0.25%)과 CSE진통법을 비교한 연구들에서도 제왕절개율의 차이가 없었으므로 결론적으로 용량과 방법(경막외 혹은 CSE)에 따른 제왕절개율의 차이는 없었다.

4) 신경축진통법의 개시시간(Timing)

초기의 관찰연구들에서 분만초기에 경막외진통법이 시행된 군에서 수술적 분만율이 높았다는 결과가 있었으므로 미국산부인과학회(ACOG)에서는 2002년에 '가능하면 자궁경부가 4~5 cm 열릴 때까지 경막외진통법 시행을 지연시킬 것'을 권고하였다. 이는 초기의 연구들에

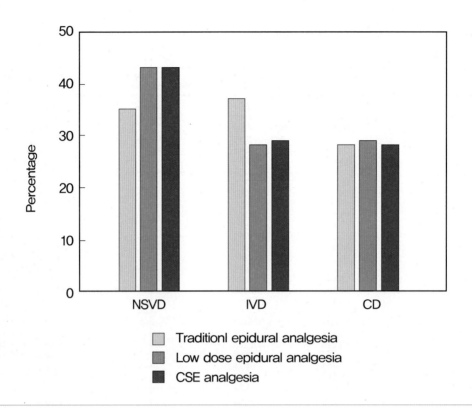

그림 9-4-4. **COMET (Comparative Obstetric Mobile Epidural Study)연구**

(n수: Traditional = 353, Low dose = 350, CSE = 351)

서 위에서 설명한 결과의 왜곡적 분석과 함께 분만잠재기에 통증이 심한 임산부나 수술적 분만의 위험이 높은 임산부가 경막외진통법을 많이 시술받았기 때문인 것으로 보인다.

그러나 Wong 등이 CSE진통법을, Ohel 등이 경막외진통법을 분만초기(Cx = 2 cm)에 시행한 군에서 진행된 군(Cx = 4~5 cm)에 비해 제왕절개율이나 기구분만율의 차이가 없었다고 발표하였다. 이를 바탕으로 ACOG에서는 2006년에 '분만초기에 경막외진통을 시행해도 제왕절개율이 증가하지 않으므로 임산부가 원하는 경우(maternal request)는 신경축진통법 시행에 충분한 적응증(indication)이 된다고 발표하였다. 최근에 발표된 5개의 RCT를 메타분석한 연구에서도 신경축진통의 조기 시행이 제왕절개율을 높이지 않았다(그림 9-4-5).

3. 기구질식분만(Instrumental vaginal delivery) 비율에 미치는 영향

기구분만에는 겸자분만과 흡입분만이 있는데 초기 관측연구에서는 경막외진통이 기구분만을 증가시킨다는 결과가 많았으나 임팩트연구에서는 제왕절개술율과 마찬가지로 기구분만율은 대조군에 비해 차이가 없었다. Tripler 미군병원에서 행해진 연구(11.1% versus 11.9%)나 더블린에서 행해진 연구에서도 차이가 없었으며 7개의 임팩트연구를 메타분석한 연구(n = 28,000)에서도 차이가 없었다(그림 9-4-1).

이와는 달리 많은 다중 RCT들에서는 신경축진통이 기구분만율을 높인다는 보고를 하고 있는데 이 연구들에

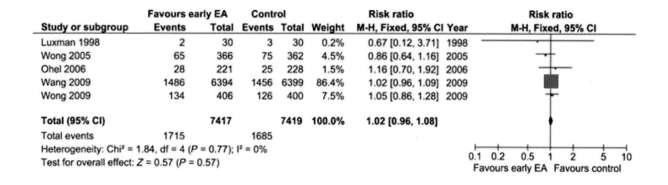

그림 9-4-5. 시술시점(Early 혹은 Late)에 따른 경막외진통의 제왕절개술에 미치는 영향에 관한 메타분석

서는 기구분만이 부관측변수(주관측변수는 제왕절개)였으며 분만 2기에서 진진정도를 관측하지 않았고 기구분만 시행의 적응증을 언급하지 않아 결과 분석의 타당성이 떨어진다. 또한 이런 RCT연구들은 교육병원에서 주로 행해지지만 교육병원 특성상 경막외진통 하에서 기구분만을 시도하는 경우가 많으므로 선택오차가 발생하여 결과가 왜곡된다. Parkland병원의 메타분석연구에서 Sharma 등은 오즈비(odds ratio)가 1.86(95% CI, 1.43~2.40)으로 기구분만율을 증가시켰다고 발표했으며 23개 RCT를 종합한 최근의 메타분석연구에서도 신경축진통은 위험률이 1.42(95% CI, 1.28~1.57)로 기구분만을 증가시켰다(그림 9-4-6).

여러가지 교락변수들이 분만 2기(second-stage)에서의 분만지속시간과 결과를 좌우하는데 이에 따라 기구분만율이 차이가 난다. 특히 분만 2기에서 신경차단의 정도가 큰 변수인데 국소마취제의 농도와 용량에 따라 진통의 정도뿐 아니라 근육의 이완이 동반하므로 골반근육의 이완에 의해 아두의 내회전과 하강이 영향을 받아 기구분만의 필요성이 증가할 수 있다. 0.25% bupivacaine을 사용한 재래식 경막외진통법에 비해 저용량의 경막외진통이나 CSE진통은 기구분만율이 감소한다는 많은 보고들이 있다. 또한 COMET연구나 최근의 메타분석연구에서도 저용량의 bupivacaine을 사용한 경막외진통이나 CSE진통이 재래식 경막외진통법에 비해 기구분만율이 낮다고 보고하고 있다.

분만 2기에서의 통증은 심한 체성통증(somatic pain)이 주를 이루므로 효과적인 진통을 위해서는 적절한 국소마취제의 투여가 필요하지만 투여량과 투여방법에 따라 진통의 정도에는 압박감을 느끼는 얕은 진통상태에서 전혀 무감각한 깊은(dense) 진통상태에 걸쳐 있을 수 있다. 깊은 진통상태에서는 근육이완이 어느 정도 동반할 수 있으므로 이로 인해 기구분만이 필요한 경우가 생긴다. 그러므로 어느 한가지 방법이 모든 임산부에 똑같이 작용하지 않으므로 근육이완을 최소화하면서 최상의 진통상태를 유지할 수 있게 맞추어 주는 것이 필요하다. 이를 위해서는 분만 2기에서 진통정도와 근육이완 등을 지속적으로 감시하며 아울러 맞춤형 주입이 가능한 새로운 펌프의 적용이 필요할 수 있다.

9-4

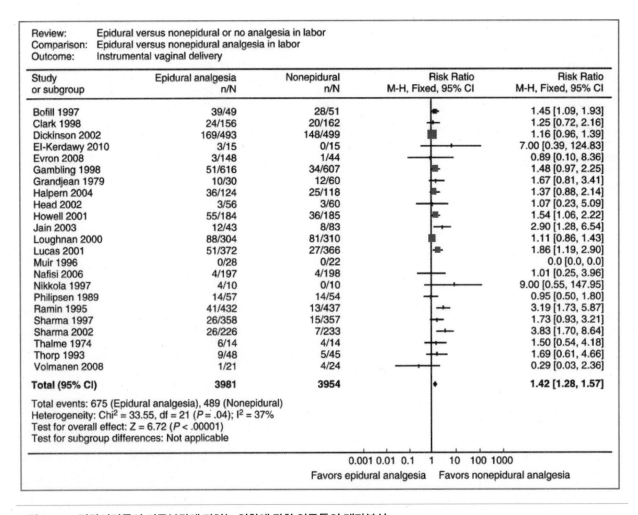

그림 9-4-6. **경막외진통이 기구분만에 미치는 영향에 관한 연구들의 메타분석**

4. 분만지속시간(Duration of labor)에 미치는 영향

1) 분만 1기(First stage of labor)

　신경축진통이 분만 1기 지속시간에 미치는 영향에 대한 RCT연구들의 결과가 다양하다. 최근의 메타분석 연구에서는 별 영향이 없다고 했지만 연구들의 이종성(heterogeneity)이 커서 신뢰구간이 넓다. 주로 대상

군의 출산수가 다양하고 분만 1기를 어떻게 정의하느냐에 따라 다양한 결과를 나타낸다. Parkland병원 한 곳에서의 메타분석에서는 경막외진통군에서 의미 있게 증가(30분)하는 결과를 보인다(표 9-4-2). 이와는 달리 CSE진통법으로 연구한 Wong 등과 경막외진통법 연구인 Ohel 등에서는 분만 1기가 치료군에서 더 짧아진다고 하였다.

　이런 상반된 결과를 보이는 것은 결과를 왜곡시키는 교락변수(confounding factors)들 때문으로 보인다. 특히 분만 1기의 지속시간을 정확히 측정하기가 어려운데

표 9-4-1 Parkland 병원에서 시행한 두 연구

Type of Analysis	Cesarean Delivery Rate (%)	
	Epidural Analgesia (n = 664)	Systemic Opioid (n = 666)
Actual Treatment*	9.0	3.9*
Intent-to-treat	6	6

(경막외진통의 제왕절개술에 미치는 영향의 실제치료와 intent-to-treat 분석)

이는 이 연구들의 주 평가변수가 분만의 지속시간이 아니므로 분만 2기 시작시간을 정할 때 자주 내진을 하기보다 직장의 압박감(rectal pressure)으로 정하는 경우가 많고 이 경우 무통분만군에서는 늦게 호소하므로 그 기간이 길게 측정될 수 있다.

또 하나의 교란변수는 자궁수축에 관여하는 인자들인데 이들이 자궁수축을 촉진 혹은 감소시켜 분만 1기 기간에 영향을 줄 수 있다. 경막외진통으로 epinephrine의 혈중농도가 감소하는 것으로 알려져 있는데 이로 말미암아 자궁수축이 더 촉진될 수 있다. 신경축진통으로 인해 자궁수축을 감소시킬 수 있는 요인으로는 혈중 oxytocin과 prostaglandin F2-alpha의 감소를 들 수 있다. 그밖에 대동맥압박(aortocaval compression)과 수액정주도 자궁수축을 저해하는 요인이 될 수 있다.

2) 분만 2기(Second stage of labor)

효과적인 신경축진통이 분만 2기 지속시간을 연장시킨다는 많은 보고들이 있으며 큰 이론은 없다. 최근의 메타분석에서도 이를 뒷받침하고 있다. 이들의 보고에서는 전신적 opioid투여군에 비해 신경축진통군에서 제2기 시간이 15~20분이 지연되었다(표 9-4-2).

ACOG는 여기에 근거를 두고 분만 2기 지연(prolonged second stage)의 정의를 규정하고 있는데 그 규정에 따르면 초산부에서 신경축진통을 시행한 경우와 안 한 경우에 각각 3, 2시간으로 정의하고, 경산부에서는 각각 2, 1시간으로 정의하고 있다. 아울러 ACOG에서는 다음과 같은 세가지 조건이 만족되면 제2기 지속시간에만 의존하여 수술적 분만을 바로 시행하지 말고 자발분만(spontaneous delivery)을 기다려 보기를 권고하고 있는데 이는 첫째, 전자 태아모니터에서 태아 이상이 없고 둘째, 임산부가 충분한 수액공급과 적절한 진통상태에 있으며 셋째, 아두(fetal head)의 하강이 진행중이어야 한다는 것이다. 그 후 대규모 다기관 코호트연구에서 Zhang 등은 경막외진통군의 초산부에서 95th 백분위수(percentile)는 대조군과 비교해 3.6과 2.8시간으로 증가했으며 이는 ACOG기준에서 벗어난 제2기 지연 임산부가 상당한 부분을 차지하고 있음을 보여준다고 발표했다. 그 밖의 다른 연구에서도 분만 2기 지연에도 자연분만의 비율이 매우 높다는 발표가 이어짐에 따

9-4

표 9-4-2 경막외진통이 분만 제1, 제2기 지속시간에 미치는 영향에 관한 연구들의 메타분석

Meta-Analysis	N	First Stage			Second Stage		
		Epidural	Control	P	Epidural	Control	P
Anim-Somuah 2011	2981, 4233	Weighted Mean Difference: 19 min (95% CI, 13~50)		.25	Weighted Mean Difference: 14 min (95% CI, 7~21)		< .001
Sharma 2004	2703	8.1 ± 5 hr	7.5 ± 5 hr	.01	60 ± 56 min	47 ± 57 min	< .001

라 ACOG와 유관학회에서는 분만 제2기 정지에 대한 정의(definition of second-stage arrest)를 최근 발표하였는데 여기에서는 제2기 지연 시의 기준보다 1시간 완화하여, 경막외진통 중인 초산부의 경우 분만 2기에서 4시간 이상 아두의 하강이나 회전이 없으면 제2기 지연으로 생각하고 제왕절개를 고려할 수 있다고 결론을 내리고 있다(표 9-4-3).

분만 2기에서는 밀어내기(pushing)의 시점이 분만 2기의 지속기간과 결과에 영향을 미칠 수 있다. 이는 밀어내기지연(delayed pushing)이 임산부를 덜 탈진시키고 분만이나 태아에 좋은 결과를 끼칠 수 있다는 주장에 근거한다. 연구에 따라 상이한 결과를 보이고는 있지만 다기관RCT연구(the Pushing Early Or Pushing Late with Epidural, PEOPLE)에서는 밀어내기지연이 자발분만(spontaneous delivery)의 증가, 제2기 기간 단축, 그리고 겸자분만율의 감소 등 전체적으로 좋은 결과를 보였으나 그 후의 메타분석에서는 delayed pushing이 수술적 분만율을 감소시키지 않았다. 최근 검사방법이 우수한 9개의 RCT를 분석한 연구에서도 delayed pushing이 자발분만에 영향을 주지 않았다. 그러므로 초기의 주장과는 달리 밀어내기지연의 장점은 별로 없지만 아두가 높은 상태(high station)에서는 밀어내기가 권장되지 않는다. 또한 효과적인 제2기 진통이 바람직하지만 드물게 아두가 충분히 하강한 상태에서 힘들어가기(urge to push)가 감소한 경우에 한해서는 약물의 주입을 줄이거나 정지할 수 있다.

표 9-4-3 Definition of second-stage arrest

No progress (descent or ratation) for:

- Four hours or more in nulliparous women with epidural analgesia
- Three hours or more in nulliparous women without epidural analgesia
- Three hours or more in parous women with epidural analgesia
- Two hours or more in parous women without epidural analgesia

Definition from Spong CY, Berghella V, Wenstrom, et al. Preventing the first cesarean delivery.
Summary of a joint Eunice Kennedy Shriver National Institute of Child Health ane Human
Development, Society for Maternal-Fetal Medicine, and American College of Obstetricians and Gynecologists Workshop. Obstet Gynecol 2012; 120:1181-93.

(경막외진통의 제왕절개술에 미치는 영향의 실제치료와 intent-to-treat 분석)

참고문헌

Alexander JM, Sharma SK, McIntire DD, et al. Intensity of labor pain and cesarean delivery.AnesthAnalg 2001; 92:1524-8.

American College of Obstetricians and Gynecologists.Obstetric analgesia and anesthesia. ACOG Practice Bulletin No. 36. Washington, DC, July 2002. (ObstetGynecol 2002; 100:177-91.)

American College of Obstetricians and Gynecologists.Dystocia and augmentation of labor. ACOG Practice Bulletin No. 49. Washington, DC, December 2003. (ObstetGynecol 2003; 102:1445-54.)

American College of Obstetricians and Gynecologists.Analgesia and cesarean delivery rates.ACOG Committee Opinion No. 339. Washington, DC, June 2006. (ObstetGynecol 2006; 107:1487.)

Anim-Somuah M, Smyth RM, Jones L. Epidural versus non-epidural or no analgesia in labour. Cochrane Database Syst Rev 2011; (12):CD000331

Impey L, MacQuillan K, Robson M. Epidural analgesia need not increase operative delivery rates. Am J ObstetGynecol 2000; 182:358-63.

James KS, McGrady E, Quasim I, Patrick A. Comparison of epidural bolus administration of 0.25% bupivacaine and 0.1% bupivacaine with 0.0002% fentanyl for analgesia during labour.Br J Anaesth 1998; 81:501-10.

Nageotte MP, Larson D, Rumney PJ, et al. Epidural analgesia compared with combined spinal-epidural analgesia during labor in nulliparous women. N Engl J Med 1997; 337:1715-9.

Olofsson C, Ekblom A, Ekman-Ordeberg G, Irestedt L. Obstetric outcome following epidural analgesia with bupivacaine-adrenaline 0.25% or bupivacaine 0.125% with sufentanil-a prospective ran-domized controlled study in 1000 parturients. ActaAnaesthesiolScand 1998; 42:284-92.

Ramin SM, Gambling DR, Lucas MJ, et al. Randomized trial of epidural versus intravenous analgesia during labor. ObstetGynecol 1995; 86:783-9.

Segal S, Su M, Gilbert P. The effect of a rapid change in avail-ability of epidural analgesia on the cesarean delivery rate: a meta-analysis. Am J ObstetGynecol 2000; 183:974-8.

Seyb ST, Berka RJ, Socol ML, Dooley SL. Risk of cesarean deliv-ery with elective induction of labor at term in nulliparous women. ObstetGynecol 1999; 94:600-7.

Sharma SK, McIntire DD, Wiley J, Leveno KJ. Labor analgesia and cesarean delivery: an individual patient meta-analysis of nul-liparous women. Anesthesiology 2004; 100:142-8.

Sharma SK, Leveno KJ. Update: Epidural analgesia does not increase cesarean births.CurrAnesthesiol Rep 2000; 2:18-24.

Simmons SW, Taghizadeh N, Dennis AT, et al. Combined spinal-epidural versus epidural analgesia in labour. Cochrane Database Syst Rev 2012; (10):CD003401.

Spong CY, Berghella V, Wenstrom KD, et al. Preventing the first cesarean delivery. Summary of a joint Eunice Kennedy Shriver National Institute of Child Health and Human Development, Society for Maternal-Fetal Medicine, and American College of Obstetricians and Gynecologists Workshop. ObstetGynecol 2012; 120:1181-93.

Wuitchik M, Bakal D, Lipshitz J. The clinical significance of pain and cognitive activity in latent labor.ObstetGynecol 1989; 73:35-42.

Yancey MK, Pierce B, Schweitzer D, Daniels D. Observations on labor epidural analgesia and operative delivery rates. Am J ObstetGynecol 1999; 180:353-9.

Zhang J, Landy HJ, Branch DW, et al. Contemporary patterns of spontaneous labor with normal neonatal outcomes.ObstetGynecol 2010; 116:1281-7.

9-4

제왕절개술을 위한 전신마취

10-1 전신마취 방법

제왕절개술이란 임산부의 복부와 자궁의 절개를 시행하여 태아를 출생시키는 수술을 말하며, 이 수술을 위한 마취의 목표는 임산부와 태아 모두에게 안전하고 적절한 마취를 제공하는 데 있다. 오늘날 제왕절개술의 발생빈도는 증가되고 있는데 임산부의 이유로는 초산부의 분만율 증가, 늦은 임신과 고령 임산부 증가, 비만 임산부 증가이다. 산과적 이유로는 유도 분만 증가, 둔위나 기구를 사용한 질식 분만 감소, 제왕절개술 기왕력 임산부의 분만 시도의 감소이고, 태아의 이유로는 다태아 증가, 분만중자궁외시술(ex utero intrapartum treatment, EXIT) 등이 있다.

전신마취가 더 선호되는 경우는 임산부가 부위마취를 거부하는 경우, 부위마취가 부적절하게 된 경우, 혈액응고장애, 부위마취를 시행할 부위의 감염, 패혈증, 과다한 임산부 출혈이 예상되는 경우, 안심할 수 없는 태아의 응급상태(nonreassuring fetal status), 신경계통질환이나 요추질환, 자궁이완이 필요한 경우[어려운 둔위 분만(extracting difficult breech presentation), 잔류태반제거, 자궁내번(uterine inversion)의 환원, 분만중자궁외시술] 등이다. 전신마취는 절대적인 금기증은 없지만 악성고열증이나 기도확보에 어려움이 예상되는 경우는 피하는 것이 좋다.

전신마취가 결정되면 필수적으로 고려해야 할 사항은 임산부의 기도 관리, 흡인성폐렴(aspiration of gastric content)의 예방, 임산부의 각성 등이다. 마취통증의학과의사는 임산부의 병력을 확인하고 아울러 임산부의 나이, 출산경력, 임신수주 그리고 합병증 상태 등을 파악하여야 한다. 또한 세심한 기도 평가 역시 매우 중요하다. 일반적인 제왕절개술 시 시행되는 전신마취방법은 표 10-1-1과 같다.

표 10-1-1 제왕절개술을 위한 일반적인 전신마취 방법

1) 마취전 평가를 수행하고 동의서(informed consent)를 받는다. 필요한 약제와 기구를 준비한다.
2) 가능하다면 마취유도 최소 30분 전에 H₂ 차단제(ranitidine 50 mg)나 metoclopramide 10 mg을 정맥내 투여한다. 마취 유도 전 30분 이내에 투명한 제산제(0.3 M sodium citrate 15~30 ml)를 경구 투여한다.
3) 앙와위를 취한 후 오른쪽 엉덩이에 쐐기를 넣어 15도 이상 올려 자궁을 왼쪽으로 전위시킨다.
4) 큰 직경(18 G 이상)의 정맥도관을 통하여 충분한 수액공급을 시작한다.
5) 감시(심전도, 맥박산소측정, 혈압계, 카프노그래프)를 시작한다.
6) 3~5분 동안 고유량(분당 6 L 이상)의 100% 산소로 마취전산소투여를 한다.
7) 수술부위 소독 후 수술포를 씌우고 산과의사의 수술 준비가 완료된 것을 확인한다.
8) 빠른연속마취유도(rapid-sequence induction)를 시작한다. 즉 thiopental 4~7 mg/kg과 succinylcholine 1~1.5 mg/kg을 정주하여 마취를 유도한 후 보조자가 Sellick maneuver으로 윤상연골을 누르는 동안 빠르게 삽관한다.
9) 적절한 기관내 삽관이 이루어진 것을 카프노그래프로 확인한 후 수술을 시작하며, 수술 중 과도한 환기(동맥혈 탄산가스분압 20 mmHg 이하)는 피한다.
10) 50% 아산화질소, 산소와 함께 낮은 농도(< 0.75 MAC)의 흡입마취제로 마취를 유지하고 근이완을 위해 근이완제를 투여한다.
11) 태아와 태반의 만출 후 수액 1L에 15~30 U의 oxytocin을 섞어 점적주입하며, 수술 중 각성예방을 위하여 아산화질소를 70%까지 올리거나 아편유사제, benzodiazepine, propofol 등을 투여한다.
12) 수술이 끝나면 폐흡인 위험을 줄이기 위하여 근이완을 완전히 역전시키고, 환자가 각성되고 명령에 반응할 때 발관을 시행한다.

1. 전신마취 전 준비

금식여부에 상관없이 모든 임산부는 만복상태(full stomach)로 폐흡인의 위험성이 있다고 생각해야 한다. 제왕절개를 위한 최소한의 금식시간은 6~8시간이다. 예방적으로 마취 유도 전 30분 이내에 제산제(0.3M sodium citrate 15~30 mL)를 경구 투여하여 위산을 중화시켜 위의 산도를 2.5 이상으로 유지하는 것이 심각한 흡인성폐렴(aspiration of gastric content)을 감소시킬 수 있다. 특히 흡인성폐렴(aspiration of gastric content)의 고위험군으로 분류된 임산부는 가능하다면 마취유도 30~60분 전에 H_2 차단제(ranitidine 50 mg)나 metoclopramide 10 mg을 정맥 내 투여한다. H_2 차단제의 경우 위 내용물의 용적과 산도는 줄일 수 있지만 이미 존재하는 위 내용물에는 효과가 없다. 반면 metoclopramide는 위의 배출(empting)을 촉진시켜 위 내용물을 줄이고 하부식도괄약근의 긴장성을 증가시킨다.

임산부의 기도의 특성을 평가하여 어려운 기관내삽관이 예견될 때에는 응급 기도유지 기구를 준비한다. 임산부의 안정은 대개는 대화만으로 가능하나 불안이 심한 임산부는 신생아의 억제가 나타나지 않을 정도로 소량의 midazolam (0.5~4 mg), diazepam (2~8 mg), 혹은 fentanyl (25~100 μg)을 정주할 수 있다.

수술실에 도착하면 임산부에게 감시 장치(심전도, 맥박산소측정, 혈압계, 카프노그래프, 신경자극기, 체온계)를 부착하고 앙와위저혈압증후군(supine hypotensive syndrome)을 예방하기 위하여 오른쪽 엉덩이에 쐐기를 넣어 15°이상 올려 자궁을 왼쪽으로 전위시킨다.

임산부에서는 100% 산소로 마취전산소투여(preoxygenation)가 반드시 필요하며 이로써 저산소증의 위험을 줄일 수 있다. 임신 말기가 되면 산소소모량은 20% 정도 증가하고, 횡격막이 위로 올라감에 따라 기능잔기용량(functional residual capacity)은 20% 정도 감소한다. 이러한 변화 때문에 임산부는 마취유도 중에 저산소증에 빠지기 쉽다. 실제로 마취유도 전 100% 산소를 전투여한 후 1분 동안 호흡을 멈추면 동맥혈 산소분압이 비임산부의 경우 50 mmHg 감소하는데 비해 임산부에서는 150 mmHg 정도 감소한다. 마취전산소투여는 일반적으로 마취 유도 전 공기가 새지 않는 마스크로 임산부에게 정상 일회호흡량으로 자발호흡시켜 3~5분 동안 100% 산소를 고유량(분당 6 L 이상)으로 투여하는 것이다. 응급을 요하는 임산부에서는 100% 산소를 30초에 걸쳐 4회의 최대흡기호흡(four maximal deep breath)을 실시할 수도 있다. 이 방법은 일반적으로 시행하고 있는 3분 동안의 마취전산소투여만큼 동맥혈 산소분압을 올리는 데는 효과가 있으나, 무호흡 기간 동안 산소분압이 빨리 감소하는 단점이 있다. 또한 1분에 걸쳐 8회 깊은 호흡(eight deep breaths) 방법도 가능하며 4회 방법보다 효과가 더 뛰어나다.

2. 마취유도

수술부위를 소독하고 수술포를 씌운 후 산과의사의 수술 준비가 끝나면 빠른연속마취유도(rapid-sequence induction)를 실시한다. 즉 thiopental sodium 5~7 mg/kg 또는 propofol 2.5 mg/kg과 작용발현이 빠른 succinylcholine 1~1.5 mg/kg을 투여한 후 보조자가 윤상연골을 누르는 동안(sellick's maneuver) 가능하면 빨리 기관내삽관을 시행한다. 혈량이 부족하여 혈역학적으로 불안정한 환자나 천식환자는 ketamine 1 mg/kg을 thiopental sodium 대신 사용할 수도 있다. 적절히 삽관이 이루어진 것을 카프노그래프 상에 호기말 이산화탄소분압이 상승되는 것으로 확인한 후 50% 아산화질소, 산소와 함께 낮은 농도의 흡입마취제를 사용하여 마취를 유지한다. 아울러 지속적 근이완을 위하여 비탈분극성 근이완제를 정주하거나 succinylcholine을 점적 주입한다.

1) 마취 유도제

이상적인 마취유도제는 정맥 내 주입으로 빠르고 부드럽게 의식 소실을 일으키고 혈역학적 안정을 유지하고 자궁 근육의 긴장도와 태아에 거의 유해 효과가 없는 약제이다. 이러한 약제는 아직 존재하지 않으며 현재 thiopental sodium, propofol, etomidate, ketamine 등이 사용되고 있다.

(1) Thiopental sodium (4~7 mg/kg)

Thiopental sodium은 가장 흔히 사용되어 온 마취 유도제이며, 4 mg/kg의 용량으로 빠르고 안정적인 마취유도를 할 수 있으며 이 용량으로는 태아 억제를 나타내지 않는다. 지용성이어서 정맥주사하면 빠르게 태반을 통과하므로 약물이 태아에게 도달하기 전에 분만하는 것은 불가능하다. 즉 일회 정맥 주사 시 30초 이내에 탯줄 정맥에서 약물이 검출되고 1분에 최고농도에 도달하며 탯줄 동맥에는 2~3분 정도에 최고농도에 도달한다. 그럼에도 불구하고 thiopental sodium이 태아에게 미치는 효과는 경미하다. 이는 thiopental sodium이 정주되면 먼저 임산부 혈액 내에서 재분포되고 융모 사이공간(intervillous space)과 션트로 인한 희석에 의하여 농도가 감소된 후 태반을 통하여 태아 혈액 내로 들어가기 때문이다. 뿐만 아니라 태아 순환으로 들어간 thiopental sodium은 먼저 간을 통과하거나 ductus venosus를 통하여 하대정맥으로 들어가게 되므로 간에 의해 상당 부분이 대사되고 하지와 내장으로부터 오는 혈액에 의해 희석된다. 그러므로 고용량의 thiopental (> 8 mg/kg)이 아니면 태아 억제가 나타나지 않는다.

(2) Propofol (2.0~2.8 mg/kg)

Propofol은 작용 발현이 빠르다는 장점 때문에 전신마취 유도제로 널리 사용되고 있으며, 최근 제왕절개술을 위한 전신마취 유도제로도 사용되고 있다. Propofol은 마취 유도와 유지 용량에서 thiopental과 유사한 정도로 태반을 통과하며 자궁혈류와 태아에 대해 해로운 작용이 나타나지 않았는데, 이는 임산부에서 빠르게 재분포되고 태아의 간에서 대사되기 때문이다. 또한 후두경으로 기관내삽관 시 thiopental을 사용하는 경우 자궁혈류가 감소되었으나 propofol 사용 시에는 변화가 없음이 동물 실험에서 관찰되었다. 그러나 propofol은 thiopental에 비해 저혈압이 더 잘 발생하며, 마취 유도 시 succinylcholine과 함께 사용했을 때 심한 서맥이 발생하였다는 보고가 있다. 따라서 제왕절개술을 위한 전신마취 유도제로서 thiopental보다 더 나은 이점은 없으며, 천식과 고혈압으로 thiopental의 사용이 어려운 임산부에게 사용될 수 있다.

(3) Etomidate (0.2~0.3 mg/kg)

마취유도제로 사용했을 경우 심폐 기능에 미치는 효과가 적다. 하지만 아편유사제와 benzodiazepine 등의 약제로 전처치를 하지 않은 임산부에서는 불수의적 근육 운동(involuntary muscle movement)이 나타나고 신생아에서 cortisol 생성을 억제할 수 있기 때문에 산과마취에서는 잘 사용되지 않는다.

(4) Ketamine (1~1.5 mg/kg)

Ketamine은 혈액량이 감소되어 심혈관계가 불안정한 임산부나 천식이 있는 임산부에서 마취유도 시에 사용할 수 있다. Ketamine은 호흡기계 억제가 적으며 정주 시 동맥혈압을 10~25% 정도 상승시킨다. 따라서 고혈압이 있는 임산부에서는 사용이 제한된다. 임신 초기에 자궁근육 긴장도의 증가를 보였으나 임신 말기에는 보이지 않았다는 보고가 있다. 고용량을 사용하면 각성

시 환각과 섬망이 나타날 수 있는데, benzodiazepine 전처치로 이러한 부작용을 줄일 수 있다. Ketamine은 빠르게 태반을 통과하지만 1 mg/kg을 넘지 않는다면 태아 억제를 보이지는 않는다. 그러나 고용량에서는 낮은 Apgar 점수와 태아 근육의 과다긴장성(muscular hypertonicity)이 보고된 바 있다.

(5) 아편유사제

아편유사제는 태아 억제 때문에 분만 전에는 일반적으로 사용되지 않았다. 그러나 최근에는 반감기가 짧은 아편유사제가 개발되어 임산부의 혈역학적 반응에 따라 용량을 조절하여 사용할 수 있게 되었고 태아에서는 더 짧게 존재하므로 제왕절개술을 위한 전신마취 시 사용이 시도되고 있다. 전신마취 유도 시 fentanyl을 1 μg/kg 용량으로 투여한 후 10분 이내로 태아가 만출된 경우 태아 정맥에서의 농도는 fentanyl의 높은 지용성에도 불구하고 제통 수치에 도달하지 않았으며 신생아의 Apgar 점수와 신경 행동 증상도 다 정상이었다는 보고가 있다. 이 것은 fentanyl의 단백질 친화력이 높아 태반을 통과하는 약제의 양이 감소되고 아마도 분만 전에 투여되더라도 태아에게까지 가는 양이 매우 적다는 것을 보여준다.

Remifentanil은 매우 짧은 반감기를 가지므로 임산부의 혈역학적 상태에 따라 용량을 조절하여 사용이 가능하다. 지용성이기에 쉽게 태반을 통과하나 매우 빠르게 대사 및 재분포되어, 임산부에서는 진정과 호흡억제가 일어날 수 있으나 태아에 미치는 효과는 거의 없다는 가정 하에 전신마취 시 임산부에서 사용되기 시작하였다. Remifentanil을 0.5 μg/kg/min으로 지속 점적 주입 시 탯줄정맥/임산부정맥 비가 0.88 ± 0.78, 탯줄동맥/탯줄정맥 비가 0.29 ± 0.07로 remifentanil은 태아에서도 재분포되고 빠르게 대사되어 혈중농도가 급속히 감소한다. 그러나 remifentanil을 0.5 μg/kg 초회량으로 일시 주입하고 0.15 μg/kg/min으로 복막 절개 시까지 지속 주입한 비교적 소량 사용한 경우에서라도 신생아 저하 소견을 보였다는 보고가 있고, remifentanil을 0.5 μg/kg 초회량만 주입한 경우 신생아에 미치는 영향이 없었다는 보고도 있다. 또한 혈역학적 상태가 위험한 임산부에서 사용하여 혈역학적 안정을 얻었고 태아에 대한 효과도 최소한이었다는 보고도 있다. 따라서 remifentanil은 임산부의 전신마취 유도 시 혈역학적 안정을 위해 사용될 수 있으나, 신생아 소생 기구와 일시적으로라도 신생아 처치를 위한 인력이 준비되어 있어야 한다.

2) 근이완제

근이완제는 빠른 기관내삽관을 가능하게 하고, 얕은 깊이의 마취하에서 알맞은 수술조건을 제공한다. Succinylcholine은 작용발현시간이 빠르고 혈장 pseudoch-olinesterase에 의해 빨리 대사되므로 기관내삽관을 위해 선호되는 약제이다. 근이완제는 생리적 pH에서 이온화율이 높아 지방용해도가 낮으므로 일반적인 임상용량의 succinylcholine(1~1.5 mg/kg)에서는 태반통과가 경미하다. 그러나 고용량(2~3 mg/kg)을 투여한 경우 태아 혈액에서도 검출되며 근전도의 변화가 있으나 이 때에도 태아의 호흡억제는 없었다. 다만 10 mg/kg 이상의 대량이 투여된 경우에 태아 호흡억제가 나타날 수도 있다. 임산부에서 혈장 pseudocholinesterase가 감소되어 있지만 임상 용량의 succinylcholine은 대사가 지연되지 않는다. 그러나 atypical cholinesterase가 있는 환자, 근위축증(muscular dystrophy), 악성고열증(malignant hyperthermia), 경직성하반신마비(spastic paraparesis) 환자 등에서는 succinylcholine을 사용하지 않는 것이 좋다. 임산부에서의 succinylcholine의 속상수축을 예방하기 위한 마취유도전 소량의 비탈분극성 근이완제의 투여는 succinylcholine의 신경근 차단 발현 시간을 지연시킬 수 있기 때문에 추천되지 않는다.

10-1

그런데 임산부에서는 succinylcholine에 의한 속상수축과 근육통증이 일반인에 비해 덜 심하다.

비탈분극성 근이완제는 이온화 정도가 높고 분자량이 커서 소량만 태반을 통과하여 0.1~0.2 정도의 탯줄정맥/임산부정맥 비율을 가지므로 임산부에서 비교적 안전하게 사용될 수 있다. 따라서 임상적 용량에서는 Apgar 점수, 탯줄의 산/염기 상태 이상, 또는 태아 신경행동학적 이상 등의 부작용은 보고되지 않았다. 임산부에서는 비탈분극성 근이완제의 마취유도 전 priming 용량을 주입하는 것은 임산부의 완전 근이완을 가져올 수도 있고 흡인의 위험을 증가시킬 수도 있기 때문에 추천되지 않는다. Magnesium sulfate를 투여 받은 경우에는 비탈분극성 근이완제의 작용 시간이 길어진다.

최근 작용 발현시간이 빠른 rocuronium(0.9~1.2 mg/kg)이 succinylcholine과 유사하게 기관내 삽관 상태를 제공한다고 보고되었다. 따라서 succinylcholine을 사용할 수 없는 상황에서 대체제로 사용될 수 있다. 그러나 기관내삽관에 실패하거나 금식이 안된 환자에서는 문제가 발생할 수도 있다. Sugammadex는 modified gamma-cyclodextrin으로서, 제왕절개술을 받는 임산부에서 중등도나 깊은 근이완으로부터도 근이완재현(recurarization) 없이 rocuronium에 의한 근이완을 빠르고 효과적(TOF > 0.9)으로 역전시킬 수 있다. 그러나 민감성과 알레르기 반응에 대한 보고가 있어 모든 국가에서 사용이 승인된 것은 아니다.

3) 흡입산소 농도(FiO₂)

임산부의 고산소혈증은 태아의 산소화와 출생 시의 임상적 상태를 향상 시킬 수 있다. 특히 태아가 위태로운 응급 상황(life-threatening fetal compromise)에서 제왕절개술을 시행하는 경우 흡입산소농도를 0.5로 유지하는 것보다 1.0에서 태아 산소화가 증가되고 소생술의 빈도가 감소하였다. 그러나 임산부 혈액의 산소분

압이 300 mmHg 이상에서는 더 이상의 개선 효과는 없다고 한다. 한편으로 흡입산소농도가 0.6을 넘게 되면 산소유리기(oxygen free radical)에 의한 태아 손상이 나타날 수 있다는 보고도 있으므로 태아상태에 문제가 없는 일반적인 제왕절개술의 경우 흡입산소농도를 0.5 정도로 유지하는 것이 좋을 것이다.

3. 마취유지

1) 아산화질소(Nitrous oxide)

산과마취에서 가장 많이 사용하고 있는 흡입마취제로 임산부의 혈압에 거의 영향을 끼치지 않으며 자궁이완을 일으키지 않는 장점이 있다. 그러나 50~60%의 아산화질소를 또 다른 마취제 없이 사용할 경우 완전한 마취가 이루어지지 않아 12~26%의 임산부의 각성이 보고되었다. 아산화질소는 빠른 속도로 태반을 통과하지만 투여 첫 20분 간은 태아 조직에 흡수되어 태아의 동맥혈 농도는 증가되지 않아 태아 억제를 일으키지 않으나, 고농도(70%)로 사용하는 경우 마취시간이 길어질수록 태아 억제가 나타날 수 있다. 근래에는 일반적으로 50%의 아산화질소를 사용하므로 마취유도에서 태아 만출까지의 시간(induction-to-delivery time)이 아산화질소 자체에 의하여서는 크게 문제되지는 않지만 낮은 농도라고 해서 신생아에 대한 영향이 완전히 배제되지는 않는다.

2) 흡입마취제

흡입마취제는 농도에 비례하여 중추신경계와 심혈관계 작용을 나타내며, 분만 전까지는 마취제에 의한 태아 억제를 최소화하기 위해 0.5~0.75 최소폐포농도

(minimal alveolar concentration, MAC) 정도의 흡입마취제와 함께 50%의 아산화질소를 투여하는 것이 일반적이다. 흡입마취제의 사용은 임산부의 수술 중 각성을 줄여주고, 고농도의 산소 투여를 가능하게 하며, 태반 혈류를 증가시킨다.

Dorgu 등은 0.5, 1.0, 2.0 MAC의 sevoflurane과 desflurane의 임신 자궁근육에 대한 효과를 평가하였는데 분만 후 oxytocin 사용 시 흡입마취제의 사용 농도에 비례하여 자궁근육 수축이 저하되었고, 심지어 2 MAC에서는 수축이 거의 완전히 나타나지 않았음을 보였다. 또한 1 MAC의 desflurane이 sevoflurane보다 자궁근육 수축의 억제가 경미한 것을 보였다.

태아분만 후에는 흡입마취제 농도를 0.5 MAC 정도로 유지하며 아편유사제, benzodiazepine, propofol 등을 혼합 사용하는데 이러한 약제들은 탯줄 결찰 후에 투여한다. 0.5 MAC 정도의 낮은 흡입마취제 농도로는 oxytocin의 자궁근육수축 효과가 억제되지는 않지만, 흡입마취제는 용량에 비례하여 자궁근육의 긴장도를 낮추므로 고농도로 사용할 경우 분만 후 출혈이 증가될 수 있다.

3) 마취제 요구량 감소

임산부에서는 분시환기량(minute ventilation)의 증가와 기능잔기용량이 감소하기 때문에 마취유도 시 흡입 가스압과 폐포 내 가스압이 더 빠르게 평형상태에 도달하게 되므로 마취유도 속도가 빨라진다. 또한 progesterone 증가도 영향을 끼쳐 흡입마취제의 MAC이 감소된다. 따라서 주의하지 않으면 마취제 과잉이 일어나기 쉽다.

MAC은 분만 후 24~36시간까지 계속 감소되어 있으며, 72시간이 경과하면서 점차적으로 정상치로 회복된다.

4. 태아와 태반 만출 후 처치

태아와 태반이 만출 되면 oxytocin을 수액(15~30 units/L)에 혼합하여 자궁수축 정도를 확인하며 지속적으로 점적 주사하거나 소량씩 일시 주입한다. 아울러 흡입마취제는 농도에 비례하여 자궁수축을 억제하므로 농도를 낮추고 대신에 아산화질소 농도를 70%로 높이거나 아편유사제와 benzodiazepine, propofol 등을 투여하여 마취깊이를 조절한다. Oxytocin은 급속 주입하거나 일 회 정주하면 저혈압, 오심과 구토, 항이뇨효과에 의한 수액저류와 폐 부종, 심지어는 심혈관 허탈을 초래할 수 있으므로 주의해야 한다. 자궁수축이 부적절할 때에는 바로 다른 자궁수축제(예: ergonovine, carboprost, misoprostol)를 투여한다.

발관은 마취가 끝난 후 근이완이 완전히 역전되고 임산부의 의식이 회복되고 기도반사가 나타나면 시행한다. 일반적으로 제왕절개술 시 출혈량은 750~1,000 ml이나 임신말기가 되면 임산부의 혈액량이 35~40% 증가하므로 수혈을 필요로 하지는 않는다.

전신마취 하에 제왕절개술로 분만된 신생아 상태는 부위마취 하에 태어난 신생아 상태와 큰 차이가 없다. 전신마취 유도 후 분만(induction-to-delivery time, IDT)이 10분 이내에 이루어지면 임상적으로 정맥마취제에 의한 태아 억제는 나타나지 않는다고 한다. 전신마취 시 신생아 상태에 중요한 영향을 미치는 것은 자궁절개에서 분만까지 시간(uterine incision-to-delivery time, UDT)이며, 3분이 경과하는 경우 마취방법에 상관없이 신생아에서 Apgar 점수가 감소하고 산혈증이 발생될 수 있다.

10-1

참고문헌

Cherala S, Eddie D, Halpern M, Shevde K. Priming with vecuronium in obstetrics. Anaesthesia 1987; 42: 1021.

Chiron B, Laffon M, Ferrandiere M, Pittet JF, Marret H, Mercier C. Standard preoxygenation technique versus two rapid techniques in pregnant patients. Int J Obstet Anesth 2004; 13: 11-4.

Dailland P, Cockshott ID, Lirzin JD, Jacquinot P, Jorrot JC, Devery J, et al: Intravenous propofol during cesarean section: placental transfer, concentrations in breast milk, and neonatal effects. A preliminary study. Anesthesiology 1989; 71: 827-34.

Dogru K, Yildiz K, Dalgic H, Sezer Z, Yaba G, Madenoglu H. Inhibitory effects of desflurane and sevoflurane on contractions of isolated gravid rat myometrium under oxytocin stimulation. Acta Anaesthesiol Scand 2003; 47:472-4.

Eisele J, Wright R, Rogge P. Newborn and maternal fentanyl levels at cesarean section. Anesth Analg 1982; 61 179-80.

Guay J, Grenier Y, Varin F: Clinical pharmacokinetics of neuromuscular relaxants in pregnancy. Clin Pharmacokinet 1998; 34: 483-6.

Krissel J, Dick WF, Leyser KH, Gervais H, Brockerhoff P, Schranz D. Thiopentone, thiopentone/ketamine, and ketamine for induction of anaesthesia in caesarean section. Eur J Anaesthesiol 1994; 11: 115-22.

McClelland SH, Bogod DG, Hardman JG: Preoxygenation in pregnancy: an investigation using physiological modelling. Anaesthesia 2008; 63: 259-63.

Ngan Kee WD, Khaw KS, Ma KC, Wong AS, Lee BB, Ng FF: Maternal and neonatal effects of remifentanil at induction of general anesthesia for cesarean delivery: a randomized, double-blind, controlled trial. Anesthesiology 2006; 104: 14-20.

Orme RM, Grange CS, Ainsworth QP, Grebenik CR. General anaesthesia using remifentanil for caesarean section in parturients with critical aortic stenosis. A series of four cases. Int J Obstet Anesth 2004; 13: 183-7.

Puhringer FK, Kristen P, Rex C. Sugammadex reversal of rocuronium-induced neuromuscular block in caesarean section patients: a series of seven cases. Br J Anaesth 2010; 105: 657-60.

Yildiz K, Dogru K, Dalgic H et al. Inhibitory effects of desflurane and sevoflurane on oxytocin-induced contractions of isolated pregnant human myometrium. Acta Anaesthesiol Scand 2005; 49: 1355-9.

Yoo KY, Lee JC, Yoon MH, Shin MH, Kim SJ, Kim YH, et al: The effects of volatile anesthetics on spontaneous contractility of isolated human pregnant uterine muscle: a comparison among sevoflurane, desflurane, isoflurane, and halothane. Anesth Analg 2006; 103: 443-7.

제왕절개술을 위한 전신마취

10-2 전신마취와 관련된 합병증

전신마취는 부위마취와 비교하여 마취유도가 빠르며, 심혈관계의 안정성이 확보되고 저혈압의 발생이 적다. 심각한 출혈이 발생하는 경우 빠른 처치가 용이하며, 기도와 환기를 쉽게 조절할 수 있다는 장점이 있다. 또한 자궁이완이 요구 되는 경우에 유리한 마취 방법이다. 그럼에도 불구하고 선택 혹은 응급 제왕절개술을 시행 받는 임산부는 마취 시 높은 위험도를 보이며, 마취와 관련된 임산부의 사망은 지난 수세기에 걸쳐 감소하고 있으나 아직도 모성사망의 많은 원인 중의 하나를 차지한다. 마취관련 임산부 사망의 대부분은 기관내삽관의 실패, 폐환기와 산소공급의 실패, 흡인성폐렴(aspiration of gastric content) 등의 기도관련 문제에 기인하며 1985년에서 1990년까지 조사한 미국의 통계에 의하면 제왕절개술을 받는 임산부에서 전신마취에 의한 사망률이 부위마취보다 16.7배나 높았다. 이런 이유 때문에 서구에서는 제왕절개술의 경우 부위마취가 선호되고 있으나, 최근 발표된 1997년에서 2002년까지의 미국의 통계에 의하면 전신마취에 의한 모성사망률이 부위마취보다 약 1.7배 높은 것으로 나타나 마취 방법에 따른 모성사망률의 차이가 급격히 감소한 것을 확인할 수 있었다. 또한 1991년에서 2002년까지의 마취와 관련된 모성 사망률이 1979년에서 1990년까지와 비교해서 60% 정도 감소되었으며 이것은 제왕절개술을 위한 마취의 안전성이 전반적으로 향상되었다고도 볼 수 있다. 최근 새로운 약제, 기구 그리고 감시 장치가 개발되어, 전신마취의 전반적인 안전성이 매우 증가되었지만, 고령과 비만 임산부의 증가로 전신마취의 위험성이 증가되는 것도 사실이다. 따라서 수술의 적응증과 수술의 급박성 및 임산부와 태아의 상태를 고려하여 최적의 마취방법을 선택해야 할 것이다.

1. 흡인성폐렴(Aspiration of gastric content)

전신마취 동안 발생하는 폐흡인은 임산부의 모성이환율과 사망률의 중요한 원인 중의 하나이며, Mendelson 증후군이라고도 불린다. 금식여부에 상관없이 모든 임산부는 만복상태로 생각해야 하며 폐흡인의 위험이 있다고 여겨야 한다. 또한 하부식도괄약근의 긴장도 감소, 어려운 기관내삽관의 가능성도 임산부에서의 흡인의 주요 원인이다. 임산부에서의 제왕절개술을 위한 전신마취 전 최소한의 금식시간은 6~8시간이다. 폐흡인을 막기 위한 방법으로는 빠른연속마취유

도, 삽관 전에 위를 팽창시킬 수 있는 양압 환기를 피하고, Sellick maneuver을 통해 삽관 시 위 역류와 폐흡인을 방지하며, 발관은 반드시 환자가 완전히 각성한 후에 시행하는 것이다. Succinylcholine 투여 시 복부근 수축으로 복압이 증가되어 위식도 역류가 일어날 수 있다. 이를 방지하기 위해 succinylcholine 투여 전에 소량의 비탈분극성근이완제를 투여하기도 하는데 이 방법은 succinylcholine의 발현속도를 느리게 하고 작용 시간과 강도를 줄여 삽관을 더욱 어렵게 할 수도 있다. 더욱이 임신 여성의 경우 복부근육의 긴장도가 일반 성인보다 낮아서 근육수축에 의한 복압증가가 비교적 적다. Sellick's maneuver 시행 시 보조자는 윤상연골 압박을

임산부가 의식이 있을 때는 10 Newtons (N)의 힘으로, 의식 소실 후에는 30 N의 힘으로 하는데(임상적으로 10 N은 1 kg의 물체로 누르는 힘과 비슷하다) 기관내관의 커프를 팽창시키고 관의 위치가 적절하다고 확인될 때까지 압박을 계속해야 한다. 윤상연골 압박은 뒤로, 위로, 오른쪽으로 누르는 BURP (backward, upward, and right pressure) 방법이 추천된다.

폐흡인에 의한 이환율과 사망률은 흡인된 양이 25 ml(0.4 ml/kg) 이상이고 위산도가 2.5 이하인 경우 증가된다. 그런데 금식된 임산부의 30~43%에서 위내용물이 25 ml 이상, 산도가 2.5 이하였다는 보고가 있다. 따라서 항상 위 내용물의 양을 줄이고 산도를 올리려는 노력을 하여야 한다. 일반적으로 투여하는 어떠한 제산제라도 확실하게 산도는 감소시키지만 입자가 있거나 교질성인 제산제는 그 자체가 폐에 손상을 줄 수 있으므로 입자 없이 투명한 sodium citrate (0.3 M)가 우선적으로 추천된다. Sodium citrate 15~30 ml를 마취 10~15분 전에 한번 경구로 섭취하면 효과적이나 지속시간이 짧다(40분~1시간)는 것을 염두에 두어야 한다. 아울러 H₂ 차단제(cimetidine, ranitidine)는 수술 1~2시간 전에 경구투여하거나 45~60분 전에 정맥투여 해야 한다. 또한 proton pump inhibitor (omeprazole)를 수술 40분 전에 정맥 주사하면 위 산도를 감소시킨다. H₂ 차단제나 proton pump inhibitor는 항상 사용하지는 않지만 전신마취하에 선택 제왕절개술을 받거나 소화성 궤양이나 병적으로 비만한 임산부에서 사용한다. 마지막으로 metoclopramide는 위의 배출을 촉진시키고 위-식도 괄약근 긴장을 증가시키는 항구토제로 위 역류가 있는 환자에서 사용될 수 있다.

임산부에서의 폐흡인은 주로 마취유도 시에 발생하지만, 어려운 기관내삽관 시 반복된 기관삽관 시행과도 관련이 있으며, 기관내관의 발관 시에도 잘 발생된다. 따라서 임산부가 기도 반사가 돌아오고, 완전히 각성되어 명령에 반응할 때 발관을 시행한다. 일단 폐흡인이

관찰되면 기관이나 기관지 내를 흡인해 주고, 기관지경으로 커다란 음식물 입자는 제거할 수도 있다. 기관지나 세기관지 내 세척(lavage)은 폐 깊은 곳으로 입자가 더 퍼질 가능성이 있으므로 추천되지 않는다.

2. 기관내삽관 실패

제왕절개술 임산부에서 전신마취에 의한 사망 원인 중 대부분은 기관내삽관이나 환기에 실패하거나 식도 내 삽관을 인지하지 못하여 저산소증이 발생한 경우였다. 따라서 전신마취하에 제왕절개술이 예정되면 사망률을 줄이기 위해서는 수술 전 기도를 잘 관찰하여 평가하고, 기도를 무난히 확보할 수 있는 방법에 대한 계획을 세우는 것이 절대적으로 중요하다.

임산부는 높은 빈도로 인후두부종, 체중 증가, 큰 가슴, 완전치열(full dentition) 등이 나타나므로 후두경삽입이 어려울 때가 많다. 기관내삽관에 어려움을 줄 수 있는 신체구조는 Mallampatti 3~4급 기도, 위방패패임과 턱 사이(thyromental) 거리가 6 cm 이하, 머리의 신전이 35도 이하일 때, 돌출된 하악골, 앞니 사이의 거리가 3 cm 이하, 짧은 근육형 목, 작은턱증(micrognathia), 돌출된 앞니, 길고 높게 궁을 이룬 입천장(long-high arched palate)과 함께 입이 좁고 긴 경우, 치조-턱끝 간격(alveolarmental distance)이 넓어진 경우이다. 이와 같이 어려운 기관내삽관이 예상되는 경우는 먼저 응급 기도유지 기구를 준비하고 전신마취를 유도한다. 응급 기도유지기구로는 후두마스크(laryngeal mask airway, LMA), 식도-기관지 콤비튜브(esophagealtracheal combitube), 굴곡성기관지내시경(fiberoptic bronchoscope), 윤상갑상연골절개술 기구(cricothyrotomy kit), 그리고 경기관지제트환기기(transtracheal jet ventilator) 등이며,

10-2

아울러 여러 크기의 후두경날(blade)과 비디오후두경(videolaryngoscope) 같은 다른 기구들을 준비해 둔다.

기관내삽관에 실패한 경우의 관리 체계를 그림 10-2-1에 기술하였다. 기관내삽관에 실패한 경우는 환자가 마스크환기가 가능한지 여부와 태아 절박가사 혹은 임산부의 응급상황 유무에 따라 달라진다.

마스크 환기가 가능한 환자는 비응급 수술인 경우는 임산부를 깨워 부위마취를 실시하거나 의식이 있는 상태에서 굴곡성기관지경 사용으로 각성 기관내삽관(awake intubation) 후 전신마취를 실시할 수 있다. 그러나 태아 절박가사 혹은 임산부의 응급상황에서는 2~3분 이내로 숙련자에 의해 기관내삽관을 재시도한다. 실패하면 Sellick maneuver으로 윤상연골을 지속적으로 누른

상태에서, 안되면 누르지 않은 상태에서 성문위기도유지기(supraglottic airway device) 삽입을 시도한다. 임상 상태에 따라 마스크 환기를 하면서 수술을 종료하는 경우도 있다. 안전하지 않은 기도 상태로 인해 임산부의 폐흡인의 위험이 있으므로, 임상 상태에 따른 수술의 진행 여부는 반드시 산과의사와 상의하여 결정한다.

마스크환기가 불가능하면 일단 구강 기도유지기를 삽입하고, 두 사람이 함께 마스크 환기를 시도하면서, 성문위기도유지기를 삽입하여 기도를 확보한다. 이와 같은 방법으로 산소화가 불충분하면 윤상갑상연골절개술 후 경기관지 제트환기로 호흡을 유지할 수 있다. 이러한 경우 임산부를 깨울 것인지 혹은 수술을 진행할 것인지는 응급 상황에 따른 임상적 판단으로 결정된다.

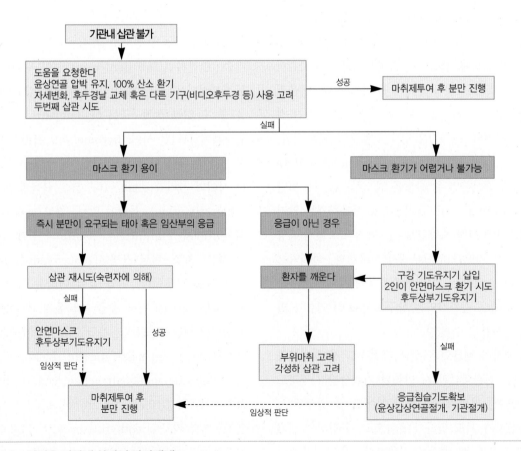

그림 10-2-1. **어려운 기관내 삽관의 관리체계**

어려운 삽관이 예상되는 경우는 처음부터 각성 상태에서 굴곡성 기관지 내시경이나, 국소마취 후 후두경사용으로 삽관하던지, 또는 맹목 코기관삽관(blind nasotracheal intubation)을 시도할 수도 있다.

3. 임산부 각성

제왕절개술은 수술 중 각성이 매우 잘 발생되는 수술로 간주된다. 그 요인을 보면, 마취전투약으로 진정제를 투여할 수 없고, 흡입마취제를 낮은 농도로 사용하나 근이완제는 사용되고 있으며, 저혈압 혹은 출혈 상태에서는 마취제 용량을 감소하여 투여하며, 임산부에서 보이는 수술 중 빈맥이 기본적인 교감신경 긴장도로 오인될 수 있기 때문이다.

임산부의 수술 중 각성은 매우 심각한 마취합병증으로 이를 경험한 환자는 수술 후 악몽을 자주 경험할 수도 있다. 1970년대 초반까지 널리 사용하였던 전신마취 유지방법으로, 태아분만 전까지 67% 아산화질소와 근이완제만으로 마취를 시행한 경우 마취 중 각성의 9%로 보도된 바 있다. 그 후 태아분만 전까지 아산화질소에 저농도의 halothane을 첨가하는 것이 각성 빈도를 현저히 감소시킬 수 있다는 것이 알려진 후 오랫동안 분만 전까지 50% 아산화질소에 0.5 MAC의 흡입마취제를 병합 투여하는 것이 추천되어 왔다. 그러나 이 농도의 두 마취제를 함께 사용하더라도 마취 중 각성 빈도는 1.3%로 일반적인 수술 시 보고 되고 있는 0.13%에 비하여 여전히 높다.

뇌파검사(electroencephalogram), 뇌줄기청각유발전위(brainstem auditory evoked potentials), 이중분광계수(bispectral index, BIS) 같이 마취 중 마취 깊이를 측정할 수 있는 여러 방법들이 평가되어 왔다. 최근 널리 사용되는 BIS 값이 60 이하일 때 수술 중 각성이 나타날 가능성이 낮다고 간주된다. 그런데 제왕절개술 시 50% 아산화질소와 0.5 MAC의 흡입마취제를 병합 사용하는 경우 BIS 수치가 60을 상회하였고, 이에 일치하여 각성의 빈도도 1.3%임이 보고 된 바 있다. 따라서 각성의 발생을 예방하기 위해 고용량의 thiopental (5~7 mg/kg)로 마취를 유도한 후 분만 전에는 50% 아산화질소에 0.5 MAC보다 높은 농도의 흡입마취제(예, sevoflurane 1.2~1.3%, desflurane 4.5%, isoflurane 1.0% 등)를 투여할 수 있고, 혹은 thiopental을 반복 투여하거나 ketamine과 혼합 투여할 수도 있고, 분만 후에는 아산화질소농도를 70%로 증가시키거나 정맥약제(아편유사제, benzodiazepine, propofol 등)를 투여하여 각성의 발생을 예방하고 있다.

4. 임산부의 과다호흡(Maternal hyperventilation)에 의한 태아 억제

전신마취 하에 과도한 환기(임산부의 동맥혈 이산화탄소 분압이 20 mmHg 보다 낮은 경우)는 자궁과 태반의 혈류를 감소시키고 산소-혈색소의 해리곡선을 좌측으로 이동시켜 태아에서 저산소증과 대사산증을 일으킬 수 있다. 따라서 수술 중 환기는 동맥혈 이산화탄소 분압이 30~33 mmHg로 유지되도록 분시환기량을 조절한다.

참고문헌

Grass PS, Bloom M, Kearse L, Rosow C, Sebel P, Manberg P. Bispectral analysis measures sedation and memory effects of propofol, midazolam, isoflurane, and alfentanil in healthy volunteers. Anethesiology 1997; 86: 836-47.

Hawkins JL, Chang J, Palmer SK, Gibbs CP, Callaghan WM. Anesthesia-related maternal mortality in the United States: 1979-2002. Obstet Gynecol 2011; 117: 69-74.

Hawkins JL, Koonin LM, Palmer SK, Gibbs CP. Anesthesia-related deaths during obstetric delivery in the United States, 1979-1990. Anesthesiology 1997; 86: 277-84.

Lyons G Macdonald R: Awareness during caesarean section. Anaesthesia 1991; 46: 62-4.

McDonnell NJ, Paech MJ, Clavisi OM, Scott KL ANZCA trial group. Difficult and failed intubation in obstetric anaesthesia: an observational study of airway management and complications associated with general anaesthesia for caesarean section. Int J Obstet Anesth 2008; 17: 292-7.

Munnur U, de Boisblanc B, Suresh MS: Airway problems in pregnancy. Crit Care Med 2005; 33(10 suppl): S259-68.

Robins K, Lyons G. Intraoperative awareness during general anesthesia for cesarean delivery. Anesth Analg 2009; 109: 886-90.

제왕절개술을 위한 부위마취

11-1 부위마취 방법

제왕절개술의 적응증은 태아절박부터 반복제왕절개술까지 다양하며 제왕절개술을 위한 마취의 선택은 수술의 적응증, 응급의 정도, 임산부의 상태 및 마취통증의학과의사의 선호도 등에 따라 결정된다. 미국 마취과학회 보고에 의하면 1992년 이후부터 부위마취가 현저히 증가되기 시작하였고 이에 비해 전신마취는 꾸준히 감소하였다. 이는 부위마취의 여러 가지 장점 때문이라 생각된다. 기관내삽관 실패의 위험, 흡인성폐렴(aspiration of gastric content)의 위험, 흡입마취제에 의한 태아 억제 등을 피할 수 있어서 전신마취에 비해 비교위험도가 16배 정도 낮은 것으로 알려져 있기 때문에, 최근 제왕절개술 마취로 부위마취가 추천된다. 부위마취를 시행할 경우 각성 상태에서 출산의 기쁨을 누릴 수 있지만 많은 임산부가 수술 중 깨어있어야 한다는 것에 대한 부담감을 호소하는 경우가 있다. 그에 따른 공포가 심한 경우 전신마취를 요구하기도 한다. 이런 경우 척추마취에 대한 장점을 설명하고 정서적 지지를 하여주고 그래도 거절하면 전신마취를 시행하는 것이 좋다. 부위마취는 척추마취, 경막외마취 및 척추경막외 병용마취 등 다양한 방법이 있다.

1. 척추마취(Spinal Anesthesia)

제왕절개술을 위한 부위마취 중 많이 사용되는 마취는 일회주입 척추마취이다. 경막외마취에 비해 마취의 발현이 빠르고 차단의 정도가 확실하며 비용 면에서 효율적이다. 척추마취는 소량의 국소마취제를 사용하기 때문에 국소마취제에 의한 전신 중독증의 위험이 적고 태아로 넘어가는 국소마취제의 양도 매우 적다. 마취의 실패율도 낮다. 이러한 장점으로 인해 무통분만을 위한 경막외 카테터가 거치되어 있는 경우를 제외하고 제왕절개술 부위마취로 우선 고려되고 있다. 물론 출혈이 심하거나 척추 변형이 심하여 부위마취가 금기인 경우는 예외이다. 단점으로는 마취의 지속시간이 한정되어 있고 저혈압 발생률이 높다. 제왕절개술을 위한 척추마취는 피부분절 흉추 4번까지 올려야 한다. 따라서 교감신경 차단의 피부분절이 광범위하여 저혈압이 잘 발생된다.

1) 방법

마취를 시행함에 있어 마취통증의학과의사는 임산부는 물론 보호자와 충분한 의사소통이 이루어져야 한다. 마취방법, 임산부가 취해야 할 자세와 발생할 수 있는 부작용 등에 대하여 설명하고 협조를 구한다. 일반적으로 수술에 대한 불안을 줄이기 위해 마취전투약으로 흔히 사용하는 midazolam은 임산부에게 잘 사용하지 않는다. Midazolam과 관련하여 동물실험에서도 이상을 발견하지 못했고 불안해소를 위한 소량의 사용이 태아에게 임상적 연관성도 없지만 임신 1, 2기에는 기형아 발생 위험 때문에, 분만 전에는 태아에 대한 진정 작용의 우려 때문에 사용을 꺼리고 있다. 태아가 만출 되고 나서는 임산부의 진정 및 수면을 위해서는 사용할 수 있다.

임신을 하면 위장배출시간이 길어지기 때문에 일반 수술처럼 8시간 동안 금식을 했다고 해도 금식시간이 충분하지 않을 수 있으므로 필요에 따라 제산제를 주거나 metoclopramide 같은 장운동 촉진제를 미리 투여하기도 한다. 하지만 먹는 제산제 자체가 구역을 유발할 수도 있고 예방적 약물투여가 흡인발생 및 경과에 도움이 된다는 임상적 근거가 부족하며 척추마취의 경우, 환자가 의식이 있고 기도반사도 건재하여 전신마취보다 구토에 의한 폐흡인 위험이 현저하게 낮기 때문에 반드시 권장되지는 않는다.

통상적으로 부위마취 시에도 마취시작 전부터 안면마스크 등을 이용하여 임산부에게 산소를 투여한다. 이는 부위마취가 복근을 마비시켜 강제호기와 기침의 힘이 감소되고 이미 앙와위로 인해 감소되어 있는 기능잔기용량을 더 감소시켜 저산소증의 위험이 커질 수 있기 때문이다. 고농도 산소투여는 제대혈의 산소농도를 올려 자궁절개 후 분만지연 등으로 태아가 저산소증에 빠지는 것을 어느 정도 예방할 수 있다.

척추마취는 측와위나 좌위로 할 수 있다. 어느 자세가 더 좋은가에 대해서는 마취통증의학과의사의 선호도, 그리고 환자의 편이성에 따라 결정된다. 일반적으로 측와위에서는 마취발현이 빠르고 마취범위도 더 넓은 경향이 있다. 한편 좌위는 측와위에 비해 척추중앙선을 찾기가 상대적으로 용이하여 비만 또는 부종이 심한 경우 도움이 된다. 따라서 비만 임산부에서는 좌위가 추천된다. 환자의 입장에서 자세를 취하기엔 보통 측와위가 더 용이하지만 상황에 따라 다를 수 있다. 고비중 약물을 사용하여 측와위에서 마취를 시행할 경우, 약물을 좌우로 고르게 분포시키기 위해서는 좌측 측와위보다는 우측 측와위가 권장이 되는데 이는 마취 후 수술을 위해 앙와위로 자세를 바꿀 때 오른 쪽 둔부 밑을 받치는 쐐기앙와위를 유지하기 때문이다.

임산부는 경막천자 후 두통 발생에 대한 위험요인을 두루 갖추고 있다. 이를 예방하기 위해서는 되도록 가는 22 G 이하 척추 천자용 바늘을 사용하고 끝이 뾰족한 Quinke 바늘보다는 바늘 끝이 둥근 Sprotte나 Whitacre 바늘을 이용하는 것이 좋다(그림 11-1-1). 비만환자의 경우 3.5인치(9 cm) 표준 척추마취용 주사침이 지주막하 공간에 도달하지 못하는 경우가 있다. 그래서 4.75인치(12 cm)나 6인치(15.2 cm) 길이의 긴 주사침이 필요할 지 모른다. 주사침이 길수록 휘어지기 쉬워서 보다 굵은 22 G 주사침이 필요하다. 경우에 따라서 2.5인치(6.3 cm) 20 G 더 굵은 유도 주사침으로 유도관으로 하여서 25 G 연필첨 바늘(Sprotte, Whitacre needle)을 삽입할 수 있다.

2) 사용약물

고비중 bupivacaine이 최근 가장 흔히 사용되는 약제이다. 지속시간은 1시간 30분에서 2시간 정도여서 제왕절개술에 적당하며, 주입용량은 임산부의 키에 따라 용량을 달리 해야 한다. 용량을 증가시킬수록 차단의 높이가 높아지며 15 mg 이상은 추천되지 않는다. 국내에는 0.5% 고비중 bupivacaine이 널리 사용되고 있다. 차단 높이는 농도에는 영향을 덜 받는 것으로 알려져 있다. 마취 높이에 영향을 주는 주요 인자들로는 임신, 복압증가, 신장 등 임산부와 연관된 인자와 약물의 용량, 천자높이 주입속도 등 마취방법에 의한 인자 들이 있다(표 11-1-1).

고비중뿐 아니라 등비중 국소마취제를 쓸 수도 있으며 고비중 국소마취제가 등비중보다 차단의 높이를 예측할 수 있다. 감각신경 차단 높이가 T_4까지 올라갔어도 제왕절개 수술 동안 내장신경통을 느낄 수 있다. 자궁

표 11-1-1 척추마취에서 마취 높이를 증가시키는 요인

환자 상태	복압증가 체중/신장 임신
마취 방법	약물의 용량 주입속도 척추 천자 높이

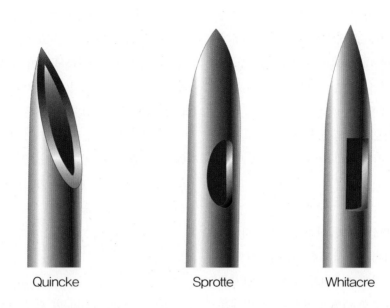

Quincke   Sprotte   Whitacre

그림 11-1-1. 바늘의 끝이 경사면을 이루는 형태의 바늘(Quincke needle)보다는 원뿔모양으로 되어 있는 연필첨 바늘(Sprotte, Whitacre needle)이 경막의 손상을 줄인다.

을 몸 밖으로 꺼냈을 경우 국소마취제에 epinephrine이나 아편유사제를 첨가하면 마취의 질이 개선될 수 있다. Epinephrine의 경우 1:20만이 추천되고 보존제가 없는 morphine 0.1~0.3 mg을 첨가하면 수술 후 24시간까지 진통작용이 유지된다. 다만 수술 후 지연성 호흡억제의 위험이 있으니 관찰이 필요하며 fentanyl 10~25 μg 이나 Sufentanil 5~10 μg을 국소마취제에 섞어주면 마취의 심도를 증가시키거나 작용시간을 연장시킬 수 있다. sufentanil의 경우 태아서맥이 나타날 수 있으므로 유의해야 한다.

Racemic bupivacaine의 심독성을 줄이기 위해 levobupivacaine이 개발되었다. Levobupivacaine은 bupivacaine의 S-이성질체만 모은 것으로서 이론적으로 심장독성이 적기는 하지만 소량이 투여되는 척추마취에서는 의미가 미미하다. 역시 최근 개발된 ropivacaine도 bupivacane과 같은 amide 계통의 약물로서 심독성이 bupivacaine보다 낮다. 그러나 역가도 bupivacaine

보다 낮아서 같은 효과를 보기 위해서 1.8~2배 용량이 필요하다. Bupivacaine에 비해 levobupivacaine이나 ropivacaine이 운동차단 효과가 약한 것으로 알려졌으나 근이완이 많이 필요하지 않은 제왕절개술의 마취에서는 큰 차이는 없다. 또다른 amide 계통의 lidocaine은 작용발현이 빠르고 작용시간도 45~75분 정도여서 제왕절개술의 마취에 사용이 가능하지만 척추마취 후 일시적 신경학적 부작용이 발생하는 경우가 빈번하여 최근에는 선호되지 않는다(표 11-1-2).

3) 척추마취 후 발생하는 저혈압의 예방 및 치료

제왕절개술을 위한 척추마취의 범위가 T_4 피부분절 이상이어서 그 부위의 교감신경이 차단되므로 정맥혈관의 전신혈관저항이 감소되어서 저혈압이 유발된다. 특히 임신한 자궁이 대정맥과 대동맥을 눌러서 저혈압을 더욱 악화시켜서 치료를 요구하는 경우가 40~75%

표 11-1-2 **제왕절개술을 위한 척추마취에서 단독 사용 시 약물별 용량과 작용지속시간**

	용량(mg)	작용 지속시간 (분)
Lidocaine	60~70	45~90
Bupivacaine	10~15	60~150
Levobupivacaine	10~15	60~150
Ropivacaine	15~25	60~120
Tetracaine	7~12	120~180

까지 보고되고 있다. 이를 앙와위저혈압증후군(supine hypotensive syndrome)이라고 일컫는다. 이를 예방하기 위해서 우측 둔부 아래를 쿠션 등으로 받치는 쐐기 앙와위를 유지해야 하며 저혈량이 발생하지 않게 적절한 수액보충을 시행해야 한다. 교감신경차단으로 저혈압을 예방하기 위해 정질액(1000~1500 ml)이나 교질액(250~500 ml) 투여하는 것이 좋다. 이러한 수액의 주입이 저혈압을 완전히 예방할 수 없지만 저혈량증을 교정할 수는 있다. 저혈압 방지에 효과적이고 교질삼투압을 유지할 수 있다는 면에서 교질액이 더 추천된다. 교질액을 투여하여도 저혈압을 완전히 예방할 수 없으므로 승압제 투여가 필요하다.

승압제로는 phenylephrine을 투여하는 것이 추천된다. 최근 ephedrine 투여가 신생아의 제대혈 산증을 더 일으킨다는 이유로 phenylephrine을 우선적으로 추천하고 서맥이 있는 임산부에게 ephedrine을 추천한다. Phenylephrine의 작용시간이 짧아서 지속주입이 추천된다. 그 외의 저혈압 예방을 위한 조치로서 자궁을 좌측 전위시키거나 임산부가 안정화될 때까지 산소를 투여하면서 1, 2분 간격으로 지속적으로 혈압을 측정한다.

2. 경막외마취(Epidural anesthesia for cesarean section)

제왕절개 수술이 2시간 이상이 예상될 경우나 이미 무통분만을 위해 경막외 카테터가 거치된 경우 경막외마취가 추천된다. 경막외 카테터로 국소마취제를 추가로 주입할 수 있어서 마취시간을 연장시킬 수 있다. 이상적인 국소마취제는 발현이 빠르고 적당한 지속시간을 제공해야 한다. 이를 충족하는 국소마취제로는 2-chloroprocaine, lidocaine 및 bupivacaine 등이 있다. 적절한 차단높이를 이루기 위해 척추마취에 비해 국소마취제의 용량이 훨씬 많이 요구된다.

경막외마취의 경우 마취의 발현이 서서히 일어나서 저혈압을 대처할 수 있는 시간적인 여유가 있고 Trendelenburg 자세를 취하도록 하면 마취차단 피부분절을 흉추 4번까지 올리는데 용이하고 저혈압을 예방하는데도 도움이 된다. 그러나 과다한 Trendelenburg 자세는 폐포 가스 교환을 방해할 수 있으므로 피하는 것이 좋다.

1) 방법

환자의 자세는 척추마취와 동일하게 측와위와 좌위 모두 가능하다. 카테터가 통과하려면 내경이 큰 바늘을 사용해야 하기에 경막천자를 예방하기 위하여 끝이 구부러진 Tuohy 바늘을 사용한다. 바늘이 피하조직을 지나가면 속침을 제거하고 공기 또는 식염수를 채운 주사기를 연결한 후 주사기의 저항을 느끼면서 바늘을 조금씩 전진시킨다. 바늘이 황색인대를 뚫고 경막외강에 들어가면 음압이 형성되어 있으므로 주사기의 저항이 사라짐을 느낄 수 있다(loss of resistance technique, LOR). 보통 황색인대가 천자되는 것을 느낄 수 있는데 임산부의 경우 relaxin 등의 효과로 인대가 부드러워 우발적 경막천자를 하기 쉬우므로 주의가 필요하다. 그래서 바늘을 조금씩 조심스럽게 전진시켜야 하며 그 때마다 주사기의 저항을 점검해야 한다. 바늘의 사면을 머리방향으로 돌린 후 카테터를 바늘 속으로 삽입하는데 바늘 끝보다 약 3~5 cm 정도 더 전진시킨 다음 카테터를 남겨두고 바늘을 제거한다.

경막외 카테터는 척수강내나 혈관 내로 들어갈 수 있다. 그런 경우를 확인하기 위해 카테터를 흡인 하는 것이 중요한데 흡인을 하더라도 척수강이나 혈관 내에 거치된 것을 확인하기 어려운 경우도 있다. 경막외마취에 사용되는 국소마취제의 양이 많기 때문에 전신중독증이나 전척수 차단 등에 유의해야 하는데 이를 예방하기 위하여 먼저 카테터를 흡인 해보고 국소마취제의 시험용량을 투여하는 방법이 좋다. 국소마취제를 주입할 때도 5 ml정도 소량을 나누어서 천천히 투여하는 것이 좋다. 국소마취제의 선택도 혈중에 흡수되어도 크게 문제 없는 약제를 선택하는 것이 좋다. 무통분만 등으로 이미 거치되어 있는 경막외 카테터를 이용하여 마취를 시행할 때는 카테터의 위치가 변했을 수 있다는 가능성을 염두해 두어야 한다.

2) 사용 약물

경막외마취를 위해 안전하게 사용될 수 있는 약제로 amide계통의 chloroprocaine과 lidocaine이외에 최근에는 ropivacaine과 levobupivacaine이 선호된다. 척추마취와 마찬가지로 fentanyl 50~100 μg, sufentanil 10~20 μg을 추가하여 진통작용을 강화시키고 작용시간을 연장시킬 수 있다. Lidocaine이나 chloroprocaine에 중탄산염을 첨가하면 작용발현이 빨라지는데, 중탄산염 나트륨을 lidocaine 10 ml당 1 mEq를 섞어서 경막외마취의 빠른 발현과 확산을 얻을 수 있다. 그러나 bupivacaine에 섞었을 때는 이런 효과를 볼 수 없다. 국소마취제와 epinephrine이 섞인 제품이 있는데 이는 pH를 낮추어서 발현을 늦게 한다. 그래서 국소마취제에 섞을 경우 주사 직전에 섞어야 발현이 늦어지는 것을 방지 할 수 있다. 역시 bupivacaine에서는 이런 현상을 볼 수 없다. 아편유사제를 국소마취제에 섞어 투여하면 마취의 질을 좋게 할 수 있다. Clonidine도 섞을 수는 있으나 진정, 서맥, 저혈압 등의 부작용이 있을 수 있다. 경막외마취의 또 다른 장점은 경막외 카테터를 통해 수술 후 아편유사제를 투여함으로써 효과적으로 통증조절을 할 수 있다(표 11-1-3).

3) 합병증

경막외마취의 합병증으로 경막천자와 연관된 두통이 발생할 수 있다. 경막외마취에서 사용하는 바늘은 카

표 11-1-3 제왕절개술을 위한 경막외마취에서 단독 사용시 약제별 작용발현시간과 지속시간

	작용발현시간(분)	작용지속시간(분)
3% choloroprocaine	10	40~60
2% lidocaine	15	70~120
2% mepivacaine	15	80~140
0.5% bupivacaine	15~20	120~180
0.5% levobupivacaine	15~20	110~180
0.75% ropivacaine	15~20	120~200

테터를 통과시켜야 하기 때문에 보통 17 G 정도의 굵은 바늘을 사용한다. 따라서 우발적으로 경막이 천자된 경우 경막천자후두통(post-dural puncture headache, PDPH)이 발생할 가능성이 많으며 발생률이 50~85%까지 보고되고 있다. 경막외마취의 실패율은 척추마취보다 높아서 2~5% 정도이다. 카테터를 통해 약물을 모두 주입하고 일정 시간이 지났음에도 불구하고 마취가 제대로 되지 않았다면 카테터 위치가 부적절하기 때문이라고 판단할 수 있다.

3. 척추경막외 병용마취(Combined spinal-epidural anesthesia)

제왕절개술을 위한 마취방법 중 척수경막외병용법은 1984년도부터 보고되기 시작했다. 척추마취의 장점인 빠른 발현과 양질의 마취를 제공하면서 경막외 카테터로 마취기간을 연장시킬 수도 있어서 널리 사용되고 있다. 경막외 카테터로 약제를 추가할 수 있기 때문에 척추마취에 쓰는 국소마취제의 용량을 줄일 수 있어서 척추마취의 흔한 합병증인 저혈압의 빈도를 낮출 수 있다. 또한 수술 후 통증조절에도 유용하게 쓸 수 있다. 다만 이미 척추마취를 하느라 경막에 구멍이 나있는 상태이기 때문에 경막외강으로 약물을 주입할 때 들어가는 약물이 일부 흘러 들어갈 수 있어서 주의를 요한다.

1) 방법

환자의 자세는 역시 측와위와 좌위로 할 수 있다. Needle-through-needle technique이 주로 사용되며 경막외 바늘을 먼저 삽입 후 경막외강에 거치 후 그 바늘 속으로 척추바늘을 삽입한다. 경막외 바늘이 지지대 역할을 하기 때문에 비교적 어려움이 없이 가는 척추침

을 삽입할 수 있다. 척추바늘을 통해 척수액이 흘러나오는 것을 확인 후 척추마취용 약물을 주입한다. 척추바늘을 제거 후 경막외 카테터를 삽입시키고 경막외 바늘을 제거한다. 척추바늘이 경막외바늘을 통과하여 경막을 천자하고 척수강내로 들어가기 위해서는 경막외 바늘보다 10~16 mm 더 길어야 한다.

척추경막외병용마취에서는 시술단계에서 시험용량을 사용하지 않는 경우가 많다. 이미 척추마취가 시행되었기 때문에 척수액이 흘러나오지 않는 한 카테터가 척수강내로 들어갔음을 확인할 수 없기 때문이다. 수술이 길어져서 추가로 마취제 투여가 필요하거나 수술후 진통 목적으로 경막외 카테터를 통하여 약물을 투여할 때는 카테터를 흡인하여 척수액이나 혈액이 나오는지 확인 후 주입하는 것이 중요하다.

2) 합병증

경막천자후두통발생률은 0.13~1%로 매우 낮은데 그 이유는 척추경막외병용마취에서 사용하는 척추바늘이 27 G로 매우 가늘고 끝이 원뿔형이라 그렇고 경막외바늘을 통해 척추바늘을 삽입하기 때문에 삽입성공률이 높아서 경막을 천자하는 횟수가 척추마취보다 적기 때문이다. 또한 경막외강에 거치되어 있는 카테터를 통해 주입된 상당한 부피의 약물이 경막외 압력을 증가시키는 효과때문이다.

척추경막외병용마취 중 경막이 먼저 천자되고 그 후에 카테터를 삽입하는 경우는 이론적으로 천자되는 구멍을 통해 카테터가 척수강내로 들어갈 가능성이 있으나 경막외 바늘로 천자한 것이 아니라면 20 G 크기의 경막외 카테터가 26 G 또는 27 G 크기의 천자부위로 들어가는 것은 거의 불가능하다.

11-1

4. 지속적 척추마취(Continuous spinal anesthesia)

지속적 척추마취는 일회주입 척추마취나 경막외마취에 비해 많은 장점이 있다. 전통적인 방법은 macrocatheter와 microcatheter를 이용하는 방법 두 가지가 있다. 그러나 microcatheter는 말총증후군 유발 위험이 있어서 FDA에서 사용을 철회하였고 금기시 되었다. Macroctheter를 사용한 지속적 척추마취는 심장질환, 폐질환, 증증 비만, 신경근 질환 등을 가지고 있는 고위험임산부에서 유용한 것으로 알려져 있다. 경막외 천자 후 두통을 예방하기 위하여 Touhy 바늘 삽입 시 경막의 섬유의 주행방향과 평행하게 하고 카테터를 12시간 이상 거치한 후 보존제가 없는 생리식염수를 카테터 제거 전에 주입한 후 제거하는 등 각별한 노력이 필요하다. 현재 미국에서는 비만임산부에서 우발적인 경막외 천자된 경우 Tuohy바늘을 통해 macrocatheter를 삽입하여 지속적 척추마취로 전환하는 차선책을 사용한다.

참고문헌

Abouleish EI. Epinephrine improves the quality of spinal hyperbaric bupivacaine for cesarean section. Anesth Analg 1987; 66: 395.

Abouleish E, Rawal N, Fallon K, Hernandez D. Combined intrathecal morphine and bupivacaine for cesarean section. Anesth Analg 1988; 67: 370-4.

Andrews WW, Ramin SM, Maberry MC, Shearer V, Black S, Wallace DH. Effect of type of anesthesia on blood loss at elective repeat cesarean section. Am J Perinatol 1992; 9: 197-200.

Benhamou D, Labaille T, Bonhomme L, Perrachon N. Alkalinization of epidural 0.5% bupivacaine for cesarean section. Reg Anesth 1989; 14: 240-3.

Blumgart CH, Ryall D, Dennison B, Thompson-Hill LM. Mechanism of extension of spinal anaesthesia by extradural injection of local anesthetic. Br J Anaesth 1992; 69: 457-60.

Carrie LES, O'Sullivan GM. Subarachnoid bupivacaine 0.5% for cesarean section. Eur J Anaesthesiol 1984; 1: 275-83.

Crowhurst J, Birnbach DJ. Low dose neuraxial block: Heading towards the new millennium. Anesth Analg 2000; 90:2 41-2.

Dahlgren G, Hultstrand C, Jakobsson J, Norman M, Eriksson EW, Martin H. Intrathecal sufentanil, fentanyl or placebo added to bupivacaine for cesarean section. Anesth Analg 1997; 85: 1288-93.

De Simone CA, Leighton BL, Norris MC. Spinal anesthesia for cesarean delivery: A comparison of two doses of hyperbaric bupivacaine. Reg Anesth 1995; 20: 90-4.

DiFazio CA, Carron H, Grosslight KR, Moscicki JC, Bolding WR, Johns RA. Comparison of pH-adjusted lidocaine solutions for epidural anesthesia. Anesth Analg 1986; 65: 760-4.

Eisanach J, Detweiler D, Hood D. Hemodynamic and analgesic actions of epidurally administered clonidine. Anesthesiology 1993; 78: 277-87.

Hamza J, Smida M, Benhamou D, Cohen SE. Parturient's posture during epidural puncture affects the distance from the skin to epidural space. J Clin Anesth 1995; 7: 1-4.

Hawkins JL, Gibbs CP, Orleans M, Martin-Salvaj G, Beaty B. Obstetric anesthesia work force survey, 1981 versus 1992. Anesthesiology 1997; 87: 135-43.

Hurley RJ, Lambert DH. Continuous spinal anesthesia with a microcatheter technique: Preliminary experience. Anesth Analg 1990; 70: 97-102.

Kuczkowski KM, Benumof JL. Decrease in the incidence of post-dural puncture headache: Maintaining CSF volume. Acta Anaesthesiol Scand 2003; 47: 98-100.

Laishley RS, Morgan BM. A single dose epidural technique for caesarean section: A comparison between 0.5% bupivacaine plain and 0.5% bupivacaine with adrenaline. Anaesthesia 1988; 43: 100-3.

Lam DT, Ngan Kee WD, Khaw KS. Extension of epidural blockade in labour for emergency caesarean section using 2% lidocaine with epinephrine and fentanyl, with or without alkalinization. Anaesthesia 2001; 56: 790-4.

Lim Y, Teoh W, Sia AT. Combined spinal epidural does not cause a higher sensory block than single shot spinal technique for cesarean delivery in laboring women. Anesth Analg 2006; 103: 1540-2.

Norris MC. Height, weight and the spread of subarachnoid hyperbaric bupivacaine in the term parturient. Anesth Analg 1988; 67: 555.

Preston PG, Rosen MA, Hughes SC, Glosten B, Ross BK, Daniels D, et al: Epidural anesthesia with fentanyl and lidocaine for cesarean section: Maternal effects and neonatal outcome. Anesthesiology 1988; 68: 938-43.

Rawal N, Van Zundert A, Holmström B, Crowhurst JA. Combined spinal-epidural technique. Reg Anesth 1997; 22: 406-23.

Riley ET, Cohen SE, Macario A, Desai JB, Ratner EF. Spinal versus epidural anesthesia for cesarean section: A comparison of time efficiency, costs, charges, and complications. Anesth Analg 1995; 80: 709-12.

Runza M, Albani A, Tagliabue M, Haiek M, LoPresti S, Birnbach DJ. Spinal anesthesia using 3 ml hyperbaric 0.75% versus hyperbaric 1% bupivacaine for cesarean section. Anesth Analg 1998; 87: 1099-103.

Russell IF. Spinal anaesthesia for caesarean section: The use of 0.5% bupivacaine. Br J Anaesth 1983; 55: 309-14.

Vertommen JD, Van Aken H, Vandermeulen E, Vangerven M, Devlieger H, Van Assche AF, et al: Maternal and neonatal effects of adding epidural sufentanil to 0.5% bupivacaine for cesarean delivery. J Clin Anesth 1991; 3: 371-6..

Vucevic M, Russell IF. Spinal anesthesia for caesarean section: 0.125% plain bupivacaine 12mL compared with 0.5% plain bupivacaine 3 mL. Br J Anaesth 1992; 68: 590-5.

11-1

제왕절개술을 위한 부위마취
11-2 부위마취와 관련된 합병증

산과 환자에게서 부위마취의 합병증은 크게 부위마취에 의한 임산부의 혈역학적 합병증, 시술 중 발생한 경막외 천자 및 약물 주입에 의한 전척추마취, 경막천자후두통 그리고 부위마취에 의한 신경학적 손상으로 나눌 수 있다. 전자에 기술된 두 가지 합병증의 경우 발생률이 비교적 높고 마취과 의사가 적극적으로 개입하여 치료를 해야 임산부와 태아 모두 안전해 질 것이다. 신경학적 손상의 경우 발생률이 매우 낮지만 발생하였을 경우 이를 조기에 인지하고 진단적 검사 및 치료를 하여야 할 것이다.

1. 저혈압

저혈압은 제왕절개술을 위한 척추마취나 경막외마취 후 나타나는 흔한 부작용이며 25~75%에서 발생한다. 경막외마취는 척추마취보다 작용시작이 느려서 심혈관기능의 보상작용에 의하여 저혈압이 심하지 않지만 국소마취제에 중탄산염나트륨을 추가하면 작용시작이 빨라져 저혈압의 발생률이 높아진다. 저혈압의 기전으로는 대부분의 임산부에서 임신 자궁에 의한 대동정맥 압박이 있으며 이에 대한 보상작용으로 교감신경 긴장이 증가하여 심박수와 말초혈관저항의 증가로 혈압이 유지되고 있는데 척추마취나 경막외마취가 실시되면 교감신경 긴장이 갑자기 소실되면서 혈압이 심하게 감소하게 된다. 보통 교감신경 차단 범위가 클수록 저혈압의 발생빈도와 정도가 크며 분만 전 출혈이나 탈수 상태의 임부에서도 저혈압이 더욱 잘 유발된다.

산과마취에서 저혈압은 평소 혈압으로부터 수축기 혈압이 20%에서 30% 이상 감소한 경우, 또는 수축기 혈압이 100 mmHg 이하일 때로 정의한다. 임산부에서의 저혈압은 자궁혈류와 태반관류를 감소시켜 태아 저산소증과 산증을 유발할 수 있다. 대부분의 임산부는 수축기 혈압 80~90 mmHg에서 부작용 없이 견딜 수 있지만, 태아는 임산부의 저혈압에 대해 대단히 민감한데 자궁혈류에는 자동조절 기능이 없어 임산부의 급격한 혈압 감소가 태아에게 바로 영향을 주기 때문이다. 척추마취나 경막외마취 시 자궁의 혈류는 혈압에 비례하여 감소한다. 만약 저혈압이 교정되지 않은 상태로 오랫동안 지속된다면 태아에게 저산소증과 산증이 발생할 것이다. 일부 연구에 의하면 부위마취 후 임산부의 수축기 혈압이 70 mmHg 아래로 떨어지면 지속적인 태아 서맥이 발생하였으며 임산부의 수축기 혈압이 약 5분 동안 100 mmHg 이하이면 비정상적인 태아심박수 모양이 발생하였고 100 mmHg 이하로 10~15분 동안 유지되면 태아의 산증과 서맥이 생겼다. 그러나 여러 연구에서 부위마취로 인한 저혈압이 빨리 교정된다면 태아의 1분, 5분 Apgar 점수와 2시간, 4시간, 24시간 동안의 신경행동학적 검사에는 이상이 없다고 하였다. 그러므로 저혈압을 사전에 예방하거나 최대한 빨리 발견하고 치료하는 것이 태아의 손상을 예방하는 최선의 치료방법이다.

부위마취 후에 환자의 혈압은 처음 20분 동안은 매분 측정해야 하며 이후부터 5분마다 혈압을 관찰해야 한다. 혈압 측정시 임부의 자세와 혈압커프의 위치가 중요한데 임부가 측면을 보는 자세에서는 좌우의 상완에서 측정한 혈압차가 10~14 mmHg정도 생기기 때문에 저혈압 발생률이 달라지므로 주의해야 할 것이다. 부위마취 후 저혈압이 발생하기 전에 예방적으로 자궁의 좌측 전위와 빠른 수액주입이 필요하며 저혈압이 발생하면 신속히 승압제를 투여하여야 한다. 또한 임산부의 부위마취 후 저유량의 산소를 투여하는 것이 좋다. 그러나 이러한 산소 투여가 태아의 PaO$_2$를 바로 올리지는 못하는데 임산부의 혈압이 정상으로 돌아온 후에야 태아의 산소포화도가 증가되기 때문이다(그림11-2-1).

1) 예방 및 치료

(1) 환자의 체위

임산부가 앙와위로 누워 있을 때 임신 자궁이 하대

정맥을 압박하여 심장으로 돌아오는 정맥환류량을 감소시키는데 부위마취 후에 발생하는 교감신경차단은 대동정맥 압박에 대한 보상작용의 기전을 방해하여 더욱 심한 저혈압에 빠지게 한다. 그러므로 저혈압에 대한 예방 및 치료로 최우선이 되는 것은 자궁을 좌측으로 전위시켜 대동정맥 압박을 방지하는 것이다. 임산부는 수술장에 갈 때나 부위마취 후에 앙와위를 취하지 말아야 하며 항상 우측 엉덩이 아래에 쐐기를 받히거나 수술대를 좌측으로 15~30°정도 기울여 주어야 한다.

부위마취 후 두부하위자세(head down position)는 복귀정맥혈량을 증가시켜 심박출량을 증가시킬 것으로 생각되나 대부분 10~15도의 두부하위자세를 취하는 것은 혈압상승에 도움이 되지 않으며 수축기 혈압이 대조치보다 30% 이상 감소되었을 경우에만 효과가 있었다. 예방적 두부하위자세는 오히려 국소마취제의 두부쪽 이동을 더욱 촉진시켜 저혈압의 발생을 촉진시킬 가능성도 있다.

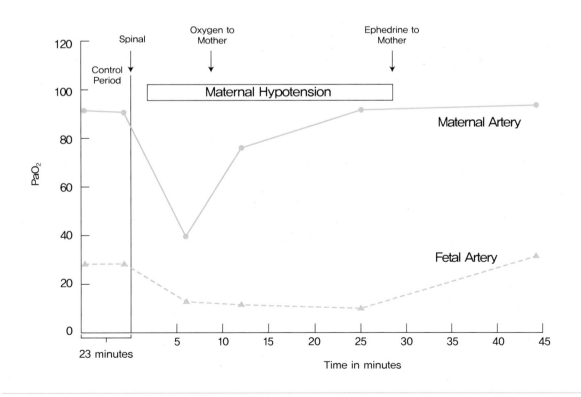

그림 11-2-1. **임산부의 척추마취 후 저혈압, 산소 투여, ephedrine 투여에 따른 태아의 동맥산소분압의 변화**

(2) 수액투여

부위마취에서 수액을 투여할 때에 고려해야 할 것이 있다. 먼저 사전수액투여(preloading)를 할지 부위마취 시행 중에 동시수액투여(coloading)를 할지 정해야 할 것이다. 또한 수액의 종류도 결정해야 할 것이다. 이전 연구들의 결과를 종합해보면 사전수액투여보다는 동시 수액투여가 저혈압의 빈도를 줄이는데 효과적인 것으로 나타났으며 적어도 15~20 ml/kg의 수액을 투여해야 한다. 수액의 종류는 정질액보다는 교질액이 조금 더 우수한 것으로 나타났다. 정질액은 혈관내 유지 반감기가 짧아 중심정맥압의 증가가 일시적이며 많은 양의 정질액을 투여하는 것은 폐부종의 위험을 증가시킬 수 있다.

수액투여시 교질액을 사용하면 긴 혈관내 반감기 때문에 혈량, 심장 전부하, 그리고 심박출량의 증가가 정질액보다 우수하여 저혈압을 예방하는 효과가 클 것으로 생각하였으나 심박출량의 증가를 가져올 정도의 용적 확장(volume expansion)에도 척추마취와 관계된 저혈압의 빈도는 크게 감소되지 않았다. 또한 교질액은 정질액에 비해 값이 비싸고 분만 후에 폐부종의 위험이 더 커질 수 있으며 드물지만 아나필락시스성 반응의 위험이 있다는 단점이 있다. 결론적으로 수액투여만으로는 부위마취에 따른 저혈압을 예방하기에는 불충분하며 어떤 수액이 더 나은지도 완전히 확립되어 있지 않다. 다만 최근 연구에서 부위마취시 정질액의 빠른 동시투여(crystalloid coloading)와 함께 phenylephrine과 같은 승압제의 지속적 투여방법이 저혈압을 방지하는데 효과적이라는 결과가 있었다. 전부하를 증가시키기 위한 수액 중에는 포도당수액은 포함되지 않는데 임산부의 고혈당증은 태아의 고인슐린혈증과 저혈당증을 유도하기 때문이다.

(3) 승압제

빠른 수액주입과 함께 저혈압을 교정하기 위해서는 ephedrine, phenylephrine 등의 승압제를 투여하여야 한다. 과거에는 ephedrine을 가장 많이 사용하였지만 최근에는 phenylephrine을 많이 사용하는 추세이다. Ephedrine은 α와 β교감신경작용제로서 자궁의 혈관을 수축시키지는 않는다. Ralston 등은 임신한 양을 대상으로 혈압을 기준치로부터 40~50% 올리는 정도의 ephedrine을 투여하여도 자궁혈류량에는 영향이 없다고 하였다. 비록 ephedrine이 태반을 통과하여 태아의 심박수를 증가시키고 박동간(beat-to-beat) 변화를 초래하나 신생아에게는 부작용이 나타나지 않았다고 한다.

순수한 α교감신경작용제인 phenylephrine은 자궁혈류를 감소시키기 때문에 과거에는 사용하지 않았지만 최근에는 척추마취 후에 일어나는 저혈압을 치료하는데 많이 사용되고 있다. Phenylephrine을 사용하는 경우 임산부의 일회심박출량, 확장말기압의 용적, 태아의 Apgar 점수에서 ephedrine과 차이가 없으며 오히려 태아 제대정맥의 pH는 ephedrine에 비해 더 좋게 나타났다. Phenylephrine의 투여방법으로는 지속주입방법이나 간헐적 투여방법을 생각해 볼 수 있다. 지속주입방법은 혈압이 떨어지기 전부터 투여하여 저혈압을 예방할 수 있으나 상대적으로 많은 양이 투여될 수 있으며, 간헐적 투여방법은 저혈압을 예방할 수는 없다는 단점이 있다. 최근 예방적으로 phenylephrine을 일시정주하면 저혈압의 빈도가 감소한다는 보고도 있다. 그러나 phenylephrine은 일시적으로 과량투여 시 서맥이 발생할 수 있으므로 만약 phenylephrine의 효과가 없거나 서맥이 발생한 경우는 ephedrine을 대체제로 사용하거나 atropine 또는 glycopyrrolate를 투여 할 수 있을 것이다.

부위마취 후에 발생하는 저혈압에 대처하기 위한 방법을 요약하면 다음과 같다.

① 임신한 자궁에 의한 대동정맥 압박을 피한다.

② 마취가 시작될 때부터 적절한 수액을 가능하면 빠른 속도로 태아가 나올때까지 투여한다. 그러나 수술이 끝날 때까지 과도한 수액투여는 피해야 한다.

③ 빠른 수액투여와 함께 phenylephrine을 지속투입하거나 간헐적으로 투여한다.

④ Phenylephrine 투여에도 불구하고 해결되지 않은 저혈압이나 서맥은 ephedrine을 사용한다.

⑤ 서맥이 심한 경우는 atropine이나 glycopyrrolate를 투여한다.

⑥ 저유량의 산소를 투여한다.

2. 전척추마취(Total spinal block)

전척추마취는 척추마취에서는 과량의 약물이 주입될 때 일어나지만 드물고 우연히 경막외 카테터가 지주막하로 이동하여 대량의 국소마취제가 지주막하에 주입될 때 주로 일어난다. 또한 매우 드물지만 경막하 공간으로 다량의 국소마취제가 투여된 경우에도 발생할 수 있다. 경막하 공간은 일상적으로 존재하는 해부학적 공간은 아니며 평소에는 지주막과 경막이 서로 붙어 있다가 외부적인 요인에 의해서 두 막이 분리되면서 생기는 잠재적 공간이다. 경막하 공간은 두개강내로 통해져 있기 때문에 뇌신경도 차단될 수 있다. 경막하 마취제 주입의 주된 임상증상은 예상보다 넓은 범위에서의 감각 신경 차단, 과도한 저혈압 그리고 예상치 못한 부위의 운동신경 차단 등이다.

전척추마취는 심한 저혈압, 오심, 구토, 호흡정지, 의식소실이 오며 처치가 늦어질 경우 심장정지로 사망할 수도 있으므로 조기에 발견하여 치료하는 것이 절대적으로 중요하다. 그러므로 이러한 위험을 예방하기 위해 경막외강을 확인한 후에는 반드시 시험용량을 미리 주입하여 카테터의 끝이 지주막하에 삽입되지 않았음을 확인해야 한다. 전척추마취의 치료는 기도 확보, 산소 투여, 그리고 심혈관기능을 보조하는 것이다. 호흡곤란시 기관내삽관은 폐흡인을 방지하기 위하여 가능한

한 빨리 시행되어야 하며 전척추마취는 턱의 근육이 항상 이완되는 것은 아니기 때문에 기관내삽관을 위하여 succinylcholine이 필요할 수도 있다. 저혈압이 발생하므로 트렌델렌버그 체위와 자궁의 좌측 전위로 심장으로의 복귀정맥혈량을 증가시키며 수액과 ephedrine을 투여하여 혈압을 유지시켜야 한다. 만약 많은 양의 국소마취제가 사고로 지주막하로 주입되었다면 기도를 확보하고 난 뒤 경막을 천자하여 뇌척수액을 배액하는 것도 고려해 볼 수는 있다.

Atropine으로 전투약하지 않은 젊은 환자에서 전척추마취와 관련하여 심한 서맥 후에 심장 무수축이 보고되었으므로 심박수가 분당 60회 이하로 감소되는 경우에는 atropine이나 ephedrine을 빨리 투여하고 atropine이나 ephedrine이 효과가 없다면 즉시 epinephrine을 투여하여야 한다. 고위 교감신경 차단은 심폐소생술동안 말초혈관의 혈류량을 증가시켜서 뇌의 관류를 방해하므로 갑작스러운 서맥이 있을 경우 epinephrine을 가능한 빨리 투여하여야 하며 epinephrine은 심폐소생술 동안 뇌의 관류를 증가시켜 뇌의 신경학적인 손상을 줄여 준다. Caplan 등은 고위 척추마취와 관계된 심장 마비는 보통의 심폐소생술로 신경학적인 예후가 좋지 않다고 보고하였다. 척추마취와 관련하여 심장마비를 겪은 14명의 환자에서 가장 많은 증상은 서맥으로 7명이었다. 6명이 심한 신경학적인 손상으로 병원에서 사망하였고 8명의 생존자 중에 일상생활을 할 수 있는 사람은 단 한사람 뿐이었다. 그러므로 전척추마취가 발생했을 때 빠른 기관내삽관, 태아의 분만, 그리고 atropine과 epinephrine의 투여 등은 임산부와 태아의 예후에 결정적이다.

11-2

3. 경막천자후두통(PDPH)

경막천자후두통은 부위마취 시 경막이 천자되어 그 구멍으로 척수액이 계속 흘러나와 뇌척수액의 압력이 저하되어 뇌조직이 하향되면서 통증에 민감한 뇌혈관, 천막(tentorium) 등이 자극되어 전두부와 후두부에 통증이 야기되는 것이다. 임산부의 경우 발생률이 정상인에 비해 2배나 된다. 척추마취 시 실수로 인한 경막 천자는 마취통증의학과의사의 숙련도에 따라 달라지며 수련기관에서 2% 미만으로 보고되고 있지만 보통 0.4%에서 6%까지 다양하다. 만약 18게이지 바늘로 경막천자가 생기고 국소마취제를 주입하지 않았다면 두통이 80%에서 생기고 다른 척추간에서 다시 시도하여 경막외강으로 국소마취제를 주입하였다면 55%로 줄어드는데 주입한 약물이 지주막과 경막외강 사이의 압력의 차이를 감소시켜 뇌척수액의 누출이 감소되기 때문이다. 임산부에서 경막천자후두통의 발생률과 증상의 심한 정도는 경막의 구멍을 통한 뇌척수액 소실의 양에 달려 있으며 이는 세 가지 물리적 요소에 의해 결정된다.

첫째 요소는 구멍의 크기이며 이것은 척추바늘이나 경막외바늘의 구경과 디자인에 의해서 결정된다. 16게이지 또는 18게이지 경막외바늘은 큰 구멍을 만들어 뇌척수액 소실이 큰 반면, 연필침상의 27게이지 Whitacre 바늘이나 25~26게이지 Atraucan 바늘은 뇌척수액 소실이 적다. 두 번째 요소는 경막을 통한 바늘 길의 경사도에 의해서 결정된다. Atraucan 바늘의 경우 30도 정도로 비스듬하게 천자되면 경막의 층이 겹쳐서 경막천자의 구멍을 자동으로 막게 된다. 세 번째 요소는 진통과 분만이다. 분만 시 임산부의 만출력의 증가는 경막을 둘러싸고 있는 정맥의 압력을 상승시켜 경막천자의 구멍을 통한 뇌척수액의 소실을 감소시킨다.

1) 감별진단

임산부는 분만 후에 긴장성 두통, 편두통, 또는 저혈압이나 카페인 금단증상 등 다양한 원인으로 두통이 발생할 수 있다. 그러므로 분만 후 두통이 있는 임산부를 평가할 때에는 분만 전 두통에 관해서 항시 질문해야 한다. Benhamou 등에 의하면 경막천자 없이 성공적으로 경막외마취를 받은 환자 중 12%에서 두통이 발생하였고, 경막외마취를 받지 않은 임산부 중에서도 15%에서 두통이 발생한다고 하였다.

낮은 뇌척수액압 때문에 생기는 경막천자후두통의 중요한 증상은 앉아 있거나 서 있을 때 지속적인 두통과 누우면 통증이 사라지는 체위성 두통이 특징이다. 증상의 발현은 천자 후 몇 시간에서부터 2일 내에 대개 발생하여 평균 4일정도 지속된다(표 11-2-1).

2) 예방 및 치료

예방적인 침상안정은 경막천자후두통의 발병률을 떨어뜨리지 않는데 18게이지 바늘을 사용하여 진단학적인 요추천자를 시행한 100명의 환자에서 반은 즉시 보행을 시켰고 나머지 반은 24시간동안 침대 안정을 시켰을 때 두통의 빈도와 시간은 두군 간에 차이가 없었다. 그러나 경막천자후두통이 발생한 다음에는 침상안정이 두통의

표 11-2-1 **경막천자후두통의 감별진단**

비특이성 두통
편두통
고혈압
카페인 금단증상
기뇌증
감염
대뇌피질의 정맥 혈전증
두개내 지주막하 출혈
뇌압상승

증상을 경감하는데 도움이 된다.

수분공급을 증가시키는 것은 뇌척수액의 생산 증가로 이어지지 않으므로 경막천자후두통의 발생을 예방하지 못하고, 일단 두통이 발병하였을 때에도 두통의 진행을 막지 못한다고 한다. 경구 caffeine은 경막천자후두통의 치료에 효과적이라고 알려져 있지만 재발률이 30% 정도로 높다. Caffeine의 작용 기전은 뇌혈관의 수축과 관계되어 있다고 한다.

경막천자후두통의 검증된 치료 방법은 자가혈액을 이용한 경막외혈액봉합술(epidural blood patch)인데 1960년에 Gormley에 의해 처음 도입된 이래 심한 경막천자후두통 환자에서 확실한 치료법으로 알려졌다. 무균적인 방법을 사용하여 15~20 ml의 자가혈액을 경막이 천자된 곳의 경막외강 안으로 주입하는 것으로 성공확률은 거의 100% 정도로 높다. 그러나 다른 연구에서는 64%만이 한번의 경막외혈액봉합술 후에 완전한 증상의 소실이 있었다고 하였다.

성공적인 경막외혈액봉합술을 실시하기 위해서는 세 가지가 필요하다. 첫 번째, 환자가 정상적인 혈액 응고 기전을 가지고 있어야 한다. 두 번째, 자가혈액 주입은 천자부위에서 가깝거나 천자 부위에서 실시되어야 한다. 경막천자된 부위보다 한 척추 분절 아래에서 혈액을 주입하면 혈액이 머리 방향으로 이동하여 효과적으로 천공 구멍을 차단하는 것이 자기공명영상으로 증명되었다. 세 번째, 15~20 ml 정도의 충분한 양의 혈액을 주입하여야 한다. 충분한 양의 혈액을 주입하여야 천공 구멍을 막을 수 있고 뇌척수액압이 회복되어 즉시 두통을 감소시킬 수 있다. 그러나 혈액 주입시 통증이나 신경학적 증상이 나타나면 즉시 주입을 중단하여야 한다.

우발적인 경막 천자가 있었던 환자에서 경막외혈액봉합술의 실시 시기와 관련하여 경막천자후두통이 나타난 후에 실시하자는 주장과 증상이 나타나기 전에 예방적으로 자가혈액을 주입하자는 주장이 있다. 두통 발생 후에 하자는 주장은 모든 경우에서 경막외천자후 두통

이 발생하는 것은 아니기 때문에 예방적으로 혈액봉합술을 하는 것은 무리가 있다는 것이고, 예방적으로 혈액봉합술을 하자는 주장은 경막외혈액 봉합술을 시행하고 난 뒤에 두통이 있을 확률은 10~21%로 줄어들고 이 경우 다시 혈액봉합술을 시행하면 만족스런 결과를 가져올 수 있다는 사실에 근거를 두고 있다.

2년 동안 118명의 경막천자 환자를 추적 조사한 결과 경막외혈액봉합술은 심한 합병증은 없는 것으로 보고되었다. 경막외혈액봉합술이 안전하다고 하여도 사실 이것은 인위적인 경막외혈종이며 과다한 양의 혈액 주입은 척수의 혈액 공급을 방해할 수 있다. 그러나 가임기의 여성에서는 추간공협착이 드물어 15 ml 정도의 혈액을 주입하여도 15분 이내에 뇌척수액 압력의 증가가 급속히 사라진다. 경막천자환자에서 20 ml의 혈액을 경막외강으로 주입한 후 자기공명영상으로 추적관찰하였을 때, 혈액이 추간공, 피하조직, 그리고 경막하로 들어가 얇은 막을 형성하는 것을 발견하였는데 이는 경막외혈액봉합술을 시술하는 동안 무균적인 방법을 사용하지 않으면 주입한 혈액이 배지역활을 하여 뇌막염, 경막외 농양, 척추주위 농양 등을 발생시킬 수 있고 더 나아가 하지 마비까지 올수 있다는 것을 의미한다. 경막외혈액봉합술 후에 뇌막염, 지주막염, 또는 말총증후군 등의 발생은 극도로 드물지만 그럼에도 불구하고 세밀한 무균술과 주의 깊은 시술 후 환자감시가 필요하다. 허리 통증은 경막외혈액봉합술의 가장 흔한 합병증이며 심할 경우에는 3개월까지 지속되는 경우도 있지만 대개는 48시간이내에는 사라진다. 자가혈액 대신 경막외강으로 20~30 ml의 dextran 40 ml를 주입할 수도 있으며 이 경우 2시간 이후에 두통의 소실이 나타났고 합병증은 없었다고 한다. 이 방법은 자가혈액을 주입할 수 없는 환자에게 유용하게 사용할 수 있다.

11-2

4. 임산부의 신경학적 합병증

출산 시 신경학적 합병증은 분만을 위한 부위마취나 분만과정 자체와 연관이 있을 수 있다. 다행히도 산과환자에서는 부위마취 후 신경학적 합병증은 드물며, 마취와 관련되지 않은 원인에 의한 것이 대부분이다. 분만 후 신경손상은 크게 말초신경손상과 중추신경손상으로 나눌 수 있다. 말초신경손상은 부위마취때문에 발생했다고 생각할 수 있지만 산과적 원인이 대부분이다. 중추신경손상은 원인이 좀 더 복합적인데 신경조직이나 혈관의 외상에 의한 손상, 감염, 허혈성 손상, 화학적 손상으로 나눌 수 있다.

분만 후 임산부의 신경학적 합병증의 빈도는 정확하게 산정하기 어려우나 23,827례의 분만을 대상으로 조사한 결과 45명이 신경학적 손상이 있었지만 경막외마취(1:277)와 전신마취(1:243) 사이에 차이가 없었고 대부분의 예에서 신경학적 기능이 72시간 내에 정상으로 회복되었으며 마취와 관련이 없는 산과적 요인에 의한 일시적인 손상이 대부분이었다고 한다. 또 다른 최근 보고에 의하면 임산부 10만명당 신경학적인 중증 손상의 발생률은 경막외마취는 0.6명, 척추마취는 1.5명 그리고 척추경막외 병용마취는 3.9명으로 조사되었다. 전체적으로 발생율이 매우 낮지만 척추경막외 병용마취가 좀 더 발생률이 높은 부분은 주목할 만하다.

부위마취 시술과 관련된 합병증의 원인들은 다양하다. 차단 수기에 따른 문제점으로 혈관내 주입, 혈종 형성, 차단에 의한 교감신경 차단, 말초신경 손상, 카테터의 절단, 매듭형성 및 말림, 바늘의 부러짐, 전척추마취 그리고 척수 손상이 있을 수 있으며 약리학적 문제점으로는 과도한 진정(oversedation), 국소마취제의 독성, 약물에 대한 알러지 그리고 잘못된 약물의 주입이 있다. 이러한 부작용은 적절한 감시의 미흡으로 더 큰 합병증으로 발전하는 경우도 있을 것이다.

임산부가 마취 전에 이미 신경학적 이상이 존재하는 경우는 흔치 않으나 경한 증상이나 징후도 소홀히 하지 말고 잠재적인 이상을 파악하는 것이 중요하다. 미처 신경학적 이상을 파악하지 못하고 부위 마취를 시술하면 불필요한 소송을 야기할 수 있기 때문이다. 또한 매우 드물기는 하지만 마취에 기인한 신경학적 후유증도 발생할 수 있으므로, 신경학적 합병증의 적절한 진단과 치료를 위해서는 철저한 병력 조사, 신체검사 및 진단적 검사를 해야 하고 치료방법과 자문의 필요성을 결정하는 것이 매우 중요하다.

1) 내재적인 원인에 의한 신경학적 합병증

분만 후 신경학적 합병증의 내재적인 원인은 다음의 네 가지 중 하나에 의하거나 매우 드물게 복합적으로 나타나기도 한다.

(1) 골반 가장자리를 가로 질러서 내려가는 요천추신경(lumbosacral nerves)을 태아의 머리가 누름
(2) 하부척수(lower spinal cord)로 혈액을 공급하는 동맥에 대한 압력
(3) 이미 존재하는 척추관(spinal canal)과 그 혈관의 이상
(4) 이미 존재하는 중추신경계 감염이나 종양

① 골반내 신경이나 척수에 혈액을 공급하는 동맥을 태아의 머리가 누르는 경우 태아의 머리에 의해 골반을 가로 질러서 내려가는 요천추신경들이 눌릴 수 있다(그림 11-2-2). 또한 대퇴신경, 폐쇄신경 그리고 좌골신경마비도 올 수 있다. 대퇴신경마비는 산후 말초신경마비의 약 1/3을 차지하며 대퇴신경은 골반안쪽으로 지나가지 않기 때문에 태아머리에 눌리기 보다는 진통기간에 오랫동안 고관절부위를 굽히고 있거나 외전하고 있으면 발생할 수 있다.

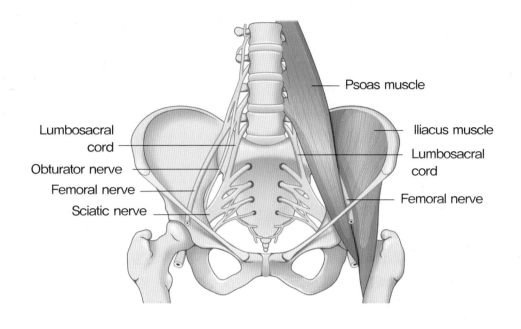

그림 11-2-2. 태아의 머리에 의해 골반을 가로 질러서 내려가는 요천추신경들이 눌릴 수 있다.

② 임산부 척추의 선천성기형

임산부 척추의 선천성기형은 흔하지 않지만 대부분 요추 부위에서 발생한다. 이 경우 척추마취나 경막외마취가 기술적으로 어려울 수 있고, 일반적인 위치보다 척수가 낮게 위치한 경우 바늘로 손상을 줄 수 있으며, 동정맥기형이 동반된 경우 경막외혈종이 발생할 수 있으므로 주의를 해야 한다. 척추솔기형성이상(spinal dysraphism)이나 숨은척추갈림증은 말단신경능선(distal neural crest)이 불완전하게 닫혀 발생하며 가족력이 있다. 다른 이상을 동반하지 않은 숨은척추갈림증은 17%의 빈도를 보이며, 매우 드물지만(출생의 0.1% 미만) 수막척수탈출증(meningomyelocele)이 동반되거나, 정상적으로 척수가 끝나는 T12~L1 보다 아래에서 (멀게는 L4나 L5 척추) 척수가 끝나기도 한다. 이런 환자는 보통 피부의 국소적인 변색이나 보조개, 지방덩이, 털 뭉치 등과 같은 피부 또는 피하의 징표가 있으므로 마취 전 방문 시 등을 유심히 살펴보아야 한다. 숨은

척추갈림증으로 진단을 받았거나 이런 피부 병변이 있는 환자에서는 바늘에 의한 척수 손상 가능성 때문에 척추마취가 추천되지 않으며, 경막외강이 막혀있을 가능성이 있으므로 경막외마취 또한 시행하지 않는 것이 좋다.

③ 동정맥기형

최근에는 T2 강조 자기공명영상으로 정확하게 진단되므로 자주 보고되고 있다. 척수 동정맥 기형의 20%에서 같은 분절에 분포하는 피부혈관종이 동반된다. 임신 말기에 자궁이 커지면서 하대정맥이 부분적으로 폐쇄되어 경막외정맥압이 증가하고, 혈액량 증가와 호르몬변화에 의해 혈관이 확장되면서 기존의 동정맥기형이 현저히 나타나게 된다. 척수 동정맥기형 임산부에서 척수의 관류에는 동맥압, 홀정맥압(azygos venous pressure), 국소적인 조직압의 세 가지 압력이 매우 중요한데, 척수의 관류는 국소적인 조직압에 반비례하고, 동맥압과 홀정맥압의 차이에 비례한다. 그러므로 동맥압은 정상으로 유지하고 하대정맥의 압박을 피하기 위해 측와위를 취함

11-2

으로써 홀정맥압을 감소시켜야 하며, 경막외강에 많은 양의 약물을 주입함으로써 척수내압이 상승하는 일을 피해야 한다. 동정맥기형이 요추 부위에 있다면 부위마취는 피하는 것이 좋고, 요추 부위에서 멀리 떨어진 곳에 위치한다면 조심스럽게 부위마취를 시도해 볼 수 있다.

2) 마취와 관련이 있는 신경학적 합병증

부위마취와 관련된 심각한 신경학적 합병증은 신경외상, 심한 저혈압, 심정지, 기구와 관련된 문제, 약물의 부작용, 잘못된 약물의 투여, 약물을 우발적으로 잘못된 경로로 투여하는 등의 여러 원인에 의할 수 있다.

(1) 신경 외상

신경조직의 직접적인 외상은 매우 드물지만 척수, 신경근, 말초신경 등에서 모두 발생할 수 있다. 신경학적 합병증이 발생한 경우의 2/3에서 시술 시 감각 이상이나 약물 주입 시 통증이 동반되었으므로 시술동안 환자가 국소적인 통증을 호소하면 즉시 시술을 중단해야 한다. 특히 전신마취 하에 시술하는 경우에는 통증 호소나 무의식적인 움직임 등의 신경 외상에 대한 경고 반사가 둔해져 있으므로 위험하며 척수에 직접 약물을 주사하게 되면 공동화 병소를 유발하여 영구적인 하반신마비를 초래하게 된다. 척추마취 바늘은 경막 안쪽이나 바깥쪽의 신경근을 건드릴 수 있고 척수에 직접적으로 손상을 입힐 수 있다. 경막외 카테터의 2~4%는 척추 사이 구멍(intervertebral foramen)에 박힐 수 있고 일부 또는 전체가 척추옆공간(paravertebral space)으로 빠져나갈 수 있다. 만일 경막외 카테터가 앞척수동맥(anterior spinal artery)이 지나가는 추간공으로 박히게 되면 뻣뻣한 카테터에 의해 앞척수동맥이 압박을 받게 되어 척수의 앞쪽 2/3가 허혈성 손상(앞척수동맥증후군, anterior spinal artery syndrome)을 입게 된다. 이 경우 통증과 온도감각의 소실을 동반하거나 혹은 동반하지 않은 일측이나 양측 다리의 운동마비가 나타나고, 가벼운 촉감, 자세감각, 진동감각은 유지되는 특징을 보인다. 그러므로 카테터 진입 도중 다리의 무의식적인 움직임과 함께 심한 신경근통증을 호소하면 시술을 즉시 중단하고 카테터를 뒤로 빼야 한다. 영구적인 허혈성 손상을 입기 전에 빨리 확인하여 카테터를 제거하면 완전히 회복될 수 있다. 일시적인 감각이상은 경막외 카테터 삽입 시 흔히 관찰되는데 카테터 끝의 모양 및 경도와 관련이 있고 척추경막외병용마취의 needle-through-needle technique에서 좀더 자주 보고 된다. 산과환자에서 부위마취 후 단일신경근 신경병증은 여러 연구에서 0.75~3.7/10,000명의 빈도를 보이고, 거의 모든 환자가 2주에서 3개월 사이에 회복되었다고 하였다. 이외에도 경막외마취 시 저항소실검사를 위해 공기를 사용하는 경우 경막외강으로 10~15 ml 이상의 공기를 주입하게 되면 척추옆 기종이나 피하기종이 발생할 수 있고, 환자의 추간공이 좁아져 있는 경우 30~40 ml의 많은 양의 공기를 경막외강으로 주입하게 되면 척추관내 압력이 증가하여 신경조직을 압박하게 되고 일시적인 하반신마비가 발생할 수 있다. 또한 우발적인 경막천자 후 지주막하로 공기를 주입하게 되면 심한 두통과 함께 공기머리증(pneumocephalus)이 발생하거나 일시적인 뇌신경마비가 발생할 수 있다.

(2) 심정지

심정지는 경막외마취(1/10,000명)에 비해 척추마취 후 더 자주(6.4/10,000명) 발생하며, 혈압과 산소화를 빠르게 회복시켜주지 못하면 저산소증에 의한 뇌손상을 초래할 수 있다.

(3) 기구와 관련된 문제

경막외 카테터는 보통 쉽게 잘 제거된다. 그러나 만일 경막외 카테터 제거 시 저항이 느껴진다면 환자를 경막외마취 시행 시 취했던 자세와 동일한 자세를 취하게 한 후 제거한다. 그래도 카테터가 잘 나오지 않고 늘어나기 시작하면 카테터 제거를 멈추고 몇 시간 동안 그대로 둔다. 환자가 스스로 움직이게 하여 카테터가 느슨해지면 다시 카테터 제거를 시도해 본다. 만일 환자가 카테터 제거 시 통증을 호소하면 역시 카테터 제거를 즉시 멈추어야 한다. 이런 경우는 카테터가 신경근을 감아매고 있을 수 있으므로 카테터에 조영제를 주사하면서 자기공명영상이나 컴퓨터단층촬영을 시행할 필요가 있다. 만일 카테터가 매듭이 지어졌거나 신경근을 에워싸고 있으면 영상의학과 의사의 도움으로 투시검사(fluoroscopy)하에 매듭지어진 카테터를 풀어야 한다. 만일 카테터 제거 시 카테터가 끊어져 카테터의 일부가 환자의 몸속에 남아있는 경우, 경막외 카테터는 무자극성이므로 신경근통증과 같은 신경학적 증상을 유발하지 않으면 그대로 두는 것이 좋고, 신경학적 증상이 카테터 조각에 의한 것일 경우 수술적 제거가 필요하다.

(4) 일시적인 신경학적 증상

척추신경 차단 후에 일시적으로 지속되는 감각이상은 경미한 이상감각(dysesthesia)이 몇 일 지속되는 것부터 심한 통증, 국소적인 마취현상까지 다양한 형태의 증상이 있다. 그 기전은 국소마취제의 신경내 주입과 주사바늘의 삽입에 의한 직접적인 신경 손상일 것이다. 국소마취제와 생리식염수를 섬유속 내에 투여하면 축삭에 퇴행성 변화가 일어날 수가 있다. 또한 주사바늘 끝의 단면이 날카로운 것은 무딘 것보다 신경 손상의 빈도 증가와 관련이 있다고 한다. 그러므로 시술 시 감각이상이 있는 경우는 신경 손상의 위험이 있으므로 삼가야 할 것이다. 말초신경 손상을 예방할 수 있는 방법에는 ① 감각이상이 나타났을 때는 주사바늘의 움직임을 주의하고, ② 환자가 어떠한 통증이나 감각이상이 초기 0.5 ml 이하의 마취제 투여에서 나타날 경우 다시 주사바늘의 위치를 다시 교정하여 신경내 투여를 피하고, ③ 주사바늘, 국소마취제, 환자, 모두를 잘 선택하여 시행한다. 지

속적인 감각이상은 수술 후 2~3일까지는 관찰하여야 한다. 다행히 이러한 문제점들의 결과는 대부분 양호하며 수일에서 수주 내에 정상으로 완전하게 회복된다.

(5) 화학적 오염

경막외강은 혈관이 풍부하여 투여 약제의 전신적 흡수가 잘 되고, 경막이 척수를 보호하는 역할을 하므로 화학적 오염에 대해 내성이 있으나, 화학적 오염물질이 지주막하에 투여된 경우는 신경독성을 유발할 수 있다. 기존에 경막외강으로 잘못 투여된 약물의 경우를 살펴보면 thiopental과 methohexital은 신경학적 후유증을 일으키지 않았으며, magnesium sulfate의 주입은 작열감(burning sensation)을 유발하였으나 신경학적 후유증은 일으키지 않았다고 한다. Potassium chloride의 경막외 투여는 심한 운동 및 감각 차단을 유발하였으며 9시간 이내에 회복된 환자도 있으나 많은 용량(11.25% KCl, 15ml)을 투여 받은 환자는 하반신마비가 발생하였다는 보고가 있다.

(6) 우발적인 지주막하 주사

경막외마취에 국한되어 사용되는 국소마취제를 우발적으로 지주막하로 주사한 경우 심한 감각 및 운동 차단을 유발할 수 있다. 항산화제로 sodium bisulfite를 포함한 경막외마취용 2-chloroprocaine이 다량 지주막하로 주사된 경우 말총증후군(cauda equina syndrome)이 발생하였다는 보고들이 있었다.

3) 요통

요통은 분만 후 흔히 발생하며, 많은 임산부들이 경막외진통법과 관계가 있을 것으로 생각한다. 이전의 후향적 연구들에서는 경막외진통법으로 분만한 임산부들의 18~19%에서 요통이 발생하여, 경막외진통법을 사용하지 않은 임산부에서의 빈도(10~12%)보다 높았다. 그

11-2

러나 최근의 전향적 연구들은 경막외마취나 경막외진통법과 요통 사이에 유의한 상관관계가 없다고 보고하고 있는데 이러한 차이가 나타나는 이유는 분만 시 경막외진통법에 사용하는 국소마취제의 농도와 관련이 있는 것으로 보인다. 과거에는 고농도의 국소마취제를 사용하여 골반저부 근육의 긴장이 소실되어 척추관절과 천장골관절에 과도한 압력이 가해짐으로써 요통이 발생하였으나 요즘에는 저농도의 국소마취제, 아편유사제 및 clonidine같은 선택적인 α2 작용제를 병용함으로써 운동력이 보존되어 이러한 문제가 해소된 것으로 여겨진다. 임산부가 체중이 많이 나갈수록, 키가 작을수록, 나이가 어릴수록, 그리고 요통의 병력이 있는 경우 분만 후 요통이 새로이 발생할 수 있다고 한다.

4) 감염성 합병증

부위마취 후 중추신경계 감염의 빈도는 매우 낮다. 중추신경계 감염의 전형적인 징후나 증상은 부위마취 후 2-3일에 발생하는 발열, 요통, 마취 부위의 국소적인 염증 등이고, 심한 경우 심각한 후유증을 남길 수 있다. 감염의 원인은 외인성으로 오염된 기구와 약물 등이 있으며, 내인성으로는 주사기 또는 거치된 카테터에 의한 직접 전파 또는 혈행성 전파로 발생한다. 거치된 카테터는 피부나 피하조직의 세균이 전파되는 통로가 될 수 있다. 특히 면역성이 떨어져 있는 경우에 주의하여야 한다.

무균성 뇌막염은 감염성 또는 패혈성 뇌막염과 비슷한 과정을 갖는다. 뇌척수액 분석은 세균의 유무를 결정할 것이다. 가장 흔한 세균성 뇌막염의 원인균은 Staphylococcus aureus, coliforms 그리고 pseudomonas이다. 뇌척수액 검사 전에 항생제 사용은 세균의 숫자를 감소시키므로 진단에 혼돈을 초래할 수 있다. 무균성 뇌막염은 세척제나 phenol과 같은 화학적 자극제가 기구에 오염되거나 사고로 잘 못 투여되어 뇌척수액의 세균감염 없이 발생한다. 그리고 수술용 장갑의 전분가루와 같은 물질도 뇌척수액 내에 들어가게 되면 자극반응을 유발한다. 무균성 뇌막염의 뇌척수액 분석에서는 단핵구 세포가 보이고 단백질과 당은 정상이며 세균은 없다. 세균성과 무균성 뇌막염 모두에서 천자 24~48시간 후에 발열, 목의 뻣뻣함, 그 외 뇌막 자극증상을 나타낸다. 뇌척수액 분석에서 세균이 있다면 조기에 적절한 항생제 치료를 할 수 있다.

경막외 또는 척추마취 후 농양은 대부분 피부 가까이에서 발생하여 단순한 배농과 항생제로 치료할 수 있다. 피부 가까이 발생하는 것은 국소조직의 부종, 홍반, 화농성 액의 배출과 함께 발열이 있다. 드물게 치료 지연으로 주위 신경조직에 전파되어 신경학적 문제를 야기할 수 있다. 그러나 드물게 경막외 공간 깊은 곳에서 척수 압박과 함께 발생될 수도 있다. 이러한 경우 적극적으로 조기에 척추궁 절제술과 배농을 시켜 주는 것이 효과적이다.

경막외 농양의 발생은 심한 요통, 국소 압통, 백혈구 증가와 함께 발열과 뇌척수액에서 백혈구와 세균이 발견된다. 여러 가지 신경학적 증상과 함께 방사선 소견에는 경막외 종괴 소견이 나타난다. 발견 12시간 이내 외과적 치료가 신경학적 회복을 위한 최선의 방법이다. 경막외 steroid 투여는 국소적 면역억제 효과로 경막외 감염의 위험을 더욱 증가시킨다. 면역계 이상은 감염의 위험을 증가시키므로 경막외 카테터를 계속 유지하여야 할 경우에 세심한 관찰이 필요하다.

만성유착성지주막염은 세균, 척수손상, 척수허혈, 투여용액의 오염, 국소마취제의 직접 독성 효과, 국소마취제의 첨가제, 증류수, 또는 혈액 주입 등이 원인이 되어 발생하며 말총증후군을 초래할 수도 있다. 임상증상으로는 위장관과 방광의 기능이상, 감각소실, 지속적 통증과 하지 마비 등이 수 일에서 수 주에 걸쳐 천천히 나타난다. 호소하는 증상과 발현시간이 다양하여 진단이 지연될 수 있다. 뇌척수액 검사와 방사선 검사는 원인과 문제점의 존재 여부 결정에는 도움이 되지 않지만 회복 가능한 해부학적 또는 감염질환을 감별할 수 있다. 신경인성방광(neurogenic bladder)은 방광압력곡선(cystometrogram)에서 방광용량이 증가되고 긴급뇨(urgency)에 대한 감각이 둔화된다. 또한 근전도 검사는 범위를 결정하고 임상 증상을 확인하는 데에 도움이 된다. 말총증후군은 초기에 충분한 마취를 위하여 카테터를 통한 많은 양의 국소마취제를 투여하였기 때문이라고도 하며, 원인은 분명하지 않으나 신경손상은 척수신경근으로 많은 양의 국소마취제가 잘못 분포되어 발생하는 것으로 추측한다.

거치된 카테터를 통한 반복된 국소마취제의 투여와 잘못되었거나 실패하여 여러 번 척추마취를 시도하는 것은 매우 위험한 수기이다. 주사바늘에 의한 손상 또는 신경내 투여에 의한 통증이 아니라도 신경은 손상 받을 수 있다. 위험을 저하시키기 위한 주의점은 ① 거미막밑에 국소마취제를 투여하기 전에 뇌척수액을 확인한다. ② 국소마취제의 적절한 분포를 확인하기 위하여 천추부위의 차단을 확인한다. ③ 최대 안전용량으로 국소마취제 양을 제한한다. ④ 반복하여 투여한다면 같은 부위에 약물의 분포를 피하기 위하여 수기를 변화시킨다(예; 체위변경, 약물의 비중 등). ⑤ 약물 투여 후에 뇌척수액이 흡인이 되지 않는다면 이학적 검사에서 신경차단 증상이 없더라도 다시 투여하지 않는다. 이러한 합병증은 드물기 때문에 잦은 진단검사보다는 조심스럽고 숙달된 수기를 원칙으로 하는 것이 권장된다.

5) 척추강내출혈

신경축마취와 동반된 혈종에 의한 신경학적 손상의 빈도는 매우 낮다. 그러나 혈액 응고기전에 이상이 있는 환자에서는 특히 미세한 손상 후에도 경막외 혈종 위험이 증가된다. 정상적인 경우에도 혈종이 발생할 위험이 있는 것처럼 항응고제 치료를 받는 임산부에서도 저절로 발생할 위험도 증가한다. 특히 척추마취보다는 경막외 마취나 경막외 카테터 거치시 항응고제를 사용하고 있을 경우 출혈의 위험이 높다. 신경축 마취의 시술 전 임산부의 기왕력이나 약물복용력 등을 정확히 조사하고 항응고제를 복용하고 있는 경우 각 약물에 대한 작용시간을 고려하여 시술을 연기해야 할 것이다. 또한 경막외 카테터를 거치하고 있는 경우에도 항응고제의 사용을 가급적 자제해야 할 것이다. 경막외 혈종에 의한 증상은 척수압박에 의한 증상으로 나타나며 감염이나 혈전에 의한 신경증상과도 감별이 어렵다. 특히 마취 후 시간이 지나도 요통, 운동신경과 감각차단의 강도가 증가하는 것을 호소한다면 새로운 마비의 발생이 예상되므로 즉시 경막외 혈종에 대한 적극적인 분석과 치료를 하여야 한다. 만일 혈종이 의심되면, 즉시 컴퓨터단층촬영이나 자기공명영상을 시행하고, 혈종으로 진단되면 6시간 이내에 수술적 감압을 시행해야 신경학적 손상을 줄일 수 있을 것이다.

6) 신경학적 결함에 대한 임상적 접근

(1) 병력 청취

현재 호소하는 증상에 대해 다음과 같은 적절한 병력 청취가 매우 중요하다.

① 증상의 정확한 발현시기와 위치, 방사통이 있는지?

② 통증이 바늘 자입 시 시작되었는지 혹은 약물주사 시 시작되었는지?

③ 마취에 의한 차단이 지속되었는지 혹은 완전히 회복된 적이 있었는지?

④ 통증이나 신경학적 결함의 양상이 피부분절에 따른 분포를 보이는지 혹은 말초신경 분포를 보이는지 혹은 비해부학적 분포를 보이는지?

⑤ 분만 2기 시 겸자를 사용하였는지와 엉덩이를 과도하게 오래 동안 굽히고 있었는지?

11-2

(2) 신체검사

자세한 신경학적 검사를 시행하고 기록해야 한다. 뇌신경, 상지 및 하지의 감각 및 운동 기능, 척수반사, Babinski 징후, 하지직거상검사(straight-leg raise test)를 시행하고, 증상이 피부분절에 따른 분포를 보이는지 말초신경 분포를 보이는지 검사하여 표시를 해 두어야 한다. 척추옆근육의 감각이나 운동 긴장도, 돌기의 깊은 부분을 촉진하여 압통이 있는지와 국소 부위에 홍반이나 화농이 있는지 천장골관절의 압통이 있는지 검사하여 기록한다.

온종아리신경(common peroneal nerve)은 무릎 아래, 비골 위에 놓여 있어 lithotomy 자세 시 쉽게 눌려 손상을 입을 수 있다. 이때는 종아리 외측의 감각 이상과 발처짐 증상이 나타난다. 외측넙다리피부신경(lateral femoral cutaneous nerve)이 압박을 받으면 넙적다리 외측의 무감각이 발생하나 보통 6주 이내에 회복된다. 엉덩이의 굽힘 자세에서 샅고랑인대(inguinal ligament)(inguinal ligament)가 넙다리신경을 누를 수 있어 넙다리네갈래근의 허약과 넓적다리와 종아리의 통각과민이 발생한다. 태아머리에 의해 허리엉치신경줄기가 손상을 받으면 일측 또는 양측의 넙다리네갈래근과 엉덩관절 모음운동에 영향을 미치며, 발처짐 증상이 나타날 수 있다. 임산부에서 말초신경 손상은 표 11-2-2와 같다.

(3) 진단적 검사

말초신경 손상에 의한 증상이면 다른 검사는 필요치 않으나, 요통이나 두통과 함께 발열이 발생하면 감별 백혈구계산을 시행하고, 드물게 감염성 혹은 무균성 수막염을 감별하기 위하여 뇌척수액검사를 시행하기도 한다. 증상이 각각의 신경근에 국한되면 그 부위의 컴퓨터단층촬영이나 자기공명영상을 실시한다. 컴퓨터단층촬영은 자기공명영상에 비해 지주막하출혈과 같은 뇌 안의 혈액을 진단하고 두개골과 척추의 겉질뼈 구조(cortical bone structure)를 보는데 더 우수하다. 자기공명영상은 뇌와 척수 내의 연부조직 이상을 진단하는데 더 우수하며, gadolinium-enhanced 자기공명영상은 경막외 농양과 같은 염증성 병소나 종양성 병소 진단에 좋다. 전기진단학적 검사는 개개의 신경, 신경근, 신경총에서 중추신경계의 문제인지 말초신경계 문제인지 구별하는데 도움이 되며, 1~5개월 안에 회복되는 생리적 신경차단(neurapraxia)과 이보다 더 오래 지속되는 축삭절단(axonotmesis)을 구별하는 데 도움이 된다.

근전도는 손상 시기와 부위를 아는데 도움이 된다.

표 11-2-2 **산과환자에서의 말초 신경 손상**

신경	신경근	손상기전	임상양상
Lumbosacral trunk	L4, 5, S1	겸자, 태아 머리	족하수(foot drop) quadriceps와 hip adductors 장애
Femoral nerve	L2, L3, L4	태아머리, 견인기	quadriceps 약화 hip flexion 약화 patellar reflex 소실 허벅지와 종아리 통각감퇴(hypalgesia)
Lateral cutaneous nerve	L2, L3	등자장치(stirrups)	허벅지 전면의 통각감퇴
Common peroneal nerve	L4-S2	등자장치(stirrups)	족하수 종아리 옆면의 감각저하(hypesthesia)
Obturator nerve	L2-4	태아 머리	thigh adduction 약화 허벅지 안쪽의 감각저하

분만 후 첫 1주 이내에 근전도 이상이 나타나면 이는 부위마취 전에 이미 존재하고 있었던 병변일 것이며 분만 후 4~6주에 근전도 이상이 나타나면 이는 분만 시 입은 손상일 것이다. 신경전도속도 검사는 운동신경과 감각신경 모두에 대한 즉각적인 정보를 제공할 수 있다. 뇌나 척수의 하행성 경로나 신경근에서 원심성 경로를 자극하고 신경의 원위부나 근육에서 반응을 측정한다. 모든 신경섬유들이 활성화되도록 최대상자극을 주고 신경 잠복기를 측정하고 전도속도를 계산한다. 척수후근신경절보다 근위부의 병변은 감각신경전위에 영향을 주지 않으므로 말초신경질환인지 신경근질환 인지 구별하는데 도움이 된다. 근위신경분절은 late-response studies (F responses와 H reflex)를 이용하여 간접적으로 평가될 수 있다. F response는 말초신경자극 지점으로부터 척수전각세포까지 신경을 따라 근위신경전도를 측정하는 것이다. H reflex는 경골신경과 가자미근에서 준최대자극 동안 발생하며, 구심각(afferent limb)과 원심각(efferent limb)을 가진 단일연접 반사로 생각된다. 같은 신경에서 H reflex가 연장되고 F response는 정상이면 척수후근병변임을 알 수 있다. 체성감각유발전위 (somatosensory evoked potential, SSEP)는 척수 후 기둥을 감시하는 것으로 후경골신경이나 정중신경에 전기자극을 주고 뇌에서 전기 활성도를 측정한다. 구심성 감각경로는 말초 신경으로부터 척수의 회색질, 뇌간, 일차 체성감각피질로 전도된다. SSEP는 압박, 기계적 신연 및 허혈에 의해 발생한 척수손상에 대해 민감하다. 운동유발전위(motor evoked potential, MEP)는 척수의 앞쪽에 위치한 하행성 운동경로에 이상이 없는지 측정하는 것이다. 운동피질을 자극하기 위하여 자기장이 사용되고, 원위부의 근육들에서 복합적인 근육 활동전위를 측정하는 것으로 널리 사용되지는 않는다.

(4) 관리

신경학적 결함 발생 시에는 각각의 신경손상에 따라 관리해야 하며 신경과의사나 다른 전문의와 의논하고, 자문을 구해야 한다. Steroid는 부기와 염증을 감소시키기 위해 많이 사용되며, 중장기적인 신경학적 결함 시 물리치료를 하는 것이 도움이 될 수 있다.

참고문헌

Benhamou D, Hamza J, Ducot B: Postpartum headache after epidural analgesia without dural puncture. Int J Obstet Anesth 1995; 4: 17-20.

Birnbach DJ, Browne IM: Anesthesia for obstetrics. In: Miller's Anesthesia. 6th ed. Edited by Miller RD: Philadelphia, Elsevier Churchill Livingstone. 2005, p 2329.

Brizgyz RV, Dailey PA, Shnider SM, Kotelko DM, Levinson G: The incidence and neonatal effects of maternal hypotension during epidural anesthesia for cesarean section. Anesthesiology 1987; 67: 782-6.

Bromage PR: Neurologic complications of regional anesthesia for obstetrics. In: Shnider and Levinson's Anesthesia for Obstetrics. 4th ed. Edited by Hughes SC, Levinson G, Rosen MA: Philadelphia, Lippincott Williams & Wilkins. 2002, pp 409-28.

Butwick AJ, Columb MO, Cavalho B: Preventing spinal hypotension during caesarean delivery: what is the latest? Br J Anaesth 2015; 114:183-6.

Camann WR, Murray RS, Mushlin PS, Lambert DH: Effects of oral caffeine on post-dural puncture headache: A double-blind placebo controlled trial. Anesth Analg 1990; 70: 181-4.

Caplan RA, Ward RJ, Posner K, Cheney FW: Unexpected cardiac arrest during spinal anesthesia: A closed claims analysis of predisposing factors. Anesthesiology 1988; 68: 5-11.

Carbaat PA, van Crevel H: Lumbar puncture headache: Controlled study on the preventive effect of 24 hours bed rest. Lancet 1981; 2:1133-5.

Cheek TG, Banner R, Sauter J, Gutsche BB: Prophylatic extradural blood patch is effective. Br J Anaesth 1988; 61:340-2.

11-2

Cook TM, Counsell D, Wildsmith JA: Major complications of central neuraxial block: report on the Third National Audit Project of the Royal College of Anaesthetists. Br J Anaesth 2009; 102:179-90.

Cooper DW: Cesarean delivery vasopressor management. Curr Opin Anaesthesiol 2012; 25: 300-8.

Griffiths AG, Beards SC, Jackson A, Horsman EL. Visualization of extradural blood patch for post lumbar puncture headache by magnetic resornance imaging. Br J Anaesth 1993; 70: 223-5.

Lubenow T, Keh-Wing E, Kristof K, Ivankovich O, Ivankovich AD: Inadvertent subdural injection: a complication of an epidural block. Anesth Analg 1988; 67: 175-9.

Ngan Kee WD, Lee A, Khaw KS, Ng FF, Karmakar MK, Gin T: A randomized double-blinded comparison of phenylephrine and ephedrine infusion combinations to maintain blood pressure during spinal anesthesia for cesarean delivery: the effects on fetal acid-base status and hemodynamic control. Anesth Analg 2008; 107:1295-302.

Ngan Kee WD, Khaw KS, Ng FF: Prevention of hypotension during spinal anesthesia for cesarean delivery: an effective technique using combination phenylephrine infusion and crystalloid cohydration. Anesthesiology 2005; 103:744-50.

Parnass SM, Curran MJ, Becker GL: Incidence of hypotension associated with epidural anesthesia using alkalinized and nonalkalinized lidocaine for cesarean section. Anesth Analg 1987; 66: 1148-50.

Redick LF: Maternal perinatal nerve palsies. Postgrad Obstet Gynecol 1992; 12: 1-6.

Ueyama H, He YL, Tanigami H, Mashimo T, Yoshiya I: Effects of crystalloid and colloid preload on blood volume in the parturient undergoing spinal anesthesia for elective cesarean section. Anesthesiology 1999; 91:1571-6.

Vakharia SB, Thomas PS, Rosenbaum AE, Wasenko JJ, Fellows DG: Magnetic resornance imaging of cerebrospinal fluid leak and tamponade effect of blood patch in postdural puncture headache. Anesth Analg 1997; 84: 585-90.

Zakowski MI: Postoperative complications associated with regional anesthesia in the parturient. In: Obstetric Anesthesia. 2nd ed. Edited by Norris MC: Philadelphia, Lippincott Williams & Wilkins. 1999, pp 723-48.

Chapter 12

제왕절개 수술 후 통증 조절

제왕절개술이 예정된 환자에게 통증과 스트레스는 내분비계와 신경계에 영향을 미쳐 모유 수유에 부정적인 영향을 주게되며, 제왕절개술 후 통증은 수술 직후분 아니라 6개월 후에도 10~20%에 육박할 정도로 만성 통증이 심각한 문제가 된다. 이런 점에서 통증 조절은 매우 중요하다고 할 수 있겠다. 제왕절개술 후 통증 관리는 충분한 진통을 제공함으로써 조기보행을 할 수 있도록 하고, 진통제가 수유를 통해 신생아에게 영향을 미칠 수 있다는 점도 고려해야 한다.

1. 제왕절개술 후 통증의 특징

임산부는 제왕절개술 후에 신생아를 돌봐야 하므로, 다른 환자에 비해 수술 후 삶의 질이 충분히 보장될 필요가 있고, 단순히 통증을 줄이는 수준이 아닌 그에 따른 부작용을 최소화시킬 필요가 있다. 아편유사제의 사용은 호흡억제나 구역, 구토 등 수술 후 위험성을 증가시키고, 경막외마취 및 진통에 따른 하지 근력의 약화는 수술 후 조기보행을 늦출 수 있다. 임산부의 심부정맥혈전에 따른 폐색전증의 위험성은 비임산부보다 10배 정도 높기 때문에 출산 후 조기보행은 유용하다. 여러 가지 방법을 함께 사용하는, multimodal analgesia는 부작용을 경감시키고 진통 효과는 상승시키며, 임산부에게 투여된 각종 약물들의 수유로의 이행량을 경감시킨다는 의미에서 중요하다. 제왕절개 수술 후 통증관리에 있어서 고려해야 할 점들을 표 12-1에 정리하였다.

2. 제왕절개술 후 통증의 기전

제왕절개술 후 통증에는 절개한 피부 및 복벽, 자궁근의 치유 과정에서 생기는 염증성 통증과, 임신 중에 커진 자궁이 분만 후 수축하는 과정에서 생기는 통증이 있다. 전자는 구심성섬유를 주로하여 Aδ-fiber를 통하는 것에 비해, 후자의 경우는 Aδ- 및 C-fiber를 통한다.

통증의 정도는 개인차가 크다고 알려져 있으나, 다른 몇 가지 요인들도 영향을 미친다. 일반적으로 여성생식기로 부터의 구심섬유는 척수에서의 입력부위가 T10-L1이라고 알려져 있으며, 절개방법에 따라 통증의 정도가 달라질 수 있다. 통상적인 하복부절개(Pfannenstiel)에서는 하복부정중절개와 비교했을 때 피부분절(dermatome)이 더 적은 만큼(T11~12 대 T10~L1) 통증이 적을 수 있다. 다른 수술과 마찬가지로 스트레스나 불안도 영향을 미칠 수 있으나, 특히 산과환자에서는 출산에 이르는 경과, 출산의 만족도, 신생아의 상태, 수면 상태, 가족들의 지지(support), 호르몬 변화의 영향, 감정의 기복이 크게 영향을 미친다. 근래에는 뮤 수용체의 A118 G의 변이와 통증이 연관이 있다는 보

표 12-1 제왕절개술 후 통증관리 시 고려사항

제왕절개 수술 후 특징	요구되는 진통법
과응고증에 따른 심부정맥혈전증, 폐색전증 위험성	조기보행이 가능한 효과적인 진통법 motor weakness를 일으키지 않는 진통법 예방적 항응고요법의 가능성을 고려
체성통과 내장통(후진통)	Opioid와 NSAIDs를 병용(multimodal analgesia) 자궁수축을 방해하지 않는 진통법
신생아의 양육(돌봄)과 수유	오심, 구토 등의 부작용이 적은 진통법 모유로의 이행이 적은 진통법 신생아에게 영향이 없는 진통법

고가 주목받고 있다.

3. 제왕절개술 후 통증조절에 사용되는 약제

1) 아편유사제

미국마취과학회의 산과마취 진료가이드라인에 의하면 아편유사제의 투여방법으로서 정맥 또는 근육 투여보다는 수막공간내(intrathecal) 또는 경막외(epidural) 투여를 추천하고 있다. 진통효과가 크고, 운동신경을 차단하지 않으며, 교감신경차단도 없기 때문에 조기보행이 가능하고 모유로의 이행도 무시할 만한 수준이기 때문이다.

Neuraxial injection으로서 작용시간이 짧은 지용성 fentanyl보다는 작용시간이 긴 수용성 morphine이 많이 사용된다. 일반적으로 morphine은 지주막하강으로 0.1~0.15 mg, 경막외로 2~4 mg 정도 투여하면 수술 후 약 24시간의 진통 효과를 얻을 수 있다. 지주막하강으로 0.1 mg 이상 투여하여도 부작용만 증가될 뿐 진통작용은 증가하지 않는다. 부작용은 소양감, 오심, 구토, 지연성 호흡억제이다. Fentanyl도 지주막하강으로 투여할 수 있는데, 보통 15~25 μg을 투여한다. Morphine은 작용발현에 60분 정도 소요되기 때문에 이를 보완하기 위해서 fentanyl을 같이 사용하기도 한다.

지용성이 적은 morphine을 지주막하강이나 경막외로 투여하면, 8~12시간 경과 후 지연성 호흡억제를 일으킬 위험성이 있다. 지주막하강 morphine에 의한 지연성 호흡억제의 빈도는, 호흡수 감소가 0.26%, naloxone사용이 0.05%이다. 미국마취과학회의 neuraxial opioid 투여에 관한 가이드라인에서는 morphine 같은 지용성이 적은 아편유사제는 적어도 24시간 동안 호흡을 관찰할 것을 제시한다. 관찰 빈도는 처음 12시간 동안은 적어도 1시간에 한 번, 다음 12시간은 2시간에 1번, 그 이후에는 환자의 상태나 투여 약물에 따라 관찰 빈도를 결정할 것을 추천한다. 지주막하강 morphine에 의한 호흡억제는 호흡수 저하보다는 SpO_2의 저하가 더 빈번하므로 pulse oxymetry로 호흡수와 더불어 SpO_2를 같이 모니터링 하는 것이 적합하다. 충분한 모니터링이 어려운 상황에서는 오히려 정맥 투여가 더 나을 수도 있다.

경막외에 카테터를 거치하여 경막외자가조절진통

법(Patient-controlled epidural analgesia, PCEA)으로 아편유사제를 국소마취제와 함께 투여하기도 한다. 0.1~0.2% ropivacaine과 fentanyl 2~4 μg/ml를 4 ml/hr 정도로 지속주입하면 운동신경차단 없이 효과적인 진통을 제공할 수 있다. Ropivacaine의 모유이행(milk/plasma ratio, M/P ratio)은 0.25로서, lidocaine의 0.8보다 낮고, bupivacaine의 0.37과 비슷한 정도다. 경막외로 fentanyl 20 μg/hr 지속주입에 의해 초유의 fentanyl 농도는 0.4 ng/ml, 24시간 후 0.08 ng/ml 정도였으며 태아에게 특별한 영향은 없었다는 보고가 있다.

미국마취과학회의 급성기 통증에 관한 의견에서는 근육 내 주입은 정맥 내 투여에 비해 진통작용은 약하면서 진정작용은 강하여 추천되지 않는다. 정맥내로 사용하는 아편유사제 중에는 morphine이 가장 일반적이다. 정맥내 자가조절진통법(patient-controlled analgesia, PCA)을 사용하는 경우 fentanyl도 morphine 못지않은 진통작용을 보이나 작용시간이 짧기 때문에 설정의 조절이 어렵고 다른 보조 진통제를 필요로 하는 경우도 있다. 기본지속주입(basal rate)을 설정하지 않는 경우의 morphine과 fentanyl을 사용한 PCA의 예를 표 12-2에 기재하였다. 미국마취과학회의 급성기통증관리에 대한 지침에서는 기본지속주입(basal rate)을 설정함으로써 최소한의 혈중농도가 유지되어 진통의 질이 좋아지며, 오심 및 구토, 진정과다 등의 부작용은 증가되지 않

는다고 보고하였다. 한편 아편유사제에 감수성이 높은 환자에게는 기본지속주입 용량이 과량이 될 위험성도 고려해야 한다.

Morphine과 fentanyl 외에 국내에서 많이 사용되지는 않지만 pentazocine이나 buprenorphine 등이 정맥 내 혹은 근육 내로 투여될 수 있다. Pentazocine은 15~30 mg을 근육 혹은 정맥내 투여할 수 있으나 근육은 통증이 있으므로 정맥 내 투여가 선호된다. 부작용은 적으나 진통작용이 제한적이며, 진정작용이 약해서 pentazocine만을 투여하면 조기보행을 시행할 수 있다. Pentazocine의 모유로의 이행은 조사되지 않았지만 소량이라면 신생아에 영향은 최소한이라 여겨지고 있다. Buprenorphine 0.2~0.3 mg이 정맥내로 투여될 수 있으며, 모유이행에 대해서는 연구된 적이 없지만, 경막외 투여로 모유량 감소 가능성이 보고 되었으므로 수유부에는 사용하지 않는다. 진통제의 필요량(요구량)은 개인차가 크고 시간과 함께 변화하므로 규칙적으로사용 약제량을 확인할 필요가 있다. 또한 변비 등의 부작용에도 주의를 해야 한다.

2) 비스테로이드성소염진통제(Nonsteroidal anti-inflammatory drugs, NSAIDs)와 기타 보조진통제

한가지 약제만으로는 충분한 진통 효과를 얻을 수 없기 때문에 여러 가지 약제들이 함께 사용된다.

표 12-2 Morphine 혹은 fentanyl을 이용한 PCA의 예

	Morphine	Fentanyl
농도	5 mg/ml	10 μg/ml
1회 주입량(bolus dose)	1~1.5 mg	20 μg
폐쇄시간(lock-out time)	7분	7분
1회량 변경량	0.5 mg	5 μg
구조용량(rescue dose)	5분마다 2 mg (3회까지)	5분마다 25 μg (3회까지)

Acetaminophen도 그중 하나이며 환자가 원할 때 투여하는 것 보다 정기적으로 투여하는 것이 효과적이다. 최근에는 정주용으로 사용 가능하며, 진통작용은 비교적 약하고, 4 g 이상의 고용량을 사용하면 간독성의 위험성이 증가할 수 있지만, 다른 약제와 같이 사용하면 각각 용량과 부작용을 줄일 수 있다. Acetaminophen과 NSAIDs를 같이 사용한다면 아편유사제의 사용을 40% 정도 감소시킬 수 있다.

Cyclooxygenase-2 inhibitor를 포함한 모든 NSAIDs가 수술 후 통증 조절을 위해 사용될 수 있다. 특히 절개로 인한 창상부위나 자궁벽의 염증과 관련된 통증에 NSAIDs가 도움이 되며, acetaminophen과 같이 사용한다면 수술 후 진통작용에 더욱 효과적이다. NSAIDs에 의한 아편유사제 필요량의 감소도 보고되어 있다. 단 NSAIDs는 위장장애, 신장애, 혈소판 기능장애 등 부작용도 있으므로 충분히 주의할 필요가 있다. NSAIDs는 자궁수축 억제 작용은 있지만 분만 후 자궁수축 부전의 위험성을 증가시킨다는 근거는 부족하다. 제왕절개술 후의 NSIADs의 사용에 있어 자궁수축부전, 수유로 인한 신생아로의 이행 등을 유념해야 하겠으나, 제왕절개술 후 내장통의 조절에 효과적이며, 모유 수유의 유아에서도 특별히 문제가 없는 것으로 보고되고 있다. 또한 NSAIDs가 원인으로 생각되는 고혈압의 보고도 있으므로, 신기능 장애 이외에도 고혈압성 질환을 동반하는 임산부에는 사용에 주의해야 한다.

척수의 spinal descending noradrenergic system을 통해 진통작용을 나타내는 α2 adrenergic agonists는 clonidine 혹은 dexmedetomidine이 있다. 이들은 정맥 내 또는 수막공간내(intrathecal) 투여로 효과를 나타낸다. 임신부에서도 진통효과가 있는 것으로 보고되고 있으나, 혈압저하, 진정효과가 있어 수유에 지장을 줄 수 있어 제왕절개술 후 진통제로써 사용에 한계가 있다.

N-methyl-D-aspartate (NMDA) 수용체 길항제로서 잘 알려진 ketamine은 소량(subanesthetic dose)을 사용하여 최소한의 부작용으로 아편유사제의 사용량을 유의하게 감소시키는 것으로 보고되고 있다. 게다가 주술기 염증 및 면역 반응의 항상성(homeostasis)에 유용한 역할을 하여 만성 통증 혹은 2차성 통각과민(hyperalgesia)의 발달에 영향을 준다고 보고되었다. 최근에는 제왕절개수술에서 소량(subanesthetic dose)의 ketamine을 정맥 내로 투여함으로써 큰 부작용 없이 보다 긴 수술 후 진통작용을 제공하고 진통제의 필요량을 줄였다는 보고가 있지만 임상적 적용은 대규모 연구를 통해 결정되어야만 한다.

Magnesium sulfate은 주로 자간증(eclampsia) 예방목적으로 사용되는데, 이 또한 NMDA 수용체 길항제로서 진통작용을 나타내고 정맥 내 또는 경막외 투여로 아편유사제 필요량을 감소시키나, 단독으로는 유효한 효과를 기대하긴 힘들다.

본래 항간질약제인 gabapentin은 descending noradrenergic inhibition을 활성화 혹은 증가시킴으로써 진통효과를 나타내는데, multimodal analgesia regimen으로서 사용되어 왔다. 진정 및 항불안효과가 다소 있으며, 두통, 어지럼증, 오심, 구토 등 부작용은 그렇게 심하지 않아 일반적인 수술 후 통증 조절로서는 기대할 수 있겠으나 제왕절개술 후 통증 조절에 대한 보고는 거의 없어 아직까지 사용에 한계가 있다.

수막공간내(intrathecal)에 투여된 neostigmine은 전신적으로(systemically) 투여된 아편유사제와 척수강내로(neuraxially) 투여된 α2 아드레날린 길항제의 진통효과를 증가시킨다. Neostigmine은 제왕절개 수술 후 multimodal analgesia regimen으로서 아편유사제 없이 경막외로 투여하여 사용할 수 있다. Combined spinal-epidural (CSE) labor analgesia 동안 clonidine과 함께 사용할 수 있으나 진통효과는 경막외 morphine보다는 적다. Glucocorticoid인 dexamethasone은 제왕절개술 마취에 있어 오심과 구토를 예방하기 위해 많이 사용되는 약제이다.

Dexamethasone은 morphine과 혼합물(mixture)의 일부로서 지주막하강내로 투여되어, 미약하지만 통계적으로 의미있는 추가적인 진통효과를 가진다. 비산과 환자에서 신경주위에 투여하는 혼합물에 첨가한 dexamethasone의 진통 및 아편유사제를 절약하는 효과(opioid-sparing effect)는 정맥내 투여로도 같은 효과를 나타내는 것으로 미루어볼 때, 앞으로 제왕절개 수술 후 multimodal analgesia에 dexamethasone의 사용이 선택될 수 있다.

3) 국소마취제(Local anesthetics)

국소마취제는 주로 제왕절개술 후 경막외진통법(epidural analgesia)을 통해 아편유사제와 함께 혹은 단독으로 투여된다. 저농도로 사용했을 때 잔여 운동신경 마비(residual block)는 적으나, 여전히 조기보행은 지연된다. 이점은 1차적인 진통방법으로서 국소마취제의 경막외 투여를 선택하기를 주저하게 만드는 요인이 된다. 국소마취제는 TAP (tansversus abdominis plane) block이나 ilioinguinal-iliohypogastric (II-IH) 신경차단 등의 말초신경블록(peripheral 신경차단)과 절개부위의 창상침윤(wound infiltration)에도 사용된다. 심지어 복강 내 또는 정맥 내로도 투여되어 진통작용을 나타낸다.

4. 부위마취를 이용한 제왕절개술 후 통증관리

1) 제왕절개술 후 통증관리의 최신 기준(Current standard)

수술 후 통증 조절에 multimodal analgesia가 가장 많이 사용되고 있다. 여기에는 보통 앞에서 기술한 항염증치료(anti-inflammatory medication), acetaminophen, neuralxial opioids, 전신적 아편유사제 등이 포함된다. Acetaminophen과 NSAIDs는 통증조절에 효과적이어서 기본약물로 여겨지며, 규칙적으로 투여하면 필요에 따른 불규칙 투여보다 더 효과적이다.

척수강내 아편유사제, 특히 morphine은 수술 후 진통에 매우 효과적이며, 제왕절개술 후 진통에 매우 안전하고 효과적이며 통상적으로 사용된다. 이 경우 가장 흔한 부작용은 오심, 구토, 가려움증이며, 이러한 부작용은 척수강 내 morphine의 용량에 비례해서 증가하는 경향이 있다. 척수강 내 morphine의 가장 심각한 부작용은 호흡억제(respiratory depression)이며, 빈도는 드물어서 1% 이내라고 한지만, 비만환자, 호흡기 문제로 약물을 복용하는 환자, 수면무호흡증 환자 등에서는 위험성이 증가할 수 있으니 특히 조심해야 한다.

2) 복벽의 부위마취

(1) 복벽의 해부 및 신경

바깥쪽으로부터 순서대로 external oblique muscle (EOM, 바깥빗근), internal oblique muscle (IOM, 속빗근), 그리고 transversus abdominis muscle (TAM)의 3가지 근육이 앞쪽 복벽을 지배한다(그림 12-1). 이 3가지 근육들의 근막이 앞쪽으로 모여서 rectus sheath를 형성한다. EOM은 하부 rib으로부터 기시하며, IOM은 iliopsoas fascia, iliac crest, lumbosacral fascia로 부터 기시한다. TAM은 vertebra, costal cartilage, iliopsoas fascia, iliac crest로 부터 기시한다. 앞쪽 복벽으로의 somatic innervation은 6개의 하부 흉신경(lower thoracic nerve roots, T6~T12)과 첫 번째 요신경(lumbar nerve root, L1)의 anterior rami로 부터 지배된다. L1은 다시 ilioinguinal nerve (IIN)와 iliohypogastric nerve (IHN)로 나뉜다.

T6~T12 신경은 IOM과 TAM 사이의 plane (tansversus abdominis plane, TAP)을 지나 rectus sheath의 fascia를 뚫고 앞쪽으로 주행하여 근피신경을 분지하고 감각신경을 지배한다(그림 12-1). IIN과 IHN은 TAP을 지난 후 IOM을 뚫고 EOM과 IOM 사이로 지나가 하부 복벽과 서혜부의 감각신경을 지배한다. 그러므로 국소마취제를 이 TAP에 주입하면 복부의 감각신경을 블록하여 수술 후 통증을 조절할 수 있다. 이것을 TAP (tansversus abdominis plane) block이라고 한다. 하지만 TAP (tansversus abdominis plane) block은 내장통(visceral pain)까지 완화시킬 수는 없다.

(2) TAP (Tansversus abdominis plane) block

TAP (tansversus abdominis plane) block은 목표로 하는 피부분절(dermatome)을 적절히 차단하기 위해서 많은 양의 국소마취제를 필요로 한다. 다양한 접근법이 소개되어 있지만 여기서는 제왕절개술 후 통증 조절에 필요한 일반적인 접근법에 대해서만 소개하도록 하겠다.

① 주입부위

TAP block은 원래 촉지법(palpation)을 이용하여 EOM, latissimus dorsi muscle, iliac crest를 경계로

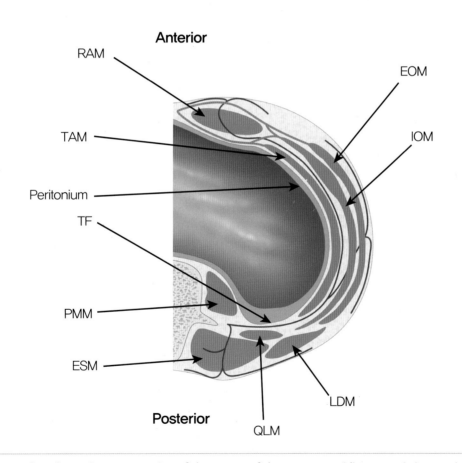

그림 12-1. **The schematic representation of the course of the nerves providing somatic innervation to the anterior abdominal wall.**

EOM indicates external oblique muscle; IOM, internal oblique muscle; TAM, transversus abdominis muscle; RAM, rectus abdominis muscle; LDM, latissimus dorsi muscle; QLM, quadratus lumborum muscle; ESM, erector spinae muscle; PMM, psoas major muscle; TF, transversalis fascia.

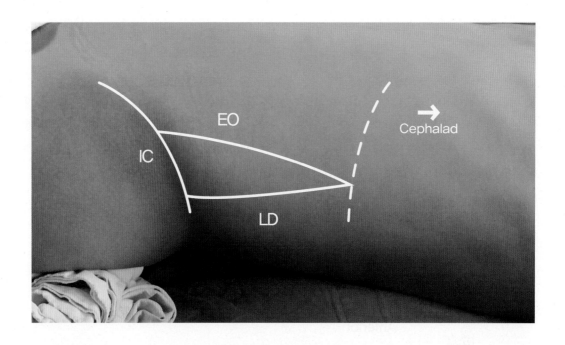

그림 12-2. **Anatomic Triangle of Petit.**

EO indicates external oblique muscle; IC, iliac crest; LD, latissimus dorsi muscle.

하는 "Triangle of Petit"을 자입부로 하여 시행하는데 (그림 12-2), 바늘을 피부에 수직으로 자입하여, EOM 의 근막을 뚫으면서 첫 번째 "pop"을 느끼고, 계속 진입시켜서 IOM의 근막을 뚫으면서 두 번째 "pop"을 느낀 후 국소마취제를 조심스럽게 흡인하면서 주입한다 ("2-pop" technique). 근래에 초음파의 발전과 보급으로 TAP block을 안전하고 정확하게 시행할 수 있게 되었다. 국소마취 약제를 주입하는 위치에 따라 subcostal, mid-axillary, posterior approach 등으로 나뉘는데, 제왕절개 방법에 따라 적절하게 선택하여 시행하면 된다.

② 초음파를 이용한 TAP block (US-guided TAP block)

일단 EOM, IOM과 TAM의 세 근육을 잘 연출시킨다. 세 근육 중 대부분 IOM이 가장 두껍고, TAM이 가장 얇게 보인다. 바늘을 초음파 probe에 in-plane으로 진입시키고, 바늘 끝을 잘 연출시키며 TAP으로 진입시

킨다(그림 12-3). 물론 "pop"을 느끼면서 진입시키는 것이 좋다. 바늘 끝이 IOM과 TAM 사이에 있는 것을 확인한 후 saline을 주입해 보고 바늘 끝의 위치를 확인하며 IOM과 TAM이 분리되는지 확인 후 국소마취제를 주입한다(hydrodissection) (그림 12-4).

Bupivacaine과 ropivacaine이 가장 많이 사용되는 국소마취제이다. 0.25~0.75%까지 다양한 농도가 사용되나 0.25~0.375%의 농도가 가장 많이 사용된다. 주입량은 양쪽에 각각 10~20 ml 씩 주입한다. TAP에 주요 혈관은 주행하지 않으나, 국소마취제의 전신독성(local anesthetic systemic toxicity)은 항상 주의해야 한다. Ropivacaine은 TAP block 후 약 30분 정도에 최고혈중농도에 도달하므로, TAP block 후 30분 정도 주의 깊게 관찰해야 한다. 3 mg/kg를 주입하였을 때 평균 최고혈중농도(mean peak pasma concentration)는 잠재적인 독성농도(potential toxic plasma concentration)

그림 12-3. **Ultrasound view of the anterior abdominal wall musculature and in-plane visualization of the needle (thick arrows) in the mid- to posterior-axillary position.**

The target fascial plane is indicated. EO indicates external oblique muscle; IO, internal oblique muscle; TA, transversus abdominis muscle; QL, quadratus lumborum muscle.

인 2.2 μg/ml에 도달한다고 한다.

③ 임상적 효용

TAP block은 척추마취 및 전신마취 하 제왕절개술 후 아편유사제의 사용량을 감소시킨다. 척추마취 하 제왕절개술을 받은 환자 중에 TAP block을 시행한 환자군에서 수술 후 24시간 동안 morphine 사용량이 적었다고 한다. 또 다른 연구에서도 전신마취 하 제왕절개술을 받은 환자에서 TAP block을 시행 받은 환자군이 수술 후 24시간 동안 morphine 사용량이 적었고 환자의 만족도는 높았다고 한다. 그러나 척추마취에서 intrathecal morphine을 사용한 경우, 수술 후 첫 10시간 동안은 진통효과와 morphine 요구량은 비슷했으나, 10시간에서 24시간 사이는 intrathecal morphine군이 TAP block 군보다 진통 및 morphine 사용량에서 더 우수하였다고 한다. 다른 연구에서도 intrathecal morphine을 같이 사용한 척추마취로 제왕절개술을 시행 받는 환자에 있어서 TAP block을 시행 받은 환자군과 시행 받지 않은 군과 유의한 차이가 없었다고 했다. 이렇듯 intrathecal morphine을 사용하는 경우 TAP block은 특별한 이득이 없다.

④ 최신 산과마취에서의 TAP block의 역할 및 실제

여러 문헌에서 intrathecal morphine을 사용하지

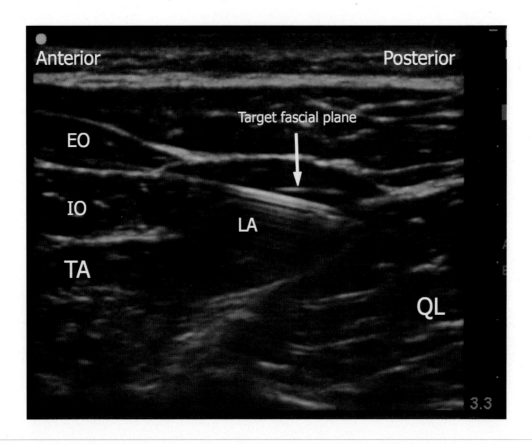

그림 12-4. **Splitting of the transversus abdominis fascial plane with injection of local anesthetics.**

The target fascial plane is indicated. EO indicates external oblique muscle; IO, internal oblique muscle; TA, transversus abdominis muscle; QL, quadratus lumborum muscle; LA, local anesthetics.

않은 환자에서 TAP block의 이득은 명확하여 수술 후 진통 효과를 개선시키고 아편유사제의 사용량을 줄인다. 하지만 multimodal analgesia regimen의 한 구성으로서 TAP block이 intrathecal morphine을 완전히 대체하기는 어려워 보인다. 비록 TAP block이 intrathecal morphine보다 원치 않는 부작용이 적다고 하더라도, intrathecal morphine이 더 우월한 진통 효과 및 아편유사제 사용량의 감소를 보인다.

그러므로 현재 multimodal analgesia regimen의 한 구성으로서 TAP block은 다음과 같은 상황에서 유익할 것이다.

(i) Morphine에 알레르기가 있거나, neuraxial anesthesia를 시행할 수 없을 때 intrathecal morphine을 사용할 수 없을 때 등,

(ii) Multimodal analgesia regimen으로서 같이 사용하는 진통제에 과민(intolerance)할 때,

(iii) 마취 후 회복실에서 rescue analgesia가 필요할 때,

(iv) 오심, 구토, 호흡억제 등 intrathecal morphine 부작용의 최소화가 필요할 때.

⑤ Ilioinguinal-iliohypogastric (II-IH) 신경차단
II-IH 신경차단은 전통적으로 서혜부 탈장(inguinal hernia repair)의 주술기 통증 조절에 사용되어 온 부위 마취법이다. TAP block도 이 II-IH nerve가 지배하는

L1 dermatome을 포함하므로 II-IH 신경차단은 TAP block과 비슷할 수 있으나, TAP block 보다 적은 양의 국소마취제를 사용한다는 점이 다르다. 하지만 II-IH 신경차단은 하복부절개(Pfannenstiel)만 효과가 있는데 비해서, TAP block은 하복부정중절개도 효과가 있다. 제왕절개술에 있어서 II-IH 신경차단도 수술 후 진통 효과를 개선시키며 아편유사제의 요구량을 감소시킨다.

5. 국소마취제 직접침윤

Pannensteil 상처 부위에 직접 국소마취제를 침윤시키는 방법은 어느 정도 진통효과를 제공한다. 게다가 이 방법은 특별한 기술이나 숙련과정이 필요하지 않아 해외에서 널리 사용되는 방법이기도 하다. 하지만 direct wound infiltration의 진통효능에 대해서는 아직 논란의 여지가 많다. Cochrane review에 의하면 부위마취나 전신마취 후 direct wound infiltration와 복부 부위마취에 의해 아편유사제의 필요량이 감소하였다고 발표하였으나 발행 후 몇 년이 지나지 않아 충돌하는 결과가 발표되었다. 제왕절개술 후 통증 조절에 있어서 지속적인 wound infiltration의 정확한 임상적인 효능은 아직 불분명하다.

6. 약물의 모유이행

임산부의 약물농도가 신생아의 치료농도이거나, 모유의 약물투여량이 일반적인 임산부투여량의 10% 이하라면 태아에게는 안전할 것으로 생각된다. 특히 진정 및 진통을 위해 단기투여된 midazolam, propofol, fentanyl, morphine의 모유로의 이행은 임산부투여량의 수% 이내로 문제 되지 않는다. 기타 약물 중 acetaminophen이나 NSAIDs는 비교적 안전하다고 알려져 있으나, indomethacin은 신생아 경련이나 간독성의 보고가 있으므로 주의해야 한다.

7. 제왕절개술 후 통증조절의 방향

해외의 경우와 비교했을 때 우리나라의 경우는 사용할 수 있는 약제의 종류에 제한이 있다. 그래서 기본적 방침으로는 neuraxial anesthesia를 기본으로 한 intrathecal morphine을 투여하고, 수술 후 acetaminophen과 NSAIDs를 같이 사용하는 것이 유용하다. Intrathecal morphine을 사용하기 어려운 경우에는 TAP block 등의 부위마취기법을 같이 사용하여 각각의 부작용을 최소화하며 진통의 질을 향상시키는 것이 바람직하다.

12

참고문헌

Alkan M, Kaya K. Postoperative analgesic effect of epidural neostigmine following caesarean section. Hippokratia 2014: 18; 44-49.

American Society of Anesthesiologists Task Force on Acute Pain Management: Practice guidelines for acute pain management in the perioperative setting: an updated report by the American Society of Anesthesiologists Task Force on Acute Pain Management. Anesthesiology 2012: 116; 248-273.

American Society of Anesthesiologists Task Force on Neuraxial Opioids. Practice guidelines for the prevention, detection, and management of respiratory depression associated with neuraxial opioid administration. Anesthesiology 2009: 10; 218-30.

American Society of Anesthesiologists Task Force on Obstetric Anesthesia: Practice guidelines for obstetric anesthesia: an updated report by the American Society of Anesthesiologists Task Force on Obstetric Anesthesia. Anesthesiology 2007: 106; 843-863.

Baka NE, et al. Colostrum morphine concentrations during postcesarean intravenous patient-controlled analgesia. Anes Analg 2002: 94; 184-187.

Behdad S, Hajiesmaeili MR, Abbasi HR, et al. Analgesic effects of intravenous ketamine during spinal anesthesia in pregnant women undergone caesarean section; a randomized clinical trial. Anesth Pain Med [Internet] 2013: 3; 230-233.

Bloor M, Paech M. Nonsteroidal anti-inflammatory drugs during pregnancy and the initiation of lactation. Anesth Analg [Internet] 2013: 116; 1063-1075.

Brigs GG, et al. (eds). Drugs in Pregnancy and Lactation. 9th ed. Philadelphia: Wolters Kluwer Health/LippincottWilliams & Wilkins: 2011. p. 1137.

Cardoso MM, Leite AO, Santos EA, et al. Effect of dexamethasone on prevention of postoperative nausea, vomiting and pain after caesarean section: a randomised, placebo-controlled, double-blind trial. Eur J Anaes- thesiol 2013: 30; 102-105.

Cardoso MMSC, Carvalho JCA, Amaro AR, et al. Small doses of intrathecal morphine combined with systemic diclofenac for postoperative pain control after Cesarean delivery. Anesth Analg. 1998: 86; 538-541.

Carvalho B, Cohen SE, Lipman SS, et al. Patient preferences for anesthesia outcomes associated with Cesarean delivery. Anesth Analg. 2005: 101; 1182-1187.

Carvalho B. Respiratory depression after neuraxial opioids in the obstetric setting. Anesth Analg. 2008: 107; 956-961.

Choi S, Rodseth R, McCartney CJL. Effects of dexamethasone as a local anaesthetic adjuvant for brachial plexus block: a systematic review and meta-analysis of randomized trials. Br J Anaesth [Internet] 2014: 112; 427-439.

Dahl JB, Jeppesen IS, Jorgensen H, et al. Intraoperative and postoperative analgesic efficacy and adverse effects of intrathecal opioids in patients undergoing cesarean with spinal anesthesia: a qualitative and quantitative systematic review of randomized controlled trials. Anesthesiology. 1999: 91; 1919-1927.

Griffiths JD, Barron FA, Grant S, et al. Plasma ropivacaine concentrations after ultrasound-guided transversus abdominis plane block. Br J Anaesth. 2010: 105; 853-856.

H epner D H,et al :Postoperative analgesia: Systemic and local techniques. ln: Chestnust DH, et al. Chestnut's Obstetric Anesthesia, 4th ed. Mosby Elsevier, Philadelphia, 2009: 575-592.

Jouguelet-Lacoste J, La Colla L, Schilling D, Chelly JE. The use of intravenous infusion or single dose of low-dose ketamine for postoperative analgesia: a review of the current literature. Pain Med [Internet] 2015: 16; 383-403.

KainuJP'et al: Persistent pain after caesarean section and vaginal birth: a cohort study. lnt J Obstet Anesth 2010: 19; 4-9.

Kujovich JL: Hormones and pregnancy: thromboembolic risks for women.Br J Haematol 2004: 126;43-454.

Lau C. Effects of stress on lactation. Ped Clin N Am. 2001:48; 221-234.

Loane H, Preston R, Douglas MJ, et al. A randomized controlled trial comparing intrathecal morphine with transversus abdominis plane block for post-Cesarean delivery analgesia. Int J Obstet Anesth. 2012: 21; 112-118.

McDonnell JG, Curley G, Carney J, et al. The analgesic efficacy of transversus abdominis plane block after cesarean delivery: a randomized controlled trial. Anesth Analg. 2008: 106; 186-191.

McDonnell JG, O'Donnell B, Curley G, et al. The analgesic efficacy of transversus abdominis plane block after abdominal surgery: a prospective randomized controlled trial. Anesth Analg. 2007: 104; 193-197.

McDonnell NJ, Keating ML, Muchatuta NA, et al. Analgesia after caesarean delivery. Anaesth Intensive Care. 2009: 37; 539-551.

NikolajsenL,et al: Chronic pain following Caesarean section. Acta Anaesthesiol Scand 2004: 48; 1-16.

Nitsun M, et al. Pharmacokinetics of midazolam, propofol, and fentanyl transfer to human breast milk. Clin Pharmacol Ther 2006: 79; 549-557.

Ong CK, et al: Combining paracetamol(acetaminophen) with nonsteroidal antinflamatory drugs: a qualitative systematic review of analgesic efficacy for acute postoperative pain. Anesth Analg 2010: 10;170-179.

Sarvela J,et al: A double-blinded, randomized comparison of intrathecal and epidural morphine for elective cesarean delivery. Anesth Analg 2002: 95; 436-40.

Short J, Downey K, Bernstein P, et al. A single preoperative dose of gabapentin does not improve postcesarean delivery pain management: a randomized, double-blind, placebo-controlled dose-finding trial. Anesth Analg 2012: 115; 1336-1342.

Tan TT, Teoh WHL, Woo DCM, et al. A randomized trial of the analgesic efficacy of ultrasound-guided transversus abdominis plane block after Cesarean delivery under general anaesthesia. Eur J Anaesthesiol. 2012: 29; 88-94.

Turnage RH, Bagwell B. Abdominal Wall, Umbilicus, Peritoneum, Mesenteries, Omentum, Retroperitoneum. Chapter 45 in Townsend: Sabiston Textbook of Surgery. 19th ed. Philadelphia: Elsevier Saunders; 2012.

Ito S: Drug therapy for breast-feeding women. N Engl J Med 2000: 343; 18-126.

12

4부

고위험 임산부의 마취관리

자간전증 및 자간증

13-1 병태생리 및 산과적 처치

자간전증/자간증은 전체 임산부의 약 6~8%에서 발생한다. 이는 임신 중 출혈, 감염성 질환과 함께 모성 사망 및 이환의 3대 주요 원인일 뿐만 아니라, 주산기 사망 및 이환을 증가시키므로 산과적으로 매우 중요한 질환이다. 2012년도 통계청 자료에 따르면 단백뇨 및 고혈압성 장애는 우리나라 전체 모성사망 원인의 8.3%를 차지하였다. 자간전증/자간증은 아직까지 정확한 발생 원인이 밝혀져 있지 않지만, 최근 연구들을 통하여 태반형성장애(defective placentation)가 그 발병 기전에 중요한 역할을 하고 더불어 여러 혈관생성인자 또는 억제인자 등이 병태 생리에 관여함이 밝혀졌다. 그러나, 지금까지 이러한 자간전증/자간증을 예측 또는 예방할 수 있는 효과적인 방법은 없는 실정이며 근본적인 치료는 임신을 종결하는 것이다.

자간전증의 진단 기준은 임신 중 혈압이 높으면서 단백뇨가 발견되는 것으로 정의된다. 그러나 최근 미국산부인과학회에서는 단백뇨가 없더라도 고혈압과 중증 자간전증의 증상만으로 자간전증으로 진단하는 새로운 기준을 제시하였다. 한편, 혈압이 140/90 mmHg 이하인 경우라도 급격한 혈압 증가를 보이는 경우를 'delta 고혈압'(delta hypertension)으로 정의하기도 한다. 이러한 진단 기준의 변화는 실제로 자간증 발생의 약 10%가 단백뇨가 아직 나타나지 않은 상태에서 나타난다는 점과 급격한 혈압 상승을 보이는 경우 불량한 임신 예후와 연관이 있다라는 연구 결과들을 반영한 것이다.

임신 중 고혈압성 질환은 아주 경한 혈압의 상승만을 보이는 경우로부터 심한 혈압 상승과 함께 다기관부전(multiorgan failure)을 보이는 경우까지 다양한 임상 양상을 나타내는 일종의 '자간전증증후군(preeclampsia syndrome)'으로 이해된다. 특히 자간전증/자간증 임산부의 특징적인 혈역학적 변화를 이해하는 것은 산과의사뿐만 아니라 산과마취과 의사에게 매우 중요하다.

1. 임신 중 합병된 고혈압의 분류 및 진단

임신 중 고혈압성 질환은 일반적으로 다음과 같이 네 군으로 분류된다.

1) 임신성고혈압(Gestational hypertension)

임신 20주 이후에 처음으로 140/90 mmHg 이상의 고혈압이 발견되고 단백뇨는 없는 경우로 출산 후 3개월 이내 혈압이 정상화 되는 경우이다. 주로 만삭에 발생하며, 일반적으로 임신의 경과는 나쁘지 않은 편이나, 심한 임신성 고혈압의 경우에는 주의를 요한다.

2) 자간전증(Preeclampsia)/자간증(Eclampsia)

자간전증은 임신 20주 이후에 140/90 mmHg 이상의 고혈압과 의미 있는 단백뇨가 동반되는 경우이다. 의미 있는 단백뇨의 정의는 24시간 소변에서의 단백뇨 양이 300 mg 이상이거나 random urine stick 검사에서 지속적으로 +1 이상으로 나온 경우, 또는 urine protein/creatinine ratio가 0.3 이상인 경우이다. 과거에는 자간전증의 심한 정도를 경증과 중증으로 정의하였으나 최근에는 비 중증(nonsevere)과 중증으로 구분한다. 중증 자간전증으로 분류할 수 있는 임상 소견으로는 수축기 혈압 ≥160 mmHg 또는 이완기 혈압 ≥110 mmHg (6시간 간격으로 두 번 이상 측정한 안정기 혈압 기준)이거나 두통, 시각장애, 명치부위 또는 우상복부 통증이 있는 경우다. 또한 핍뇨(24시간 소변 양이 500 ml 이하), 혈청 creatinine의 증가, 혈소판감소증(<100,000/μL), 간의 아미노전달효소의 증가, 명백한 자궁내태아발육지연(fetal growth restriction) 및 폐부종이 있다.

자간증은 자간전증이 있던 임산부에서 달리 설명할 수 없는 발작(seizure)이 발생하는 경우이다. 자간증에서 발작의 발생 시기는 진통 전이나 진통 중, 또는 분만 후에 모두 발생할 수 있다. 분만 후에 발생하는 발작은 대개 48시간 이내에 발생하나 약 10~25%에서는 분만 후 48시간 이후에도 발생할 수 있다. 자간증의 발작형태는 대발작(generalized seizure)의 양상을 나타낸다.

3) 가중합병자간전증(Superimposed Preeclampsia)

임신 전 이미 고혈압을 진단 받았거나 또는 임신 20주 이전에 고혈압이 진단된 임산부에서 의미 있는 단백뇨가 새롭게 발생하거나, 기존의 고혈압 또는 단백뇨가 악화되는 경우이다. 만성 고혈압 임산부에서 간의 아미노전달효소의 상승, 혈소판감소증, 신장 기능 악화 등이 동반된 경우에도 가중합병자간전증을 의심한다. 가중합병자간전증은 일반적으로 자간전증에 비하여 이른 임신 주수에 발병하고, 자궁내태아발육지연이 동반되는 경우가 더 흔하다.

4) 만성 고혈압(Chronic hypertension)

만성 고혈압은 이미 임신 이전에 고혈압(≥140/ 90

mmHg)을 진단받거나, 임신 20주 이전에 고혈압이 진단된 경우이다. 일반적으로 출산 후 3개월까지의 혈압 정상화 여부에 따라서 임신성 고혈압과 만성 고혈압을 감별한다.

5) 자간전증의 새로운 진단기준

2013년 미국산부인과학회는 의미 있는 단백뇨가 동반되지 않는 경우라도 고혈압이 있으면서 아래의 네 가지의 임상적 소견 중 하나를 만족하는 경우에 자간전증으로 진단할 수 있다라는 의견을 제시하였다.

(1) 혈소판감소증
(2) 신기능의 악화(혈청 creatinine > 1.1 mg/dL 또는 기존의 두 배 이상 상승)
(3) 간 기능 저하(정상의 2배 이상 상승한 간의 아미노전달효소의 증가)
(4) 두통, 시각장애, 발작 등의 증상

이러한 진단 기준의 변화는 이전에 비정형 자간전증(atypical preeclampsia)이라고 정의했던(혈압이 높고 단백뇨는 뚜렷하지 않지만 자간전증의 임상적 증상 및 검사 소견 이상을 보이는 경우) 질환 군이 심한 자간전증과 비슷하게 불량한 임신 예후를 갖는다는 사실을 반영한 것으로 보인다. 한편, 이 지침에 따르면 지금까지 중증 자간전증의 지표로 사용되었던 심한 단백뇨(5 g/24시간)는 중증의 진단 기준에서 제외되었다.

2. 자간전증의 병인

자간전증의 병인 및 기전은 아직까지 명확히 밝혀져 있지 않지만 지금까지의 연구들을 통하여 면역학·유전학적 요인이 중요한 역할을 담당하고 있을 것으로 생각된다. 자간전증 병태 생리의 핵심적인 요인으로

13-1

는 prostacyclin-thromboxane의 불균형, 산화스트레스(oxidative stress) 등에 의한 혈관내피세포의 손상(endothelial damage)과 혈관연축(vasospasm) 등이 관여한다. 최근에 자간전증의 발생 기전에 임신 초기의 태반형성장애(defective placentation) 및 혈관생성관련인자들의 불균형이 중요한 역할을 하는 것으로 알려졌다. 지금까지 자간전증의 병인으로 제시된 내용 및 가설을 다음에 요약한다.

1) 면역학적 원인

자간전증의 발생은 초임산부에서 증가하고 경산부인 경우 감소하지만 새로운 배우자를 만나서 임신을 하게 되는 경우 자간전증의 위험도가 다시 증가한다. 즉, 태반의 융모막융모에 처음 노출되는 경우 자간전증의 위험도가 증가하는 것이다. 임산부의 입장에서는 태아의 항원은 반은 부계 기원(paternal origin)이므로 성공적인 임신의 유지를 위해서는 태아 항원에 대한 면역관용(immunologic tolerance)이 필수적이다. 그러나 자간전증에서는 정상적인 면역관용기전에 이상이 발생하고, 이로 인한 과도한 면역반응 또는 급성이식편거부반응(acute graft rejection)으로 자간전증의 임상 양상을 나타난다. 실제로 자간전증의 모체태아경계(maternal fetal interface)에서 급성이식편거부반응의 조직학적 소견이 관찰된다. 부계 기원의 항원 노출이 두 배로 증가되는 포상기태(molar pregnancy)에서 심한 자간전증이 이른 임신 주수에 발생하는 사실은 자간전증의 면역관용 조절이상 기전을 뒷받침한다.

한편, 정상 임신은 경도의 생리적인 염증성 반응 상태로 볼 수 있는데 자간전증의 경우에는 이러한 염증성 반응이 과장되게 나타나 백혈구 수의 증가, tumor necrosis factor, interleukin-6과 같은 염증매개물질의 증가가 동반된다. 자간전증에서 과장된 염증성 반응이 나타나는 기전으로는 T-helper (Th) 1 세포의 반응 항진 및 Th 1/2 ratio의 변화, 이외에 모체태아경계의 natural killer cells의 이상이 관여한다. 최근 연구에 의하면 모체 혈액내의 염증성 반응 활성화에 태반에서 유리되는 microparticle이 관여한다고 보고되었다.

2) 유전학적 요인

가족력에서 어머니, 자매에게 자간전증의 기왕력이 있는 임산부의 경우, 자간전증의 위험도가 증가하고, 일란성 쌍생아에서 자간전증의 발생이 60%의 일치를 보인다는 연구 결과들은 자간전증의 발병기전에 유전학적 요인이 관여하고 있음을 시사한다. 지금까지 자간전증의 발병과 관련된 유전자들로 methylene tetrahydrofolate reductase, Factor V Leiden, angiotensinogen, human leukocyte antigens, endothelial nitric oxide, lipoprotein lipase 등이 있으며 이러한 유전자들은 혈압 및 체액 조절, 혈관내피세포 기능 장애, 혈전 형성, 지질 대사, 면역 관용 실패와 같은 이 질환의 병인과 연관된다.

3) 산화 스트레스

자간전증에서는 정상 임신에 비하여 산화 스트레스가 증가되고 항산화 반응이 감소되어 있다. 임신 초기에 산화스트레스의 증가와 항산화반응의 감소는 영양막세포의 퇴화를 유발하고 영양막세포 침투를 저해하여 태반형성장애의 원인이 되고, 증가된 산화 스트레스가 혈관내피세포의 기능 장애를 일으켜 자간전증의 임상 양상을 발현에 기여한다. 실제로 자간전증 임산부의 혈액, 태반에서 lipid oxidation product, protein carbonyls, nitrotyrosine과 같은 산화 스트레스의 표식자들이 정상 임신에 비하여 증가되고 항산화능은 감소되어 있다.

4) 태반형성장애

성공적인 임신이 성립되기 위해서는 임신 초기 태반의 영양막세포가 모체의 나선동맥(spiral artery)으로 침입하여 나선동맥의 평활근 및 내피세포가 영양막세포로 대치되는 생리적 변환(physiologic transformation)의 과정이 이루어져야 한다. 영양막세포의 침투는 임신 6주경에 탈락막(decidua) 내의 나선동맥에서 시작하여 임신 16주경에는 자궁평활근 안쪽 1/3 부분까지 확장된다. 이러한 영양막세포의 침입으로 인하여 자궁의 나선동맥은 수축과 이완을 반복하는 동맥의 탄력적 특성을 잃고, 지속적인 확장 상태를 유지함으로써 모체 혈액이 태반으로 안정적으로 공급되는데 기여한다. 반면, 자간전증의 경우에는 이러한 영양막세포의 침입이 불완전하여 탈락막내의 혈관까지만 이루어지고, 자궁근층으로의 침입이 되지 않은 태반형성장애의 소견을 보인다. 이는 임상적으로 자궁태반관류저하(uteroplacental insufficiency)의 원인으로 작용한다. 실제로 자간전증이 동반된 임산부의 태반저(placental bed) 조직검사 소견에서 영양막세포의 침투 저하 및 나선동맥의 생리적 변환의 결함이 관찰되고 동맥경화성 변화와 섬유소 침착, lipid-laden macrophage 등이 발견된다. 그러나 이러한 태반형성장애의 소견은 자간전증에만 특이적으로 나타나는 것은 아니고 자궁내태아발육지연, 조산 및 태반조기박리 등에서도 관찰된다.

5) 혈관생성인자의 불균형

최근 자간전증의 발병기전과 관련한 가장 큰 연구 성과는 soluble fms-like tyrosine kinase 1 (sFlt-1), vascular endothelial growth factor (VEGF), placental growth factor (PlGF), soluble endoglin (sEng)과 같은 혈관생성과 관련된 인자들이 자간전증의 병인과 관련되며 이러한 혈관생성인자의 증가 또는 감소가 자간전증 임산부의 혈액에서 자간전증의 임상 양상이 발현 이전에 선행한다는 것이 밝혀진 것이다.

이 중 sFlt-1은 자간전증의 병인과 관련하여, 최근 가장 많이 연구가 된 인자로써 VEGF와 PlGF의 수용체인 Flt-1의 일종의 변이형 물질이다. sFlt-1은 주로 태반에서 형성되어 VEGF에 대한 길항 작용으로 혈관 생성을 억제하고, 혈관내피세포의 활성화에 관여한다. 2003년 Maynard 등은 sFlt-1을 쥐에게 투여하여 고혈압, 단백뇨 등 자간전증의 임상 양상을 나타내는 동물 모델을 만드는데 성공하였다. 이후 sFlt-1은 임산부의 혈액에서 자간전증이 발생하기 5주 이전에 이미 상승되어 있어 sFlt-1이 자간전증의 예측에 도움이 되는 표지자임을 보고되었다. 자간전증에서 증가된 sFlt-1의 농도는 자간전증 임상 양상의 심한 정도와 상관 관계가 있다.

PlGF는 주로 태반의 영양막세포에서 생산되며 세포의 증식과 이동에 중요한 역할을 담당할 뿐만 아니라 fms-like tyrosine kinase 1 (Flt-1)에 결합하여 혈관 생성을 향상시키는 기능을 수행한다. 따라서 PlGF의 농도가 저하된 경우, 태반의 영양막세포의 정상적인 침입 및 혈관 형성이 장애를 받게 된다. 임신 초기의 감소된 PlGF의 농도는 추후 자간전증의 발생 예측에 중요한 인자라고 보고되었고 PlGF는 sFlt-1과 길항 작용을 하는 바, PlGF/sFlt-1 ratio가 자간전증의 예측 인자로 제시되었다.

3. 자간전증의 병태생리

1) 심혈관계의 변화

자간전증에서 관찰되는 심혈관계 변화는 고혈압에 의한 심장후부하(afterload)의 증가와 혈장량 감소에 따른 전부하(preload)의 감소 및 혈관내피세포 손상에 따

13-1

른 세포외공간(extracellular space)으로의 체액 이동 현상으로 요약될 수 있다.

정상 임신에서는 혈관 작용성 펩티드와 아민, 특히 안지오텐신 II에 대해서 혈압 상승 반응이 감소되는 현상(refractoriness of angiotension II)이 나타난다. 그러나 자간전증에서는 반대로 안지오텐신 II에 대한 민감도가 증가하며 이는 자간전증의 전신혈관저항 증가에 기여한다.

자간전증에서는 정상 임신과 같은 혈액양의 증가(pregnancy induced hypervolemia)가 이루어지지 않기 때문에 임산부의 혈액양은 감소 및 농축(hemoconcentration)되어 있다. 또한 혈관내피세포의 손상 및 혈중 알부민의 감소로 체액이 세포외공간으로 이동하게 된다. 이러한 심혈관계의 변화는 결과적으로 자간전증 임산부가 출산 시, 같은 양의 실혈양에 대하여 정상 임산부에 비하여 매우 민감하게 반응하게 만드는 원인으로 작용한다.

자간전증에서 나타나는 혈관수축(vasoconstriction)과 비정상 혈관 반응성의 원인에 대해서는 정확히 밝혀져 있지 않지만 prostacyclin-thromboxane의 불균형이 관여할 것으로 생각된다. 즉 혈관내피세포에서 생산되는 prostacyclin은 주로 혈소판응집을 억제함과 동시에 혈관을 확장시키는 기능을 담당한다. 그리고 혈소판 또는 영양막세포에서 생산되는 thromboxane A2는 반대로 혈소판응집 촉진과 함께 혈관을 수축시키는 작용을 한다. 그 외에도 자간전증의 혈관수축에 관여하는 인자로 산화질소 합성효소(nitric oxide synthase) 활성 감소와 내피유래이완인자(endothelium-derived relaxing factor)의 생성 감소 등이 알려졌다.

중증 자간전증 임산부에서는 폐부종이 흔히 발생하며 그 원인은 모세혈관을 통한 혈장의 유출, 좌심실부전 등이다. 특히 출산 후에는 폐부종이 더 잘 나타나게 되며 심한 좌심실 기능 저하가 동반되는 경우에는 분만후 심근병(postpartum cardiomyopathy)으로 진단될 수

있다.

2) 신장

정상 임신에서 관찰되는 신장의 생리적 변화로 신장혈장유량(renal plasma flow) 및 사구체여과율이 약 50% 가량 증가한다. 또한 정상 임신에서는 creatinine이 감소하므로 creatinine이 0.9 mg/dL를 초과하는 경우에는 신장 기능 이상을 의미한다. 자간전증에서는 신장혈장유량과 사구체여과율이 정상 임신에 비하여 감소하고, 중증 자간전증인 경우 더욱 감소하며 creatinine의 상승이 동반된다. 자간전증에서 요산청소분율(fractional urate clearance)이 감소하여 고요산혈증이 나타나며 또한 저칼슘혈증이 동반될 수 있다. 자간전증에서는 부갑상샘호르몬의 증가와 1,25-dihydroxyvitamin D의 감소와 같은 칼슘 조절 호르몬의 혈중 농도 변화가 나타나고 다양한 정도의 나트륨 배설 기능 저하가 발견된다.

자간전증에서 신장에 나타나는 특징적인 병리 소견으로는 사구체내피증(glomerular endotheliosis)이 있으며 사구체의 손상과 신장세관의 기능 부전에 의하여 단백뇨 및 신기능 부전이 발생한다. 신기능부전이 심한 경우는 급성요세관괴사(acute tubular necrosis)나 급성피질괴사(acute cortical necrosis)의 병리 소견을 보일 수 있다.

자간전증의 진단 기준인 단백뇨의 측정에 가장 흔히 쓰이는 방법은 dipstick 방법으로 +1 이상인 경우 단백뇨가 있는 것으로 진단하나, 위양성 또는 위음성이 있을 수 있다. 따라서 24시간 소변에서 배출되는 단백뇨의 양 또는 urine protein/creatinine ratio를 측정하기도 한다.

단백뇨가 많이 빠지면서 부종이 심하게 나타나는 자간전증 임산부의 혈장량은 정상 임신보다 감소되어 있고, 혈액은 농축 상태이며 중심정맥압(central venous pressure)과 폐모세혈관쐐기압(pulmonary capillary wedge pressure)이 낮거나 정상의 하한으로 유지된다. 일반적으로 임신 중 이뇨제의 사용은 자궁으로 가는 혈류를 감소시킬 수 있으므로 상대적 금기로, 자궁태반관류감소(uteroplacental insufficiency)를 악화시켜, 태아심박동 이상을 초래할 수 있다. 따라서 이뇨제는 심한 폐부종이 동반된 경우에만, 태아심박동에 대한 지속적인 감시를 시행하면서 투여하는 것이 안전하다.

3) 중추신경계

중증 자간전증의 증상으로 흔히 두통이 나타나며, 발작을 보이는 경우 자간증으로 진단한다. 그 외에 중추 신경계 증상으로는 흐려보임(blurred vision), 암점(scotoma), 피질맹(cortical blindness) 등의 시각장애가 나타날 수 있다. 자간증의 전조증상으로 두통과 시각장애가 있었던 경우가 각각 50~75%와 20~30%에 달한다. 자간증의 발작 증세가 나타나는 기전으로는 glutamate와 같은 흥분성 신경전달물질(excitatory neurotransmitter)에 의한 것으로 생각된다.

자간증의 뇌병리학적소견으로 다양한 정도와 크기의 출혈, 혈관벽 손상을 동반한 혈관병증(vasculopathy), 섬유소모양괴사(fibrinoid necrosis), 허혈성뇌손상, 미세경색 등이 나타나며, 자간증으로 사망한 임산부의 주된 뇌 병변으로는 대뇌 피질 또는 피질하점상출혈(petechial hemorrhage)이 관찰된다.

자간증의 뇌병변을 일으키는 병태 생리에 대한 설명으로는 심한 고혈압에 의해서 뇌혈관의 과조절(overregulation)에 의한 혈관연축이 뇌혈류를 감소시켜, 허혈 및 조직 괴사를 일으킨다는 가설과, 갑작스러운 혈압 상승에 의해서 뇌혈관의 자동조절기전(autoregulation)의 장애로 모세혈관의 압력증가와 이에 따른 혈관내피세포 손상으로, 혈관 밖으로 유출 및 혈관성부종(vasogenic edema)이 발생한다는 가설이 있다.

자간증의 특징적인 뇌의 전산화단층촬영 소견은 대뇌흑질(gray matter)과 백질(white matter)의 경계에 국소적인 저음영의 에코를 보이는 것으로 주로 두정후두엽(parietooccipital lobe)에 나타나나, 전두엽 및 측두엽 하부, 기저핵 또는 시상에도 나타날 수 있다. 자간증의 자기공명영상의 소견으로 측두엽과 후두엽의 피질 또는 피질하에 T2 음영 증가가 흔하게 발견된다. 한편, 뇌영상검사에서 전반적인 대뇌부종(cerebral edema)의 소견을 보이는 경우에는 기면(lethargy) 및 의식 저하 등과 관련이 있다. 심한 경우 뇌실이 압박되면서 치명적인 천막경유탈출(transtentorial herniation)이 나타날 수 있다. 뇌부종의 소견을 보이는 자간증 또는 자간전증 임산부는 급격하거나 심한 혈압 상승에 매우 민감하게 반응하여 혈관성 부종이 악화될 수 있으므로 철저한 혈압 조절이 반드시 필요하다.

4) 간

자간전증에 동반된 간 손상은 혈중 아미노전달효소인 aspartate transaminase (AST) 및 alanine transaminase (ALT)의 증가 및 우상복부 또는 명치 부위 통증으로 나타난다.

자간전증에서 생길 수 있는 간의 병리 소견으로는 간소엽 말초부위의 문맥주위 출혈 및 간괴사(hepatic infarction)가 있으며, 심한 경우에는 Glisson 피막의 피막하혈종(subcapsular hematoma) 혹은 간파열(hepatic rupture)을 보일 수도 있다. 간 아미노전달효소 수치의 상승은 자간전증 단독으로도 나타날 수 있고, HELLP (hemolysis, elevated liver enzyme, low platelet) 증후군의 일부로 나타날 수도 있다. HELLP 증후군이 동반된 자간전증은 임산부 및 태아의 이환 및 사망률이 더욱 증가하여 자간증(10%), 폐부종(8%), 급성신부전(3%), 파종혈관내응고(disseminated intravascular coagulation, DIC) (15%), 조기태반박

13-1

리(9%), 간출혈 또는 간부전(1%), 급성호흡곤란증후군이 발생할 수 있다. 일반적으로 자간전증의 혈중 아미노전달효소 수치는 혈소판 수치와 반비례하는 경향이 있다. 간기능의 이상은 대개 분만 후 빠른 시간 내에 정상화되는 것으로 알려져 있지만 분만 직후 약 24~48시간 동안에는 혈소판감소증이나 간기능이 일시적으로 악화되는 경우도 있으므로 주의를 요한다.

자간증에서 혈중 아미노전달효소 수치가 상승한 경우에는 간혹 급성임신성지방간(acute fatty liver of pregnancy)과의 감별을 요한다. 급성임신성지방간에서는 혈중 아미노전달효소의 증가가 더 심하고(AST; 200~800 U/L), 혈중 빌리루빈수치가 더 증가되어 있으며(bilirubin 4~10 mg/dL), fibrinogen의 감소가 현저하고, 신장 기능의 악화가 더 심하다.

5) 혈액응고계

자간전증에서 가장 흔하게 발견되는 혈액 응고계의 이상은 혈소판감소증이다. 혈소판이 100,000/mm³ 이하이면 중증 자간전증을 의미한다. 혈소판감소증이 발생하는 원인으로는 혈소판 활성화 및 용적의 증가, 수명의 단축 및 내피손상에 의해 혈소판 소모 증가 등이 관여한다. 기타 혈액응고계의 이상으로 혈중 섬유소원분해산물(fibrinogen degradation products)의 증가가 있다. 특히, 자간전증에 태반조기박리가 동반되는 경우에는 섬유소원의 감소가 동반될 수 있다.

4. 자간전증의 처치

자간전증 임산부 치료의 궁극적 목적은 임산부와 태아에게 가장 최소한의 손상을 주면서 임신을 종결시켜 태아가 출생 후 생존할 수 있도록 하며, 임산부의 건강

이 완전히 회복될 수 있도록 하는 것이다. 만약 임산부만을 고려한다면 어떠한 임신 주수와 상관없이 분만을 고려하겠지만, 태아의 상태를 고려한다면 가능한 임신 주수를 연장하여 조산으로 인한 신생아의 주산기 이환 및 사망을 낮추려는 노력이 필요하다.

1) 입원

임산부의 혈압이 높은 경우, 안정을 취함으로써 심한 자간전증으로의 이행을 예방하고 태반조기박리 및 자간증 같은 예측이 어려운 합병증에 대하여 신속한 대응을 위하여 입원이 권장된다. 기존의 연구에서 심하지 않은 자간전증의 경우 외래를 통해 자주 추적 관찰하는 것과 입원 치료간의 임신 결과에 차이가 없다는 연구 결과들이 제시되기도 했다 하지만 새로이 고혈압 또는 단백뇨가 발생하는 경우나 기존의 고혈압이 악화되는 경우에는 입원하여 자간전증의 중증도를 평가하는 것이 바람직하다.

2) 중등도의 평가

자간전증 임산부의 중등도의 평가를 위해서 다음과 같은 검사를 시행한다. 즉 매일 두통, 시야장애, 명치부위 또는 우상복부 통증 및 급격한 체중 증가 등이 발생 여부를 철저히 관찰하고 체중을 측정하며, 단백뇨 또는 urine protein: creatinine ratio를 적어도 2일에 한 번씩 검사한다. 혈압의 측정은 주로 4시간 간격으로 시행하며 혈청 creatinine, 혈소판 및 간 아미노전달효소 등을 측정하고 측정 빈도는 질환의 중증도에 따라 결정한다. 초음파검사를 통하여 태아의 크기와 양수의 양을 측정하고 태아성장지연이 의심되는 경우에는 제대동맥 도플러 측정을 추가하며 비수축검사(nonstress test)로 태아의 안녕상태를 확인한다. 입원하여 안정을 취하며 신체 활동을 줄이는 것이 도움이 될 수 있으며 적절한 단

백질과 열량의 식사가 필요하고, 염분 제한을 할 필요는 없다.

3) 처치

(1) 항고혈압제의 투여

자간전증에서 조절이 되지 않은 고혈압은 뇌출혈이나 자간증 발생의 위험도를 증가시키고, 심부전 및 태반조기박리의 위험도를 증가시킨다.

그러나 심하지 않은 자간전증에서 항고혈압제의 사용 여부는 일차적으로 권장되지는 않으며, 주로 수축기 혈압 160 mmHg 이상 또는 이완기 혈압 105~110 mmHg 이상인 경우 항고혈압제를 투여한다. 목표 혈압을 이완기 혈압 기준으로 90~100 mmHg으로 맞추는데, 그 이유는 자간전증 임산부에서 과도한 혈압 조절은 자궁으로 가는 혈류량을 감소시켜 결과적으로 태아 심박동 감소 등 태아에게 불리한 영향을 줄 수 있기 때문이다. 투여하는 항고혈압제로는 가장 많이 사용되는 약제는 hydralazine, labetalol, 그리고 nifedipine이며 각각의 투여 방법, 작용 기전 및 효과는 다음과 같다.

① Hydralazine

자간전증에서 가장 흔하게 사용되는 항고혈압제로 직접적인 혈관이완작용을 하며 뇌출혈을 예방하는 데 효과적이다. 투여 방법은 초기 용량으로 5 mg을 정주하고, 조절이 되지 않은 경우에 15~20분 간격으로 5~10 mg을 반복 투여하며 한 cycle에 총 30 mg까지 사용할 수 있다. Hydralazine의 발현시간은 10~20분이며, 최대 효과는 20~40분에 나타나고 작용기간은 3~6시간이다. Hydralazine의 부작용으로 두통과, 상복부 통증이 있을 수 있어서 자간전증의 악화 증상과 감별이 필요하며 빈맥 등이 있을 수 있다.

② Labetalol

Labetalol은 α1, nonselective β-blocker로써 혈압을 급격히 낮추는 데 효과적인 약물이다. 투여 방법은 초기 용량을 10 mg을 정주하고 10분 이내에 효과가 없으면 20 mg, 40 mg, 80 mg을 10분 마다 투여하여 총 300 mg을 넘지 않게 한다. 한편, 미국산부인과학회에서는 초기 용량으로 labetalol 20 mg 정주한 다음 10분 내에 효과가 없으면 40 mg, 80 mg을 10분 마다 투여하여 총량이 220 mg을 넘지 않을 것을 권장하였다. Labetalol의 발현시간은 1~2분이며, 최대 효과는 투여 10분 후에 나타나고 작용기간은 6~16시간이다. 자간전증 임산부에서 혈압 하강을 위한 labetalol과 hydralazine의 효과를 비교한 연구에 의하면 labetalol은 혈압을 더 신속하게 떨어뜨리는 효과가 있는 반면, hydralazine은 평균동맥혈압을 더욱 효과적으로 안전하게 떨어뜨리는 장점이 있었고, 부작용의 측면에서는 labetalol은 hydralazine에 비하여 임산부의 저혈압과 서맥의 발생 빈도가 높은 대신, hydralazine은 빈맥과 심계항진이 더 많이 발생하였다.

③ Nifedipine

Nifedipine은 calcium channel blocker 중의 하나이다. 투여 방법은 10 mg을 경구로 투여하며 필요한 경우 30분 간격으로 반복 투여하고 유지 요법으로 사용하는 경우에는 10~20 mg을 3~6시간 간격으로 투여할 수 있다. Nifedipine의 발현시간은 5~10분이며, 최대 효과는 투여 10~20분 후에 나타나고 작용기간은 4~8시간이다. Nifedipine 설하투여는 심각한 저혈압을 초래할 수 있으므로 더 이상 권장되지 않는다. Nifedipine의 가장 흔한 부작용으로는 두통이며 nifedipine은 magnesium sulfate에 의한 신경근 억제(neuromuscular blocking) 효과를 상승시켜 심폐기능에 심각한 영향을 줄 수 있으므로 이미 항발작 약제로 magnesium sulfate를 사용하고 있는 경우에 혈압약제

13-1

로써의 사용은 가급적 피하는 것이 좋다.

(2) 항발작제의 사용

중증 자간전증에서 magnesium sulfate는 발작의 예방을 위한 일차 선택약제로 phenytoin이나 diazepam에 비하여 우월하다. 중증 자간전증인 경우에는 magnesium sulfate의 사용이 적응증이 되나, 중증이 아닌 자간전증의 경우에 magnesium sulfate의 효과에 대해서는 아직 논란이 있다.

Magnesium sulfate를 투여 방법은 15~20분동안 4~6 g의 부하용량을 정주 투여한 뒤, 시간 당 2 g의 magnesium sulfate가 정주되도록 유지한다. 4~6시간 뒤 혈중 농도를 확인한 후 용량을 조절하여 magnesium sulfate의 혈중 농도를 치료 영역인 4~7 mEq/L로 유지한다. 정주 투여된 magnesium sulfate은 거의 신장으로 배설되고 반감기는 4시간 정도인데, 신장 기능이 감소된 경우에는 반감기가 늘어나게 된다. 따라서 magnesium sulfate의 독성을 방지하기 위해서는 적절한 소변량을 유지하는 것이 중요하며 또한 혈청 creatinine 수치가 1.3 mg/dL 이상이 되면 유지 용량을 반으로 줄여야 한다. Magnesium sulfate를 투여하는 동안에는 무릎 반사를 확인하고, 호흡 기능이 저하되는지를 살펴보아야 하며, 4시간 소변량이 100 cc가 넘는 지 확인해서 magnesium sulfate 독성이 나타나지 않도록 주의한다. Magnesium sulfate 중독 증상으로 magnesium sulfate 농도가 8~10 mEq/L이면 무릎반사가 소실되고 13 mEq/L이면 호흡정지가 올 수 있다. 중독 증상이 심할 경우 calcium gluconate 1 g을 약 2분에 걸쳐 정주하며 호흡이 부적절한 경우 산소를 공급하고 심장 모니터링을 하여야 한다. 자간전증의 발작 예방을 위한 magnesium sulfate의 사용은 일반적으로 분만 후 24시간까지 사용하고 분만 후 발작이 발생한 경우에는 발작 후 24시간까지 사용한다.

(3) 수액요법

자간전증 임산부의 수액은 주로 Lactated Ringer solution을 60~125 ml/hr의 속도로 주입하고 설사, 구토, 분만 시 과도한 출혈 등이 동반되지 않는 한, 125 ml/hr를 넘지 않도록 주의한다. 자간전증에서는 혈관내피세포의 손상으로 인하여 혈관내외의 공간의 체액이 비정상적으로 분포한다. 그러므로 과도한 수액 공급으로 폐부종 및 뇌부종이 발생할 수 있고, 이러한 위험도는 특히 분만 후 72시간까지 증가되어 있다. 따라서 자간전증에서 흔히 발생하는 핍뇨의 치료뿐만 아니라 무통 분만 등 neuraxial analgesia에서 전 처치 목적으로 정질액 등의 수액 투여를 할 때에는 신중하고 천천히 주입을 하는 것이 중요하다.

5. 자간증의 처치

자간증 임산부 399명을 대상으로 한 연구에 따르면 자간증 임산부의 주요 합병증으로 태반 조기 박리가 10%, 신경학적 손상이 7%, 흡인성 폐렴이 7%, 폐부종이 5%, 심폐정지가 4%, 급성신부전이 4%, 임산부 사망이 1%에서 발생하였다. 거의 모든 경우에 있어서 자간증의 발작이 시작되기 전에 자간전증이 선행되며 발작은 분만 전, 분만 과정에서 또는 분만 후에 발생할 수 있다. 최근에는 분만 후에 발생하는 발작의 빈도가 증가되는 추세인데, 이는 산전 관리의 향상으로 자간전증의 조기 진단과 magnesium sulfate의 예방적 사용과 관련있다고 볼 수 있다.

1) 발작의 임상 양상

발작 전에 두통, 시각 장애 등의 전조 증상이 나타나는 경우가 흔하며, 자간증의 발작은 입가를 씰룩거리는 양상에서 시작하여 몇 초 후에는 몸 전체가 뻣뻣해지고 갑자기 입과 눈이 열렸다 닫혔다 하면서 얼굴의 다른 근육도 빠른 속도로 수축과 이완을 반복하게 된다. 이러한 강직성-간대성 발작이 지속되는 동안 과도한 근육 운동으로 침대에서 떨어지거나 혀를 깨물 수도 있다. 발작 후에는 후발작 단계에 빠지게 되고 발작이 연속되지 않는 한 어느 정도 의식을 회복한다. 심한 자간증인 경우에는 한 번의 발작으로 혼수 상태에 이르면서 사망하게 될 수도 있는데 이러한 경우는 대개 대량의 뇌출혈이 동반된 경우이다. 발작 후에는 임산부의 호흡수가 증가하고 저산소증, 젖산혈증이 발생하며 이로 인한 태아 심박동 서맥이 발생할 수 있다. 대개 발작 후 발생한 태아 서맥은 3~5분 후에 정상으로 회복되나, 만약 10분 이상 회복되지 않는다면, 태반조기박리와 같은 다른 원인을 의심하고 즉각적인 분만을 고려해야 한다. 자간증 임산부의 발작 후에는 폐부종이 발생할 수 있으며 이는 대개 흡인성 폐렴과 관련이 된다.

2) 자간증의 감별 진단

자간증의 발작과 감별해야 할 질환으로 임신 중의 간질, 뇌염, 뇌막염, 뇌종양, 뇌낭미충증(neurocysti-cercosis), 양수색전증, 뇌혈관류 파열, 저혈당, 저나트륨혈증 등이 있다. 그러나 임신 중 발작은 다른 원인이 밝혀지기 전까지 자간증으로 간주되어야 한다.

3) 자간증의 치료

자간증의 치료의 원칙은 환자의 활력 징후를 안정시키고 발작과 혈압을 조절하며, 반복적인 발작을 예방하고 분만을 준비하는 것이다. 구체적인 처치로는 즉시 좌측와위 자세를 취하고, 설압자를 삽입하며 구토물 혹은 구강내 분비물을 제거하여 이차적인 흡인 손상을 예방한다. 산소를 분당 8~10 L로 투여하고 발작 조절을 위해 magnesium sulfate 부하량을 정주하며 이후 유지량을 계속하여 정주 또는 근주한다. 대뇌출혈을 예방하기 위한 즉각적인 혈압조절이 필요하고 대개, 수축기 혈압이 160 mmHg 이상이거나 이완기 혈압이 105~110 mmHg 이상인 경우 항고혈압제를 투여한다. 자간전증 또는 자간증 임산부의 치료에서 주의할 혈역학적 변화는 혈액양 감소와 삼투압의 감소 등으로 인하여 폐부종이 잘 생길 수 있다는 점이다. 따라서 이뇨제의 사용을 피하고 출혈 등의 과도한 수분 소실이 동반된 경우가 아니라면, 지나친 수분 공급을 제한하고 고삼투압 제제의 투여를 사용하지 않는다. 발작이 안정화되면 분만 준비를 하여야 한다. 대개 자간증의 발작 후에 금방 진통이 시작되는 경우가 많은데, 자발 진통이 없는 경우 자궁경부의 숙화가 충분한 경우에는 유도분만을 시행할 수 있고, 그렇지 않은 경우에는 제왕절개수술을 통한 신속한 분만을 고려한다.

6. 자간전증의 분만 중 관리

1) 분만의 결정

자간전증의 근본적인 치료는 분만이다. 일반적으로 심하지 않은 자간전증인 경우에는 입원하여 집중 관찰을 하면서, 중증 자간전증으로의 이행을 평가하며 37주 이후에 분만을 고려한다. 그러나 중증 자간전증의 경우에는 흔히 임산부 및 태아 상태의 지속적인 악화가 나타나고 임산부 및 태아의 사망과 합병증이 현저히 증가하게 되는 바, 대개 지체 없이 분만을 결정해야 한다. 일반적으로 임신 34주 이후의 중증 자간전증인 경우에는 바로 분만을 시도하지만, 이른 임신 주수로 조산에 따른 신생아의 이환과 사망이 우려되는 시기라면, 집중 관찰을 하면서 임신 기간을 연장하기 위한 치료를 고려할 수도 있

13-1

다. 그러나 이러한 연장 치료 시 태반조기박리, 폐부종, 자간증, 뇌출혈, 모성사망 등의 위험도가 증가할 수 있다는 점을 유념해야 한다. 실제로 임신 28~32주 사이의 심한 자간전증 임산부를 대상으로 즉각적인 분만과 연장 치료(expectant management)를 비교한 무작위 전향적 연구에 의하면 주산기 사망률은 두 군에서 모두 9% 정도로 차이가 없었으며, 결과적으로 임신 연장치료가 신생아 이환율을 향상시키지 못하였다.

한편, 미국산부인과학회 지침에 따르면 34주 미만의 자간전증에서 분만의 적응증을 다음과 같이 두 군으로 나누어 제시하였다. 즉, 조절이 되지 않은 심한 고혈압이 있거나 자간증, 폐부종, 태반조기박리, 파종혈관내응고의 소견이 있는 경우가 있다. 이 때 안심할 수 없는 태아의 심박동 이상 소견을 보이는 경우에는 태아의 폐성숙을 위한 glucocorticoid 초기 용량만 투여 후 바로 분만을 시도하고 조기양막파수, 10만 이하의 혈소판감소증, 간의 아미노전달효소수치가 2배 이상 상승한 경우, 자궁내태아발육지연, 양수감소증, 제대동맥도플러검사에서 이완기말혈류의 역전(reversed end-diastolic flow)을 보이는 경우, 점진적인 신기능의 악화가 있는 경우에는 가능하면 한 회(cycle)의 glucocorticoid 투여 기간인 48시간 이후 분만을 권하였다.

2) 분만 방법의 선택

자간전증 또는 자간증 자체가 제왕절개수술의 적응증이 되지는 않으므로 산과적 적응증이 아니라면 일차적으로 질식분만을 고려할 수 있다. 그러나 분만 방법을 결정하는데 중요한 두 가지 요소로 자궁경부의 숙화가 어느 정도인지, 즉 유도분만으로 자연분만을 시도할 수 있는 적절한 숙화상태와 자간전증/자간증으로 인한 임산부 및 태아의 상태 악화가 어느 정도 빠르게 진행하는지를 고려해야 한다. 일반적으로 자궁경부는 임신 주수가 이를수록, 또한 초임산부인 경우 숙화되어 있지 않은

경향이 있으므로, 분만 주수가 이른 초임산부가 중증 자간전증으로 인한 즉각적인 분만이 필요한 상태에서 자궁경부가 숙화되어 있지 않다면 제왕절개수술을 고려할 수 있다.

3) 진통 및 분만 시 주의사항

중증 자간전증과 자간증에서는 정상 임신에서 생리적으로 관찰되는 혈장량의 증가가 부족하고, 혈액은 농축 상태에 있어 분만 시 출혈에 취약하다. 특히 자간전증 임산부의 혈압은 분만이 이루어지더라도 바로 정상화 되는 것이 아니므로 자간전증 임산부가 분만 후에 혈압이 바로 정상화 되었다면 이는 혈압 상승의 원인이었던 혈관연축이 즉각적으로 해소된 것이 아니라 분만과정에서의 출혈량이 많았음을 시사하는 소견으로 면밀한 관찰이 필요하다. 한편 자간전증 또는 자간증 임산부의 진통 과정 중에는 자궁태반관류저하(uteroplacental insufficiency)에 의한 태아의 심박동 이상 소견인 만기형 태아심박동 이상(late deceleration)이 관찰될 수 있는데, 이는 자궁내태아발육지연이 동반된 경우 더욱 빈번히 나타날 수 있다. 또한 진통 중 태반조기박리로 인한 응급제왕절개수술의 가능성이 증가한다.

7. 자간전증의 분만 후 관리

1) 분만 후의 임상 양상

자간전증 임산부의 분만 후 호전의 첫 번째 징후는 소변 양의 증가이며 단백뇨와 부종은 대개 일 주일 내에 사라진다. 대부분 혈압은 수일에서 2주일 내에 정상으로 회복되지만 더 늦어질 수도 있다. 자간증의 10% 정도에서는 발작 후 시각 장애를 호소하는데, 망막 박리나

후두엽 허혈, 부종이 그 원인이며 다행히 예후는 좋아서 대개 일주일 내에 완전히 회복된다. 자간증의 약 5% 정도에서는 극심한 뇌부종이나 천막경유탈출에 의해서 지속적인 혼수상태로 이어 지거나 발작을 계속하는 등 의식이 완전히 회복되지 않을 수 있으며 일부의 자간증에서 과도한 뇌출혈로 인하여 발작과 동시에 혹은 직후에 급사하거나 반신 마비가 발생한다. 중증 자간전증 및 자간증 임산부의 1.8%에서 세뇨관 괴사에 의한 급성신부전이 발생하며 이는 파종혈관내응고가 동반된 경우 발생하는 경우 잘 동반되며, 30~50%의 환자는 투석을 필요로 하고 10~13%의 높은 모성사망률을 보인다.

2) 분만 후 지속되는 중증 고혈압

자간전증의 임산부가 분만 후에 hydralazine이나 labetalol 정주 치료에 반응하지 않는 심한 고혈압이 지속되는 경우가 종종 발생한다. 이러한 경우에는 경구 치료를 고려한다. 예를 들어 labetalol과 같은 β-길항제, nifedipine 등의 calcium channel blocker를 사용하며 이때 thiazide 계열의 이뇨제를 같이 사용한다. 분만 후 혈압약의 투여에도 잘 반응하지 않는 중증 고혈압의 원인들로는 자간전증으로 인하여 증가되었던 간질액(interstitial fluid)이 혈관 내로 재이동하는 현상에 기인하거나 또는 만성 고혈압이 내재되었을 가능성이 있다. 좌심실비대가 있는 만성고혈압 임산부의 경우에는 심부전에 의한 폐부종의 가능성이 증가한다.

3) 가역적뇌혈관수축증후군(Reversible cerebral vasoconstriction syndrome)

드물지만 가역적 뇌혈관수축증후군은 자간전증 임산부의 출산 후 지속적인 고혈압의 한가지 원인이며, 벼락과 같은 두통과 발작, 중추신경계의 증상을 특징으로 한다. 가역적 뇌혈관 수축 증후군의 뇌 자기공명혈관조영술(magnetic resonance angiography) 소견으로는 뇌동맥의 분절상 수축이 분산되어 있고 종종 허혈성 또는 출혈성 뇌졸중과 동반된다.

8. 향후 임신

1) 향후 임신에의 영향

자간전증/자간증 또는 임신성 고혈압의 병력이 있는 임산부는 다음 임신에서 고혈압과 관련된 합병증을 동반할 가능성이 증가한다. 특히 이번 임신에 자간전증의 발생 시기가 이를수록 다음 임신에서의 재발률이 높아진다. 외국 연구들에 따르면 30주 이전에 진단된 자간전증의 경우 다음 임신에서의 재발률이 약 40%였으며 임신 32~36주 사이에 진단된 자간전증의 경우에는 재발률이 25%였다.

한편, 자간전증의 병태 생리에 중요한 역할을 하는 태반형성장애는 자간전증에 반드시 특이적인 것이 아니라, 자궁내태아발육지연, 태반조기박리 및 조산과도 연관되어 있다. 자간전증의 병력이 있던 임산부는 다음 임신에 조기진통이나 자궁내태아발육지연의 위험도가 증가한다.

2) 장기적 예후

지난 수 십 년간의 역학 연구를 토대로 자간전증의 병력을 가진 여성은 향후 만성 고혈압뿐만 아니라, 허혈성 심질환, 뇌졸중, 혈전색전증 등 심혈관질환에 대한 발병률이 높아진다는 사실이 밝혀졌다. 2009년도에 발표된 78만명의 대상으로 한 덴마크의 연구에서 따르면 임신성 고혈압이 있었던 경우 장기 추적 시 만성고혈압으로의 위험도가 5.2배 증가하였고 심한 자간전증이 있

13-1

었던 경우에는 6.4배 증가하였다. 최근에 발표된 연구들에 의하면 임신 중 고혈압성 질환이 있었던 경우 출산 후 장기적으로 심혈관계 질환뿐만 아니라 당뇨, 비만, 고지혈증 및 대사 증후군의 위험도도 의미 있게 증가하는 것으로 알려졌다. 이러한 현상은 자간전증과 심혈관계 질환, 대사증후군이 결국 혈관내피세포부전, 비만,

고지혈증과 같은 공통된 위험 인자를 가지고 있기 때문으로 설명되며, 결론적으로 성인 질환의 예방 관점에서 자간전증/자간증의 병력이 있는 여성의 추적 관찰과 심혈관계 질환 및 대사 증후군에 대한 상담의 중요성이 강조되고 있다.

참고문헌

American College of Obstetricians and Gynecologists: Diagnosis and management of preeclampsia and eclampsia. Practice Bulletin No. 33, January 2002, Reaffirmed 2012.

American College of Obstetricians and Gynecologists Task Force on Hypertension in Pregnancy. Hypertension in pregnancy. Report of the American College of Obstetricians and Gynecologists' Task Force on Hypertension in Pregnancy. Obstet Gynecol 2013; 122: 1122-31.

Buchbinder A, Sibai BM, Caritis S, Macpherson C, Hauth J, Lindheimer MD, et al. Adverse perinatal outcomes are significantly higher in severe gestational hypertension than in mild preeclampsia. Am J Obstet Gynecol 2002; 186: 66-71.

Buurma AJ, Turner RJ, Driessen JH, Mooyaart AL, Schoones JW, Bruijn JA, et al. Genetic variants in pre-eclampsia: a meta-analysis. Hum Reprod Update 2013; 19: 289-303.

Erlebacher A. Immunology of the maternal-fetal interface. Annu Rev Immunol 2013; 31: 387-411.

Frusca T, Morassi L, Pecorelli S, Grigolato P, Gastaldi A. Histological features of uteroplacental vessels in normal and hypertensive patients in relation to birthweight. Br J Obstet Gynaecol 1989; 96: 835-9.

Fukui A, Yokota M, Funamizu A, Nakamua R, Fukuhara R, Yamada K, et al. Changes of NK cells in preeclampsia. Am J Reprod Immunol 2012; 67: 278-86.

Gastrich MD, Gandhi SK, Pantazopoulos J, Zang EA, Cosgrove NM, Cabrera J, et al. Cardiovascular outcomes after preeclampsia or eclampsia complicated by myocardial infarction or stroke. Obstet Gynecol 2012; 120: 823-31.

Kim YM, Bujold E, Chaiworapongsa T, Gomez R, Yoon BH, Thaler HT, et al. Failure of physiologic transformation of the spiral arteries in patients with preterm labor and intact membranes. Am J Obstet Gynecol 2003; 189: 1063-9.

Levine RJ, Thadhani R, Qian C, Lam C, Lim KH, Yu KF, et al. Urinary placental growth factor and risk of preeclampsia. JAMA 2005;293:77-85.

Mattar F, Sibai BM. Eclampsia. VIII. Risk factors for maternal morbidity. Am J Obstet Gynecol 2000; 182: 307-12.

Maynard SE, Min JY, Merchan J, Lim KH, Li J, Mondal S, et al. Excess placental soluble fms-like tyrosine kinase 1 (sFlt1) may contribute to endothelial dysfunction, hypertension, and proteinuria in preeclampsia. J Clin Invest 2003; 111: 649-58.

Moore AG, Young H, Keller JM, Ojo LR, Yan J, Simas TA, et al. Angiogenic biomarkers for prediction of maternal and neonatal complications in suspected preeclampsia. J Matern Fetal Neonatal Med 2012; 25: 2651-7.

Orhan H, Onderoglu L, Yucel A, Sahin G. Circulating biomarkers of oxidative stress in complicated pregnancies. Arch Gynecol Obstet 2003; 267: 189-95.

Redman CW, Tannetta DS, Dragovic RA, Gardiner C, Southcombe JH, Collett GP, et al. Does size matter? Placental debris and the pathophysiology of pre-eclampsia. Placenta 2012; 33: 48-54.

Sibai BM. Diagnosis, controversies, and management of the syndrome of hemolysis, elevated liver enzymes, and low platelet count. Obstet Gynecol 2004; 103: 981-91.

Spaan JJ, Sep SJ, van Balen VL, Spaanderman ME, Peeters LL. Metabolic syndrome as a risk factor for hypertension after preeclampsia. Obstet Gynecol 2012; 120: 311-7.

Tidwell SC, Ho HN, Chiu WH, Torry RJ, Torry DS. Low maternal serum levels of placenta growth factor as an antecedent of clinical preeclampsia. Am J Obstet Gynecol 2001; 184: 1267-72.

Vigil-De Gracia P, Reyes Tejada O, Calle Miñaca A, Tellez G, Chon VY, Herrarte E, et al. Expectant management of severe preeclampsia remote from term: the MEXPRE Latin Study, a randomized, multicenter clinical trial. Am J Obstet Gynecol 2013; 209: 425 e1-8.

Zusterzeel PL, Rutten H, Roelofs HM, Peters WH, Steegers EA. Protein carbonyls in decidua and placenta of pre-eclamptic women as markers for oxidative stress. Placenta 2001; 22: 213-9.

13-1

자간전증 및 자간증

13-2 마취관리

자간전증 환자는 개개인마다 이환된 정도가 다르고 분만 전 심각하지 않은 상태라 하더라도 언제든지 심각한 상태로 급속히 발전할 가능성이 있기 때문에 산과의사와 협조하여 환자 상태를 정확히 파악하고 마취계획을 세워야 한다. 자간전증 환자에서 일차적으로 고려해야 할 사항은 임산부의 기도상태, 혈역학적 상태, 혈액 응고상태, 그리고 태아의 상황이다. 또한 기본 마취 전 검사를 포함하여 수액주입 상태와 현재의 투약 상태도 평가하여야 한다. 심한 자간전증 환자에서는 병이 빠르게 진행하기 때문에 시간마다 기본검사를 해 봐야 하며, 제왕절개술을 위한 마취 시에는 6시간 이내의 검사치를 확인해야 한다. 헤마토크릿은 혈관내 용적감소를 파악하는데 도움이 될 수 있는데, 비록 정상 임산부에서는 생리적으로 빈혈이 있어 헤마토크릿이 36%를 넘는 경우가 드물지만, 혈관수축과 혈관 내 용적 감소가 심한 자간전증 환자에서는 그 이상으로 상승될 수도 있다. 자간전증은 혈액량 상태와 질환의 정도, 그리고 사용하고 있는 약제에 따라 혈압 조절이 힘들 수 있기 때문에 심각한 상황이라면 침습적 모니터링을 고려해야 한다. 동맥관의 삽입은 임산부의 혈압이 잘 조절되지 않거나 폐부종 등으로 동맥혈 검사를 자주 해야 하는 경우, 속효성 혈관이완제를 주입하는 경우 등에서 적응이 되나, 중심정맥압이나 폐모세혈관쐐기압을 위한 도관을 거치하는 경우는 많지 않다. 그 이유는 자간전증은 중심 순환 문제라기보다는 말초 순환의 문제이고, 시술에 걸리는 시간과 침습성에 비해 얻을 수 있는 정보는 그다지 많지 않기 때문이다. 자간전증 자체가 적응증이라기 보다는 자간전증으로 인해 심한 패혈증, 다장기부전, 폐부종, 심장 문제 등이 발생했을 때 선택적으로 사용하는 것이 좋겠다.

1. 분만진통(labor analgesia)

자간전증 환자에서 분만을 위한 경막외 진통방법은 여러 장점이 있다. 첫째, 분만통증을 줄여서 환자를 편안하게 해주고 둘째, 경막외 도관을 거치해 놓은 상태이므로 겸자분만이나 제왕절개술을 필요로 할 때 응급마취를 제공함으로써 전신마취의 위험을 피하게 해주며 셋째, 임산부의 혈압상승을 둔화시키고 심박출량의 불안정한 변동을 줄여주며 순환하는 catecholamine을 감소시켜 자궁태반혈류를 향상시킨다. 한 예로 Kanayama 등은 심한 자간전증 환자 20명 중 10명에서 경막외 카테터를 거치하여 0.25% bupivacaine을 2 ml/hr의 속도로 분만 시까지 평균 15~26일을 투여하였을 때 평균동맥압, 혈소판 수치, 제대동맥 저항성, 분만시 제태연령, 출산시 신생아 몸무게 모두에서 대조군보다 좋은 결과를 보였다고 보고하였다. 그러나 모든 환자에서 경막외 진통방법이 가능한 것은 아니며 몇 가지 고려해야 할 사항이 있다.

1) 응고장애(Coagulation disorder)

자간전증 환자에서 부위마취를 고려할 때에는 혈액응고 장애의 가능성을 항상 염두에 두어야 한다. 정상 임신기간 동안에도 생리적 혈소판 감소가 일어나지만 자간전증 환자에서는 심각한 혈소판 수치의 감소가 나타날 수 있어 부위마취 후에 경막외 혈종 발생의 위험이 있다. 부위마취의 금기가 되는 절대적인 혈소판 수치에 대해서는 아직 논쟁의 여지가 있는데, 예전에는 혈소판 수치가 $100,000/mm^3$ 이하로 감소하면 부위마취를 시행하지 않는 것이 보편적인 경향이었으나, 요즘은 $75,000\sim80,000/mm^3$까지도 안전하게 생각하는 추세이다. 또한 혈소판 수치가 $50,000/mm^3$ 이하로 감소하면 부위마취가 금기시되고, $50,000\sim75,000/mm^3$ 사이의 수치라면 위험도와 이득을 고려하여 결정하도록 하되, 단순 수치보다는 전반적인 감소추세와 동반질환의 진행 정도를 파악한 후에 결정하는 것이 좋겠다. 대개 기대요법 중인 임산부는 $24\sim48$시간 마다, 분만을 진행하기로 결정된 환자는 6시간 마다 혈소판 수치를 확인하는 것이 추천되며, 혈소판 수치가 감소되고 있다면 $100,000/mm^3$ 이하가 되기 전에 경막외 도관을 미리 거치하여 낮은 혈소판 수치로 인한 경막외마취 시행에 대한 고민을 피하는 것이 좋겠다. 혈소판 수치가 $100,000/mm^3$ 이상이라면 보통 다른 응고검사에서도 정상을 나타내므로 다른 검사가 추가로 필요하지 않지만, 그 이하라면 추가적인 검사를 하는 것을 추천한다. 경막외 도관을 제거하는 시점 또한 정해진 바는 없지만, 시술 시 혈액이 관찰되지 않고 한 번 만에 시술했다면 파종혈관내응고(disseminated intravascular coagulation, DIC)나 심한 출혈이 없는 한, 분만 즉시 제거하는 것이 카테터의 이동에 의한 경막외 출혈을 감소시킬 수 있다는 보고도 있다. 그러나 심한 응고장애나 DIC가 있을 때, 시술이 깔끔하지 않았거나 경막외 도관 주변으로 혈액이 관찰된다면 혈소판 수치가 적어도 $75,000\sim80,000/mm^3$ 이상으로 증가될 때까지 기다렸다가 제거하는 것을 추천한다. 대개 혈소판 수치는 분만 후 $3\sim4$일 정도면 경막외 도관을 제거할 수 있을 정도가 되지만 어떤 경우는 분만 후 $5\sim6$일 까지도 경막외 도관

을 거치시켜 놓게 될 수도 있어 감염의 위험, 인지되지 않는 도관의 이동이나 혈관손상 등이 발생할 수도 있다.

절대적인 혈소판 수치 감소에 비해 혈소판 수혈은 잘 시행하지 않는데, 그 이유는 응고 과정은 혈소판뿐만 아니라 응고인자와 혈관벽의 손상이 모두 유기적으로 일어나기 때문에 단순히 혈소판 수치가 감소한다고 반드시 심각한 출혈이 발생하지는 않기 때문이다. 따라서 다른 응고 검사 결과가 괜찮고 단순 혈소판 수치만 감소한 경우에는 혈소판 수혈이 필요하지 않은 경우가 많다. 극단적인 예로 Vigil-De Gracia 등은 심한 HELLP 증후군 환자에서 prothrombin time과 activated partial thromboplastin time가 정상이고 혈소판 수치가 $50,000/mm^3$ 이하인 13명의 환자 중 1명은 전신마취를 하였고 나머지 12명은 경막외마취를 시행하였다. 이 중 7명에서 경막외마취 직전 혈소판 수혈을 해도 3명에서는 계속 감소하였고 4명에서는 조금 증가하거나 변화가 없었다고 보고하였고, 이들 모두에서 출혈이나 경막외 혈종은 한 건도 발생하지 않았다고 하였다. 그러나 대개 분만 중 심각한 출혈이 있거나 혈소판이 $20,000/mm^3$ 이하일 때는 혈소판 수혈의 적응이 되고 제왕절개술로 분만을 하는 경우에는 $50,000/mm^3$ 정도라도 혈소판을 투여하기도 한다. Steroid를 사용하면 일시적으로 혈소판 수치를 증가시킬 수 있으나 48시간 후에 다시 감소할 수 있으므로 그 전에 분만이 이루어지도록 한다. 혈소판의 수치 외에 혈소판 기능을 보는 검사소견 중 출혈시간(bleeding time, BT)은 임상적으로 맞지 않아 더 이상 가이드로 사용하지 않고, thromboelastography (TEG)이나 platelet function analyser-100 (PFA-100)으로 유용한 정보를 얻을 수 있으나 아직까지 혈소판이 현저하게 감소한 환자에서의 데이터가 충분하지 않아 연구가 더욱 필요할 것으로 생각된다.

경막외 혈종은 자간전증에서 매우 드물게 발생하나 (1/251,463명), 응고장애가 있는 환자에서 시행한 경우에 발생 위험성이 있다면 허리나 다리 통증이 발생하여

13-2

심해지는지 혹은 다리 감각이 변화되는지를 물어보면서 매시간 신경학적 검사를 하여 6~12시간 동안 잘 관찰하도록 한다. 만약 경막외 혈종 발생의 증상이 나타난다면 즉시 응급 자기공명영상(magnetic resonance imaging, MRI)으로 확인하여야 하고 발생 6시간 이내에 외과적 감압술을 시행해야 완전한 회복을 기대할 수 있다.

2) 수액투여(Fluid management)

전통적으로는 저혈압 발생의 감소를 위해 분만을 위한 경막외마취 전에 반드시 수액을 전투여하여야 한다고 알려져 왔다. 그러나 요즘은 예전처럼 고농도의 국소마취제를 사용하지 않고 0.0625~0.125% bupivacaine이나 0.1~0.2% ropivacaine을 1~2 μg/ml fentanyl 등의 마약과 같이 사용하므로 사실상 저혈압의 빈도가 높지 않다. 또한 정질액의 전투여는 중심정맥압을 높이긴 하나 유지하는데 2분을 넘기지 못하고, 많은 양이 빠르게 재분포되므로 효과적이지 않다는 연구가 많아 임상적으로 중요성이 떨어지고 있다. 그러나 저혈압의 위험은 항상 존재하므로 임산부의 체위를 측와위(lateral decubitus position)나 자궁이 치우치도록 유지하고 필요시 수액을 투여하되, 폐부종의 증상이 있는 자간전증 환자에서는 더욱 주의해서 시행하도록 한다.

3) Epinephrine

정상 임산부에서 경막외마취 시 지주막하나 혈관 내로 도관이 거치되지 않도록 확인하기 위한 시험용량에 epinephrine을 첨가하는 것은 논란 중이며 특히 자간전증 임산부에서 더욱 그러하다. 자간전증 임산부에서 epinephrine을 사용하는 것에 대한 우선적인 관심사는 혈관 내로 도관이 거치되었을 때에 epinephrine에 대한 반응으로 갑작스럽고 심한 전신 고혈압이 올 수 있다는 점이다. 자간전증에서는 자궁과 태반의 혈관들이 catecholamine에 과도한 반응을 하기 때문에 혈관 내 epinephrine은 자궁혈류량을 격감시켜 태아절박가사를 초래할 수도 있기 때문이다. 그러나 임상적으로 아직까지 경막외로 epinephrine을 주입하였을 때 고혈압 위기를 일으켰다거나 자궁혈류량을 감소시켰다는 보고는 없고, 신생아 Apgar 점수나 제대동맥혈 소견이 나빠졌다는 보고도 없다. 그래서 epinephrine을 시험용량이나 마취 시 섞어서 사용해도 괜찮다고 하는 의견도 있지만, 불필요한 운동신경을 차단시키기도 하고 β-차단제를 복용중인 임산부에서는 심박수의 뚜렷한 증가를 나타내지 않으므로 이득을 고려하여 사용하는 것이 좋겠다.

2. 제왕절개술을 위한 마취(Anesthesia for cesarean section)

1) 제왕절개술을 위한 부위마취(Regional anesthesia for cesarean section)

(1) 부위마취의 선택

자간전증 환자의 사인 중 가장 큰 원인는 전신마취하 기관내 삽관 및 발관 과정에서 나타나는 뇌출혈과 기도 관리 실패이므로 자간전증에서 가능하다면 부위마취를 하는 것이 요즘 경향이다. 또한 부위마취는 자궁 태반 혈류를 증가시키고 혈전색전증(thromboembolism)의 위험을 줄여주며 분만 후 경막외 도관을 이용하여 통증치료를 할 경우 전신적으로 사용하는 마약제제보다 효과가 우수하고 일상으로 빠르게 복귀하게 해준다. 부위마취로는 척추마취, 경막외마취, 이 두 가지의 혼합형인 척추경막외병용마취(combined spinal-epidural anesthesia, CSE)를 사용할 수 있는데, 척추마취는 시술이 간편하고 작용이 확실하다는 장점이 있으나 혈압감소가 빠른 시간 내에 일어나므로 임산부와 태아가 저혈압에 노출될 위험성이 크다는 단점이 있다. 경막외마취는 혈역학적 변화가 서서히 일어나고 마취 높이가 충분하지 않은 경우 추가로 투약이 가능하며 수술 후에도 경막외 도관으로 우수한 통증조절을 할 수 있다는 장점이 있으나 작용발현 시간이 길다는 단점이 있다. 척추경막외 병용마취는 이 두 가지의 장점을 모두 가지고 있지만 시술하기가 번거롭고 시간이 많이 걸리며, 비용면에서 이득이 없어 전신적인 문제가 있는 환자가 아니면 잘 사용하지 않는다.

예전에는 심한 자간전증에서는 순환혈액량이 감소되어 있으므로 척추마취 후 심한 저혈압이 유발된다는 생각으로 척추마취보다는 경막외마취를 추천했다. 그러나 사실 척추마취가 경막외마취보다 저혈압의 빈도가 높기는 하나, 적은 양의 승압제로 쉽게 치료가 되고 오래 지속되지 않아서 결과적으로 태아 결과에 차이가 없기 때문에 요즘은 심한 자간전증이라도 경우에 따라 척추마취를 추천하기도 한다. 자간전증 임산부는 내피세포의 기능장애(endothelial dysfunction)에 의한 cytokine의 불균형으로 전신적으로 혈관이 수축된 상태이므로 정상 임산부에 비해 부위마취 후 저혈압의 정도가 크지 않고 승압제의 민감도도 높다. Aya 등은 자간전증 임산부에서 척추마취를 했을 때 저혈압의 빈도는 정상 만삭 임산부의 1/8 정도로 보고했는데, 자간전증 임산부의 태아는 보통 자궁내 성장지연이 있고 이른 주수에 분만을 하게 되므로 대동정맥압박(aortocaval compression)이 적은 것이 하나의 이유라고 하였다. 이런 자궁의 부피 차이를 보정하기 위해 비슷한 태아크기의 조산 임산부와 다시 비교했는데, 이 때에도 자간전증 임산부의 저혈압의 빈도는 자간전증이 없는 조산 임산부보다 적었고, 약 1/2 정도라고 보고했다.

따라서 출혈경향이 뚜렷하지 않는 한 전신마취보다는 부위마취를 선택하도록 하고, 환자의 상태나 시술자의 선호도에 따라 부위마취의 방법을 정하도록 한다. 어떤 부위마취 방법을 사용하더라도 자간전증은 이미 태반 혈류가 감소되어 있는 상황이므로 혈압강하로 인해 태반 혈류가 더 감소하는 것을 최소화해야 한다. 이런 관점에서는 혈압 변화가 서서히 일어나는 경막외마취가 척추마취보다 선호될 수 있으며, 그런 경우에는 부드러운 카테터를 사용하여 혈관손상을 최소화하도록 한다. 만약 출혈경향이 있으나 전신마취를 할 수 없는 상황이라면 가장 숙련된 의사가 시술하도록 하되, 이런 관점에서는 경막외마취보다 바늘 구경이 작고 시술이 간단한 척추마취를 하는 것이 더 안전할 수 있다.

(2) 수액요법

자간전증에서는 유효 순환 혈장량이 줄어든 상태이므로 부위 마취시 수액 공급이 필수적이나, 모세혈관 투과성과 정수압이 증가되어 있고 삼투압이 감소되어 있으므로 수액 투여에 의한 폐부종의 위험이 높아 수액 공급을 신중히 하여야 한다. 현재까지 자간전증에서의 수액투여의 가이드는 정해진 바 없는데, 이는 아마 환자 개개인마다 굉장히 다른 혈역학적 상태를 보이기 때문이라 생각한다. 현재까지의 연구를 종합해보면 제왕절개술 동안 적게는 250 ml부터 많게는 2 L까지 수액을 투여한 바 있는데, 수액을 많이 투여한다고 해도 저혈압을 완전히 차단할 수 없기 때문에 수액만으로 혈압을 올리려 하지 말고 승압제를 적절히 병용해야 한다. 승압제는 ephedrine이나 phenylephrine 모두 사용할 수 있는데, 자간전증에서는 승압제에 민감도가 높으므로 소량씩 사용해볼 것을 추천한다(ephedrine 2.5 mg, phenylephrine 25~50 μg). 이 중 phenylephrine은 자궁혈관을 수축시켜 자궁혈류를 감소시킬 수 있다는 우려가 있으나, 정상임신과 마찬가지로 자궁혈관보다는 내장혈관에 크게 작용하고 사용량이 많지 않으므로 태아 결과에 큰 영향은 없어 보인다.

수술 중 소변량 감소가 관찰된다 하더라도 항상 순환 혈장량 감소를 반영하는 것은 아니므로 핍뇨가 있다고 수액을 과다 투여하는 것을 삼가야 한다. 무분별한 이뇨

13-2

제의 사용 또한 혈장량이 부족한 상태에서는 해가 되므로 핍뇨가 있는 경우에는 250 ml 정도의 정질액을 투여해보고 반응이 있으면 수액 투여를 지속하도록 한다. 반응이 없는 경우에는 중심 정맥압을 참고하는 것이 도움이 될 수 있으며, 4~5 mmHg 미만으로 유지하는 것이 추천된다. 수액투여의 시점은 국소마취제가 주입되어 혈관이완이 시작되는 시점에 수액 투여를 시작하는 동시투여(coloading)의 방법이 교감 신경 차단 전에 수액 투여가 마무리되는 전투여(preloading)보다 이롭다. 그 이유는 전투여의 경우 체내에서는 과혈량으로 인식하므로 atrial natriuretic peptide (ANP)의 유리를 촉진하게 되어 수액이 배설이 되거나 간질 내로 이동하게 되는 반면, 동시투여를 하는 경우에는 혈관이 이완되는 동시에 필요한 양을 채워주므로 거의 대부분 유효 순환 혈장량이 되어버리기 때문이다. 대개 자간전증에서 수액투여의 양은 10 ml/kg 미만으로 사용하는 것이 추천되긴 하지만, 전술하였듯이 자간전증은 환자의 상태에 따라서 병태생리가 매우 다르므로 환자 상태에 따라 적절히 가감하여야 한다. 교질액의 사용은 심한 출혈이 없는 한 정질액의 사용보다 큰 장점이 없어 보인다.

2) 제왕절개술을 위한 전신마취(General anesthesia for cesarean section)

제왕절개술에서 전신마취의 가장 큰 장점은 신속한 마취 유도가 이루어진다는 점이다. 그러나 한 연구에서 자간전증 환자에서 기관내삽관, 기관흡인 그리고 발관 시에 일시적으로 폐모세혈관쐐기압이 25~30 mmHg, 평균 동맥압이 155 mmHg가 넘는 극단적인 혈역학적 반응이 보고된 바 있다. 이러한 심각한 혈역학적 변화는 뇌혈관장애, 폐부종, 심부전 등을 일으킬 수 있고 혈청 catecholamine, adrenocorticotropic hormone, β-endorphin 등의 스트레스호르몬을 유의하게 증가시켜 태반 혈류를 감소시키기도 한다. 또한 전신마취는 기

관내삽관 실패에 의한 환기 저하와 저산소증의 위험 그리고 폐흡인의 위험이 높은데, 특히 응급으로 시행되는 전신마취는 부위마취와 비교하여 임산부의 사망위험을 더욱 증가시킨다. 그러나 임산부가 심한 출혈이 있거나 심한 태반 조기박리나 제대 탈출 등으로 태아가사가 지속되어 신속한 분만이 필요한 경우, 이미 폐부종이 발생한 경우, 응고검사 결과가 부위마취에 적절하지 않은 경우에는 전신마취를 피할 수 없다. 태아에서 늦은 심장박동수 감소(late deceleration)가 있거나 출혈중인 전치태반이라도 정도가 심하지 않은 경우에는 부위마취가 조심스럽게 적용될 수 있으나, 심한 경우에는 전신마취를 시행하도록 하되 전신마취 시에는 다음 세 가지 문제점을 염두에 두어야 한다. 첫째, 후두경과 기관내 삽관에 대한 혈압반응을 둔화시켜야 하고 둘째, 기도관리의 위험성을 인식하고 셋째, Magnesium sulfate를 투여 받았다면 근이완과 자궁이완 효과를 고려해야 한다.

(1) 혈압 반응 둔화

이완기 혈압이 105 mmHg 이상인 심한 자간전증 환자에서는 마취 유도전 추가적인 혈압조절이 필요하다. 기관내 삽관시 20~30%의 혈압상승이 예상되므로 시간이 허락된다면 hydralazine이나 labetalol을 먼저 투여할 수 있다. 산과적으로 가장 널리 쓰이는 hydralazine은 동맥혈관에 직접적으로 작용하여 혈관확장을 일으키는 제제로 반사성 빈맥을 유도하여 전체적으로는 심박출량을 증가시키는 반면, labetalol은 α1, non selective β 차단제로써 정주시 α:β를 1:7의 비율로 차단시켜 hydralazine보다 작용시간이 빠를 뿐 아니라 혈관확장제에 동반되는 보상성 빈맥의 발생을 둔하게 하여 혈압조절을 더 쉽게 할 수 있으므로 마취 유도 시 가장 흔하게 사용된다. 칼슘 차단제인 nicardipine 또한 labetalol과 비슷한 효과와 작용시간을 보이고, nifedipine과 달리 Magnesium sulfate와 큰 상승작용이 있었다는 보고가 없어 널리 사용된다. 이런 항고혈압제가 충분히 삽

관전 혈압을 낮춰 준다면 기관내 삽관 시 일시적으로 혈압이 상승된다 할지라도 위험성은 많이 감소한다. 대략 마취 전 혈압을 140/90 mmHg 정도로 낮추고 기관내 삽관 시 혈압을 140~160/90~100 mmHg 정도로 목표를 삼는데, 그래도 혈압이 조절되지 않을 때는 nitroglycerin (NTG)과 sodium nitroprusside (SNP) 등의 혈관확장제를 추가로 사용할 수 있다. NTG는 작용시간도 빠르고 대사도 빨라서 임산부나 태아에 큰 영향을 주지 않지만 수액투여로 혈관내 용적이 증가된 환자에서는 항고혈압 효과가 나타나지 않을 수 있다. 이런 경우에는 SNP로 바꾸어 사용하되, 지속적으로 동맥압을 측정해야 한다. 심한 자간전증 환자에서는 이러한 약제들을 사용하여 기저 혈압을 20~30% 감소시킨 후 마취를 유도하며, 마취 유도 후 수술 중에는 더 이상의 혈관확장제가 필요치 않을 수도 있지만 수술이 끝나고 마취를 깨울 때 구강내 흡인과 기관내튜브의 발관으로 혈압이 매우 상승될 수 있으므로 일시적으로 혈관확장제를 다시 사용하게 될 수 있다는 것에 유의하여야 한다. 기타 방법으로는 remifentanil을 전신마취 유도 직전에 정주하는 방법이 있다. 대개 일회정주로 0.5~2.5 μg/kg를 주고 유지용량으로 0.05~1.5 μg/kg/min으로 지속주입하는데, 혈압반응은 둔화되는 반면 단회성으로 1.0 μg/kg 정주했거나 0.5 μg/kg 정주 후 0.2 μg/kg/min으로 저용량으로 지속주입한 경우에도 낮은 Apgar 점수, 신생아에 양압 호흡이 필요한 경우, naloxone이 투여된 경우도 보고되고 있어 신중하게 투여할 것을 추천한다.

(2) 기도관리

전신마취 시작 전에 일단 기도평가를 완전히 해야 한다. 얼굴 부종의 정도와 상관없이 천명, 발성장애, 쉰 목소리, 연하곤란, 호흡곤란이 있다면 기관내 삽관의 어려움이 예상되므로 각성하 삽관을 고려해 보는 것이 좋다. 기도평가에서 괜찮다고 생각되는 경우에도 성문부종이

있는 경우가 많기 때문에 예상했던 것 보다 더 작은 기관내튜브도 준비하고 있어야 하고, 후두경이나 후두마스크도 크기별로 준비하는 것이 좋다. 특히 얼굴과 점막에서 더 잘 보이는 전신 부종은 심한 자간전증 환자의 특징적 소견으로, 성문부종은 얼굴부종의 정도로 예견할 수 있는 것보다 더욱 심할 수 있어 기도 입구가 잘 안 보일 수도 있다. 후두경 사용 시 점막출혈이 일어날 수도 있고 기관내 삽관이 어려워 여러 번 시도할 경우 출혈이나 부종으로 인해 마스크 환기가 힘들어지는 경우도 있다. 이런 경우에는 여러 번 시도하는 것보다 후두마스크를 사용하는 것이 도움이 되는 경우도 있으나, 수술 과정에서 임산부의 복부를 심하게 압박하는 경우 기도흡인이 발생하거나 마스크의 위치가 바뀌어 호흡유지가 어려워질 수 있다. 심한 자간전증 환자에서는 호흡곤란 혹은 협착음(stridor)이 나타날 수도 있고, 전신마취 유도시 저산소증이 더 잘 발생하며 폐부종이 있으면 무호흡을 견디기가 어려울 것이다. 정상임신은 산소혈색소 해리곡선에서 우방이동을 보이는데, 자간전증 환자에서는 조직과 태아에 산소 방출을 방해하는 좌방이동 경향을 보이기 때문에 저산소증이 더 나쁜 결과를 가져올 수 있다. 따라서 전신마취는 부위마취의 금기인 상태에 한해서 시행하도록 하되, 일단 결정이 되면 기도평가를 철저히 한 후 기도삽관에 적합한 체위를 만들고, 100% 산소 전투여에 힘써야 한다. 여러 가지 크기의 기관내튜브, 후두마스크, 후두경을 준비하고 필요에 따라 각성하 삽관을 고려할 수도 있다.

(3) Magnesium sulfate

심각한 자간전증 환자는 자간증 예방을 위해 magnesium sulfate를 투여 받는다. Magnesium sulfate는 신경근 접합부에서 acetylcholine의 유리를 억제하고 민감성을 떨어뜨리며 근섬유막에서 흥분성을 떨어뜨리므로 임상적으로 비탈분극성 근이완제의 작용을 연장시킨다. 그러므로 비탈분극성 근이완제를 사용할

때에는 소량씩 사용하고 말초신경자극기로 근긴장 정도를 감시해야 한다. Magnesium sulfate는 수술 중에도 발작 예방을 위하여 계속 사용할 것이 추천되는데 이런 환자에서는 회복실에서 근이완재현(recurarization)이 발생될 가능성을 인식하여야 한다. Magnesium sulfate는 자궁수축억제제로도 사용되기 때문에 자궁의 수축을 방해하여 혈액소실이 증가할 수 있고 칼슘차단제와 같이 사용한 경우에 혈압이 떨어질 수 있다는 보고도 있어 세심하게 사용해야 한다.

3. HELLP 증후군

HELLP 증후군은 심한 자간전증의 가장 심각한 합병증 중 하나로 용혈(Hemolysis), 간수치 증가(Elevated Liver enzyme), 혈소판 감소(Low Platelet)의 증상을 보인다. 자간전증 임산부에서 이런 세 가지 소견을 모두 보이는 경우 HELLP 증후군으로 진단하지만 그 빈도는 10% 정도이고, 한 두 가지만 있는 경우에도 임상 상황에 따라 진단을 내리기도 한다. 20%의 임산부에서는 고혈압이 나타나지 않는 경우도 있어 정상 혈압을 가진 임산부라도 HELLP 증후군의 다른 증상이 보인다면 의심해보아야 한다.

HELLP 증후군의 전반적인 치료는 심한 자간전증의

표 13-2-1 **Diagnostic criteria for Hemolysis, Elevated Liver enzymes, and Low Platelets(HELLP) Syndrome**

Criteria	Laboratory tests
Hemolysis	Abnormal peripheral blood smear Total bilirubin > 1.2 mg/dL
Elevated liver enzyme levels	Serum AST ≥ 70 IU/L LDH > 600 IU/L or 2 x upper normal limit
Thrombocytopenia	Platelet count < 100,000/mm³

LDH; lactic dehydrogenase, AST; aspartate aminotransferase.

치료와 같으나, 수시간 내에 급격히 혈소판이 감소하여 응고상태가 나빠질 수 있다는 데 그 차이가 있다. 또한 태반 조기박리, 폐부종, 파종혈관내응고, 성인 호흡부전 증후군(ARDS), 간 파열, 신부전, 자간증, 뇌출혈, 심하면 모성 사망까지 이를 수 있으므로 34주 이상이라면 신속히 분만을 진행하도록 하고 34주 미만이라면 태아 폐성숙을 위해 steroid를 쓰면서 48시간 이내 분만이 이루어지도록 한다. HELLP 증후군의 가장 심각한 합병증은 간혈종인데, 연관통으로 우상복부 통증이 발생할 수 있으며 간파열이 일어나는 경우 즉시 수술을 하더라도 생존율은 50% 정도밖에 되지 않을 정도로 치명적이다.

4. 자간증

자간증은 기존에 신경학적인 증상이 없는 자간전증 임산부에서 임신 중이나 출산 후에 발생한 경련을 의미하며, 대부분 경련은 분만 중 혹은 분만 후 48시간 이내에 일어나지만 분만 2주 후까지도 보고된 바가 있다. 경련이 발생되었다고 해서 모든 환자에서 응급으로 분만을 시도해야 하는 것은 아니며, 대부분 임산부에서 폐흡인 방지, 기도유지, 경련 재발 방지, 혈압 조절 등으로 치료를 하며 경과를 관찰하고, 위급한 경우에 한해서 분만이 이루어지도록 한다.

자간증 환자의 처치는 심한 자간전증 환자와 비슷하지만 자간증이 있는 임산부에서는 혈소판 수치뿐 아니라 PT/PTT, 섬유소원 검사를 반드시 확인해야 한다. 자간증 임산부는 순환 혈장량이 굉장히 감소되어 있지만 폐부종과 뇌부종의 위험성을 최소화하기 위하여 수액을 75~100 ml/hr 정도로 제한하여야 한다. 이런 환자에게 전신마취를 하는 경우 기도확보의 장점은 있으나 뇌출혈과 폐부종의 위험이 더욱 증가할 수 있다는 단점이 있다. 자간증이 발생한 경우라도 의식이 명료하고 두개강내압이 상승한 임상소견이 없으며 발작이 잘 조절되고 있다면 부위마취를 고려할 수 있으나 시술 도중 경련이 발생할 수 있으므로 주의 깊게 관찰하여야 한다. 이런 경우 부위마취를 시행하면 임산부의 의식 상태를 모니터 할 수 있고 교감신경 활성이나 뇌압의 증가를 둔화시킬 수 있으며 혈압과 자궁혈류를 잘 조절할 수 있다는 장점이 있다. 드물게 경련이 조절되지 않아 응급 제왕절개술이 필요한 경우에는 뇌신경마취에 준하여 마취가 이루어지도록 한다. 대개 마취유도제로 사용되는 propofol이나 pentothal sodium은 뇌대사율과 뇌혈류량을 낮춰 뇌압을 감소시고 경련을 억제한다. 뇌신경마취에서 사용되는 과환기법도 뇌압을 낮추는데 도움이 되기는 하나, 자궁혈류량도 같이 감소할 수 있기 때문에 주의를 요한다. 또한 뇌압이 증가된 상태에서 평균동맥압이 너무 감소하면 뇌관류압도 같이 감소하므로 혈압을 일정 수준 이상으로 유지하는 것이 중요하다.

5. 결론

자간전증과 자간증은 전세계적으로 임산부와 태아 사망률을 높이는 대표적인 질환으로, 원인은 아직까지 정확히 밝혀지지 않았지만 분만 전후 경련 관리와 혈압 관리를 하는 것이 치료의 핵심이다. 심한 자간전증 환자의 혈역학 변수는 병의 진행 정도에 따라 매우 다양하게 나타나고 환자마다 가지고 있는 동반질환의 정도가 다르므로 각각의 환자를 신중히 평가하고 산과의사와 협조하여 마취계획을 세워야 한다. 가능하다면 전신마취보다 부위마취를 선택하되, 응고 상태, 수액 투여, 저혈압 예방에 주의해야 하고, 임산부나 태아의 상황이 좋지 않다면 전신마취를 선택하되, 교감신경 자극 억제, 뇌압상승 억제, 기도 확보에 노력을 기울여야 한다. 자간전증과 자간증의 궁극적인 치료는 분만이지만, 분만이 되었다고 해서 위험인자가 갑자기 사라지는 것은 아니다. 대개는 분만 5일경 소변량이 급증하면서 자간증에서 회복되지만, 분만 후에도 계속되는 고혈압, 폐부종, 기도부종, 발작, HELLP 증후군, 뇌졸중 등의 위험이 있을 수 있으므로 주의를 요한다.

참고문헌

Ankichetty SP, Chin KJ, Chan VW, Sahajanandan R, Tan H, Grewal A, Perlas A. Regional anesthesia in patients with pregnancy induced hypertension. J Anaesthesiol Clin Pharmacol 2013; 29: 435-44.

Aya AG, Mangin R, Vialles N, Ferrer JM, Robert C, Ripart J, et al. Patients with severe preeclampsia experience less hypotension during spinal anesthesia for elective cesarean delivery than healthy parturients: a prospective cohort comparison. Anesth Analg 2003; 97: 867-72.

Aya AG, Vialles N, Tanoubi I, Mangin R, Ferrer JM, Robert C, et al. Spinal anesthesia-induced hypotension: a risk comparison between patients with severe preeclampsia and healthy women undergoing preterm cesarean delivery. Anesth Analg 2005; 101: 869-75.

Chaudhary S, Salhotra R. Subarachnoid block for caesarean section in severe preeclampsia. J Anaesthesiol Clin Pharmacol 2011; 27: 169-73.

Clark VA, Sharwood-Smith GH, Stewart AV. Ephedrine requirements are reduced during spinal anaesthesia for caesarean section in preeclampsia. Int J Obstet Anesth 2005; 14: 9-13.

Crosby ET. Obstetrical anaesthesia for patients with the syndrome of haemolysis, elevated liver enzymes and low platelets. Can J Anaesth 1991; 38: 227-33.

D'Angelo R, Smiley RM, Riley ET, Segal S. Serious complications related to obstetric anesthesia: the serious complication repository project of the Society for Obstetric Anesthesia and Perinatology. Anesthesiology 2014; 120: 1505-12.

Del-Rio-Vellosillo M, Garcia-Medina JJ. Anesthetic considerations in HELLP syndrome. Acta Anaesthesiol Scand 2016; 60: 144-57.

Dyer RA, Els I, Farbas J, Torr GJ, Schoeman LK, James MF. Prospective, randomized trial comparing general with spinal anesthesia for cesarean delivery in preeclamptic patients with a nonreassuring fetal heart trace. Anesthesiology 2003; 99: 561-9.

Henke VG, Bateman BT, Leffert LR. Focused review: spinal anesthesia in severe preeclampsia. AnesthAnalg 2013; 117: 686-93.

Kanayama N, Belayet HM, Khatun S, Tokunaga N, Sugimura M, Kobayashi T, Terao T. A new treatment of severe pre-eclampsia by long-term epidural anaesthesia. J Hum Hypertens 1999; 13: 167-71.

LeffertLR. What's new in obstetric anesthesia? Focus on preeclampsia. nt J Obstet Anesth 2015; 24: 264-71.

Mandal NG, Surapaneni S. Regional anaesthesia in pre-eclampsia: advantages and disadvantages. Drugs 2004; 64: 223-36.

Moodley J, Jjuuko G, Rout C. Epidural compared with general anaesthesia for caesarean delivery in conscious women with eclampsia. BJOG 2001; 108: 378-82.

Tompkins MJ, Thiagarajah S. HELLP (hemolysis, elevated liver enzymes, and low platelet count) syndrome: the benefit of corticosteroids. Am J Obstet Gynecol 1999; 181: 304-9.

Vigil-De Gracia P, Silva S, Montufar C, Carrol I, De Los Rios S. Anesthesia in pregnant women with HELLP syndrome. Int J Gynaecol Obstet 2001; 74: 23-7.

Visalyaputra S, Rodanant O, Somboonviboon W, Tantivitayatan K, Thienthong S, Saengchote W. Spinal versus epidural anesthesia for cesarean delivery in severe preeclampsia: a prospective randomized, multicenter study. Anesth Analg 2005; 101: 862-8.

Chapter 14

산과적 출혈

세계적으로 분만의 약 10%에서 심한 산과적 출혈 합병증을 보이며, 1%에서 임산부가 사망하는 것으로 추정된다. 이는 모성사망률의 25%에 해당되는 가장 큰 원인이다. 산과적 출혈은 심근허혈, 심근경색, 뇌졸증의 위험 요소로 임산부가 중환자실에 입원하게 되는 가장 많은 원인이기도 하다. 최근 산과적 출혈과 이환율이 증가하고 있으며, 이는 주로 자궁근육무력증 빈도의 증가와 기제왕절개술과 연관된 착상 이상으로 생기는 산후출혈 때문이다. 대부분의 출혈과 연관된 합병증을 막기 위해서는 출혈 위험요인의 탐지, 외부출혈량의 정확한 평가, 적절한 시각에 치료를 시작하는 것이 필수적이다.

1. 산전출혈(Antepartum hemorrhage)

산전출혈은 임산부의 25%에서 발생하나 다행히도 소수만이 생명을 위협하는 출혈을 겪게 된다. 산전출혈은 태아에 더 큰 위험요소이다. 과거 산전출혈 시 태아의 주산기사망률이 80%로 매우 높았으나, 최근에는 감소되어 전치태반(placenta previa)과 태반조기박리 (placental abruption)의 임산부에서 태아의 주산기사 망률이 각각 2.3%와 12%로 보고되었다.

1) 전치태반(Placenta Previa)

발생빈도는 임산부 1,000명당 4명이다. 분류는 태반이 자궁경부를 완전히 덮는 완전전치태반, 경부의 일부분만을 덮는 부분전치태반, 경부의 2 cm 내에 근접해 있는 변연전치태반으로 나누어진다(그림 14-1). 발생원인은 확실하지 않으며 다산, 고령 임산부, 흡연, 기제왕절개, 다른 종류의 자궁 수술이나 전치태반의 과거력이 있는 임산부와 연관된다.

표준 진단방법으로는 경질초음파(transvaginal ultrasonography)가 쓰이며, 자궁경부에서 태반 모서리의 거리를 측정함으로써 출혈과 제왕절개 필요성 여부를 예측한다. 경질초음파 사용에 앞서 double set-up을 준비하고 제왕절개술에 대비해야 한다. 전통적인 임상 증상으로는 분만 2~3기에 통증 없는 질출혈이 생긴다.

산과관리는 질출혈의 심각성과 태아의 성숙도에 기초한다. 활동성 분만, 임신 36주 이상, 태아심박동에 이상이 있는 경우는 즉각 분만을 시도한다. 태아의 위험성은 태반이 분리되는 정도와 조기분만의 시기에 좌우된다. 대부분 첫 출혈은 자발적으로 멈추고, 임산부나 태아에 큰 위해가 되지 않는다. 전치태반은 대부분 임신 24~34주 사이에 진단되며, 태아의 폐성숙을 위해 임산부는 병원에 입원하여 corticosteroid (betamethasone)를 투여받는다. 조기 수축으로 인한 출혈을 방지하기 위해 ritodrine 같은 자궁수축억제제를 쓰기도 한다. 전치태반에서 태아성장장애를 보이는 원인으로는 정상착상보다 자궁하부착상으로 혈관분포가 상대적으로 적을 수 있고, 태반이 섬유조직에 붙어 있으며, 분만 1기에 부분적 태반분리로 태반순환의 감소가

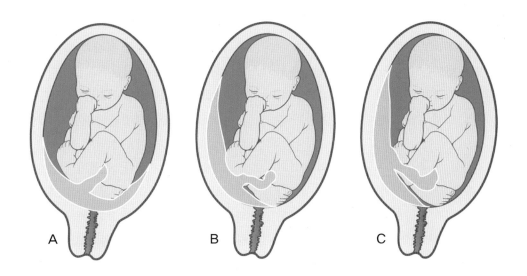

그림 14-1. 전치태반의 종류

(A) 완전전치태반, (B) 부분전치태반, (C) 변연전치태반

생기기 때문이다.

마취의는 기도평가와 혈관내용적 평가, 제왕절개 과거력, 자궁흉터가 남는 수술을 했는지에 특별한 관심을 가져야 한다. 술전 급성출혈이 없는 임산부라 하여도 제왕절개술 시 출혈의 위험성이 있다. 자궁절개 시 앞쪽에 놓여있는 태반을 손상시킬 수 있으며, 자궁기저보다 자궁하부는 근육이 적기 때문에 자궁수축이 잘 되지 않고, 또한 유착태반(placenta accreta)이 동반될 위험성이 있기 때문이다. 제왕절개술 시행 이전에 16 G나 18 G 정맥로 2개를 확보하여 용적소생술에 대비한다. 수혈에 대비해 술전에 미리 혈액을 준비시킨다. 술전 초음파영상에서 유착태반이 의심된다면 엄청난 양의 출혈에 대비해야 한다. 부위마취는 급성 출혈이 없고 혈관내용적이 적절한 임산부에서 선택될 수 있으나, 유착태반의 확률이 낮고 전신마취로의 전환이 쉬운 기도관리 임산부로 한정하는 것이 안전하다. 출혈환자에게는 빠른 기관내삽관의 전신마취가 선호된다. 마취유도제로 propofol은 반드시 적은 용량을 사용해야 하며, 출혈이 심할 경우 피하는 것이 좋다. Ketamine 0.5~1 mg/kg 용량은 임산부의 혈역학적 안정 및 마취유도 효과도 좋으며, 이 용량에서 환각이나 악몽이 생기는 경우는 드물다. Ketamine 도 심한 저혈량증이 있는 환자에서 심근허혈을 일으킬 수 있다. Etomidate 0.3 mg/kg 용량은 심근억제 작용이 적어 임산부에서도 안전하게 쓸 수 있다. Etomidate 의 단점은 정맥로 자극, 간대발작, 부신억제가 생길 수 있다는 점이다. 전치태반 임산부에서 태반이 쉽게 분리되지 않는다면, 유착태반이 공존하는 것으로 대량출혈의 위험성과 자궁적출술을 시행해야만 하는 경우가 있다. 혈역학적으로 불안정하다면 동맥관 거치와 침습적 혈역학 감시장치가 필요할 수 있다.

2) 태반조기박리(Placental abruption)

태반조기박리는 태아분만 전에 태반의 기저탈락막(decidua basalis)이 전부 혹은 일부가 분리되는 것이다. 출혈은 질출혈로 나타나거나, 태반 뒤에 숨어 나타나지 않을 수도 있다. 임산부–태아간 산소와 영양소가 공급되는 태반면적의 감소로 인해 태아가 위험해진다.

태반조기박리의 빈도는 0.4~1.0%이고 발생원인은 확실하지 않으며 고혈압, 급성과 만성 호흡기질환, cocaine 사용, 흡연, 고령, 다태임신, 자간전증 등과 연관된다.

임상증상은 질출혈, 자궁압통, 자궁긴장도의 증가와 태아심박동 이상 등이 있다. 초음파는 특이도는 높으나 민감도가 낮다. 태반위치 확인으로 전치태반을 배제할 수 있으며, 태반후출혈이나 융모막하출혈 여부는 확실하지 않다. 초음파가 정상소견이라도 태반조기박리를 배제하지는 못한다.

태반조기박리의 합병증은 출혈성 쇽, 응고이상, 태아사망 등이 있으며, 임산부 응고병증(coagulopathy)의 1/3을 차지한다. 탈락막–태반사이에 출혈이 생기면 태반의 조직인자와 전응고물질들이 임산부의 중심순환으로 들어가 소모성 응고병증과 파종성혈관내응고(disseminated intravasculat coagulation, DIC)를 일으킨다.

태반조기박리의 가장 큰 문제점은 태아의 저산소증과 미숙이다. 미국에서 태반조기박리의 주산기 사망률은 12%에 달하는데 이는 미숙아의 주산기 사망률의 5배에 해당된다. 태반박리 부분이 적으며 임산부나 태아 모두 위험증상이 없다면, 태아의 폐성숙을 촉진시키기 위해 임산부를 입원시키고 steroid를 투여한다. 만일 임산부가 혈역학적으로 불안정하거나 응고병증이 발생하거나, 태아가 불안정 상태라면 응급제왕절개술을 시행한다. 태아사망인 경우 질식분만이 선호된다.

태반조기박리의 무통분만은 임산부의 응고상태가 정상임을 확인해야 하며, 저혈량증을 교정한 후 시행한다. 출혈로 인한 빈백과 저혈압이 교감신경차단으로 악화될 수 있다. 무통분만 시 임산부의 추가 출혈이나 혈관내용적 변화를 긴밀히 관찰해야한다. 태아가 사망한 경우에는 자가정맥통증조절기를 사용한다. 제왕절개술

을 위한 부위마취 시에도 임산부의 응고상태와 혈관 내 용적상태가 적절한지를 평가한 후 시행한다. 대부분의 응급제왕절개술에서 임산부의 혈역학적 불안전성과 태아긴박으로 전신마취가 선호된다. 저혈량 임산부에서는 propofol이 심한 저혈압을 초래할 수 있어 etomidate나 ketamine이 보다 나은 선택이 될 수 있다. 수술 중 용적소생술이 필수적이다. 출혈이 심할 경우 동맥도관을 거치시켜 빈혈과 응고상태를 수시로 확인하며 실험실 결과에 따라 농축적혈구와 응고인자를 투여한다. 응고인자 중 섬유소원(fibrinogen)의 조기투여가 응고병증 발생을 감소시킬 수 있다.

3) 자궁파열(Uterine rupture)

임신자궁의 파열은 임산부나 태아 모두에게 치명적이다. 제왕절개술(혹은 자궁근종절제술) 후 질식분만 시 자궁파열의 위험성이 증가되나, 실제 자궁파열의 빈도는 1% 미만으로 낮다. 자궁흉터는 분만이 진행되기 전에 파열될 수도 있다. 기제왕절개술을 대상으로 한 연구에서 분만진행 없는 자궁파열은 1,000명당 1.6명이고 분만진행중인 임산부는 5.2명, 유도분만은 7.7명, prostaglandin 유도는 위험성이 증가되어 24.5명에 이른다고 보고되었다. 기제왕절개술을 받은 임산부의 질식분만 시 자궁파열의 추가 위험요소로는 재태기간 42주 이상, 태아가 4,000 g 이상, 임산부가 35세 이상 등이다. 자궁흉터결손(uterine scar dehiscence)은 출혈이 경미하고 태아심박동 이상을 보이지 않기 때문에 응급제왕절개술이나 분만 후 개복술이 필요하지 않다. 반면 자궁파열은 임산부 출혈과 태아 이상을 초래하여, 응급제왕절개술이나 산후 개복술을 시행하여야 한다.

산과의의 치료방법으로는 자궁교정술과 자궁적출술이 있다. 자궁교정술은 주로 과거에 횡절제한 경우에 시행되나 종절제 경우에도 할 수 있다. 추후 임신 시 또 다시 자궁파열의 위험성이 생긴다. 자궁파열 일부에서는

자궁적축술도 시행된다. 응급제왕절개술을 준비하는 동안 마취의는 임산부의 전신평가와 용적소생술을 시행한다. 태아긴박이 있다면, 경막외도관이 거치되어 있고 혈역학적으로 안정된 임산부 이외에는 전신마취가 필요하다. 적극적 수액투여가 필수적이며 수혈이 필요할 수 있다. 소변량을 반드시 측정해야 하며, 임산부의 혈관내용적 평가가 불확실하면 침습적 혈역학 감시가 필요하다.

4) 전치혈관(Vasa previa)

높은 태아치사율이 동반되는 태반의 이상 조건으로, 태아혈관들이 태아의 선진부분과 자궁경부 사이에 끼어 있는 것을 말한다. 태반이나 탯줄의 지지를 받지 못하는 태아혈관들은 분만 시 쉽게 손상 받는다. 초음파로 전치혈관을 관찰할 수 있으며, 질경컬러도플러로 확진한다. 양막 파손 후에 바로 질출혈이 있고, 태아심박동에 이상이 있다면 전치혈관을 의심해야 한다. 단지 소량의 출혈로도 태아가 심각한 위험에 빠질 수 있으므로, 빠른 진단과 제왕절개술이 필수적이다. 전치혈관은 초응급 상태이므로 전신마취를 이용해 즉각적으로 태아를 만출한다.

2. 산후출혈(Postpartum Hemorrhage)

산후출혈은 분만 후 6주까지의 산후기간 동안에 생기는 출혈로 질식분만 시 500 ml, 제왕절개술 시 1,000 ml 이상의 출혈량으로 정의된다. 정상 분만과 큰 차이가 없는 출혈량이기 때문에 임상적으로 헤마토크릿이 10% 이상 감소하거나 농축적혈구 투여가 필요한 경우로 정의되기도 한다. 산후출혈의 빈도는 모든 분만의 3%를 차지하며, 심한 산후출혈은 분만 후 첫 24시간 내에 일어난다. 세계적으로 심한 산후출혈이 모성사망률의 가장 큰 원인이며 과거에 비해 증가추세에 있다. 수혈의 빈도도 과거에 비해 2배 정도 증가하였는데, 자궁근육무력증의 증가와 태아착상 이상으로 인한 제왕절개술 증가가 원인으로 추정된다. 다른 요인으로는 분만 유도 및 촉진, 비만, 다산, 고혈압, 고령임산부 등이 포함된다. 산후출혈은 임산부의 활력증상이 급격히 악화될 수 있기 때문에 산과의와 마취의 모두 임산부의 용적소생술을 시행하고 마취의 필요성에 대비하여야 한다.

1) 잔류태반(Retained placenta)

잔류태반은 태아분만 후 30분 내에 태반만출이 완전히 이루어지지 못하는 것이다. 빈도는 질식분만의 3%이며 산후출혈의 가장 큰 원인이다. 태반만출 기간이 30분이 넘어가면 출혈도 급격하게 증가할 수 있다. 대부분의 출혈량은 적은 정도이나 드물게 생명을 위협할 정도의 심각한 출혈도 생길 수 있다. 잔류태반의 위험인자로 과거력, 유도분만, 자간전증, 다산 등이 있다.

산과치료는 수기로 태반을 제거하는 것이며, 이때 제거된 태반을 잘 관찰해야 하며 필요 시 소파술을 시행한다. 마취의는 이미 거치된 경막외도관으로 약물을 투여하거나 새로이 척추마취를 시행할 수 있다. 임산부가 혈역학적으로 불안정할 경우에 전신마취가 필요하다. 산과의가 시술 중에 자궁이완을 요구할 수도 있다. 흡입마취제는 농도와 비례해 자궁근을 이완시킨다. 흡입마취제 1.5 MAC 투여 시 자궁긴장도를 50% 정도 감소시킨다. Nitroglycerine은 평활근 이완작용이 있는데, nitrous oxide 분비로 추정된다. 작용발현시간이 빠르고 반감기도 2~3분으로 짧아 유용하다. 용량은 잔류태반 임산부에서 500 µg을 정주하는 것이 효과적이라는 보고가 있으나, 다른 보고에서는 50~100 µg도 비슷한 효과가 있는 것으로 되어있다.

2) 생식기손상(Genital trauma)

질식분만 후 가장 많이 생기는 손상으로는 회음부, 질, 자궁경부의 열상과 혈종이다. 촉진에서 자궁이 딱딱하여 자궁수축이 좋은데도 불구하고 질출혈이 지속되면 생식기손상을 의심해야 한다. 손상의 대부분은 큰 문제가 되지 않으나 간혹 심각한 출혈이 동반되는 위험한 경우도 생긴다. 의심되는 혈종의 위치나 크기를 판단하는데 CT나 MRI가 도움이 된다. 생식기 손상 대부분은 심하지 않으며 아이스팩과 진통제 투여의 보존적 치료로도 충분하지만, 저혈량증을 초래하는 심한 출혈의 경우에는 원인이 되는 자궁동맥의 하행가지나 음부동맥의 가지 등을 찾아 결찰해야 한다. 용적소생술과 수혈이 필요하며, 임산부 상태에 따라 부위마취나 전신마취가 필요할 수 있다. 최근 동맥조형술을 이용한 영상의의 동맥색전 시술이 효과적이라는 보고들이 있다.

3) 자궁내번(Uterine inversion)

자궁의 부분 혹은 전체가 전도되는 것으로 2,500분만 당 1건으로 매우 드물며 종종 심한 산후출혈과 연관된다. 출혈에 의한 혈역학적 불안정은 미주신경중재 서맥으로 더욱 악화될 수 있다. 발생 위험요소로는 자궁근육무력증, 짧은 탯줄, 자궁기형, 과도한 탯줄견인과 복부압박 같은 분만 3기 관리가 있다. 자궁내번 시 모든 자궁수축제 사용을 중단하며 산과의는 태반겸자로 자궁경부를 잡고 반대로 밀어 넣는다. 자궁내번의 교정을 위해서는 자궁이완이 필요하다. 비교적 많은 용량의 nitroglycerine (200~250 μg)이 필요하며, 이때 임산부의 적절한 순환을 유지하기 위해 승압제와 수액투여가 필요하다. 개복술을 위해 전신마취가 필요할 수 있으며, 흡입마취제는 자궁이완효과가 있다. 자궁이 복원되면 oxytocin을 투여해야 하고 다른 자궁수축제도 필요할 수 있다.

4) 자궁근육무력증(Uterine atony)

심한 산후출혈 원인의 80%를 차지한다. 분만 후 oxytocin과 prostaglandin 같은 내인성 자궁수축제가 분비되어 자궁의 수축이 일어나고 나선동맥과 태반정맥을 수축시켜 지혈을 하게 된다. 자궁근육무력증은 이러한 수축과정의 장애로 발생된다. 제왕절개, 유도분만, 분만촉진 같은 산과관리나 다태임신, 거대아, 양수과다증, 다산, 난산, 급속분만, 융모양막염 등의 임산부의 조건, 고령임신, 고혈압, 당뇨 등의 임산부의 동반질환 등과 연관된다.

자궁근육무력증을 막기 위해 예방적 자궁수축제의 투여가 권장된다. 자궁근육무력증이 발생하면 일반소생술처럼 굵은 정맥로를 추가로 확보하고 정질액이나 교질액과 승압제를 투여하며 혈색소치나 헤마트크릿치와 응고상태를 평가하고 피를 준비해야 한다.

oxytocin이나 carbetocin의 정주와 자궁마사지에도 불구하고 자궁수축이 돌아오지 않는다면 이차 수축제인 ergot alkaloid와 prostaglandin (PG)을 투여해야 한다. 모든 자궁수축제들을 적극적으로 사용했음에도 불구하고 자궁근육무력증이 지속된다면 침습적 치료방법들을 고려해야만 한다. 자궁근육무력증의 예방과 치료에 쓰이는 약제는 다음과 같다.

(1) Oxytocin

oxytocin은 태반만출 후 자궁근육무력증의 예방과 치료를 위해 가장 많이 쓰이는 약이다. 임신말기로 갈수록 oxytocin에 대한 고친화성 수용체가 증가되므로 임신 1, 2기에 oxytocin보다는 다른 자궁수축제를 사용하여야 한다. 불행히도 oxytocin 투여는 빈맥, 저혈압, 심근허혈 등의 심각한 부작용이 생길 수 있다. 드물게 심한 저혈량증이나 혈역학적 불안정을 보이는 임산부의 사망보고도 있다. oxytocin은 vasopressin과 구조적으로 유사하며 고용량 투여 시 저나트륨혈증, 발작, 혼수를 초래하기도 한다.

oxytocin은 작용발현시간이 빠르고 반감기가 6분 이내로 작용기간도 짧다. 그러므로 자궁근육무력증을 방지하기 위해서는 oxytocin의 지속적인 정주가 필요하다. 제왕절개술 임산부에서 일회정주 시 oxytocin ED_{90}은 3 IU이며, 일회정주 없이 지속적으로 투여되는 oxytocin ED_{90}은 0.3 IU/분으로 1시간 동안 투여한다. 자궁근육무력증 위험 임산부에서 oxytocin의 지속정주 전에 5 IU를 일회정주하면 다른 자궁수축제의 요구량이 적다는 장점이 있으나, 빈맥과 저혈압의 빈도가 높다는 단점도 있다. oxytocin과 phenylephrine의 병용투여로 oxytocin의 유해반응을 경감시킬 수 있다. 추천되는 oxytocin의 예방 용량은 0.3~0.6 IU/분이다.

(2) Carbetocin

Carbetocin은 oxytocin보다 작용시간이 길기 때문에 지속적인 정주가 필요하지 않다. oxytocin 투여와 비교하여 이차 자궁수축제 요구의 빈도가 감소된다.

(3) Ergot alkaloids

Methylergonovine 또는 ergonovine이 사용된다. 두 종류의 효능은 서로 비슷하며 0.2 mg 근주가 권장된다. 작용발현시간이 빠르며 자궁수축효과는 2~4시간 지속된다. 이 약제들은 경직성 자궁수축을 일으키므로 태반만출이 이루어진 후에 사용한다. 부작용으로는 오심과 구토의 빈도가 높은데 특히 부위마취로 의식이 있는 환자에서 심하다. 기타 부작용으로는 혈관수축, 고혈압, 심근허혈과 심근경색, 뇌혈관사고, 경련 등을 일으킨다. 승압제와 ergot alkaloid를 병용 투여 시 고혈압은 더욱 심해질 수 있다. Ergot alkaloid의 상대적 금기로는 고혈압, 자간전증, 말초혈관질환, 심근허혈 등이다. Ergot으로 유도된 고혈압에는 nitroglycerine이나 nitroprusside 같은 혈관확장제의 투여가 필요할 수 있으며 혈압과 심전도의 감시장치가 필수적이다.

(4) Prostaglandins

다른 자궁수축제들에 반응하지 않는 자궁근육무력증에 사용한다. 15-methyl prostaglandin F2α (Carboprost)는 0.25 mg을 근주하는 것이 추천되며 15~30분 간격으로 반복 투여할 수 있고 최고용량은 2 mg이다. 불행히도 기관지수축, 환기-관류 장애, 폐내션트 증가, 저산소혈증 등의 부작용이 생기는 단점이 있다. Prostaglandin E₁ (Misoprostol)은 0.6~1.0 mg을 직장, 구강, 혀 밑으로 투여한다. 다른 PG제제들과 같이 열, 오한, 오심, 구토, 설사 등의 부작용이 있다.

5) 유착태반(Placenta accreta)

유착태반은 태반이 자궁벽에 착상되는 정도에 따라 3가지로 분류되며, 자궁벽과 분리되지 않는 특성을 보인다. 진유착태반(placenta accrete vera)은 기저탈락막(normal deciduas)없이 자궁근에 착상된 상태이며, 함입태반(placenta increta)은 융모막융모(chorionic villi)가 자궁근으로 침투된 상태이다. 천공태반(placenta percreta)은 융모막융모가 근육층은 물론 장간막을 넘어 인접장기, 대부분 방광까지 침투한다(그림 14-2).

최근 유착태반의 발생빈도는 증가되고 있는데, 주원인은 제왕절개술이 증가되기 때문이다. 기제왕절개 분만이나 다른 자궁수술을 받은 임산부에서 전치태반과 유착태반의 빈도는 증가된다. 한 전향적연구에 의하면 자궁수술이 없는 전치태반 임산부에서 3%의 유착태반 빈도를 보이고, 한 번의 기제왕절개술과 전치태반 임산부의 11%에서 유착태반의 위험성이 있으며, 두 번의 제왕절개술을 받은 전치태반의 임산부는 유착태반의 빈도가 40%에 달하며, 세 번 이상의 제왕절개술을 받은 임산부가 전치태반이 있다면 유착태반의 발생률은 60%에 이른다.

질식분만 시 태반만출이 되지 않을 경우 유착태반이 의심되며, 개복술 후에 진단되기도 한다. 유착태반으로

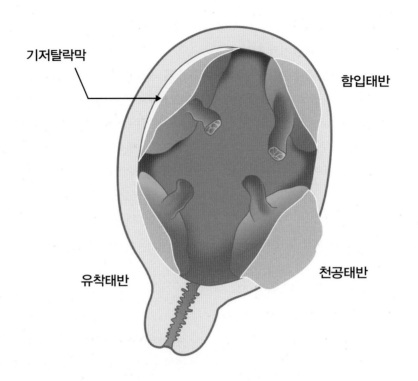

기저탈락막

함입태반

유착태반

천공태반

그림 14-2. **자궁근층 침투 정도에 따른 유착태반의 종류**

막대한 실혈량이 발생할 수 있으므로, 산전진단이 태아나 임산부의 안전에 필수적이다. 기제왕절개술과 전치태반이 있는 임산부에서 초음파가 유착태반을 진단하는 유용한 기구이다. 그러나 초음파로 진단이 불분명한 경우에는 MRI가 유착태반의 확진에 도움이 될 수 있다.

술전 태반착상 이상이 의심스러운 경우에 마취의는 미리 대량출혈의 위험성에 대비해야 한다. 유착태반임산부에서 추정되는 실혈량으로 임산부의 66%에서 2,000 ml, 15% 5,000 ml, 6.5% 10,000 ml, 3%에서 20,000 ml에 이른다는 보고가 있다. 처음 출혈량이 미미할지라도 태반자리가 떨어지지 않고 제거되지 못하면서 급격하게 엄청난 양의 출혈이 시작될 수 있다.

6) 주산기 자궁적출술(Peripartum hysterectomy)

주로 유착태반과 자궁근육무력증 임산부에서 자궁적출술이 시행된다. 최근 기제왕절개술의 증가로 유착태반과 자궁근육무력증이 증가되고, 그 결과 자궁적출술도 증가되고 있는 실정이다. 주산기 자궁적출술은 거대한 자궁으로 인해 노출이 어렵고, 측부순환이 풍부해 혈관들이 충혈되어 있어 기술적으로 매우 어려운 수술이다. 자궁경부나 자궁하부의 손상이 없다면 부분자궁적축술을 시행한다. 심한 출혈로 응급 주산기 자궁적출술을 시행할 경우에 임산부의 주술기 이환율이 56%, 사망률은 2.6%에 달하며 임산부의 44%에서 수혈이 필요했으며, 임산부의 출혈량은 평균 약 2,500 ml로 투여된 농축적혈구는 평균 6.6 단위에 이른다는 보고가 있다.

3. 침습적 치료방법

산과출혈의 원인에 관계없이 보존치료가 실패한다면, 임산부의 이환율과 사망률을 줄이기 위해 즉시 침습적 치료를 시행한다. 침습적 치료선택으로는 자궁을 보전하는 자궁내풍선탐폰, 자궁압박봉합, 혈관조영동맥색전, 자궁동맥이나 내장골동맥을 결찰하는 방법들이 있다. 아직까지 상대적 안전성 및 효용성에 대한 자료가 적어, 시술의 적용 지침이 없는 상태이다. 1) 자궁내풍선탐폰은 81~84%의 성공률을 보인다. 시술이 빠르고 진통제 요구량도 적으며 성공여부의 확인이 쉽다는 장점이 있다. 풍선탈출이 생기면 양측 자궁겸자를 이용하여 다시 거치시킨다. 2) 자궁압박봉합(B-Lynch 봉합)은 과도한 자궁근육무력증, 유착태반 등에 이용되며, 연구결과 75~92%의 성공률을 보인다. 3) 혈관조영동맥색전술은 임산부의 출혈이 아주 심하지 않으나 지속될 경우에 시행된다. 내장골동맥의 앞 혈관 분지가 자궁동맥으로 자궁의 일차적 혈류를 제공한다. 임신동안 난소동맥과 질동맥도 자궁에 상당한 혈류를 담당한다. 혈관조영으로 출혈과 관계되는 혈관을 찾아 젤폼을 이용해 효과적으로 색전시킬 수 있다. 가끔 금속코일이 필요한 경우도 있다. 성공률은 70~100%로 보고되고 있으나, 혈관조형실과 숙련된 중재영상의가 필요하다. 4) 양측동맥결찰방법은 개복술에서 시행하는 방법이다. 자궁혈관은 부행순환이 풍부해 동맥결찰로 지혈시키는 방법이 어렵기 때문에 연구들의 성공률 보고 편차가 매우 크다. 난관-난소 동맥과 상행, 하행 자궁동맥을 결찰하는 수술방법은 아주 복잡하다. 수술이 성공적이면 추후 임신이 가능하나 조직허혈의 부작용으로 신경병증의 보고도 있다.

4. 혈액보존요법

수술과 관련하여 수혈을 감소시키기 위한 혈액보존요법은 수술 전 자가헌혈, 동량성 혈액희석, 수술 중 혈액회수법이 있다. 1) 수술 전 자가헌혈; 동종수혈의 위험성을 감소시킬 수 있는 장점이 있다. 하지만 임산부의 빈혈을 초래할 수 있고 응급상황에서 사용할 수 없으며 전통적 출혈의 위험 요소로도 임산부의 출혈 여부를 예측할 수 없어 가격대비 효용성에 문제가 있기 때문에 산과영역에서는 일반적으로 추천되지 않는다. 2) 동량성 혈액희석; 미국수혈협회에서는 혈액량이 적절하고 혈역학적으로 안정된 심장질환 환자에서 혈색소치가 7~8 g/dL 까지는 농축적혈구의 수혈을 권장하지 않으며, 수혈을 혈색소치 만으로 결정하기보다는 임상 증상에 따르기를 권고하고 있다. 그러나 미국수혈협회나 미국산과학회에서 임산부의 동량성 혈액희석 요법에 대해서는 침묵하고 있다. 임상적으로 임산부에서 동량성 혈액희석 방법이 임산부의 빈혈을 조장하고 동종수혈의 빈도도 감소시키지 못했다는 보고들이 있다. 3) 수술 중 혈액회수법; 수술 중에 출혈된 혈액을 수거하여 원심분리, 세척, 여과, 빠져나온 자가혈색소를 재투여하는 방법이다. 과거 산과영역에서 혈액회수법은 양수, 태아조직파편, 태아세포 등의 제거가 충분하지 못해 색전증이 발생될 우려 때문에 회피되어 왔다. 그러나 최근에는 적혈구회수 과정에서 이러한 오염 물질이 효과적으로 제거될 수 있다고 보고되며, 게다가 백혈구제거필터를 병용하면 태아조직파편이나 태아세포의 대부분이 제거된다고 한다. 모든 보고에서는 두 개의 흡인도관의 사용이 권장되며, 하나는 양막절개 직후에 나오는 오염물질을 육안으로 제거시키는 도관이고, 다른 하나는 혈액회수기로 혈액을 보내는 도관이다. 제왕절개술에서의 수술 중 혈액회수법 사용에 관한 지침으로 영국에서는 대부분 안전하다고 여겨지고 있으며, 미국산부인과학회에서는 유착태반이 의

심될 경우 혈액회수기가 있다면 사용을 고려해야만 한다고 하며, 또한 미국마취과학회 산과마취의 지침에서는 난치출혈 중 혈액은행에 피가 부족한 경우나 임산부가 동종수혈을 거부할때 혈액회수기 사용을 반드시 고려하라고 되어있다.

5. 대량출혈의 치료

대량출혈과 연관된 합병증을 막기 위해서는 주술기로 산과의, 마취의, 중재영상의, 소아과의, 임상병리의의 소통과 협력이 필수적이다. 산과적 대량출혈 관리 시 고려사항이 표 14-1에 기술되었다.

출혈하는 임산부에서 용적소생술로 먼저 정질액이나 교질액을 투여하여 순환을 유지시키며, 필요하면 동맥도관과 중심정맥도관을 거치시킨다. 출혈이 지속되면 수혈이 필요하게 된다. 심한 산과적 출혈로 피가 희석되며 응고인자 소모와 섬유용해항진으로 인해 응고병증이 생길 수 있다. 농축적혈구 1단위는 혈색소치를 1 mg/dl 증가시킨다. 신선냉동혈장(fresh frozen plasma, FFP)은 미세혈관 출혈을 막기 위해 사용된다. Prothrombin time (PT)가 정상의 1.5배 이상이거나 activated partial thromboplastin time (aPTT)나 International normalized ratio of prothrombin time (PT INR)이 2배 이상일 때 적응증이 된다. 저혈량증을 교정하기 위해서나 단백질을 보충할 목적으로 사용하는 것은 금기이다. 산과적 출혈에서는 응고인자의 감소가 심하게 나타날 수 있다. 태반박리, 자궁감염, 심한 산후출혈, 자궁내 태아사망, 양수색전증과 관련된 산과

표 14-1 산과적 대량출혈의 관리 시 고려사항들

1) 대량출혈이 예상되면 혈액회수법, 장골동맥의 풍선도관 거치, 동맥색전술 등의 시행에 관한 다전문영역의 협진이 필요하다.
2) 14~16 G 정주 도관을 거치시킨다.
3) 침습적 감시장치를 위해 동맥도관과 중심정맥도관을 거치시킨다.
4) 실험실 검사를 시행한다.
5) 도뇨관을 거치시켜 소변량을 감시한다.
6) 혈관색전술을 방지하기 위해 수술 중 하지압박기구를 사용한다.
7) 고속정량주입기(rapid infusion system)를 준비한다.
8) 심폐소생장비를 가져온다.
9) 실혈과 수혈만을 기록하는 의료인을 지정한다.
10) 혈액은행, 중앙검사실과 직접 소통하고, 일의 흐름에 우선순위를 정한다.
11) 정해진 지침에 따라 농축적혈구, 신선냉동혈장, 혈소판제제를 투여한다.
12) 출혈이 심해지는 경우에는 실험실검사의 결과 전에 임상상황에 근거하여 수혈을 한다.
13) 전신마취를 준비한다.
14) 승압제와 자궁수축제를 즉각적으로 사용할 수 있어야 한다.
15) Calcium 투여를 고려한다.
16) 술후관리로 중환자실을 확보한다.
17) 혈액회수기의 사용을 고려한다.
18) 동결침전제제의 사용을 고려한다(섬유소원 < 100 mg/dl).
19) 10단위 농축적혈구 수혈마다 응고인자 VIIa 투여를 고려한다.
20) 임산부가 혈역학적으로 안정되게 이동될 수 있다면 중재영상의의 동맥색전술 시행을 고려한다.
21) 자궁내풍선탐폰, 자궁압박봉합, 자궁적출술의 수술적 방법을 고려한다.

적 출혈은 병적으로 진행되어 DIC에 빠질 수 있다. 모든 응고인자 중 섬유소원의 감소가 가장 특징적으로 나타난다. 산과적 출혈에서 응고병증의 발생을 억제시키기 위해 응고인자 중 섬유소원의 조기 투여가 필수적이며, 섬유소원 혈중농도를 150~200 mg/dl 이상으로 유지시키는 것이 바람직하다. 동결침전제제는 신선냉동혈장보다 2배 이상의 섬유소원을 함유되어 있어 저섬유소원혈증에는 동결침전제제 투여가 더 효과적이다.

가장 적절한 FFP:농축적혈구의 수혈 비율은 논란 중이다. 과거 이라크 전쟁 부상자의 대량수혈 시 FFP:농축적혈구의 비율이 클수록 생존율이 높아 1:1 비율이 추천되기도 했다. 최근 사고 희생자에서는 오히려 FFP:농축적혈구의 비율이 낮을수록 생존률이 높아 1:2나 1:3이 추천된다. 산과출혈 임산부에서 sulprostone 투여 후에도 지속되는 출혈로 수혈을 하는 경우, FFP:농축적혈구의 비율이 1:2 보다 클수록 중재술이 적었다는 후향적 연구 보고도 있으나, 산과적 출혈 시 적절한 FFP:농축적혈구의 수혈비율은 확실하지 않다.

유착태반에서 임산부의 3%에서 출혈이 20,000 ml에 이른다는 보고가 있다. 엄청난 출혈로 혈액은행의 피가 떨어지면 혈액회수기의 사용을 고려해야 할 것이다. 또한 대량출혈 시 응고병증의 진단과 치료에 혈전탄성검사(thromboelastography, thromboelastometry)가 유용할 수 있다.

참고문헌

AbouZahr C. Global burden of maternal death and disability. Br Med Bull 2003; 67: 1-11.

Allam J, Cox M, Yentis SM. Cell salvage in obstetrics. Int J Obstet Anesth 2008; 17: 37-45.

American Society of Anesthesiologists Task Force on Obstetric Anesthesia. Practice guidelines for obstetric anesthesia. Anesthesiology 2007; 106: 843-63.

Callaghan WM, Kuklina EV, Berg CJ. Trends in postpartum hemorrhage: United States, 1994-2006. Am J Obstet Gynecol 2010; 202: 353 e1-6.

Carvalho JC, Balki M, Kingdom J, Windrim R. Oxytocin requirements at elective cesarean delivery: a dose-finding study. Obstet Gynecol 2004; 104: 1005-10.

Crane JM, van den Hof MC, Dodds L, et al. Neonatal outcomes with placenta previa. Obstet Gynecol 1999; 93: 541-4.

Doumouchtsis SK, Papageorghiou AT, Arulkumaran S. Systematic review of conservative management of postpartum hemorrhage: what to do when medical treatment fails. Obstet Gynecol Surv 2007; 62: 540-7

Doumouchtsis SK, Papageorghiou AT, Vernier C, Arulkumaran S. Management of postpartum hemorrhage by uterine balloon tamponade: prospective evaluation of effectiveness. Acta Obstet Gynecol Scand 2008; 87: 849-55.

Dyer RA, Reed AR, van Dyk D, et al. Hemodynamic effects of ephedrine, phenylephrine, and the coadministration of phenyl\ephrine with oxytocin during spinal anesthesia for elective cesarean delivery. Anesthesiology 2009; 111: 753-65.

Flood P, Rollins MD: Anesthesia for obstetrics. In Miller's Anesrhesia. 8th ed. Edited by Miller RD: Philadelpia, Churchill-Livingstone. 2015, pp 2350-3.

Hayashi RH, Castillo MS, Noah ML. Management of severe postpartum hemorrhage with a prostaglandin F2α analogue. Obstet Gynecol 1984; 63: 806-8.

Kaczmarczyk M, Sparen P, Terry P, Cnattingius S. Risk factors for uterine rupture and neonatal consequences of uterine rupture: a population-based study of successive pregnancies in Sweden. BJOG 2007; 114: 1208-14.

Karpati PC, Rossignol M, Pirot M, et al. High incidence of myocardial ischemia during postpartum hemorrhage. Anesthesiology 2004; 100: 30-6.

Lokugamage AU, Sullivan KR, Niculescu I, et al. A randomized study comparing rectally administered misoprostol versus Syntometrine combined with an oxytocin infusion for the cessation of primary post partum hemorrhage. Acta Obstet Gynecol Scand 2001; 80: 835-9.

Miller DA, Chollet JA, Goodwin TM. Clinical risk factors for placenta previa-placenta accreta. Am J Obstet Gynecol 1997; 177: 210-4.

Oyelese Y, Ananth CV. Placental abruption. Obstet Gynecol 2006; 108: 1005-16.

Porreco RP, Clark SL, Belfort MA, et al. The changing specter of uterine rupture. Am J Obstet Gynecol 2009; 200: 269.e1-4.

Ralph CJ, Sullivan I, Faulds J. Intraoperative cell salvaged blood as part of a blood conservation strategy in Caesarean section: is fetal red cell contamination important? Br J Anaesth 2011; 107: 404-8.

Rossi AC, Lee RH, Chmait RH. Emergency postpartum hysterectomy for uncontrolled postpartum bleeding: a systematic review. Obstet Gynecol 2010; 115: 637-44

Scavone BM: Anesthesia for obstetrics. In Obstetric anesthesia. 5th ed. Philadelpia, Mosby. 2015, pp 881-914.

Smits LJ, North RA, Kenny LC, et al. Patterns of vaginal bleeding during the first 20 weeks of pregnancy and risk of pre-eclampsia in nulliparous women: results from the SCOPE study. Acta Obstet Gynecol Scand 2012; 91: 1331-8.

Solomon C, Collis RE, Collins PW. Haemostatic monitoring during postpartum haemorrhage and implications for management. Br J Anaesth 2012; 109: 851-63.

Thachil J, Toh CH. Disseminated intravascular coagulation in obstetric disorders and its acute haematological management. Blood Rev 2009; 23: 167-76.

Tikkanen M, Luukkaala T, Gissler M, et al. Decreasing perinatal mortality in placental abruption. Acta Obstet Gynecol Scand 2013; 92: 298-305.

Chapter 15

동반질환이 있는 임산부의 마취관리

15-1 심장혈관질환

임신 중 심장혈관질환은 나이, 국가, 사회경제적 조건에 따라 다르지만 약 0.1~3.9% 정도로 지난 40년간 점차적으로 줄어들고 있다. 1990년 이후로 모성 사망률(MMR, maternal mortality ratio: 100,000 출생 당 모성 사망 수)은 해마다 약 1.4% 정도씩 감소되는 양상을 보인다. 하지만 심장질환은 모성 사망에서 가장 많은 간접적 사망원인이며 특히 2003년에서 2005년 사이에는 심근경색, 흉부대동맥박리, 류마티스성 승모판협착에 의한 모성 사망이 증가하였다.

심장혈관질환에 대한 진단과 치료의 발전으로 심장혈관질환으로 치료받은 여성과 심장질환의 위험 인자를 가진 여성들의 임신이 많아지고 있으며, 임산부의 심장혈관질환은 임신전 진단되지 않다가 임신 약 20주 후에 증상이 나타나거나, 분만 중 혹은 분만 후에 심해지기도 한다. 임신, 진통, 분만은 임산부의 심혈관계에 무리를 줄 수 있으며, 특히 심장혈관질환을 가진 임산부를 진료하는 마취의는 임산부 뿐만 아니라 태어날 태아도 염두에 두어야 하기에 큰 부담이 될 수 있다.

임산부의 심혈관계 부작용을 줄이기 위해서 마취의는 1) 정상적인 진통, 분만, 산욕기의 생리적 변화, 2) 임신 중 심장질환의 진행과 그 양상, 3) 다양한 마취 방법이 심혈관계에 미치는 영향, 4) 합병증에 대한 조기 대처방법을 알아야 하겠다.

임신 중 심장혈관질환은 크게 1) 임신 전부터 지니고 있던 질환으로 선천성 심장혈관질환과 류마티스성 심장질환, 2) 임신 중 처음 발견되거나 발현을 한 심장혈관질환(심근경색), 3) 임신과 관련된 심장질환으로 분만전후심근병증(peripartum cardiomyopathy)으로 분류할 수 있다. 이러한 심장혈관질환을 가진 임산부의 임신 중 이환율과 사망률은 질환의 종류보다는 임산부 심혈관계의 기능적 상태와 큰 연관이 있다.

1. 임신 중 심장혈관계의 생리적 변화

임신 중 일어나는 심혈관계의 변화는 임산부 뿐만 아니라 태아에게도 부담을 주게 되며, 진통과 분만은 특히 이를 더욱 가중시키게 된다. 심장혈관질환이 동반된 임산부를 평가하고 관리하기 위해서는 임신, 진통, 분만 및 산욕기에 나타나는 심혈관계의 생리적 변화를 잘 이해하여야 한다.

대부분의 혈역학적 변화는 임신 제1삼분기 초기에 시작하여 제2삼분기에 정점에 이르며 이는 제3분기까지 유지된다. 순환혈액량(intravascular fluid volume)은 임신 제1삼분기부터 증가하기 시작하여 임신 전에 비하여 50%까지 증가하며, 일회박출량(stroke volume: 25~30%)과 심박수(15~25%)의 증가로 임신 제2삼분기 말까지 심박출량(cardiac output)이 임신 전보다 50% 증가하여 분만 전까지 유지된다. 심박출량과 순환혈액량이 증가하더라도 전신혈관저항이 감소하기에 혈압은 임신 전에 비하여 임신 20주에는 약 5~20% 가량 감소하였다가 점차적으로 증가하여 임신 전 상태를 유지하게 된다(표 15-1-1). 분만이 진행됨에 따라 catecholamine이 증가하고 자궁의 수축에 의한 자궁혈류의 재분포로 심박출량은 계속 증가하며, 분만 직후 임신자궁에 의한 대동정맥의 압박이 해소되면서 심박출량은 80~100%까지 증가하게 된다. 대대수의 임산부는 이 같은 급격한 변화를 잘 견디지만 심혈관계 질환에 의해 예비력이 감소되어 있는 임산부는 심장기능부전이 일어날 수도 있다.

혈액학적으로는 증가하는 혈액량에 비해 적혈구량은 변화가 없어 혈색소 수치는 감소하게 된다. 임신 중 혈액응고 인자 I과 VII의 현저한 증가와 함께, 다른 응고인자의 증가로 분만에 수반될 수 있는 과도한 출혈은 예방될 수 있으나 임신자궁에 의한 대정맥의 압박에 의한 정맥혈류의 저류와 함께 혈전색전증(thromboembolism)의 위험성은 증가한다.

표 15-1-1 **임신 중 심혈관계 변화**

혈역학적 변화	만삭에서 임신전과의 비교
혈관내 용적	35~45% 증가
심박출량	40~50% 증가
일회박출량	25~30% 증가
심박수	15~25% 증가
전신혈관 저항	20% 감소
폐혈관 저항	35% 감소

2. 심장혈관질환 임산부에 대한 일반적인 관리

심장혈관질환 임산부의 마취관리를 위해서는 정상임신에 의한 심장혈관계 변화가 심장혈관질환의 종류, 중증도 및 진행에 미치는 영향을 이해하고 있어야 한다. 임신의 진행 중에 증상의 여부나 악화 등이 사망률 및 이환율과 밀접한 관련이 있기 때문에 마취 전에 이를 파악하는 것이 매우 중요하다. 이학적 검사를 시행하고 질환의 중증도를 파악하기 위해 심장전문의의 협의진료를 요청한다. 심장기능의 평가에 신체활동의 제한 정도와 관련 증상을 토대로 구분한 뉴욕심장협회(New York Heart Association, NYHA) 분류체계가 가장 많이 사용되고 있다(표 15-1-2). 임산부의 심장기능상태에 따른 임신의 영향은 다르며 NYHA I, II로 증상이 없거나 경한 증상의 경우 대부분 임산부에서 임신의 진행이 별 문제가 없지만 NYHA III 혹은 IV의 임산부는 심장혈관질환이 악화될 수도 있으므로 경우에 따라 임신이 금기이거나 치료적 임신 중절이 필요할 수도 있다. 만약 임신유지를 원한다면 임신초기부터 중환자실 관리가 가능한 병원에 입원하여 산과의사, 심장전문의 및 마취통증의학과의사의 협의진료 하에 관리하여야 한다. 원발질환은 심실기능, 폐동맥압, 폐쇄 정도, 션트의 지속성, 저산소혈증의 유무 등과 같은 잔류병변이나 후유증에 따라 위험도를 세 군으로 분류한다(표 15-1-3).

표 15-1-2 **뉴욕심장협회(New York Heart Association, NYHA)분류체계**

등급	정의
I	활동제한이 없는 심장질환, 일상신체활동으로 증상이 없음
II	활동제한이 경한 심장질환, 일상신체활동으로 증상이 있음
III	활동제한이 심한 심장질환, 안정 시에는 없으나 일상 신체활동 이하 활동에도 증상이 있음
IV	안정 시에도 증상이 있으며 활동하면 증상이 악화되는 심장질환

증상 : 피로, 두근거림, 호흡곤란, 협심증 통증

1) 분만방식과 시기 결정

심장혈관질환을 지닌 임산부의 분만방식과 시기는 산과의사, 심장전문의 및 마취통증의학과의사가 임산부와 태아의 위험도를 고려하여 결정한다. 임산부에게 분만 과정에 대한 설명과 발생할 수 있는 문제들을 충분히 설명하여야 한다. 무증상의 임산부는 대부분 자연분만을 기다리며 진행할 수 있다. 하지만 심한 심기능 저하나 심부전, 대동맥 확장, Eisenmenger 증후군 또는 기계판막을 가진 임산부의 경우에는 분만의 과정을 계획하고 진행하는 것이 적절하다. 질식분만은 제왕절개술에 비하여 혈액손실이 적고 감염률이 낮다는 이점이 있고, 제왕절개술은 정맥혈전증이나 혈전색전증의 위험률이 높은 단점이 있다. 산과적 비적응증이 없다면 임산부의 분만

표 15-1-3 **심장혈관질환 임산부의 심장기능 상태와 임신 중 심장혈관합병증의 위험도**

위험도	심장혈관질환과 심기능
낮음	작은 좌우션트 교정 후 심기능 저하가 없는 심장혈관질환 심각한 역류가 동반되지 않는 승모판탈출증 협착증이 동반되지 않는 이엽성대동맥판막증 중등도의 폐동맥판협착증 심실수축기능이 정상인 판막질환
중간	교정되지 않거나 고식적 교정을 시행한 청색증형 선천성심장질환 큰 좌우션트 교정되지 않은 대동맥축착증 승모판 또는 대동맥판협착증 기계적 인공 판막 심한 폐동맥판협착증 중등도 이상의 심실기능부전 심실기능 부전이 남아있지 않는 분만전후심근병증의 과거력
높음	NYHA III 또는 IV 증상 심한 폐고혈압 대동맥근 혹은 중요판막을 침범한 Marfan 증후군 심한 대동맥판막협착증 심실기능 부전이 남아있는 분만전후심근병증의 과거력

시 상태 및 심폐기능의 허용능력을 확인하여 가능하면 심장혈관질환 임산부에게 질식분만을 하도록 권장하고 있다. 그러나 분만 시작 전에 경구용 항혈전제 복용중인 환자, 급성 혹은 만성 대동맥박리증, 치료가 힘든 급성 심부전, 대동맥근(aortic root)이 40~45 mm에 이르는 Marfan 증후군 환자, 중증 대동맥판막협착증, 중증의 폐동맥고혈압(Eisenmenger 증후군 포함)을 지닌 환자의 경우는 제왕절개술을 고려하여야 한다. 또한 진통이 시작되기 2주 전에 항응고제를 warfarin에서 heparin으로 교체하지 못한 임산부도 제왕절개술의 적응증이 된다. 심장기능의 측면에서는 NYHA I, II 등급은 침습감시하에 질식분만을 시도하고, NYHA III, IV 등급은 제왕절개술을 권고하고 있다. 만삭 이전에 임산부의 심장혈관질환으로 인해 조기진통을 하는 경우는 흔치 않으며, 고위험 환자는 태아의 폐가 성숙한 후 적절한 의료진과 장비가 구비된 상태에서 유도분만을 시행하는 것이 안전하다.

2) 통증차단과 마취

심장혈관질환을 지닌 임산부에 대한 절대적인 적응증이나 금기증을 가진 마취방법이 있다기 보다는 개개인의 심장혈관의 기능적 상태나 마취의의 숙련도가 방법을 결정하는데 고려되어야 할 사항이다. 마취의는 분만 진행과 분만통의 기전을 잘 이해하고 통증차단 방법과 마취약제가 통증관리, 분만, 심장혈관질환에 미치는 영향을 잘 알고 있어야 한다. 질식 분만이나 제왕절개술에 대한 통증의 차단과 마취관리의 방법은 심장혈관질환 임산부의 현재 심장기능상태에 가장 큰 영향을 받는다. 출산 중 임산부의 심장혈관질환을 악화시킬 수 있는 것은 피하며, 마취나 진통의 방법에 따른 위험성과 임산부와 태아에게 유리할 수 있는 이점을 충분히 검토하여 결정하여야 한다. 또한 출산과 함께 마취의의 진료는 끝나는 것이 아니며, 산욕기 임산부의 심혈관계가 임신 전으

로 회복되는 생리적 변화에 영향을 미칠 수 있는 통증의 관리도 중요하다.

통증차단을 시행할 때에는 통증과 관련된 catecholamine의 증가를 억제하고 대동정맥압박(aortocaval compression)에 의한 저혈압을 방지하는 것이 중요하다. 심장혈관질환 증상이 있는 임산부는 적절한 수액투여를 위한 감시를 시행하여 수액이 과도하게 투여되거나 부족하지 않도록 해야 한다.

통증조절방법은 흡입진통이나 아편유사제의 전신적 투여방법 외에 통증유발부위만 차단하는 방법으로 자궁경관주위차단(paracervical block), 요추교감신경차단, 또는 T10-L1분절 경막외차단이나 척추차단, 척추경막외병용마취 등이 있다. 이 중에서 국소마취제나 아편유사제를 단독으로 사용하거나 두 약제를 병합하여 지속적인 요추경막외차단을 하는 것이 분만 1기에 가장 효과적이다. 이 방법은 교감신경차단의 범위를 제한하여 전부하와 후부하의 변화를 최소화 할 수 있다. 그러나 심장혈관 예비력이 극히 낮아서 경막외분절차단에도 견딜 수 없는 환자는 아편유사제만을 지주막하로 투여하여 교감신경차단에 의한 혈역학적 변동을 최소화하는 것을 고려할 수 있다.

Valsalva조작을 통한 태아 밀어내기(pushing)는 심박출량을 증가시키며, 임산부의 lithotomy 자세는 중심혈액량을 증가시킬 수 있기 때문에 판막협착증 환자에서는 피하는 것이 좋다. 자궁수축은 유지하되 통증은 차단하여 태아의 머리가 분만 위치에 도달하게 한 다음, 겸자나 흡입분만(forceps or vacuum delivery)으로 분만 2기를 단축하는 보조분만이 도움이 된다. 이때 T10-S4분절 경막외차단술이나 저위 척추차단이 적절하고 음부신경차단(pudendal nerve block)을 경막외차단에 병합하거나 단독으로 시행할 수도 있다.

제왕절개술은 산과적 적응증에 따라 시행하지만 마취방법은 심장혈관 질환의 종류와 중증도에 의한 임산부의 현 상태에 따라 선택한다. 그러나 부정맥 위험이 높

아 심장박동회복술(cardioversion)이 필요한 경우처럼 합병증에 대한 적절한 치료가 필요한 환자, 전신마취에 의한 심근수축력 억제보다 부위마취에 의한 전신혈관저항 감소가 더 위험한 환자, 혈전색전증을 예방하거나 치료하기 위해 항응고제를 사용하여 부위마취 시 출혈 위험이 있는 환자, 청색증이 있거나 수술 중 스트레스에 의해 폐동맥고혈압위기의 가능성이 높은 환자, 심장수술이 예정되어 있거나 다른 부위에 대한 수술과 복합되어 장시간 수술이 필요한 환자, 수술 후 침습감시나 조절환기가 필요한 환자에서는 전신마취를 권장한다. 그 외 임산부의 협조 정도, 기도 이상 유무 및 마취의의 선호도가 마취방법 선택에 영향을 줄 수 있다.

마취방법에 따른 심장혈관질환 임산부의 제왕절개술 결과가 달라지지 않으며, 마취방법 선택보다는 마취관리 및 분만 후 관리가 더 중요하다. 어떤 마취를 선택하든 혈역학적 안정을 유지하기 위해 마취의는 천천히 약물 농도를 적정하면서 마취를 유도하고 발생할 수 있는 모든 문제에 대한 근접감시와 즉각적인 개입이 가능하여야 한다(표 15-1-4).

표 15-1-4 심장혈관질환 임산부의 분만 시 일반 관리

권장사항	효과
좌측와위 자세	복귀정맥혈량 감소 방지
산소투여	태아에게 산소공급 개선
지속적인 심전도 감시	심장리듬변화 평가
수액섭취배설 평가	수액 과부하 예방
충분한 통증차단	혈압 변화 예방
예방적 항생제 투여	심내막염 예방
침습감시(NYHA III, IV)	혈역학적 변화 집중 감시
흡입 또는 겸자분만으로 분만2기 단축	Valsalva조작 효과 최소화

3) 감시

대부분의 심장혈관질환 임산부에서 통상적인 감시(지속적인 심전도 감시, 맥박산소측정, 비침습적 혈압측정)를 시행한다.

맥박산소측정은 청색증형 심장혈관질환에서 션트의 정도를 가늠할 수도 있을 뿐만 아니라 임상증상이 발현되기 전에 폐부종 발생을 먼저 발견할 수 있는 중요한 감시장치이다.

침습감시(동맥, 중심정맥, 폐동맥카테터)를 하는 것에 대해서는 아직 논란의 여지가 있지만 심장혈관질환의 종류와 중증도, 산과적 시술과 합병증에 따라 결정한다. 질환이 진행하지 않고 심실 기능 장애가 나타나지 않는 환자의 경우 특별히 침습적 동맥압 감시가 필요치 않다. 반면, 심장혈관합병증의 위험도가 높은 환자(표 15-1-3), 심장혈관질환의 증상이나 심장기능장애가 심한 환자는 침습적 동맥압 감시가 필요하다. 침습적 동맥압 감시는 의료진이 환자의 상태를 파악하고, 혈관수축제나 강심제치료의 효과를 확인할 수 있는 지침이 되기도 한다.

중심정맥카테터는 혈관작용약물을 투여할 수 있고, 중심정맥압 감시를 통해 수액 과부하가 해로운 심장부전 환자나 저혈량증에 취약한 판막협착 환자에서 수액치료의 지침이 될 수 있다.

폐동맥카테터는 폐모세혈관쐐기압을 통해 좌심실의 상태를 감시할 수 있고 폐혈관으로 약물을 직접 투여할 수 있는 장점이 있으며, 측정된 혈역학적 자료는 심장혈관질환에서 발생하는 급성 합병증에 대한 치료계획을 세우는데 도움이 된다. 그러나 삽입에 시간이 소요되고 전문적인 경험과 지식이 필요하며, 삽입과 유지 자체가 위험을 수반하므로 반드시 폐동맥카테터 삽입에 따른 위험보다 얻는 이점이 더 클 때 사용하도록 한다.

경흉부 및 경식도 심장초음파(transthoracic & transesophageal echocardiography, TTE & TEE)는 심박출량을 측정할 수 있고 심장혈관질환의 정도와 진행에 대한 중요한 정보를 제공하는 장점이 있다. 하지만 경식도 심장초음파(TEE)의 경우 각성되어 있는 환자에서는 부피가 큰 식도소식자(esophageal probe)의 삽입을 참아내기 어렵고, 전신마취를 하는 환자에서는 소식자를 삽입할 시간적·공간적 여유가 없는 경우가 많아 효용성에 대해 논란이 있다.

진통과 분만 동안 침습감시가 필요한 환자들은 분만 직후 산욕기에 상태가 더욱 악화될 수 있기 때문에 중환자실에서도 혈역학적 감시를 계속하는 것이 안전하다. 분만 후 혈역학적 상태가 개선되지 않거나 모성 사망 위험이 높은 환자는 72시간까지 혈역학적 감시를 할 필요가 있다. 특히, Eisenmenger 증후군 환자는 분만 후 1~2주까지 급성심장사(sudden cardiac death)가 발생할 수 있으므로 장기간 혈역학적 감시가 필요하다.

4) 자궁수축제

자궁수축제는 분만유도나 분만의 진행을 돕기 위해 사용되기도 하며 산후 출혈을 예방하거나 치료하는데 큰 도움이 되기도 한다. 하지만 심장혈관질환 임산부에서 산후 출혈의 위험성과 자궁수축제의 혈역학적 영향을 고려하여 신중하게 사용하여야 한다. Oxytocin은 급속하게 정맥 주입 시 전신혈관저항을 감소시켜 저혈압과 반사성 빈맥을 유발하고 폐혈관저항을 증가시킨다. 5단위 정도의 oxytocin이라도 급속하게 정맥 주입 시 심장혈관질환이 있는 환자에서는 순환허탈까지 초래할 수 있다. 따라서 혈역학적 감시를 하면서 천천히 정맥주입하고, 순환기계 허탈위험이 있으면 투여하지 말아야 한다.

Ergot 알칼로이드인 methylergonovine은 강직성 자궁수축과 함께 다른 평활근을 수축하여 고혈압, 폐혈관수축, 관상동맥 수축, 기관지수축 등을 유발한다. 정맥주입 시 대동맥판협착증 환자에서는 신중하게 투여한다. 또한 폐동맥고혈압이 있는 환자에서는 투여하지 말아야 하며, 근육주사가 정맥주사보다는 부작용이 적다.

Prostaglandin F2α는 폐고혈압, 기관지수축, 순환계 허탈 및 폐부종을 유발할 수 있으므로 심장혈관질환이 있는 대다수 임산부에서 사용에 주의를 기울여야 한다.

5) 심혈관작용약제

모성 심장혈관질환을 치료하기 위해 사용되는 항부정맥제, 혈압상승제와 혈관이완제 등의 다양한 약물과 심장박동회복술이 태아, 자궁혈류 및 자궁수축에 미치는 영향을 잘 알고 있어야 한다.

안지오텐신전환효소억제제(Angiotensin-converting enzyme inhibitor, ACEI)는 비임산부 환자에서 심혈관질환, 좌심실부전, 고혈압에서 유용하게 사용되는 약제 중 하나이다. ACEI는 임산부에서 제1삼분기에 태아의 심혈관계, 중추신경계 기형과 관련이 있고, 제2, 3삼분기에서는 태아 및 신생아에서 심각한 신장혈관계의 장애 및 폐의 저성장 등의 문제로 임산부에게 금기시하고 있다.

Ephedrine은 오랜 시간 마취의가 많이 사용해온 약제로 자궁태반혈류에 영향을 적게 미치고 혈압을 올려줄 수 있는 약제이나, 태반을 넘어갈 수 있어 태아의 대사량 증가에 의한 산혈증을 유발할 수 있다.

Phenylephrine은 직접 혈관수축을 통한 혈압유지로 임산부의 저혈압을 유발할 수 있는 생리적 변화에 ephedrine보다 합리적이며 용량의 조절도 용이하여 쉽게 사용할 수 있다. 판막협착증 환자에서는 phenylephrine과 같은 순수혈관수축제가 더 효과적이며, 판막역류증 혹은 좌심실 기능이 불량한 환자는 수축력촉진작용이 있는 ephedrine에 더 잘 반응한다.

임신 동안 β-차단제는 승모판협착증 환자에서 폐부종을 예방하고 임신 중 폐쇄승모판막 절개술의 필요성을 감소시키기에 사용이 증가하고 있다. β-차단제는 지속적으로 고용량 사용시 태아에서 자궁 내 성장 지연 가능성이 존재하지만 임산부에 대한 상기된 효용성에 비

해 그 위험도가 작다고 할 수 있으며, 박동대박동 변이도 소실, 신생아 서맥, 저혈압, 고혈당증도 초래할 수 있으나 그 발생 수는 매우 적다. β-차단제는 천천히 적정하여 사용하며 경막외마취시 사용금기는 아니지만, 고위흉추차단이 된 경우 심각한 서맥이 초래되고 심장기능이 후부하 감소를 보상할 수 없을 수도 있으므로 주의하여야 한다.

Hydralazine은 항고혈압제로서 심근병증에 사용되며, 임신 중 사용하는데 있어 안전에 관한 문제없이 오랜 기간 사용되어 왔다.

Digoxin은 여러 심근병증과 부정맥에 매우 효과적으로 사용되고 있다. 태반을 넘어 태아에게 전달될 수 있지만 선천성 기형이나 태아에게 악영향을 미친다는 보고는 없어 사용이 가능하다. 하지만 임신 중 약물 용량의 조절이 중요하다.

Thiazide계 이뇨제는 태아기형의 보고는 없으나 자궁태반관류를 줄여 태아성장저하나 양수과소증을 유발할 수 있다고 하며, 신생아 저혈당증과 혈소판감소증의 발생 사례가 보고된 바 있다.

임산부는 비임산부에 비해 약 4배 가량 높은 정맥혈전색전증의 발병률을 가지고 있다. 임산부는 피브린(fibrin) 생성의 증가, 섬유소용해성의 감소, 혈액응고인자의 증가로 일시적인 과다응고상태가 되는데, 이러한 변화는 임신 중 심부정맥혈전증(deep vein thrombosis)이나 산욕기에 폐색전증(pulmonary embolism)을 유발할 수 있다. 임신 중 혈전색전증은 발생빈도는 높지 않으나, 전체 모성사망의 30% 이상을 차지할 만큼 위험이 매우 높다.

임신 전 항응고제 투여를 하지 않았지만 혈전증 과거력이나 위험인자가 있는 임산부는 임신과 산욕기 4~6주까지 예방용량의 항응고제를 투여한다. 기계판막 치환술, 심방세동이 동반된 승모판협착증, 심장근육병증 및 Eisenmenger 증후군 등 혈전색전증 발생 위험이 높아서 임신 전부터 경구용 항응고제를 복용하고 있거나 최

근 발생한 혈전색전증으로 치료받는 임산부는 치료용량
의 항응고제가 필요하다.

혈전색전증 예방과 치료를 위해서 사용하는 항
응고제의 종류, 효과, 투여방법, 용량 및 감시방법
에 대해 논란이 있다. Warfarin은 항응고효과는 뛰
어나지만 태반을 통과하므로 임신 6~8주에는 비
분획(unfractionated) heparin이나 저분자량(low
molecular weight) heparin을 사용한다. 또한 분만 전
후에도 임산부와 태아출혈의 위험이 있으므로 heparin
으로 교체한다. Heparin은 태반을 통과하지 않아 태아
에게 안전하지만 임신 초기와 만삭에서 판막혈전증 발생
의 원인이 될 수 있으며 임신 중에는 heparin의 요구량
이 증가하게 된다. 비분획 heparin은 반감기가 짧고 필
요한 경우 프로타민(protamine)으로 항응고효과를 역
전시킬 수 있는 장점이 있다. 저분자량 heparin은 체내
흡수율이 좋고 혈액응고검사를 할 필요가 없으며 투여
가 편리하고 부작용이 적어 임산부에서의 사용이 점차
증가하고 있다. 그러나 판막혈전 발생위험이 높은 기계
판막이 있는 임산부는 임신 초기가 지나면 heparin보다
warfarin 복용을 권장하고 있다.

항응고제 투여 중에는 부위마취 시 척추나 경막외
혈종의 발생 위험이 높다. 따라서 부위마취를 시행하려
면 항응고제의 종류와 용량에 따라 투여중단 후 충분한
시간이 지나야 한다. Warfarin은 분만 시 모성과 태아
출혈 위험이 높기 때문에 분만예정 2주 전(임신36주)에
heparin으로 교체하도록 하고, warfarin을 투여하는
중에 진통이 시작된다면 출혈 위험으로 인해 전신마취
하에 제왕절개술을 시행한다.

비분획 heparin은 대개 진통이 시작되면 정맥주입을
중단하는데 부위마취는 투여를 중단하고 나서 6시간 후
activated partial thromboplastin time (aPTT)이 정
상으로 회복된 후 시행한다. 저분자량 heparin은 비분
획 heparin보다 반감기가 길어서 예방용량(40 mg/d)으
로 투여하였을 경우 12시간 전, 치료용량(1 mg/kg 하루

두 번)으로 투여하였을 경우 24시간 전에 투여를 중단한
후 부위마취를 시행한다. 저분자량 heparin 투여를 중
단하고 있는 동안 혈전색전증 발생 위험이 높다면 반감
기가 짧은 비분획 heparin 정맥주사를 추가적으로 고려
할 수 있다.

정맥혈전색전증은 분만 후 산욕기에도 여전히 높은
발생 위험도를 갖기에 정맥혈전색전증의 과거력을 가
진 임산부는 분만 후 최소 6주간 혈전예방을 위한 약물
투여가 필요하다. 예방용량 heparin은 질식분만 6시
간 후, 제왕절개술 12시간 후에 다시 투여하고 치료용량
heparin은 출혈이 없다면 24시간 후에 다시 투여한다.
내재된 경막외 카테터 제거는 비분획 heparin을 정맥
주입한 경우에는 투여중단 4시간 후, 저분자량 heparin
의 경우에는 투여중단 10~12시간 후 또는 다음 용량 투
여 4시간 전에 시행한다. 그리고 부위마취를 시행한 환
자에서는 산욕기에 저린감, 하지 쇠약, 심한 요통, 요실
금이나 대변실금 같은 척추혈종을 의심할 수 있는 증상
과 징후가 나타나는지 신중하게 감시하여야 한다.

6) 심내막염(Endocarditis) 예방

임신 중 심내막염은 드물게 발생하지만 약물의 남용,
구조적 심장이상이나 판막 질환의 경우 발생률은 증가하
게 되며 임산부나 태아의 사망률은 모두 매우 높아 각각
15%, 25%에 이른다. 미국심장협회는 심장의 구조적 이
상이 없는 경우 질식분만이나 제왕절개술 시 예방적 항
생제의 사용을 추천하지는 않는다.

인공심장판막이나 인공구조물로 판막재건술을 시행
한 경우, 교정되지 않거나, 청색증이 있는 선천성 심장
질환으로 고식적(palliative) 치료중인 환자, 감염성 심
내막염 과거력이 있는 경우, 고식적 치료로써 외과적 션
트 또는 통로가 형성된 경우, 심장이식을 받은 경우는
고위험군의 임산부로 예방적 항생제를 투여해야 한다.
그러나 실제 임상에서는 분만과정 중 감염의 발생 및 진

행을 예측하기 힘들기 때문에 분만 1기에 활성기 진통 (active labor)이 시작되면 항생제를 투여하고 있다.

3. 선천성 심장혈관질환

선천성 심장혈관질환은 임산부에게서 가장 흔히 볼 수 있는 심장혈관질환이다. 선천성 심장혈관질환에 대한 고식적 수술이나 완전교정 후 가임 연령에 이르는 여성의 수가 많아지고 있으며, 판막질환이나 심근병증의 임산부보다 선천성 심장혈관질환의 경우가 임신과 분만에 있어 더 좋은 결과를 보인다고 한다. 하지만 5~20%의 임산부에서 심혈관계 합병증이 나타나며 가장 흔한 것은 심부전, 부정맥, 혈전색전증 등이다. 심장혈관질환은 임신 중 모성 사망의 가장 중요한 원인이며, 이 중에서 판막질환이나 심근병증이 선천성 심장질환보다 높은 사망 원인이 된다. 선천성 심장혈관질환은 크게 좌우션트(심방중격결손증, 심실중격결손증, 동맥관열림증), 우좌션트(Fallot 네징후, Eisenmenger 증후군) 및 선천성 판막과 혈관질환(대동맥축착증, 대동맥판협착증, 폐동맥판협착증) 세 가지로 분류한다. 가임 연령에서 가장 많은 선천성 심장질환은 심방중격결손증이고, 가장 많은 청색증형 선천성 심장질환은 Fallot 네징후이다.

아동기에 완전교정을 하고 심장기능에 이상이 없는 환자는 특별한 문제없이 임신과 분만이 가능하다. 심방중격결손증, 심실중격결손증, 동맥관열림증, Fallot 네징후, 대혈관전위 및 삼천판 폐쇄증은 아동기에 완전교정이 가능한 선천성 심장혈관질환이다. 하지만 수술로 교정을 하지 않았거나 부분교정을 한 경우에는 임신과 분만동안 각별한 주의와 관리가 필요하다.

선천성 심장혈관질환 임산부의 관리에서 션트가 있는 경우에는 션트의 양과 방향, 협착이 있는 경우에는 고정된 심박출량에 대한 전신혈관저항과 폐혈관저항의 영향, 그리고 마취방법이 두 혈관저항에 미치는 영향을 이해하여야 한다.

1) 좌우션트(Left-to-right shunt)

임신에 의한 혈액량의 증가는 심방중격결손증, 심실중격결손증과 동맥관열림증 환자에서 좌우션트를 증가시킬 수 있지만 정상적인 전신혈관 저항의 감소로 임신 중 용적 과부하를 상쇄할 수 있게 된다. 폐동맥고혈압이 합병되지 않는다면 좌우션트가 있는 임산부들은 대다수가 임신, 진통 및 분만과정을 잘 견딜 수 있다. 그러나 좌우션트가 크거나 이미 폐동맥고혈압이 있다면 부정맥, 심실부전, 폐동맥고혈압의 악화가 일어날 수 있다. 션트방향은 전신혈관이 이완되거나 폐혈관저항이 증가하면 좌우션트가 우좌션트로 역전될 수 있다. 우좌션트가 된 환자에서는 경막외마취를 시행 할 경우 저항소실법으로 경막외 공간을 확인할 때 사용한 공기가 기이공기색전증(paradoxical air embolism)을 일으킬 수 있음을 유의해야 한다. 이러한 이유로 우좌션트로 역전된 임산부에서는 공기를 통한 저항소실법에 비해 생리 식염수를 통한 저항소실법을 사용하는 경막외마취방법이 선호되고 있다. 정맥혈의 정체를 예방할 수 있는 압박스타킹(compression stocking)이 예방에 유용하다.

마취관리의 목표는 좌우션트를 증가시키는 전신혈관저항 증가와 폐혈관저항 감소를 방지하고 빈맥성 부정맥을 예방하는 것이다. 반면에 폐동맥 고혈압이 있는 임산부의 경우 경한 저산소증, 고탄산혈증 또는 산혈증으로도 폐혈관저항이 증가되어 션트방향이 역전될 수 있기 때문에 전신마취를 시행 할 경우 정상 혈중 이산화탄소 분압의 유지가 중요하고, 특히 부위마취를 시행 할 경우 모든 환자들에게 산소를 투여하고 지속적인 산소포화도 감시를 하여야 한다. 심방중격결손증에서는 심방용적이 증가함에 따라 양심방이 확장되고 심실상성(supraventricular) 리듬장애가 발생할 수 있다.

질식분만시 분만통증에 의한 전신혈관저항과 좌우션트가 증가하는 것을 방지하기 위해 조기에 국소마취제와 아편유사제를 사용하여 경막외진통법을 시행하는 것이 도움이 된다. 제왕절개술은 전신마취와 부위마취 모두에서 가능하다. 요추경막외마취는 천천히 증량시키면서 혈관내용적을 유지하게 되면 혈관저항 변화에 따른 션트의 역전을 막을 수 있다. 전신마취는 아편유사제를 흡입마취제와 함께 사용하여 기관내삽관에 의한 전신혈관저항 증가를 방지하고, 흡입마취에 의한 심근억제를 최소화할 수 있다.

2) 우좌션트(Right-to-left shunt)

교정을 하지 않은 청색증형 선천성 심장질환에서 임신의 진행은 힘들며 이러한 고위험 임산부의 심장혈관 질환 합병증의 발생률은 30%가 된다. 임신 중 정상적인 심박출량의 증가와 전신혈관저항의 감소가 우좌션트를 증가시켜 저산소혈증과 청색증을 악화시킬 수 있다. 모성과 신생아의 이환률과 사망률은 모성 심장기능의 정도와 청색증에 관련 있으며, 심한 모성 저산소혈증(산소포화도 < 85%)과 적혈구증가증(혈색소 > 18 g/dl)일 때 생아출생률(live birth rate)이 12% 정도로 가장 낮기에 이러한 경우는 임신의 중지를 고려해 보아야 한다. 전신혈관저항과 전부하의 감소를 방지하면서 혈역학적 안정을 유지할 수 있도록 부위마취시 마취차단높이를 확인하면서 약물을 천천히 투여하는 것이 좋다. 또한 진통과 분만 시 아편유사제를 지주막하에 먼저 투여한 후 희석한 국소마취제/아편유사제를 경막외로 주입하는 척추경막외 병용마취도 혈역학적 영향을 최소화하면서 효과적인 통증조절을 시행할 수 있다.

(1) Fallot 네징후

심실중격결손증, 우심실비대, 우심실유출로 폐쇄를 동반한 폐동맥판협착증 및 대동맥기승(overriding aorta)의 특징을 가지는 Fallot 네징후는 임산부에서 합병되는 선천성 심장질환의 5~10%를 차지하지만, 청색증을 나타내는 임산부의 선천성 심장질환에 있어서 가장 많은 원인이 된다.

① 임신과의 관계

대부분 가임 연령이 되기 전 아동기에 수술적 교정으로 술 후 대부분의 환자에서 증상이 사라진다. 그러나 교정한 환자 중에서 작은 심실중격결손증이 재발하거나 오랜 기간에 걸쳐 폐동맥 유출로가 다시 비대해지는 경우에는 임신에 의한 생리적 변화인 혈액량 증가, 심박출량 증가, 전신혈관저항 감소로 인해 청색증이 다시 나타날 수 있다. 모성의 심혈관 합병증으로 주로 부정맥, 심부전 그리고 혈전색전증이 12% 가량 나타난다. 증상의 정도는 심실중격결손의 크기, 폐동맥판협착증 및 우심실 수축기능에 따라 달라진다. 따라서 수술적 교정을 받고 수년 동안 증상이 없었다 하더라도 임신초기에 심장초음파검사를 시행하여 중증도나 남아있는 병인에 맞추어 환자별 추적검사를 계획한다.

내·외과적 치료기술의 발전으로 Fallot 네징후 환자가 치료 후 임신과 출산을 정상적인 임산부들처럼 할 수 있게 되었다. 하지만 실신, 적혈구증가증(헤마토크릿 > 60%), 동맥혈산소포화도 감소(< 85%), 우심실압 증가, 울혈성 심부전 과거력이 있는 임산부는 위험하다. 분만 후 산욕기에 전신혈관저항 감소와 우좌션트로 인한 동맥혈 저산소혈증이 발생할 수 있다.

② 마취관리

교정술을 성공적으로 시행한 임산부는 임신 중 사망률의 증가는 없지만 모성과 태아의 이환율은 정상 임산부에 비해 높게 나타난다. 수술에 의한 심장전도 통로의 손상으로 다양한 심방성 혹은 심실성 부정맥이 나타나기도 하므로 12-유도 심전도를 확인하고 질식분만 동안에도 지속적인 심전도감시를 하는 것이 필요하다. 교정을 하지 않았거나 고식적 교정이 된 경우에는 모성과 태아 사망률이 높기 때문에 동맥과 중심정맥 카테터를 이용한 침습감시가 필요하다.

Fallot 네징후 임산부에서는 우좌션트를 악화시키는 전신혈관저항 감소를 피하고 충분한 순환혈액량과 복귀 정맥혈량 및 심근수축력을 유지하는 것이 중요하다. 우심실 기능부전이 있는 경우에는 우심실 활동량을 강화하고 폐혈류를 확보하기 위해 충만압을 높게 유지하는 것이 필요하다.

질식분만을 하는 임산부에서 진통과 분만에 의한 스트레스는 폐혈관저항을 증가시킬 수 있으므로 조기에 통증조절을 하도록 한다. 통증조절을 위해 정맥로 약제 투여, 아산화질소 흡입이나 음부신경차단을 할 수 있으며, 또한 아편유사제만을 사용한 지주막하 또는 경막외 차단은 교감신경차단을 최소화하여 전신혈관 저항의 감소 없이 효과적으로 통증을 조절할 수도 있다. 국소마취제를 함께 이용한 부위차단은 전신혈관저항이 갑자기 감소되지 않도록 서서히 시행하여야 한다. Ephedrine 은 심박동수와 폐혈관저항을 증가시킬 수 있으므로 phenylephrine이 더 적절하다.

부위마취는 전신혈관저항 감소에 의한 우좌션트를 악화 시킬 수 있으므로 제왕절개술 시에는 전신마취를 선호하기도 하지만 교정술을 시행하고 기능적 상태가 양호한 임산부의 경우는 세심한 감시와 함께 서서히 마취범위를 적정하면서 부위마취를 시행할 수 있다. 하지만 일회투여 척추마취는 전신혈관저항을 갑자기 감소시켜서 션트방향을 역전시키거나 저산소혈증을 초래할 수 있으므로 피한다.

누두폐쇄(infundibular obstruction)가 있는 경우에는 빈맥, 심근억제와 전부하감소로 인해 우좌션트가 증가하고 말초청색증이 나타난다. 이 경우에는 전신마취 시 심근수축력을 유지할 수 있는 아편유사제를 사용하고 빈맥은 β-차단제로 조절한다.

(2) Eisenmenger 증후군

Eisenmenger 증후군은 폐동맥 고혈압, 우좌 혹은 양방향 션트와 함께 동반되는 전신적인 청색증을 특징으로 한다. 좌우션트인 큰 심방중격결손증, 심실중격결손증, 동맥관열림증 등에서 폐혈관저항의 증가로 인해 션트의 방향이 역전되거나 양방향으로 되면서 선천성 심장질환 환자의 약 3% 가량이 Eisenmenger 증후군이 되기도 한다. 일단 Eisenmenger 증후군의 병태생리가 정착되면 불가역적인 폐동맥고혈압상태가 되고, 이는 수술적 치료로도 되돌릴 수 없으며, 오히려 수술로 사망률이 높아질 수도 있다.

① 임신과의 관계

정상 임신과 달리 이 증후군에서는 폐혈관저항이 높게 고정되어 있어, 임신에 의해 생리적으로 전신혈관저항이 감소하게 되면 우좌션트의 증가와 함께 청색증이 나타나게 된다. 이는 폐순환계 관류의 감소에 의해 동맥혈 저산소혈증과 우심실부전증상(호흡곤란, 곤봉형 손발톱, 적혈구증가증, 목정맥충혈, 말초부종)이 나타난다. 이 증후군이 합병된 임산부의 예후는 폐고혈압의 중증도에 따라 달라진다. 실신병력, 산소포화도가 85% 미만, 임상증상의 황폐화가 조기에 발현된 경우, 복합 선천성 심장질환이 동반된 경우, 심실기능장애가 있는 경우에는 예후가 좋지 않다. 폐동맥고혈압이 동반된 모성의 사망 및 이환률은 17~50%이며 이 중 Eisenmenger 증후군의 경우가 가장 높다. 돌연사, 치료에 반응하지 않는 심장부전, 혈전색전증이나 폐동맥박리 등이 주요 사인이다. 모성의 사망은 대개 임신 후기나 분만 1주일 이내에 발생하지만, 길게는 4~6주까지도 발생한다. 따라서 임신이 되면 초기에 유산시킬 것을 권장한다.

임신을 유지하는 경우 임산부의 저산소혈증으로 인해 태아로 산소전달이 감소하여 60%가량이 미숙아로 태어나며, 사망률은 태아는 9.5%, 신생아는 18.2%에 달한다.

② 폐동맥고혈압의 치료

폐동맥고혈압의 치료목표는 폐혈관저항 증가를 피하고, 우심실의 전부하와 양심실의 수축력을 유지하는 것이다. 이를 위해 칼슘통로차단제, 안지오텐신전환효소억제제, adenosine으로 혈관을 확장시키고, 심장 glycosides, 항응고제, 이뇨제와 산소를 투여하는 것이다. 선택적 폐혈관확장제로는 prostacyclin 정맥주사제(epoprostenol)나 분무제(iloprost), prostaglandin E1 정맥주사제 혹은 alprostadil을 사용할 수 있다. 또한 흡입산화질소(inhaled nitric oxide)는 선택적 폐혈관확장제로 우심실 후부하를 감소시키고 우심실 박출률(ejection fraction)을 개선하여 우심실 기능을 호전시킬 뿐만 아니라 궁극적으로 좌심실의 수축기와 이완기를 모두 개선시킬 수 있다.

③ 마취관리

Eisenmenger 증후군 임산부의 관리를 위해서는 산과의사, 심장전문의, 마취통증의학과의사의 밀접한 의사소통과 협의 진료가 필수이다. 마취관리는 전신혈관저항을 유지하고, 대동정맥압박을 피하여 순환혈액량과 복귀정맥혈량을 유지하며, 폐혈관저항을 증가시킬 수 있는 통증, 저산소혈증, 고탄산혈증과 산혈증을 피하고, 전신마취를 시행할 경우 심근억제를 피하도록 한다. 제왕절개술은 정맥내 순환혈류량의 변화, 출혈에 의한 합병증, 혈전색전증의 위험률이 더 높기에 산과적 적응증이 있는 경우에만 시행한다. 모든 환자에게 산소투여를 하고 션트방향이 변하는지 발견하기 위해 맥박산소포화도 측정을 실시한다. 동맥 카테터로 혈압의 급격한 변화를 감시하고 중심정맥압 카테터로 심장충만압의 변화 및 복귀정맥혈류량을 감시하는 것이 중요하다. 폐동맥 카테터는 폐혈관과 심실기능의 변화를 조기에 알 수 있는 장점이 있는 반면 카테터의 삽입 및 거치에 의한 위험성과 션트로 인한 혈역학적 자료를 해석하는데 혼란의 여지가 있다. 따라서 폐동맥 카테터의 삽입과 사용은 임상적 이득과 위험을 신중히 고려하여 결정하여야 한다.

질식분만을 할 때 진통에 의한 catecholamine 증가를 방지하기 위해 정맥로 아편유사제 투여, 지주막하 아편유사제 투여, 경막외분절차단을 시행 할 수 있다. 소량의 국소마취제와 아편유사제를 병합하면 전부하와 전신혈관저항을 심하게 감소시키지 않으면서 통증, 산소소모와 진통에 의한 혈역학적 영향을 감소시킬 수 있다. 분만 1기에는 아편유사제를 경막외 혹은 지주막하 공간에 투여하는 것이 안전하다. 분만 2기에는 미추경막외차단이 광범위한 교감신경차단 없이 회음부 통증을 조절하기에 적당하고 음부신경차단을 보조적으로 사용할 수 있다. 그러나 항응고제를 투여하고 있는 Eisenmenger 증후군 임산부는 부위마취를 시행할 수 없으므로 아편유사제를 정맥 자가조절진통법(patient controlled analgesia, PCA)을 통해 주입한다.

Eisenmenger 증후군 임산부에서 제왕절개술을 시행할 때 전신혈관저항을 감소시킬 수 있는 척추나 경막외마취보다는 전신마취를 선호하였지만 최근에는 국소마취제를 서서히 증량하면서 혈역학적 변화를 최소화하여 척추나 경막외마취를 시행하기도 한다. 이는 전신마취 시 양압환기에 의한 복귀정맥혈류량의 감소나 흡입마취제에 의한 심근의 억제를 피할 수 있는 장점이 있다. 이 때 대동정맥압박을 피하고 충분한 복귀정맥혈류량을 확보하는 것이 가장 중요하며 전부하, 전신혈관저항 및 산소포화도를 유지하기 위해 수액투여와 소량의 phenylephrine을 사용한다. 건강한 임산부에서 아편유사제는 제왕절개술을 위한 전신마취에 잘 사용하지 않지만, 심한 심장혈관질환이 있는 임산부에서는 혈역학적 안정을 유지하기 위해 전신마취 시 투여하는 것이 적절하다. 전신마취는 폐동맥압 조절을 위해 흡입산화질소를 사용하기가 유용하다.

어떠한 마취방법을 적용하던지 Eisenmenger 증후군 임산부는 분만직후 생명을 위협하는 저산소혈증, 심부정맥과 혈전색전증으로 인해 혈역학적 불안정에 빠질 위험이 높다. 따라서 중환자실 입실과 함께 진통과 분만 중 시행한 침습감시를 산욕기에도 계속하는 것이 안전하다. 대량의 산후출혈은 전신혈압을 저하시킬 수 있으므로 수액과 필요하다면 수혈로 즉각 교정한다. 그러나 출혈량이 많지 않은 Eisenmenger 임산부에서 산후 자궁수축에 의한 자가수혈효과로 순환혈액량의 과부하를 초래할 수 있으므로 주의하여야 한다.

3) 혈관질환

(1) 대동맥축착증(Coarctation of aorta)

교정하지 않았거나 대동맥축착증이 남아있는 경우 모성사망률이 9%이지만 성공적으로 교정수술을 하였거나 팔과 다리의 혈압 차이가 정상일 경우는 다른 임산부들과 같이 임신과 출산을 진행할 수 있기에 특별한 주의나 감시가 필요치 않다. 하지만 임신 전에는 대동맥축착증(재축착 포함)의 여부 및 정도, 연관될 수 있는 이엽성 대동맥판막, 대동맥확장증 등을 확인하는 것이 필요하다. 모성사망의 주요 원인은 대동맥파열이나 박리, 심내막염, 좌심실부전 등이다. 축착된 대동맥의 근위부에서는 혈류량이 늘어나게 되어 뇌혈류의 증가가 일어날 수 있으므로 임신중독증이 있다면 두개내압력 증가에 의한 것들을 잘 감시해야 한다. 축착된 대동맥의 원위부에서 자궁으로 가는 혈관이 기시하기 때문에 임신과 관련된 혈관의 이완으로 자궁으로의 혈류가 줄어들게 되어 태아의 자궁내 성장지연이나 태아사망을 초래할 수도 있다.

① 임신과의 관계

대동맥축착증은 대동맥판협착증(aortic stenosis)과 같이 대동맥 유출로의 고정성 폐쇄에 의해 일회박출량이 제한되고, 좌심실의 후부하가 증가되어 있기 때문에 좌심실이 압력과부하로 점차 비대해진다. 일회박출량이 제한되어 있기 때문에 임신에 의해 증가되는 순환혈액량과 대사요구량은 주로 심박동수 증가에 의해 보상된다. 심

박동수의 증가가 분만 동안 심근산소요구량이 증가하거나 자궁수축에 의해 순환혈액량이 증가할 때 제한된 일회박출량을 더 이상 보상하지 못하게 되면 좌심실부전에 빠지게 된다. 임신 동안 혈관벽에 손상이 지속된 상태에서 진통과 분만 동안 심박출량을 증가시키기 위해 좌심실이 과도하게 박출(ejection)하게 되면 대동맥파열이나 박리가 발생하게 된다. 만약 임신 동안 내과적 치료에도 불구하고 심한 고혈압이 지속된다면 대동맥박리가 발생될 위험이 높으므로 경피적 중재술을 시행하여야 한다.

이학적 검사에서 팔과 다리, 팔(대동맥 축착 근위부)의 오른쪽과 왼쪽의 혈압을 비교하여야 한다. 고혈압은 임신경과를 악화시키므로 대개 β-차단제로 조절한다. 하지만 팔의 고혈압을 낮추게 되면 축착된 대동맥 원위부에 있는 자궁태반관류가 감소하여 자궁 내 성장지연과 조기진통을 초래할 수도 있다. 자궁태반관류 감소를 피하기 위해 임산부의 다리 수축기 동맥압을 100 mmHg 이상으로 유지하기를 권고하기도 한다.

② 마취관리

마취관리는 제한된 일회박출량을 보상할 수 있도록 전신혈관저항 감소를 피하고, 심박수를 정상 혹은 약간 증가된 상태로 유지하며, 충분한 혈관내용적을 확보하는 것이다. 성공적으로 교정되고 좌심실부전이 없는 임산부의 관리는 건강한 임산부와 다르지 않다. 교정하지 않은 대동맥축착증 임산부는 분만과 산욕기 동안 혈압조절과 수액투여의 지침이 될 수 있도록 동맥압과 중심정맥압 침습감시가 필요하다. 동맥압 침습감시는 축착된 대동맥의 근위부와 원위부 혈압을 모두 측정하기 위해서 우측과 좌측의 요골동맥 또는 우측 요골동맥과 대퇴동맥에서 침습적 동맥압 감시를 시행한다. 일회박출량은 제한되어 있기에 심박출량의 증가는 심박수 증가에 의존하게 되므로 심박수의 저하는 반드시 교정하여야 하며 이때 ephedrine 또는 glycopyrrolate를 사용한다.

질식분만 시 전신적 약제투여, 흡입진통, 음부신경차

단을 시행할 수 있다. 아편유사제만으로 척추차단을 시행하거나 경막외차단을 서서히 주의 깊게 시행하면서 모성의 혈압과 태아의 심박수를 감시하여야 한다. 교정하지 않은 대동맥축착증 임산부의 제왕절개술은 침습감시 상태에서 전신마취를 하고, 부위마취는 추천되지 않는다. 그러나 교정하였거나 임신 중 경피적으로 축착부위를 확장한 임산부에서는 척추경막외병용마취나 경막외마취를 서서히 증량하면서 시행하기도 한다.

(2) 일차성폐동맥고혈압

일차성폐동맥고혈압은 심장내 혹은 대동맥-폐동맥 사이에 션트 없이 휴식 시 평균 폐동맥압이 25 mmHg 이상인 폐동맥고혈압을 말한다.

① 임신과의 관계

고정된 저심박출량, 폐동맥고혈압의 정도 및 우심실 기능에 따라 중증도가 달라지고 증상과 징후가 결정된다. 특히, 임신 전 폐동맥고혈압의 중증도는 임신성 심장부전 발생위험과 밀접하기에 임신의 금기이다. 임신을 계속 유지하려는 임산부는 폐동맥고혈압의 중증도와 치료에 대한 반응 정도를 평가하고 혈역학적 안정을 유지하여야 한다.

② 마취관리

일차성폐동맥고혈압은 Eisenmenger 증후군과 달리 폐혈관이 혈관확장제 치료에 반응하는 경우가 많다. 마취관리는 Eisenmenger 증후군 임산부와 비슷하다. 모든 환자에게 폐혈관 확장작용을 위해 산소를 투여하고 동맥압과 중심정맥압을 침습감시한다. 심장초음파는 우심실비대나 삼첨판역류 시 혈류 속도 측정에 의해 폐동맥의 혈압을 가늠해 볼 수 있기에 폐동맥 고혈압의 진단이나 예후를 알아보는데 사용될 수 있지만 정확한 우측 심장의 혈압을 정확히 측정할 수 없기 때문에 폐동맥 카테터를 사용하기도 한다. 폐동맥 카테터는 혈관확장제에

대해 폐혈관반응이 있는 경우에 치료지침으로 사용할 수 있지만, 득실을 충분히 고려하여 사용을 결정해야 한다. Eisenmenger 증후군은 모성사망률이 30~50%에 이르며 대부분 분만 중이나 산욕기에 사망한다. 분만 후 산욕기에도 모성 사망의 위험이 높기 때문에 중환자실에서 침습감시를 계속한다. 태아의 자궁내 성장지연, 조기진통 및 태아사망의 빈도가 매우 높다.

마취 시 폐혈관저항을 증가시킬 수 있는 저환기, 약제, 폐의 과팽창 및 스트레스를 방지하고, 복귀정맥혈량 감소로 우심실 용적을 감소시킬 수 있는 순환혈액량 감소, 정맥확장 및 대동정맥압박을 피하여야 한다. 또한 과도한 교감신경차단이나 흡입마취제로 인한 전신혈관 저항 감소와 심근수축력의 감소는 환자를 대상부전상태에 빠지게 할 수 있으므로 주의하여야 한다.

질식분만 시 정맥로를 통해 아편유사제를 투여하거나, 국소마취제를 사용한 경막외차단은 T10~L1 분절에 국한되도록 천천히 진행한다. 지주막하공간이나 경막외 공간에 아편유사제를 투여하는 것은 분만 1기 통증조절에 효과적이며, 분만 2기에는 미추차단이나 음부신경차단을 시행하는 것이 도움이 된다.

전신마취를 통한 제왕절개술 시 고용량의 아편유사제나 흡입마취제를 사용하는 것이 후두경을 조작할 때 폐혈관저항의 급격한 증가를 방지할 수 있다. 부위마취는 가급적 시행하지 않지만, 혈역학적 안정을 유지하면서 서서히 경막외마취를 시행하기도 한다. 하지만 국소마취제의 일회투여로 시행하는 척추마취는 혈압을 저하시키므로 시행하지 않는다. 자궁수축제는 폐혈관저항을 증가시키거나 전신혈관저항을 감소시킬 수 있기에 사용 여부를 환자의 상태와 함께 신중히 고려해야 한다.

4. 심장판막질환

임산부의 합병증에 있어 심장질환은 1% 미만이지만 발현하게 되면 임산부뿐만 아니라 태아의 위험성도 현저하게 높아진다. 류마티스판막질환은 발병률이 점차 줄어들고 있으나 가임기 여성에서는 가장 흔한 판막질환의 원인이다. 발병된 판막의 위치보다는 임산부의 기초운동 부하능력으로 임신과 분만이 원만히 진행될 수 있을 지를 예측할 수 있다. 고위험 판막질환의 여성은 먼저 임신 전에 정확한 평가를 하고 치료를 받아야 한다. 가능하다면 판막치환술 보다는 중재적 치료나 수술적 교정을 우선으로 하고 치환술을 하게 된다면 주로 조직판막을 사용하는 것이 임신 중 항혈전제 사용에 의한 위험을 줄일 수 있다.

임신에 수반되는 심박수, 순환혈량 및 심박출량의 증가는 좌측의 패쇄성 심질환의 임산부에서 임신을 견디기 힘들게 하지만, 역류성 판막질환의 임산부에게 전신혈관저항의 감소나 혈액량의 증가는 분만 시까지 도움이 되기도 한다.

1) 승모판협착증(Mitral stenosis)

승모판협착은 임신 중 가장 흔한 류마티스성 심장질환으로 임신 전에는 무증상으로 지내다가 임신 중 처음으로 발견되는 임산부의 수가 적지 않기에 임신 중 가장 많이 중재적 치료가 시행된다.

(1) 임신과의 관계

임신 중 심박출량의 증가와 심박수 증가에 의한 심실 충만 시간의 감소는 승모판 협착을 가진 임산부에게 좌심방 압력을 증가시키며 심한 경우 폐동맥 고혈압과 우심실 부전을 일으킬 수 있다. 무증상의 임산부라도 점차 줄어드는 이완기 심실 충만시간은 좌심방 확장과 심방세

동을 초래할 수 있으며, 빈혈이나 발열 등으로 심박수가 더욱 증가하는 경우 혈역학적 보상능력은 현저히 떨어지게 된다.

승모판의 면적이 1~1.5 cm^2 정도가 되면 중등도의 협착이 되고 1 cm^2 이하면 중증의 승모판 협착으로 판정한다. 내과적 치료에 반응하지 않는 중증의 경우 임신 중이라도 개흉수술이나 중재적 치료를 시행하기도 하며 중재적 치료로는 주로 경피적 승모판막절제술을 시행한다.

(2) 마취관리

승모판협착의 임산부는 빠른 심박수를 예방하며, 중심 혈류량의 증가를 최소화하고, 전신혈관저항의 급격한 감소와 폐동맥압의 증가를 피하는 것이 중요하다. 심박수의 증가를 일으킬 수 있는 통증, 불안, 얕은 마취, 저혈량증, 고탄산혈증, 산혈증을 피하거나 교정하여야 하며 심박수를 낮추기 위해 베타차단제를 사용할 수도 있다. 분만 중 통증을 줄이기 위해 지주막하 혹은 경막외 신경차단술을 시행할 수 있다. 급격한 혈역학적 변화를 막기 위해 경막외차단술이 선호 되지만, 중증의 경우 아편유사제를 이용한 지주막하차단만으로 통증을 조절하기도 한다. 통증부위의 회음부 차단으로 통증에 의한 심박수 증가를 피할 수 있고 Valsalva 수기와 밀어내기 없이 자궁수축만으로 태아의 하강을 유도하여 혈역학적 변화를 최소화 하면서 분만을 진행할 수 있다. 과다한 수혈, trendelenburg 자세, 자궁수축에 의한 자가수혈등은 급격한 혈류량의 증가로 심방세동, 폐동맥 고혈압, 우심부전을 일으킬 수 있으므로 혈류량의 측정을 위하여 중심정맥압이나 폐동맥쐐기압을 측정하기도 한다. 중증의 협착증 심장질환 환자는 일회 심박출량이 일정하여 전신혈관 저항감소가 심박수의 증가 또한 좌심방 비대와 우심장부전을 초래할 수 있기에, 저혈압시 전신혈관저항을 유지할 수 있는 약제를 먼저 사용하는 것이 좋다. 폐동맥압의 증가를 일으킬 수 있는 고탄산증, 저산소증, 산혈증, 폐의 과팽창 등을 피하며 분만 후 자궁이완증에

prostaglandin 사용 시에는 주의를 기울여야 한다.

제왕절개술은 산과적 적응증에 따라 시행되며 혈역학적 변화를 좀더 조절하기 좋은 경막외차단술이 지주막하차단술 보다 선호되며, 경막외차단 시 국소마취제와 함께 사용하던 epinephrine은 빈맥과 말초혈관 이완의 가능성이 있어 제외한다.

NYHA III, IV 등급의 중증 임산부는 전신마취 하에 제왕절개술을 시행하는 것이 더 낫다. 전신마취 유도 중 교감신경 자극에 의한 혈역학적 변화를 최소화 하기 위해 기관내 삽관 시 아편유사제와 베타차단제를 사용하기도 하며, 전신마취는 부위마취에서는 견디기 힘든 경식도초음파를 이용한 심혈관 감시를 할 수 있는 이점이 있다.

모든 승모판협착증 임산부에게 산소를 투여하고 맥박산소측정으로 산소포화도를 감시한다. 중증의 승모판협착증 임산부에게는 질식분만 시 자궁을 왼쪽으로 전위시킨 상태를 유지하고, 동맥압과 중심정맥압 침습감시를 분만 후 최소 24시간까지 계속 하여야 한다. NYHA III 등급이상의 중증 승모판협착증 임산부는 폐동맥 카테터로 혈역학적 감시를 시행하고 폐모세혈관쐐기압을 수액 투여의 지침으로 삼는다.

분만 후 oxytocin의 bolus 주입이 전신적인 저혈압과 폐고혈압을 일으킬 수 있으므로 삼가 하여야 하고, 만약 심방세동이 발생한다면 베타차단제, digoxin, 제세동기를 사용하여 치료하여야 하고, 혈전색전증의 예방을 위하여 가능하면 빨리 항지혈제를 사용하여야 한다.

2) 대동맥판협착증(Aortic stenosis)

가임 여성에서 선천성 이엽대동맥판막이 주로 대동맥판협착증을 일으키며, 류마티스성이나 대동맥판 상-하부 협착에 의한 경우는 적다. 이엽대동맥판막은 가장 흔한 선천성 심장 기형으로 대동맥판협착 및 역류와도 연관이 있으며 대동맥 기부의 확장 및 박리의 가능성도 염두에 두어야 한다.

(1) 임신과의 관계

정상 대동맥판의 면적은 $3{\sim}4$ cm^2인데 대동맥판 면적이 1 cm^2 미만으로 감소되거나 최대압력차이가 40 mmHg 보다 높아지면 증상이 나타나게 되며 협착에 의한 심혈관계 합병증이 나타나면 고위험군으로 분류한다. 실신, 협심증, 부정맥, 심부전 등의 증상이 임신 전에 있었던 경우는 임산부의 이환율과 사망률이 매우 높게 된다. 경하거나 중등의 대동맥 협착은 임신과 출산의 경과에 큰 문제가 없지만 중증의 경우는 임신 중 NYHA 등급이 나빠지거나 폐부종, 심부전, 부정맥 등의 합병증이 발생하기도 하기에 심한 대동맥협착증 환자는 임신 전에 수술적 교정이 필요하고, 임신 초기에 증상이 나타난다면 임신을 종결할 것을 권하기도 한다.

대동맥판막의 협착으로 좌심실은 후부하가 증가하고 압력과부하가 걸리게 되어 좌심실이 비대해지면서 유순도가 감소하며 판막협착은 일회 박출량이 일정하기에 심박동수가 심박출량을 결정하게 된다. 대동맥판막협착 임산부는 혈량의 저하와 저혈압을 피해야 하고, 정상 심박수를 유지하여야 한다. 전신혈관저항이 감소하게 되면 빈맥이 발생하게 되고 이는 심실충만시간을 줄이고 심근의 산소요구량 증가로 심허혈을 일으키게 된다. 또한 심비대로 인해 심실의 이완 시 유순도가 감소되기 때문에 혈관내 용적을 유지하면서 태아가 있는 자궁에 의한 대동정맥압박을 피하여 복귀정맥혈량 감소를 예방하여 전부하를 유지하여야 한다. 또한 심실의 이완기 장애로 인해 감소된 전부하를 유지하기 위해서 심방의 수축에 의한 심실 충만이 필요하므로 동율동(sinus rhythm)을 유지하여야 한다. 심박수는 대동맥의 협착으로 일회박출량은 일정하므로 심박출량 증가를 위해 정상 심박수를 유지하여야 한다.

(2) 마취관리

출산에 있어서 보조 질식 분만(assisted vaginal delivery)의 경우가 많으며 제왕절개술은 산과적 적응증을 따르게 된다. 통증의 조절을 위한 척추마취나 경막외 마취는 급격한 혈역학적 변화를 이유로 전통적으로 대동맥 협착의 경우 피하였으나, 수액주입과 함께 아편유사제 만을 지주막하로 주입하거나 저농도의 국소마취제와 아편양제제를 경막외로 서서히 주입하여 교감신경의 차단을 최소화하여 안정적인 생체활력징후를 유지하면서 출산을 하기도 한다. 심한 대동맥 협착의 환자는 전신마취를 주로 하였으나 경막외마취 시 아편유사제와 함께 점진적인 마취 범위 조절을 하면서, 음부신경 차단이나 전신적 약제 투여로 보조하여 점차적으로 부위마취도 가능하게 되었다.

국소마취제와 함께 사용하기도 하는 epinephrine은 부위마취 중 의도치 않게 정맥내로 들어가 빈맥을 일으키거나, 전신적인 흡수로 인한 전신혈관 저항의 감소로 인하여 복귀정맥혈량이 감소되어 대동맥협착 임산부에게 큰 위험을 초래할 수 있으므로 사용을 신중히 고려해야 할 것이다.

무증상의 임산부는 비침습적인 감시장치를 통한 모니터링과 마취부위의 점진적인 적정이 가능한 부위마취를 통해 분만이 안전하게 진행될 수 있겠으나 질식분만 초기나 제왕절개술 전에 동맥 카테터를 삽입하여 침습적 혈압감시를 하는 것을 권고한다.

전신마취 시에는 베타차단제와 고용량 아편유사제를 함께 사용하는 균형마취(balanced anesthesia)를 하여 후두경 삽입이나 기관내 삽관 시 혈역학적 변화를 최소화하면서 시행한다. 마취의 심도를 적절하게 조절하여 빈맥이나 고혈압을 예방한다. 좌심실부전이 있으면 심근억제를 유발하는 흡입마취제는 피하는 것이 좋고, oxytocin은 저혈압유발의 가능성이 있으므로 신중히 사용을 고려해야 하며 사용시에는 매우 적은 용량으로 주입을 고려한다.

제왕절개술 후에 다학제적 집중관리를 시행하는 것이 바람직하다.

3) 승모판역류증(Mitral regurgitation)

승모판역류증 임산부의 많은 수는 임신과 출산을 큰 어려움 없이 지나간다. 천천히 진행하는 좌심실의 용적 부하는 많은 환자에 있어 증상이 발현하는데 30년 이상이 걸리지만 울혈성심부전과 함께 증상이 동반되는 경우는 급격한 악화로 5년 생존율이 50% 미만이다. 임신에 의한 혈류량 증가는 승모판역류 임산부에게 판막질환의 악화를 가져오기도 한다. 심방세동, 전신적 색전증, 세균성심내막염 등의 다른 합병증이 나타나는데 40~50년이 걸리기도 한다.

(1) 임신과의 관계

만성적인 승모판 부전으로 인한 좌심방 혈류증가로 좌심방은 점차 늘어나게 되고, 좌심방의 압력이 오르게 되면 점진적으로 좌심방의 부전과 함께 높은 좌심방의 압력이 폐순환으로 전해져 폐고혈압, 우심실저하가 나타나게 된다. 전신적인 혈관저항이 감소되는 임신의 생리적 변화는 좌심실의 후부하를 감소시켜 좌심방으로의 역류를 줄일 수 있기에 도움이 될 수도 있고 이러한 점이 승모판 협착보다 승모판 역류의 임산부가 임신에 더 잘 적응할 수 있도록 한다. 그러나 혈류량이 증가하는 임신 중 변화는 만성적인 좌심실 기능저하와 함께 폐울혈로 임산부를 위험하게 할 수도 있고, 분만 중 불안, 통증, 자궁수축에 의해 갑자기 늘어나는 순환혈액량은 임산부의 상태를 갑자기 악화시킬 수도 있다. 승모판 역류 임산부는 마취 중 심박수 저하를 피하여 약간 빠르거나 정상 심박수를 유지하여 적절한 심박출량을 유지해야 하며, 늘어난 좌심방에 의한 심방세동은 좌심실 부전을 일으킬 수 있으므로 생기지 않도록 주의하고 발생하면 적극적으로 치료해야 한다.

(2) 마취관리

무증상의 승모판 역류 임산부는 대게 일반적인 심전

도, 산소포화도 측정기, 비침습적 혈압계 등의 감시로도 충분하며 진통을 위해 조기에 경막외마취를 적용하는 것은 catecholamine 증가에 의한 전신혈관저항 증가를 막을 수 있어 도움이 된다. 심한 승모판역류증 임산부는 침습감시가 필요하다.

경막외마취는 통증으로 인해 전신혈관저항이 증가하는 것을 줄여주고 전방혈류를 증가시켜 폐울혈을 방지할 수 있는 장점이 있으나 복귀정맥혈량을 감소시킬 수 있기 때문에 수액을 적절히 투여하고 자궁을 왼쪽으로 전위시켜서 좌심실충만을 유지하면서 시행한다. 전신마취 시에는 적은 심근 수축력 감소도 좌심실 부전을 일으킬 수 있으므로 심수축력 저하를 일으킬 수 있는 약제는 피하여야 한다.

4) 대동맥판역류증(Aortic regurgitation)

퇴행하는 이엽성대동맥판막에 의한 대동맥판역류증이 임산부에서 가장 흔하다. 주로 40~50대 연령에 대동맥판막 부전의 증상이 처음 나타나기에 가임기 여성에게는 큰 문제없이 지나가기도 하지만 3~9% 가량은 심부전이 임신 중에 나타나기도 하며 이는 매우 위중하며 수술적 치료를 필요로 하기도 한다.

(1) 임신과의 관계

천천히 진행되는 대동맥판역류증은 심박수가 증가하여 역류할 수 있는 이완기 시간이 줄어들고, 전신혈관저항감소로 후부하가 적어지는 임신의 정상적 심혈관계 변화로 심장 내로의 대동맥 혈액 역류를 줄일 수 있어 잘 견딜 수 있게 된다.

대동맥에서 좌심실로 역류되는 혈액은 점진적으로 좌심실을 확장시키고, 좌심실비대를 초래하는 용적과부하가 된다. 확장되고 비후된 좌심실이 역류된 좌심실 혈액을 대동맥으로 구출시키지만, 점차 심실수축력이 감소되고 일회박출량과 심장박출량이 감소하면 좌심실이

완기말용적이 증가한다. 증가된 좌심실이완기말 압력은 폐모세혈관쐐기압의 증가와 함께 폐울혈을 초래하기도 한다.

임신에 의한 심박동수 증가, 전신혈관저항 감소와 순환 혈류량의 증가는 대동맥판역류증 임산부가 임신을 잘 견디도록 해주기도 하지만 증상이 나타나면 임산부의 위험도는 가파르게 상승하며 임신의 진행과 함께 좌심실부전도 심해지게 된다.

(2) 마취관리

대동맥판역류증 임산부의 마취관리는 승모판역류증 임산부와 유사하다. 대동맥판역류증 임산부를 마취하면서 좌심실 혈액의 후부하가 될 수 있는 전신혈관 저항의 증가를 피해야 하고, 약 80~100회의 정상 혹은 약간 빠른 맥박수를 유지하여야 한다. 특히나 좌심실 혈액의 역류가 일어나는 이완기 시간이 길어질 수 있는 서맥은 반드시 피해야 한다. 복귀정맥혈량의 유지를 위해 적절한 정맥내 혈량을 유지하여야 하며 대동정맥압박을 피해야 한다.

분만 초기 경막외마취를 통한 무통분만은 통증에 의한 전신혈관저항 증가를 줄일 수 있고, 증상이 있는 대동맥판역류증 임산부는 전신적 혈관이완제의 사용이나 부위마취를 고려해 보아야 한다.

분만과 제왕절개를 위한 대동맥판역류증의 대부분 임산부에게 지속적인 경막외마취가 권장되며, 증상이 있는 임산부는 침습감시와 함께 심장전문의가 함께 하는 다학제적 관리가 필요하다.

5) 인공심장판막(Prosthetic heart valves)과 항응고제

임신에 의한 심혈관계 변화가 조직판막의 구조적 변성에 미치는 영향의 여부에 대해서는 확실하지 않지만 조직판막은 장기간 전신적인 항응고제 치료가 필요 없다는 장점이 있다.

조직판막이 임신 중 항응고제 사용요법을 단순하게 해줄 수는 있으나 모성에게는 재수술률이나 수술에 관련된 사망률이 3.8%, 8.7%로 높다고 하며, 조직판막의 위치에 따라서는 대동맥판막 보다는 승모판막 부전율이 더 위험성이 높다.

기계판막은 조직판막보다 혈전색전증의 위험성이 높기에 모든 기계판막 적용 환자는 전신적 항응고제 요법을 필요로 한다. 임신 중에는 응고 인자의 증가 등으로 혈전색전증의 위험이 더 높게 나타난다. 미국심장협회 진료지침에 따르면 혈전색전증 고위험군인 기계인공판막 임산부는 임신 전기간과 산욕기까지 혈액응고검사로 감시하면서 지속적으로 치료용량의 항응고제를 투여하도록 권고하고 있다.

Warfarin은 heparin보다 기계판막을 가진 임산부의 혈전색전증이나 모성의 사망률을 줄인다고 하나 태반을 넘을 수 있기에 임신 6~8주에는 태아장애를 줄이기 위해 비분획 heparin이나 저분자량 heparin을 사용하도록 한다.

분만 4~5일 전에 warfarin의 사용은 중단하고 heparin으로 대체하여야 하며, 신경축차단 직전에 international normalized ratio of prothrombin time (PT INR)을 확인하여야 한다.

비분획 heparin은 태반을 넘어가지 않아 warfarin보다 태아에게 안전하지만 임신 초기 제1삼분기와 만삭에서 판막 혈전증이 발생할 수 있기에 임신 중에는 heparin의 요구량이 증가하게 된다. 피하와 정맥주사로 비분획 heparin을 투여할 수 있으며 정맥주사의 경우 신경축차단 4~6시간 전에 중단하고 aPTT 검사를 시행한다. 거치하였던 경막외 카테터를 제거 할 경우에는 2~4시간 전에 중단하였다가 제거 1시간 후 다시 투여할 수 있다.

저분자량 heparin은 태반을 넘지 않으며 피하주사로 투여한다. 저분자량 heparin은 anti-factor Xa 검사로 항응고 효과를 확인할 수 있고, 신경축차단은 마지막 투여 24시간 경과 후에 시행하도록 한다.

5. 폐쇄비대심근병증(Hypertrophic obstructive cardiomyopathy)

폐쇄비대심근병증은 특별한 원인 없이 좌심실 유출로 부근 심실중격이 두꺼워지는 흔하지 않은 질환으로 10~30대에서 주로 발병한다. 비정상적으로 비대된 심근으로 인해 좌심실내강이 좁아지고 경직되어 확장기 기능이상이 유발되고 심실충만에 장애가 발생한다. 이러한 상태에서 좌심실의 전부하나 후부하가 감소하고 수축력이 증가되면, 유출로의 압력경사가 높아지게 되어 비대한 심실중격 쪽으로 승모판 전엽이 수축기에 전방으로 움직여(systolic anterior motion) 이미 좁아진 유출로에 추가적인 폐쇄가 발생한다. 따라서 이런 환자들은 좌심실 충만을 위해 전부하를 높게 유지하고 유출로 폐쇄를 감소시키기 위해 수축력을 감소시키며 경직된 좌심실이 확장될 수 있도록 전신혈관저항을 높게 유지하여야 한다.

1) 임신과의 관계

대부분의 폐쇄비대심근병증 여성들은 임신 상황을 잘 견디지만, 분만 전후 심기능 악화와 급작스러운 심부전이 발생할 가능성도 있다. 임신에 의한 혈액량 증가와 분만 동안의 자궁수축은 전부하를 증가시켜 유출로 폐쇄를 호전시킨다. 그러나 전신혈관저항 감소와 심박수 증가 및 심근수축력의 증가는 유출로 폐쇄를 악화시킨다. 대동정맥압박, 분만 출혈, Valsalva 조작 등에 의해 전부하가 감소되면 심박출량이 심각하게 감소한다. 임신 중 예후는 임상증상이나 심장초음파 소견과 관련이 없으며, 심박수 조절과 충분한 혈관용적 유지 및 부정맥 예방에 따라 달라진다. 임신, 진통, 분만 동안 빈맥과 수축력 증가를 방지하기 위해 β-차단제 치료를 지속하여야 한다. 증상이 있거나 실신한 적이 있는 가임 연령 여성은 임신 전부터 심장박동조율기나 체내삽입자동제세동기 삽입을 고려해야 한다.

2) 마취관리

폐쇄비대심근병증 임산부의 마취관리 목표는 다음과 같다. 첫째, 대동정맥압박을 피하여 복귀정맥혈과 혈관 내 용적을 유지한다. 둘째, 충분한 전신혈관저항을 유지한다. 셋째, 동리듬의 서맥을 유지하고 심방세동과 빠른 부정맥은 적극적으로 치료한다. 넷째, 심근수축력이 증가되는 것을 방지한다. 이를 위해 진통과 분만 동안에도 β-차단제 치료를 지속하여야 한다. 이런 환자에서 저혈압 치료제로는 심근수축력을 촉진시키지 않고 혈관수축으로 혈압을 상승시키는 phenylephrine을 선호한다.

분만 2기 동안 나타나는 전신혈관저항 증가는 심실기능 유지에 도움이 되기 때문에 대부분의 임산부들은 잘 견딜 수 있다. 분만 후에 oxytocin이 필요하면 천천히 투여하여야 하며, oxytocin을 한꺼번에 정맥 내 대량주입하면 빈맥이 유발되고 전신혈관이 확장되어 좌심실 유출로 폐쇄가 심해진다. Ergot 알칼로이드인 methylergonovine을 자궁수축제의 대체약물로 사용 가능하다. 분만 제1분기에는 아편유사제 전신투여, 흡입진통과 자궁경관주위차단을 할 수 있다. 부위마취에 의한 전신혈관저항 감소는 유출로 폐쇄를 악화시키므로 조심해야 한다. 척수막내 아편유사제를 투여하거나 지속 요추경막외차단 또는 척추-경막외병용차단을 서서히 증량시키면 전신혈관저항의 감소를 막을 수 있다. 분만 2기에는 경막외차단이나 음부신경차단 또는 안장차단이 도움이 된다.

제왕절개술을 위한 부위마취는 광범위한 교감신경차단이 필요하기에 잘 시행하지 않으나, 혈역학적 변화가 보상되게 신중하게 증량하면서 시행할 수 있다. 일회 투여 척추마취는 급격한 교감신경차단의 위험이 있으므로 상대적인 금기이다. 휘발성 흡입마취제는 심근수축력을 감소시키므로 전신마취에 잘 견디는 편이어서 더 선호하지만, 가역적인 울혈심부전이 발생할 수 있다.

6. 분만전후심근병증(Peripartum cardiomyopathy)

분만전후 심근병증은 이전에 특별한 심장병이 없던 여성에서 분만 전 1개월에서 분만 후 5개월 사이에 발병하는, 드물지만 치명적인 심부전의 한 형태이다. 유병률은 미국에서 출산 3,000~15,000명당 1명 정도로 알려져 있고, 한국에서 정확한 통계는 없지만 비슷한 수준으로 알려져 있다. 감염, 자가면역 및 독성인자 등이 원인으로 거론되지만, 지금까지 명확한 인과관계가 성립되지 않아 원인불명으로 알려져 있다. 다산, 자간전증, 비만, 고령임신, 모유수유, 쌍둥이임신 등이 위험인자이다. 이 질환이 임신특이성 질환인지 다른 형태의 심근병증이 임신으로 인해 악화된 것인지는 아직 확실치 않다.

1) 진단

심근병증을 유발하는 다른 원인을 배제한 후 진단하게 되며, 임상증상과 징후는 울혈심부전과 비슷하다. 호흡곤란이 가장 많으며 좌위호흡, 흉통, 기침, 두근거림이 동반되는데 이것은 정상임신 때도 나타나기 때문에 조기발견이 어렵다. 심전도는 좌심실비대, 광범위 ST파 이상, 좌심실전도장애를 보인다. 모성사망률이 25~50%에 이르며, 사망의 50% 이상이 분만 후 3개월 이내에 발생한다. 모성사망의 주된 원인은 심부전, 혈전색전증과 부정맥이다. 환자의 절반은 심실기능이 정상 혹은 거의 정상으로 회복하지만 나머지 절반은 증상이 악화되어 사망하거나 심장이식을 받아야 한다. 다음 임신에서 재발하는 경향이 있는데, 좌심실 기능이상 유무가 예후에 중요하다.

2) 치료원칙

치료는 울혈심부전에 준한다. 분만전후심근병증 중 특히 중증의 수축기 기능이상이 있는 임산부는 염분과 수분섭취를 제한하고 이뇨제를 투여하여 전부하를 감소시키고, 혈관확장제를 투여하여 후부하를 감소시킨다. hydralazine, 질산염, 칼슘통로차단제는 후부하 감소를 위해 사용된다. 낮은 박출률을 보이는 환자에서는 혈전색전증의 위험이 있으므로, 비분획 혹은 저분자량 heparin을 사용한 항응고요법이 고려되어야 한다. Warfarin은 기형의 위험 때문에 사용하지 못하지만, 분만 후에는 경구 항응고요법으로 유용하다. 분만까지 심실부전이 계속되면 동맥 카테터와 폐동맥 카테터 등 침습 감시가 필요하다. 분만 전에 발병이 되었다면 즉시 질식분만이나 제왕절개술을 시행한다.

3) 질식분만과 제왕절개술을 위한 마취

질식분만을 할 때는 국소마취제와 아편유사제를 천천히 적정하면서 지속적 경막외진통법을 한다. 적정 범위의 경막외진통법은 전부하와 후부하를 감소시켜 심실 기능에 도움이 될 수 있다. 경막외차단 전 관례적인 수액투여나 예방적 ephedrine 사용은 피한다. 질식분만은 혈역학적 안정성, 출혈의 감소, 수술적 스트레스의 최소화, 감염의 위험 감소 등의 장점이 있다.

제왕절개술은 부위마취나 전신마취 모두 가능하다. 전신마취를 시행할 경우 심박수를 정상 또는 그 이하로 유지하고 지나친 혈압 변화를 피하는 것이 좋다. 아편유사제를 기반으로 한 마취유도는 정맥마취제를 다량 사용

하여 발생하는 심근억제와 혈관확장을 피할 수 있다. 부위마취는 국소 마취제의 용량을 천천히 증량한 경막외마취나 척추경막외병용마취를 시행하며, 부위마취를 시행할 경우 항응고제 사용 여부를 확인하여야 한다.

7. 허혈심장병(Ischemic heart disease)

허혈심장병은 가임 연령 여성에서 흔하지 않지만 고령출산, 흡연, 식이습관의 변화, 경구피임제 사용, 고혈압, 당뇨, 고지혈증 합병증 등으로 발생빈도가 증가하고 있다. 심근경색증의 위험은 가임 연령 여성 중 임산부에서 3배 높으며, 고령의 임산부나 다산부에서 더 증가한다. 임신 중 심근경색증의 주 원인은 죽상경화증이지만 혈전증, 관상동맥박리, 혈관염, 색전증, 갈색세포종, 아교질혈관질환, 낫적혈구빈혈에 의한 것이거나 임신성 고혈압, ergot 알칼로이드, 코카인 투여에 의한 관상동맥연축일 수도 있다. 대부분 임신 제3삼분기나 산욕기에 발생하고, 가장 많이 병발하는 혈관은 좌전하행 관상동맥이다.

임신은 심박수, 심근벽긴장, 수축력, 기초대사율과 산소소모량을 증가시킨다. 분만은 산소소모량을 더욱 증가시키고 통증은 임산부의 catecholamine을 증가시켜 심근 산소요구량을 증가시킨다. 자궁수축과 자가수혈 효과에 의한 전부하 증가는 심근 산소요구와 공급 균형을 더욱 악화시킨다. 심근 산소소모는 분만 시 최대가 되는데, 태아 분만을 위한 밀어내기는 산소소모량을 150% 증가시킨다. 산후기에도 산소소모량은 임신전보다 25% 증가되어 있다. 선택 제왕절개술 중이나 후에 심박출량은 50% 증가하여 심혈관계 스트레스를 높인다. 이와 같이 임신, 진통 및 분만에 의한 심혈관계 변화는 관상동맥병이나 다른 심장질환이 있는 임산부에서 심근허혈이나 심근경색을 촉발한다.

1) 진단

진단기준은 임상증상, 심전도 변화, 심장표지자 검사를 포함해야 한다. 축변이, T파 역전, V1, V2에서 R/S 비율의 증가는 정상 임신에서 흔하고, 심근경색과 비슷한 ST분절 변화가 제왕절개술 동안 정상적으로 나타날 수 있다. 이러한 이유로 심근허혈의 진단과 적절한 중재적 시술이 지연될 수 있다. 트로포닌 수치는 분만 동안 자궁수축에 영향을 받지 않는, 심근경색과 심근손상의 신뢰할만한 표지자이다. 심전도는 허혈을 확실히 진단해주지 못할지라도 심근벽의 운동저하를 진단하는데 유용하며, 부하심장초음파검사를 시행하기도 한다.

심장카테터삽입 동안에는 복부를 가리고 투시 시간을 줄여 방사선 노출을 줄여야 한다. 15라드 이상 노출될 경우 태아에 손상을 줄 수 있다. 심장카테터삽입은 관상동맥 박리의 위험이 있으므로 안정적인 환자에서는 비침습적 진단법을 먼저 시행해야 한다.

2) 약물치료

허혈심장병이 있는 임산부는 모성과 태아의 위험을 줄이기 위해 심근 산소요구와 공급 균형을 악화시키는 인자를 제거하고 유발질환을 치료하여야 한다. 침상안정을 취해야 하며, nitrate, β-차단제, 칼슘통로차단제 등을 임신, 진통, 분만과 산후기 동안 지속적으로 투여하여야 한다. 심혈관계 약물을 투여할 때는 태아에 미치는 영향을 고려하여 필요하다면 태아의 심박수를 감시한다. 약물치료는 아스피린과 heparin 등도 사용할 수 있지만 안정성과 최적의 조합은 아직 정립되지 않았다. 고용량의 아스피린은 태아사망, 자궁 내 성장지연, 출혈, 산증, 조기 동맥관막힘을 유발할 수 있으며, 임산부의 빈혈과 임신기간과 분만의 연장이 아스피린과 연관성이 있다고 알려져 있다. 그러나 저용량의 아스피린은 관상동맥질환이 있는 임산부에게 추천된다. Heparin은 분만 전에 사용하는 최적의 항응고제로 분만 24시간 전에 중지하고 분만 후 적절한 지혈 여부를 확인한 후에 다시 투여한다. 심근경색에는 혈전용해제를 사용하기도 하지만 임산부에서 안전성은 입증되지 않았다. 안지오텐신전환효소 억제제, 앤지오텐신II 수용체차단제, 직접 레닌 억제제는 태아사망과 기형유발 위험 때문에 금지한다.

3) 중재적 시술과 수술

약물치료에 반응하지 않는 심근허혈에는 경피경관 관상동맥성형술(percutaneous transluminal coronary angioplasty), 스텐트 삽입, 관상동맥우회술을 시행하기도 한다. 경피경관 관상동맥 성형술을 시행한 임산부에 장기적인 항혈소판제 사용의 안정성이 알려지지 않았기에, 약물 분비 스텐트보다 베어메탈 스텐트를 더 선호한다. 관상동맥우회술을 시행한 보고에서 1.7~3%의 모성사망률과 9.5%의 태아사망률의 위험성이 있다고 알려져 있다. 수술은 제2삼분기의 초반에 주로 시행되는데, 제1삼분기에 시행할 경우 태아 결과가 좋지 않고 후기 제2삼분기나 초기 제3삼분기에는 조산의 위험이 있기 때문이다. 심폐우회술은 자궁태반 혈관과 태아에 해로운 영향을 미치므로 수술 동안 자궁수축과 태아 심박수는 감시하여야 한다.

4) 분만과 출산의 관리

관상동맥질환이 있는 임산부에서 최적의 분만 방법에 대해서는 아직 논란의 여지가 있다. 일반적으로 제왕절개술은 산과적 적응에 따라 시행하지만, 임산부의 혈류역학이 불안정하면 즉시 제왕절개술을 시행하도록 권장한다. 관상동맥질환 임산부는 임신, 분만 및 산욕기에 걸쳐 산과의사, 심장전문의, 마취통증의학과의사의 협의 진료 하에 관리하여야 한다.

질식분만과 제왕절개술 동안 산소를 투여하면서 심

전도와 산소포화도를 지속적으로 감시하여야 한다. 최근 심근경색이 발생하였거나 좌심실이나 판막기능장애가 의심되는 경우 동맥 카테터, 폐동맥 카테터, 경식도 초음파를 이용하여 침습 감시한다. 심근경색 후에 출산은 2주 후로 연기하는 것이 좋다.

질식분만을 할 때는 아편유사제를 전신적으로 투여할 수 있지만, 조기에 지속적인 부위마취를 시행하는 것이 좋다. 부위마취는 심장의 전부하와 후부하를 감소시켜 심장의 작업량을 감소시키는 장점이 있다. 그러나 갑작스런 후부하 감소는 확장기압을 떨어뜨려 관상동맥혈류를 감소시키고, 반사성빈맥으로 심장의 작업부하량을 증가시켜 심근허혈을 초래하므로 피해야 한다. 경막외진통법을 할 경우 국소마취제를 천천히 증량하는 것이 혈류역학 변화를 완화하면서 통증을 효과적으로 관리할 수 있어, 분만 중 심근허혈을 감소시킬 수 있다. 아편유사제를 첨가하면 저농도의 국소마취제를 사용할 수 있어 부작용을 줄일 수 있다. 부위마취를 할 때 epinephrine은 혈관내 주사가 될 경우 빈맥을 유발하기 때문에 시험용량에 포함하지 말고, 작용발현이 느린 국소마취제를 사용하는 것이 권장된다. 저혈압이 발생하였을 때 혈압상승제로는 빈맥을 유발하지 않는 phenylephrine이 적절하다.

제왕절개술 동안 혈압과 폐동맥압을 유지할 수 있도록 주의하여 수액을 투여하면서 지속적 경막외마취를 시행하는 것을 선호한다. 척추마취는 경막외마취보다 저혈압과 반사성빈맥이 발생할 수 있는 교감신경 차단이 더 빠르게 발현되므로 바람직하지 않다. 전신마취가 필요할 경우 심혈관계 변화를 최소화하여 빠른연속마취유도를 시행한다.

산후기에도 심근경색이나 폐부종이 발생할 위험이 높기 때문에 중환자실에서 경막외진통법과 침습감시를 수술 후 24시간까지 계속하여야 한다.

8. 대동맥 질환

1) Marfan 증후군

Marfan 증후군은 아교질(collagen)과 탄력소(elastin)에 대한 유전성질환으로, 승모판탈출증과 상행대동맥 확장으로 박리성 대동맥류, 대동맥 판막 기능 부전 및 대동맥박리를 초래한다. 대동맥근(aortic root)이 침범되었다면 박리나 파열의 위험이 높아지기 때문에 혈압을 엄격히 조절하고 대동맥에 전단스트레스(shearing stress)를 최소화하여야 한다.

기존의 대동맥판역류증, 대동맥근확장 또는 다른 심한 심혈관질환이 있던 임산부는 임신과 관련된 대동맥 합병증이 발생하기 쉽다. 대동맥근 직경이 4.5 cm 이하이고 대동맥판역류증이나 승모판역류증이 없는 Marfan 증후군은 임신 중 특별한 문제없이 잘 견딘다. 대동맥근 직경이 4.5 cm 이상이고 대동맥판역류증, 좌심실확장, 고혈압 혹은 대동맥판협착이 동반된 Marfan 증후군 임산부의 경우 사망률이 50%까지 보고된 바 있다. 하지만 대동맥근 직경에 상관없이 임산부에게 대동맥박리가 발생할 수 있으므로, 모든 Marfan 증후군 임산부는 대동맥박리의 증상을 주의 깊게 관찰하여야 하며 주기적으로 심장초음파 검사를 시행하여 대동맥의 크기를 추적한다.

질식분만을 할 때는 대동맥에 대한 스트레스를 감소시키기 위해 분만 2기를 단축시키는 것이 중요하다. 대동맥근이 4.5 cm 이상일 경우 진통과 분만에 의한 혈역학적 스트레스를 피하기 위해 제왕절개술을 권고한다.

2) 대동맥박리(Aortic dissection)

임신 동안 대동맥박리 발생빈도가 증가한다. 40세 미만 여성의 대동맥박리 환자의 절반이상이 임신과 관련이 있다. 임신에 의한 생리적 변화(혈액량, 심박출량,

일회박출량, 심박수 증가)가 대동맥벽에 중대한 스트레스를 가하기 때문이며, 유전성질환(Marfan 증후군, Ehlers-Danlos 질환), 전신고혈압, 선천성 이엽 대동맥판이 있으면 고위험 환자이다. 대동맥박리는 임신 제3삼분기에 가장 많이 발생하며 분만과 산욕기에도 많이 발생한다.

(1) 진단

임신이나 산욕기에 갑자기 매우 심한 흉통이나 요통을 호소하는 임산부에서는 대동맥박리를 감별진단 하여야 한다. 다른 임상증상으로 호흡곤란, 실신, 빈맥과 사지허혈 등이 나타날 수 있다. 가슴사진에서 종격동 확장이나 혈흉이 나타난다. 대동맥조영술로 확진할 수 있고 경식도 심장초음파검사의 진단민감도가 높다. 또한 자기공명영상도 방사선의 위험을 피하면서 훌륭한 대동맥 영상을 얻을 수 있다.

(2) 치료

대동맥박리 환자에서 임신자체가 치료방법을 선택하는데 영향을 미친다. 대동맥박리가 의심되는 모든 임산부에서 적극적인 혈압조절이 필수이다. β-차단제는 심실박출을 억제하여 대동맥벽에 가해지는 전단스트레스를 감소시킨다. 동맥압과 중심정맥압을 침습감시하고 아편유사제를 정맥주사하여 통증을 최소화하는 것이 대동맥박리의 진행을 막는다.

임신 중 발생하는 대동맥박리의 치료는 발생위치, 중증도 및 임신기간에 따라 결정되며 환자 개개인의 상태를 고려해야 한다. 상행대동맥이 박리된 경우에는 수술적 교정을 하고 하행대동맥만 박리된 경우 내과적 치료를 한다. 상행대동맥이 박리되었거나 급성 대동맥판기능부전, 심장눌림증, 광범위한 원위부박리, 중추신경계 허혈이 동반되면 생명을 위협하는 치명적인 상태이므로 즉각 응급수술을 시행한다. 임신기간에 따라 태아의 생존률이 달라지므로 임신 28주 이하이면 대동맥 치환술을

한 후 만삭이 되면 분만하고, 32주 이상이면 태아가 분만 후 생존할 가능성이 높기 때문에 제왕절개술과 대동맥수술을 동시에 시행한다. 이때 태아로 가는 약제를 최소화하고 혈역학적 안정성을 유지하기 위해 대동맥수술 직전에 제왕절개술을 시행한다. 임신 28~32주에는 임산부의 상태와 태아의 생존 가능성을 고려하여 결정한다.

이미 알고 있는 작고 조절이 잘되는 대동맥박리를 지닌 임산부는 적절한 경막외진통법으로 질식분만을 할 수 있다. 분만 2기에 임산부의 태아만출을 위한 밀어내기는 대동맥박리를 진행시킬 수 있으므로 피해야 한다. 아직까지 임신 동안 급성이지만 불안정하지 않은 대동맥박리에 대한 적절한 치료관리 지침은 없다.

9. 심장이식 후 임신

이식이 늘어나고 생존율이 높아짐에 따라 점차 이식 후 임신과 분만에 성공하는 여성도 증가하고 있다. 이식 후, 임신과 연관된 합병증은 면역억제제 사용과 관계가 있으며 고혈압, 자간전증, 감염, 급성 이식거부, 조기분만 및 저체중아 출산 등이다. 이식거부를 예방하기 위한 면역억제제 치료는 태아나 신생아에 유해 효과를 나타내지 않는 것으로 여겨진다. 그러나 cyclosporine이나 prednisone은 고혈압을 유발하기 때문에 항고혈압제 치료가 필요하다. 임신은 면역학적으로 억제된 상태이지만 임신기간 중에 이식거부의 빈도가 낮지 않고 분만 후에는 높다. 임신에 의한 면역억제는 높은 감염의 주된 원인이기 때문에 분만양식이나 마취방법과 상관없이 엄격한 무균기술을 적용하여야 한다. 임신에 의한 생리적 변화로 면역억제제의 용량을 조절할 수도 있고, steroid가 면역억제제에 포함되어 있다면 분만 중과 후에 스트레스 용량의 steroid가 필요하다.

1) 병태생리

이식심장은 자율신경계나 체성신경계의 지배를 받지 못하므로 다음과 같은 결과를 초래한다. 첫째, 미주신경 지배가 없기 때문에 기저 심박수가 100~120회/분으로 빠르고, 눈심장반사나 경동맥동 마사지에 대한 반사성 심박수 감소가 나타나지 않는다. 또한 호흡에 따른 정상적인 심박수 변이가 나타나지 않는다. 미주신경에 작용하는 약물(atropine, neostigmine)은 심장에 작용하지 못하고 말초 콜린수용체에만 작용한다. 둘째, 직접 작용하는 교감신경작용약(isoproterenol)만이 심박수를 증가시키고 심근수축력을 촉진시킨다. 셋째, 만성적인 탈신경(denervation)으로 인해 아드레날린 수용체가 상향 조절되어 있다. 이것은 β-아드레날린 수용체 자극에 대한 민감도를 증강시킨다. 넷째, 스트레스에 대한 심박수 증가반응이 지연되기 때문에 심박출량은 전부하 증가로 유지된다.

2) 마취관리

임산부의 마취전 평가에서 심장이식 후 임신 동안 운동내성이 어느 정도인지 파악하는 것이 중요하다. 심장이식 후 대다수는 이식심장에서 관상동맥 죽상경화가 가속화되고, 완전한 구심성탈신경으로 심근허혈에 의해 발생하는 협심증 증상이 나타나지 않고, 심내막심근생검으로 동종이식거부반응을 확인하기 위해 매년 관례적으로 심장카테터삽입을 시행하므로 심장기능을 파악하는데 도움이 된다. 대동정맥압박을 피하고 복귀정맥혈과 순환혈액량을 충분히 유지하는 것은 중요하다. 이를 위해 중심정맥압 측정이 선호되기도 하지만, 심실기능이 양호하고 거부반응이 없으면 분만 중 용적변화에 잘 견딜 수 있기 때문에 중심정맥압 감시는 추천되지 않는다. 질식분만 중에는 카테터에 의한 감염 위험이 중심정맥압 감시로 얻을 수 있는 이득보다 크다.

질식분만을 할 때는 아편유사제와 희석된 국소마취제를 사용하여 천천히 경막외진통을 시행하면 저혈압 발생을 줄일 수 있다. 저혈압이 발생하면 ephedrine보다 phenylephrine을 투여하고, 심박수를 증가시키려면 atropine 대신 isoproterenol을 투여한다. 제왕절개를 시행할 때 천천히 증량한 경막외마취가 선호된다. 저혈압을 방지하기 위해 수액을 충분히 투여한다. 그 외 척추마취도 안전하게 시행할 수 있다. 전신마취를 할 때는 교감신경긴장을 유지하기 위해 마취유도제로 thiopental보다 ketamine을 선호한다.

10. 부정맥

임신과 분만 동안에는 부정맥 발생빈도가 증가하는데 이는 호르몬의 직접적인 심장 전기생리효과, 자율신경계 긴장의 변화, 혈역학적 변화, 경미한 저칼륨혈증 및 심장의 기질적 질환 등으로 인한 것이다. 그러나 임신 중에는 부정맥에 대한 침습적인 평가를 하기 어렵고, 대부분의 항부정맥제가 태반을 통과하므로 태아에 대한 영향을 생각하여야 한다. 부정맥은 주로 진통과 분만 동안 발생하는데 이 때에는 용적 과다, 심박수 증가, 호르몬 변화와 연관된 스트레스가 심실자극흥분성을 증가시키고 부정맥을 촉발한다. 임신 동안 발생하는 부정맥은 대부분 기질적 심장질환과 관련이 없고 유해한 혈역학적 후유증을 동반하지 않지만 심각한 심실부정맥은 판막이나 심근질환과의 연관 가능성이 있고 모성이환율을 증가시킨다.

모성과 태아의 항상성에 악영향을 미치거나 기질적 심장질환에서 유래하는 부정맥은 진통과 분만이 시작되기 전에 평가하여 약물치료를 시작하여야 한다. 부정맥에 대한 치료는 일반인과 다르지 않다. 드물지만 임신 동안 전기적심장율동전환이나 카테터를 통한 부정맥 유발부위 절제가 필요한 경우가 있다.

1) 임신 동안 심전도 변화

임신에 의한 생리적 변화에 의해 안정 상태에서 심박수가 임신 전에 비해 분당 10회 정도 더 빨라짐에 따라 PR, QRS, QT간격이 단축된다. P파, QRS복합체, T파는 변화가 없다. 자궁이 커지면서 심장 전기축이 좌측으로 이동하고, 부정맥 중에는 심실 혹은 심방조기수축이 가장 흔하다.

2) 빠른부정맥

발작 심실위부정맥이 새로 발생하거나 악화된다. 원인은 밝혀지지 않았지만, 임신에 의한 과역동성 혈역학이 기여 인자로 알려져 있다. Wolf-Parkinson-White 증후군으로 진단 받았던 임산부에서 발작 심실위부정맥 발생빈도가 증가한다.

심방세동과 심방조동은 드물지만 류마티스성 심장질환에서 이차적으로 발생하거나 갑상샘 항진증이나, 전해질 장애와 같은 대사 장애 시 유발된다. 동리듬으로 전환시키거나 심실박동수를 조절하는 치료를 조기에 하지 않으면 혈전색전증 등 태아에 미치는 유해한 영향의 위험이 증가된다. 심박수를 조절하기 위해 약물 유지요법까지 할 필요는 없다. 그러나 심방세동이 승모판협착증과 관련되어 있다면 빠른 심실박동수는 임신 말기에 폐부종을 초래할 수 있으므로 β-차단제로 조절한다.

심실성빈맥은 대부분 기질적 심장질환에서 유래한다. 그러나 기질적 질환 없이 신체적 혹은 정신적 스트레스에 의해서도 발생할 수 있는데, 대부분 단형성이며 β-차단제 치료에 잘 반응한다. 심장질환이 없던 임산부가 임신 마지막 몇 주에서 분만 후 5~6개월 이내에 심실성빈맥이 나타나면 분만전후심장근육병증을 의심해 보아야 한다.

선천성 QT간격연장증후군은 분만 후 심장문제를 일으킨다. 임신에 의한 심박수 증가는 QT간격연장을 방지하는 역할을 한다. 분만 후 다시 심박수가 감소하고 육아로 인한 수면부족과 스트레스로 인해 torsade de pointes를 초래한다. β-차단제는 torsade de pointes과 관련된 사망, 심장정지, 또는 실신 위험을 감소시키므로 임신 동안과 산욕기까지 계속 투여하여야 한다.

3) 느린부정맥

임산부에서 느린부정맥은 빠른부정맥에 비해 흔하지 않으며 잘 견디는 편이다. 서맥으로 인한 증상이 있거나 심장차단이 있으면 심장초음파로 확인하면서 심장박동조율기를 삽입한다. 일회박출량 증가에 따라 심박출량이 증가하기 때문에 고정속도박동조율기를 삽입한 임산부도 임신 동안 잘 견딜 수 있지만, 속도적응형박동조율기가 선호된다.

4) 항부정맥제 치료

임신 동안 투여하였을 때 완전히 안전한 항부정맥제는 없다(표 15-1-5). 임신과 관련된 약물흡수와 대사변화로 인해 항부정맥제의 위험도 점차 증가하고 있다. 임신 제1삼분기 동안에는 약물치료를 피하고 반드시 투여하여야 한다면 가능한 장기간 안전한 것으로 알려진 항부정맥제를 첫번째로 사용한다. 모성저혈압을 유발하는 부정맥은 태아에도 유해하기 때문에 예방하여야 하지만, 항부정맥제가 태아에 미치는 영향과 전기생리검사와 같은 진단기법의 위험을 고려하여야 한다. 가장 좋은 방법은 심한 부정맥을 제외하고는 임신 동안 항부정맥제를 지속적으로 사용하거나 골반 투시검사(pelvic fluoroscopy)를 필요로 하는 침습시술은 피하는 것이다.

심장율동전환은 혈역학적으로 불안정한 부정맥 환자에게 사용한다. 미주신경자극법은 혈역학적으로 안정된 심실상빈맥에서 방실결절에 발생하는 회귀성빈맥(reentrant tachycardia)에 가장 먼저 시도한다. 만약 실패하면 adenosine 정맥주사로 혈역학적으로 안정된 심실상빈맥을 종결시킬 수 있다. 그 외 digoxin, β-차단제, 칼슘통로차단제를 사용하는데, 이 약들은 태반을 통과하지만 태아에서 심각한 문제를 유발하지는 않는 것으로 보인다.

혈역학적으로 안정된 심실성빈맥에는 lidocaine이나 procainamide를 가장 먼저 고려해 본다. Amiodarone은 태반을 통과하여 태아 갑상선기능저하증, 성장지연과 조숙아 분만를 유발한다. 예방치료가 필요하다면 심장선택적 β-차단제를 가장 먼저 고려하고, 효과가 없다면 sotalol로 대치한다. QT간격연장증후군은 임신과 산욕기까지 β-차단제 치료를 계속한다. 급성심장사의 위험이 있다면 체내삽입자동제세동기의 적응증이 된다.

표 15-1-5 임신중 항부정맥제의 적응증과 태아에 미치는 영향

분류	약제	적응증	태아 부작용
	Digoxin	심방빈맥(심방세동, 심실상빈맥)	모체의 용량이 조절된다면 태아 부작용 없음
	Adenosine	급성 빠른부정맥, 발작 심실상빈맥	태아 악영향, 기형 발생 효과 없음
IA	Quinidine	WPW, 심실부정맥, 심실상빈맥	기형발생 효과 없음, 신생아 혈소판감소증 자궁수축, 조숙산통 독성용량 사용 시 8번 뇌신경 손상, 자연유산
	Dysopiramide	조기심실수축 억제 심실위부정맥의 예방과 억제(임신 시 주의해서 사용)	조기 자궁수축, 태아 몸무게 저하, 태반조기박리
	Procainamide	진단 미확정의 급성 QRS 확장 빈맥(wide-complex tachycardia)	보고된 바 없음.
IB	Lidocaine	이소성 심실빈맥	태아 산증, 중추 신경계 억제
	Mexiletin	임신 중 사용에 대한 보고가 적음.	기형유발 효과는 아직 알려지지 않음. 태아 서맥, 임신나이보다 작은 태아, 낮은 Apgar 점수
II	β-차단제	고혈압, 승모판협착, 폐쇄비대심근병, 심방과 심실빈맥	자궁내 성장지연, 태아 서맥, 신생아 저혈당
III	Amiodarone	다른 약물에 반응하지 않는 불응성 부정맥	자궁내 성장지연, 조산, 태아 갑상선 저하증, 신생아 서맥, 유아의 QT간격 지연
	Sotalol	심실 부정맥	신생아 서맥
IV	칼슘 통로 차단제	급성빈맥, 발작 심실상빈맥, 심방세동, 심방조동	태아 방실 전도를 지연. 태아 서맥, 심장차단, 수축력 억제, 저혈압

참고문헌

Bates SM, Greer IA, Pabinger I, Sofaer S, Hirsh J: Venous thromboembolism, thrombophilia, antithrombotic therapy, and pregnancy: American college of chest physicians evidence-based clinical practice guidelines. CHEST Journal 2008; 133: 844S-86S.

Bonanno C, Gaddipati S: Mechanisms of hemostasis at cesarean delivery. Clin Perinatol 2008; 35: 531-47.

Bowyer L: The confidential enquiry into maternal and child health (CEMACH). saving mothers' lives: Reviewing maternal deaths to make motherhood safer 2003-2005. the seventh report of the confidential enquiries into maternal deaths in the UK. Obstetric Medicine: The Medicine of Pregnancy 2008; 1: 54-.

Briggs GG, Freeman RK and Yaffe SJ: : Drugs in pregnancy and lactation: A reference guide to fetal and neonatal risk. Lippincott Williams & Wilkins. 2012,

Campuzano K, Roqué H, Bolnick A, Leo MV, Campbell WA: Bacterial endocarditis complicating pregnancy: Case report and systematic review of the literature. Arch Gynecol Obstet 2003; 268: 251-5.

Drenthen W, Pieper PG, Roos-Hesselink JW, van Lottum WA, Voors AA, Mulder BJ, et al: Outcome of pregnancy in women with congenital heart disease: A literature review. J Am Coll Cardiol 2007; 49: 2303-11.

European Society of Gynecology (ESG), Association for European Paediatric Cardiology (AEPC), German Society for Gender Medicine (DGesGM), Regitz-Zagrosek V, Blomstrom Lundqvist C, Borghi C, et al: ESC guidelines on the management of cardiovascular diseases during pregnancy: The task force on the management of cardiovascular diseases during pregnancy of the european society of cardiology (ESC). Eur Heart J 2011; 32: 3147-97.

Hameed A, Karaalp IS, Tummala PP, Wani OR, Canetti M, Akhter MW, et al: The effect of valvular heart disease on maternal and fetal outcome of pregnancy. J Am Coll Cardiol 2001; 37: 893-9.

Heit JA, Kobbervig CE, James AH, Petterson TM, Bailey KR, Melton LJ: Trends in the incidence of venous thromboembolism during pregnancy or postpartum: A 30-year population-based study. Ann Intern Med 2005; 143: 697-706.

Hogan MC, Foreman KJ, Naghavi M, Ahn SY, Wang M, Makela SM, et al: Maternal mortality for 181 countries, 1980-2008: A systematic analysis of progress towards millennium development goal 5. Lancet 2010; 375: 1609-23.

Kassebaum NJ, Bertozzi-Villa A, Coggeshall MS, Shackelford KA, Steiner C, Heuton KR, et al: Global, regional, and national levels and causes of maternal mortality during 1990-2013: A systematic analysis for the global burden of disease study 2013. Lancet 2014; 384: 980-1004.

Klein LL, Galan HL: Cardiac disease in pregnancy. Obstet Gynecol Clin North Am 2004; 31: 429,59, viii.

Lewis G, Drife JO: : Why mothers die 2000-2002: The sixth report of the confidential enquiries into maternal deaths in the united kingdom. RCOG London. 2004,

Naidoo DP, Desai DK, Moodley J: Maternal deaths due to pre-existing cardiac disease. Cardiovasc J S Afr 2002; 13: 17-20.

Ngan Kee WD, Khaw KS: Vasopressors in obstetrics: What should we be using? Curr Opin Anaesthesiol 2006; 19: 238-43.

Nishimura RA, Carabello BA, Faxon DP, Freed MD, Lytle BW, O'Gara PT, et al: ACC/AHA 2008 guideline update on valvular heart disease: Focused update on infective endocarditis: A report of the american college of Cardiology/American heart association task force on practice guidelines endorsed by the society of cardiovascular anesthesiologists, society for cardiovascular angiography and interventions, and society of thoracic surgeons. J Am Coll Cardiol 2008; 52: 676-85.

Presbitero P, Somerville J, Stone S, Aruta E, Spiegelhalter D, Rabajoli F: Pregnancy in cyanotic congenital heart disease. outcome of mother and fetus. Circulation 1994; 89: 2673-6.

Regitz-Zagrosek V, Gohlke-Barwolf C, Iung B, Pieper PG: Management of cardiovascular diseases during pregnancy. Curr Probl Cardiol 2014; 39: 85-151.

Ruys TPE, Cornette J, Roos-Hesselink JW: Pregnancy and delivery in cardiac disease. J Cardiol 2013; 61: 107-12.

Sbarouni E, Oakley CM: Outcome of pregnancy in women with valve prostheses. Br Heart J 1994; 71: 196-201.

동반질환이 있는 임산부의 마취관리

15-2 호흡기 질환

호흡기 질환은 임산부 유병률 및 사망률의 주요 원인 중 하나이다. 천식과 같은 만성 폐질환은 임산부에게 적절한 치료 방법을 선택해야 하는 반면 폐렴이나 결핵과 같은 질환은 비임산부와 유사하게 치료가 진행된다. 폐색전증은 임신 자체로 인해서 발생이 증가하는 질환이기도 하다.

임신 중 호흡기 질환을 적절히 치료하는 것은 임산부뿐만 아니라 태어난 신생아의 건강에까지 영향을 미칠 수 있다. 비록 대다수의 경우에 폐질환의 치료를 위하여 일반적인 치료 지침을 따르거나 투약을 진행하게 되나, 투약되는 약제 중 일부는 태반을 통과하여 태아에게 부정적인 영향을 미칠 수 있으므로 신중하게 선택되어야 한다.

임신으로 인해 모체는 호흡기관의 해부학적 변화 및 기능적, 생리학적 변화를 나타내게 된다. 이러한 변화가 임신 중 호흡기 질환의 증상 발현 및 검사실 소견을 어떻게 변화시키는지 잘 알고 있어야 하며, 마취통증의학과 의사는 임산부에게 발생할 수 있는 주요 폐질환에 대한 이해와 적절한 치료를 파악하고 있어야 진통, 분만 및 수술 과정 중의 통증 조절 및 마취관리에 대한 적절한 계획을 세울 수 있을 것이다.

1. 천식

천식은 가장 흔한 만성 기도 질환 중 하나로 호흡곤란, 천명, 가슴답답함, 기침과 같은 증상이 가역적인 호기 기류 제한과 함께 나타나는 것을 특징으로 한다.

1) 유병률

천식은 임신중 가장 흔한 내과적 질환이다. 우리나라에서 임산부의 천식 유병률은 조사된 사례가 없으며 단지 국민건강영양조사에 따르면 우리나라 19세 이상 성인에서의 천식 유병률은 1998년 1.1%에서 2011년 3.1%로 지속적으로 증가하고 있다. 이런 경향은 미국에서도 동일하며 2001년과 2010년에 조사된 천식 유병률은 각각, 7.3%와 8.4%이며 가임기 여성에서의 유병률 또한

증가추세로 1990년대의 3%에서 2000년대는 8%로 증가하였다. 임신 중에도 천식의 증상은 계속 변화할 수 있으며 환자가 느끼는 주관적 증상도 호전과 악화를 반복한다. 그러나 대체적으로 임산부의 1/3에서 천식이 악화되고 1/3에서는 호전되며 나머지 1/3에서는 변화가 없다. 천식을 가진 임산부 중 약 10%에서 분만 중에 천식 발작을 경험하고 0.2%에서 지속적인 천식 상태가 발생한다는 보고도 있다.

2) 병태 생리

천식은 여러 염증세포와 많은 매개체들이 관련된 기도의 염증성 질환이다. 천식은 임상양상이 매우 다양하고 관련된 염증세포의 양상은 다를 수 있지만 기도 염증은 공통적으로 관찰된다. 이런 염증은 증상이 없거나 폐기능이 정상일 때에도 존재할 수 있고 치료를 하면 염

증이 사라지기도 한다. 천식의 가장 큰 특징인 가역적인 기도폐쇄는 기관지 평활근의 수축, 혈관충혈, 점막의 부종, 과도한 기관지 분비물 등에 의해 초래된다. 천식 환자에서 기도 과민성은 정상인에서는 해롭지 않은 자극에 반응하여 기도 협착이 발생하는 것을 말한다. 이러한 기도 협착은 다양한 정도의 기류 제한과 증상을 유발한다. 잘 알려진 악화 인자로는 운동, 알레르겐 혹은 자극성 물질, 날씨 변화, 감기같은 호흡기 바이러스 감염 등이 있다. 천식의 증상과 호기 기류 제한은 자연적으로 또는 치료에 의해 회복되어 수 주에서 수 개월 동안 증상이 없는 경우도 있다.

3) 임신과의 연관관계

대부분의 경우 천식은 임산부나 태아에게 심각한 합병증이나 장기적인 후유증을 유발하지는 않는다. 그러나 임산부에서의 천식 악화는 태아의 저산소증과 산증을 유발할 수 있고 약물 치료 등으로 잘 조절된 천식은 임산부와 태아의 합병증의 위험을 높이지 않으므로 천식 임산부에게 치료의 필요성을 주지시켜야 한다. 잘 조절된 천식이란 주간 또는 야간에 호흡기 증상이 미미하고 속효성 베타2 항진제 등의 증상완화제 흡입을 최소한으로 사용하며 활동에 제한을 초래하지 않고 증상의 악화가 없으며 폐기능 검사가 정상에 가까운 경우이다.

천식과 임신의 합병증과의 연관성을 본 대부분의 연구들이 후향적이고 천식의 증상의 정도에 따른 분류가 정확하지 않으며 개체수가 적다는 한계가 있지만 천식의 급성 악화나 조절되지 않은 천식이 자간전증, 조산, 저체중아 출산, 태아의 주산기 사망 증가 등과 관련이 있다고 보고하고 있다.

4) 내과 치료

천식 환자가 임신을 계획하고 있으면 임신에 대한 천

식의 영향과 천식 치료제의 역할에 대해서 의사가 충분히 설명을 하여야 한다. 담당 의사는 천식 치료제의 안전성을 잘 설명하고 천식을 치료하지 않을 경우에 신생아가 받는 악영향이 약제의 부작용보다 훨씬 크다는 점을 강조하여 적극적인 약물 치료를 권유해야 한다. 이는 임신중 천식의 치료 지침에도 잘 명시되어 있다. 이러한 권고사항에도 불구하고 임산부는 치료약 복용을 꺼려하는 경우가 많으며 의사들도 약을 처방하는 것을 주저하는 경향이 있다. 주된 이유는 약물의 부작용에 대한 우려 때문이다. 임산부가 의사와 상의없이 약의 용량을 낮추거나 중단하는 경우 그 이유는 1) 임신시 천식의 치료방침에 대한 충분한 정보를 제공받지 못했거나, 2) 약제의 부작용에 대한 걱정, 3) 임신 과정이 자연스러웠으면 하는 욕구 등이 있기 때문이다. 천식에 대한 긍정적인 인식, 불안 등 심리적인 요인 해소, 천식 조절에 대한 바른 인식 등은 천식의 악화를 낮추고 조기 출산, 제왕 절개의 빈도도 낮춘다. 흡연은 천식을 악화시키고 저체중아와 직접적인 연관성이 있으므로 금연을 해야 한다.

임산부에서 천식 악화의 주요한 원인 인자는 감기같은 호흡기 바이러스 감염과 약물 복용을 게을리 하는 것이다. 천식 치료제는 임산부에서 안정성 검사가 이루어지지 않았으며 대부분의 약제는 미국 식품안정청의 권고사항으로 level C 즉, '위험성을 배제 할 수 없다(risk cannot be ruled out)'이다. 왜냐하면 임산부를 상대로 사례 통제 연구를 시행할 수 없기 때문이다. 이러한 사실은 임산부에게 반드시 알려야 한다. 그러나 비록 법적으로는 임신 중 안전성이 확립되지는 않았지만 현재까지 많은 연구에서 치료 약물이 안전하다는 결과를 보이고 있고 일반적으로 약제가 갖는 치료효과가 부작용의 위험성을 상회한다는 것을 고려할 때 적극적 치료를 권유하는 것은 정당하다. 임신 중 피하여야 할 천식관련 약제로는 알파 수용체 항진제, epinephrine 등이 있다. 알파 수용체 항진제는 자궁혈관수축에 대한 우려가 있으나, 임상적으로 pseudoephedrine의 임상 용량에서 자궁혈관수축 효과는 관찰되지 않았다. Epinephrine은 알파 아드레날린성 효과로 자궁혈관을 수축시킬수 있으나 천식발작 시 다른 치료법이 효과가 없으면 피하로 줄 수 있다.

5) 마취관리

(1) 마취전 평가

천식 환자는 기도과민증, 기도폐쇄, 점액 과분비 등으로 수술 중이나 수술 후 회복기에 호흡기 합병증을 일으키기 쉽다. 호흡기 합병증을 일으키는 빈도는 중증 천식, 흉부 또는 상복부 수술, 그리고 기도삽관을 이용한 전신 마취 시에 더 높다. 문진, 신체 진찰, 폐기능 검사 등을 통해서 수술 전에 미리 환자의 상태를 조사하고 가능하다면 수술 수 일 전에 술전 검사와 평가를 시행하여 치료할 수 있는 기간을 허용하도록 한다.

술전에 질병의 중등도, 유병 기간, 사용하고 있는 치료 약제에 대해서 평가해야 한다. 최근에 천식발작이 있었는지 임신 중 증상의 변화에 대해서도 문진해야 하며 신체검진에서 천명이 있는지 흉부청진을 시행하고 빈호흡이나 보조호흡근의 사용 등 병의 중증을 시사하는 증상이 있는지 세심하게 관찰한다.

천식이 잘 조절되는 임산부에서 추가적인 검사는 마취관리에 별다른 영향을 주지 않는다. 그러나 증상이 갑작스럽게 악화된 환자에서는 다음과 같은 검사가 필요하다. 흉부방사선검사는 폐렴이나 상기도 감염을 진단하는데 도움이 될 수 있으며 동맥혈검사를 통해 저산소혈증에 의한 산혈증이나 과호흡에 의한 호흡성염기혈증이 있는지 확인할 수 있다. 증상이 심한 경우에 폐활량계를 이용해 최대날숨유량(peak expiratory flow)을 측정하여 기도폐쇄의 중증도를 평가할 수 있다.

(2) 질식분만을 위한 마취

천식환자에서 무통분만의 목적은 세 가지로 요약할 수 있다. 1. 통증 완화, 2. 임산부의 불안 해소와 과호흡 방지, 3. 임산부의 스트레스 경감이다. 분만 중 과호흡은 천식발작을 일으킬 수 있고 수분 소실에 의한 탈수를 초래할 수 있다.

통증 조절을 위해 정맥으로 진통제를 투여할 때 비스테로이드성소염진통제는 아스피린 민감성 천식 환자에서 피하는 것이 좋으며, 아편유사제 morphine도 histamine을 분비하므로 피한다. 아편유사제의 정맥주사는 소량씩 환자 상태를 관찰하며 투여해야 하며 확연한 천명이 있거나 호흡 곤란이 있는 환자에서는 피하는 것이 좋다. 경막외진통은 산소소모량과 분시환기량을 감소시키므로 천식임산부의 분만에 도움이 된다.

아편유사제를 경막외강이나 척수강에 투여하는 것은 분만제1기에 효과적이며 운동 차단이 되지 않는 장점이 있지만 약제에 의한 호흡억제를 조심해야 한다. 국소마취제 단독으로 사용할 때 보다 희석된 농도의 국소마취제와 아편유사제를 경막외강에 병용 투여하면 국소마취제 단독 투여에 비해서 산통과 분만시 운동신경 차단을 최소화하면서 효과적인 진통을 제공할 수 있다. 그러나 고위 흉추운동차단은 보조호흡근을 사용하는 불안정한 천식 환자에서는 환기 능력의 장애를 초래할 수 있으므로 환자의 반응을 보면서 양을 조절하는 것이 좋으며 마취 높이는 열번째 흉추 피부절로까지 차단하는 것이 좋다. 교감신경 차단으로 인한 부교감신경의 상대적인 항진이 기관지경련을 유발시킬 수 있어 주의를 해야 한다. 이외에 자궁경관주위차단(paracervical block)이나 음부신경차단(pudendal block)을 사용할 수 있다.

(3) 제왕절개술을 위한 마취

제왕절개술을 위한 마취는 임산부의 폐기능과 산과적 요건들을 고려하여 선택하여야 한다. 기관내삽관은 주술기 기관지경련의 가장 흔한 원인이므로, 기관지경련의 발생을 최소화시키기 위해 얕은 마취 하에서 기관내삽관은 피해야 한다. 부위마취의 장점은 이러한 기관내

삽관을 피할 수 있어 기관지경련의 빈도를 감소시킬 수 있다는 것이다. 천식이 잘 조절되고 있는 안정된 임산부는 부위마취를 시행하는데 큰 어려움은 없으나 고위흉추 차단은 호흡에 장애를 초래할 수 있고 또한 부위마취 시 교감신경 차단이 기관지 경련을 유발시킨다는 보고도 있다. 그러므로, 부위마취가 기관내삽관을 피할 수 있다는 장점이 있어도 기관지경련으로부터 절대적으로 안전한 것만은 아니라는 사실을 유념해야 한다.

(4) 부위마취

제왕절개술을 위한 고위흉추차단도 천식환자의 환기 능력에 큰 제한을 주지 않아 비교적 안전한 것으로 여겨지나, 천식환자가 부위마취를 받을 경우 기관지경련의 빈도가 2%에 달한다는 보고들도 있어 주의를 요한다. 부위마취 시 발생하는 기관지경련의 원인은 아직까지 확실히 규명되지 않았다. 기관지확장제에 반응하지 않는 급작스런 기관지경련은 매우 위험하며, 100% 산소와 기관내삽관 후 기계환기가 필요하다. 광범위한 교감신경차단으로 인한 미주신경의 항진이 원인일 수도 있으므로, 기관지확장제에 반응하지 않는 경우, 삽관 전 항콜린성 약제의 분무나 정주가 도움이 될 수도 있다. 경막외로 아편유사제를 투여하는 경우에는 호흡억제를 주의 깊게 감시해야 한다. 척추마취에서 bupivacaine보다 운동 차단이 상대적으로 적다고 알려진 levobupivacaine이나 ropivacaine을 사용하는 것은 폐환기능력의 관점에서는 큰 이점이 없다.

(5) 전신마취

천식 임산부에서 전신마취는 부위마취가 금기인 경우에 한하여 사용되어야 한다. 기관내삽관의 방법은 각성하삽관과 빠른연속마취유도(rapid-sequence induction)가 있는데 각성하삽관의 적응증은 천식이 없는 임산부와 동일하다. 부위마취제와 β-작용제의 전처치는 삽관에 의해 유발될 수 있는 반사성 기관지경련의

발생 빈도를 감소시킬 수 있다. 그러나 기침과 같은 방어반사의 소실에 의해 폐흡인이 발생할 수 있다는 점이 고려되어야 한다.

빠른연속마취유도로 기관내튜브 거치 시 마취 깊이는 기도반사를 억제하기에 불충분하므로 기관지경련의 발생 위험성이 크다. 마취 유도전에 병실에서 충분한 수분 공급이 이루어지도록 하고 기존에 사용하던 치료 약제를 예정되로 투여한 후 만일에 대비하여 사용하던 흡입용 기관지확장제를 수술실에 가져오도록 한다. 마취 유도전에 저산소증의 위험을 감소시키기 위하여 마취전 산소투여 과정이 특히 중요하다. 안면마스크를 밀착시킨 후 고유량(6 L/min)의 100% 산소를 3분 이상 투여하거나 최대용량호흡을 약 8회 정도 1분간 실시하여 호기말 산소농도가 80% 이상 나오는 것을 확인한다.

제왕절개술을 위해 사용되는 마취유도제로 ketamine, propofol이 있다. Ketamine은 내인성 카테콜아민 분비와 연관되어 기관지 평활근을 이완시키고 기도 반사를 억제해서 천식이 있는 환자에서 우선적으로 선택되는 마취유도제이다. propofol은 thiopental sodium에 비하여 기관지 경련을 덜 일으키며 propofol의 이러한 효과는 ketamine에서와 같이 기도 반사 억제에 기인하는 것으로 사료된다. Lidocaine 정주는 기도 반사를 억제하여 기관삽관에 따른 기관지 경련을 억제하는 효과가 있으며 이러한 보호 기전은 베타작용제의 단독 전처치에 비해 그 효과가 증대된다.

근이완제로 빠른연속마취유도를 위해 succinylcholine이 일반적으로 사용되며, rocuronium도 사용할 수 있다. Atracurium, mivacurium, rapacuronium은 histamine을 분비시키고 미주신경 억제 경로를 변화시켜 기관지경련을 악화시킬 수 있으므로 사용을 피해야 한다. Vecuronium에서는 이러한 해로운 효과는 관찰되지 않았다. 근이완길항제는 미주신경 항진으로 인한 기관지경련과 분비물 증가로 인한 기도폐쇄의 위험성을 증가시킨다. Glycopyrrolate나 atropine은 이

러한 반응을 완화시킬 수 있다.

흡입마취제는 자궁 이완 효과와 기관지 확장 작용이 동시에 있으므로 사용에 주의를 요한다. 일반적으로 태아 분만 후에는 아산화질소(N_2O)와 아편유사제 그리고 propofol을 사용하며 고농도의 흡입마취제가 자궁이완을 유발할 수 있으므로 저농도의 흡입마취제를 같이 사용하거나 아예 중단하기도 한다. 그러나 천식 임산부에서는 태아 분만 후에도 저농도의 흡입마취제를 계속 사용하는 것이 기관지 확장에 도움이 된다. 기관지 경련이 발생하였을 때 β-작용제를 투여할 수 있는데 이 약제는 자궁의 평활근도 이완시킨다는 단점이 있다. 흡입용 베타2 작용제는 전신흡수가 적어서 자궁 이완에 미치는 영향이 상대적으로 적다.

수술이 종료되고 각성 시에는 마취 유도 시와 마찬가지로 폐흡인과 기관지 경련 두 가지를 모두 고려해야 한다. 전신마취 종료 시 깊은 마취 하에서 발관을 하면 폐흡인의 위험성이 있다는 단점이 있다. 반대로 각성한 후에 발관을 하면 기관내튜브의 자극에 의해 기관지 경련이 발생할 수 있다는 단점도 있다. 기관지 경련이 발생하면 베타2 작용제 사용이 유용하다. 또한 천식 임산부에서 술후 기도폐쇄가 해소될 때까지 기계환기가 필요할 수 있다는 점을 유념해야 한다.

분만 후 출혈을 치료할 때 사용하는 자궁수축제 oxytocin, prostaglandin E1, E2는 이론적으로 기관지 경련을 초래할 수 있다. 합성 prostaglandin F2-α인 카보프로스트(carboprost)도 이런 관점에서 피해야 한다. 그러나 자궁수축제의 사용이 필요하다면 기관지 평활근에 비교적 작용이 덜한 oxytocin이 추천된다. 반면에 자궁수축 이완제로 사용되는 β-작용제 terbutaline과 magnesium sulfate은 기관확장 기능이 있다. 고혈압을 치료하기 위하여 사용되는 베타 수용체 차단제는 기관지경련을 일으킬 수 있고 다른 기전의 항고혈압 약제인 hydralazine이나 sodium nitroprusside는 기관지 민감성에 영향이 없다. 천식 치료 약제는 모유에 거

의 전달되지 않으므로 모유 수유에는 영향을 미치지 않는다.

2. 폐쇄수면무호흡증후군

1) 병태생리

폐쇄수면무호흡증후군이란 수면 중에 기도가 좁아지거나 막혀서 호흡이 일시적으로 줄어들거나 끊어지는 현상이 주기적으로 발생하는 것을 말한다. 저호흡이나 무호흡이 발생할 때마다 혈액의 산소 농도가 떨어지고 각성이 일어나므로 결과적으로 깊은 잠을 취하지 못하게 된다. 이로 인해 수면의 질이 떨어지고 낮에 피곤하며 졸음이 온다. 이는 중년 성인 남성에서 빈도가 가장 높고 비만과도 관련이 있다. 또한 이런 환자에서는 심근경색증이나 협심증과 같은 심장동맥질환, 뇌졸중, 폐동맥고혈압, 부정맥의 발생률이 높아진다.

2) 임신과의 연관관계

임신중에는 호흡기 점막의 모세혈관이 충혈되어 비강, 인두 및 기도에 부종이 발생하고 이로 인해 코를 통한 호흡이 원활하지 않을 수 있다. 더불어 체중이 증가하고, 기능잔기용량이 감소하며 수면 중 자주 깨는데 이러한 것들은 폐쇄수면무호흡증후군 환자에서도 보이는 증상들이다. 따라서 임신 후기로 갈수록 폐쇄수면무호흡증후군의 발생 빈도가 증가하는 것으로 알려져 있다. 무호흡에 의한 저산소증은 교감신경항진, 염증 반응을 유발하여 혈관내피세포의 손상을 초래하고 이는 임신성 당뇨, 임신성 고혈압, 자간전증의 발생과 관련성이 있는 것으로 추정되고 있다. 지속적인 저산소증은 태아에게 산소 공급이 원활하지 못하게 만들 수 있으므로 적절한

관리가 필요하다.

3) 마취관리

폐쇄수면무호흡증후군 임산부는 해부학적 원인으로 기도폐쇄가 쉽게 발생할 수 있다. 또한 동반되는 만성 수면 부족으로 인해 진정제, 아편유사제 그리고 흡입마취제 사용시 호흡저하나 기도폐쇄가 발생해 저환기와 저산소증이 잘 발생한다. 따라서 술 중 투여되는 약제가 임산부의 호흡 기능에 미칠 영향을 고려해야 한다.

(1) 마취 전 평가

술전에 질병의 중증도를 파악하기 위하여 코골이 정도, 무호흡 발생 빈도, 수면 중에 깨는 횟수 등을 파악해야 하며 아침에 두통 여부, 낮에 기면 여부 등도 질병의 중증도와 관련이 있으므로 문진 시 빼놓지 않아야 한다. 기도관리의 어려움을 예측하기 위한 술전 기도평가는 대단히 중요하며 평가 결과에 따라 기도삽관이 필요하다면 환자 상태에 적절한 계획을 미리 세운다. 폐쇄성무호흡증의 치료로 지속기도양압환기(continuous positive airway pressure, CPAP)나 비침습기도양압환기(noninvasive positive pressure ventilation, NIPPV)를 사용하고 있는지 확인해야 한다.

(2) 질식분만을 위한 마취

부위마취를 시행할 수 없는 경우를 제외하면 무통 분만을 위하여 아편유사제를 정맥 투여하는 것보다 부위마취를 시행하는 것이 선호된다. 희석된 농도의 국소마취제와 아편유사제의 경막외강 병용투여는 상대적인 고농도의 국소마취제의 단독 투여보다 산통과 분만시 운동신경 차단을 최소화 하면서 적절한 진통을 제공해 줄 수 있다. 또한 진통을 위한 추가적인 아편유사제의 정맥 투여량도 감소시킬 수 있다. 그러나 아편유사제의 척수강내 투여시 약제가 머리쪽으로 이동하여 호흡 저하가 올

수 있으므로 세심한 관찰이 필요하다. 또한 고위 흉추 운동 차단이 발생하지 않도록 주의해야 한다.

자가조절진통법을 사용할 경우 지속적 기초주입 없이 일시용량을 자가주입하는 방법이 좋으며 지속주입을 사용할 경우 그 용량을 환자의 반응을 보며 조절해야 한다. 진통을 위하여 되도록 아편유사제의 사용은 줄이고 호흡억제가 없는 비스테로이드성소염진통제를 같이 사용하는 것이 권장되며 이외에 자궁경관주위차단(paracervical block)이나 음부신경차단(pudendal block) 등의 신경차단도 고려해 보는 것이 좋다.

(3) 제왕절개를 위한 마취

잠재적으로 기관내 삽관이 어려울 수 있으므로 금기사항이 없다면 전신마취보다는 되도록 부위마취를 시행하도록 한다. 술중에 진정을 시행할 경우 호기말이산화탄소분압을 측정하면 기도폐쇄를 조기에 발견할 수 있다. 진정 시에 기도유지가 필요하다면 지속기도양압이나 비침습기도양압환기 등 임산부가 술전에 사용했던 방법을 계속 사용하는 것을 고려해 볼 수 있다. 전신마취 시에는 발관전 근이완 효과는 완전히 역전되어야 하며 임산부가 완전히 의식을 회복한 후에 발관하도록 한다.

(4) 마취 후 관리

수술 후 저환기나 저산소증이 발생할 수 있는 위험인자는 중증의 폐쇄수면무호흡증후군, 마취 중 아편유사제 또는 진정제의 사용 등이 있다.

산소는 산소포화도가 수술전 수치로 회복될 때까지 수술후에도 계속 투여한다. 임산부가 술전에 CPAP이나 NIPPV를 사용하였다면 회복 중에도 계속 사용하도록 하고 도움이 된다면 주술기에 자세를 측와위로 할 수 있다. 호흡기 부작용 발생 가능성이 높은 임산부는 병실에서도 상태가 안정화될 때까지 맥박산소포화도를 감시하는 것이 좋다. 술후에 기도폐쇄가 심하거나 반복되면 CPAP이나 NIPPV 등의 사용을 강력히 고려해야 한다.

3. 낭성섬유증

낭성섬유증은 상염색체 열성 유전질환으로, 발생빈도는 동양인에서 드물고 백인에서 높아서 미국에서 태어나는 백인 신생아 3,000명당 한 명꼴로 발생한다. 대부분 폐합병증으로 사망하는데 진단과 치료 발전으로 중앙생존나이(medial survival age)가 38세로 연장되어 가임기까지 생존하는 낭성섬유증 여성이 증가되고 있다.

1) 병태생리

낭성섬유증의 임상특징은 기도, 소화관, 생식관의 상피세포의 이상에서 비롯된다. 염화물(Cl−)의 분비장애가 기관지 안에 있는 점액 분비선에 영향을 주어 비정상적으로 진하고 끈적끈적한 점액이 만들어지며 이로 인하여 소기도를 폐쇄시키고 폐용적을 감소시킨다. 환기−관류 부조화로 저산소혈증이 초래되며, 일부 환자는 항진된 기도반응을 보인다. 만성 기도폐쇄와 점액 제거 장애로 세균 번식을 촉진시켜 폐염증을 유발한다. 결국 조직손상을 초래하여 기관지확장증과 폐부전이 초래되며 만성 저산소혈증과 폐조직의 파괴는 자발 기흉, 폐동맥고혈압, 폐심장증을 초래한다. 낭성섬유증의 비호흡기 증상으로 췌장 분비 장애, 당뇨, 장폐색, 불임 등이 있다.

2) 임신과의 연관관계

낭성섬유증에서 임신 중 폐기능을 악화시키는 요소로 (1) 기도반응의 증가와 기도폐쇄, (2) 호흡을 위한 일의 증가, (3) 임신에 따른 혈액량 증가와 연관된 폐동맥고혈압과 울혈성심부전 등과 같은 심혈관계 변화가 있다. 임산부는 병의 중증도와 상관없이 고위험군으로 분류된다. 불량한 예후 인자는 (1) 임신에 따른 체중 증가가 4.5kg 이하, (2) 강제폐활량(forced vital capacity, FVC)이 기대치의 50% 이하, (3) 잦은 폐감염 (4) 당뇨나 췌장 분비 장애의 동반 등이다. 그리고 조산의 빈도가 정상 임산부보다 높다.

3) 마취관리

(1) 마취 전 평가

병의 진단에서 치료까지의 상세한 병력 청취가 필요하며 특히 폐합병증, 운동력에 대한 정보가 중요하다. 기침 정도, 기관지 분비물의 양상, 폐감염 여부 그리고 기도 민감성이 있는지를 아는 것도 필요하다. 기도 민감성은 병의 중증도와 관련이 있으며 주로 소아 환자에서 흔하지만 성인에서 천명과 함께 계속 남아있을 수 있다. 기도 연골의 점차적인 소실로 인해 근긴장도가 기도 유지에 큰 역할을 담당하게 되며 근이완제 사용시 근이완으로 인해 기도폐쇄가 발생할 수 있다.

흉부방사선은 병의 진행 정도와 폐렴 등의 여부를 아는데 도움이 되며 폐의 과팽창, 기포(bleb), 기관지 확장증 등이 보일 수 있다. 폐기능검사에서 폐쇄성 양상을 보이며 병이 진행됨에 따라 일초간 강제호기량(forced expiratory volume in 1 second)도 점차 감소한다. 췌장의 분비 기능과 당 조절 능력에 대한 검사가 필요하며 담관간경화(biliary cirrhosis)로 인한 간 병변이 있을 수 있으므로 간기능 검사, 혈액 응고 검사가 필요하다.

응급상황에서 수술전 검사를 통한 환자의 평가가 불가능할 때는 환자의 병의 현상태를 아는 것이 중요하며 운동력, 최근 입원력, 폐감염, 항생제의 정맥투여가 최근에 있었는지를 조사한다. 상태가 안정적인 환자는 그만큼 술후 폐합병증의 발생률도 낮다.

(2) 질식분만을 위한 마취

낭성섬유증 임산부에서 질식분만을 위한 마취에서 고려할 점은 천식이나 폐쇄수면무호흡증후군 임산부에서와 크게 다르지 않다. 낭성섬유증은 폐기능을 감소시키고 분만은 산소 요구량을 증가시키므로, 낭성섬유증 임산부의 분만중에 반드시 산소를 투여한다. 경막외진통은 산소 소모량과 분시환기량을 감소시키므로, 낭성섬유증 임산부의 질식분만에 도움이 된다. 희석된 국소 마취제와 아편유사제를 이용하여 T10까지 차단하여 고위 흉부 차단으로 인한 호흡 곤란이 발생하지 않도록 한다.

(3) 제왕절개술을 위한 마취

제왕절개술에는 다른 호흡계 질환이 있는 임산부와 마찬가지로 부위마취가 선호된다. 부위마취는 기관내튜브 폐쇄나 양압호흡에 따른 기흉, 그리고 수술후 폐합병증의 위험성을 피할 수 있는 장점이 있으나, 고위흉추차단으로 환기 장애와 기침 능력 저하를 초래할 수 있으므로, 지속적 경막외마취로 마취의 높이를 조절하여 고위 흉추차단이 유발되지 않도록 한다. 전신마취의 경우 환기관류장애로 인한 흡입마취제의 흡수지연과 배설지연, 과도한 분비물로 인한 기관내튜브 폐쇄, 기흉 등이 일어날 수 있다. 마취제의 선택은 천식환자에서와 마찬가지로 기관지 확장에 도움이 되는 흡입마취제가 정맥마취제보다 선호된다. 전신마취 중 점액 건조를 막기 위하여 가스를 가습, 가온시키고, 기관내튜브를 자주 흡인해 분비물을 제거하고, 공기 축적을 막기 위하여 호기시간을 길게 해준다. 발관전에 무기폐를 방지하고 분비물의 배출을 용이하게 하기 위하여 흉부 물리 요법(chest physical therapy), 폐 회복 조작(lung recruitment maneuver) 등을 시행하면 좋다. 발관전에 환자의 자발호흡, 산소화 정도, 환기능, 체온, 활력징후 등이 발관기준을 충족시키는지 확인하고 발관한다. 낭성섬유증 환자들은 부비동염이나 용종을 동반한 경우가 많으므로 비강 기도유지기는 사용하지 않는다. 술후에 폐합병증을 줄이기 위하여 기침과 심호흡을 원활하게 하는 것이 중요하며 이를 위하여 술후 진통이 낭성섬유증 환자에게 특히 중요하다. 그러나 아편유사제는 호흡 저하를 초래할 수 있으므로 적절한 용량 조절이 필요하다.

4. 폐렴

1) 병태생리

폐렴은 폐포 및 소기도에 감염이나 염증이 생기는 것으로, 임신 중 발생빈도는 0.15~0.25%로 비임신시와 비슷하다. 항생제의 사용으로 사망률이 크게 감소되었으나, 폐렴은 미국에서 비산과적 모성사망률의 가장 큰 원인이다. 임산부에서 폐렴에 의한 사망률은 낮지만 폐렴에 의한 호흡 기능 저하는 임산부에서는 더 견디기 힘들 수 있다. 임산부에서 폐렴이 의심되면 반드시 흉부방사선검사를 시행해야 한다.

2) 임신과의 연관관계

폐기능 저하에 따른 저산소증과 산증이 태아에게 나쁜 영향을 미칠 수 있다. 이와 같은 기전으로 임신 후반기에 폐렴에 걸리면 조기 산통이나 조기분만을 유발할 수 있다. 폐렴은 저체중아 출산, 자간전증, 전치태반 등의 발생과 관련이 있다. 임산부의 저산소증으로 태아가 비정상적 심박수를 보일 수 있으므로 이런 경우 임산부에게 산소를 투여하고 태아 심음 감시를 시행한다.

3) 마취관리

임신에 따른 기능잔기용량(functional residual capacity)의 감소, 기도 점막의 부종 등의 호흡기의 생리학적인 변화와 함께 폐렴에 의한 폐기능 악화로 폐렴 임산부에서 저산소증이 쉽게 발생할 수 있다. 경막외진통은 산소 요구량을 감소시키는 효과가 있다. 폐렴 임산부에서 부위마취를 할 경우 시술 후 발생할 수 있는 혈행 감염을 예방하기 위하여 먼저 적절한 항생제를 투여해야 한다. 제왕절개술 시 전신마취는 중추신경계 감염의 위험성을 피할 수 있다는 이점이 있지만 기도 반응성이 증가되어 있고 술후 폐합병증이 발생할 수 있는 위험이 증가하므로 마취 방법에 따른 장·단점을 고려하여 마취 방법을 선택한다.

5. 흡연

흡연으로 인하여 임산부의 이환율 및 주산기 신생아의 이환률과 사망률은 증가하며 금연으로 이러한 합병증은 예방이 가능하다. 흡연여성의 약 50% 정도가 임신 중에도 흡연을 계속한다고 보고되고 있다.

1) 병태생리

흡연이 호흡계에 미치는 주 영향은 소기도 기능의 변화, 점액 분비 증가, 섬모운동장애이다. 또한 흡연으로 비특이적 기도 반응도 증가되는데, 이는 상피세포의 손상이나 점액 분비의 증가로 인한 기도 형태 변화에 의한 것으로 추정된다. 이러한 변화로 술후 폐합병증의 빈도는 현저히 증가된다.

2) 임신과의 연관관계

임신 중 흡연은 소기도 저항을 증가시켜 강제호기유량을 비흡연 임산부에 비해 현저히 감소시키며, 그 외에 다른 변화는 비임신 흡연자와 비슷한 소견을 보인다. 또한 흡연으로 인해 저체중아 출산과 영아 사망률이 증가되는 것으로 알려져 있다.

3) 마취관리

폐합병증의 발생을 비흡연가의 수준으로 줄이려면 약 4~6주간의 금연이 필요하다. 그러나 수일간의 금연으로도 점액 섬모 기능이 개선되고 혈액내 일산화탄소 혈색소농도(hemoglobin concentration)가 현저히 저하되므로 짧게라도 금연을 하는 것이 좋다.

흡연 임산부의 무통분만을 위한 마취에서 고려할 사항은 천식 등 다른 호흡기 질환을 가진 임산부와 크게 다르지 않다. 흡연 임산부의 전신마취 시 기관지경련의 위험성이 있으므로, 부위마취가 전신마취보다 선호된다. 전신마취를 할 경우에 증가된 기도반응으로 발생되는 기관지경련에 대비하여야 한다.

6. 호흡부전

1) 병태생리

임산부에서 발생하는 호흡부전은 원인은 달라도 병태 생리 및 발현되는 임상 증상은 유사하다. 폐혈관 내피세포 및 폐포의 염증으로 인하여 폐 모세혈관 및 폐포의 투과성이 증가되어 폐부종이 발생하고 종종 폐혈관 수축을 동반한다. 폐활량은 감소하고, 계면활성제의 기능은 저하되어 무기폐가 쉽게 발생한다. 또한 일반적인 산소 요법에 잘 반응하지 않는 저산소혈증, 환기관류 불균형, 폐탄성의 감소 및 미만성 폐침윤을 동반한다.

2) 임신과의 연관관계

임신 자체가 호흡부전의 경과에 미치는 영향은 알려져 있지 않다. 분만이 호흡부전의 증상 완화에 도움이 된다는 보고는 없으며 유도 분만이나 제왕절개의 적응증도 확실히 정립되어 있지 않다. 그러나 임산부의 저산소혈증이나 저혈압에 의해 태아에 산소 공급이 감소될 수 있다.

3) 마취관리

호흡부전이 있는 임산부의 마취관리는 적절한 내과적 치료가 동반되어야 한다. 기계 환기를 시행받고 있는 임산부에서도 질식분만은 가능하며 진통을 위해서 아편유사제를 사용할 수 있다. 질식분만은 호흡부전이 있는 환자에서 수술 후 발생할 수 있는 합병증을 피할 수 있다는 장점이 있다. 경막외마취 등 부위마취는 산소 소모량을 줄일 수 있어 저산소혈증이 있는 임산부에서 특히 도움이 되며 시행하기 전에 저혈량증을 교정하고 혈액응고장애, 감염 여부 등을 확인해야 한다.

기계환기를 시행받고 있는 임산부에서 제왕절개를 시행할 때는 전신마취가 가장 용이하며 사용하는 약제는 호흡부전이 없는 임산부와 큰 차이가 없다.

참고문헌

대한천식알레르기학회. 한국 천식 진료 지침 (2015). 2016.1월 8일 검색, http://www.allergy.or.kr/board/view.html?code=notice&num=1378에서 이용 가능.

American Society of Anesthesiologists Task Force on Perioperative Management of patients with obstructive sleep apnea. Practice guidelines for the perioperative management of patients with obstructive sleep apnea: an updated report by the American Society of Anesthesiologists Task Force on Perioperative Management of patients with obstructive sleep apnea. Anesthesiology 2014; 120: 268-86.

Chen YH, Keller J, Wang IT, Lin CC, Lin HC. Pneumonia and Pregnancy Outcomes: A Nationwide Population-based Study. Amer J Obstet Gynecol 2012; 207: 288e1-7.

Frangolias DD, Nakielna EM, Wilcox PG. Pregnancy and cystic fibrosis: a case-controlled study. Chest 1997; 111: 963-9.

Kelly W, Massoumi A, Lazarus A. Asthma in pregnancy: Physiology, diagnosis, and management. Postgrad Med 2015; 127: 349-58.

Kuczkowski KM. Labor analgesia for the parturient with respiratory disease: what does an obstetrician need to know? Arch Gynecol Obstet 2005; 272: 160-6.

Lindman KS. Respiratory disease. In: Obstetric anesthesia: Principles and Practice 5th ed. Edited by Chestnut DH: Philadelphia, Elsevier. 2104, pp 1179-94.

Pengo MF, Rossi GP, Steier J. Obstructive sleep apnea, gestational hypertension and preeclampsia: a review of the literature. Curr Opin Pulm Med 2014; 20: 588-94

동반질환이 있는 임산부의 마취관리

15-3 신경 및 신경근 질환

신경 및 신경근계 질환을 가진 임산부의 관리는 관련된 여러 임상과들간의 긴밀한 협진을 바탕으로 다양한 상황에 따라 개별적으로 이루어진다. 이들 임산부의 마취관리는 임산부와 태아 모두의 안전을 담보할 수 있어야 하지만, 두개 내병변의 악화를 막기위한 과환기나 깊은 심도의 마취가 태아 혹은 신생아의 안전을 위협하거나 산후출혈(postpartum hemorrhage)을 조장하는 것처럼, 서로 상충되는 상황의 특수성을 가지고 있다. 아직까지 확립된 지침이 아닌 다양한 증례보고의 경험에 기반하여 마취관리가 이루어지는 측면이 있지만, 상충되는 상황의 균형을 유지하는 것은 무엇보다 중요한 마취관리의 목표가 되어야 한다. 이를 위해서는 질환과 임신의 상호작용, 질환의 자연사(natural history)와 병태생리 등에 대한 이해를 기반으로, 다양한 상황에 맞게 뇌신경 및 산과 마취관리의 원칙을 적용할 필요가 있다. 이 장에서는 임산부에게 동반된 두개내병변(두개내종양, 뇌동맥류, 뇌동정맥기형), 두개내고압, 아놀드키아리기형, 모야모야병, 뇌전증, 다발성경화증, 중증근무력증 등의 신경 및 신경근 질환에 대한 역학, 병태 생리,치료, 산과적 관리, 마취관리 등을 간략하게 살펴볼 것이다.

1. 두개내병변(Intracranial lesions: 두개내종양, 뇌동맥류, 뇌동정맥기형)과 마취관리

임산부의 두개내병변 질환의 유병률(prevalence)은 모집단과 큰 차이가 없다고 알려져 있다. 일반적으로 증상이 없고 안정적인 두개내병변에 대해서는 임신을 유지해 분만한 후에 치료를 하지만, 적극적 치료가 필요하다면 치료와 분만에 대한 우선순위 및 시기를 정하는 것이 중요하다. 외과적수술이나 신경영상의학적중재술(interventional neuroradiology, INR) 등의 치료 시기는 태아의 기관형성기(organogenesis)를 피하면서도 조기진통(premature labor)의 위험성이 가장 낮은 임신 제2삼분기가 적기이지만, 응급 상황에서는 이를 고려할 수 없는 경우가 많다. 드물지만 분만과 치료가 동시에 필요하다면 일반적으로 제왕절개술과 같은 분만이 먼저 시도되며 특히 좌위나 복와위 수술로 인해 태아의 위험성이 증가하거나 심한 출혈이나 장시간의 마취시간이 예상될 경우에도 그러하다. 또한 두개내병터에 대한 치료만 예정되어 있더라도 치료 중에 태아의 상태가 악화될 수 있으므로, 응급제왕절개술과 신생아 관리에 대한 대비가 되어야 한다.

1) 두개내종양(Intracranial neoplasm)

임신이 두개내종양의 발생을 증가시키지는 않지만, 임신 중 체액의 저류(fluid retention), 혈액량의 증가, 호르몬의 변화는 뇌수막종(meningioma)이나 뇌하수체선종(pituitary adenoma) 등을 더 빨리 자라게 하고 증상을 악화시킬 수 있다. 뇌수막종이나 일부 신경아교종(glioma)에서는 estrogen, progesterone 수용체가 발견되며, 뇌하수체선종에 의한 시야결손(visual field defect)은 임신 중에 악화되었다가 출산 후에 호전된다. 양성종양은 가장 흔한 뇌수막종 외에 뇌하수체 선종, 신경집종(schwannoma) 등이 발생하고, 악성종양은 신경아교종이 가장 흔하다. 임신융모막암종(choriocarcinom)의 경우 진단시점에 9%에서 뇌전이가 발견된다. 두개내압(intracranial pressure, ICP)의 상승으로 인해 두통, 구토와 같은 일반 임신에서 볼 수 있는 비특이적 증상과 함께 경련, 시각장애 등이 나타날 수 있다. 임신 제2삼분기 혹은 제3삼분기에 나타나는 구토는 입덧(hyperemesis)과, 급격히 진행하는 두통이나 시각장애는 임신성고혈압과, 경련은 자간증과의 감별이 필요하며 때로는 이 때문에 진단이 늦어지기도 한다. 뇌하수체선종의 경우 종양이 커지면서 시상하부나 뇌하수체를 누르게 되면 항이뇨호르몬(antidiuretic hormone, ADH)의 생성이나 분비가 억제되어 요붕증(diabetes insipidus)을 유발할 수 있다.

치료는 종양의 특징, 신경학적 증상, 제태기간, 임산부의 희망 등을 감안한 다학제간 협진에 기반하여 이루어진다. 일반적으로 뇌수막종과 같이 가벼운 증상을 보이는 양성종양은 임신을 유지해 분만한 후 치료가 이루어지지만, 신경학적 증상이 악화되거나 임산부의 상태가 불안정할 경우에는 임신시기에 관계없이 치료를 미루기 어려우며, 태아의 자궁 밖 생존 가능성에 따라 제왕절개술이 동시에 시행될 수도 있다. 신경아교종의 경우, 느리게 자라는 성상세포종(astrocytoma)은 내과적 치료를 통해 추적검사하면서 외과적 절제와 같은 확실한 치료를 분만 후로 미룰 수 있으나, 침습적인 다형성교모세포종(glioblastoma multiforme)은 치료를 미루기 어렵다. 최근의 한 연구에서는 양성뇌종양은 제왕절개술과 조기진통(preterm labor), 악성뇌종양은 모성사망률, 제왕절개술, 조기진통의 빈도가 높음을 보고하고 있다. 방사선 치료나 화학요법은 종양의 크기를 줄이기 위해 보조적으로 쓰일 수 있으나, 태아에 대한 위험성 때문에

특히 임신 제1삼분기는 피해야 하며, 때로는 유산 시술 후에 이루어지기도 한다. 질식분만 시에 두개내압의 증가를 막기 위해서는 분만 보조기구를 이용하고 신경축진통(neuraxial analgesia)을 통해 2기 분만통을 줄이는 것이 중요하다.

2) 뇌동맥류(Cerebral aneurysm)

(1) 역학(Epidemiology)

뇌동맥류(cerebral aneurysm)의 유병률은 3.2% 정도로 높게 보고되고 있으며, 나이에 따라 증가하는 것으로 알려져 있다. 파열 뇌동맥류(ruptured cerebral aneurysm)로 인한 지주막하출혈(aneurysmal SAH, aSAH)은 인구 10만 명당 9.1명 정도 발생한다. 임신 중 지주막하출혈은 미국에서 인구 10만 명당 5.8명 정도 발생하며, 모집단과 달리 고혈압 등의 파열뇌동맥류 이외의 원인도 크게 작용한다. 뇌동맥류 파열에 대한 위험인자들은 여성, 흡연, 고혈압, 과거력, 동맥류의 특징(크기, 위치, 모양), 증상의 동반 등이 알려져 있으며, 염증반응이 뇌동맥류의 병태생리나 성장에 중요한 역할을 하는 것으로 생각되고 있다.

(2) 감별진단

지주막하출혈 때 발생하는 뇌압상승과 신경학적 결손에 의한 증상들인 심한 두통이나 간질 혹은 의식의 변화는 자간증(eclampsia), 편두통(migraine headache), 뇌종양, 두개내동맥폐쇄, 뇌정맥동혈전증(cerebral sinus thrombosis) 등과의 감별을 필요로 하며 단층촬영, 자기공명영상, 뇌혈관 조영술을 이용한 적극적인 진단적 접근이 필요하다. 치료하지 않은 지주막하출혈의 치명적 결과를 감안하면 영상촬영의 이득은 태아의 방사선 노출에 대한 위험성보다 훨씬 크다고 할 수 있다.

(3) 임신 중 뇌동맥류 관리

심박출량의 증가나 호르몬의 영향으로 인해 임신 후기로 갈수록 뇌동맥류 파열의 위험성이 증가하지만, 그럼에도 임신이나 분만자체가 뇌동맥류 파열의 위험성을 더 증가시키는 것처럼 보이지는 않는다. 따라서 뇌동맥류를 가지고 있다고 하여 임신을 미루거나 질식분만을 두려워 할 뚜렷한 근거는 없으며, 현재 이루어지고 있는 높은 빈도의 제왕절개술 또한 재고되어질 필요가 있다. 임신 중 뇌동맥류의 특정한 치료 지침이 확립되어 있지는 않지만, 여러 과의 협진에 근거한 개별적 접근이 필요하다. 일반적으로 응급이 아니라면 비산과적 수술을 임신 도중 시행하지는 않는다. 앞에서 언급한 것처럼 질식 분만이 동맥류 파열의 위험성을 증가시키는 증거는 없으므로, 특별한 산과적 원인이 없다면 제왕절개술을 고집할 필요는 없다. 하지만 분만 중의 발살바나 자궁수축에 의한 자가수혈(auto-transfusion)은 동맥류 파열을 조장할 수 있으므로 경막외진통(epidural analgesia) 등의 신경축진통이 필요하다.

치료하지 않은 지주막하출혈은 임산부와 태아에게 사망 등의 치명적인 결과를 초래하므로 적극적인 치료가 필요하며, 임신 중에 증상이 있거나 동맥류의 크기가 증가하는 경우에도 적극적인 치료를 고려해야 한다. 임신 도중 파열뇌동맥류 치료는 일반 환자들에서 이루어지는 치료와 같다. 일반적으로 뇌동맥류의 결찰(clipping)이나 폐쇄가 잘 이루어진다면 임신을 유지해 질식분만을 시도하는 것이 합리적인 선택으로 보인다. 하지만 진단 시점의 임산부의 상태(혼수, 뇌간손상)나 제태기간(만삭이거나 분만예정일이 가까울 때)에 따라 제왕절개술과 뇌동맥류에 대한 치료가 동시에 이루어질 수도 있다. 연령, 동맥류의 해부학적 특징, 시술의 접근성, 뇌의 상태와 동반질환 등을 고려하여 개두술을 이용한 외과적 뇌동맥류 결찰술(surgical aneurysmal clipping)과 신경영상의학적중재술 중에서 치료 방법을 선택하게 되는데, 이 둘이 모두 가능한 상황에서는 우선적으로 신경영상의학적중재술이 고려되어진다. 하지만 태아의 전리방사선 노출, 항응고제나 항섬유소용해제의 사용, 불완전한 동맥류 패쇄 등으로 인한 위험요소들을 감안해야 한다.

(4) 혈관연축과 지연성뇌허혈(Vasospasm and delayed cerebral ischemia)

혈관연축은 지주막하출혈 발생 후의 가장 흔한 합병증으로서 출혈 후의 혈색소의 분해산물에 의해서 유발되며 칼륨통로를 포함한 다양한 기전들이 관련되어 있다고 알려져 있다. 지연성뇌허혈은 국소적 뇌허혈의 증상이 있거나 Glasgow coma scale, GCS가 2점 이상 감소했을 때로 정의되는데 조직학적으로는 혈관연축에 직접적으로 기인한다고 생각되지만 다른 요인들도 관계하는 것으로 알려져 있다. 혈관연축이 의심되는 환자는 일반적으로 수술이 연기되고 영상학적 확진을 받게 되며, triple H (hypertension, hypervolemia, hemodilution) 치료는 그러한 상황에서 오랫동안 중심에 있어 왔다. 그럼에도 triple H의 혈관연축 예방 효과는 알려진 바가 없으며 오히려 합병증이나 비용을 증가시킨다. 2012 AHA guideline에서는 지연성뇌허혈의 치료를 위해 유도고혈압과 등혈량증(isovolemia)을 치료 전략으로 추천하고 있다. 흔히 기저 수축기혈압보다 20~30% 높은 수준의 유도고혈압을 유지하기 위하여 phenylephrine, dopamine, dobutamine을 상황에 맞게 사용할 수 있다.

3) 뇌동정맥기형(Cerebral arteriovenous malformation)

동정맥기형은 영양동맥(feeding arteries), 배출정맥(draining veins), 둥지(nidus: 동정맥션트로 작용하는 비정상적인 이형성 혈관들이 얽힌 뭉치)로 구성되어 있으며, 모세혈관이 없기 때문에 만성적으로 저압력 고유량의 동정맥 션트가 일어난다. 뇌동맥류가 뇌동정맥기형

환자의 2.3~16.7%에서 발견되며 대부분 고유량과 관계되는 것으로 생각된다. 출혈이 드물지 않으며 경련발작(seizure), 신경학적 손상, 두통, 뇌수종 등의 증상이 나타난다.

(1) 치료

치료의 목표는 출혈의 위험성을 없애고 신경학적인 기능을 유지 혹은 호전시키는 것이다. 뇌동정맥기형은 복잡하고 이질적인 병터들이 많기 때문에 치료 방법을 선택할 때 다학제간 협진을 통해서 내과적 치료, 외과적 수술(미세현미경수술: microsurgery), 방사선 치료(focused irradiation: gamma knife), 신경영상의학적 중재술(INR: endovascular embolization)의 4가지 중 적용 가능한 모든 수단을 고려해야 한다. 수술 후 사망률과 이환율에 대한 위험성을 예측하는 간단한 방법으로 크기, 위치, 정맥배출(venous drainage)에 따라 등급을 나눈 Spetzler-Martin grading system을 많이 쓰고 있다(표 15-3-1). 일반적으로 grade 1, 2는 미세현미경수술이 최적표준치료이며 우수한 치료결과를 보이는데 반해, grade 4, 5는 외과적 치료에 따른 위험성이 높다고 알려져 있다. 신경영상학적 중재술은 외과적 수술이나 방사선 치료의 보조적 요법으로서 많이 쓰여 왔지만, 완치를 위한 단독치료의 목적 또한 계속 증가하고 있다. 방사선 치료는 높은 완치율에도 불구하고 완치를 위해서 2~3년의 시간이 필요하고, 방사선 피폭의 위험성 또한 존재하여 임산부에게는 적절하지 않다고 알려져 있다.

(2) 임신 중의 뇌동정맥기형의 관리

임산부에서 뇌동정맥기형은 10만 명당 10명 이하에서 발생하며 모집단과 차이가 없다고 알려져 있다. 뇌동정맥기형의 출혈은 1년에 2~4% 발생하며, 출혈의 위험요소로서 이전 출혈이 공통적으로 언급되는 것에 비해 병터의 특징(심부위치, 심부의 정맥환류, 크기, 동반된 뇌동맥류)과 연령 등에 대해서는 보고자에 따라 이견이 있다. 임신과 뇌동정맥기형의 출혈 위험성과의 관계에 대해서도 논란의 여지가 있다. 제태기간이 증가함에 따라 심박출량의 증가 시기인 임신 제2삼분기의 중간부터 산후 6주까지의 기간에 출혈의 위험성이 증가한다는 보고가 있지만, Horton과 Liu 등은 임신 중의 뇌동정맥기형으로 인한 출혈의 발생빈도는 모집단과 차이가 없다고 보고하였으며, 이에 따르면 질식분만이나 제왕절개술 모두 출혈이 없는 뇌동정맥기형에서 안전하게 시행될 수 있는 것으로 생각된다. 임신 중 뇌동정맥기형의 관리에 대한 보고는 많지 않다. 일반적으로 앞에서 언급된 출혈의 위험요소가 없거나 치료에 따르는 위험성이 높다면, 임신을 유지하여 분만을 한 후에 동정맥기형에 대한 치료를 고려해 볼 수 있다. 출혈이 있다면 임신기간 중에 적극적인 치료가 필요한 경우가 많으며, 임산부와 태아의 상태, 제태 기간 등을 고려하여 동정맥기형의 치료와 분만의 시기를 결정하게 되는데, 분만의 형태로는 제왕절개술에 대한 보고가 많다.

표 15-3-1 Spetzler-Martin grading system (grade 1-5, grade 6= inoperable)

size	score	location	score	Venous drainage	score
small(<3 cm)	1	non-eloquent brain	0	superficial	0
medium(3-6 cm)	2	eloquent brain	1	deep	1
large(>6 cm)	3				

4) 두개내병변를 가진 임산부의 개두술을 위한 마취관리

마취관리의 핵심은 두개내압의 상승과 출혈을 막고 적절한 뇌이완을 제공하면서도 뇌관류압을 유지해 뇌허혈을 예방하고, 자궁-태반 혈류를 유지해 태아의 안전을 보장하는 것이다. 기도부종과 큰 가슴 등이 어려운 기관내삽관을 야기하고 위배출시간의 지연과 위식도 역류의 증가는 폐흡인의 위험성을 증가시키므로 이에 대한 대비가 필요하다. 앙와위저혈압증후군(supine hypotensive syndrome)을 예방하기 위하여 좌측자궁전위(left uterine displacement, LUD) 자세를 취하고, 자궁-태반 혈류의 저해 요소들인 저산소증, 과환기, 저혈압, 고탄산혈증, 통증 등이 발생하지 않도록 하는 것이 중요하다. 약물의 태반통과와 기형발생 가능성을 미리 평가되어야 하고, 약물 분포용적과 청소율의 변화, MAC (minimum alveolar concentration)감소 등이 반영된 약물관리가 이루어져야 한다. 주술기 태아감시와 산후출혈(postpartum hemorrhage)의 예방 또한 태아와 산모의 안전을 위한 매우 중요한 관리 요소이다.

두개내병변의 해부학적 특징, 신경학적 상태, 두개내압의 상승 여부, 심전도 이상, 전해질 이상, 혈관내용적 등에 대한 술전 평가가 이루어져야 한다. 비파열동맥류는 마취유도시의 혈압 상승이나 과환기처럼 파열을 조장하는 요인들을 관리하는 것이 중요하다. 파열뇌동맥류라면 특징적인 임상경과를 이해하는 것이 중요한데, 지주막하출혈 발생 후 첫 24시간 그중에서도 첫 6시간은 재출혈의 가능성이 크고, 4~14일 사이, 특히 7~10일 사이에는 혈관연축과 지연성 뇌허혈의 가능성이 크므로, 환자가 어느 시점에 놓여 있는지 파악해야 관리의 초점을 맞출 수 있다. 뇌동정맥기형의 경우, 술중 출혈 위험성은 뇌동맥류보다 낮지만 대량 출혈이 대비되어야 한다. 또한 철저한 혈압관리를 위해, 저압력 고유량인 동정맥기형으로의 혈류는 주변 뇌조직의 만성적인 저관류와 이로 인한 혈관의 최대 이완상태를 만들어, 자동조절능을 초과하는 갑작스러운 정상 압력에 노출되면서 부종이나 출혈이 발생하는 특징적인 현상(normal perfusion pressure breakthrough)에 대한 이해가 필요하다.

임신 중의 전신마취가 태아기형을 유발한다는 증거는 없지만 조산이나 유산의 위험성을 증가시킨다는 보고는 있다. ketamine을 제외한 정맥마취제는 뇌대사와 뇌혈류를 감소시켜 두개내압에 부정적인 영향을 미치지 않는다. 이에 반해 desflurane, isoflurane, sevoflurane 모두 정도의 차이는 있지만, 특히 1MAC이상에서는 용량 의존적으로 뇌혈관을 이완시켜 뇌용적을 증가시키고 뇌혈류자동조절능을 저해한다. 아산화질소(N_2O)는 머리가 심장보다 높은 체위 수술에서 공기색전증의 위험을 증가시키고 흡입마취제와 병용 시 뇌혈류를 증가시키므로 피해야 한다. 일반적으로 1 MAC 이하의 흡입마취제와 아편유사제를 병용하는 균형마취가 널리 쓰이고 있지만 지속적인 두개내압의 상승이 있거나 수술 중에 뇌팽창(tight brain)이 발생한다면 전정맥마취(total intravenous anesthesia, TIVA)의 우선적 선택이나 전환이 현명하다.

(1) 혈압 관리

뇌관류압(cerebral perfusion pressure)은 평균동맥압과 두개내압의 차이이며 이는 동맥경벽압력(transmural pressure)과 같다. 기관내삽관, 부적절한 마취심도, 통증 등에 의한 혈압의 상승은 두개내압의 증가와 함께 뇌탈출을 조장하거나 뇌동맥류나 뇌동정맥기형의 파열을 유발할 수 있으므로, 베타차단제, 아편유사제(remifentanil, fentanyl), lidocaine 등을 이용한 적극적 관리가 필요하다. 분만이 예정되어 있지 않다면 아편유사제에 의한 신생아 억제는 크게 문제되지 않는다. 혈압의 감소는 저혈량증, 마취제, 과도한 양압호흡, 출혈, nimodipine 등 다양한 원인에 의해 발생할 수 있으며 뇌관류압을 감소시켜 뇌허혈을 조장할 수 있고 자궁태반혈류를 감소시켜 태아 안전을 위협할 수 있으므로, 원인을 교정하면서 phenylephrine을 이용해 적극적으로 치료한다. 당김기(retractor) 아래에 있는 뇌조직에서 국소적 관류압의 감소가 관찰되며, 최근의 외상성뇌손상(traumatic brain injury, TBI) 혹은 지주막하출혈 환자들에서 기본 뇌혈류량의 감소와 뇌혈류 자동조절능(autoregulation)의 장애가 관찰된다는 보고는 정상 혹은 약간 높은 정상 수준에서 뇌관류압을 유지해야 하는 근거를 제시한다. 파열 뇌동맥류의 경우 일반적으로 수축기 혈압이 160 mmHg를 넘지 않는 수준에서 개별적인 정상범위의 혈압을 유지하는 것이 추천되며, 뇌동정맥기형의 경우 정상탄산혈증 혹은 경도의 저탄산혈증을 유지하면서 혈압이 상승하지 않도록 철저히 관리하는 것이 중요하다.

(2) 동맥혈 이산화탄소분압($PaCO_2$)의 관리

과환기(hyperventilation)에 의한 저탄산혈증은 뇌혈류와 뇌혈량을 감소시키므로 두개내압의 감소와 뇌이완(brain relaxation)이 필요할 때 중요한 구조수단이다. 그럼에도 현명하게 과환기를 적용해야 하는 이유는 다음과 같다. 첫째, 지속적인 과환기에 의한 뇌혈류의 감소 효과는 2시간 경과시점부터 서서히 약화되기 시작하며 8~12시간 경과 후에는 없어지게 된다. 둘째, 정상 뇌에서 22~25 mmHg 아래로 동맥혈 이산화탄소 분압을 낮추는 것은 두개내유순도의 관점에서 추가적 이득이 없다고 알려져 있다. 셋째, 임산부의 정상 동맥혈이산화탄소분압은 28~32 mmHg로서 보상성 호흡성알카리증(compensated respiratory alkalosis: pH 7.40~7.45)을 보이므로 과환기에 의한 뇌혈류 감소 효과는 줄어든다. 반면 과환기에 의한 제대혈관(umbilical vessels)의 수축과 산소포화도곡선의 좌측이동은 자궁태반혈류를 감소시키고 태아로의 산소전달을 감소시킬 가능성이 높다. 넷째, 과환기 동안의 흉곽압(intrathoracic pressure)의 증가에 의한 심박출량 감소는 자궁태반혈류를 감소시키고 태아에게 심한 저산소증과 산증을 유발할 수 있다. 다섯째, 과환기는 기본적으로 뇌혈관을 수축시켜 뇌허혈을 조장할 수 있는데, 앞에서 언급된 기본 뇌혈류량이 감소되어 있는 상황에서는 특히 저탄산혈증이 뇌허혈을 초래할 위험성이 크다. 여섯째, 뇌동맥류 환자에서 급격한 과환기에 의한 저탄산혈증은 동맥경벽압을 증가시켜 뇌동맥류 파열의 위험성을 증가시킨다. 따라서 뇌탈출과 같은 위급한 상황이 해결될 때까지 가능한 한 짧게 과환기를 하는 것이 현명하다. 확립된 근거는 없지만 일반적으로 25~30 mmHg 범위가 적절하다는 보고가 있으며, 임산부의 정상 동맥혈이산화탄소분압의 중간 혹은 하한값을 추천하기도 한다.

(3) 수액관리

수액관리의 핵심은 정상 혈관내용적(intravascular volume)을 유지하는 것이다. 포도당이 포함되지 않으면서 혈장과 같은 나트륨 농도를 갖는 등장성 수액을 사용하며 자주 동반되는 전해질 이상에 대한 처치가 필요하다. 특히 저나트륨혈증이 있을 때는 수액의 제한이 필요한 SIADH (syndrome of inappropriate antidiurtic hormone)와 혈관내용적의 보충이 필요한 cerebral salt wasting syndrome에 대한 감별이 필요하다. 동물 실험에서 mannitol의 사용은 태아에 고삼투압을 유발해 좋지 않은 영향을 초래한다는 보고가 있지만, 임상에서는 0.25~0.5 g/kg의 용량으로 안전하게 사용되어왔고, furosemide는 mannitol의 대안으로 쓰일 수 있다

(4) 두개내압 관리

과도한 경부굴곡 등의 체위, 부적절한 근이완, 기도압의 증가, 저산소증, 과탄산혈증, 고혈압, 뇌혈관확장제(아산화질소, 흡입마취제, nitroprusside, 칼슘통로차단제), 혈종(hematoma)등의 인지되지 못한 덩이병터(mass lesion) 등은 두개내압을 증가시키므로 이들에

대한 체계적인 평가와 교정이 이루어져야 한다. 그럼에도 두개내압의 상승이 해결되지 않는다면 과환기, 뇌척수액 배액, barbiturates와 propofol 등을 이용한 뇌대사감소, mannitol 투여, 평균동맥압의 감소(뇌혈류 자동조절능 장애가 있다면), 외과적 처치 등을 고려해야 한다.

5) 두개내병변의 신경영상의학적중재술을 위한 마취관리

신경영상의학적중재술이 단순한 보조적 수단을 벗어나 외과적 치료와 상호 보완할 수 있는 개념으로 바뀌고 그 쓰임이 계속 늘어나면서 마취관리의 중요성 또한 강조되고 있다. 움직임이 없고 때로는 간헐적 호흡중단이나 발살바 법을 실시할 수 있어 깨끗하고 정확한 영상을 얻을 수 있는 전신마취가 흔히 시행되지만, 국소마취 혹은 의식 하 진정은 시술 중 신경학적 평가에 대한 장점이 있다. 개두술 마취관리와 같은 원칙이 적용되지만 경막절제가 없어 뇌이완은 관심사가 아니다. 시술 종료 후에는 신경학적 평가를 위해 빠른 회복이 필요하며 아울러 급격한 혈압의 상승 또한 방지해야 한다. 회복 후에 심한 두통이나 새로운 신경학적 결손이 나타나면 단층촬영 등을 통해 신속한 진단이 내려져야 한다. 일반적으로 뇌혈관조영실이라는 친숙하지 않은 환경, 수술실에서 떨어진 위치 등으로 인해 응급상황에서 인력, 장비, 약물의 문제가 발생하지 않도록 해야 하며 언제든지 응급수술은 대비되어야 한다.

(1) 임신중의 뇌신경영상촬영(Neuroimaging)

일반적으로 초음파를 제외하고는 명백한 적응증이 없다면 뇌신경영상촬영은 피해야 하지만 태아의 방사선 노출에 대한 염려 때문에 뇌신경 질환을 가진 임산부의 안전을 지나칠 수는 없다. 이는 이득과 위험에 대한 철저한 평가에 근거해야 하며 가능하다면 임신 제1

삼분기는 피해야 한다. 두부단층촬영(CT)은 장치로부터 30 cm 이상 떨어진 태아에 도달하는 방사선 양이 최대 허용치인 5 mSv의 1/100정도로 태아에 비교적 안전한 것으로 알려져 있다. 자기공명영상(MRI)은 전리방사선(ionizing radiation)을 사용하지 않아 태아에 비교적 해롭지 않다고 알려져 있지만 임신 4개월 이전에는 두개내병변의 악화나 새로운 증상 발현에 대한 진단 목적 이외에는 추적검사로서 추천되지 않는다. 뇌신경영상촬영에서 자주 사용되는 조영제의 경우 gadolinium이 다른 조영제에 비해 장점이 있다고 알려져 있지만 태아 발달에 대한 안전성이 확립되어 있지는 않다. 방사선 피폭은 직접적인 방사선 원(source), 보호장비나 장구를 통한 누출, 산란되는 방사선 등으로 인해 발생하며, 투시검사(fluoroscopy)보다는 digital subtraction angiography, DSA에 의해 훨씬 많은 방사선이 나온다. 태아의 피폭량은 뇌혈관조영술에서 1 mSv, 뇌동맥류 혈관 내 치료에 3 mSv 정도 된다고 알려져 있으며 최대 허용량을 넘지 않는다. 피폭량은 거리의 제곱에 반비례하며, 의료진과 환자 모두 적절한 보호장구의 착용이 필수적 이다.

(2) 마취관리

언급된 개두술 마취관리에 준한다. 뇌동정맥기형의 경우 과탄산혈증을 피하고 철저한 혈압관리를 해야 하는데, 아교(glue)주입 시에는 영양동맥으로 가는 혈류의 속도를 줄이고 전신적 아교색전형성(systemic glue embolization)을 막기 위해 유도저혈압(때로는 adenosine을 이용한 일시적 심정지)이 필요할 수 있다. 임산부의 아교에 대한 안전성이 확립되어 있지는 않다. 앞에서 언급된 것처럼 만성적 저관류로 인한 자동조절능의 장애 상태에서 정상 혹은 그 이상의 압력에 노출되었을 때의 위험성을 감안하여 시술 후에는 기저 평균 동맥압 수준 혹은 약간 낮은 수준으로 혈압을 유지할 필요가 있지만 태반혈류 감소의 위험성을 항상 생각해야 한다.

저체온 예방, 움직임 방지, 고장성의 조영제에 의한 이뇨작용과 시술동안 주입되는 heparinized flush solution 양을 고려한 수액관리, 조영제의 부작용 대비 등이 필요하고, 장비나 수액 라인의 길이의 여유와 함께 연결부위의 견고함을 확인해야 한다.

출혈성 혹은 폐쇄성(허혈성) 합병증이 대비되어야 하며, 시술의와 마취의 사이의 소통과 신속한 진단 및 치료가 필요하다. 시술 중 갑작스러운 혈압 상승과 서맥은 출혈, 뇌탈출 등에 의한 쿠싱반응(cushing response)일 수 있다. 출혈 시에는 코일을 패킹하거나 풍선을 동맥류 부위에서 팽창시켜 막을 수도 있지만, 응급 개두술이 필요할 수 있다. 폐쇄성 합병증은 혈전증 혹은 혈전색전증, 코일의 동맥류 밖으로의 돌출이나 잘못된 위치로 인한 혈류의 저해, 혈관연축, 아교색전 등에 기인한다. 혈압을 정상보다 높게 유지하면서, 뇌혈관조영술상 보이는 혈전에 대한 기계적 혈전제거술(mechanical thrombectomy), 동맥 내 혈전용해치료(intra-arterial thrombolysis) 등을 시도할 수 있다. 필요하면 코일 위치를 재조정하거나 코일을 제거한 후 재삽입을 해야 한다. 동맥 내 nimodipine, nicardipine 등의 투여는 내과적 치료에 반응하지 않는 혈관 연축에 많이 쓰이며, 내경경유풍선혈관성형술(transluminal balloon angioplasty, TBA)은 허혈 증상 2시간 이내에 쓰인다면 상당수에서 임상적 호전을 기대할 수 있다고 알려져 있다.

6) 두개내병변를 가진 임산부의 제왕절개술을 위한 마취관리

앞에서 언급된 임산부의 개두술을 위한 마취관리의 기본적인 원칙들과 다름없지만, 신생아 억제와 산후출혈에 유의해야 한다. 두개내압과 혈관병터에 영향을 미치는 요소들을 파악하여 이득과 위험의 비교 판단 하에서 상황에 따라 마취방법을 선택하는 것이 현명하다. 어려운 기도관리 및 흡인의 위험성에 더하여 두개내병변의 해부 및 병태생리, 신경학적 상태, 마취약물이나 방법이 두개내병변에 미칠 수 있는 영향 등이 사전에 평가되어야 한다.

(1) 전신마취 vs 신경축차단(Neuraxial anesthesia)

전신마취와 신경축차단 모두 널리 시행되고 있다고 해도 사망률과 이환율에 있어 우월한 성적을 보이는 신경축차단이 현재 우선적으로 선택되고 있다. 기도 문제와 위내용물의 흡인, 혈역학적 변화, 여러 마취제들의 태아에 대한 잠재적인 독성, 흡입마취제의 자궁이완, 수술 중 각성 등을 피할 수 있다는 것은 많은 문헌들에서 신경축차단의 장점으로 언급하는 내용들이다. 하지만 두개내병변이 존재할 때도 이러한 장점이 똑같이 적용될 수 있을까? 현재까지 두개내병변을 가지고 있는 환자에서 전신마취와 신경축 마취를 비교하는 무작위대조연구는 없으며 어느 마취가 더 우월한지도 알려진 바가 없다. 일반적으로 두개내병변 환자는 증가된 두개내압을 가지고 있다고 생각되어 신경축차단의 금기로 여기는 경향이 있으며, 이는 요추천자에 의해 초래된 두개내압력의 감소로 인해 뇌실질조직의 탈출이나 경벽압 감소로 인한 뇌동맥류 파열 등과 같은 심각한 합병증이 발생할 수 있다는 염려 때문이다. 생체외 경막천자 실험모델에서, 더 가는 바늘 혹은 pencil point 바늘 사용 시에도 그 시간이 더 짧긴 하지만 뇌척수액의 지속적 누출이 관찰되었으며, 생체 내 실험 역시 개인차가 크기는 하지만 지속적 누출이 일어난다는 보고가 있다. 그럼에도 불구하고 두개내종양, 파열 혹은 비파열뇌동맥류와 뇌동정맥기형을 가진 임산부들에서 안전하게 행해진 신경축 마취에 대한 다양한 보고들이 있다. Leffert 등은 종양, 혈종, 뇌부종, 낭종 등의 두개내 공간점유병터(space occupying lesion, SOL)를 가진 임산부들에서 덩이효과(mass effect), 뇌수종, 뇌압상승이 모두 없거나 덩이효과와 뇌수종은 없지만 뇌압상승이 있더라도 뇌척수액의 흐름에 장애가 없다면, 신경축차단이 합리적인 선택이 될 수 있음을 제시하고 있다. 드물지만, 비파열뇌동맥류를 가진 임산부들에서 척추마취나 경막외마취 후 발생한 지주막하출혈에 대한 보고들이 있다. 하지만 뇌동맥류의 비교적 높은 유병률을 볼 때, 안전하게 척추마취를 시행 받은 수많은 임산부들 중에 진단받지 않은 뇌동맥류를 가진 사람들이 포함되어 있을 것이며, 출산 후의 고혈압이나 자연적인 파열 등 다른 원인들에 의한 파열의 가능성 또한 배제해야 한다는 점을 감안하면, 비파열뇌동맥류 임산부들에서 신경축차단을 비교적 안전하게 시행할 수 있을 것으로 생각된다. 뇌동정맥기형 임산부의 분만에 대한 보고는 많지 않다. 출혈이 없는 뇌동정맥기형에서 신경축차단이 안전하게 시행된 보고들이 있으며, 임신 제2삼분기에 발견된 출혈량이 많지 않았던 경우에서는 임신을 끝까지 유지해 경막외마취를 통해 제왕절개술을 한 이후에 동정맥기형의 색전술을 시행했다는 보고도 있다. 일반적으로 경막외마취가 척추마취보다 더 안전하다고 생각되지만 시술 중에 경막천자의 가능성은 항상 존재한다. 실제로 진단받지 않은 뇌종양을 가지고 있던 임산부에서 분만 진통을 위한 경막외 시술중에 발생한 경막 천자로 인해 뇌탈출이 발생한 보고가 있다. 뿐만 아니라 두개내유순도가 감소한 상황에서는 경막외강으로의 약물투여가 두개내압을 상승시킬 수 있다고 알려져 있다. 따라서 이득과 위험의 비교 하에서 경막외진통 혹은 마취가 이루어져야 하며 국소마취제의 총량(volume)을 줄이고 조금씩 천천히 주입하는 것이 중요하다.

(2) 전신마취

어려운 기도관리가 예상되거나 악성고열증의 위험이 있다면 전신마취를 피하는 것이 좋다. 앙와위저혈압증후군을 막기 위해 좌측자궁전이 자세를 취해야 한다. 임신2기부터는 말초혈류의 증가로 기도 부종이 발생할 수 있으며 큰 가슴이나 비만으로 인해 기관내 삽관이 어려울 수 있다. 위배출시간의 지연과 위식도역류의 증가로 폐흡인의 위험성이 증가하므로 반지연골 누르기(cricoid pressure)와 함께 빠른연속마취유도(rapid sequence induction)가 필요하다. Succinylcholine은 일과성의 두개내압 상승에 대한 염려가 있으며, 고용량의 rocuronium(1.2 mg/kg)이 최근 자주 거론되고 있다. 마취의 전 기간에 걸쳐 혈역학적인 변화를 최소화하는 것이 중요하다. 기관내삽관, 부적절한 마취심도, 통증 등에 의한 혈압의 상승은 두개내압의 상승과 뇌탈출을 조장하거나 뇌동맥류나 뇌동정맥기형의 파열을 일으킬 수 있으므로, 기관내삽관시에 labetalol, esmolol 등의 베타차단제나 remifentanil과 같이 축적이 없으며 태아억제를 유발하지 않는 아편유사제를 이용하여 자율신경계의 반응을 줄이고, 뇌파 감시를 통해 적절한 마취심도를 유지하며, 통증을 포함한 회복 시의 문제들을 적극적으로 관리해야 한다. 저혈압은 뇌관류압을 감소시켜 허혈을 조장하고, 태반혈류 감소를 통해 태아의 저산소증을 유발할 수 있으므로, phenylephrine으로 적극적으로 치료한다. 과환기는 두개내압이 높은 임산부의 뇌관류를 증가시킬 수 있지만, 높은 흉곽압이 발생한다면 정맥환류를 감소시켜 심박출량의 감소와 이로 인한 태아로의 혈류 감소를 유발할 수 있고, 두개내압에 부정적인 영향을 미칠 수 있다. 아울러 경벽압의 증가에 의한 뇌동맥류 파열의 위험성 또한 증가시키므로 주의 깊게 과환기를 시행해야 하는데, 태아분만 때까지는 임산부에서의 정상탄산혈증 수준을 유지하다가 이후에 25~30 mmHg정도를 유지하는 것도 하나의 방법이 될 수 있다.

자궁근육무력증(uterine atony)에 의한 산후출혈은 마취관리의 중요한 고려사항이다. 제왕절개술에 이어 두개내병변의 개두술이 예정된 경우에도 특히 그러하다. 흡입마취제의 용량의존적인 자궁이완효과를 감안한다면 정맥마취로의 전환이 필요할 수 있다. 자궁수축제(oxytocic drug)인 oxytocin은 자궁근육무력증과 출혈을 줄이기 위해 안전하게 사용되어 왔지만 혈압 감소를 주의해야 한다. Methylergometrine은 강력한 혈관수축제로서 고혈압과 두개내압 상승이 있을 때는 피해야 한다.

2. 특발성 두개내고압(Idiopathic intracranial hypertension)과 마취관리

특발성 두개내고압은 뇌거짓종양(pseudotumor cerebri) 혹은 양성 두개내고압(benign intracranial hypertension)으로도 알려져 있으며, 정상 뇌척수액 구성을 가지면서 두개내병변과 같은 구조적 원인이 없이 증가된 두개내압을 특징으로 한다. 여성에서 훨씬 많이 발생하고, 특히 임신가능 연령대의 비만 여성에서 발생한다. 증상이 없는 경우가 많으며, 안과 검사에서 시신경유두부종(papilledema)때문에 진단되기도 한다. 두개내압의 상승에 의한 두통이 가장 흔하게 나타나며 구역이나 구토, 시각 장애 등이 나타날 수 있는데, 실명이 10%까지도 보고되어 있는 바, 치료는 증가된 두개내압 증상을 완화시키고 시력 상실을 예방하는 것이 목적이며 코르티코스테로이드(corticosteroid), 탄산탈수효소억제제(carbonic anhydrase inhibitor), 연속 요추천자(serial lumbar puncture)를 포함한다. 체중감량도 증상을 호전시킨다고 알려져 있지만 태아에 대한 영향을 감안해야 한다. 치료에 반응하지 않는 경우에는 뇌척수액 션트(CSF shunt)나 시신경집 창냄술(optic nerve sheath fenestration)과 같은 조금 더 항구적인 치료를 고려해 볼 수 있다. 임신과 이 질환의 상호 영향은 없는 것으로 알려져 있다. 분만 시에 증상이 악화되는 상황이 아니라면 제왕절개술을 시행할 필요는 없으며, 질식분만 시 집게(forceps)나 흡입기(vacuum)를 이용하고 적절한 신경축진통을 제공하는 것이 필요하다. 수막공간내 유치카테터(indwelling intrathecal catheter)를 통해 분만 진통을 제공하고 두개내압 조절을 위해 뇌척수액을 배액했다는 보고도 있다.

일반적으로 두개내압의 상승은 신경축차단의 금기로 생각되지만 특발성두개내고압은 두개내와 척주관내(intraspinal) 공간 사이에 뇌척수액 압력 차이와 폐쇄가 없으므로 요추천자가 비교적 안전하다고 생각된다. 하지만 심한 두통, 움직임에 악화되는 목통증, 신경학적 결손이 있던 환자에서 신경축차단으로 인해 발생한 소뇌편도탈출(cerebellar tonsillar herniation)에 대한 보고가 있으므로, 신경축차단이나 진통은 이러한 증상이 없는 임산부에서 시행하는 것이 안전하다고 판단된다. 척추마취의 경우, 최근에 요추천자 치료를 통해 많은 양의 뇌척수액을 배액했다면 전척추마취(total spinal anesthesia)와 같이 예기치 못한 마취높이의 증가가 있을 수 있음을 알아야 한다. 경막외마취 시에는 국소마취제를 천천히 증량하거나 지속주입하는 것이 현명해 보인다. 요추복강 내 션트(lumboperitoneal shunt)를 가지고 있을 경우 션트카테터 손상의 염려 때문에 신경축차단를 피하는 경향이 있지만, 술전에 영상검사를 통해 카테터의 위치를 미리 확인하고, 정중앙접근법을 통해 tunnelling 공간을 피하여 시술 자국의 위 혹은 아래의 극돌기 사이 공간(interspinous space)으로 접근하면 안전하게 시행할 수 있다고 생각된다. 전신마취는 질환의 특성상 비만환자들이 많아 어려운 기도관리의 가능성이 있다. 두개내압의 상승을 피하면서 뇌관류압을 유지하는 것이 중요하다. 빠른 삽관을 위해 succinylcholine 보다는 rocuronium이 장점이 있으며, 기저혈압 수준으로 혈압을 유지하고, 심한 과환기를 피하면서 낮은 수준의 정상탄산혈증을 유지하는 것이 필요하다.

3. 아놀드키아리 기형(Arnold-Chiari malformation)과 마취관리

아놀드키아리 기형은 뇌간(brain stem)과 소뇌 편도(cerebellar tonsil)가 후두대공(foramen magnum)을 통해 하방으로 이동하는 것과 함께 제 4뇌실과 뇌간 하부의 신장(elongation)이 일어나는 선천성 기형으로서 유병률은 0.7% 정도로 알려져 있다. 심한 정도에 따라 1형부터 생존하기 어려운 4형까지 나눠지는데 1형이 가장 흔하며 보통 성인기에 진단 받는 경우가 많다. 소뇌, 뇌간, 뇌신경, 척수의 기능 장애로 인한 신경학적 증상들이 발생하며, 가장 흔한 후두부 두통을 비롯해 시각 장애, 뇌신경병증(cranial neuropathy), 목과 어깨 통증, 마비, 소뇌증상 등이 나타나지만 무증상도 적지 않다. 기본적인 병태생리는 두개내와 척주내 공간 사이 뇌척수액의 압력 차이와 흐름의 장애로서, 척수공동증(syringomyelia)이나 뇌수종이 발생하기 쉽다. 치료는 외과적 감압술을 통해 후두와(posterior fossa)를 넓혀 제자리로 소뇌편도가 돌아오도록 하는 것이다. 감압술을 받았다면 마취에 문제가 없다고 생각되지만, 감압술 이후에도 남아있는 증상이 있는 경우의 마취과적 의미는 알려져 있지 않다. 발살바나 기침 등으로 인해 신경학적 증상이 악화될 수 있으므로 신경축진통을 통해 2기분만 통을 줄여주는 것이 중요하다.

마취를 위해서는 술전에 두개내압 상승과 신경학적 증상, 그리고 동반되기 쉬운 척추후만증이나 척추측만증 여부를 파악하는 것이 중요하다. 척수공동증이나 이환된 뇌간 부위에 따라 호흡근 문제, 위배출시간 연장, 기도반사의 감소, 자율신경병증(autonomic neuropathy)이 있을 수 있으므로 마취과적 주의가 필요하다. 특히 자율신경병증은 마취 시 치료에 잘 반응하지 않는 저혈압의 원인이 될 수 있으며, 체온 관리의 문제를 초래할 수 있다. 근육의 탈신경(denervation)이 있다면 succinylcholine에 의한 고칼륨혈증이 일어날 수 있고, 근위축이 있다면 비탈분극성 근이완제에 대해 민감하게 반응하므로 주의해야 한다. 마취관리는 확립되어 있지 않으며 마취 방법에 대해서 서로 상충하는 다양한 보고들이 존재한다. 두개내와 척추 내 사이 뇌척수액의 압력 차이가 존재하고 두개내압이 높다고 가정한다면 척추마취에 대한 염려는 당연하다. 또한 앞에서 언급했듯이 요추천자 후에 지속적인 뇌척수액의 누출이 있다는 점 또한 척추마취를 꺼리게 만드는 요소일 수 있다. 실제로 척추마취 후에 회복실에서 발생한 신경학적 증상을 통해, 그리고 경막외마취 시술 중 발생한 경막천자 2주 후에 발현된 증상을 통해 이 질환을 진단받았던 보고들이 있으며, 이미 진단 받은 상황에서 시행한 척추마취로 인해 증상이 악화된 보고도 있다. 하지만 진단받은 환자들에서 척추마취를 포함한 신경축차단을 안전하게 시행했다는 보고들 또한 존재한다. 새로운 영상기법이 발달하고 자기공명영상사용이 증가하면서 보고된 것보다 이 질환의 실제 유병률이 높다고 알려지고 있으며, 때문에 진단받지 않은 상황에서 문제없이 신경축 진통이나 마취를 시행 받는 경우도 드물지 않다는 보고가 있다. 현재 신경축진통 혹은 마취의 안전성이 확립되어 있다고는 볼 수 없다. 하지만 증상이 없거나, 새로운 증상의 발현 혹은 증상의 악화가 없는 경우에는 비교적 안전하게 신경축차단를 시행할 수 있어 보인다. 경막외진통이나 마취 시에는, 증가된 두개내압 상태를 가정하여 경막천자가 일어나지 않도록 주의하며 다량의 국소마취제를 급속 주입하는 것을 피해야 한다. 전신마취의 안전한 시행에 대한 보고들도 드물지 않게 있으며, 두개내압의 상승을 막고 뇌관류압을 유지하는 원칙의 중요성은 앞에서 언급된 바와 같다.

4. 모야모야(Moyamoya)병과 마취관리

모야모야 병은 두개내 내경동맥과 뇌혈관 말단부의 협착 및 폐쇄성 변화에 의해 담배 연기처럼 흐리게 보이는 그물망 같은 작은 신생 혈관들이 보상적으로 발달하는 질환으로서, 일본에서 유병률이 가장 높으며 여성에게서 많이 발생한다. 일반적 증상은 두통, 경련, 의식의 변화, 시각장애, 구음장애(dysarthria), 마비, 고혈압 등이며, 자간증이나 여타 질환들과의 감별이 필요하다. 연령에 따라 두 가지 유형이 있는데, juvenile type은 10세 이전에 나타나며 뇌허혈 증상이 주인데 반해, adult type은 30~40세에 나타나며 두개내 출혈 증상이 주가 된다. 현재까지 완치법은 없으므로 완화(palliation)가 그 목적이 되며, 항혈소판제, 항응고제, 뇌동맥 확장제 등을 사용하는 내과적 치료와 두개외와 두개내의 혈관을 연결하여 뇌혈류를 증가시키는 외과적 치료(혈관개통술: revascularization)가 있다. EMS (encephalo-myo-synangiosis:STA [superficial temporal artery]-MCA [middle cerebral artery] bypass)와 EDAS (encephalo-duro-arterio-synangiosis)의 두 가지 중재술은 뇌허혈을 예방하는 치료로서 확립되어 있다. 하지만 최초 증상이 뇌허혈과 관련되었던 경우에 뇌허혈과 출혈의 빈도를 줄이지만, 출혈과 관련되었던 경우에는 재출혈의 예방효과가 확실하지 않다는 보고처럼, 출혈의 예방에는 논란의 여지가 있다. 최근 일본에서 행해진 표본조사에서 모야모야병을 가진 임산부들의 약 70%에서 제왕절개술이 시행되었다는 보고가 있다. 이는 분만 중에 발생하는 혈압의 상승을 피할 수 있다는 점이 반영된 것으로 보이지만, 신경학적 합병증의 발생은 질식분만과 차이가 없었다. Sei 등에 따르면, 질식분만보다 제왕절개술에 의한 이환율이 높으므로, 두개내출혈의 위험성이 낮은 임산부의 경우에는 적절한 경막외진통을 시행하면서 집게(forceps)나 흡

입기(vacuum)를 이용한 질식분만이 합리적인 선택으로 보이며, 이전의 두개내출혈, 임신성고혈압, 혈관재개통술을 받지 않은 상태 등에 해당하면 제왕절개술이 더 안전한 방법으로 보인다.

마취관리를 위한 고려사항은 다음과 같다. 첫째, 혈관 개통술을 받았더라도 이는 완치의 개념이 아니며, 특히 출혈 예방효과는 확립되어 있지 않다. 둘째, 임신 자체가 뇌졸중의 위험을 증가시킨다. 임신 중의 혈액량의 증가, 임신성고혈압, 자간증 등은 두개내 출혈의 위험을 증가시키고, 임신과 연관된 과응고성(hypercoagulability), 정맥저류(venous stasis), 혈관 내피 손상(endothelial injury) 등은 뇌경색의 위험을 증가시킨다. 따라서 모야모야병을 가지고 있는 임산부는 비임신군에 비해 훨씬 더 뇌졸중에 취약한 상태에 있다. 이러한 상황을 고려하면, 마취관리의 핵심은 정상혈압과 정상탄산혈증을 유지하여 뇌출혈과 뇌허혈을 예방하는 것이다. 전신마취와 신경축차단 모두 안전하게 시행된 많은 보고들이 있지만, 신경학적 평가가 지속적으로 가능하고, 기관내삽관이나 각성시의 혈압의 상승을 피할 수 있으며 단점으로서 언급되는 저혈압이나 불안에 의한 과환기는 승압제나 적절한 진정을 통해서 쉽게 치료가 가능하다는 점에서 신경축차단이 우선적인 마취방법으로 생각되고 있다. 경막외마취는 갑작스러운 활력징후의 변화가 덜하고 경막외 카테터를 통해 술 후 통증관리를 할 수 있지만, 불충분한 외과적 마취상태가 흔히 발생하므로 척추경막외병용마취가 장점이 있다.

5. 뇌전증(Epilepsy)과 마취관리

뇌전증은 임신 중의 가장 흔한 신경학적 질환이다. 분만을 하는 임산부 1000명당 3~5명이 뇌전증을 가지고 있으며 뇌전증을 가진 엄마에게서 뇌전증을 가진 아

이가 태어날 위험성은 모집단에 비해 5배 높다고 알려져 있다. Valproate, phenobarbital, carbamazepine 등의 오래된 항경련제는 선천성기형의 발생을 2~3배 증가시키지만, 최근에 개발된 약제들은 그 위험성이 더 낮다고 알려져 있다. 또한, 임신 초기에 둘 이상의 항경련제에 노출된 태아에서 거의 2배 이상의 기형 발생에 대한 보고가 있다. 그럼에도 뇌전증 발작(epileptic seizure)은 치명적일 수 있으므로 항경련제를 이용한 적극적 예방이 필요하다. 임신 중의 뇌전증의 치료는 단일 약제의 최소 효과용량(effective dose)으로 임신 전부터 시작하는 것이 좋다. 임신 중에는 3명 중 1명에서 발작의 빈도가 증가할 가능성이 있으며, 혈액량의 증가에 의한 항경련제의 혈중농도 감소는 발작의 조절을 어렵게 만든다. 따라서 임신 중이나 산후에는 약물의 혈중 농도를 감시하여 용량을 조절할 필요가 있다. 분만 중에도 항경련제는 계속 투여하는 것이 안전하며, 임신과 연관된 장흡수의 변화를 감안하면 정맥 내 투여가 바람직하다. 마취제의 사용과 관련하여 발작의 역치를 낮춘다고 알려진 etomidate는 피하는 것이 좋고, sevoflurane은 1.5 MAC아래의 농도로 사용하는 것이 안전해 보인다. 항경련제의 지속적 사용은 간효소계를 활성화 시키므로 근이완제를 포함하는 마취 약제의 청소율이 증가할 수 있다.

6. 다발성경화증(Multiple sclerosis)과 마취 관리

다발성경화증은 중추신경계의 말이집탈락(demyelination)과 염증으로 인해 운동신경 약화, 시력장애, 운동실조(ataxia), 장이나 방광의 기능장애, 감정 기복 등이 발생한다. 한국에서의 유병률은 인구 10만 명당 3.5명 정도로 알려져 있지만, 미국에서는 젊은 연령에서 신경학적 장애를 유발하는 가장 주된 원인으로 작용하며, 여성에게 더 많이 발생하고 임신적령기의 여성에서 진단이 되는 경우도 많다. 병인은 잘 알려져 있지 않지만 유전적인 요소와 스트레스, 감염, 고체온 등의 환경적 요인들이 관계한다고 생각된다. 85%의 환자들은 간헐적인 발병과 회복을 반복하며(exacerbating remitting), 15%의 환자들은 회복 없이 지속적으로 진행되는(chronic progressive) 임상경과를 보인다. 신경의 불완전한 재생을 동반하는 반복적인 발작(flare-ups)에 의한 신경학적 결손들은 계속 축적이 되어 10년 후에는 이들의 절반정도에서 지속적으로 진행되는 경과를 밟는다고 알려져 있다. 치료의 목적은 재발 빈도를 줄이고 악화의 정도를 경감시켜 영구적인 신경학적 손상을 예방하거나 연기시키기 위함이며, DMTs(disease-modifying therapies)라고 알려진 면역억제제들이 쓰인다. 일반적으로 임신 최소 한달 전, 임신 중, 수유 중 이 약물들을 사용하는 것은 추천되지 않는다. 이전에는 임신의 영향을 염려해 다발성경화증 환자들에게 임신하지 말 것을 권고하였으나, 1998년의 PRIMS(pregnancy in multiple sclerosis) 연구는 이러한 인식이 바뀌는 전환점이 되었다. 임신 중에, 특히 후기에는 재발률(relapse rate)이 감소하고, 출산 3개월 이내에는 재발률이 높아지지만 이후에는 임신전의 수준으로 돌아가므로, 현재는 임신이 다발성경화증을 악화시키는 요소로서 작용하지 않는다고 생각된다. 다발성경화증이 임신에 미치는 영향에 대해서는 이견이 있다. 일반적으로 임신의 경과나 태아에 큰 영향을 미치지 않는다고 생각되지만 제태기간에 비해 신생아가 작고 유도진통이나 분만의 수술적 중재 빈도가 높다는 보고가 있다.

다발성경화증을 가진 임산부는 근육 협조(coordination)의 장애로 인한 심호흡, 기침, 가래배출 등의 호흡장애가 있는지 술 전에 평가되어야 한다. 또한 현재의 신경학적 증상, 최근의 재발여부 및 간격 등도 평가되어야 한다. 앞에서 언급된 것처럼 분만 3개월 이내에는 재발의 빈도가 높으므로 마취 자체 혹은 마취방법에 의해 재발 혹은 악화되지 않음을 설명하고 동의를 받는 것 또한 생략되어서는 안 되는 중요한 부분이다. 이전의 신경축차단, 특히 척추마취에 대한 두려움은 탈수초화된 척수에 작용하는 국소마취제의 잠재적인 신경독성의 가능성 때문이었으며 실제로 1960~70년대에 척추마취 후에 재발한 다발성경화증에 대한 보고들이 존재한다. 하지만 스트레스 등의 관련성이나 출산 3개월 이내의 높은 재발률을 감안해서 해석할 필요가 있으며 경막외진통 혹은 마취와 관련된 최근의 연구들 또한 다발성경화증의 재발과 관련이 없음을 보고하고 있다. 이와는 달리 Bader 등은 다발성경화증을 가진 질식분만 임산부들에서 경막외진통군과 국소마취군 간에 재발률의 차이가 없었지만 0.25% 보다 높은 농도의 bupivacaine을 사용한 환자들 모두에서 다발성경화증이 재발하였음을 보고하였다. 이는 경막외진통을 위해 가능하면 국소마취제의 농도를 희석하여 사용할 필요성을 제기한다. 결론적으로 신경축차단 마취 혹은 진통에 다발성경화증이 금기가 되지 않는다고 생각되며 현재 전신마취나 신경축차단 모두 안전하게 시행되고 있다.

7. 중증근무력증(Myasthenia gravis)과 마취관리

중증근무력증은 신경근접합부의 시냅스후막에 있는 acetylcholine 수용체에 작용하는 항체로 인해 골격근의 피로와 약화가 발생하는 자가면역질환이며, 눈근육형(oculomotor type)부터 기관내삽관과 인공환기가 필요한 유형까지 침범정도에 따라 다양한 증상을 보일 수 있다. 만 명에서 1명 정도 발생하며 여성에서 호발 한다. 남성은 60~70대에, 여성은 20~30대에 많이 발견되므로 임산부에서도 드물지 않다. Edrophonium

투여로 근육약화의 증상이 호전되는 경우에 진단이 가능하며, 혈청 면역글로블린 항체(IgG antibody)검사로 확진이 된다. 증상의 호전을 위해 뇌혈관장벽을 통과하지 않는 항콜린분해효소제(anticholinesterase)인 pyridostigmine이 많이 쓰인다.

증상의 호전이 없을 경우 corticosteroid나 cyclosporine, azathioprine, methotrexate 등의 면역억제제를 추가하고, 치료에 반응하지 않거나 응급상황에서는 혈장분리교환술(plasmapheresis)이나 면역글로블린 정맥투여가 이루어진다.

치료 혹은 마취와 관련하여 두 가지의 응급상황이 발생할 수 있는데, 근무력성위기(myasthenic crisis)는 호흡근과 연수근의 약화로 기관내삽관이 필요하거나 발관이 어려운 상황으로서, 스트레스, 감염, 마취제잔여효과, 치료제의 중단이나 감량 등에 의해 유발되며 혈장교환이나 면역글로블린 투여가 필요하다. 이에 반해 콜린성위기(cholinergic crisis)는 과량의 항콜린분해효소제에 의해 발생하며 SLUDGE (salivation, lacrimation, urination, defecation, gastrointestinal distress, emesis)증상과 함께 호흡부전이 나타난다. 진단적 edrophonium의 투여에 반응하지 않으며 항콜린제인 atropine이나 glycopyrrolate가 도움이 된다.

1) 임신과 중증근무력증

임신 중의 중증근무력증의 임상경과는 예측이 어렵지만, 임신 초기와 출산 직후에는 악화되는 경우가 많으며, 이는 alpha-fetoprotein이 관계된다고 알려져 있다. 중증근무력증은 임산부와 태아의 사망률과 이환율을 증가시키며 임산부의 사망위험은 특히 이 질환을 진단받은 기간에 반비례한다고 알려져 있어 진단 후 몇 년간은 임신을 피하는 것을 권고하기도 한다. 일반적으로 중증근무력증을 가진 임산부는 질식분만이 시도된다. 분만 1기는 자궁평활근이 관여되지만 2기는 골격근이 사용되,

므로, 집게(forceps)나 흡입기(vacuum)를 이용한 분만의 필요성이 증가한다. 경막외진통은 분만통에 의한 스트레스반응을 줄일 뿐만 아니라 2기 분만 동안의 골격근의 피로를 막고 기구를 이용한 분만에도 도움이 된다.

Pyridostigmine은 임신중의 혈액량의 증가에 따라 용량을 조절할 필요가 있으며, 태반통과는 미미하지만 자궁수축을 유발한다는 보고가 있으므로 자궁 활성도에 대한 감시가 필요할 수 있다. 면역억제제는 태아에 심각한 위협이 되므로 임신 중에는 피해야 한다. Steroid 치료를 받아온 경우, 주술기에 스트레스 용량의 steroid 투여가 필요할 수 있지만, 중증근무력증의 치료제임에도 불구하고 근육약화를 초래할 수 있어 주의해야 한다. 자간전증의 치료에 사용하는 Magnesium sulfate도 근육약화로 인한 위급한 상황을 초래할 수 있으며, 이 외에 aminoglycosides, propranolol, 이뇨제, 항경련제 등도 이 질환을 악화시킬 수 있다.

2) 마취관리

마취전 평가는 마취관리를 위해 매우 중요하다. 흡인의 위험성을 의미할 수 있는 연하곤란(dysphagia), 구음장애(dysarthria), 비성어(nasal speech) 등의 연수증상(bulbar symptoms), 호흡근의 약화 증상, 폐기능, 현재 치료, 심전도상의 리듬이나 전도이상, 심기능 장애, 동반질환(흉선종이나 갑상선기능항진증, 자가면역질환) 등에 대한 평가가 이루어져야 한다. 가능하다면 부위 혹은 국소마취가 안전하지만, 국소마취제의 사용과 관련하여 콜린분해효소에 의해 분해되는 ester계열은 피하는 것이 좋다. 연수증상이나 호흡근 장애가 있을 경우 부위마취에 주의가 요구되는데, 고위 신경축차단이나 상완신경총차단(brachial plexus block, BPB)시의 가로막신경(phrenic nerve) 차단은 이러한 환자들을 견딜 수 없게 만들기 때문이다. 흡입마취제의 근이완 효과를 이용하거나 경막외마취를 전신마취와 병행하면 근

이완제의 사용을 줄이거나 없앨 수 있다고 알려져 있지만, 마취유도시의 흡인 위험을 감안해야 한다. 눈근육형(oculomotor type)이나 증상이 완화된 경우에서도 근이완제의 반응과 가역에 대한 예측이 어려우며, 가역 시에는 콜린성 위기가 발생할 수도 있다. Acetylcholine 수용체의 부족으로 인해 비탈분극성 근이완제에 대해 매우 민감하며, succinylcholine과 같은 탈분극성 근이완제에 대한 반응은 pyridostigmine의 영향을 받게 된다. Pyridostigmine치료를 받고 있다면, 내인성 콜린분해효소에 의한 succinylcholine의 분해가 잘 이루어지지 않으므로 그 작용시간이 연장되고 제2상 차단(phase 2 block)이 발생할 수 있다. 부가하여, 비탈분극성 근이완제인 mivacurium 또한 혈장 콜린분해효소에 의해 분해되므로 작용시간의 연장이 나타날 수 있다. 만약 치료를 받고 있지 않다면, 탈분극에 필요한 수용체가 부족하므로 더 많은 용량의 succinylcholine이 필요하게 된다. Succinylcholine은 보통 1~1.5 mg/kg의 용량으로 사용하며, 비탈분극성 근이완제는 작용시간이 짧은 약물을 소량으로 조금씩 증량하면서 사용하는 것이 현명하다. 당연히, 마취 전 기간에 걸쳐 신경근 감시(neuromuscular monitoring)를 해야 한다. 일반적으로 이들 환자들은 신경자극에 대한 근수축 반응이 감소되어 있으므로, 마취유도 전에 사연속자극(train of four, TOF)을 실시하여 대조값으로 삼아야 한다. 사연속자극 > 90%, 5초 이상 머리들기 등을 종합하여 평가한다. 치료에 사용된 pyridostigmine으로 인해 콜린분해효소가 최대로 억제되어 있다면, 남아 있는 근이완의 가역제로서 pyridostigmine은 의미가 없다. 더 많은 연구가 필요하다 해도 sugammadex는 항콜린분해효소의 사용에 영향 받지 않고 수분 내에 빠른 회복이 가능하여 매우 유용한 약제로 평가받고 있다. 이들 환자의 술 후 통증조절은 매우 중요하다. 앞에서 언급했듯이 출산 직후에 이 질환이 악화되는 빈도가 높음을 감안할 때 가능하면 전신적 아편유사제는 피해야 하고, 필요하다면 작

용시간이 짧은 아편유사제를 소량씩 투여해야 한다. 아편유사제가 첨가된 희석된 국소마취제를 이용한 경막외 진통은 전신적 아편유사제의 사용과 호흡억제의 가능성을 줄일 수 있다.

중증근무력증 임산부에서 태어난 신생아의 약 15% 전후에서 일시적인 근무력증이 발생한다고 알려져 있다. Alpha-fetoprotein은 acetylcholine 수용체에 작용하는 항체를 차단하는 작용을 하지만 분만과 함께 엄마와 아기 모두에서 감소하므로, 임신 중 태반을 통과했던 acetylcholine 수용체 항체에 의한 증상이 수 시간에서 수일 내에 나타나게 된다. 항체의 대사에 의한 회복에는 2~4주가 소요되며 신생아관리를 위한 협진이 필요하다.

참고문헌

Bader AM. Neurologic and Neuromuscular Disease.In: Chestnut's Obstetric Anesthesia: Principles and Practices. 5th ed. Edited by David H: Philadelphia, Saunders. 2014, pp 1113-36.

Drummond JC, Patel PM, Lemkuil BP. Anesthesia for neurologic surgery In: Miller's Anesthesia. 8th ed. Edited by Miller RD: Philadelphia, Saunders. 2015, pp 2158-94.

Haas JF, Jänisch W, Staneczek W. Newly diagnosed primary intracranial neoplasms in pregnant women: a population-based assessment. J Neurol Neurosurg Psychiatry 1986;49:874-80.

Connolly ES, Rabinstein A a., Carhuapoma JR, Derdeyn CP, Dion J, Higashida RT, et al. Guidelines for the management of aneurysmal subarachnoid hemorrhage: A guideline for healthcare professionals from the american heart association/american stroke association. Stroke 2012;43:1711-37.

Kim YW, Neal D, Hoh BL. Cerebral aneurysms in pregnancy and delivery: Pregnancy and delivery do not increase the risk of aneurysm rupture. Neurosurgery 2013;72:143-9.

Tiel Groenestege AT, Rinkel GJE, van der Bom JG, Algra A, Klijn CJM. The risk of aneurysmal subarachnoid hemorrhage during pregnancy, delivery, and the puerperium in the Utrecht population: case-crossover study and standardized incidence ratio estimation. Stroke 2009;40:1148-51.

Liu X, Wang S, Zhao Y, Teo M, Guo P, Zhang D, et al. Risk of cerebral arteriovenous malformation rupture during pregnancy and puerperium. Neurology 2014;82:1798-803.

Kim H, Salman R, McCulloch C, Stapf C, Young WL. Untreated brain arteriovenous malformation Patient-level meta-analysis of hemorrhage predictors. Neurology 2014;83:590-7.

Patel S, Appleby I. Anaesthesia for interventional neuroradiology. Anaesth Intensive Care Med 2013;14:387-90.

Zacharia BE, Bruce S, Appelboom G, Connolly ES. Occlusive hyperemia versus normal perfusion pressure breakthrough after treatment of cranial arteriovenous malformations. Neurosurg Clin N Am 2012;23:147-51.

Horton JC, Chambers WA, Lyons SL, Adams RD, Kjellberg RN. Pregnancy and the risk of hemorrhage from cerebral arteriovenous malformations. Neurosurgery 1990;27:867-72.

Durrant JC, Hinson HE. Rescue therapy for refractory vasospasm after subarachnoid hemorrhage. Curr Neurol Neurosci Rep 2015;15:521.

Eggert SM, Eggers K a. Subarachnoid haemorrhage following spinal anaesthesia in an obstetric patient. Br J Anaesth 2001;86:442-4.

Aly EE, Lawther BK. Anaesthetic management of uncontrolled idiopathic intracranial hypertension during labour and delivery using an intrathecal catheter. Anaesthesia 2007;62:178-81.

Chantigian RC, Koehn MA, Ramin KD, Warner MA. Chiari I malformation in parturients. J Clin Anesth 2002;14:201-5.

Mueller DM, Oro' J. Chiari I malformation with or without syringomyelia and pregnancy: case studies and review of the literature. Am J Perinatol 2005;22:67-70.

Kesler A, Kuperminc M. Idiopathic intracranial hypertension and pregnancy. Clin Obstet Gynecol 2013;56:389-96.

Karmaniolou I, Petropoulos G, Theodoraki K. Management of idiopathic intracranial hypertension in parturients: anesthetic considerations. Can J Anaesth 2011;58:650-7.

Leffert LR, Schwamm LH. Neuraxial anesthesia in parturients with intracranial pathology: a comprehensive review and reassessment of risk. Anesthesiology 2013;119:703-18.

Wang LP, Paech MJ. Neuroanesthesia for the pregnant woman. Anesth Analg 2008;107:193-200.

Hopkins AN, Alshaeri T, Akst SA, Berger JS. Neurologic disease with pregnancy and considerations for the obstetric anesthesiologist. Semin Perinatol 2014;38:359-69.

Takahashi JC, Ikeda T, Iihara K Miyamoto S. Pregnancy and delivery in moyamoya disease: results of a nationwide survey in Japan. Neurol Med Chir(Tokyo) 2012;52:304-10.

Sei K, Sasa H, Furuya K. Moyamoya disease and pregnancy: case reports and criteria for successful vaginal delivery. Clin Case Rep 2015;3:251-4.

Confavreux C, Hutchinson M, Hours MM, Cortinovis-Tourniaire P, Moreau T. Rate of pregnancy-related relapse in multiple sclerosis. Pregnancy in Multiple Sclerosis Group. N Engl J Med 1998;339:285-91.

Bader AM, Hunt CO, Datta S, Naulty JS, Ostheimer GW. Anesthesia for the obstetric patient with multiple sclerosis. J Clin Anesth 1988;1:21-4.

Dahl J, Myhr K-M, Daltveit AK, Hoff JM, Gilhus NE. Pregnancy, delivery, and birth outcome in women with multiple sclerosis. Neurology 2005;65:1961-3.

Coyle PK. Multiple sclerosis in pregnancy. Contin Lifelong Learn Neurol 2014;20:42-59.

Daskalakis GJ, Papageorgiou IS, Petrogiannis ND, et al.: Myasthenia gravis and pregnancy. Eur J Obstet Gynecol Reprod Biol 2000;89:201-4.

Bédard JM, Richardson MG, Wissler RN: Epidural anesthesia in a parturient with a lumboperitoneal shunt. Anesthesiology 1999; 90:621-3.

Guidon AC, Massey EW. Neuromuscular disorders in pregnancy. Neurol Clin 2012;30:889-911.

Blichfeldt-Lauridsen L, Hansen BD. Anesthesia and myasthenia gravis. Acta Anaesthesiol Scand 2012;56:17-22.

Almeida C, Coutinho E, Moreira D, Santos E, Aguiar J. Myasthenia gravis and pregnancy: anaesthetic management: a series of cases. Eur J Anaesthesiol 2010;27:985-90.

Miyamoto S, Akiyama Y, Nagata I, Karasawa J, Nozaki K, Hashimoto N, et al. Long-term outcome after STA-MCA anastomosis for moyamoya disease. Neurosurg Focus 1998;5:Article 5

Daskalakis GJ, Papageorgiou IS, Petrogiannis ND, et al.: Myasthenia gravis and pregnancy. Eur J Obstet Gynecol Reprod Biol 2000;89:201-4.

Brenner T, Beyth Y, Abramsky O. Inhibitory effect of alpha-fetoprotein on the binding of myasthenia gravis antibody to acetylcholine receptor. Proc Natl Acad Sci USA 1980;77:3635-9.

Bédard JM, Richardson MG, Wissler RN: Epidural anesthesia in a parturient with a lumboperitoneal shunt. Anesthesiology 1999; 90:621-3.

동반질환이 있는 임산부의 마취관리

15-4 혈액 질환

임산부에서 나타나는 다양한 생리학적 변화 중 하나가 혈액학적 변화이다. 정상적인 임산부에서도 혈장량은 50%, 적혈구량은 30%로 불균등하게 증가하여 생리적빈혈이 발생한다. 이런 생리적빈혈은 심박출량의 증가, 동맥혈 산소 분압의 증가와 산소혈색소 해리곡선(oxyhemoglobin dissociation curve)의 우측이동을 통하여 조직으로의 산소 운반능을 보상하게 된다. 또한 임신 시에는 혈액응고계가 모두 항진되어 과응고상태(hypercoagulable state)가 되는데 이러한 증가는 분만 후 과다 출혈을 예방하는 방어기전이 되기도 하지만 혈전색전증 발생의 위험이 되기도 한다. 임산부에서 보이는 정상적인 혈색소와 혈액응고인자의 생리학적 변화뿐 아니라 혈액질환을 동반한 임산부의 마취관리를 위하여 중요한 몇 가지 혈액 질환을 살펴보고자 한다. 혈액질환은 크게 혈색소 이상과 혈액응고 이상으로 나누어 볼 수 있다. 또한 혈액응고 이상은 혈소판 이상과 혈액응고인자 이상으로 세분할 수 있다.

1. 혈색소 이상

혈색소는 적혈구의 주요 성분으로 산소와 이산화탄소를 운반하는 역할을 한다. 혈색소는 2쌍의 폴리펩타이드 사슬(polypeptide chain)인 글로빈과 4개의 헴(heme)그룹으로 구성되어 있으며 각 헴은 1개의 제일철(ferrous) 이온과 결합되어 있다. 헴은 가역적으로 한 개 분자의 산소 또는 이산화탄소와 결합한다. 생후 1년 이후부터는 폴리펩타이드 사슬로 2개의 α사슬에 2개의 β사슬이 조합을 이룬 Hb A가 혈색소의 대부분을 차지하고 1% 미만에서 Hb F (2개의 α사슬, 2개의 γ사슬), 2.5% 미만에서 Hb A2 (2개의 α사슬, 2개의 δ사슬)가 나타난다. Hb F는 태아에서 전 혈색소의 90%를 차지하지만 성인에서는 1% 미만으로 존재한다. 혈색소를 구성하는 헴 또는 글로빈의 이상에 따라 다양한 질환이 유발된다.

1) 지중해빈혈증(Thalassemia)

지중해빈혈증는 글로빈 사슬의 결핍에 의해 두 종류의 글로빈 사슬의 양적 불균형에 의해 발생하는 질환을 총칭하며 α사슬이 소실되는 α-지중해빈혈증과 β사슬이 소실되는 β-지중해빈혈증으로 나누어진다. 주로 흑인, 지중해 인근, 동남아시아, 중앙아시아, 인도, 남태평양의 섬 주민에게서 발생한다. α사슬은 염색체 16번에 존재하는 4개의 유전자로부터 생성되는데 네가지 타입으로 1. silent carrier (three functioning genes) 2. 알파 thalassemia triat (two functioning gene) 3. hemoglobin H disease (one functioning gene) 4. α-thalassemia 또는 Bart's hydrops (no functioning gene)로 나뉘며 한 개의 유전자라도 제대로 기능을 하면 별 증상이 없으며 특별한 치료도 필요로 하지 않으나 4개의 유전자가 다 소실된 경우에는 태아수종(hydrops fetalis) 등이 발생하여 생존이 불가능하며 임산부에게 자간전증의 위험성을 증가시킨다. β사슬은 염색체 11번의 두 개의 유전자로부터 생성되는데 조금의 β사슬이라도 생성할 수 있으면 역시 특별한 증상 및 치료가 필요하지 않고 전혀 β사슬을 만들지 못할 경우는 대부분 임신이 불가능하므로 임산부에서 β-지중해빈혈증이 나타나는 일은 드물다. 임상적인 중증도는 동형접합성(homozygous)이냐 이형접합성(heterozygous)이냐 여부에 의하며 이형접합성(heterozygous) 지중해빈혈증의 경우, 즉 정상적인 α사슬과 β사슬이 한 개씩이라도 있는 임산부의 경우는 정상 임산부와 비교하여 분만이나 제왕절개 시에 마취 방법에 차이가 없다. 그러나 엽산(folate)이 부족하기 쉬우므로 보충을 해 주어야 하며 감염 시에는 골수 부전이 생기기 쉬우므로 적극적으로 치료를 해야 한다. β-지중해빈혈증의 경우는 특히 체내에 과도한 철분이 축적되기 쉬우므로 임산부라도 철분 섭취를 제한해야 하며 철분이 감소되어 있는 임산부에게만 선택적으로 철분을 보충해야 한다. 동형접합성 태아의 가능성 때문에 배우자가 동일한 질환을 가지고 있지 않는지 검사를 해야 한다.

2) 낮적혈구빈혈(Sickle-cell anemia)

혈색소의 폴리펩타이드 사슬의 구조적 이상으로 수백 가지의 혈색소질환이 발생할 수 있는데, 혈색소의 구조이상은 글로빈의 아미노산 변화에 의하여 혈색소의 물리적 또는 화학적 성상 및 기능의 변화가 생긴 비정상적인 혈색소 변이형들이 생성되는 유전 용혈 혈액질환으로 정의되며, 이중 대표적인 질환이 낮적혈구빈혈이다. 낮적혈구빈혈을 일으키는 Hb S는 아미노산 서열 중 6번째 글루탐산이 발린으로 치환되어 발생하며 이러한 돌연변이 헤모글로빈은 산소와 결합하지 않은 상태에서 서로 달라붙어 긴 바늘모양의 구조를 형성할 수 있게 되므로 적혈구의 모양이 길게 찌그러진 낮 모양으로 바뀌게 된다. 주로 흑인에서 많고 열대열 말라리아 유행지역에서 호발하는 질환으로 아프리카 신생아의 8~10% 이

나 아직 우리나라에 보고된 바는 없다. 정맥혈에서는 산소포화도가 낮으므로 많은 적혈구가 낮모양으로 변형될 수 있으나 폐를 거치면서 다시 정상 적혈구 모양을 되찾게 된다. 그러나 이러한 변형을 여러 차례 겪거나 오랜 시간 저산소증에 노출되면 폐순환을 거치더라도 적혈구의 모양이 원상복귀 되지 않으므로 낮적혈구빈혈 환자에게서 평균 적혈구의 수명은 12일로 짧다. 수분부족, 저혈압, 정맥혈 정체, 저체온증, 산혈증 등에서 적혈구의 변형이 더욱 증가된다. 대부분의 혈색소 이상 질환은 보통 염색체 열성(autosomal recessive)으로 유전하므로 낮적혈구빈혈의 가능성이 높은 부모의 경우는 비정상혈색소에 대한 산전 검사를 받아야 한다. 임신은 낮적혈구빈혈의 부작용을 증가시켜 임산부 사망률은 1%에 이르며 주로 폐색전증과 감염에 의해 발생하며 태아사망률도 20%에 이른다. 낮적혈구빈혈을 가진 임산부에서는 6.5%의 자연유산의 위험성을 가지고 태아발육 지연이 동반되기도 한다. 또한 조기분만, 태반 조기박리, 전치태반, 임신과 합병된 고혈압의 빈도를 증가시킨다. 마취관리의 기본은 낮적혈구화를 조장하는 정맥혈 정체(stasis), 저체온증, 산증(acidosis), 저산소혈증(hypoxemia)을 예방하도록 한다. 결정질 수액(crystalloid)을 투여하여 혈장량을 충분히 유지하고 산소 운반능을 유지하기 위하여 적혈구를 투여한다. 산소를 투여하고 산소포화도를 감시하며 체온을 정상으로 유지하며 정맥혈 정체를 막는 것이다. 질식분만을 위해서는 혈색소치를 8 g/dL, 제왕절개술 시는 10 g/dL 이상으로 유지해야 하는데 수혈은 백혈구연충(buffy coat)을 제거한 세척적혈구를 사용한다. 임산부의 경우 분만통증으로 인한 발작을 예방해야 하므로 경막외 진통을 실시하는 것이 좋다. 제왕절개술을 위하여서는 부위마취와 전신마취 모두 시행 가능하다.

3) 자가면역용혈성빈혈(Autoimmune hemolytic anemia)

자가면역용혈성빈혈은 적혈구 막의 자기항원에 대한 항체가 적혈구의 수명을 단축시키는 일련의 질환을 나타낸다. IgG 온난항체(warm antibody)를 가지고 있는 경우는 37℃에서 적혈구에 결합하지만 적혈구를 응집시키지는 않는다. IgM 동형인 저온항체(cold antibody)를 가진 경우는 대부분 마이코플라즈마 또는 엡스타인-바 바이러스 단핵구증 같은 감염의 합병증으로 나타날 수 있으며 저온에서 적혈구를 응괴시키고 때때로 용혈을 일으킨다. 온난항체에 의한 용혈성 빈혈은 glucocorticoids의 투여로 치료하며 이에 듣지 않는 경우는 비장절제술을 시행한다. 저온항체인 경우는 중등도의 안정된 빈혈과 저온 노출 시 말단 청색증을 보이는 만성병으로 수혈과 저온 노출을 피하는 지지요법만으로도 충분한 효과가 있다.

2. 혈액응고 이상

1) 혈액응고 기전

정상적인 혈액응고를 위하여서는 혈관, 혈소판, 응고인자들의 정상적인 기능이 필요하다. 혈관이 외상이나 질환에 의해 손상을 받으면 출혈을 멈추기 위해 혈관 수축과 일차적 지혈과정인 혈소판의 부착 및 응집에 의한 혈소판 마개가 형성됨과 동시에 이차지혈과정인 응고인자들의 활성화를 통하여 섬유소(fibrin)가 만들어 지고 지혈마개(hemostatic plug)가 형성되어 완전한 지혈이 이루어진다. 일차지혈과정인 혈소판 활성화가 혈액응고를 가속화시키고 이차지혈과정의 산물인 트롬빈(thrombin)이 혈소판 활성화를 유도한다. 손상

이 회복되면 지혈과정 중에 형성된 섬유소가 플라스민에 의해 용해되어 혈액의 흐름이 정상적으로 이루어지도록 한다. 즉, 지혈은 혈관, 혈소판, 응고인자, 응고억제인자, 섬유소용해가 관여하는 일련의 복잡한 과정이다. 혈액 응고인자의 작용은 크게 내인성(intrinsic), 외인성(extrinsic), 공통경로(common pathway) 과정으로 나눌 수 있으며 그림 15-4-1과 같다.

2) 혈액응고기능의 평가

임신 시에는 대부분의 혈액 응고인자들이 증가하므로 정상 임신에서도 prothrombin time (PT), activated partial thromboplastin time (aPTT)이 증가되어 있다. 혈액응고기능의 평가를 위한 기본적인 검사에는 혈소판수치, PT, aPTT, 섬유소원 수치(fibrinogen level), thrombin time 등이 있다. 출혈시간(bleeding time)은 임산부가 vWD 등의 유전적인 혈액질환을 앓고 있을 때는 치료의 지침이 될 수 있으나 일반적인 경우에서 혈소판의 기능을 알아보거나, 출혈량을 예측하거나, 자간전증 임산부나 NSAID나 아스피린 등을 복용하고 있는 임산부 등에서 경막외 혈종의 위험성을 예측하는 기준으로 삼을 수는 없으며, 또한 혈소판 감소 정도와는 상호연관성이 높지 않다. 혈소판이 감소되어 있는 환자들에서 혈소판과 연관된 출혈의 위험성을 평가하기 위하여 혈전탄성묘사도(thromboelastogram, TEG)와 platelet functional analyzer (PFA-100)와 같은 새로운 응고 검사가 사용된다. TEG는 혈액 응고의 연쇄 반응에 있어서 혈전의 생성부터 용해까지의 복합적이고 역동적인 양상을 전반적으로 관찰할 수 있으며, 혈전의 생성 및 용해의 균형 상태를 판별할 수 있는 검사 방법으로 알려져 있다. 이러한 장점으로 인해 혈액응고 장애 및 혈소판 기능 장애가 심하게 일어날 수 있는 간이식 수술, 심장 수술 및 산과 수술에 있어서 TEG는 매우 유용하게 사용되고 있으며, 최근에는 수술을 받지 않

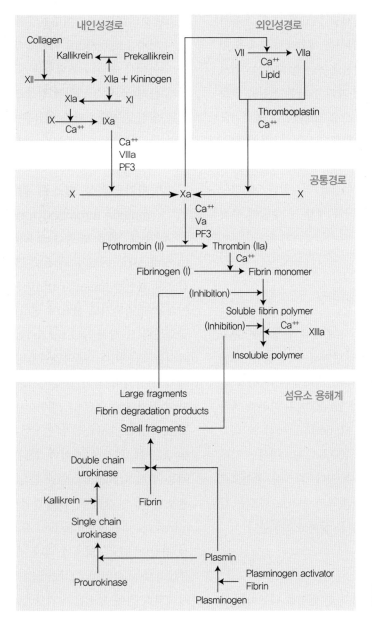

DP: adenosine diphosphate
PF: platelet factor

그림 15-4-1. **혈액응고의 내인성·외인성·공통 경로와 섬유소용해계(fibrinolytic system)**

는 환자에게 있어서 항응고 약물의 적정한 농도 결정에
있어서 TEG를 활용하는 등 TEG의 사용이 점차 증가하
고 있는 추세이다. TEG는 고위험 임산부의 응고 상태를
결정하거나 저혈소판증 임산부에서 경막외마취를 시행

하기 전에 지혈상태를 평가하는데도 유용하다. 또한 수
술 중 지속적인 출혈이 있는 환자를 관리하는데 있어서
출혈이 외과적 요인에 의해 발생하는지, 혹은 외과적 요
인과는 상관없이 환자의 혈액 응고 체계의 결함으로 발

생하는지를 구분하는 데 있어서도 TEG가 매우 유용한 정보를 제공한다. PFA-100 검사는 체외에서 유속을 이용해 혈소판의 부착 및 응집기능을 측정할 수 있는 검사이다. 체외에서 출혈시간 측정 때와 유사한 조건을 만들어 주기 때문에 "in vitro bleeding time"이라 불리기도 하며 일차지혈과정 평가에 유용한 검사이다. 특히 혈소판과 vWF의 기능 이상에 민감하고 혈소판 억제약물 복용 등으로 인한 혈소판 기능 이상을 검사한다. 표 15-4-1은 기본적인 혈액응고 검사와 정상 및 수술에 부적절한 범위이다.

3) 저혈소판증과 혈소판 기능이상

임산부에서 혈소판 감소는 10%에서 발생하며 단독으로 발생할 수도 전신 질환과 연관될 수도 있다. 또한 임신 중 특별히 발생한 것일 수도, 임신과 무관하게 발생할 수도 있다. 혈소판 수치가 20,000/μL 이하로 저하 시 자발적인 출혈을 유발하며 50,000/μL 이하 시 외과적인 출혈을 유발하기도 한다. 100,000/μL 이상인 경우 부위마취를 안전하게 시행할 수 있다. 다양한 원인으로 인하여 혈소판의 생산 감소나 파괴의 증가로 혈소판 감소가 일어나는데 대표적인 질환을 살펴보고자 한다.

(1) 임신성 저혈소판증

임신 중 저혈소판증의 가장 흔한 원인을 대표하는 저

혈소판증의 양성형태이다. 일반적으로 환자들은 혈소판 수치가 100,000/μL 이하로 떨어지지 않으며 임산부와 태아에서 출혈의 위험성을 증가시키지 않는다. 혈소판 수는 출산 후 3~5일에 정상으로 돌아온다. 합병증이 없는 임신성 저혈소판증 임산부에서의 부위마취는 안전하다.

(2) 자가면역성 혈소판 감소성 자반증(Autoimmune thrombocytopenic purpura, ATP)

특발성 혈소판감소성 자반증(idiopathic thrombocytopenic purpura, ITP) 또는 면역성 혈소판 감소성 자반증(immune thrombocytopenic purpura)이라고 명명되기도 했으며 혈소판의 항원에 대한 면역글로불린 G 항체(IgG antibody)에 의해 혈소판이 파괴되는 질환이다. 면역글로불린 G 항체는 주로 비장에서 생산되며 간과 골수에서도 일부 생산된다. 혈소판 수치가 100,000/μL 이하이면서 골수에서 거대핵세포(megakaryocytes)가 정상이거나 증가되어 있는 경우 ATP를 의심해 보아야 한다. 감별해야 하는 질환에는 임신성(gestational) 혹은 본태성(essential) 저혈소판증, 자간전증, 파종혈관내응고(disseminated intravascular coagulation, DIC), 혈전성 혈소판감소성 자반증(TTP), 약제에 의한 저혈소판증, 수혈후 자반증(posttransfusion purpura) 등이 있다. 분만통증이 시작되기 전에 혈소판 수치가 20,000/μL 이하인 경우,

표 15-4-1 **기본적인 혈액 응고 검사**

검사	측정응고인자	정상범위	수술에 부적절한 범위
Platelet count (/ml⁹)	Platelet	140,000~440,000	< 50,000
Partial thromboplastin time (sec)	II, V, VIII, IX, X	24-36	> 60
Prothrombin time (sec)	II, V, VII, X	11-12	> 18
Fibrinogen (mg/dL)	fibrinogen	150~450	< 100
Fibrin degradation products (ng/L)	D-dimer	< 20	

분만 동안에 혈소판 수치가 50,000/μL 이하일 경우에 corticosteroid (prednisone 0.5~1 mg/kg)를 투여하여 치료할 수 있다. 또한 corticosteroid가 효과가 없는 경우에 고용량의 면역글로불린을 투여하면 일시적이지만 빠르게 혈소판이 증가한다. 두 약제가 다 효과가 없는 경우에는 비장절제를 시행하기도 한다. 임산부의 면역글로불린 G 항체는 태반을 통과하여 태아에게 전달되어 50~70%의 태아에서 혈소판감소증이 발생하여 신생아 출혈이 야기될 수 있다. 그러므로 ATP 임산부에서 신생아의 뇌내 출혈이 드물게 나타날 수 있으나 최근 보고에 의하면 분만 방법과의 연관성은 없다고 한다. 그러므로 분만 방법의 결정은 산과적 기준에 따라야 한다. 이런 환자에게서 분만 몇 주 전의 혈소판 수치는 분만 당시의 혈소판수치를 예측하는데 부적절하므로 분만 당시에 혈소판 수치를 재검사하여야 한다.

(3) 혈전성 혈소판감소성 자반증(Thrombotic thrombocytopenic purpura, TTP)

혈전성 혈소판 감소성 자반증(TTP)은 전신에 걸쳐 혈소판의 응집이 일어나는 것으로 열, 저혈소판증(혈소판수 20000/μL 이하), 미세혈관병증용혈빈혈(microangiopathic hemolytic anemia), 눈부심(photophobia), 두통, 경련 등의 신경학적 증상, 신부전이라는 다섯 가지 주요 증상이 나타나나 다섯 가지 증상이 동시에 나타나는 것은 아니다. 파종성 혈소판응집이 TTP의 특징이며, TTP의 위험은 임신 중 증가한다. 임산부는 TTP 환자의 10~20%를 차지하며 전형적으로 제2삼분기와 제3삼분기에 발생한다. TTP와 감별하여야 하는 질환에는 파종 혈관 내 응고(DIC), 자간전증, 용혈성요독증(hemolytic uremia syndrome) 등이 있다. 효과적인 치료에는 약 75%의 혈장에 대해 혈장분리교환술(plasmapheresis)을 실시하면서 30~50 ml/kg의 새로운 혈장을 투여하거나, 면역글로불린 G (400 mg/kg/d), prostacyclin (4~9 ng/kg/min) 주입, 고용량

prednisone (200 mg/d) 투여 등이 있다. 혈소판의 직접적 수혈은 피해야 한다. 치료가 효과적이지 않으면 임신 중절이 도움이 된다. 부위마취는 금기이다.

(4) 약물 유발성 혈소판 질환

임신 시에 자주 사용되는 약제들은 아니나 quinidine, quinine, gold salts, heparin 등의 약제는 면역적 기전에 의해 혈소판의 파괴를 증가시킬 수 있다. 반면에 혈소판 기능을 감소시키는 약제는 산과환자에서 종종 사용되고 있다. 표 15-4-2는 혈소판의 기능에 영향을 주는 약제들을 정리한 것이다. 아스피린은 비가역적으로 cyclooxygenase를 불활성화시켜 출혈시간(bleeding time)을 1.5~2배 증가시킨다. 이러한 출혈시간의 증가는 1~4일 정도 유지되는데 시험관내 검사(in vitro test)는 일주일까지도 비정상으로 나온다. 다른 혈액응고 이상이 공존하지 않는 한 아스피린의 투여는 임산부에게서 부위마취의 금기가 되지는 않는다. 다른 NSAID (ibuprofen, indomethacin, naproxen) 등은 가역적으로 cyclooxygenase를 억제하는데 일시적으로 출혈시간에 영향을 미치지만 이런 약제들의 투여 또한 마취 방법에 영향을 미치지는 않는다. 혈소판의 cyclic adenosine monophosphate (cAMP)를 증가시키는 약제들(prostaglandin E1, prostacyclin)이나 cAMP의 파괴를 감소시키는 약제들(caffein, theophylline)

표 15-4-2 혈소판 기능에 영향을 미치는 약제

분류	약제
Cyclooxygenase 저해제	아스피린, NSAID
Adenylcyclase 자극제	Prostaglandin E, prostacyclin
Phosphodiesterase 억제제	카페인, theophylline
항생제	Penicilline, cephalosporins
항응고제	Heparin
혈장증량제	Dextran, hydroxythyl starch

은 혈소판의 반응성을 감소시킨다. 대부분의 penicillin 과 cephalosporin 등도 혈소판의 활동성을 감소시킨다. Heparin은 강력한 혈소판 기능 촉진제인 트롬빈(thrombin)의 형성을 저하시켜 혈소판의 기능을 감소시킨다. 덱스트란(dextran)은 혈소판의 막에 흡착되어 혈소판의 응집을 방해한다. Hydroxyethyl starch 또한 혈소판의 기능을 감소시킨다.

4) 혈액응고인자의 이상

혈액응고인자의 이상은 선천적 이상과 후천적 이상으로 나눌 수 있다. 선천적 이상은 유전학적으로 혈액응고인자의 생성이 저해되는 것이고 후천적 이상은 파종혈관내응고나 약제 등에 의한 혈액응고인자의 저해이다.

(1) 혈우병(Hemophilia)

혈우병 A는 X염색체 장완에 존재하는 factor Ⅷ의 유전자 이상으로 혈장내 factor Ⅷ의 활성도가 감소되어 있는 질환이고 혈우병 B는 factor Ⅸ의 유전자 이상으로 활성도가 감소되어 발생한다. X 성염색체로 유전되므로 주로 남자에게 더 많은 빈도로 나타난다. 혈우병 A와 B의 보인자(carrier)인 임산부는 제 8인자와 제 9인자의 수치가 낮을 수 있으며, 출혈위험과 관련될 수 있다. 또한 태어나는 남아는 50%에서 혈우병이 발생할 수 있다. 이러한 임산부의 태아에게 두피전극, 혈액채취를 시행하거나 흡입분만, 겸자분만 등의 침습적 시술을 실시할 때는 출혈에 조심하여야 한다. 혈우병 A와 B의 출혈 증상은 동일하며 응고인자의 활성도에 따라 중증(응고인자 활성도 <1%), 중등증(응고인자 활성도 1~5%), 경증(응고인자 활성도 >5%)으로 분류한다. 심한 혈우병을 가진 임산부에게 분만 전이나 분만 중에 부족한 혈액응고인자를 보충하거나 신선냉동혈장을 투여할 수 있다.

(2) 폰빌레브란트병(Von Willebrand disease, VWD)

폰빌레브란트병은 가장 흔한 유전성 출혈 질환이나 국내에서는 2010년까지 한국혈우 재단에 100례 미만이 등록되어 있다. von Willebrand 인자(vWF)는 혈소판 유착에 요구되는 일차혈장단백질로 혈소판응집에 중요하다. vWF가 없거나 부족하거나 기능이 이상한 경우 혈소판 유착과 응집에 이상이 발생하고 점막하 출혈이 발생하게 된다. 이 질환은 세 가지 형이 있고 대부분(75%)은 1형 vWD이고 상염색체 우성으로 유전한다. 임신 중 증가된 에스트로겐은 vWF와 factor Ⅷ를 증가시키는데 이는 임신 2분기 초기에 시작되어 29주와 35주 사이에 최고조에 이른다. 1형 vWD 환자의 대부분은 임신 중 vWF와 factor Ⅷ이 정상화 되지만 병이 심한 환자는 그렇지 않기도 하다. 임신 중 두 인자의 반응률은 예측 불가하며 출산 계획을 위해서 24~32주 사이에 vWF 수치의 측정을 권고한다. 임신 중에 factor Ⅷ이 정상치의 25% 이하로 감소하는 경우 치료를 시작하며 0.3 µg/kg(총용량은 25 µg이내)의 1-deamino-8-D-arginine vasopressin (DDAVP)을 분만통증이 시작되기 전에 30분에 걸쳐 정주하고 8~12시간 간격으로 반복한다. DDAVP를 사용할 때 저나트륨혈증, 고혈압, 체액저류를 피하기 위해서 수액투여를 신중하게 하여야 한다. DDAVP에 반응하지 않는 임산부에게는 cryoprecipitate, 신선냉동혈장, Humate-P (pasteurized factor Ⅷ concentrate) 등을 투여한다. 한랭침전물은 24~36 unit/kg을 투여하고 이의 반을 12시간 간격으로 3~8일 동안 투여한다. 분만진통 중에는 factor Ⅷ을 정상치의 50% 이상 유지하고 제왕절개술 시에는 factor Ⅷ를 정상치의 80% 이상으로 유지해야 한다. 분만 후에도 매일 factor Ⅷ를 검사하여 정상치의 25% 이하로 떨어지거나 상당한 출혈이 발생하면 치료한다.

(3) 기타 응고 장애

간질환 시에는 대부분의 혈액응고 기능이 저하되는데 특히 prothrombin과 factor Ⅶ, Ⅸ, Ⅹ의 생성이 감소한다. Factor Ⅴ와 섬유소원도 간에서 생성되나 양은 크게 감소하지 않는다. 치료로는 vitamin K를 투여하고 혈액응고인자를 보충해 주는데 vitamin K는 50 mg을 근주하며 혈액응고인자는 신선냉동혈장으로 10~20 ml/kg를 투여하여 보충한다. Vitamin K의 부족으로 인한 혈액응고의 장애 시에는 vitamin K의 근주로 치료할 수 있고 신선냉동혈장 10~20 ml/kg의 투여로 혈액응고 이상을 빠르게 교정할 수 있다.

(4) 파종혈관내응고(Disseminated intravascular coagulation, DIC)

파종혈관내응고는 혈액응고계의 이상항진으로 인하여 ① 트롬빈의 대량 형성, ② 혈액응고인자의 소모, ③ 섬유소용해계의 활성화, ④ 출혈이 발생하는 것이다. 임산부에서 가장 많은 파종혈관내응고의 원인으로는 자간전증, 태반조기박리(placental abruption), 패혈증(sepsis), 사망한 태아의 잔류(retained dead fetus syndrome), 양수색전증(amniotic fluid embolism) 등이 있다. 검사소견으로 응고인자의 소모와 기능 억제로 prothrombin time (PT), activated partial thromboplastin time (aPTT), thrombin time (TT)이 연장되고 혈소판 소모로 혈소판감소증이 발생한다. 이차적으로 섬유소 용해가 발생하면 섬유소원(fibrinogen)과 antithrombin Ⅲ의 감소, fibrin monomer, D-dimer, fibrin degradation product (FDP)의 증가가 나타난다. 치료는 원인을 제거하거나 혈액응고인자를 보충하고 heparin 등을 사용하여 과도한 혈액응고를 차단하면서 다중적 기관유지(multisystem support)를 실시하는 것이다. 임산부에게서는 자궁내 잔류물을 제거하는 것이 도움이 된다. 혈액응고인자의 보충은 동결침전제제(cryoprecipitate), 신선냉동혈장(FFP), 혈소판농축물(platelet concentrate)을 투여하며 섬유소원은 150 mg/dL 이상, 혈소판은 100,000/μL 이상으로 유지한다. 1 단위의 혈소판이 수혈되면 혈소판이 5,000~10,000/μL 정도 증가한다. Heparin의 투여는 논란이 되고 있으나 표준적(standard) heparin을 투여하는 경우는 정맥 내나 피하로 5,000 단위를 부하용량으로 투여한 후 시간당 500~1,000 단위로 투여하여 activated coagulation time (ACT)을 정상의 1.5배로 유지한다. 저분자량 heparin (low molecular weight heparin, LMWH)은 피하로 75 U/kg/day를 투여한다. heparin은 충분한 양의 antithrombin Ⅲ가 있어야 효과를 발휘하므로 신선냉동혈장 등을 투여하여 antithrombin Ⅲ를 보충해 주어야 한다. Epsilon-aminocaproic acid, aprotinin, antithrombin Ⅲ의 투여는 논란의 여지가 있다. 대부분의 파종혈관내응고 환자에게는 다중장기부전이 있으므로 인공호흡 관리가 필요하다. 파종혈관내응고가 있는 임산부에서 제왕절개술이 필요할 경우는 전신마취를 실시해야 한다.

(5) 항응고제 치료에 의한 혈액응고 이상

장기간에 걸친 항응고치료가 필요한 환자는 임신 중에도 항응고치료가 지속되어야 하는데 warfarin이 투여되고 있다면 분만통증이 시작되기 전에 heparin으로 전환하여야 한다. 그러나 warfarin을 복용하고 있는 중에 분만통증이 시작되었다면 warfarin의 효과를 vitamin K를 근주하여 길항하고 10~20 ml/kg의 신선냉동혈장을 투여하여 새로운 응고인자가 생성될 때까지 혈액응고인자를 보충한다. PT가 35초 이내이면 간단한 수술에, 18초 이내(< INR 1.7)이면 큰 수술에 별 지장이 없다. 만약 임산부가 표준형 heparin을 투여 받고 있다면 heparin을 끊고 aPTT나 ACT를 검사하면서 정상 혈액응고로의 회복을 기다린다. 만약 급하게 반전시켜야 한다면 50 mg의 protamine을 정맥내로 주사하고 aPTT나 ACT를 관찰하면서 추가로 투여한다. Protamine reversal 후 부위마취의 제공은 추천되지 않는다.

5) 혈액응고이상이 있는 임산부에게서의 부위마취

혈액응고이상이 의심되는 임산부나 항응고제 치료를 받던 임산부는 부위마취를 실시하기 전에 PT/INR, aPTT, ACT, TEG, PFA-100 등의 검사를 시행하여 혈액응고이상 정도를 파악할 수 있다. 또한 vWD나 혈우병 등의 선천성 혈액응고질환을 가진 임산부는 부위마취 시행 전에 혈액응고인자를 분석하여 정상범위 내에 있는지를 확인하는 것이 필요하다. 명백한 임상적 출혈 증상은 부위마취의 금기가 되나 단독 혈액응고이상, 심한 자간전증 임산부, 자가면역성 혈소판감소성 자반증 임산부, 정상 임산부에게서 혈소판감소증이 단독으로 있는 경우 등에는 ① 임상적 출혈 성향, ② 최근 혈소판 수치, ③ 최근 혈소판 수치의 변화, ④ 혈소판 기능, ⑤ 혈액응고인자, ⑥ 부위마취의 위험과 이득의 경중 비교를 모두 감안하여 부위마취 여부를 결정한다. 경막외 혈종의 위험을 예측하는데 출혈시간은 도움이 되지 않으며 TEG나 PFA-100은 환자에게서 경막외 혈종의 위험도를 평가하는데 있어 환자의 응고 상태를 평가하는데 가장 완전한 정보를 제공한다. 다른 혈액응고이상이 없이 저용량의 아스피린(65~70 mg)을 복용하고 있는 임산부는 출혈시간이 연장되지 않으며 출혈시간을 측정할 필요가 없고 부위마취의 금기도 아니나 저분자량 heparin과 항혈소판제제를 동시에 사용하는 경우 출혈의 위험이 커진다. 많은 임상 사례와 2010년 American Society of Regional Anesthesia and Pain Medicine (ASRA)의 지침에 따르면 피하로 소량의 표준형 heparin을 투여 받는 임산부에게는 부위마취의 금기가 아닌 것으로 규정되었다. 그러나 heparin을 투여 받았던 임산부에게 부위마취를 실시할 경우에는 투여된 heparin의 용량, 척추 바늘이나 경막외 바늘 및 도관에 의한 혈관 손상, 혈소판 수치 등을 함께 고려하여 결정해야 한다. 그리고

표준형 heparin을 투여한지 4시간 이내에는 부위마취와 관련된 조작을 피하는 것이 좋다. 저분자량 heparin를 투여 받고 있는 환자에서는 부위마취 시에는 많은 주의가 필요하며 적어도 10~12시간이 경과한 다음에 부위마취 시술 및 도관 제거를 실시하는 것이 권장된다. 부위마취 바늘 거치시 출혈성 천자가 발생할 경우 저분자량 heparin 치료의 시작을 술 후 24시간 후로 연기하여야 한다. 고용량을 사용한 경우(예를 들어 12시간마다 enoxaparin 1 mg/kg)는 부위마취 및 도관 제거를 위해 적어도 24시간이 경과하여야 된다. 수술 후 저분자량 heparin의 투여를 재개하기 위해서는 수술 종료 후 6~8시간이 지나야 하고 경막외 도관을 제거한 후에는 2시간이 지나야 저분자량 heparin의 투여를 시작할 수 있다. 표 15-4-3과 15-4-4는 비분획 heparin (unfractionated heparin)과 저분자량 heparin (low molecular weight heparin, LMWH)을 투여한 환자에서 ASRA에서 추천하는 부위마취 실무 지침이다. 장기적으로 warfarin 등을 투여 받고 있는 경우는 적어도 부위마취 4~5일 전에 중단하여야 하고 PT/INR을 측정하여야 한다. 경막외 혈종의 발생을 줄이기 위한 방법으로 혈소판의 수치나 기능이 저하되기 전 분만 초기에 경막외마취를 시행하고 정중접근법을 실시하고 가는 침과 도관을 사용하며 경막외 도관을 삽입하기 전에 생리식염수로 경막외강을 확장시키는 것이 도움이 될 수 있다. 또한 운동신경차단이 없는 저농도의 국소마취제와 아편유사제의 혼합 약제를 경막외강으로 투여하고 한 두시간 간격으로 신경학적 검사를 수행하는 것이 좋다. 경막외 혈종은 처음에 심한 요통과 신경근 통증으로 나타나고 혈종에 의한 척추압박이 6~12시간 이내에 해소되면 신경학적 예후가 좋으므로 작용시간이 짧은 약제를 이용하여 부위마취를 실시하고 중간에 약제를 중단하여 신경학적 검사를 실시하는 것도 유용한 방법이다.

표 15-4-3 **비분획 heparin (unfractionated heparin)을 투여한 환자에서 ASRA (American Society of Regional Anesthesia and Pain Medicine) 부위마취 지침**

비분획 heparin을 투여한 환자에서는
- 피하로 소량의 예방적 비분획 heparin을 투여 받은 환자에서 부위마취는 금기가 아니다.
- 정맥내로 투여하는 비분획 heparin은 부위마취 바늘 거치 1시간 이후에 투여하여야 한다.
- 4일 이상 장기간 heparin을 사용한 쇠약한 환자에서는 heparin 유도 혈소판감소증(heparin induced thrombocytopenia)를 배제하기 위해 혈소판 수를 검사한다.
- 경막외강에 거치된 도관은 마지막 비분획 heparin 용량 투여 후 2-4시간 후에 제거하여야 하며 환자의 응고상태를 평가하여야 한다.
- Re-heparinization은 도관 제거 1시간 후에 이루어져야만 한다.

표 15-4-4 **저분자량 heparin (low molecular weight heparin, LMWH)을 투여한 환자에서 ASRA (American Society of Regional Anesthesia and Pain Medicine) 부위마취 지침**

- 부위마취 바늘의 거치는 저분자량 heparin을 투여한 후 10~12 시간 후에 시행한다.
- 부위마취 바늘 거치시 출혈성 천자가 발생할 경우 저분자량 heparin 치료의 시작을 술 후 24시간 후로 연기하여야 한다.
- 수술 2시간 전에 저분자량 heparin을 투여받은 환자에서는 부위마취 바늘 거치시에 항응고 효과가 최고치에 이를 수 있으므로 부위마취 시술은 피하도록 한다.
- 고용량의 저분자량 heparin을 투여 받은 환자에서는 정상적인 지혈을 위하여 부위마취 시술은 최소 24시간 연기하여야 한다.

3. 과응고증

임신 시에는 알려진 대로 분만 후 과다 출혈을 예방하는 방어기전으로 정상적으로도 과응고상태(hypercoagulable state)이다. 이는 응고인자 II, VII, VIII, IX, X, vWF와 fibrinogen의 증가 때문으로 임신 시에 깊은정맥혈전증(deep vein thrombosis)이나 폐색전증 등의 합병증이 비임산부보다 6배까지 높다. 질환으로서 선천적 과응고증은 전체 인구의 0.02%로 정맥혈전증이 있었던 환자의 2~5%에서 발생한다. Protein C, protein S, antithrombin III deficiency가 가장 많은 원인이다. 보통 염색체 우성으로 유전되며 정맥혈전증의 빈도가 높으므로 과응고증을 일으키는 이러한 질환을 가진 경우 대부분 임신 기간과 분만 후에 저용량의 아스피린과 heparin으로 항응고제 치료를 받게 된다. 수술, 임

신경구피임약, 부동(immobilization) 등은 정맥혈전증의 발생을 더욱 촉진시키며 태아의 성장부전, 자궁내 사망이 높은 빈도로 발생한다.

1) Protein C deficiency

Protein C는 간에서 생성되며 합성을 위해 vitamin K를 필요로 하며 factor Va와 VIIIa를 억제한다. 임신 중에 protein C는 정상적으로 35% 가량 증가하는데 protein C deficiency 환자에게는 이러한 증가가 없으며 항응고치료를 실시하지 않으면 25%에서 임신 중 혈전이 발생한다. Heparin을 임신 제1삼분기와 제3삼분기에 투여하여야 하며 heparin이나 warfarin을 임신 제2삼분기와 분만 후에 투여하여야 한다.

2) Protein S deficiency

Protein C와는 달리 protein S는 임신 중 감소한다. Protein S 역시 간에서 생성되며 vitamin K를 필요로 한다. Protein S는 protein C의 cofactor이며 치료는 protein C deficiency와 동일하다.

3) Antithrombin III deficiency

Antithrombin III는 간과 내피세포(endothelial cell)에서 생성된다. 트롬빈과 factor IXa, Xa, XIa, XIIa를 비활성화 시키며 heparin에 의해 그 작용이 항진된다. Antithrombin III deficiency 시에는 임신 중 혈전증의 발생 위험이 55~68%에 이르므로 항응고제로 치료하거나 antithrombin III를 보충해야한다. heparin은 임신 제1삼분기와 제3삼분기에 투여하며 heparin 또는 warfarin은 임신 제2삼분기와 분만 후에 투여한다. Heparin의 작용은 antithrombin III에 의존적이므로 과응고증을 치료하기 위해서는 일반적 용량보다 많은 양의 heparin이 필요하거나 heparin을 투여하면서 antithrombin III를 동시에 투여해야 한다.

참고문헌

Chang AB: Physiologic chagnes of pregnancy. In: Obstetric Anesthesia principle & Practice. 3rd ed. Edited by Chestnut DH: Elsevier Mosby. 2004, pp 15-36.

Bucklin BA, Fuller AJ: Physiologic changes of pregnancy. In: Shnider and Levinson's Anesthesia for Obstetrics. 5th ed. Edited by Suresh MS, Segal BS, Preston RL, Fernando R, Mason CL: Lippincott Williams & Wilkins. 2013, pp 1-17.

Sharma SK: Hematologic and coagulation disorder. In: Obstetric Anesthesia principle & Practice. 4th ed. Edited by Chestnut DH: Elsevier Mosby. 2009, pp 943-60.

Miller RD. Miller's Anesthesia 8th ed. Philadelphia, Churchill Livingstone Elsevier. 2015, pp 2328-58.

Panni MK: New thoughts on bleeding and coagulation disorders. In: Shnider and Levinson's Anesthesia for Obstetrics. 5th ed. Edited by Suresh MS, Segal BS, Preston RL, Fernando R, Mason CL: Lippincott Williams & Wilkins. 2013, pp 1-17.

대한 혈액학회: 혈액학 2판. 법문에듀케이션, 2011, pp104-14, pp 606-15.

Srinivasa V, Gilbertson LI, Bhavani-Shankar K: Thromboelastography: where is it and where is it heading? Int Anesthesiol Clin 2001; 39: 35-49.

Traverso CI, Caprini JA, Arcelus JI, Arcelus IM: Thromboelastographic modifications induced by intravenous and subcutaneous heparin administration. Semin Thromb Hemost 1995; 21: 53-8.

Horlocker TT, Wedel DJ, Rowlingson JC, et al. Regional aneshtesia in the patient receiving antithrombotic or antithrombolytic therapy: American Society of Regional Anesthesia and Pain Medicine Evidence-based Guidelines(Third Edition). Reg Anesth Pain Med 2010; 35(1): 64-101.

Beilin Y1, Arnold I, Hossain S. Evaluation of the platelet function analyzer (PFA-100) vs. the thromboelastogram (TEG) in the parturient. Int J Obstet Anesth 2006; 15: 7-12.

Panni MK, Panni JK. Obstetric patient on levenox therapy - evidence of heparin activity at 24 hours. J Obstet Gyn 2010; 30: 62-4.

동반질환이 있는 임산부의 마취관리
15-5 내분비계 질환

임신 중 내분비 질환은 흔하나 대부분 임신 전부터 가지고 있던 경우이며, 조절상태가 양호한 경우 임산부와 태아 유병률에는 영향이 적으나, 조절이 안되거나 임신 중 새로 발견되는 내분비 질환은 태아발달과 출생결과 및 모성 유병률과 다양한 연관이 있다. 임신 중 태아태반 연합체(fetus-placental unit)와 모성 내분비계 사이의 상호작용은 여러 호르몬의 다양한 변화를 나타낸다. 이러한 변화에 따른 적응은 정상임신에서 필수적인 과정이며, 분만과 모유수유에도 관련이 있다. 그러나 임신 중 내분비계 변화는 정상적인 현상과 병적인 상황이 중첩되는 경우가 많아 진단의 어려움이 있으며, 내분비 기능을 측정하는 생화학검사들의 임신 중 기준치 변화로 인해 결과분석에 주의가 필요하다. 임신 중 나타나는 주요 내분비 질환으로는 임신성 당뇨, 갑상선, 뇌하수체 및 부신 질환이 있다.

1. 당뇨

1) 임신 중 당뇨병 유병률

임신성당뇨병은 임신으로 인한 생리적 변화에 의해 생기는 당뇨병의 한 형태로 임신 중에 처음 발생하거나 발견되는 당불내성(glucose intolerance)으로 규정하고 있다. 임신성당뇨병의 유병률은 전세계적으로 비만 및 생활양식의 변화로 인해 증가하고 있으며, 임신 전에 이미 1형 혹은 2형 당뇨병이 있어 치료 중에 임신하는 경우도 증가추세이다. 임신성당뇨병의 유병률은 인종 및 지역, 진단방법과 기준에 따라 많은 차이를 나타내며, 한국 임신성당뇨병의 유병률은 1990년대에 1.7~3.9%였으나 꾸준히 증가하여 2011년에는 10.5%로 보고되었다. 임신 전에 당뇨를 진단받은 경우와 임신 중 진단받은 경우 모두 임신 동안 관리하는 것은 크게 다르지 않다.

2) 임신 동안의 포도당 조절 기전

임신초기에 공복혈당은 감소하고 임신기간 동안 낮게 유지된다. Insulin 감수성은 임신이 지속되는 동안 감소하여 임신 34~36주까지 낮아지는데 임신 전 상태의 50~60% 정도 수준이 된다. 간에서의 포도당 생산은 insulin 작용의 장애로 계속 증가하게 된다.

임신 중 모체의 생리적 변화는 태반 호르몬과 관련이 있어 분만 후 수 일 내에 임신 중 감소되었던 모체의 insulin 감수성이 개선된다. 태반 호르몬에는 젖샘자극호르몬(human placental lactogen), progesterone, 에스트로겐이 있다. 젖샘자극호르몬은 지방분해 효과를 가지고 있어 임신 중 태아 보호를 위해 임산부의 에너지 대사를 포도당 대신 지방산을 사용할 수 있게 변화를 주는 호르몬이다. 자유지방산(free fatty acid) 증가는 임산부에서 insulin 감수성 감소와 관련이 있을 수 있다. 한편으로는 염증반응 인자인 tumor necrosis factor-α (TNF-α)가 임신 중의 insulin 저항성과 관련이 있다는 보고가 있다.

3) 임신성당뇨병 병태생리

임신성당뇨병은 임신하기 전에 이미 insulin 저항성이 높은 상태이거나, 임신 전 insulin 감수성이 감소된 상태보다 임신 중 유의하게 insulin 감수성이 감소하게 되는 경우이다. 또한 임신 중 insulin 분비능 장애도 함께 작용한다. 임신중에 혈중 TNF와 interleukin 6 (IL6)는 insulin 감수성과 역상관관계를 가지고 있다. 임신 중 혈당관리를 위해 필요한 insulin 요구량에 대한 insulin 분비 결핍상태가 임신성당뇨병으로 표출되며, 임신과 동반된 insulin 저항성을 극복하기에 췌장 기능이 충분치 못한 임산부에서 당뇨가 발생한다. 결국 임신으로 인해 insulin 저항성이 나타나는 상황에서 숨겨져 있던 당대사 이상상태가 당뇨병으로 발현되는 것이다.

임신은 insulin 저항성을 증가시키고 태반에서 분비되는 포도당대사 역조절호르몬인 당뇨발생적 호르몬(성장 호르몬, 코티코트로핀분비호르몬(corticotropin-releasing hormone), 태반 락토겐, 프로게스테론) 분비를 증가시킨다. 이러한 호르몬적, 대사적 변화는 태아의 영양공급 및 성장을 원활하게 하지만, 항insulin 효과는 지방분해의 증가 및 케톤생성의 증가 등을 일으켜 당뇨병 임산부의 대사장애를 증가시킨다. 임신초기에는 지방침착이 촉진되고 임신 후반기에는 지방분해가 일어나므로 공복 시 더 많은 글리세롤과 유리지방산이 분비된다. 태반 락토겐의 지방분해작용은 insulin의 지방분해 억제효과보다 커서 임신 중에는 케톤생산이 공복 시에 더 촉진된다. 분만 중 증가된 insulin은 분만 후 수일 동안 현저히 감소하는데, 이는 태반에서 분비되던 역조절호르몬이 사라지고, 뇌하수체에서 분비되는 성장호르몬의 저혈당에 대한 반응이 임신 중 둔화되었다가 분만 후 회복하는데 시간이 걸리기 때문으로 알려져 있다.

임신성 당뇨는 태아에서 선천성 기형 발생 위험도를 증가시키고 임신 동안에 당뇨병 합병증 특히 당뇨병성 신장병증과 망막병증의 악화를 나타내며, 당뇨병성 신경병증은 기립성 저혈압과 위배출시간의 지연을 초래한다. 또한 임신성당뇨병은 임신성 고혈압, 자간전증, 양수과다, 태아 장기비대(심장비대, 간비대), 임신 주수보다 큰 태아 거구증, 신생아 호흡기 및 대사 합병증(저혈당, 고빌리루빈혈증, 저칼슘증, 적혈증), 주산기 사망률 및 제왕절개술 빈도를 증가시키며, 또한 거구증으로 인해 분만과 관련된 임산부와 태아 손상의 합병증 위험이 높아질 수 있다. 한편 출산 후 당뇨로 발전되는 경우가 증가하며, 임신성당뇨병을 나타낸 임산부의 자손은 비만과 2형 당뇨병의 위험도가 높은 것으로 알려져 있다.

4) 진단

모든 당뇨병 가임 여성은 임신전 혈당을 정상인과 거의 비슷한 수준으로 조절할 것을 권한다. 임신 첫 10주 동안의 당화혈색소(hemoglobin A1c) 상승은 당뇨병으로 인한 태아장애, 특히 무뇌증, 소뇌증, 선천성 심장질환 등과 연관되어 있다. 비록 관찰연구의 여러 가지 단점이 있긴 하지만 임신하기 전에 당화혈색소를 6.5% 미만으로 조절하는 것이 선천성 질환의 위험을 낮추는 효과가 있다. 임신성 당뇨 발생을 증가시키는 위험 인자로는 당뇨병 가족력, 임신 중 체중이 이상적인 체중의 110% 이상, 체질량지수 30 kg/m^2 이상, 체중 4.1 kg 이상 태아 분만력, 원인불명의 기형아출산 과거력, 첫 산전진찰 시 소변에서 당 검출 혹은 대사증후군, 다낭종난소증후군, steroid 최근 사용, 고혈압 등의 당뇨유발 연관질환이 있는 경우이다.

임신성당뇨병을 진단하는 임신 24~28주 기간에 당부하검사를 하면 임신 전 당뇨병인지 임신성당뇨병인지 구별이 어렵다. 그래서 1998년에 결성된 The International Association of Diabetes and Pregnancy Study Groups (IADPSG)의 권고안에 따라 모든 임신 혹은 고위험군 임신 여성에서 산전진찰로 첫 번째 방문할 때 공복혈장포도당, 당화혈색소 또는 임의 혈장혈당을 측정하여 당뇨병 기준에 맞으면 임신 전 당뇨병이 있는 것으로 진단하고 치료한다. 참고로 당뇨병의 기준은 공복혈장혈당 126 mg/dL 이상, 당화혈색소 6.5% 이상, 임의 혈장혈당 200 mg/dL 이상이다. 이때 공복혈장혈당이 92 mg/dL 이상이고 126 mg/dL 미만인 경우는 임신성당뇨병으로 진단하고, 공복혈당이 92 mg/dL 미만이라면 임신 24~28주에 75 g 당부하검사를 시행하도록 한다.

임신성당뇨병의 진단 방법으로 2시간 75 g 경구포도당부하검사를 실시하여 공복혈당 92 mg/dL 이상, 1시간 혈당 180 mg/dL 이상, 2시간 혈당 153 mg/dL 이상 중 하나 이상 만족하면 임신성당뇨병으로 진단한다. 기존의 임신성당뇨병의 진단은 1단계와 2단계 접근법이 혼용되어 오다가 IADPSG에서 모든 임산부에서 1단계법으로 시행할 것으로 제안하였으나 국내 연구자료가 아직까지 없는 실정이므로 추후 연구자료가 축적되어 검증될 때까지는 기존의 2단계 접근법과 Carpenter-Coustan 진단기준(100 g 경구포도당부하검사를 시행하여, 공복, 1시간, 2시간, 3시간의 기준치 95 mg/dL, 180 mg/dL, 155 mg/dL, 140 mg/dL 이상 중에서 둘 이상을 만족하는 경우)을 이용하고 있다.

5) 산과적 관리

권장하는 혈당조절 목표는 식전혈당 ≤ 95 mg/dL, 식후 1시간 혈당 ≤ 140 mg/dL, 식후 2시간 혈당 ≤ 120 mg/dL이다. 공복 또는 식전 혈당보다는 식후 혈당이 주산기합병증 및 산과적 합병증과 관련이 있다.

자가혈당 측정은 임신 중 당뇨병 관리에 도움을 주며, 임상영양요법 및 운동요법도 불필요한 insulin치료를 피할 수 있게 해준다. 그러나 임신성 고혈압, 양수막파열, 태내성장지연, 조산의 과거력, 지속적인 출혈, 자궁경관 무력증 등은 운동을 피해야 한다.

약물치료로 insulin 사용은 임상영양치료로 혈당조절 목표를 달성할 수 없는 경우에 시작한다. 임신성당뇨병 임산부 중 20~50%에서 insulin 치료가 필요하며, 혈당조절이 목표치에 도달하더라도 초음파상 태아성장속도가 빠르다면 이를 고려할 수 있다. 임신 전 진단된 당뇨병과 마찬가지로 임신성당뇨병에서도 insulin은 휴먼 insulin을 사용하는데, 이는 항insulin항체가 태반을 통해 이동하는 것을 최소화하고 알레르기반응을 감소시킬 수 있다. 초속효성 insulin으로 lispro, insulin 아스파트(aspart)가 사용 가능하며, 지속형 insulin 유도체인 insulin 디터미어(detemir)도 안전성이 입증되었다. metformin과 glyburide는 일부가 태반을 통과하고 아직까지 장기간의 안전성에 대한 자료가 충분치 않으므로 사용에 주의를 요한다.

당뇨병성케톤산증은 태아 사망률 및 이환율의 중요한 원인 중 하나로 무기력, 오심, 구토, 다뇨, 다음, 빈맥, 복통 및 근육통 등의 증상을 나타내며, 당뇨병 임산부는 현저히 높지 않은 혈당 상태에서도 케톤산증을 나타낸다. 당뇨병성케톤산증의 치료원칙은 비임산부와 같지만, 당뇨병 임산부에서 임신으로 인한 좌심실크기, 일회심박출량 및 심박동수 증가가 정상 임산부보다 떨어지므로 수액 치료에 주의를 요한다. 또한 신장병이 동반된 중증 자간전증 당뇨병 환자는 혈장 알부민 저하와 교질 삼투압 저하로 인해 폐부종 발생 위험이 크다.

6) 마취관리

(1) 질식분만을 위한 마취관리

분만통을 위해 투여하는 다량의 약물은 임산부와 태아의 호흡억제를 야기할 수 있다. 반면 경막외진통법은 분만통에 대응하는 모성 카테콜라민 분비를 감소시켜 태반 혈류를 증가시키고 모성 젖산생산을 감소시켜 태아산증(fetal acidosis)을 감소시킨다. 특히 경막외진통법은 탁월한 진통효과와 더불어 당뇨병 임산부에서 흔한 거대아 출산 시 겸자분만을 가능하게 할 수 있으며, 필요한 경우 미리 거치한 경막외 카테터를 통해 제왕절개술을 시행 할 수 있다. 이때 사용하는 경막외차단 약물과 농도는 당뇨병이 없는 임산부와 동일하다. 당뇨병 임산부는 감염에 취약하기 때문에 부위마취 시행 시 무균처치법을 더 염두에 두어야 하며, 또한 임산부의 과체중이 많고 거대아로 복부둘레가 커서 부위마취 시 필요한 자세를 취하는데 어려움이 있다. 경막외카테터 거치 시 충분한 카테터 길이를 경막외강에 거치해야 분만 중 환자의 움직임에도 카테터가 빠지지 않아 안전하게 진통효과를 나타낼 수 있다.

거대아 분만에 따른 외상을 줄이기 위한 회음부 이완은 필수이며, 겸자분만 시행을 위해서는 회음부 신경차단만으로는 불충분하므로 경막외카테터 거치가 없다면 앉은자세에서 고비중 bupivacaine을 사용하여 시행하는 척추마취가 탁월한 진통효과를 나타낸다.

(2) 제왕절개술을 위한 마취관리

세심한 수술 전 평가가 중요하며 특히 당뇨병과 연관된 자율신경병증, 부위마취 시 저혈압 심화, 단백뇨로 인한 낮은 교질삼투압 등을 체크하여야 한다. 자간전증, 당뇨병성 신장병 등을 동반하는 당뇨병 임산부는 분만과정에 심혈관계 기능과 수액상태를 평가하기 위한 감시장치가 필요하며 부위마취 시행을 위한 혈액응고검사 및 기도부종 등을 체크하는 기도평가가 필요하다. 자궁태반관류(uteroplacental perfusion)는 태아상태와 직접적인 관계가 있다. 자궁태반관류부전은 산소운반의 장애를 초래하고, 당뇨병 임산부 신생아의 완충능력장애는 태아산증, 태아저산소증을 나타낼 수 있으므로 분만 중 철저한 혈당 관리가 필요하며 저혈압, 하대정맥압박을 피해야 한다.

전신마취는 부위마취를 시행할 수 없는 상황이거나 매우 급한 응급상황에서 주로 시행된다. 마취유도 전 폐흡인 예방이 꼭 필요하며, 위액의 pH를 올려주는 비과립 제산제인 sodium citrate 30 ml를 마취유도 15~30분전 경구투여 하며, metoclopramide는 마취유도 30분전에 정주할 수 있다. 당뇨병 임산부는 과체중 및 당뇨병 관련 고리뒤통수 관절(atlanto-occipital joint) 장애로 인한 stiff joint syndrome이 동반되면 기관내삽관이 어려운 경우가 많아 굴곡후두경 및 비디오후두경이 유용하고 각성기관내삽관도 염두에 두어야 한다. 기관내삽관에 따른 혈압, 심박수 등 혈역학적 변화를 감시 및 관리하고, 전신마취 중에는 저혈당에 대한 감지가 어려우므로 혈당검사가 자주 행해져야 한다.

당뇨병 임산부에서 부위마취는 척추마취와 경막외마취가 많이 행해지며, 마취 및 수술 중 혈당조절이 용이하다. 그러나 부위마취로 인한 저혈압은 자궁태반관류부전을 초래하므로 포도당이 없는 수액 부하 및 승압제 사용으로 적극적인 처치가 필요하다. 척추마취보다 경막외마취가 급격한 저혈압이 적어 선호되며 지속적 경막외마취는 마취범위 조절이 용이하고 국소마취제의 추가투여로 진통과 마취를 유지할 수 있다.

제왕절개술 후 진통은 카테콜라민과 혈당의 급격한 변화 및 통증을 조절하는데 필요하다. 정맥 또는 경막외 자가통증조절장치 사용이 효과가 좋으며, 약물로는 아편유사제 및 비스테로이드성소염진통제가 유용하다.

2. 갑상선

1) 임신 중 생리적 변화

갑상선기능항진증에서 나타나는 증상들인 신경과민, 발한, 호흡곤란, 빈맥, 심장 수축기잡음 등이 정상임신에서도 흔히 나타나므로 임상증상만으로 갑상선 질환의 판별이 어렵다. 또한 임신 중 갑상선 검사는 비임산부에서의 결과와 차이가 많아 판독에 주의가 필요하다. 임신 중 사람융모생식샘자극호르몬은 갑상선자극호르몬과 같은 알파 소단위를 가지므로 T3, T4 분비를 촉진하고 갑상선자극호르몬을 일시적으로 감소시킨다. 임신 중 에스트로겐 상승은 타이록신 결합글로블린을 임신 16~20주까지 2~3배 증가시켜 전체 T4와 T3가 증가한다. 그러나 활성형인 유리 T4(free thyroxine)는 타이록신 결합글로블린의 영향을 적게 받으므로, 임신 중에는 유리 T4와 갑상선 자극호르몬 검사를 표준으로 한다.

2) 갑상선기능항진증

전체 임신 중 0.1~1%의 빈도로 발생하며 대부분 임신 전에 진단된 경우가 많다. 임상양상은 대사율항진, 활동항진, 신경과민, 설사, 근력약화, 더위 못참음, 미세한 떨림, 안구돌출 혹은 갑상선 비대를 나타낸다. 심혈관계는 과역동성으로 빈맥, 심실비대, 말초혈관저항 감소 등 심장 아드레날린 수용체의 생리변화를 나타낸다.

(1) 임신과의 관계

갑상선 결절은 임신 중 크기가 커지고 수도 많아진다. 임신 중 조절이 안되는 경우 유산, 조산, 자간전증, 산후출혈 및 태아발육부진 등이 동반될 수 있다. 그레이브스병이 임신 중 갑상선기능항진증의 가장 흔한 원인이며, 중독성결절성갑상선종, 중독성다결절성갑상선종, 아급성 갑상선염, 포상기태과 융모막암종 등에서 갑상선기능항진증이 발생한다. 임산부에서 진단은 혈중 유리 T4와 갑상선 자극호르몬 검사, 초음파 검사 및 갑상선 침상조직검사를 시행한다.

(2) 산과적 관리

임신 중 정상갑상샘 상태유지가 중요하며, 이를 위해 항갑상선 약물이 추천된다. 방사성요오드 치료는 임신 중 태아 갑상선에 손상을 초래하므로 금기이다. 임산부가 항갑상선 약물에 과민반응이 있거나, 기도폐쇄의 위험이 있거나, 약물로 조절이 어려우면 수술을 고려할 수 있으며 임신 제2삼분기에 시행한다.

Propylthiouracil (PTU)은 임신 중 사용가능하나 최근에 간독성이 보고되었으며, methimazole은 태아기형과의 연관성이 알려져 있다. 그러므로 현재의 치료지침은 임신 제1삼분기에는 PTU로 치료를 시작하고 임신 제2삼분기부터는 methimazole로 바꿀 것을 권장한다. 갑상선 치료제는 태반을 통과하므로 태아 갑상선저하와 갑상선종의 위험을 줄이기 위해 가능한 낮은 농도를 사용해야 하며, 갑상선 가능검사는 임신 중 매달 실시한다.

(3) 마취관리

마취 및 수술 전에 정상갑상샘 상태유지가 기본원칙이며 응급수술인 경우 마취통증의학과의사는 임산부 갑상선 관련 상태를 주의 깊게 살펴야 한다. 갑상선기능항진증 마취 시 염두에 두어야 되는 사항은 고출력심부전(high output cardiac failure)을 야기하는 과역동성순환(hyperdynamic circulation), 심부정맥, 거대 갑상성샘종으로 인한 어려운 기도관리, 갑상샘중독발작(thyroid storm)이다. 대사항진 및 과역동심혈관계는 항갑상선약물과 베타차단제 사용이 필요하다.

특히 갑상샘종을 가진 임산부는 체중증가, 유방크기 증가, 호흡기 점막부종, 폐흡인 위험성 등이 동반되어 기도유지가 더 어려울 수 있고, 후두경 및 기관내삽관튜브에 대한 과역동적 반응이 나타날 수 있다.

부위마취는 제왕절개술 및 하복부 수술 시 기도관리의 수월함과 부적절한 마취심도로 인한 심혈관계 문제를 피할 수 있어 선호된다.

3) 갑상선기능저하증

전체임신의 0.3~1% 정도에서 나타나며 대부분 임신 전에 진단 및 치료가 시작된다. 임신 중 갑상선기능저하증 증상은 임신증상과 비슷하여 체중증가, 무기력 및 변비이며, 근육통, 불면증, 추위못견딤, 서맥, 건반사 둔화 등이 나타난다. 진단은 갑상선자극 호르몬의 상승과 유리 T4의 감소를 나타낸다.

(1) 임신과의 관계

갑상선기능저하증 여성은 신경내분비계와 난소 기능이상으로 가임률이 낮고, 치료를 하지 않으면 배란 억제로 인해 무월경과 불임을 초래한다. 임신 중 나타나는 면역억제 효과는 Hashimoto's thyroiditis를 일시적으로 호전시킨다.

(2) 산과적 관리

산과적 합병증으로 유산, 빈혈, 임신성 고혈압, 자간전증, 태반박리, 조산, 저체중아 출산 및 산후출혈 등이 보고되었다. 임신 20주 전에 임산부가 갑상선기능저하 상태이면 태아 뇌 발달에 영향을 줄 수 있으며, 심각한 경우 태아 갑상선기능저하증으로 신생아 인지기능 및 신체발달 장애를 초래할 수 있다. 여러 연구에서 밝혀진 바로는 갑상선기능저하증이 치료가 안된 경우는 인지기능 장애를 나타내고, 과도한 치료는 저체중아 출산이 많다고 보고되었다.

Levothyroxine은 임신 중 안전하게 사용하는 약물이다. 임신 전에 진단된 갑상선 기능저하증 임산부는 임신 제1삼분기 동안 levothyroxine 요구량이 30~50% 증가한다. 갑상선자극호르몬 농도는 임신 중 6~8주마다 측정되어야 하며, 임신 중 기능저하증이 진단되면 T4 농도를 가능한 빠르게 정상화시켜야 한다.

(3) 마취관리

불안해소 및 진정을 위한 마취 전처치 약물은 피해야 하나, sodium citrate, metoclopramide, ranitidine 등은 필요 시 투여한다. 마취 중 저체온 예방에 신경을 써야 하며, 마취약제의 심장억제 효과가 갑상선기능저하 환자에게 혈액량, 전부하, 심박출량 감소로 더 예민하게 나타날 수 있으며, 수술적 스트레스 동안에는

hydrocortisone을 투여해야 한다.

부위마취가 전신마취보다 선호되며 신경자극기(nerve stimulator)는 비정상적인 반응 때문에 유용하지 않다. 부위마취 시행 전 혈액응고검사 결과를 확인해야 하며, 저혈압 치료를 위한 승압제 사용 시 epinephrine에 대한 반응은 정상이나, phenylephrine에 대한 반응은 저하되어 나타난다.

3. 뇌하수체(Pituitary)

1) 프로락틴샘종

프로락틴샘종은 가임기 여성에서 가장 흔한 뇌하수체 종양으로 정상임신 중에도 뇌하수체 증가와 프로락틴 생산 증가가 나타나므로 이를 진단받은 임산부는 더욱 면밀한 관찰이 필요하다. 프로락틴샘종 환자는 임신 중 3개월마다 시야검사가 필요하며, 종양이 악화되지 않는 한 임신 전 복용하던 bromocriptine은 중단한다.

2) 뇌하수체기능부전증

주요원인은 뇌하수체 수술경력, 방사선 치료, 선종, 임파구성 뇌하수체염 등이며 이는 불임을 일으킬 수 있다. 임신 전에 적절한 호르몬 치료가 이루어지면 모성 및 태아에 문제가 없으나, 진단 및 치료가 안되면 유산이나 사산이 동반될 수 있다.

3) 요붕증

임신 중 태반의 vasopressinase 생산과 항이뇨호르몬의 감소는 요붕증 증상을 악화시킨다. 급성 지방간과 같은 간병변이 있는 임산부에서는 태반에서 생성되는

vasopressinase의 간분해력이 감소하면 일시적인 요붕증이 생길 수 있다.

요붕증은 뇌하수체후엽에서 발생하는 질환으로 oxytocin 분비감소와 연관된다. 분만과정에 oxytocin의 감소는 분만을 지연시키고 자궁근육무력증 발생을 증가시킨다.

4. 부신(Adrenal gland)

1) 쿠싱증후군

임신 중 쿠싱증후군 원인의 대부분은 뇌하수체 선종보다는 부신 선종이 많다. 쿠싱증후군은 자간전증, 임신성당뇨, 유산, 조산의 빈도를 증가시키며, 고농도의 모성 cortisol은 태아 cortisol 생산을 억제하여 신생아부신기능부전을 일으킬 수 있다. 임신 중 필요하면 복강경적 부신적출술을 시행한다.

2) 부신기능부전증

부신기능부전증으로 진단받은 임산부는 glucocorticoid와 mineralocorticoid 대체요법을 분만 시까지 지속해야 한다. 임신 중 증상은 오심, 구토, 체중감소, 피부 색소침착, 저나트륨혈증 등이다.

3) 갈색세포종

갈색세포종의 고혈압 증상은 임신성고혈압과 혼동될 수 있으며, 진단되지 않은 갈색세포종은 분만 및 전신마취 유도를 진행하는 동안 50%까지 높은 사망률을 나타낸다. 갈색세포종의 위치가 복강 내 부신 이외인 경우 임신 중 커진 자궁이 종양에 영향을 주거나 분만 중 자궁수축이 종양에 압박을 가할 수 있어 고혈압 위기(hypertensive crisis)가 올 수 있다. 카테콜라민 분비는 자궁태반 혈관수축을 일으키고 태반기능부전이나 태반박리를 일으킬 수 있다. 임신 중 진단된 갈색세포종은 충분한 약물 전처치 후 임신 24주전에는 수술적 처치를 하고, 그 이후는 분만 시까지 내과적 치료를 한다.

15-5

참고문헌

Association KD. Diabetes fact sheet in Korea 2013: Korean Diabetes Association; 2013

Catalano, P.M., Trying to understand gestational diabetes. Diabet Med, 2014. 31(3): p. 273-81.

Cotzias C et al., A study to establish gestation-specific reference intervals for thyroid function tests in normal singleton pregnancy. Eur J Obstet Gynecol Reprod Biol, 2008. 137(1): p. 61-6.

De Groot L et al., Management of thyroid dysfunction during pregnancy and postpartum: an Endocrine Society clinical practice guideline. J Clin Endocrinol Metab, 2012. 97(8): p. 2543-65.

Friedman, J.E., et al., Increased skeletal muscle tumor necrosis factor-alpha and impaired insulin signaling persist in obese women with gestational diabetes mellitus 1 year postpartum. Diabetes, 2008. 57(3): p. 606-13.

Frise, C.J, and Williamson C, Endocrine disease in pregnancy. Clin Med (Lond), 2013. 13(2): p. 176-81.

Group, H.S.C.R., et al., Hyperglycemia and adverse pregnancy outcomes. N Engl J Med, 2008. 358(19): p. 1991-2002.

International Association of, D., et al., International association of diabetes and pregnancy study groups recommendations on the diagnosis and classification of hyperglycemia in pregnancy. Diabetes Care, 2010. 33(3): p. 676-82.

Kramer, C.K., et al., Each degree of glucose intolerance in pregnancy predicts distinct trajectories of beta-cell function, insulin sensitivity, and glycemia in the first 3 years postpartum. Diabetes Care, 2014. 37(12): p. 3262-9.

Lacassie, H.J., et al., Perioperative anesthetic management for Cesarean section of a parturient with gestational diabetes insipidus. Can J Anaesth, 2005. 52(7): p. 733-6.

Lenders JW, Pheochromocytoma and pregnancy: a deceptive connection. Eur J Endocrinol, 2012. 166(2): p. 143-50.

Lindsay JR et al., Cushing's syndrome during pregnancy: personal experience and review of the literature. J Clin Endocrinol Metab, 2005. 90(5): p. 3077-83.

McAnulty, G.R., Robertshaw H.J., Hall G.M., Anaesthetic management of patients with diabetes mellitus. Br J Anaesth, 2000. 85(1): p. 80-90.

Matsumoto, S., et al., Anesthetic management of a patient with hyperthyroidism due to hydatidiform mole. J Anesth, 2009. 23(4): p. 594-6.

Pop, V.J., et al., Low maternal free thyroxine concentrations during early pregnancy are associated with impaired psychomotor development in infancy. Clin Endocrinol (Oxf), 1999. 50(2): p. 149-55.

동반질환이 있는 임산부의 마취관리

15-6 비만

지난 30년간 전 세계적으로 비만 인구가 급격하게 증가하였다. 질병 통제와 예방 센터(centers for diseases control and prevention, CDC)에 따르면 1962년에 13%였던 미국내 비만 인구가 2013년에는 35%까지 증가했다. 미국에서는 여성의 3분의 1 이상이 비만이고, 임산부의 50% 이상이 과체중이며 가임기 여성의 10%가 과도비만을 보였다.

비만은 신체 질량 지수(body mass index: BMI, kg/m^2)에 근거하여 분류하며 30 이상을 비만이라 정의한다. 세계 보건 기구에서는 비만을 3단계로 나누었는데 class I 은 BMI 30.0~34.9 kg/m^2, class II 는 BMI가 35.0~39.9 kg/m^2, BMI가 40 kg/m^2 이상일 경우 class III 라고 분류하였다. 하지만 세계 보건기구 서태평양 지부에서는 아시아 지역의 특성을 고려하여 BMI 23 kg/m^2 이상을 과체중, 25 kg/m^2 이상을 비만으로 분류하고 있다. 임신 중 체중 증가는 BMI가 30 kg/m^2 이상일 때에는 11~25 파운드(4.98~11.34 kg), BMI가 25~29.9 kg/m^2 일 때에는 15~25파운드(6.80~11.34 kg)를 넘지 말라고 권고하고 있다.

임산부의 비만은 모성 이환율과 사망률 증가와 밀접한 관련이 있다. 비만 임산부는 제왕 절개율의 증가, 부위마취 및 전신마취와 연관된 기술적인 어려움 및 비만과 동반된 다른 질환으로 인해 마취관리에 있어 어려움이 많다. 따라서 비만과 임신으로 인한 생리적 변화와 동반된 질환을 이해하는 것은 비만 임산부와 같이 고위험 환자에서 보다 안전한 마취를 하기 위해 필수적이다.

1. 비만의 병태 생리

임신 기간 동안 모체는 거의 모든 기관에 생리적 변화가 일어난다. 비만은 이러한 변화를 더욱 심화시켜 모체와 태아 모두의 위험도가 증가하게 된다. Centre for maternal and child enquiries, CEMACE의 2006~2008년 자료에 따르면, 모성 사망의 49%는 과체중 혹은 비만인 여성이 차지했다. 또한 혈전색전증으로 인한 모성 사망 중 78%, 심질환으로 인한 모성 사망 중 61%가 과체중 혹은 비만이었다.

1) 호흡기계 변화

체중의 증가에 따라 에너지 소비량이 증가하면 산소 소모와 이산화탄소의 생산 또한 증가하므로 호흡기에 대한 요구량을 증가시킨다. 이런 수요의 충족을 위해 분시 환기량을 증가시켜야 하는데 불행히도 비만은 폐의 기계적 구조를 악화시키고, 폐용적을 변화시키며 산소화에 장애를 일으키게 된다.

(1) 호흡기 역학

비만 환자들은 환기 시 무게가 증가된 흉벽을 움직여야 하므로 에너지 소모가 더욱 커지게 된다. 몇몇 연구

결과에 따르면 병적 비만 환자들은 평상 시 호흡을 할 때에도 총 산소 소모량 중 불균형하게 높은 비율의 산소를 호흡작업에 쓰게 된다. 비만 환자에서 임신으로 증가된 체중은 호흡 작업량을 더욱 증가시킨다. 비만 환자들은 얕고 빠른 호흡이 일회호흡량을 크게 했을 때보다 더 효율적일 수 있다. 이런 환기 형태는 임신 시 증가된 일회호흡을 통한 호흡형태와는 대조적이다. 대다수의 병적 비만 임산부에서 $PaCO_2$는 일반 임산부와 마찬가지로 정상을 유지하지만 폐잔기량은 감소되어 있다.

(2) 호흡용적

증가된 복부 무게는 횡격막의 움직임을 제한하는데 앙와위나 trendelenburg 자세에서 더 심해져서 일회호흡량을 감소시킨다. 호기예비량의 감소로 기능 잔기용량이 감소하여 폐쇄용적보다 더 작아진다. 이러한 차이는 병적 비만 환자에서 일회호흡 환기동안 기도폐쇄를 유발할 수 있다. 마찬가지로 병적 비만 환자에서는 호기 예비량, 폐활량, 흡기 폐활량, 폐총용적과 최대 분시환기량이 모두 감소한다. 흉벽과 폐의 탄성도 감소하나 기도 저항은 증가한다.

임신으로 인한 폐용적의 변화는 비만이 폐기능에 대해 미치는 일반적인 영향을 변형시키기도 한다. 일반 임산부에서 호기예비량과 기능잔기용량은 만삭까지 20~25% 감소한다. 정상에서 50~140% 더 몸무게가 나가는 비만 임산부를 대상으로 임신 제3삼분기에서 분만 후 2개월까지 폐용적을 측정한 경우 기능잔기용량을 제외한 다른 폐용적들은 일반 임산부들과 비슷하게 감소하였다. 기능잔기용량은 비만 임산부가 일반 임산부보다 덜 감소하는 결과를 보였다.

(3) 산소화

폐확산은 병적 비만인 여성에서도 대부분 정상이다. 감소된 흉벽 탄성과 증가된 복부 무게로 인해 폐의 의존부위의 기도폐쇄는 더욱 심화된다. 환기는 탄성이 더 좋은 폐의 비의존 부위에서 우선적으로 이루어지는 반면, 폐관류는 폐의 의존부위에서 우선적으로 일어난다. 결과적으로 폐-환기 불균형과 저산소증을 유발하게 된다.

폐용적이 자세에 따라 저하되는 것과 마찬가지로, 비만환자에서 산소화는 앙와위와 trendelenburg 자세에서 더욱 악화된다. 만삭의 임산부와 비만환자 모두 전신마취 유도 중에 급속도로 산소포화도가 떨어질 가능성이 크다.

2) 심혈관계 변화

정상 임신 중에는 심박출량이 증가해서 출산 직후에 최대치에 이른다. 비만은 심박출량을 더욱 증가시킨다. 심박출량은 지방 100 g마다 30~50 ml/min 만큼 증가하는데 이는 일회박출량과 심박수 모두 증가하기 때문이다. 비만 임산부에서는 전부하가 증가할 뿐만 아니라 큰 동맥벽의 경직과 말초혈관 저항의 증가로 인해 좌심실 후부하도 증가한다. 또한 leptin, insulin, 교감신경 활동성을 증가시키는 염증 매개 물질의 혈장 내 증가 때문에 전신혈관 저항의 감소가 일반 임산부에서 보다 약해진다. 이러한 변화로 좌심실의 편심(eccentric)비대와 동심(concentric)비대가 모두 일어난다. 심박수의 증가는 이완기 충만시간을 단축시키는데 이완기 능률이 떨어지면 이완기 장애를 야기한다. 반면, 비만 환자에서 좌심실 기능은 대체로 정상을 유지한다.

폐혈류량은 심박출량과 총혈액량 증가와 비례하여 증가한다. 자세와 관련되어 폐고혈압이 일어나기도 한다. 병적 비만 환자들의 경우 앙와위에서 산소 소모량은 11%가 증가하고 폐모세혈관쐐기압은 44% 증가하였다고 보고된 바가 있다. 저산소혈증은 폐혈관저항을 증가시키고 기도폐쇄는 폐동맥압을 증가시킬 수 있다.

비만 임산부는 임신 당시 만성 고혈압을 가지고 있을 가능성이 크다. 게다가 C-reactive protein, interleukin-6, tumor necrosis factor-α의 상승으로

야기된 혈관내피세포의 기능 부전은 임신성 고혈압의 발생률을 증가시킨다. Class Ⅰ 비만 임산부에서는 두 배, class Ⅱ 비만 임산부에서는 3배 증가한다. 비만 임산부의 자간전증의 유병률은 비만하지 않은 임산부에 비해 10~25% 증가하고, BMI 5~7단위 증가마다 2배씩 증가한다.

비만 임산부에서는 좌심방 크기, 좌심실 두께, 심실중격 두께, 좌심실 질량이 비만하지 않은 임산부에 비해 증가한다. 심장에 지방 침착이 일어나기도 하는데 우심실의 전도계에 특히 많이 일어난다.

앙와위에서 커진 자궁에 의해 대동정맥이 압박받는 현상은 비만 임산부, 특히 거대한 복부 지방층이 있는 환자에서 더욱 심해진다. 앙와위 자세에서 심정지가 일어난 병적 비만 임산부의 사례가 보고된 바가 있으며, 자세 변화와 더불어 일어난 갑작스런 혈역학적 변화가 심정지를 일으켰다고 추측하였다.

3) 소화기계 변화

하부식도 괄약근 긴장도 감소와 위내 압력 증가는 임신 중 정상적인 생리학적 변화이며 이로 인해 임산부는 폐흡인의 위험성이 증가한다. 진통 중이 아니라면 비만 임산부나 정상 임산부에서 위배출이 지연되지 않는다고 알려져 있다. 그러나 비만 임산부에서 위식도 역류와 열공 탈장의 빈도가 증가하고, 비만은 폐흡인의 잘 알려진 위험인자 중 하나인 어려운 기도 관리와 상관관계가 높으므로 폐흡인에 대해 각별히 조심해야 한다.

Bariatric 수술 후에 환자가 임신하게 되는 경우가 있을 수 있는데, 당뇨와 고혈압, 수면 무호흡증, 태아 거대증이 감소하는 장점이 있지만 심각한 합병증이 일어날 수가 있다. 밴드의 미끄러짐, 위장관 출혈, 탈장(internal intestinal herniation)과 임산부의 사망까지 보고되고 있다. 이러한 이유로 미국 산부인과 학회에서는 bariatric 수술 후 임신한 경우에는 bariatric 집도의

가 임신 중에 모니터할 것을 권고하고 있다. Bariatric 수술은 흡수장애 증후군을 일으킬 수가 있어 비타민 보충이 필요하고 환자에 따라 적절한 체중 증가를 위해 위밴드의 조절이 필요할 수 있다. 마취 전 평가는 조기에 실시하고 마취계획을 세울 때는 잠재적 위장관 폐쇄와 심한 역류성 질환을 고려해야 한다.

4) 혈액응고의 변화

비만은 혈전색전증 합병증의 고위험군이다. 정맥혈전색전증은 1985년부터 2005년 사이 영국의 모성 사망률을 결정짓는 주요 원인이었다. 2006년에서 2008년 영국의 모성 사망에 관한 보고에 따르면 혈전색전증으로 인한 사망률이 줄었으나 사망한 여성 16명 중 12명이 비만이었다. 비만은 혈액응고의 변화, 정맥울혈, 혈관내피 손상과 연관이 있다. 혈관내피 손상은 정맥혈전색전증의 발병기전에 기여하는 주요 인자이다. 지방조직은 fibrinolysis를 방해하는 plasminogen activator inhibitor-1 (PAI-1), 간이 응고 인자를 생산하도록 촉진하는 interleukin-6, 혈소판응집을 촉진하는 leptin과 같은 물질을 분비한다. 혈소판을 활성화시키는 C-reactive protein도 비만 여성에서 수치가 올라가 있다. 정맥울혈은 비만 여성에서 증가된 복압에 의해 더욱 악화되는데 이는 장골대퇴정맥압을 증가시키기 때문이다. 비만은 혈관내피 기능이상과 관련이 있다고 알려져 있으며 혈관내피 손상은 비만한 환자에서 증가할 수 있다. 따라서 혈전색전증의 발병기전에 기여하는 모든 위험인자가 비만에 의해 악화될 가능성이 있다.

5) 내분비계의 변화

당뇨와 임신성 당뇨는 비만한 환자에서 발병률이 더 높다. 정상 임산부에서 임신성 당뇨의 유병률은 1~3%인데 비만 임산부에서는 17%에 이른다. 발병기전으로

는 첫째, 내장비만으로 인한 유리지방산 증가의 결과로 말초 insulin 저항성 증가. 둘째, 전염증성사이토카인 수치의 증가. 셋째, 상대적인 gonadotropin 저항성. 넷째, 성호르몬 결합 globulin의 농도의 감소로 인한 hyperandrogenism과 insulin 민감성 감소 등을 들 수 있다. 또한 비만 환자에서는 insulin을 감작시키는 성질을 가진 adipokine인 adiponectin의 농도가 역시 감소하여 insulin 민감성을 감소시킨다. 당뇨가 있는 비만 임산부에서는 자율신경계 부전으로 인한 위마비(gastroparesis)가 위배출시간을 지연시켜서 폐흡인의 위험성을 더욱 증가시킨다.

2. 비만과 임신의 상호 관계

1) 비만과 동반되는 질환

(1) 수면무호흡증

폐쇄성 수면무호흡증은 수면 중 반복되는 상기도의 부분, 혹은 완전 폐쇄로 인해 저산소혈증과 고탄산혈증을 야기하는 질환으로 비만은 수면무호흡증의 주요 위험인자 중 하나이다. 반복된 저산소혈증과 재산소화는 내분비계 장애와 대사 이상을 유발하고 이는 고혈압, 심근경색, 뇌졸중, 당뇨, 대사증후군의 위험성을 증가 시킨다. 임신 중의 생리적 변화는 수면무호흡을 악화시키기도 하고 호전시키기도 한다. 체중 증가, estrogen으로 야기되는 비점막의 울혈 또는 부종 등은 수면 무호흡을 악화시키는 반면 옆으로 자는 습관, REM (rapid eye movement) 수면의 감소, progesterone으로 인한 분시환기의 증가는 수면무호흡을 방지하는 역할을 한다. 비만과 임신 중 수면무호흡과의 연관성은 비임신동안 만큼 강력하지는 않은 것으로 보인다.

수면무호흡증은 임신 중 자간전증/자간증, 고혈압,

임신성 당뇨, 심근병증(cardiomyopathy), 심부전, 폐색전증, 폐부종의 위험성을 높이며, 병원 내 사망률을 5배 증가시킨다. 이러한 합병증은 비만에 의해 더욱 악화된다.

(2) 기타 동반 질환

비만 여성에서는 대조군에 비해 제 2형 당뇨, 고혈압, 관상동맥 질환, 심부전, 폐색전증, 뇌졸중, 천식, 담낭 질환, 관절염과 만성 허리 통증 등의 여러 가지 질환을 동반할 가능성이 높다. 이러한 동반질환은 비만 임산부의 관리를 더욱 복잡하게 한다.

2) 이환률과 사망률

비만은 모체와 태아, 신생아의 합병증을 의미 있게 증가시킨다. 비만은 자연유산, 혈전색전증, 임신성 당뇨, 임신성 고혈압, dysfunctional labor, 어깨난산, 수술적 질분만, 제왕절개, 분만 후 출혈, 상처감염, 태아 거대증, 태아 선천성 기형, 사산, 신생아 사망의 위험도를 높인다.

16,000명 이상의 임산부를 대상으로 한 전향적 cohort 연구에서 임산부들을 비만(BMI 30.0~34.9 kg/m^2), 병적 비만(BMI ≥ 35 kg/m^2), 정상 대조군(BMI < 30 kg/m^2)으로 나눠 산과적 합병증의 위험도를 평가한 경우, 임신성 당뇨, 임신성 고혈압, 자간전증, 태아거대증, 조기분만, 수술적 질식 분만과 제왕절개의 교차비는 정상 대조군에 비해 병적 비만 임산부 군에서 훨씬 높게 나타났다. 비만은 합병증의 증가뿐 아니라 임신 중 사망률도 증가시킨다. 영국에서 발표한 2006년부터 2008년까지 3년간 모성사망에 대한 보고에 따르면 사망한 여성의 49%가 과체중 혹은 비만이었다. 마찬가지로, 이전 2003~2005년 보고에서는 모성 사망 중 52%가 과체중 혹은 비만이었다. 모성사망에 대한 비만의 영향은 혈전색전증이나 심장질환으로 사망한 모체에서 훨씬 두

드러졌는데 두 질환으로 인한 모성사망 중 각각 78%와 61%가 과체중 혹은 비만이었다.

비만은 마취와 연관된 모성사망의 위험 인자이기도 하다. 영국에서 보고된 두 번의 3년간의 조사에서 마취로 인한 모성사망 13명 중 6명이 비만 임산부였다. 미국 미시간 주에서 1985년도에서 2003년 사이에 보고된, 마취로 인한 모성 사망 8명 중 6명이 비만이었다. 이러한 합병증의 증가 때문에 영국 모자 보건 센터와 영국 산부인과 학회에서는 2010년에 비만 임산부 관리에 관한 가이드라인을 발표하였다. 이 가이드라인과 미국산부인과 협회 가이드라인에서는 모두 비만 임산부의 관리와 치료에 있어 여러 전문분야적 접근을 권장하고 있는데 여기에는 모든 여성을 BMI로 비만을 평가하고, 비만 여성에게 임신 전 상담을 제공하며, 출산 전 체중증가에 대한 가이드 라인 제시, 비만 임산부는 출산 전 마취통증의학과 의사의 협진을 의뢰하는 내용이 포함되어 있다.

3) 태아에 미치는 영향

모체의 비만은 가장 흔하게는 태아의 신경관 결손, 그 외에 태아의 선천성 심질환, 안면열(facial clefting), 수두증, 선천성 사지 결핍증(congenital limb deficiency)과 같은 기형과 연관된 위험인자로 알려져 있다. 또한 BMI > 40 kg/m^{2}인 엄마에게서 태어난 신생아는 말초신경과 골격 손상, 호흡 곤란 증후군, 세균성패혈증, 경련, 저혈당의 위험도가 증가했다.

비만 임산부에서 태아의 선천성 기형은 산전 초음파에서 복부 지방으로 인해 해상도가 떨어져 잘 보이지 않을 수 있다. 이러한 이유로, 태아 기형에 대한 평가는 임신 18주 이후로 지연시키는 것을 권고한다.

엄마의 BMI가 증가할수록 태아나 영아 사망, 사산이 증가하였다. 정확한 원인은 알려져 있지 않지만, 모체의 동반된 질환에 기인한 2차적 태반부전이 한 축을 담당할 것이라고 추측하고 있다.

조기분만과 만기후 분만도 더 흔하다. 비만한 엄마의 아이는 재태주수 보다 크고(large for gestational age) 소아비만이 될 가능성이 더 크다.

4) 분만의 진행과 분만 방법

분만의 진행은 BMI에 의해 영향을 받는 것으로 보인다. 미국에서 임산부를 대상으로 한 대규모 연구 결과에 따르면 초산부와 경산부 모두 BMI가 증가할수록 분만의 진행이 느려지는 것으로 밝혀졌다. 자궁경부가 4 cm에서 10 cm으로 개대되는 시간의 중앙값이 초산부에서는 비만하지 않은 임산부가 5.4시간, 병적 비만 임산부가 7.7시간으로 증가했고 경산부에서는 각각 4.6시간, 5.4시간이었다. 이러한 결과는 재태기간이나 유도분만 여부와는 상관이 없었다. 경산부에서 분만의 active phase로의 진입 역시 BMI 증가에 따라 지연되었다. 태아 크기의 증가, oxytocin에의 반응성 감소 등을 가능한 원인으로 설명할 수 있다. 비만 임산부에서는 adipokine의 일종인 leptin의 혈장 내 농도가 상승하며, 이는 oxytocin의 길항제로 작용한다. 또한 비만 임산부에서는 자궁수축 기능이 떨어져 있다는 것이 입증되었다.

모체와 태아의 이환율과 상관성이 있는 기구 분만은 비만 임산부에서 증가한다.

어깨난산과 연관성이 있는 모체의 인체계측 지수를 조사한 한 연구에서는 태아 거대증과 당뇨와 같은 잠재적 기여인자를 보정한 후에도 비만 임산부에서 비만하지 않은 임산부보다 어깨난산의 위험도가 2.7배 증가한다고 보고하였다. 태아 거대증은 비만 임산부에서 또한 증가하는데 이는 어깨난산과 이와 연관된 출생 시 외상을 증가시키며 회음부 열상, 신생아 손상, 분만 후 출혈이 더 잘 일어나게 한다.

유도 분만이 실패하여 제왕절개로 진행될 확률도 비만 임산부에서 더 높다(14.9% vs 7.9%). 제왕절개로의 진행 가능성은 분만 1기에 가장 높다. 잠재적인 요소로는 원발성 자궁 무력증과 불충분한 자궁수축, 연부조직 난산과 태아 거대증으로 인한 머리 골반 불균형, 태아 심박수와 자궁수축 모니터링이 기술적으로 어려운 점 등을 들 수 있다. 비만 임산부는 정상 임산부에 비해 제왕절개 후 질식분만에서 실패할 확률이 두 배 더 높다.

제왕절개의 비율은 비만 임산부에서 BMI에 비례하여 2~4배 가량 증가한다. 미국 산부인과학회가 인정한 정상 임산부에서의 제왕절개 비율이 20.7%라면 class I 비만 임산부에서는 33.8%, class II는 47.4%까지 증가한다. 제왕절개율이 증가하는 데 관여하는 인자로는 높은 분만 진행 실패율, 산전 초음파에서 태아의 체중을 부정확하게 측정하는 것, 당뇨나 고혈압 질환과 관련하여 응급 제왕절개율이 늘어나는 것과 이전 제왕절개의 기왕력 등을 들 수 있다.

비만은 자궁이완증(uterine atony)과 분만후 출혈에 대한 독립적인 위험인자이다. 복부 지방은 수술을 더욱 어렵게 하고 수술시간을 연장시킨다. 수술 시야 확보를 위해 종종 늘어진 복부의 거대한 피부층(panniculus)을 당겨야 할 경우가 생기는데 이로 인해 심폐정지가 올 수도 있다.

3. 마취관리

비만 임산부에서는 동반질환의 발병률이 높기 때문에 조기에 철저한 마취 전 평가가 필요하다. 비만 임산부를 마취할 때에는 여러 가지 기술적인 문제들도 고려해야 한다.

비침습적 혈압 측정을 위해 적절한 크기의 혈압계 커프를 사용해야 한다. 혈압계 커프의 길이가 팔 둘레의 20%를 넘지 않으면 수축기와 이완기 혈압이 모체의 혈압보다 높게 측정될 수 있다. 적절한 크기의 혈압계 커프가 없거나 원추형으로 변형된 상완의 모양 때문에 커

프가 계속 미끄러질 때 하완에서 종종 혈압을 측정하기도 한다. 상완과 하완의 비침습적 혈압 측정치는 높은 상관관계를 보이는데, 하완의 혈압이 상완에 비해 10 ± 10 (mean ± SD) mmHg 더 높다. 어떤 경우에는 동맥 내 카테터를 통한 침습적 혈압 측정이 더 유용할 수도 있다.

조기에 적절한 정맥로를 확보해야 한다. 비만 임산부에서는 말초 정맥이 잘 보이지 않고 만져지지 않아 정맥 천자가 어렵다. 초음파 유도하에 정맥 천자를 하거나 말초 정맥 천자가 실패할 경우 중심 정맥 천자도 고려해야 한다.

적절한 크기의 분만 침대, 이동 카트, 수술용 침대와 환자의 이동을 도와줄 충분한 인력이 필수적이다. 수술용 침대가 수용 가능한 무게를 미리 점검한다. 환자의 positioning을 위한 특별한 장비, 길이가 긴 척추/경막외 천자침이 필요할 수도 있다.

1) 질식 분만을 위한 마취

비만 임산부에서는 분만진통의 여러 방법에 제약이 있다. 수면무호흡을 동반한 비만 임산부는 아편유사제 정주 시 호흡 억제에 민감하여 무호흡이 발생하고 산소 포화도가 떨어질 수 있다. 외음부 신경차단은 비만 임산부에서 기술적으로 더 어렵다. 일부 환자들에서는 흡입 마취제가 유용하지만 아산화 질소는 효과면에서 한계가 있고, 대부분의 분만장에서는 흡입마취제를 투여할 여건이 되지 않는다. 더욱이 흡입마취제는 의식소실을 일으킬 수 있어 기도 유지가 어려운 비만 임산부에서는 매우 위험하다.

신경축진통(neuraxial analgesia)이 분만 진통에 최선의 선택이며 비만 임산부에서 특히 이상적인 방법이다. 비만 임산부에서는 태아 거대증과 어깨난산의 위험성이 매우 크기 때문에 적절한 진통은 외상없는 질식 분만을 용이하게 하기 위해 종종 필요하다. 분만 중 경막외 진통을 시행한다면 마취과 의사는 제왕절개를 해야할

상황이 생길 때 경막외마취로 연장이 가능하므로 전신마취와 그에 따른 위험요소들을 피할 수 있다. 비만 임산부에서는 전신 마취로 인한 위험성이 높기 때문에 제왕절개의 가능성이 높은 경우에는 미리 경막외 진통을 시행하는 것이 추천된다. 경막외카테터 거치는 환자가 좀 더 편안하고 자세에 협조적일 수 있는 진통 조기에 시행하는 것이 바람직하다.

비만 임산부에서 경막외카테터의 거치는 기술적으로 매우 어렵다. 또한 경막외 진통의 실패율이 비만 임산부에서 더 높다(17% vs 3%). Class Ⅲ 비만 임산부는 75%에서 여러 번의 시도가 필요했고 14%에서는 세 번 이상의 시도가 필요했다. 경막외 공간의 확인이 어려운 이유는 임산부가 등을 구부리는 데 제한이 있고, 극상 돌기가 만져지지 않아서 중앙선의 확인이 어렵고 경막외 공간이 더 깊어서 천자침의 방향이 잘못되어 경막외 공간의 측면쪽으로 들어갈 가능성이 커지기 때문이다. 더욱이 호르몬 작용으로 연성화된 인대와 과도한 피하지방으로 인해 잘못된 저항 소실을 야기하거나 의도치 않은 경막 천자의 위험성을 높인다.

BMI가 한 unit 증가할 때마다 피부에서 경막외 공간까지 거리는 11%씩 상승한다(표 15-6-1). 정상 체중 임산부의 경막외 공간 깊이는 약 5 cm이며, 비만 임산부의 17%에서는 8 cm이 넘는 것으로 알려져 있다. 대다수

표 15-6-1 신체질량 지수(body mass index, BMI)와 피부에서 경막외 공간까지의 거리

BMI (kg/m²)	Depth (cm)
30	5.3
35	6.2
40	6.6
45	7.2
> 50	7.5

Data from Int J Obstet Anesth 2007; 16: 323-7

의 비만 임산부에서 표준 길이의 경막외천자침으로 경막외 공간을 확인할 수 있다. 그러므로 첫 시도에서는 마취통증의학과 의사가 더 용이하게 다룰 수 있는 표준 길이의 경막외천자침을 먼저 이용하는 것이 더 바람직하고, 13 cm Tuhoy needle이 일부 환자들에게 필요할 수도 있으니 항상 준비해 두어야 한다.

중앙선에서 천자에 실패할 경우 경막외 깊이가 깊어지고, 카테터가 잘못 거치될 확률이 커진다. 중앙선을 확인하는 것이 중요한데, 7번째 경추 융기와 볼기 틈새를 잇는 선은 중앙선의 식별을 용이하게 한다. 이 선과 태아 심박수모니터 벨트로 인해 피부가 꺼지는 부위를 연결한 선이 교차하여 만나는 지점을 천자한다. 경막외 천자를 시행할 때 임산부가 인지하는 천자침이 왼쪽인지 오른쪽인지 구별하게 하는 것도 중앙선의 확인에 도움이 된다. 피부와 피하조직에 국소마취제를 주입하는 동안 주사침으로 극상돌기와 접촉을 시도하는 것은 척추간 공간을 찾는 데 도움이 될 수 있다. 더 객관적으로는 초음파 유도하에 중앙선을 식별하고, 경막외 공간을 영상으로 확인하여 피부에서 경막외 공간까지 깊이를 잴 수 있다. 임산부들에서 경막외진통시 천자 전에 초음파로 이미지를 보는 것은 천자 자리와 시도의 횟수를 의미있게 감소시키고 경막외카테터를 거치하는데 도움이 된다. 또한, 비만 임산부에서 초음파로 측정한 경막외 공간 깊이와 경막외천자침으로 측정한 경막외 공간 깊이 간에 강력한 상관관계가 있다. 그러나 초음파 이미지를 보는 것은 비만 환자들에서 더욱 어려우며, 모든 마취통증의학과 의사가 초음파에 익숙하지 않다는 것 또한 이 테크닉의 제한점이라 할 수 있겠다.

환자가 앉아 있을 때 중앙선의 확인이 용이하기 때문에 대다수의 마취통증의학과 의사가 비만 임산부의 경막외카테터 거치 시에 앉은 자세를 더 선호한다. 측와위에서는 측부의 지방이 중력 방향으로 흘러내려 중앙선의 식별이 어려울 수 있다. 환자는 직각으로 앉아서 발을 받침대 위에 편하게 올려놓게 한다. 환자에게 시술

전 자세의 중요성에 대해 얘기해 주는 것이 매우 중요하며 옆에서 보조자가 계속 올바른 자세를 유지할 수 있도록 환자를 도와주어야 한다.

경막외카테터를 거치한 후에 카테터가 빠지지 않게 주의를 기울여야 한다. 환자가 좌위에서 앙와위로 자세를 바꿀 때 과도한 피하지방으로 인해 경막외카테터가 밖으로 빠져나가기도 한다. 경막외카테터의 이러한 움직임은 비만 환자에서 더 두드러진다. 따라서, 중립자세로 바꾼 후에 카테터를 등에 고정하는 것을 권고하고 있다. 카테터가 2 cm까지 빠질 수 있기 때문에 처음 카테터를 경막외 공간에 거치할 때 5~6 cm 정도 충분히 넣어야 카테터가 빠지는 것을 방지할 수 있다. 카테터 고정 장치, 접착제, 넓은 살균 드레싱, 충분한 테이프, 중앙을 따라 카테터를 올려 고정하는 것 등은 카테터가 움직이거나 꼬이는 걸 방지하는 유용한 방법이다.

경막외 분만 진통의 목적은 운동신경 차단은 최소로 하면서 탁월한 진통효과를 제공하는 것이다. 희석된 bupivacaine에 fentanyl을 첨가하면 저혈압이나 운동신경 차단과 같은 부작용을 최소화하면서 우수한 분만 진통의 효과를 기대할 수 있다.

분만 시 비만 임산부에게 시행하는 신경차단은 양측으로 균일하게 충분한 진통을 제공해야 한다. 그렇지 않다면 경막외카테터를 다시 거치해야 하는데 이는 추가 용량이 계속적으로 필요한 불충분한 신경차단은 제왕절개에 필요한 신경차단까지 확장해야 할 때 실패하는 경우가 많기 때문이다. 임산부의 신경차단은 일정한 간격으로 지속적인 평가가 필수적이다. 병적 비만 임산부를 대상으로 한 한 연구에서 국소마취제를 경막외카테터로 투여할 때 초기에 진통/마취가 실패하는 빈도는 대조군 임산부보다 7배 높은 42%였으나 경막외 차단의 철저한 평가를 통해 조기에 잘못 거치된 카테터를 다시 거치했을 때 불충분한 경막외마취로 인해 전신마취로 전환한 경우는 55건의 제왕절개 중 단 한 건에 불과했다. 최근한 연구에서는 경막외카테터 실패의 표준화된 정의를 이

용하자고 제안하였는데 45분 후에도 진통이 적절치 못했을 때, 경막 천자, 카테터 재거치나 거치의 포기, 수술 후 방문 평가에서 임산부가 만족하지 못했을 경우가 이에 포함된다. 저자들은 경막외카테터 실패의 표준화된 정의는 마취의 질을 평가하고 연구 조사에 있어 일관성을 유지하는 데 유용하다고 하였다.

척추-경막외병용(combined-spinal epidural, CSE) 테크닉은 우수한 진통 효과를 빠른 시간내에 제공한다. 최근 경막외진통과 척추-경막외진통을 비교한 연구 결과에 따르면 척추-경막외진통이 분만 1기에 효과가 더 우수했고 경막외 추가 투여가 더 적었다. 그러나 척수강 내로 주입한 약물의 효과가 없어질 때까지 경막외카테터를 테스트할 수 없어서 카테터가 잘못 거치되어 있고 응급 제왕 절개를 시행해야 할 상황에서는 경막외 마취에 실패할 수 있다. 이러한 이유로 일부 마취통증의학과 의사들은 병적 비만 임산부들에서 분만 진통을 시행할 때 경막외 차단을 더 선호한다. 반면 다수의 연구 결과에 따르면 경막외카테터만 거치할 때보다 CSE 테크닉의 일부로 경막외카테터를 거치할 때 성공률이 더 높다는 보고도 있다. 이러한 결과는 척추천자침을 통해 뇌척수액을 확인하는 것이 경막외천자침이 정확한 위치에 있다는 반증이기 때문이라고 추측된다.

의도치 않은 경막 천자 시에는 분만 진통을 위해 연속 척추진통(continuous spinal analgesia)을 시행할 수도 있다. 연속 척추 진통은 안정적인 진통 효과를 제공할 뿐만 아니라 응급 제왕절개 시에 척추 마취로 전환할 수 있다. 단, 카테터가 척수강내에 있다는 것을 반드시 표기하고 모든 관계자들이 이를 알고 있어야 한다. 국소마취제의 경막외 용량을 척수강내 카테터로 잘못 투여하면 척추 차단 레벨이 올라가고 호흡정지까지 올 수 있기 때문이다. 경막 천자 두통은 비만 임산부에서 빈도가 낮은데 이는 복부지방층이 많아서 복부내압이 높아 경막 천자 자리로 척수액이 새는 것을 막아주기 때문이라고 추측된다.

2) 제왕절개

비만 임산부를 안전하게 관리하기 위해서는 철저한 마취 전 평가가 필수적이다. 그 중 특히 기도에 대한 면밀한 평가가 중요하다. 비만 임산부에서 큰 유방과 거대한 흉부의 전후 직경, 기도 부종, 턱과 가슴 사이 거리의 감소는 후두경의 조작을 어렵게 하며 기관내삽관 실패의 가능성을 높인다. 비만은 임신으로 인한 해부학적 변화를 더욱 악화시킨다. 목과 어깨의 지방 증가로 인해 기관내삽관에 적합한 자세를 잡는 것이 더욱 어려워진다. 과도한 지방 침착은 혀의 비대, 과도한 인두와 입천장 같이 해부학 구조를 왜곡시킬 수도 있다. 더구나 어깨 뒤쪽의 패드와 같은 지방층은 목의 움직임을 제한하여 마스크 환기와 후두경 조작, 기관내삽관을 더욱 어렵게 한다.

병적 비만 환자들은 ramped position을 만들어야 정상군의 환자가 표준적인 sniff position을 취했을 때와 같이 기관내삽관에 적합한 축, 즉 구강, 인두, 기관의 축을 일렬로 정렬시켜서 후두경 시야를 향상시키고 기관내삽관을 용이하게 할 수 있다. Ramped position을 만들기 위해서는 흉골절흔과 귓구멍을 잇는 선이 바닥과 수평이 되도록 가슴과 머리 밑에 접은 포 혹은 패딩된 경사대를 받친다. 최신 수술용 침대는 여러 각도로 굴곡이 가능해서 침대의 굴곡으로 ramped position을 만들 수 있다. 머리 부분만 아래로 꺾고 침대 중간 부분을 굴곡시켜 윗부분이 위로 올라오게 한 다음 환자 머리에 베개만 받친다(그림 15-6-1).

비만 환자를 적절하고 안전한 자세를 만드는 것이 어려울 수도 있다. 돌출된 복부는 자궁의 좌측편위 자세를 만들 때 한쪽으로 심하게 쳐지기도 한다. 침대를 왼쪽으로 기울이기 전에 환자를 침대에 단단히 고정해야 한다. 그러나 가능한 빨리 자궁의 좌측편위 자세를 취하는 것이 중요하다. 비만 임산부가 앙와위 자세를 취한 뒤 급격히 심정지가 온 사례가 보고된 바 있다.

마취 제공자는 반드시 환자의 몸무게가 수술용 침대가 수용할 수 있는 무게를 넘지 않는지 확인하고, 침대의 측면 확장대를 사용할지 고려하고 스펀지나 포를 이용해서 환자의 어깨와 팔이 수평으로 유지될 수 있도록 잘 받쳐주어야 한다. 올바른 팔의 자세는 환자를 편안하고 안정적으로 만들어주고 상지의 신경 손상을 피할 수 있게 해준다.

병적 비만 환자에서 복부의 늘어진 피부는 70 kg 이상 나가기도 한다. 따라서 수술적 접근이라는 측면에서 이에 대해 특별히 고려해 봐야 한다. 늘어진 복부의 피부(panniculus)는 상복부 수직 절개 시에는 환자의 다리 쪽으로 당기고, 횡절개 시에는 머리 쪽으로 당겨야 하며 수술 부위 노출을 위해서는 수직으로 들어올려져야 한다. 이를 위해 여러가지 방법이 동원되는데 그 중에서 panniculus를 머리 쪽으로 당기면 저혈압, 호흡 곤란, non-reassuring pattern의 태아 심음과 태아 사망까지 유발할 수 있다. 당기는 동안 상복부와 흉부에 가해진 힘이 하대정맥을 압박할 뿐만 아니라 폐탄성도 감소시킨다. 압력의 증가로 정맥환류가 감소하면 심박출량과 혈압이 크게 감소하고 이미 저하된 호흡기 기능을 더욱 악화시킨다. 수술적 접근과 별개로 자궁은 대동정맥 압박을 피하도록 적절하고 조심스럽게 위치시켜야 한다.

폐흡인 예방을 위한 약물투여도 비만 임산부들에게 필수적이다. Sodium citrate 30 ml를 경구 투여하면 5분내에 위액의 pH가 효과적으로 증가한다. Histamine-2(H_2)-receptor antagonist와 metoclopramide의 투여도 부가적인 효과를 가져온다. 마취통증의학과 의사는 수술 종료 시에도 폐흡인의 위험이 남아 있음을 염두에 둬야 한다. Sodium citrate의 효과는 투여 45~60분이 지나면 사라진다.

(1) 신경축 차단

신경축 차단은 비만 임산부들에 있어 가장 좋은 마취 방법이다. 척추 마취는 확실하고 빠른 발현과 더불어 강

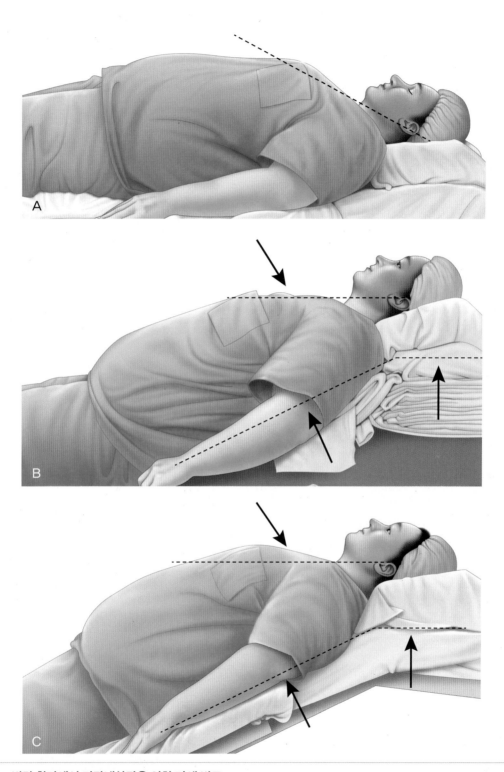

그림 15-6-1. **비만 환자에서 기관내삽관을 위한 자세 비교**

A. 머리 밑에 베개를 받친 표준 'sniff position'   B. 머리와 가슴 밑에 포와 경사대를 받쳐 만든 'ramped position'
C. 수술 침대의 기울기를 이용해서 만든 'ramped position'

도 높은 신경차단을 제공한다. 비만하지 않은 임산부들에서도 계획된 제왕절개 시 흔히 사용하는 마취방법이지만, 비만 환자들에게는 척추마취를 시행하는 데 있어 기술적인 어려움, 적절한 용량, 충분치 않은 마취 지속 시간 등이 문제가 될 수 있다.

척추 마취는 긴 척추 천자침이 필요할 수 있지만 병적 비만 임산부들에게 기술적으로 실행 가능하다. 지방 조직의 분포는 비만 환자들마다 다양하다. 척추 마취는 등의 중앙에 과도한 지방이 없는 환자들에서는 대개 문제없이 시행될 수 있다. 그러나 천자 부위에 과도한 지방이 있는 경우 직경이 작은 척추 천자침으로 척수강 내 공간을 확인하는 것은 매우 어려운 일이다. 직경이 큰 경막외 천자침으로 경막외 공간을 확인하는 것이 더 쉬울 수 있으므로, 병적 비만 임산부에서 needle-through-needle 척추-경막외 병용 테크닉이 single-shot 척추 마취보다 더 용이하게 시행될 수 있다. 더욱이, 비만 임산부에서는 수술 시간이 종종 길어지는데 single-shot 척추마취로는 마취시간이 불충분할 수 있다. 병적 비만 임산부들은 수술 중 전신마취로의 전환이 바람직하지 않을 뿐 아니라 잠재적으로 매우 위험하다. 따라서 CSE나 경막외마취 같이 지속적인 신경축마취 방법이 single-shot 척추마취 방법보다 더 선호된다. 제기능을 하고 있는 경막외카테터가 잘 유지되는 환자에서는 경막외마취가 선호되겠지만, 그렇지 않다면 마취 발현이 확실한 척추마취와 마취 시간 연장이 가능한 경막외마취의 장점을 혼합한 척추-경막외 병용 마취가 바람직하다. 적은 용량의 국소마취제에 opioid를 혼합하여 척수강 내로 주입, 마취를 시작하고 신경차단의 높이가 충분치 않으면 경막외카테터로 국소마취제를 추가 투입한다. 어떤 마취통증의학과 의사들은 비만 임산부의 응급 제왕절개 시에 척추-경막외 병용 테크닉을 이용해야 한다고 주장했는데 이는 척추 천자침 보다 구경이 더 큰 경막외 천자침이 척추내 공간 확인이 더 빠르고 기술적으로 쉽기 때문이라고 하였다.

① 신경축마취를 위한 국소마취제의 용량

병적 비만 임산부에서 국소마취제 용량의 선택에 관해서는 논란이 많다. 비만 환자에서는 국소마취제의 확산이 예측이 어렵고 때로는 차단의 높이가 지나치게 높아지기 때문에 신경축마취 시 국소마취제의 용량을 줄여야 한다고 오랫동안 믿어왔다. Magnetic resonance imaging (MRI)으로 비만 환자들은 요추의 척수액 용적이 감소한다는 것을 확인하였다. 임신한 자궁과 복부 지방층이 하대정맥을 압박하여 경막외 정맥이 충혈되고, 복압의 상승으로 인해 추간공을 통해서 연부조직이 안으로 이동하기 때문에 척수액 용적이 감소할 것이라고 추측했다. 둔부의 과도한 지방 조직이 앙와위 자세에서 상대적으로 척추의 Trendelenburg position을 만들기 때문에 마취제의 머리 쪽 확산이 더욱 두드러진다고 하였다.

그러나 다수의 연구에서는 제왕절개를 시행하는 병적 비만 임산부에서 척추마취의 차단 높이가 두드러지게 높아진다는 우려를 뒷받침하지 않는 듯하다. 비만 환자와 대조군 환자에서 각각 hyperbaric bupivacaine의 용량을 Up-down 하여 ED95(effective dose in 95% of patients)의 추정치를 구한 결과 두 군 간이 차이가 없었다. 이 연구에서 bupivacaine을 12 mg까지 투여할 때까지는 척추차단의 높이가 지나치게 올라갔던 임산부는 없었다. CSE 테크닉을 사용해서 제왕절개를 시행하는 42명의 병적 비만 임산부에서 척수강 내 주입한 hyperbaric bupivacaine 용량의 ED50(median effective dose)와 ED95의 추정치도 비만하지 않은 대조 임산부군에서 구한 것과 비슷했다. 최소의 용량으로 대부분 처음에는 충분한 감각차단 높이를 얻을 수 있었으나 적은 용량으로 수술을 진행할 수 있는 경우는 거의 없었고 많은 임산부들이 경막외카테터를 통한 국소 마취제의 추가 주입이 필요하였다. 따라서 이런 결과들은 병적 비만 임산부들에서 척수강내 bupivacaine의 용량을 줄이는 것은 바람직하지 않고 불충분한 마취의 위험성을 높일 수 있다는 것을 시사한다.

병적 비만 임산부에서 경막외 국소 마취제 용량에 대한 연구 결과들은 일관적이지 않다. 경막외마취는 single-shot 척추마취와는 달리 용량을 나누어서 조금씩 투여할 수 있기 때문에 원하는 마취 높이에 도달할 때까지 소량의 국소 마취제를 추가 투여하는 것을 추천한다.

(2) 전신마취

어려운 기도의 빈도는 임산부에서 7배 증가한다. 280~750명당 한 명꼴로 기관내삽관에 실패하고 이 중 3분의 1은 예기치 않은 어려운 기도 때문에 일어난다. 또한 어려운 기관내삽관의 빈도는 비만 환자군에서 비만하지 않은 환자군보다 3배 더 높다. 제왕절개를 위해 전신마취를 받을 때 체중이 300 lb(136.4 kg) 이상 나가는 임산부 중 33%가 기관내삽관이 어려웠다. 따라서 모든 비만 임산부는 기도 검사와 상관없이 잠재적으로 어려운 기도를 가졌다고 간주해야 한다.

비만환자에서는 기관내삽관의 실패와 어려운 마스크 환기의 가능성이 커서 마취 유도 시 숙련된 보조자의 도움이 꼭 필요하다. 비만 환자의 마스크 환기는 마취제공자를 쉽게 지치게 한다. 또한 jaw-thrust 수기는 양손을 필요로 할 수가 있어서 양압 환기와 윤상연골 누르기를 할 다른 인력이 필요하다. 짧은 손잡이의 후두경, 종류별 후두경날, 여러가지 크기의 기관내튜브, 성문위기도유지기(supraglottic airway device), 비디오 후두경, 굴곡내시경삽관 장비, 그리고 윤상갑상연골절개와 기관경유 제트 환기를 위한 장비들을 쉽게 사용할 수 있도록 구비해 놓아야 한다. 기관내삽관에 실패했을 경우 기관내삽관 실패 알고리즘을 시작하고 즉시 도움을 요청한다. 이런 상황에서 성문위기도유지기는 환자의 생명을 구할 수도 있다.

어려운 기관내삽관이 예상되는 경우 비디오 후두경이나 굴곡 내시경을 이용한 각성하 기관내삽관은 하나의 대안이 될 수 있다. 그러나 응급 제왕절개술을 시행하는

임산부들은 기도에 국소마취제를 뿌려 준비할 시간이 없기 때문에 각성하기관내삽관에 적합한 대상자는 아니다.

기관내삽관이 어렵지 않을 것으로 예상되면 빠른 연속마취유도(rapid-sequence induction)를 시행하는 것이 바람직하다. 전신마취는 효과적인 폐의 탈질소화(denitrogenation, 혹은 전산소화: preoxygenation)로 시작한다. 무호흡 기간에 임산부는 더 빨리 저산소증으로 빠지며, 비만 환자들도 더 빨리 산소포화도가 떨어진다. 따라서 비만 임산부는 전신마취 전에 충분한 탈질소화가 필수적이다.

한 연구에서는 제왕절개를 위한 전신마취 전, 100% 산소로 30초 이내에 최대 심호흡 4번을 하면 100% 산소를 3분간 일회호흡량으로 호흡한 효과와 비슷하다고 하였다. 다른 연구에서는 100% 산소로 4번의 최대 심호흡을 했을 때 3분간 일회호흡량으로 호흡했을 때보다 저산소증이 더 빠르게 나타났다고 보고했다. 이후에 또 다른 연구에서는 만삭의 임산부 20명을 대상으로 100% O_2로 3분 일회호흡량 호흡, 30초 이내에 4번의 심호흡, 1분내에 8번의 심호흡 군으로 나눠 호기말산소 농도($FETO_2$)를 비교하였다. $FETO_2$가 90% 이상이었던 비율은 3분 호흡군이나 8번 심호흡군은 67%였던 반면에, 4번 심호흡군은 18%에 그쳤다. 저자들은 전신마취가 필요한 응급 제왕절개 시에 8번 심호흡 방법이 3분간의 일회호흡량 호흡 방법과 비슷한 효과를 보이면서 탈질소화에 걸리는 시간은 더 빠를 것이라고 하였다.

환자를 수술침대로 옮기자마자 최대한 빨리 마스크를 단단히 고정하여 100% 산소를 투여해야 한다. 그러면 다른 준비가 행해지는 동안 환자는 탈질소화에 도달할 수 있다. 상황에 따라 탈질소화 방법을 선택하는 것이 적절하다. 3분 일회호흡량 호흡 방법을 할 수 있다면 환자에게 여러 번 심호흡하라고 격려한다. 임산부의 출혈로 응급 제왕절개술을 시행하는 것과 같이 더 긴급한 상황일 때에는 환자에게 8번 심호흡을 하게 하는 것이 산소포화도가 떨어지기 전까지 시간을 더 확보할 수 있

다. 시간이 허락하는 한 4번 심호흡 방법보다 8번 심호흡 방법을 시행하는 것이 더 효과적이다.

마취유도제의 정주 용량은 총체중을 기준으로 투여하면 안 된다. Propofol이나 thiopental의 마취 유도 용량은 제지방 체중을 기준으로 투여하여야 과용량과 그에 따른 부작용을 피할 수 있다. 이 약들은 태반을 넘어가서 신생아에게 영향을 미칠 수 있다.

Succinylcholine은 빠른연속마취유도(rapid-sequence induction) 시 가장 선호되는 근이완제이며 비만 임산부에서 기관내삽관 용량으로 1.0~1.5 mg/kg를 쓴다. Lemmens 등은 비만 임산부에서 succinylcholine 1 mg/kg을 이상 체중, 제지방 체중, 총 체중을 기준으로 한 세 가지 용량 용법을 비교하였는데 그 중 총체중을 기준으로 한 용량(1 mg/kg, total body weight)이 완전한 근이완과 거의 모든 환자에서 적합한 후두경 시야를 제공해 주었다. 반면 이상 체중을 기준으로 한 용량은 1/3의 환자에서 기관내삽관에 적합한 상태에 도달할 수 없었다. Rocuronium 1~1.2 mg/kg의 용량으로 succnylcholine 1 mg/kg 투여시와 비슷한 기관내삽관 상태에 도달할 수 있다. 그러나 이 용량은 근이완의 작용을 현저히 연장시킨다. 비만 환자에서 rocuronium의 용량은 이상체중(ideal body weight)을 기준으로 투여한다. Sugammadex 12 mg/kg는 고용량의 rocuronium(1.2 mg/kg) 효과를 2분내에 역전시킬 수 있다. 임산부를 대상으로 한 소규모 연구에서 rocuronium 0.6, 1.0, 1.2 mg/kg를 투여한 후 sugammadex를 이용하여 모체나 신생아에 부작용 없이 근이완을 역전시켰다고 보고했다. 비만 환자를 대상으로 한 sugammadex 용량에 관한 연구 결과는 있으나 비만 임산부를 대상으로 한 sugammadex 용량에 관한 연구는 없었고 비만 임산부군에서 안정성이 확보된 바 없다.

마취유지는 대부분 휘발성 흡입마취제를 사용하며 nitrous oxide를 함께 투여하기도 한다. 임산부에서 비만이 할로겐과 흡입마취제의 MAC (minimal alveolar concentration)을 변화시킨다는 근거는 없다. 이론적으로 증가된 몸의 지방은 흡입마취제나 정맥 마취제의 저장소 역할을 한다.

마찬가지로, 몸의 지방 저장소는 흡입마취제의 생체 내 대사의 우려를 높일 수 있고 이는 장기독성의 위험성을 증가시킨다. Isoflurane은 생체 내 대사가 제한되어 있어서 병적 비만 임산부에 적합한 흡입마취제이다. Desflurane과 sevoflurane은 비만 환자에서 isoflurane 보다 기관 내 튜브의 발관까지의 시간을 단축시키나 그 차이가 임상적으로 의미가 있지는 않다

병적 비만 환자들은 높은 분율의 산소를 필요로 할 수 있어서 통상적인 농도의 아산화질소를 못견딜 수도 있다. 게다가 전신마취는 FRC를 감소시킨다. 앙와위와 Trendelenburg 자세는 FRC를 더욱 감소시켜 수술 중 저산소증의 위험성을 증가시킨다. 따라서 비만 환자들에서는 소기도폐쇄, 무기폐와 저산소증 등을 줄이기 위해 추천되는 방법은 첫째, 산소분율은 0.8 이상으로 사용하고 둘째, 일회호흡량은 이상 체중을 기준으로 6~10 ml/kg로 환기하며 셋째, 생리적 $PaCO_2$를 유지하기 위해 호흡수를 조절하고 넷째, 주기적으로 폐를 팽창시키며(recruitment maneuver) 다섯째, 호기말양압의 적용 등이 있다.

전신마취에서 각성은 위험한 과정이다. 전신마취로부터 각성과 회복 기간 중에 저환기와 기도폐쇄로 임산부가 사망한 사례가 보고된 바 있다. 발관 전에 근이완제를 완전히 역전시키고 충분히 각성시키는 것이 중요한데 이 과정은 복부의 장기들이 횡격막을 압박하는 것을 최소화하기 위해 가능한 반기립 자세에서 진행되어야 한다. 병동에 올라가기 전까지 숙련된 인력이 회복실 관리를 담당해야 한다.

4. 수술 후 합병증

비만 임산부는 감염, 정맥혈전색전증, 호흡기 합병증 등을 포함한 출산 후 합병증의 위험도가 높다. 방광염, 수술부위 감염, 폐렴, 자궁내막염 등과 같은 감염 합병증은 정상 임산부에 비해 비만 임산부에서 발병률이 7~20%로 더 흔하다. 감염이 증가하는 것은 지방 조직에 혈관 분포가 부족하고, 항생제 표준 예방 용량 투여 후 조직 내 농도가 불충분하기 때문이기도 하다. 체중을 기준으로 적절한 용량을 투여한다.

비만, 수면무호흡증, 전신마취, opioid 투여의 조합은 opioid로 인한 호흡억제의 위험성을 증가시킨다. Michigan주의 모성 사망 보고서에서 Mhyre 등은 기도 폐쇄, 저환기로 인한 모성 사망은 모두 마취 각성과 회복 기간 중에 일어났다고 보고했으며, 이러한 합병증에서 비만은 중요한 위험인자로 확인되었다. 호흡기계 합병증 예방을 위해 산소를 추가로 투여해서 저산소증을 교정하고, 반기립자세로 FRC를 최적화시키며 유발폐활량측정법(incentive spirometry)으로 무기폐를 최소화시키는 방법 등이 필요하다. 수면무호흡증의 위험성이 있는 병적 비만 임산부가 제왕절개를 시행했을 때는 회복실에서 퇴실하더라도 산소포화도는 계속 모니터 해야 한다.

5. 수술 후 관리

1) 수술 후 진통

적절한 수술 후 통증 조절은 환자가 수술 후 조기에 거동이 가능하도록 도와주어서 혈전색전증이나 폐합병증의 위험성을 줄일 수 있다. 그러나 비만 임산부에서 이상적인 진통 요법은 아직 확립된 바 없다. 척추 내 혹은 경막외 morphine은 제왕절개 후 정주나 경구로 투여하는 opioid에 비해 훨씬 우수한 진통 효과를 제공하는 것으로 알려져 왔으나 가려움증, 오심과 같은 opioid 관련 부작용을 감수해야 한다. 병적 비만 환자에서 척추/경막외 opioid 투여 후 호흡억제의 위험도가 높아질 것이라는 우려는 있지만 실제로 이에 대해 조사한 연구는 거의 없다. 제왕절개수술 시 hyperbaric bupivacaine에 morphine 0.2 mg을 첨가하여 척추마취를 한 임산부 856명을 대상으로 한 연구에서 Abouleish는 SaO$_2$가 85% 이하이거나 호흡수가 분당 10회 이하로 정의된 호흡억제를 보였던 임산부는 8명이었고 이들은 모두 비만 환자였다고 보고했다. 전신마취를 받은 환자에서 수술 후 opioid 투여는 정맥 자가조절진통(patient-controlled analgesia, PCA)을 이용하는 것이 가장 최선이나 이 방법 역시 비만 임산부들은 둔해지거나 저환기에 빠질 위험성이 크다. 어떤 경로를 통해서 opioid를 투여하던지 비만 환자들은 진단되지 않은 수면무호흡증이 있을 수 있고 opioid로 인한 호흡억제의 위험성이 높으므로 산소포화도 측정 등을 통한 적절하고 세심한 모니터링이 필수적이다.

진통소염제(non-steroidal anti-inflammatory drug, NSAID)와 acetaminophen의 규칙적인 투여를 포함한 다각적 진통 요법은 opioid 사용량을 줄이고 수술 후 진통을 개선시킨다. 국소마취제를 수술부위에 국소주입 하거나 Transversus abdominis plane (TAP) 차단을 시행하는 것도 수술 후 진통방법으로 유용하다. TAP 차단은 제왕절개술 시 전신마취를 받거나 morphine의 추가 투여 없는 척추/경막외마취를 받은 임산부들에게서 opioid 사용량을 줄이고 통증 점수를 감소시키며 opioid 관련 부작용을 줄이는 것으로 나타났다. 그러나 TAP 차단은 척추/경막외 morphine을 투여받은 환자에서 더 이상의 통증 개선이 없었고, 척추/경막외 morphine에 의한 진통효과가 더 우수하였다. 더

구나 비만 임산부에서 TAP 차단을 시행하는 것은 복부 지방 때문에 기술적으로 매우 어렵다. Ropivacaine을 이용한 경막외 자가조절 진통(patient-controlled epidural analgesia, PCEA)은 경막외 morphine과 비교할 만한 진통효과를 제공했으나 운동신경 차단으로 인해 환자의 거동을 지연시켰다.

2) 혈전예방(Thromboprophylaxis)

정맥혈전색전증 발생의 위험도는 임신기간부터 출산 후까지 모두 증가한다. 비만과 제왕절개술은 혈전색전증의 주요 위험인자이다. 혈전색전증 예방을 위해서 보편적으로 압박 스타킹, 적절한 수분공급과 조기 보행 등을 권장하고 있다. 영국 산부인과 학회(Royal College of Obstetrician and Gynaecologists, RCOG)에 의한 비만 임산부의 항응고 치료에 관한 가이드라인에서는 응급여부에 관계없이 제왕절개를 시행하는 모든 비만 임산부에게 low-molecular weight heparin으로 혈전예방을 시행할 것을 권고하고 있으며 질식분만을 하는 모든 병적 비만 임산부에게도 혈전예방의 시행을 권고하고 있다.

참고문헌

Cantwell R, Clutton-Brock T, Cooper G, et al: Saving mothers' lives: reviewing maternal deaths to make motherhood safer: 2006-2008. The eighth report on confidential enquiries into maternal deaths in the United Kingdom. BJOG 2011; 118(suppl 1):1-201.

Parameswaran K, Todd DC, Soth M: Altered respiratory physiology in obesity. Can Respir J 2006; 13: 203-10.

Eng M, Butler J, Bonica JJ: Respiratory function in pregnant obese women. Am J Obstet Gynecol 1975; 123: 241-5.

Saravanakumar K, Rao SG, Cooper GM: Obesity and obstetric anaesthesia. Anaesthesia 2006; 61: 36-48.

Paul DR, Hoyt JL, Boutros AR: Cardiovascular and respiratory changes in response to change of posture in the very obese. Anesthesiology 1976; 45: 73-8.

Mace HS, Paech MJ, McDonnell NJ: Obesity and obstetric anaethesia. Anaesth Intensive Care 2011;39: 559-70.

Tsueda K, Debrand M, Zeok SS, et al: Obesity supine death syndrome: reports of two morbidly obese patients. Anesth Analg 1979; 58: 345-7.

American College of Obstetricians and Gynecologists (ACOG): Bariatric surgery and pregnancy. ACOG Practice Bulleting No.105. Obstet Gynecol 2009; 113: 1405-13.

Guh DP, Zhang W, Bansback N, et al: The incidence of co-morbidities related to obesity and overweight: a systemic review and meta-analysis. BMC Public Health 2009; 9: 88.

Mertens I, Van Gaal LF: Obesity, haemostasis and the fibrinolytics system. Obes Rev 2002; 3: 85-101.

Boden G: Obesity, insulin resistance and free fatty acids. Curr Opin Endocrinol Diabetes Obes 2011; 18: 139-43.

Fung AM, Wilson DL, Barnes M, Walker SP: Obstructive sleep apnea and pregnancy: the effect on perinatal outcomes. J Perinatol 2012; 32: 399-406.

Pamidi S, Pinto LM, Marc I, Benedetti A, Schwartzman K, Kimoff RJ: Maternal sleep-disordered breathing and adverse pregnancy outcomes: a systematic review and meta-analysis. Am J Obstet Gynecol 2014; 210: 52 e51-2.

Weiss JL, Malone FD, Emig D, et al: Obesity, obstetric complication and Cesarean delivery rate-a population-based screening study. Am J Obstet Gynecol 2004; 190: 1091-7.

Sothard KJ, Tennant PW, Bell R, et al: Maternal overweight and obesity and the risk of congenital anomalies: a systematic review and meta-analysis. JAMA 2009; 301: 636-50.

Marie B: Maternal obesity, mode of delivery, and neonatal outcome. Obstet Gynecol 2013; 122: 50-5.

Kominiarek MA, Zhang J, Vanveldhuisen P, et al: Contemporary labor patterns: the impact of maternal body mass index. Am J Obstet Gynecol 2011; 205: 244 e1-8.

Mazouni C, Porcu G, Cohen-Solal E, et al: Maternal and anthropomorphic risk factors for shoulder dystocia. Acta Obstet Gynecol Scand 2006; 85: 567-70.

Fyfe EM, Anderson NH, North RA, et al: Risk of first-stage and second-stage cesarean delivery by maternal body mass index among nulliparous women in labor at term. Obstet Gynecol 2011; 117: 1315-22.

American College of Obstetricians and Gynecologists(ACOG): Obesity in pregnancy. ACOG Committee Opinion No. 549. Obstet Gynecol 2013; 121: 213-7.

Pierin AM, Alavarce DC, Gusmao JL, et al: Blood pressure measurement in obese patients: comparison between upper arm and forearm measurements. Blood Press Monit 2004; 9: 101-5.

Roofthooft E: Anesthesia for the morbidly obese parturient. Curr Opin Anesthesiol 2009;341-6.

Clinkscales CP, Greenfield ML, Vanarase M, Polley LS: An observational study of the relationship between lumbar epidural space depth and body mass index in Michigan parturients. Int J Obstet Anesth 2007; 16: 323-7.

BalkiM,Lee Y, Halpern S, Carvalho JC: Ultrasound imaging of the lumbar spine in the transverse plane: the correlation between estimated and actual depth to the epidural space in obese parturients. Anesth Analg 2009;108: 1876-81.

Grau T, Leipold RW, Conradi R, et al: Efficacy of ultrasound imaging in obstetric epidural anesthesia. J clin Anesth 2002; 14: 169-75.

Hood DD, Dewan DM: Anesthetic and obstetric outcome in morbidly obese parturients. Anesthesiology 1993; 79: 1210-8.

Thangamuthu A, Russell IF, Purva M: Epidural failure rate using a standardized definition. Int J Obstet Anesth 2013; 22: 310-5.

Collins JS, Lemmens HJ, Brodsky JB, Brock-Utne JG, Levitan RM: Laryngoscopy and morbid Obesity: a comparison of the "sniff" and "ramped" position. Obes Surg 2004; 14: 1171-5.

Hagan QH, Prost R, Kulier A, et al: Magnetic resonance imaging of cerebrospinal fluid volume and the influence of body habitus and abdominal pressure. Anesthesiology 1996; 84: 1341-9.

Green NM: Distribution of local anesthetic solutions within the subarachnoid space. Anesth Analg 1985; 64: 715-30.

Lee Y, Balki M, Parkes R, Carvalho JC: Dose requirement of intrathecal bupivacaine for cesarean delivery is similar in obese and normal weight women. Rev Bras Anestesiol 2009; 59: 674-83.

Carvalho B, Collins J, Drover DR, et al: ED50 and ED95 of intrathecal bupivacaine in morbidly obese patients undergoing cesarean delivery. Anesthesiology 2011;114: 529-35.

Norris MC, Dewan DM: Preoxygenation for Cesarean section: a comparison of two techniques. Anesthesiology 1985; 62: 827-9.

Chiron B, Laffon M, Ferrandiere M, et al: Standard preoxygenation technique versus two rapid techniques in pregnant patients. Int J Obstet Anesth 2004;13: 11-4.

Ingrande J, Lemmens HJM: Dose adjustment of anaethetics in the morbidly obese. Br J Anaesth 2010; 105(Suppl 1): i16-23.

Lemmens HJ, Brodsky JB: The dose of succinylcholine in morbid obesity. Anesth Analg 2006; 102: 438-42.

Puhringer FK, Kresten P, Rex C: Sugammadex reversal of rocuronium-induced neuromuscular block in Caesarean section patients: a series of seven cases. Br J Anaesth 2010; 105: 657-60.

Pelosi P, Gregoretti C: Perioperative management of obese patients. Best Pract Res Clin Anaesthesiol 2010; 24: 211-25.

Mhyre JM, Riesner MN, Polley LS, Naughton NN: A series of anesthesia-related maternal deaths in Michigan, 1985-2003. Anesthesiology 2007; 106: 1096-104.

Abouleish E, Rawal N, Rashad MN: The addition of 0.2 mg subarachnoid morphine to hyperbaric bupivacaine for cesarean delivery: a prospective study of 856 cases. Reg Anesth 1991; 16: 137-40.

Mishriky BM, Geroge RB, Habib AS: Transversus abdominis plane block for analgesia after Cesarean delivery: a systematic review and meta-analysis. Can J Anaesth 2012; 59: 766-78.

Royal College of Obstetricians and Gynaecologists: Reducing the risk of thrombosis and embolism during pregnancy and the puerperium. Green-top Guideline No. 37a. Available at http://www.rcog.org.uk/womens-health/clinical-guidance/reducing-risk-of-thrombosis-greentop37a

동반질환이 있는 임산부의 마취관리

15-7 간 및 신장 질환

임신으로 인해 기존의 간 질환의 경과 혹은 치료에 영향을 받거나 임신과 관련하여 간질환이 발생할 수 있다. 간 기능 이상의 증상과 징후는 임신여부에 관계없이 유사하며 황달, 간비대, 소양증, 복통, 비장비대, 거미혈관종, 손바닥홍반, 간압통, 식욕감소, 표피박리 등이 전형적으로 나타나며, 더욱 진행되면 복수, 부종, 복부정맥 확장, 소화관 내 출혈, 간성구취, 정신혼돈, 혼미, 혼수 등이 발생한다. 신장 실질 질환은 사구체병증(glomerulopathy)과 요세관간질(tubulointerstitial)질환으로 나눠진다. 사구체병증은 염증성 또는 괴사성 병변을 보이는 신장염(nephritic) 증후군과 단백질이나 고분자물에 대하여 비정상적인 투과성을 보이는 신증후군(nephrotic syndrome)으로 나눌 수 있다. 요세관 간질질환으로는 간질신장염(interstitial nephritis), 신장낭포증(renal cystic disease), 신장종양(renal neoplasm), 그리고 기능적 관형결함(tubular defect)을 들 수 있다. 임신 중의 신장 질환의 발생 빈도는 약 0.12%이고 그 중 2/3는 사구체병증이고 나머지는 요세관 간질질환이다. 임신과 연관되어 나타나는 간과 신장 질환, 기존에 가지고 있던 질환으로 인한 임신 중 변화와 분만 및 제왕절개술 시에 병리학적 변화와 마취와 연관하여 나타날 수 있는 변화와 합병증들에 대해 알아보고자 한다.

1. 간질환

간에서 아미노산을 대사하는 대표적인 효소는 알라닌전달효소(alanine aminotransferase, ALT)와 아스파르테이트전달효소(aspartate aminotransferase, AST)가 있다. 임신 중에는 정상 수치이지만 간세포가 손상되면 이들 효소가 혈중으로 분비되어 비정상으로 된다. 또한 간은 혈액 중의 헴(heme) 대사로 생산되는 빌리루빈을 제거하므로 간이 정상기능을 하지 않으면 빌리루빈이 축적되어 황달이 생긴다. 또한 여러 종류의 응고인자들이 간에서 합성된다. 따라서, 빌리루빈이나 알부민, 프로트롬빈시간(prothrombin time, PT) 이상은 간 기능 장애를 나타내는 전형적 소견이다. 임신 중 혈중 알부민 농도는 상대적으로 감소하지만, 임신

중 PT 증가는 간질환의 가능성이 있다. 포도당 신합성(gluconeogenesis) 장애가 발생하면 저혈당과 유산염이 축적된다. 간에서 트롬보포이에틴(thrombopoietin)이 감소하고 문맥고혈압으로 지라항진증(hypersplenism)이 생기면 혈소판감소증이 생길 수 있다. 알칼리산분해효소(alkaline phosphatase, ALP)와 감마글루타민전달효소(γ-glutamyl transferase, γ-GT)는 담도세포에서 발견된다. ALP는 태아와 태반에서 생산되므로 임신 중 증가하지만 γGT가 증가하면 담도질환을 의심하여야 한다.

간은 해독작용을 하여 많은 독성물질과 약물을 제거하며, 간에서 암모니아를 요소로 전환시키지 못하면 축적 되어 뇌병증이 발생한다. 간경화로 estrogen이나 progesterone이 간에서 제거되지 못하면 과환기증의 요인이 되고 과estrogen 상태의 징후인 모세혈관확장증

이나 손바닥홍반 등이 생길 수 있다.

1) 간 질환과 임신

(1) 바이러스 간염

간염은 임신 중 황달 등의 증상으로 자문이 필요한 간질환의 원인으로 가장 흔하다. 증상이 없을 수도 있으나 심하면 전격성 간괴사에 이를 수도 있다. A, B, C, D, E, G형이 있으며 그 중 A, B, C형이 가장 흔하다. 헤르페스, 풍진, 거대세포바이러스에 의한 간염도 발생한다.

A형, E형 바이러스 간염은 감염된 사람의 분변으로 오염된 음식이나 물을 섭취하여 전파되므로 보건위생 수준이 높으면 발생률이 낮다. 예방접종으로 A형간염은 감소하였으며 바이러스에 노출된 후라도 면역글로불린으로 감염을 약화 또는 예방할 수 있다. 바이러스에 감염되면 황달전기가 지난 후 황달과 회백색 대변을 보는 황달기를 나타내며, 급성기는 지지요법으로 치료한다. 환자의 20%는 장기간에 걸쳐 반복적으로 발생하며 급성 전격성 경과를 밟는 환자는 1% 미만이다. 태아로의 수직전파는 드물다. E형 바이러스 감염은 무증상인 경우가 많고 증상이 나타나도 저절로 낫는다. 그러나 임산부이거나 다른 간염바이러스에 이미 감염된 경우는 전격성 간기능 상실(fulminant hepatic failure)로 진행될 수 있다. 면역억제 환자에서 만성 E형 감염이 발생하며 수직전파도 될 수 있다.

B형 간염와 D형 간염은 감염된 체액에 피부나 점막이 접촉되어 전파된다. 유병률이 높은 지역에서는 주산기나 이른 소아기에 감염되고, 유병률이 낮은 지역에서는 성접촉이나 약물중독자들의 주사바늘을 통하여 감염된다. 보건위생관리와 백신접종으로 발생은 줄어들고 있다. B형 간염 백신과 B형 간염 면역글로불린을 병용하여 노출 후 예방을 효과적으로 할 수 있으며 B형 간염 전파 방지와 주산기 전파의 90%를 막을 수 있다. 급성 감염의 대부분은 증상이 없고 30%에서만 전형적인 간염

증상이 나타나며 전격성간염으로 진행하는 경우는 드물다(0.5% 미만). 지지요법으로 치료되지만 심한 경우는 lamivudine 등의 뉴클레오사이드 유사체로 치료한다. 성인의 5% 미만, 소아는 20% 이상에서 만성으로 진행하며 분만 후에 만성 B형 간염이 악화될 수 있다. 만성 B형 간염환자에서 간경화증의 5년 누적 발생률은 20%에 이르며 일단 간경화가 발생하면 간세포암으로 될 위험도는 매년 5%이다. 그러므로 만성 B형 간염을 치료하여 바이러스를 제거해야 간염이 간경화증이나 간암으로 진행하는 것을 막을 수 있다. 치료하지 않으면 Be 항원 양성 임산부에서 태아로 약 90%가 수직 전파된다. 라미부딘이 부작용이 적고 안전하여 임신 중의 수직전파를 감소시킬 수 있으나 바이러스 저항성을 나타낼 위험이 크다. 반면에 인터페론은 일정한 치료경과를 보이며 바이러스 제거의 기회를 높이고 간경화증이나 간암의 위험을 감소시키지만 부작용이 많고 임신 중에는 금기이다. 현재 모든 신생아에게 B형 간염백신을 투여하고 감염 임산부에서 태어난 아기에는 B형 간염 면역글로불린(HBIG)을 투여하는 것이 추천되고 있다.

D형 간염 바이러스는 B형 간염과 동시감염이 되어야 복제가 가능하며, 두 바이러스에 동시 감염되는 경우(co-infection)가 B형 바이러스 단독감염보다 위중하여 급성간부전에 빠질 수 있다. 만성 B형 간염에서 D형 바이러스의 중복감염(superinfection)은 대부분 환자에서 만성 D형 간염으로 이행되며 이런 환자들은 더 빨리 간경화증으로 진행한다.

C형 간염은 감염된 혈액제제의 수혈이나 오염된 주사 바늘에 의하여 전파되며 모자감염이나 성접촉을 통하여 전해지는 경우는 적다. 일반적으로 감염초기에는 증상이 없으나 약 30%에서 급성간염을 일으킨다. 감염 12주가 지나도 없어지지 않는 급성 C형 감염에 페그인터페론을 치료하면 거의 98%에서 만성 감염으로의 이행을 막을 수 있다. 치료하지 않으면 대부분 6개월 이상 지속하여 만성 감염이 되고 30%에서 30년 안에 간경화증으

로 진행한다. C형 간염은 선진국에서 만성간염, 간경화, 간암(한 해에 3%까지 발생) 그리고 간이식을 하는 주된 원인이다.

G형 간염은 비경구적이나 성접촉을 통하여 전파되거나 임산부로부터 수직 전파된다. 혈액제제의 오염으로 감염될 수 있으며 급성, 전격성, 만성 간염이나 간섬유화의 보고가 있으나 G형 간염 바이러스는 간세포보다는 혈구형성 계통에서 증식한다. C형 바이러스 또는 인간면역결핍바이러스 동시감염환자나 조혈계통 암 환자에서 임상적으로 중요하다.

(2) 담석증과 담낭염

임신은 담석의 형성을 촉진한다. 임산부의 약 3%에서 담석증이 있지만 임신 중 담낭염은 0.1%에서 발생한다. 우상복부 통증과 발열, 백혈구증가를 나타내며 초음파를 이용하여 진단한다. 심하면 합병증으로 담관염, 췌장염, 괴사성 담낭염과 천공이 발생한다. 증상이 심하지 않으면 정맥 수분공급, 항생제, 진통제, 금식 등의 보존적 치료나 경피적 담낭조루술도 가능하지만 태아사망의 위험성이 증가할 수 있다. 임신 중이라도 복강경 수술 또는 개복술로 안전하게 담낭절제술을 할 수 있다.

(3) 간농양

간농양은 여러 경로를 통해 침투한 균들로 인해 발생하며 아메바, 포충(entamoeba), 간흡충, 회충 등에 의하여 발생한다. 의료기구를 통한 직접 침입이나 주사바늘을 통한 혈행성 전파도 가능하다. 충수돌기염, 게실염, 또는 복강 내 감염이 간으로 퍼질 수 있다. 면역이 약화된 환자에서는 진균 감염도 발생한다. 항생제 투여, 배농, 그리고 수술적 절제 등으로 치료한다.

(4) 자가면역질환

자가면역간염, 원발성담관경화, 원발성경화담관염이 동시에 발생하거나 다른 자가면역질환과 함께 생길

수 있다. Steroid나 면역억제제, 우루소데옥시콜린산(UDCA)으로 치료하나 결국엔 간이식이 필요할 수도 있다. 분만 후 급격히 악화되거나 간기능이 저하되어 임산부를 악화시키고 신생아는 중환자치료를 받아야 하는 경우가 생긴다. 면역억제제로 임신 중 급속한 악화를 줄일 수 있다.

(5) 혈관성 질환

임신이나 응고항진으로 간정맥이나 간상부 하대정맥의 혈전증에 의한 Budd-Chiari 증후군이 올 수 있다. 복통과 복수, 간비대 등의 증상이 나타난다. 우심부전, 중심정맥압을 상승시키는 심폐질환, 또는 간정맥의 유출을 막는 기계적 압박이 있으면 간정맥울혈이 발생한다. 이런 울혈성 간병증은 결국 섬유화, 문맥고혈압, 그리고 간부전이 된다. 초기엔 항응고요법으로 치료하고 만성이 되면 간이식이 필요하다. 간동맥이나 간문맥으로 혈액유입이 줄면 급성 허혈성/저산소성 간염이 발생하여 간질환이 더욱 악화한다. 술중 저혈압, 패혈증, 심폐정지, 폐혈전, 심부전, 열사병에서 이런 허혈성 간염이 겹쳐 발생할 수 있다.

(6) 대사성질환

윌슨병은 구리 배설이 감소하여 발생한다. 간에 구리가 축적되어 경화증이 되고 그 속도가 빠르면 급성 간부전에 빠진다. 신경학적, 안과적, 신장기능부전도 발생한다. 여성에서 생식능력은 줄지만 임신 중에 penicillamine과 같은 구리흡착제로 태아와 임산부에게 좋은 결과를 얻을 수 있다. 혈색소증은 철분이 침착하여 관절증, 피부 색소침착, 당뇨병, 뇌하수체저하증, 생식선저하증, 심부전, 간경화를 발생시킨다. 정맥절개로 저장철분을 감소시켜 생존율을 개선하고 합병증 발생을 예방한다. α1-antitrypsin (AAT) 결핍은 조직분해가 조절되지 않아 간경화나 폐기종성변화를 가져온다. 임신 중에는 태아성장이 지연되고 조기분만, 기흉이나 다른

폐손상이 발생한다.

(7) 약물에 의한 간독성

임신 중 간독성을 일으키는 약물로 아세트아미노펜, 알코올, 항레트로바이러스제(antiretroviral agent), 프로필티오우라실, α-methyldopa, isoniazide, 스타틴, 버섯류, 한약제, 기타 화공약품 등을 들 수 있다. 아세트아미노펜은 임신 중 약물과용의 20%에 달하는데 간에서 대사되는 능력을 넘어서면 모체와 태아 간손상을 일으킨다. 약물복용 16시간 이내에 N-acetylcysteine을 복용하면 모체와 태아의 독성대사물과 결합하여 이를 개선할 수 있다. 알코올을 다량 급격하게 섭취하면 알코올 간염의 위험이 있고 만성적 알코올섭취는 간경화를 발생시킨다.

2) 임신 중 특이한 간질환

(1) 임신입덧

임신입덧(hyperemesis gravidarum)은 임산부의 약 0.3%에서 발생하며 오심과 구토가 심해지면 임산부에게 탈수증, 전해질 불균형을 일으키고 간 효소치의 증가, 가벼운 황달, 그리고 일시적 갑상선항진증을 일으킨다. 원인은 호르몬, 감염(H. pylori), 기계적 원인(위식도 역류), 유전적 또는 정신적 요인을 들 수 있다. 비타민 보충, 항구토제 등으로 치료하나 심하면 장관 또는 비경구적 영양공급과 수액보충이 필요할 수 있다. 입덧으로 임산부체중이 적절히 증가하지 못하면 임신경과에 영향을 미칠 수도 있다.

(2) 임신 중 간내담즙정체

임신 중 간내담즙정체(intrahepatic cholestasis)는 비정상적인 estrogen 상태와 간세포막을 통한 인지질이나 담즙산염 이동의 대사적 변이 등 여러 요인에 의하여 발생한다. 임신 제2 또는 제3삼분기에 담즙산 혈청치가 상승하며 황달과 소양증이 손바닥과 발바닥에 발생하며 야간에 심하다. 담즙정체는 임산부의 건강에 거의 영향을 주지 않으나 비타민K 흡수장애를 개선하지 않으면 응고장애가 온다. 임산부의 예후는 양호하지만 태아 위험성이 증가하여 조기분만, 질식, 태변착색의 위험성이 증가한다. 태아합병증은 담즙산이 40 μmol/L 이상이면 증가한다. 태아폐가 성숙되어 분만할 수 있을 때까지 UDCA로 치료하며 소양증에는 항히스타민제를 사용한다. 임신기간이 길어질수록 태아사망 위험이 커지므로 임신 37주에 분만하는 것이 추천된다. 소양증이 심하거나 이전에 태아 사망이 있었던 경우는 더 조기에 분만하며 다시 임신하면 재발할 수 있다.

(3) 임신성 급성지방간

임신성 급성지방간(acute fatty liver of pregnancy, AFLP) 또는 가역성 주산기 간부전은 임신 7000명당 한 명 정도로 발생하며 쌍둥이 임신에서 더 흔하다. 모성사망률은 12%, 태아사망률은 66%에 이른다. 그러나 조기에 적극적으로 치료하면 사망률을 상당히 떨어뜨릴 수 있다. 이 질환은 간(신장)에 소포성 지방침윤이 특징적으로 나타나는 것으로 제3삼분기에 지방대사의 이상으로 발생한다. 증상은 식욕부진, 오심, 구토, 권태, 피로, 두통 등이다. 황달이나 부종, 고혈압, 저혈당, 요붕증 등이 생길 수도 있다. 전격성 간부전이나 신장부전으로 진행이 빠를 수도 있다. ALFP는 자간전증이나 HELLP증후군에서 나타나는 증상들과 비슷하여 오진하기 쉽다. AFLP는 내과적 응급상황이며 빨리 진단하고 치료하지 않으면 간부전과 태아 사망이 수일 이내에 발생할 수 있다. 치료는 고혈압 조절, 발작예방, 태아분만, 임신중단이며 태아를 빨리 분만시키는 것이 중요하며, 심하면 간이식의 적응이 되기도 한다. 분만 48시간 내로 간기능, 신기능 그리고 응고장애가 악화되며 수 주에 걸쳐서 회복된다. 이를 지나면 간에 이상소견은 남지 않으며 간 생검을 하여도 섬유화는 보이지 않는다. 가능하면 회음절개를 피하고, 응고장애로 제왕절개 후 수술창이 벌어지거나 지연성 창상봉합의 적응증이 되기도 한다. 분만 후 출혈을 예상하여, 적절한 정맥로를 확보하고 수혈용 혈액을 즉시 주입할 수 있도록 준비한다.

(4) 임신 중 간파열

자간전증, 자간증, HELLP 증후군, 그리고 AFLP에서 간파열이 발생할 수 있다. 파열되기 전에 간 실질에 혈종이 생겨 점차 팽창하면 캡슐과 간실질이 박리되어 파열된다. 문맥 주변의 혈성괴사와 고혈압, 그리고 응고장애는 이러한 혈종형성이 자간전증과 연관이 있는 것으로 여겨진다. 드물게 태아가 간에 착상되는 원발성간임신(primary hepatic pregnancy)도 간의 출혈과 쇼크를 일으키는 원인이 된다. 그 외에도 간혈관종, 선종, 기타 출혈성 종괴가 생길 수 있다.

임신 중에 간파열이 발생하면 60% 이상이 사망하지만 이러한 증례가 널리 알려지고 진단방법이 개선되면서 사망률도 감소하였다. 초음파, CT, MRI, 혈관조영술, 동위원소법(technetium scintigraphy), 시험적 개복술로 혈종이 파열하기 전에 찾아낼 수 있다. 간 내에 있는 혈종은 수액투여와 수혈로 보존적 치료를 한다. 아니면 개복술, 간동맥 결찰 또는 색전술, 그리고 출혈점의 압박 등으로 할 수 있다. 출혈이 멈추지 않으면 recombinant factor VIIIa 투여나 최후로 간이식을 고려한다.

3) 간 기능부전

(1) 급성간부전

임신에 따르는 간질환의 극단적인 합병증으로 급성 전격성 간부전이 생길 수도 있다. 환자의 상태가 급하게 악화되어 생명이 위험할 정도이면 중환자 치료가 필요하다. 정해진 치료법이 있는 증례 외에는 지지요법을 하며, 임신으로 발생한 간부전에서는 즉각 분

표 15-7-1 임신 중 간질환

	임신입덧	임신 중 간내담즙정체	자간전증/자간증	HELLP 증후군	임신성급성지방간
빈도	< 0.3%	0.3~6%	2~8%	0.1~0.6%	<0.01%
발생	1석달기	2, 3석달기	2, 3석달기, 또는 분만 후	2, 3석달기, 또는 분만 후	3석달기
증상, 징후, 합병증	오심, 구토, 케톤증	소양증, 황달	고혈압, 단백뇨, 부종, 발작, 신부전, 폐부종, 간혈종/간파열	복통, 신기능장애, 고혈압, 간혈종/간파열, 간경색	오심/구토, 복통, 황달, 간부전
검사실 소견	아미노전달효소 상승	혈청담즙산 증가, 고빌리루빈혈증, 간기능검사의 경도 이상	혈소판치 감소, 단백뇨, 요산치 증가, 아미노전달효소치의 경도 증가	혈소판치 감소, 용혈, 아미노전달효소치의 중등도 증가	혈소판치 감소, 저혈당증, 아미노전달효소의 경도/중등도 증가
치료	지지요법	태아성숙시 분만, 우루소데옥시콜린산	혈압조절, 발작조절, 분만	즉각 분만	즉각 분만
결과	양성	임산부사망 증가 없음, 조기분만과 태아소실 증가, 재임신이나 담도계 질환에서 재발	임산부이환율과 사망률 증가, 주산기 이환율 위험 증가	모성사망률 1~4%, 태아사망률 1~30%	모성사망률 < 12%, 태아사망률 < 66%

HELLP, hemolysis, elevated liver enzymes, and low platelet count.

만을 진행시킨다. 아세트아미노펜 중독은 아세틸시스테인(acetylcysteine) 치료, 자가면역간염은 steroid, 급성B형 간염은 lamivudine, 광대독버섯(Amanita phalloides) 중독은 페니실린, 윌슨병에는 구리흡착제를 투여하여 치료한다.

간에서 암모니아 대사가 감소하면 별아교세포에 글루타민이 침착하고 뇌부종이 생기며 뇌병증(enchphalopathy)이 발생한다. 정신상태가 미묘하게 변화한 후, 졸음과 지남력 장애, 그리고는 결국 혼수상태에 이른다. 뇌관류압(cerebral perfusion pressure, CPP)을 측정하려 침습적인 두개강내압(intracranial pressure, ICP) 감시장치를 설치하는 것은 출혈의 위험성이 있어 논란의 여지가 있지만, ICP는 25 mmHg 이하를 유지하고, CCP는 50 mmHg 이상으로 하는 것이 좋다. 경정맥팽대부(jugular bulb) 산소포화도는 뇌의 산소소모 정보를 제공한다. 55% 이하는 대뇌 관류저하 상태이고 85% 이상이면 대뇌충혈이거나 신경계 대사가 부적절한 것을 나타낸다.

치료는 우선 환자를 조용한 환경에서 머리를 올려주는 자세로 해준다. 두개강 내 고혈압에는 mannitol이나 고장성 식염수를 투여하고 뇌병증이 진행하면 기관삽관을 고려한다. 기관내삽관은 폐흡인을 예방하고, 진정치료를 할 수 있어서 흥분으로 인한 ICP의 증가를 예방하며, 과환기를 용이하게 하여 불응성 두개강 내 고혈압 치료를 할 수 있다. 과한 호기말양압, 고탄산혈증(hypercarbia)은 피하고 흡인을 자주하지 않는게 좋다. 뇌산소요구량을 줄이기 위하여 펜토탈 혼수, 경도 저체온요법(35℃~36℃) 또는 근이완제를 투여하면서 중등도 저체온법을 시행한다. 페니토인이나 propofol을 투여하여 경련을 예방한다. 치료에도 불구하고 CPP나 ICP에 반응이 없으면 뇌혈류를 확인하여 간이식 명단에서 제외한다.

간부전에서는 간에서 생산되는 대부분 응고인자의 합성이 장애를 받고, 또한 트롬보포이에틴의 생산 감소, 급성 문맥고혈압과 지라 격리(sequestration), 골수에서의 생산 감소로 혈소판감소증이 된다. 따라서 응고장애가 나타나며 파종혈관 내 응고(disseminated intravascular coagulation, DIC)도 발생할 수 있다. DIC에는 점막이나 피부, 위장관계 출혈이나 의인성 출혈이 발생한다. 담즙정체는 응고인자 II, VII, IX, X의 합성에 필요한 비타민K 흡수장애를 일으킨다. 흡수장애가 주된 원인이면 비타민K를 투여하여 치료할 수 있으나 간에서 응고인자의 합성장애가 있는 경우에는 반응이 없을 것이다. 출혈이 있거나 침습적 처치가 예정되어있는 경우가 아니면 신선동결혈장이나 혈소판을 미리 수혈할 필요는 없다. 양성자펌프억제제(proton pump inhibitor)는 스트레스위궤양과 출혈을 예방하는데 도움이 된다.

전신혈관저항의 감소로 순환부전이 흔하며 무증상의 심근손상도 흔하다. 저혈압에는 수액투여를 하지만 수액공급이 과도하면 뇌부종이나 급성 폐손상의 위험을 증가시킨다. 그러므로 dopamine이나 norepinephrine을 투여하여 CPP를 유지시킨다. vasopressin이나 epinephrine은 장 혈류나 산염기상태 그리고 ICP에 악영향을 끼칠 수 있다. 혈압상승제에 반응이 없는 환자에는 steroid 투여를 고려한다. 유산 생성이 증가하고 간에서 흡수가 저하되면 대사성산증이 온다. 또한 40%의 환자에서 신기능이 장애를 받는다. 신부전, 산혈증, 전해질장애 또는 용적과부하에는 지속적인 혈액투석이 필요하다. 포도당신합성의 저하는 저혈당증으로 이어지나, 과혈당증은 신경학적 손상을 악화시킨다. 저칼로리, 저글루타민, 정상 단백질의 장관을 통한 영양공급이 더 좋다. 간기능이 회복되지 않으면 간이식을 해야 한다. 공여자를 기다리는 중간에 전간절제술이나 임시 간문맥션트를 할 수 있다. 부분적 정위 간이식을 시행할 수도 있으며 인공적인 보조장치나 생체인공간 보조장치도 개발되고 있다.

(2) 간경화와 만성 간부전

모든 만성 간질환은 간경화증으로 진행하여 미만성의 간섬유화가 나타난다. 간 실질의 약 90%가 파괴되거나, 간상태가 더 이상 견딜 수 없을 때가 되어서야 간경화의 증상이 비로소 나타날 수도 있다. 급성간부전과 유사한 증상들이 서서히 점진적으로 나타나며, 간경화에 특이한 증상들도 있다. 간경화 환자의 임신이 드문 이유로는 가임 연령에 간경화가 드물어서 그렇기도 하지만, 가임기에 간경화증에 걸리면 호르몬의 변화로 배란이 힘들기 때문이다. 임신 시에도 자연유산율, 미숙아의 위험, 주산기 사망률은 건강한 임산부에 비하여 높다.

간섬유화는 문맥혈류에 대한 저항을 증가시켜서 문맥 고혈압을 발생시키고 혈액이 식도정맥, 직장정맥, 그리고 다른 복강 내 정맥 등의 문맥전신 문합을 통해 흐르게 한다. 이런 부순환혈관이 충혈되고 확장되면 출혈 위험성이 증가한다. 또한 응고인자 생산 감소와 저혈소판증으로 출혈이 악화된다. 식도정맥류 출혈은 간경화증이 있는 임산부의 32%에서 발생하고 문맥고혈압이 있는 환자의 약 50%, 정맥류 병력이 있는 경우의 78%에서 발생하며 사망률은 약 50%에 이른다. 대개 임신 후반기에 혈액량이 증가하고 태아의 성장으로 부순환 혈관이 압박될 때 발생한다. 특히 분만 2기에는 반복적으로 복압이 증가하여 더욱 위험하다. 분만 2기에 복압 증가를 피하고 분만 시간을 단축시키면 이런 위험을 줄일 수 있다. β아드레날린 길항제는 심박출량 감소와 내장혈관수축으로 문맥압을 떨어뜨려 정맥류 출혈 위험성을 감소시키지만 태아 합병증의 발생 가능성이 있다. 고위험도 임산부에서는 예방적 내시경 밴드결찰이나 수술적 문맥대정맥 션트도 고려할 수 있다. 급성식도정맥류 출혈은 기관내삽관으로 기도를 확보하고 내시경 밴드결찰술을 시행한다. 안되면 경정맥을 통한 간내 문맥전신 션트술이나 수술적 션트를 시행한다.

간경화환자에서 비장동맥류(splenic artery aneurysm)가 생겨 임신 후반기에 파열되면 모성 및 태아사망률이 높아진다. 치료는 비장절제술, 카테타 색전술, 그리고 스텐트 이식술 등이다. 산후 자궁출혈은 모성 이환율과 사망률을 증가시키는데 간경화 환자의 약 10%에서 발생한다. 문맥 고혈압 환자가 제왕절개술을 받으면 복강 내 측부혈관으로 출혈이 증가한다.

간경화 환자는 암모니아 축적으로 뇌병증이 발생할 가능성이 있으며 진정제나 감염, 저혈당증, 위장관 출혈, 저혈압, 저산소증에 의하여 유발 또는 악화할 수 있다. 유발요인을 교정하고 락툴로오스, 네오마이신과 같은 비흡수성 항생제를 경구로 투여하여 위장관을 통한 질소 함유물의 흡수를 감소시킨다. 복수는 임신 중 심하지 않으며, 치료는 나트륨 제한과 이뇨제 투여이다. 내과적 치료에 반응하지 않는 복수는 복수천자를 시행하지만, 세균성 복막염과 임신 합병증의 위험이 있다. 전신 혈관저항이 감소하며 심근병이 없는 한 심박출량은 증가한다. 폐혈관저항이 증가하는 문맥폐(portopulmonary) 고혈압은 세동맥의 내층증식, 혈전증, 섬유화로 인하며, 결국에는 우심부전으로 이어지는 진행성 질환이며, 간신증후군이나 간폐증후군은 간경화 임산부에 드문 합병증이다.

4) 임신과 간수술

(1) 임신 중 간이식

임신 중에도 간이식을 하여 성공적인 결과를 보고한 증례도 있다. 임신 중 심한 전격성 간부전이 발생한 경우라도 적절한 공여자가 있다면 간이식의 적응증이 된다. 임신 제2삼분기에 이식수술을 하면 임산부에게는 좋은 결과를 보인다. 그러나 자연유산, 태아사망, 신생아 사망 등 태아 결과는 좋지 않을 수 있고, 태아 기형의 발생 가능성이 있어 유산을 고려한다. 이식 간이 없는 경우는 공여자를 기다리거나 간기능이 회복될 때까지 일시적으로 인공 지원장치를 사용한다.

(2) 간이식 후의 임신

간이식 환자에서 임신 보고는 상당히 많다. 만성 간질환에 의한 호르몬 변화로 월경이 없어졌더라도 간이식이 성공하면 가임기 여성의 월경은 대부분 회복된다. 면역억제치료를 받지만 이식환자 임산부들의 생존 출생률은 엇비슷하다. 간, 췌장, 소장을 이식하고도 성공적인 임신과 출산을 한 경우도 있다. 전체적으로 간이식 수혜자에서의 임신결과는 양호하나 임신 합병증이 흔하며 모체에게 고혈압이 가장 큰 위험이고, 영아에게는 조기분만이 가장 큰 위험이다. 면역억제제에 따라 임산부합병증의 발생빈도가 달라지기도 한다. 이식수혜환자는 임산부와 태아결과를 좋게 하기 위하여 이식편 기능과 면역억제제가 안정되도록 1~2년을 기다려 임신할 것을 추천한다.

(3) 간절제

기존의 간질환 여부와 관계없이 양성 및 악성 간종양이 임신 중에 발생한다면 수술로 절제해내는 것이 확실한 치료법이며 부분 간절제술 후 임산부의 예후는 좋다. 임신은 중단하거나 간절제와 동시에 제왕절개술 또는 그 이후에 질식분만을 하는 수도 있다.

(4) 경정맥경유 간내문맥전신순환션트

다른 치료에 듣지 않는 정맥류 출혈 또는 심한 복수의 경우 경정맥경유 간내문맥전신순환션트의 적응이 된다. 그러나 우심부전, 다낭간질환(polycystic hepatic liver disease), 심각한 간부전, 전신 감염, 간성뇌병증, 간종양, 문맥 혈전증 등은 금기증이다. 투시 하에서 경정맥으로 혈관내침을 간정맥으로 넣어 간내 스텐트로 문맥과 전신정맥계를 소통시켜 문맥계를 감압시키는 것이다. 태아에게 최소한의 방사선 노출로 성공적으로 시행하면 임신을 유지할 수 있다.

5) 간질환과 마취관리

간기능 장애의 정도가 마취관리에 영향을 미친다. 간이 정상적인 합성 및 대사기능을 유지하고 있다면 건강한 임산부의 마취와 다르지 않을 것이나, 심한 간기능 장애를 보인다면 고려해야 할 것이 많다. 우선 마취의는 간장애를 평가하고 응고장애와 체액량을 포함한 전신적인 신체 이상을 파악하여야 한다. 분만 전 임산부 건강을 안정시키기 위하여 산과의와 협력해야 함은 물론이다. 분만, 출산, 제왕절개술에 필요한 척추마취 및 진통법을 준비하고 척추마취를 하기 전에 응고장애가 없는 것을 확인해야 한다. 마취 중에는 적절한 간 혈류량을 유지하면서 간에 산소를 공급하여 간손상을 예방하여야 한다. 약역동학이 변한 것도 고려해야 한다. 의료진에게 바이러스 간염이 전파되는 것을 방지하고 술후 간기능 부전 여부를 감시하고 평가한다.

기존 간질환에 더하여 허혈이나 다른 손상이 가해지면 간기능 부전이 악화할 가능성이 있다. 간질환의 존재가 수술결과에 영향을 미치지 않았다는 보고도 있지만, 임산부를 대상으로 한 보고가 아니더라도, 많은 후향적 분석에서 간질환을 가진 환자의 술전 간질환의 심각한 정도가 술후 이환율 및 사망률에 영향을 미치므로, 간질환에 대한 완전한 평가와 치료가 끝날 때까지 복부수술을 연기하거나 피하는 것을 추천하고 있다. 임산부에서 분만 시기는 임산부와 태아 상태를 고려하여 결정하며, 분만 전에 간질환을 완벽하게 평가하는 것이 좋다. 임신으로 악화되는 급성지방간이나 담즙정체(cholestasis), 또는 임신으로 간 상태의 완전한 평가가 불가하다면 조기분만을 고려한다.

(1) 마취가 간에 미치는 영향

흡입마취제는 간혈류량을 감소시켜 엔플루란과 halothane은 약 20% 이상 감소시킨다. Isoflurane과 sevoflurane, desflurane의 감소 정도는 적은 것으로 알려져 있다. 또 halothane은 간염을 일으킬 수 있다. 아산화질소도 간혈류를 감소시키며 정맥마취제인 propofol이나 ketamine은 간혈류량을 유지하는데 유리하다. 척추마취로 교감신경이 차단되어 저혈압이 되면 간혈류량은 감소한다. 요추부 경막외마취 중에 저혈압으로 간혈류량이 감소하는 것은 수액투여로 개선되지 않지만 dopamine을 투여하면 개선된다고 한다. 마취 중에는 적절한 수액공급으로 전신적인 저혈압의 발생을 피하고, 임상적으로 영향을 미치는 간혈류량 감소를 최소화하여야 한다.

(2) 간부전에 의한 약동학적 영향

간은 약물결합 혈장단백질을 합성하고 약물을 제거하는 기능도 있다. 따라서 간질환은 마취 중 사용하는 약물들의 약동학을 변화시킨다. 간세포의 기능부전과 간혈류 감소는 약물대사와 제거를 감소시킨다. 혈장단백질의 간합성 장애는 단백질약물결합을 감소시켜 약물 자유부분을 증가시켜 간에서 제거될 수 있는 약물을 늘린다. 이는 약물의 효과와 제거에 영향을 미치는 조직작용부분과 효과분포용량(effective volume of distribution)을 증가시킴으로써 약물의 효과와 제거를 변화시킨다. 심한 간질환이 있으면 여러 약물의 제거율이 감소하여 약물을 반복적, 지속적으로 투여하면 약물이 축적되어 부작용을 일으킬 위험이 커진다. 또한 마취제는 건강인에 비해 간성뇌병증 환자의 진정도를 높이고 의식혼란을 가중시킨다.

간질환자에서 morphine, meperidine, alfentanil 같은 아편유사제의 제거율이 감소할 수 있다. Fentanyl이나 sufentanil의 제거율은 별 영향이 없지만 지속적인 투여는 문제를 일으킬 수 있다. Remifentanil은 혈장과 조직의 에스트라제에 의하여 분해되므로 약역동학의 큰 변동은 없다. Methadone은 거의 정상 분포를 보인다. Codeine은 간에서 morphine으로 전환되어 진통효과를 나타내고 제거되므로 간 장애에서 안전하지도 효과적이지도 않으며 tramadol도 비슷하다. Etomidate나

미다졸람, 디아제팜과 같은 benzodiazepine들의 효과는 연장되지만, propofol이나 메토헥시탈, thiopental sodium의 제거율은 마취유도용량에서는 변화하지 않는다. 간에서 제거되는 vecuronium이나 rocuronium과 같은 근이완제나, 간합성 효소에 의하여 분해되는 succinylcholine, 또는 분포용적이 큰 판큐로니움은 작용시간이 연장되고, 간기능에 영향받지 않는 atracurium, cisatracurium은 정상 작용시간을 나타낸다. 아마이드 국소마취제인 lidocaine, bupivacaine, ropivacaine의 반감기는 연장되어 독작용을 나타낼 위험성이 증가한다. 2-클로로프로카인 같은 에스터 국소마취제는 pseudocholinesterase의 간 합성이 감소하여 반감기가 증가할 가능성이 있다. 간경화환자라도 급성 통증에 아세트아미노펜의 보통 복용량 투여는 괜찮지만 장기간으로 투여하면 간 손상을 유발할 수 있다. Ketorolac의 대사는 정상이나 비스테로이드성소염진통제는 신기능부전을 유발할 수 있어서 피해야 한다.

(3) 척추마취

간질환이 있는 임산부에서 심각한 체액량 부족이나 응고장애가 없다면 진통, 질식분만, 그리고 제왕절개술을 시행하는데 척추마취를 선호한다. 척추마취를 하기 전에는 완벽한 응고검사와 혈소판검사를 하고 혈관내용적을 평가하여야 한다. 또한 문맥고혈압이 있으면 경막외강 정맥총의 충혈 정도가 보통 임신 때보다 심할 것이므로 바늘이나 카테타를 경막외강에 삽입할 때 혈종의 발생 가능성에 주의하여야 한다. 경막외마취 시 더 우수한 국소마취제는 없지만 bupivacaine과 fentanyl을 많이 사용한다. 가는 바늘로 척추마취를 하면 약물대사와 출혈의 위험성을 최소화할 수 있지만 급격한 혈압강하로 인하여 간혈류가 감소할 위험성은 있다.

(4) 전신마취

응고장애나 산과적 출혈, 정신상태의 변화 그리

고 태아의 상태에 따라 제왕절개술에 전신마취를 해야 할 때가 있다. 전신마취를 유도하기 전에 혈관내용적을 평가해야 한다. 심한 심혈관계 합병증이나 문맥폐고혈압이 있는 환자에서는 침습적 혈압감시와 폐동맥 카테타를 삽입하여 심혈관계를 감시하면서 마취를 시행하는 것이 유용하다. 굵은 정맥도관으로 혈관을 확보하고 혈액제제도 준비해둔다. 신속삽관 전에 위액중성화를 해둔다. 일반적으로 사용되는 마취유도제는 모두 안전하게 사용할 수 있으므로 용량을 변동시킬 필요는 없다. Pseudocholinesterase 농도가 감소하여 succinylcholine의 대사가 늦어질 수는 있지만 임상적 중요성은 무시해도 될 정도이다. 즉 전신마취로 신속 기관내삽관법이 필요한 환자에서는 succinylcholine을 우선 사용할 수 있고, 건강한 사람과 동일한 용량을 사용하면 된다. 필요하다면 식도정맥류가 있더라도 위관(gastric tube)을 주의하여 거치한다. 마취유지는 간혈류를 감소시키거나 간대사에 영향을 받는 여러 흡입마취제나 축적될 위험이 있는 정맥마취제를 사용하는 것보다, 간 대사에 영향이 적은 isoflurane, desflurane, atracurium, cisatracurium, remifentanil, N$_2$O를 사용하는 것이 좋다.

(5) 술후관리

심한 간질환이 있으면 술후통증조절에 투여되는 아편유사제의 제거가 늦어지는 것을 고려하여 신중하게 정맥투여한다. 아편유사제, 특히 morphine을 척추로 한 번 투여하는 방법은 체내 축적 가능성을 최소화할 수 있다. 간질환이 진행되면 뇌병증이 생길 수 있고 마취제의 술후 잔여효과, 급성 간 보상부전, 두개내강 문제 등은 수술 후에 신경학적 이상 소견을 나타낸다. 그러므로 진행된 간질환 임산부를 수술 후에 적절하게 보살피기 위해서는 신경학적 관찰과 간기능의 검사, 관찰이 반드시 필요하다.

2. 신장질환

임신 중 신장질환은 모체와 태아의 건강에 장애를 일으킬 수 있다. 정상적으로 임신 초기에 혈관내용적이 증가하고 신장이 커진다. 호르몬의 영향으로 신우와 요관이 확장하고 요관 연동운동은 감소한다. 자궁정맥과 난소정맥 그리고 임신자궁은 요관배출을 막아 임산부에서는 방광요관역류나 상행성 감염이 많다. 심박출량 증가와 신장내 혈관저항 감소로 임신 중 신혈류는 80% 증가하고 사구체여과율은 50% 증가하며 만삭이 가까워질수록 덜해진다. GFR이 증가하므로 혈청 크레아티닌 농도가 0.6~0.8 mg/dl, BUN농도가 8~9 mg/dl 이상이면 임산부에서 신부전을 의심한다. 요세관 나트륨 재흡수와 삼투조절이 재설정되어 임신 중 생리적 과혈량증으로 된다. 임신 중에는 24시간에 300 mg에 이르는 단백뇨도 발생한다.

1) 신장질환과 임신

(1) 진단

신장질환이 있는 여성이 임신하면 신장의 손상 정도를 파악하고 고혈압이나 그 치료의 효율성을 판단한다. 크레아티닌 제거율과 단백뇨의 정도를 파악하며 요검사로 콩팥원주(renal cast)와 세균뇨(bacteriuria)를 알 수 있다. 혈청 크레아티닌과 BUN 농도는 신부전 정도를 파악할 수 있다. 임산부에서는 혈청 크레아티닌 농도가 0.8 mg/dl 이상이면 심각한 신기능 부전을 나타낼 수 있다. 산전검사에서 신장 기능의 이상을 발견하고, 단백뇨, 혈뇨, 탄소혈증 등이 발견되면 전체적인 생화학검사를 시행한다.

자간전증과 신장질환은 고혈압, 단백뇨, 부종 등을 임신 20주 이후에 구별이 확실하지 않을 수 있다. 신장 생검은 혈뇨나 신장 혈종 등의 합병증이 발생할 가능성이 있지만 진단을 확인하는데 유용하다. 고혈압 환자나 임산부는 생검후 합병증 발생 위험도가 크다. 따라서 임산부에서의 콩팥생검은 신기능이 급격하게 악화하는 경우나, 임신 28주 이전에 신장증후군의 증상이 나타나 확진이 적절한 치료를 하는데 도움이 될 경우에 하는 것이 좋다.

(2) 임신의 영향

신기능 부전이 미미한 경우는 임신이 신장질환의 자연경과에 큰 영향을 미치지 않는다. 신장기능부전 정도가 중등도 이상(첫 방문 시 혈청 creatinine이 1.4 mg/dL 이상)이면 임신말기에는 creatinine이 증가하고 고혈압 빈도도 두 배로 증가하며 임신에 의한 모체의 신기능도 40% 이상에서 악화한다. 혈청 크레아티닌농도가 2.0 mg/dL 이상인 사람이 임신을 하면 약 1/3의 경우에서 투석이 필요할 정도로 심각하게 진행될 수도 있다. 임신이 신장질환을 악화시키는 이유로는, 임신으로 사구체관류가 증가하여 이미 기능에 이상이 생긴 콩팥 손상을 악화시킬 가능성과, 신장질환에 의한 혈소판응집, 미세혈관의 피브린혈전 형성, 그리고 내피기능장애로 인한 콩팥의 미세혈관 손상을 들 수 있다.

만성신장질환 임산부는 모체와 태아합병증의 발생 위험이 크다. 모체합병증으로 임신성 고혈압, 자간전증/자간증, 임산부사망 가능성이 높다. 태아합병증으로 조산, 태아성장제한, 자궁 내 성장제한, 태아발육지연, 신생아 사망률, 사산, 저체중아 등이 있다. 모체합병증 발생은 신장질환이 없는 경우의 5배에 달하며, 태아에 합병증은 두 배에 달한다. 산과적 합병증의 빈도는 임산부의 신장질환과 고혈압에 비례하며 자간전증, 조산, 제왕절개술, 태아성장저하 또는 신생아 중환자실 치료가 증가한다. 고혈압과 임신전 혈청뇨산치로 예측할 수 있으며 가벼운 신장질환의 경우는 큰 문제가 되지 않는다. 하지만 중등도 이상의 신장질환에서 합병증은 증가하여 조산(59%), 태아성장제한(37%), 제왕절개술(59%) 빈도

는 커진다. 신장기능부전 정도와 고혈압 유무에 따라 신생아 생존율은 64에서 98%에 이른다.

(3) 치료와 관리

① 임신관련 치료

임산부의 신장기능이나 혈압, 태아발달을 자주 점검한다. 크레아티닌 농도의 측정과 크레아티닌 제거율, 그리고 단백뇨를 검사하여 신장기능의 악화를 조사한다. 분만 전에 마취과 의사의 자문과 협진을 의논한다. steroid에 반응하는 사구체염은 임신 중에도 계속 투여받는다. 임신 28주 이전에 신장기능이 급속히 악화하면 콩팥생검을 실시하고, 급성 진행성 사구체병증이면 치료해야 한다. 필요하면 고혈압 치료도 시행한다. Erythropoietin은 임신 중 임산부의 빈혈을 개선하는데 도움이 되며, 단백질 섭취 제한은 태아 성장제한의 위험성이 있다. 임산부의 신기능이 악화되거나, 자간전증, 그리고 태아가 위험할 때는 조기분만을 시도한다.

② 혈액투석과 외래복막투석

신장질환이 말기신부전(GFR이 5 ml/min 이하) 상태까지 진행되면 생식능력이 억제되어 임신이 되는 경우는 드물고, 투석을 받으면서 규칙적인 월경을 하는 경우는 10% 이하이며 약 40%에서 무월경을 보인다.

투석에는 체외혈액투석과 체내복막투석이 있다. 혈액투석은 혈관시술을 통한 조작과 항응고제를 필요로 하고 심혈관계가 불안정해지며 체액과 전해질의 변동이 심하며 감염의 위험성이 있다. 저혈압은 자궁태반 관류를 어렵게 하므로 투석중에는 태아심음을 감시하는 것이 좋다. 혈액투석 시에 자궁태반혈관계를 벗어나 동맥혈이 분포하므로 투석은 자주 짧게 하는 것이 좋다. 외래복막투석이 혈역학적 부담이 적고 태아에 비교적 안정적이며 집에서도 가능하여 편한 점이 있으나, 태아생존율이 더 좋은 것은 아니다. 또한 복막염이나 카테타와 관련된 합병증이 발생할 수 있다.

투석 중인 여성이라도 투석방법에 관계없이 성공적인 임신 가능성에 대한 보고는 많다. 최근에는 혈액투석 임산부의 71%, 복막투석의 64%에서 성공적인 분만을 한다. 임산부합병증으로는 영양실조, 빈혈, 고혈압이 있고, 태아 합병증으로는 태아성장제한, 태아사망, 그리고 조기분만을 들 수 있다. 투석 전 BUN치는 50 mg/dL이하, 투석 후에는 30 mg/dL 이하로 유지하여야 한다. 출생 시의 신생아의 질소혈증이 있어도 신생아 신기능은 정상이어서 빨리 교정된다.

혈액투석 치료환자는 바이러스 간염, 활동성 결핵, 반코마이신 저항 장구균, HIV, 메티실린 저항성 황색포도상구균(MRSA)의 감염률이 높으며, C형 간염에 걸릴 위험성이 높다. 최근의 위생관리의 발달로 감염률은 현저히 감소하였다.

(4) 신질환과 마취관리

마취관리는 신기능부전과 고혈압 정도에 영향을 받는다. 신질환이 안정적이고 신기능 부전이 중등도 이하이며 고혈압이 잘 조절되면서 혈액량이 정상이면 특별한 주의점은 거의 없다. 반면 말기 신부전으로 투석 중인 환자는 다른 기관에 대한 영향이 크므로 마취에 신경을 써야 한다(표 15-7-2). 고혈압을 치료하지 않으면 좌심비대와 기능부전이 생긴다. 심혈관계의 이상 증상이 발생하면 심장초음파로 심실기능을 평가한다. 혈압조절이 잘 안되면 마취를 할 때 직접동맥압을 측정하여 조절한다. 심한 요독증이 지속되면 심막염, 심근병이 생기고 죽상경화증이 가속화된다.

Erythropoietin의 생산 장애로 인한 정상색소, 정상적혈구 빈혈이나 만성 위장관 출혈, 그리고 비타민 결핍이 흔하게 나타난다. 빈혈이 있어도 수혈이 반드시 필요한 것은 아니다. 요독증 물질은 혈소판의 기능적 결함을 일으키지만 투석으로 교정되며, 말초의 혈소판 파괴로 혈소판감소증이 발생한다. 투석치료에 투여한 항응고제로 전신적인 응고장애가 올 수 있다. 특히 척추마취를

표 15-7-2 만성신부전 마취 시 고려 사항

심혈관계	고혈압, 수액과다, 심근비대, 심근염, 심근병증, 죽상경화증
호흡기계	늑막삼출, 반복 호흡기감염, 기도확보 곤란
대사 및 내분비계	고칼륨혈증, 대사성산증, 저나트륨혈증, 저칼슘혈증, 고마그네슘혈증, 약물단백결합 감소, 저혈당증
혈액계	빈혈, 혈소판 기능부전, 응고인자 감소, 백혈구기능부전
신경계	자율신경병증, 말초신경병증, 하지불안증후군, 경련발작, 뇌혈관부전, 정신상태변화
위장관계	위배출감소, 위산도 증가, 간정맥울혈, 간염, 영양결핍

실시하려면 완벽한 응고검사와 출혈 병력을 청취하여야 하고 투석용 누공이 있는 팔에는 패드를 잘 덧대어 혈전증이 생기는 것을 예방하고 혈압계커프 설치도 피한다.

① 척추마취

경막외마취를 포함한 척추마취는 분만진통과 제왕절개술의 마취방법으로 선호된다. 그러나 신장질환 임산부들에게 고려해야 할 점들이 있다. 우선 요독증환자는 최근의 투석 여부에 따라 고혈량증 또는 저혈량증일 수 있다. 저혈량증에 자율신경병증이 동반되면 교감신경이 차단되어 심한 저혈압이 발생할 수 있으므로 마취유도 전에 혈관내용적을 평가하여야 한다. 임상 징후(피부의 긴장감, 점막, 빈맥)로 평가가 어려우면 중심정맥압이나 경흉부 초음파를 이용한다. 신장이식환자에서 저혈압 발생의 예방을 위하여 미리 수액을 정맥투여하는 것은 효율적이지 않다. 척추마취(경막외마취) 시 혈압을 자주 측정하여 저혈압은 즉시 치료해준다. 감각소실 등의 말초신경병 증상은 척추마취 시행 전에 미리 기록을 남겨 둔다.

만성 신부전환자에서 국소마취제의 전신독작용(local anesthetic systemic toxicity, LAST)을 발생시키는 농도가 정상인과 다른지는 알려져 있지 않다. 그

러나 신장질환이 있는 환자에게 bupivacaine으로 척추마취를 시행하면 최대 마취분절까지 마취되는 데 걸리는 시간은 약 10분가량 단축되고 지속시간은 감소한다. 또한 감각소실의 범위도 신장질환자에서 약 두 분절가량 넓어지지만 특별히 부작용은 없다.

② 전신마취

만성요독증환자는 위배출이 지연되고 위산도가 증가하여 흡인성 폐렴의 위험이 증가한다. 신부전환자에게 sodium citrate와 histamine(H₂) 수용체 길항제로 라니티딘 50 mg, 그리고 metoclopramide 10 mg을 투여한다.

신부전환자라도 마취유도제는 표준용량으로 안전하게 사용할 수 있다. Etomidate는 다른 마취유도제에 비하여 순환을 잘 유지하는 장점이 있다. 신부전자에서도 propofol은 분포용적과 제거율이 동일하여 흔히 사용된다. 요독증은 많은 약물의 혈액뇌장벽 투과성을 증가시키는 상태이므로 propofol이나 thiopental sodium의 유도량을 감소시키기도 한다. 혈중 칼륨농도가 5.5 mEq/L 이상이면 계획수술 전에 투석을 시행한다. succinylcholine을 투여하면 혈중 칼륨농도가 0.5 내지 0.7 mEq/L 증가되며 이는 신부전이 없는 환자와 비슷하다. 이미 고칼륨혈증 상태인 환자는 칼륨치가 약간만 증가해도 심부정맥을 발생시킬 수 있다. 혈장 cholinesterase의 농도는 투석 후에도 정상이라 succinylcholine의 작용 기간이 연장되지는 않는다.

근이완을 위해서는 신장으로 제거되지 않는 신경근차단제를 사용하는게 좋다. Cisatracurium은 호프만반응으로 분해되므로 신부전에서 작용이 연장되지 않는다. 고마그네슘혈증이 있으면 신경근차단이 증강된다. 신경근차단 회복에 사용되는 항콜린에스트라제는 신장에서 제거되므로 신기능부전에서 작용시간이 연장되지만 분포용적이 동일하므로 통상 사용량을 투여하여도 된다.

③ 술후 진통

신장질환이 있더라도 술후 진통의 원칙은 건강한 환자와 별 차이가 없다. 그러나 아편유사제와 그 대사물의 약물제거가 변할 수 있다는 점을 고려한다. Morphine을 한 번 투여하는 것에는 별 이상이 없겠지만 장기간 투여하면 대사물인 morphine-6-glucuronide가 축적될 수 있다. Meperidine의 대사물인 normeperidine은 신경독성을 가지며 신장으로 배설되기 때문에 투여에 특히 주의해야 한다. Hydromorphone, oxycodone, 그 대사물도 신장으로 배설되고 장기간 투여하면 축적될 수 있다. 그러나 methadone은 신장질환에서 축적되지 않으며 장기 진통제로 유용하다. Fentanyl과 sufentanil은 소량만 소변으로 배설되고 작용시간이 짧다는 이점이 있다. Remifentanil은 혈액과 조직의 가수분해효소로 분해되므로 신장을 통한 배설에 영향이 없으므로 신기능부전 환자에서도 안전하게 사용할 수 있다. 가장 안전한 것은 소량의 아편유사제를 척수 쪽으로 투여하는 방법이다. 아편유사제 외에 국소마취제를 이용하여 복횡근면차단(transversus abdominis plane block, TAP block)과 같은 방법을 사용할 수 있으나 제왕절개술 후의 진통효과는 확실하지 않다.

2) 급성신부전

임신 중 급성신부전(acute renal failure, ARF)은 흔하지 않지만 심각한 합병증이다. ARF는 신기능이 급속하게 악화하여 체액과 질소노폐물이 축적되며 전해질 조절이 장애를 입는다. 이전에는 급성신부전의 약 1/4이 산과적 문제였으나 현재 급성신부전 중 임신과 관련은 약 0.5% 정도로 감소하였다.

(1) 정의와 진단

ARF는 혈장크레아티닌과 BUN이 0.8 mg/dL, 13 mg/dL 이상으로 급격히 증가한다. 완전한 신부전이면 혈청크레아티닌은 하루에 0.5 내지 1.0 mg/dL의 속도로 증가한다. 요량은 하루 400 ml 이하로 감소하나 어떤 환자들은 무뇨 상태로 되기도 한다. ARF는 콩팥 전, 후, 콩팥 내 원인으로 나눈다(표 15-7-3). 저개발국에서는 패혈증성 유산이 임신관련 급성신부전의 주된 원인이며, 선진국에서는 심한 자간전증/자간증, 임신성 급성신우신염 그리고 양측성 신피질괴사가 가장 흔한 원인이다.

① 콩팥 전 원인

임신입덧과 산과출혈은 저혈량증과 부적절한 신장관류에 의한 콩팥 전 ARF의 가장 흔한 원인이다. 요삼투질농도(urinary osmolality)는 500 mOsm/kg water 이하, 요나트륨 20 mEq/L 이하, 분획 나트륨배출은 1% 이하이고 혈장대비 요 크레아티닌치는 40 이상이다. 태반조기박리로 발생하는 잠복 자궁출혈은 임산부가 저혈압과 신부전 상태가 되어서야 발견되는 수도 있다. 자간전증 임산부는 혈관내용적이 이미 감소해 있고 모체의 내피기능부전이 광범위하게 일어나 있기 때문에 출혈이 생기면 ARF가 발생할 위험성이 더 크다. 신부전의 유무에 관계없이 자간전증이 생긴 임산부는 이후에 신부전이 될 가능성이 크다.

② 콩팥 내 원인

일반적으로 콩팥 내 원인에 의한 ARF는 잘 회복되지 않고 진행된다. 급성요세관괴사, 간질신장염, 그리고 급성사구체신염이 그 원인들이다. 임신에 특이한 것들로는 신겉질괴사, 급성신우신염, 심한 자간전증/자간증, 임신성 급성지방간, 특발성 산후 신부전을 들 수 있다.

급성요세관괴사(acute tubular necrosis)의 원인으로는 신독성약물, 양수색전증, 횡문근융해, 자궁내 태아사망, 출혈이나 패혈쇽에 의한 장시간의 신허혈 등을 들 수 있다. 소변검사에는 지저분한 갈색 상피원주, 거친 과립원주를 보인다. 소변 오스몰 농도가 350 mOsm/kg water 이하, 요나트륨농도는 40 mEq/L 이상, 분획 나트륨배설이 1% 이상, 혈장대비 소변 크레아티닌 치가 20 이하이다.

급성 간질신장염은 비스테로이드성소염진통제나 다른 여러 항생제에 의하여 발생한다. 열, 발진, 호산구증가 그리고 소변에서 호산구를 볼 수 있다.

급성사구체신염은 임신 중 드물게 발생하지만 혈뇨와 적혈구원주, 단백뇨를 보인다. 소변수치는 콩팥전 ARF와 유사하다.

비임산부에서는 드물지만 임신 중 ARF의 약 10~38%가 양측성 신겉질괴사에 의한다. 임신 초기나 말기에 생기며 출혈이 가장 흔한 유인이다. 발병기전은 확실하지 않지만 신장의 관류저하나 임신의 과응고성과 더불어 내독소에 의한 내피손상의 가능성에 의한다. 미세혈전이 사구체와 신세동맥에 광범위하게 걸쳐 발견된다. 신장 동맥촬영으로 진단되는 데 신겉질에는 혈류가 거의 없다. 응고장애가 없다면 신생검을 실시한다.

임신 중 가장 흔한 감염증 중 하나인 급성신우신염은 임산부 ARF의 5%에 이른다. 이는 급성신우신염이 임산부에서는 GFR을 현저히 감소시키는 반면 임신하지 않은 환자에서는 GFR이 거의 감소하지 않는 것으로 보아 세균성 내독소에 대한 신장 민감성 때문인 것 같다.

선진국에서는 심한 자간전증이나 자간증이 임신성 ARF 증례 원인의 약 20%를 차지하고 저개발국에서는 35%에 이른다. 신부전은 주로 심한 자간전증이나 HELLP 증후군과 연관되며 이 환자들에서의 발생빈도

표 15-7-3 **임신중 급성신부전의 원인**

콩팥 전	임신입덧, 자궁출혈, 심부전
콩팥 내	급성요세관괴사, 패혈증성유산, 양수색전증, 약물에 의한 급성간질신염, 급성사구체신염, 양측성 신피질괴사, 급성신우신염, 자간전증/자간증, HELLP 증후군, 급성임신성지방간, 특발성 산후신부전
콩팥 후	요로결석증, 임신자궁에 의한 요관폐쇄

는 36%에 이른다.

HELLP 증후군과 관련된 ARF 환자의 대부분은 다기관 부전과 태반조기박리, 자궁내 태아사망, 파종혈관내응고, 산후출혈, 패혈증과 같은 산과적 합병증이 있었다. HELLP 증후군과 신기능 부전이 있는 환자의 신장은 혈전성 모세혈관병증과 급성세뇨관괴사를 보인다. 임산부사망, 투석, 주산기 사망률 증가, 조산 등의 합병증이 있다.

임신성 급성지방간의 60~100%에서 ARF가 발생한다. 특발성 산후신부전은 신부전과 모세혈관병성 용혈성 빈혈, 그리고 혈소판감소증이 분만 이후 2일내지 10주 사이에 발생하는 것으로 용혈성 요독증 증후군과 밀접한 관계가 있다. 전형적인 바이러스성 상기도 또는 위장관 증후군이 선행되며 급속하게 ARF로 진행한다. 출혈, 울혈성 심부전, 고혈압, 그리고 발작이 발생한다. 미세혈관 혈전이 원인으로 제기되며 치료는 혈장교환 수혈, 투석, 항혈소판 치료이다.

③ 콩팥 후 원인

ARF의 콩팥 후 원인은 신결석증이나 임신자궁에 의한 요관의 폐색이 그 원인이다. 임산부에서는 양수과다증이나 다태임신의 경우 요관폐색의 가능성이 더 크다. 요관의 확장과 연동운동의 장애로 임신 중의 폐쇄성요병증이 발생할 위험성은 커진다. 임신 후반기의 옆구리 통증과 요생산의 감소가 있으면 가능성을 염두에 두어야 한다. 드물지만 임산부에서 자궁 내 다발성 근종도 폐쇄성요병증과 신부전을 발생시킬 수 있다.

(2) 임산부와 태아에 대한 영향

ARF로 인한 임산부의 사망률은 지난 40년간 상당히 감소하였다. 선진국에서의 모체의 예후는 개선되었으나 후진국에서의 사망률은 여전히 20~30%이다. 태아사망률이 40~50%에 이르지만 점차 개선되고 있다. 적극적으로 혈액투석을 실시하면 사망률은 0~13% 정도로 감소한다.

(3) 내과적 및 산과적 치료

기존 이상소견을 빨리 인식하여 저혈압이나 잠복 자궁내출혈, 요도감염, 요관폐색, 또는 약물에 의한 ARF 등을 배제시킨다. 혈장대비 요 삼투질농도(urine-to-plasma osmolality)비는 가역적인 콩팥전 원인을 찾아내는 유용한 임상실험실 검사이다. 혈관내용적, 전해질, 산염기평형도 살핀다. 고혈압과 자간전증은 적극 치료하여 조절한다. 파종혈관 내 응고를 일으킬 수 있으므로 ARF가 있는 임산부에서 응고 이상을 차단해야 한다.

요소나 다른 대사물질이 태반을 통과하므로 혈액투석이나 복막투석은 투석후 BUN농도를 30 mg/dL 이하로 유지한다. 투석을 짧게 자주하고 투석 중 체액 이동을 최소화한다. 태아가 충분히 성장했고 임산부의 상태가 안정될 때 출산한다.

(4) 마취관리

ARF임산부의 상태를 개선하여 출산 또는 제왕절개술을 하기 위해서는 마취과, 산과, 신장전문의를 포함한 다과적 접근이 필요하다. 질소혈증, 전해질평형, 혈액학적 상태를 평가하여 BUN 수치가 80 mg/dL 이상이거나 혈청 칼륨이 5.5 mEg/L 이상이면 질식분만 혹은 제왕절개술 전에 투석을 시행한다. 척추마취는 응고장애나 혈소판 감소증, 심한 저혈량증이 없을 시행한다. 그러나 혈액용적상태를 평가하는 것이 쉽지 않다. 과거에는 용적량 평가를 위하여 중심정맥관이나 폐동맥카테타를 흔히 이용하였으나 이제는 거의 사용하지 않는다. 0.9% 생리식염수 같은 칼륨이 없는 수액을 정맥 공급하며 잠재적 출혈가능성을 배제하고 고혈압은 조절해준다. 척추마취나 경막외 진통/마취는 안전하며 전신마취보다 선호된다. 교감신경 차단효과가 없어지면 임산부에게 용적량 과다나 폐부종이 발생하지 않는지 주의한다. 응급 제왕절개술이나 응고장애나 출혈이 있는 임산부는 전신마취를 할 때도 있다.

3) 신장이식

신장 이식을 받은 여성의 임신률은 일반인에 비해 낮지만 임신 95% 이상에서 적절하게 임신을 유지하여 분만한다. 그러나 건강한 임산부에 비하여 합병증의 발생이 많다. 임산부에게는 자간전증이나 임신성당뇨병, 제왕절개술 등의 빈도가 높고, 태아에게는 조기분만, 자연유산, 태아소실도 많다.

(1) 신장이식과 임신의 영향

공여자 신장이 수혜자에 이식되면 초여과(hyperfiltration) 과정을 거친다. 임신으로 GFR이 증가하는 부가적 초여과작용은 신기능 소실에 영향을 준다. 이식 후 신기능이 정상이면 임신에 의해 신장 기능이 감소하지 않고, 고혈압이 발생하지도 않으며 환자나 이식편 생존율에 영향을 미치지 않는다.

임신을 하더라도 신장이식을 받은 임산부의 건강이나 신장이식편에는 영향은 거의 없다. 그러나 신장이식을 받은 임산부의 태아결과는 유산이나 사산, 자궁 내 사망의 발생 빈도가 높다. 정상출산 비율은 약 3/4정도이며, 조산과 태아성장지연이 발생하며 출생 시 평균체중도 2,500 g 정도로 작다.

면역억제제가 태반을 통과하지만 일반인에 비하여 선천 이상이나 다른 부작용의 발생이 큰 것 같지는 않다. 다만 mycophenolate mofetil의 경우 손발톱 소형성, 제5수지단지증, 소이증과 구순구개열, 등의 선천이상이 보고되었으나 투여를 중지할 경우에 발생할 이식편 거부의 위험성을 고려해야 한다. 임신 중 cyclosporine에 노출된 신생아는 백혈구 발달과 기능에 장애가 오고 생후 일년간 지속된다. 이런 유아는 통상적인 백신투여에 부적절한 면역반응을 나타내고 생백신이나 약독화백신에 부작용의 위험이 있다.

면역억제상태에서 활동성 CMV 감염이 임신 중에 오면 태아의 뇌낭종, 소두증, 정신지체 등의 선천성 기형에 관련되며 활동성 신생아 CMV감염은 심한 질병과 사망으로 이어진다.

(2) 내과 및 산과적 처치

면역억제제를 중단하면 몇 년 후라도 급성 거부가 일어날 수 있다. 그러므로 신장이식을 받은 환자의 임신 중의 면역억제 투약은 독성이 발생하지 않는 한 지속한다. 임신 중인 환자는 급만성 거부 반응, 감염, 요관 및 신동맥의 폐색, 신기능의 장애, 고혈압, 체액용적량의 장애, 빈혈 등이 발생하는지 끊임없이 관심을 기울여야 한다. 임신한 신장이식환자에 일반혈액검사, 신기능 검사, 혈청 전해질 및 포도당 농도, 그리고 CMV, HBV, HCV, HIV 혈청학적 검사가 필요하다.

단순포진바이러스 감염이 의심되는 여성의 하부생식기 병변이 있으면 배양으로 확인해야 하고 진통이 있으면서 활동성 성기 단순포진바이러스 감염이 있는 임산부는 제왕절개술을 시행한다. 이식된 신장은 복강외 장골와(iliac fossa)에 놓이므로 질식분만에 방해가 되지는 않는다. 제왕절개술을 시행받는 환자에게는 예방적 항생제와 스트레스 용량 steroid를 예방적으로 투여한다.

(3) 마취관리

신기능부전이나 고혈압이 없다면 신장이식 임산부라 하더라도 건강한 임산부의 마취와 별다른 차이가 없다. 물론 정맥도관의 설치나 경막외마취를 실시할 때 철저히 소독해야 하는 것은 기본이다. 아주 드물기는 하지만 steroid 치료를 받는 환자에서 경막외마취 3주 후라도 경막외농양이 발생할 수 있으므로 항상 주의하여야 한다. 전신 감염이 없는 경우 면역억제제 그 자체가 경막외마취나 척추마취의 절대 금기증이 되는 것은 아니다.

4) 요로결석증

임산부나 비임산부나 증상이 있는 요로결석증의 빈

도는 비슷한 빈도로 나타나는 것을 보았을 때, 임신이 요석증의 빈도에 영향을 미치지는 않는 것 같다. 요로결석은 무기질의 대사 이상으로 발생하며 임신으로 칼슘 흡수가 증가하여도 임산부에서 요로결석증의 발생이 정상인보다 높지 않은 것은 임신 중 요석 형성 효과를 상쇄시키는 어떤 다른 변화가 있다고 생각한다.

(1) 증상과 진단

요로결석증은 임신 제2삼분기나 제3삼분기에 가장 흔히 발생한다. 발생한 환자의 20%에서만 신장 결석의 병력이 있다. 임신 중 요로결석증으로 진단되는 환자의 80%는 경산부이며 이는 연령 증가와 관련이 있는 듯하다. 자궁외임신, 조기분만, 충수돌기염, 신우신염, 그리고 임신 중 양성 출혈과 감별해야 한다. 이전의 요로결석증, 반복적인 요로감염 그리고 비뇨기과 수술이 요인이 될 수 있다. 증상으로는 옆구리 및 복부 통증, 절박뇨, 배뇨통, 오심 및 발열이 나타나며 진찰 시에는 늑골척추압통, 복부압통, 농뇨, 혈뇨를 볼 수 있다. 신우신염이 있는 환자가 항생제를 비경구적으로 투여받고 48시간 이후까지 열이 떨어지지 않거나 세균뇨가 지속되는 환자에서는 요로결석증을 의심하여야 한다.

임신 중 복부 초음파로 약 60%의 경우에 진단이 가능하며 임산부나 태아에게 미칠 방사선 위험성이 없다. 복부 초음파 영상이 불확실하면 질 내 초음파로 보강한다. 초음파 검사와 신장 내 동맥 저항지수로 초음파의 정확도를 70%까지 올릴 수 있다.

초음파로 보이지 않더라도 임상적으로 요로결석증 가능성이 높을 때에는 조영제에 의한 피폭가능성이 없는 자기공명 요로조영술을 시행한다. 안되면 저용량 단층촬영이나 정맥신우조영술을 한다.

(2) 임신과 요로결석증

임신이 요로결석증의 중증도와 활동성에 영향을 미치지는 않는다. 신결석증이 있는 임산부에서의 조기분만율이 정산 임산부보다 높다. 이는 요로감염이 많아서일 것이다. 그러나 조기양수파열이나 저출생 체중, 영아사망에는 차이가 없다. 드물게 요관파열이나 방광결석으로 분만이 방해를 받는 수도 있다.

(3) 비뇨기 및 산과적 처치

요로결석증의 병력이 있는 여성은 수분섭취를 늘린다. 요로결석이 재발하는 여성은 산전 비타민 복용으로 칼슘을 복용하는 것은 피한다. 임신 중에 생기는 요석의 70%는 수분공급이나 발열 시 항생제 투여, 휴식, 진통 등의 보존요법으로 해결된다. 감염된 수신증, 특히 신기능의 장애나 요로성패혈증이 있는 경우는 적극적으로 치료한다.

α-아드레날린차단제를 투여하여 요석을 배출하거나 요관의 평활근을 이완시켜 요석방출에 생기는 통증 치료도 할 수 있다. 요결석증을 치료하는 내과적 치료제인 thiazide 이뇨제나 xanthine 산화제 저하제 그리고 d-penicillamine은 태아에 미치는 영향으로 인해 사용이 금지되어 있다.

신우신염이나 신기능 저하, 심한 수신증, 통증지속, 패혈증이 있는 환자에는 비뇨기과적 치료로 요관경과 초음파를 보면서 요관스텐트를 거치하거나 경피적 신루조성술(nephrostomy)을 한다. 요석제거에 YAG레이저 쇄석술, 요관경을 시행할 수도 있다. 임신 중 체외쇄석술은 피한다.

(4) 마취관리

요관은 신장, 난소, 그리고 하복신경총(T11-L2 척추분절)을 통하여 감각신경이 통한다. 경막외진통을 실시하면 요관 경련이 해소되어 요로결석증에 의한 통증조절도 되고 요석이 쉽게 요로를 통과할 수 있게 된다. 척추 진통을 실시하면 전신적으로 아편유사제를 투여할 필요성이 감소하므로 요관평활근의 정상적인 연동작용을 억제할 위험성도 줄어든다. 모체의 통증이 감소하면 내인성 카테콜라민 분비도 줄고 따라서 자궁태반혈류도 증가된다.

참고문헌

Bacq Y. Liver diseases unique to pregnancy: a 2010 update. Clin Res Hepatol Gastroenterol 2011; 35: 182-93.

Deshpande NA, James NT, Kucirka LM, Boyarsky BJ, Garonzik-Wang JM, Cameron AM, et al. Pregnancy outcomes of liver transplant recipients: a systematic review and meta-analysis. Liver Transpl 2012; 18: 621-9.

Deshpande NA, James NT, Kucirka LM, Boyarsky BJ, Garonzik-Wang JM, Montgomery RA, et al. Pregnancy outcomes in kidney transplant recipients: a systematic review and meta-analysis. Am J Transplant 2011; 11: 2388-404.

Fischer MJ: Chronic kidney disease and pregnancy: maternal and fetal outcomes. Adv Chronic Kidney Dis 2007; 14: 132-45

Holzman RS, Riley LE, Aron E, and Fetherston J. Perioperative care of a patient with acute fatty liver of pregnancy. Anesth Analg 2001; 92: 1268-70.

Jarufe N, Soza A, Pérez-Ayuso RM, Poblete JA, González R, Guajardo M, et al. Successful liver transplantation and delivery in a woman with fulminant hepatic failure occurring during the second trimester of pregnancy. Liver Int 2006; 26: 494-7.

Lee RK, Han DJ, Kim SC, Jang HJ, Kim SK, Kim A. Pregnancy after Renal Transplantaion. J Korean Surg Soc 1999; 56: 349-61.

Levidiotis V, Chang S, and McDonald S. Pregnancy and maternal outcomes among kidney transplant recipients. J Am Soc Nephrol 2009; 20: 2433-440.

Lewis DF, Robichaux AG 3rd, Jaekle RK, Marcum NG, Stedman CM. Urolithiasis in pregnancy: diagnosis, management and pregnancy outcome. J Reprod Med 2003; 48: 28-32.

Lu EJ, Curet MJ, El-Sayed YY, Kirkwood KS. Medical versus surgical management of biliary tract disease in pregnancy. Am J Surg 2004; 188: 755-9.

Nevis IF, Reitsma A, Dominic A, et al: Pregnancy outcomes in women with chronic kidney disease: a systematic review. Clin J Am Soc Nephrol 2011; 6: pp. 2587-2598

Pan C, and Perumalswami PV: Pregnancy-related liver diseases. Clin Liver Dis 2011; 15: 199-208.

Rahman TM, Wendon J. Severe hepatic dysfunction in pregnancy. QJM 2002; 95: 343-57.

Ramin SM, Vidaeff AC, Yeomans ER, and Gilstrap LC. Chronic renal disease in pregnancy. Obstet Gynecol 2006; 108: 1531-9.

Schutt VA, Minuk GY. Liver diseases unique to pregnancy. Best Pract Res Cli Gastroenterol 2007; 21: 771-92.

Seo MA, Kim CW, Kwon MJ, Ji BJ, Park KD. Acute fatty liver of pregnancy: A case report. Korean J Obstet Gynecol 2010; 53: 428-33.

Sifontis NM, Coscia LA, Constantinescu S, Lavelanet AF, Moritz MJ, Armenti VT. Pregnancy outcomes in solid organ transplant recipients with exposure to mycophenolate mofetil or sirolimus. Transplantation 2006; 82: 1698-702.

Son JM, Kim JH, Jeong WJ, Choi YJ, Kwon EH, Jeong YS, Lee DW, et al. Pegnancy outcome in women with chronic kidney disease. Korean J Med 2005; 68: 186-94.

Yang SB, Goo DE, Chang YW, Kim YJ, Hwang IC, Han HS, et al. Spontaneous Hepatic Rupture Associated with Preeclampsia: Treatment with Hepatic Artery Embolization. J Korean Soc Radiol 2010; 63: 29-32.

동반질환이 있는 임산부의 마취관리

15-8 정신과 질환

임신 중 정신질환의 유병률은 비교적 높은 것으로 조사되고 있다. 정신질환은 임산부뿐만 아니라 태아에게도 막대한 영향을 주게 되므로 항상 적절히 관리 되어야 한다. 하지만 임산부에서 정신질환의 치료는 예상외로 까다로운 문제가 될 수 있다. 임산부에서 치료의 안전성 근거가 부족한 것도 그렇고 무엇보다 약물이나 처치가 태아에게 기형을 유발하지 않을까 하는 위험성이 있기 때문이다. 따라서 임신 중 정신질환은 정신과의사와 산과의사에게 중요한 이슈가 되며, 아울러 임산부에게 마취 약물을 투여해야 하는 마취통증의학과 의사에게 역시 중요한 이슈가 된다. 이 장에서는 임신 중 주요 정신 질환들을 알아보고 마취에서 고려 할 사항들을 살펴보고자 한다.

1. 역학

일반적으로, 정신과질환은 모든 성별과 모든 사회경제 집단 및 인종집단에서 나타난다. Bijl 등의 연구에 의하면 65세 이하 성인 중 약 40%에서 Diagnostic & Statistical Manual of Mental Disorders, Third Edition, Revised (DSM-Ⅲ-R) 질환을 최소한 1가지씩 일생 중에 경험하게 된다고 하였다. 네덜란드 사람을 대상으로 정신질환의 첫 발생시기에 대하여 대규모 연구를 시행하였는데, 질환마다 발병률이 나이 대 및 성별에 따라 차이가 있으며, 우울증, 불안 그리고 알코올 남용 및 의존 등이 주로 발병하였고 서로 동반되는 빈도 또한 높다고 보고하였다.

2. 임신 중 진단과 초기 평가

가임기 여성에서 정신질환은 유병률이 비교적 높음에도 불구하고, 오진이 있거나, 진단 및 치료를 받지 못하는 경우가 흔히 있다. 치료를 위해서는 무엇보다도 적절한 평가와 정확한 진단이 중요하다. 많은 비정신과의사들은 정신질환에 대해서 불편한 느낌을 가지는데, 정신질환을 가진 환자에 대해 부정적인 선입견을 가지고 있거나 정신질환의 병리와 증상, 치료에 대해서 무지와 오해가 있기 때문일 수 있다. 만일 체계적인 검사와 진단, 그리고 치료가 이루어진다면 정신질환 있는 임산부는 정확한 진단을 받고 효과적인 치료를 받게 됨에 따라 결과적으로 임산부와 태아의 위험을 줄이는 근간이 될 수 있다.

진단기준은 미국정신과협회(American Psychiatric Association)의 DSM-IV를 따른다. 이 매뉴얼은 특정 정신질환 군을 진단하는 기본항목들과 방법적 접근에 대하여 믿을만한 근거를 제공하고 있다. 적절한 치료를 위해서는 정확한 진단이 선행되어야 한다.

환자와 첫 만남을 가질 때 의사는 정신질환, 인격 장애 그리고 인격적 특성을 파악하기 위해서 개방형 질문을 하고, 자신의 증상을 스스로 기술할 수 있도록 대화를 유도해야 한다. 처음부터 딱딱한 질문을 퍼붓는 방식으로는 정보를 얻기 어렵다. 증상과 징후를 대하면서 개방적인 자세를 유지하는 것 또한 중요하다. 초반의 유연한 자세에도 불구하고 마취통증의학과의사는 특이 증상에 대해 미묘한 의문을 가진 체 구조적으로 접근함으로써 동시에 진단과 추정 진단을 위해서 환자가 자신의 상태를 기술하게끔 함으로써 인터뷰 동안 주도권을 유지하는 것이 가능하다. 정신과 상담이 정식으로 필요한지 여부는 환자의 과거력, 증상의 심각성, 환자와 의사의 선호도 등에 따라 결정될 수 있다. 하지만, 자살 우려있는 환자, 정신분열증 환자, 조증 환자 또는 진단이 불확실한 환자는 반드시 정신과상담을 거치도록 해야 한다.

3. 임신 중 주요 정신 질환들

여기에서는 기분장애, 불안장애, 약물 남용 관련 장애, 그리고 정신분열증 및 기타 정신병 장애에 대하여 살펴보기로 한다.

1) 기분장애

기분이란 환자의 눈을 통해 본 세상에 대한 인식체계이다. 병리적으로 기분이 저하되거나 고양되거나 또는 그 사이에서 과도하게 순환할 수 있다. 진짜 기분장애는 삶의 스트레스에 대한 일반적인 반응이 아니라 지속적으로 비정상적인 감정상태를 보이는 상태이다. DSM-IV에 의하면, 기분장애는 크게 우울장애와 양극성장애로 나눈다.

(1) 우울장애
① 개요
임신 중 우울증은 25~40세 여성에서 가장 빈발하고 평생 유병률은 25%정도이다. 만일 우울증을 적절히 치

료하지 않는다면 악화되기 쉬우며 재발과 자살 위험이 높은 질환이다. 정신질환과 우울증에 대해서는 오랜 동안 오해가 있어왔다. 미국인의 여섯 명 중 한 명은 어떤 면에서 주요우울증을 앓고 있을 수 있다. 또한 미국에서 의학적 장애의 주요 요인이 여성의 우울증이다. 최근 연구에서는 10% 임산부가 주요우울증의 진단기준에 부합하고, 18%에서 임신기간 동안 우울 증상을 보이고 있는 것으로 추정하고 있다. 논문마다 유병률을 다르게 보고하는 것은, 환자가 증상을 말하든 전문가가 자료를 모으든 간에, 환자 선별법이 다양하게 있기 때문이다.

성별마다 정서장애의 발현이 차이 있는 것은 호르몬, 사회화, 그리고 유전자의 영향에서 비롯된다. 임산부와 아이의 건강에 대해 임산부 우울증이 주는 부정적인 영향은 정신적 행복을 비롯하여 여러 측면에서 중요한 사항이 될 수 밖에 없다. 우울증은 주로 사춘기 여성에서 처음 겪게 되며 생식주기의 변환에 따라 우울 증상이 호전과 재발을 반복하기 때문에 가급적 빨리 우울증 치료를 시작하는 것이 중요하다.

② 증상
임상적으로 우울증과 관련 있는 주요 증상으로는 슬픔, 죄책감, 불충분, 비관, 무력함, 짜증, 집중의 어려움, 기력저하, 불면증, 과다수면, 거식증, 성욕감퇴, 사회적 고립, 쾌감상실, 정신운동적 감퇴, 그리고 자살생각 등이 있다.

③ 진단
위의 증상들 중 5가지 이상을 2주 이상 가지고 있으면 우울증 진단기준을 만족하게 되며 치료가 필요하다. 유전인자, 환경인자, 그리고 다른 의학적 상태 등은 선행요인이다. 단순히 어떤 스트레스 요인 때문에 증상이 나타났다고 생각하기 보다는 치료가 필요한 임상 증후군이라고 보는 것이 중요하다.

임신 및 임신 후 기간에 우울증을 선별할 목적으로

에딘버그 임신후우울증 척도(Edinburgh Postpartum Depression Scale) 같은 도구들이 많이 사용되고 있다. 흔한 우울증 증상들(수면, 활력, 식욕의 변화)이 정상적으로 나타나는 임신 체험으로 오해되기도 한다. 임신 중 그리고 임신 후에는 대부분의 여성들이 치료를 찾지 않지만, 의료인이 우울증에 대해 언급하면 비로소 그 증상들을 말하게 되고, 치료를 받게 되는 경우가 일반적이다. 의학적인 상황 또는 약물의 이차 효과로 우울장애가 나타날 수도 있다. 이 때 진단은 신체 증상과 징후, 과거력, 그리고 투약력으로 내리면 된다. 검사실 검사(가령, 갑상선 기능 검사, B12와 엽산 수치)가 정확한 진단에 도움될 수 있다.

④ 자살 위험의 평가

우울증 환자를 대할 때 가장 중요한 것은 자살가능성을 평가하는 일이다. 여성이 남성보다 자살시도를 많이 한다. 다음의 세부 항목들은 자살의 위험성을 평가하기 위한 것이다:

- 지속되는 주요우울증 증상의 존재
- 자살 시도의 기왕력, 충동적 행동, 약물 남용
- 신체적, 성적 탐닉의 기왕력 또는 최근 현저한 상실
- 자살 계획 및 실행을 위해서 방법을 찾는 행위
- 심각한 인격장애의 기왕력

모든 의식 검사에서 기본 항목으로 자살위험도를 평가해야 한다. 특히 환자에게 자살시도의 기왕력, 충동적인 성격의 심한 병증, 자기 파괴적 행동이 있는 경우 더욱 중요하다. 소극적인 자살 생각이나 실제 스스로 자해하려는 의도는 차이가 있으며 구별할 필요가 있다. 만약 자살 위험도가 높다고 평가되면, 반드시 정신과의사에게 자문을 구해야 하며, 환자를 계속 감시해야 한다.

⑤ 치료

임신 중 우울증을 치료하지 않으면 임산부나 아이에게 나쁜 결과가 나타날 수 있기 때문에 치료가 매우 중요하다. 임신 중 우울증과 관련 있는 합병증으로 체중증가 부족, 태교 부족, 약물남용 증가, 그리고 미숙아 출산 등이 있다. 생활 스트레스와 더불어 우울증 및 불안은 저체중출생, Apgar 점수 감소, 작은 두위, 미숙아 등을 예측하게 한다. 우울증 임산부를 치료하면 성장하는 태아 역시 보호된다고 볼 수 있다. 치료가 다소 어려울 수 있지만 일차 건강 종사자는 산과의사, 정신과의사, 그리고 소아과의사를 포함하는 다학과적 접근을 고려해야 하며 최선의 처치가 임산부에게 제공되도록 해야 한다.

치료는 정신요법 이외에도 약물요법과 전기충격요법이 효과적이다. 여러 항우울제가 우울증 치료에 사용되고 있는데, 대개 4~6주에 약물의 효과가 나타나고, 8~12주경에 최대효과를 보이는 것이 보통이다. 선택세로토닌재흡수 억제제들(selective serotonin reuptake inhibitors, SSRIs)은 우울장애에서 일차 선택되는 치료 약물이며 약물의 특이도, 안전한 치료영역, 양호한 부작용들 때문에 주로 사용된다. 또한 불안장애나 우울증과 관련 있는 정신적 질환에도 치료 효과를 보인다. 세로토닌-노르에피네프린재흡수억제제제(serotonin-norepinephrine reuptake inhibitors, SNRIs) 역시 우울증과 불안 치료에 효과 있다. 이 약제는 다른 약물이 효과 없을 때 그리고 만성 통증 상황에서 특히 도움될 수 있다. 약값이 다소 비싼 경향이 있다. 삼환계항우울제(tricyclic antidepressants, TCAs)는 세로토닌과 norepinephrine의 재흡수를 차단하며, 사용된지 오래되었고 다소 저렴하고 우울증뿐만 아니라, 만성통증 치료에도 사용되고 있다. 하지만 다른 수용체에도 많이 작용하기 때문에 약물의 부작용, 내약성 그리고 순응도 등에서 문제가 있을 수 있다. 약물요법에서 중요한 것은 임신 중 항우울제의 중단이 우울증의 재발과 깊은 관련 있다는 사실을 알고 있어야 한다.

전기충격요법(electroconvulsive therapy, ECT)은 심한 정신적 우울증, 심하게 침울한 우울증, 저항적 우울증 환자 그리고 항우울제 내성 환자 그리고 항우울제

금기인 질병(신장, 심장, 간 질환)을 가진 환자에서 적용될 수 있다. 전기충격요법의 효과는 초기 부교감신경 유출에 이어 교감신경 반응이 따라오는 자율신경계의 전신자극으로서 심혈관계 반응이 나타낸다. 뇌혈류계의 반응은 뇌산소 소모량의 증가에 의해 뇌혈류량이 현저히 증가하여 결과적으로 두개뇌압을 급격하게 상승시킨다. 전기충격요법에서 methohexital(혈관내 0.75~1.0 mg/kg)은 마취 유도제로 흔히 사용되고 있다. Propofol(혈관내 1.5~2 mg/kg) 역시 안전하게 사용 가능하다. 근이완제로는 succinylcholine(혈관내 0.5~1.0 mg/kg)이 주로 사용된다. 임신 중 전기충격요법은 자궁이완제에 반응하지 않는 자궁의 조기수축을 일으킬 수 있으며, Ishikawa 등은 흡입마취제의 사용을 추천하였다.

⑥ 우울증 환자의 마취 시 주의 사항

소량의 ketamine은 수술 후 우울증 상태를 호전시키고 통증을 경감시켜주므로 우울증 환자에서 사용할 수 있는 약물이다. NMDA 수용체 길항제가 우울증을 호전시킨다는 보고가 있다. NMDA 수용체 길항제인 ketamine이 우울증 환자에서 수술 후 정신상태에 대해 영향을 주는지 여부는 아직 확실하지 않다. 우울증 환자에서 수술 후 혼동 상태는 fentanyl을 이용하여 발생을 의미 있게 낮출 수 있다. 우울증 환자에 대한 마취관리가 계속해서 복잡해지고 있기 때문에 마취통증의학과의사는 질병과 이상반응에 대해 친숙해져야 한다. 최근의 증거에 의하면 수술 전 실행장애와 우울증이 있으면 수술 후 섬망 발생을 예측할 수 있다고 한다. 하지만, 이들 위험 인자의 병용효과에 대해서는 알려져 있지 않다. 환자가 항우울제를 복용하고 있는 경우 수술 기간동안 중단하지 않고 계속 유지하는 것이 좋다. 항우울제 중단이 마취 중 저혈압과 부정맥의 빈도를 높이지 않지만 우울증상그리고 섬망 또는 혼동의 발생을 증가 시키기 때문이다.

(2) 양극성 장애

① 개요

양극성장애(bipolar disorder, BPD)는 기본적으로 조증삽화와 우울증삽화의 우세 여부에 따라 BPD I, BPD II, 그리고 기타 BPD로 분류한다. 한번 이상의 조증삽화를 보이는 BPD I의 유병률은 1.0%이지만, 우울증 우세의 양극성 장애는 평생 유병률이 3.5%이다. 놀라운 것은 임신 및 임신 후 동안 이 장애의 경과와 치료에 대하여 알려진 것이 거의 없다는 사실이다. 산후기 초기에 나타나는 단기 경조증은 여성의 15%에서 발생하며, 임신 후 우울증은 예비조사에 따르면 우울증이 우세한 BPD II 또는 기타 BPD와 관련 있는 것으로 보고 있다.

불행한 것은 임신 후 양극성장애에 대하여 급성 또는 유지치료의 지침이 될 만한 연구가 거의 없다는 사실이다. 양극성장애가 의심되는 환자를 분만 전 또는 후에 선별할 수 있는 검사나 도구 또한 없다. 일반적으로 임신 중 또는 분만 후 양극성장애가 있는 임산부는 연구 대상에서 제외되고 있기 때문에, 항우울제의 안정성과 유효성에 관한 자료가 거의 없는 실정이다. 항우울제를 복용하는 여성에서 조증 또는 경조증으로 순환 가속되거나 기분 변환되는 것을 주의 깊게 지켜보아야 한다. 양극성장애의 우울증 단계와 유지 단계에 대해 신경이완제(neuroleptics) 사용이 증가하고 있지만 임신 중 사용에 대해서는 자료 자체가 부족하다. 한 연구에 의하면, 임산부 혈액에 대한 제대 혈액의 농도비율로 나타내는, 태반통과는 olanzapine이 가장 높았고 haloperidol, risperidone, 그리고 quetiapine 순으로 나타났다. 비정형 신경이완제는 임신성당뇨에 대한 보고가 있으므로 감시가 필요하다. 또한 비정형 항정신병약은 영아의 출생체중 증가와 임신나이에 비해 큰아이의 출생과 관련 있다. 일반적으로 양극성장애는 항우울제와 기분안정제의 조합으로 치료하고, 지속적으로 환자의 기분변화를 감시해야 한다.

② 임신 및 분만 이후 양극성 장애의 치료

임신 동안 양극성장애에서 치료분석의 우선 순위는 다음과 같다: (1) 질병의 중증도, (2) 투약과 비투약에서 과거 임상 경과, (3) 투약 중단 시도의 병력, 그리고 (4) 특정약물에 대한 반응. 임신 및 임신 후에는 시기마다 위험이 다르며, 치료분석에서 최선은 질병의 중증도에 따라 결정하는 것이다. 투약이 갑자기 중단되면 재발 위험이 높아지기 때문에 투약중단은 권장되지 않는다. 기분안정제가 유지되고 있어야 재발 위험을 현저히 낮출 수 있다. Lithium은 임신 1분기에는 낮은 빈도의 Ebstein 기형을(0.05~0.1%), 임신후기에는 신생아 근무력증, 청색증의 위험과 산발적으로 신생아갑상선기능저하증이 발생할 위험이 있다. 하지만, lithium에 의한 기형발생은 잠재적 재발위험에 비하면 위험을 낮게 봐도 될 것이다. 양극성 장애가 재발하면 임산부에게 여러 정신작용제가 고용량으로 투여되어야 하기 때문에 위험이 오히려 증가할 수 있다.

분만 이후에는 재발이 많기 때문에 특히 주의하며 살펴야 한다. 분만 직전에 lithium 용량을 줄이는 것은 특히 위험하다. 더 합리적인 방법은 분만 기간과 분만 후 1일까지 임산부의 lithium 농도를 감시하면서 용량을 맞추는 것이다. 약물 농도의 감시는 약물이 태아에게 과도하게 노출되는 것을 막고 치료 효과를 기대하기 위해서 필요하다.

Valproic acid 같은 항전간제들은 신경관 결손, 심혈관 기형, 안면두개골 기형, 중추신경계의 구조적 기형 등의 위험이 높은 편이다. 유전적 문제 때문에 환자, 환자 가족, 그리고 환자와 관련된 다른 임상의사들과 논의하여 치료를 선택하고 결정해야 한다.

③ 마취과적 고려사항

양극성장애 임산부 중에는 한가지 이상의 기분안정제를 투약 받고 있을 수 있다. 마취통증학과의사는 약들의 치료 농도와 변동을 인지하고, 약물의 독성과 상호작용에 대하여 알고 있어야 한다. Lithium은 항구토제(promethazine과 prochlorperazine)와 haloperidol의 효과를 증가시킬 수 있다. 후자 약물의 부작용으로 진전, 지연이상 운동증이 있다. Lithium은 본래 독성 대비 치료 지수가 좁은 약물이다. 혈장 농도를 0.4~1.0 mmol/L정도로 유지해야 된다. 만약 2 mmol/L를 초과하게 되면 다뇨, 다음, 부정맥, 구역 그리고 구토 같은 독성이 나타난다. 심각한 독성 효과로 신부전, 지남력 장애, 경련, 혼수, 그리고 사망까지 이를 수 있다.

2) 불안장애

불안은 신체 증상이 흔히 동반되면서 이유 없이 느끼는 공포 감각이다. 불안장애는 매우 널리 퍼져 있는 질환이며, 여성에게 더 흔하다. 주요 불안장애에는 공황장애, 특정 공포증, 범불안장애, 외상후스트레스장애, 강박장애 등이 있다. 진단하기 위해서는 의학적으로 다른 원인들에 의한 가능성을 배제하기 위해서 기준되는 평가들을 먼저 시행해야 한다.

(1) 범불안장애

범불안장애는 일상생활 전반에 대해 과도하고 조절할 수 없는 걱정과 불안을 보이는 질환이다. 긴장풀기가 불가능하다는 약점과 일상생활 전반에 대해 지속적으로 불안해 하며 과도하게 걱정하는 것을 특징으로 한다. 주요 증상은 과도한 걱정, 긴장풀기 불가, 집중력 및 기억력 장애, 불면, 불안, 그리고 무력감 등이다. 출생전후기에는 불안장애, 분만 후에는 강박증과 범불안장애가 흔하다.

임신 중 불안과 우울은 임신에 대해 나쁜 결과를 불러오고 신생아에서 신경발달의 문제를 증가시킬 위험이 있다. 약물치료에서 중요한 것은 기형발생의 위험을 고려해야 하는 것이고, 위험한 시기에는 약물을 조절하거나 중단 함으로서 그 위험을 최소화시키기 위해 노력해야 한다. 이는 임신 중 범불안장애나 공황장애에 대해서 초기치료를 인지행동치료 같은 비약물성치료를 추천해야 하는 이유가 된다.

(2) 공황 장애

공황장애는 유발인자와 관련 없이 공황발작의 반복되는 삽화를 특징으로 하는 상태이다. 최근 외상 경력 있는 젊은 성인에서 더 빈번하다. 출산전후 시기 공황증상은 사회 심리적인 스트레스가 원인으로 보고되고 있다. 사회 심리적 또는 호르몬 요인 그리고 다른 신경생물학적 변화 등이 출산전후의 공포와 임신의 보호 효과를 설명할 수 있는 이유로써 가능성 있다. 공황장애와 불안은 음주 행위의 잠재적 위험인자가 될 수 있다. 출산후 공황은 분만 후 갑작스러운 호르몬 감소와 동시에 일어난다.

공황장애가 치료되지 않으면 적응장애와 함께 삶의 질에서 심각한 영향을 받게 된다. 공황발작은 호흡기계, 신경계, 또는 심혈관계의 질환들과 자주 혼동되기도 해서 불안을 유발하기도 하고 여러 검사들이 불필요하게 시행되기도 한다. 상세한 병력청취가 진단에서 중요하다. 공황발작은 죽을 것 같은 불안감이 갑자기 발생하여 증상이 20분 이상 지속되는 것을 말한다. 주요 증상은 짧은 호흡, 죽거나 미칠 것 같은 느낌, 흉부 통증, 진전, 발한, 분리 느낌, 어지러움, 그리고 감각이상 등이 있다.

(3) 강박장애

강박장애 환자들은 집요하게 마음을 괴롭히는 생각(강박사고)과 이러한 생각으로 인해 발생하는 불안을 없애기 위해, 정해진 절차(강박행위) 대로 행동하게 된다. 결국 그 절차를 수행하는데 대부분의 시간을 허비한다. 성인 강박장애의 1/3은 증상이 어려서부터 시작된다. 미혼이거나 약물남용 여성에서 강박장애가 흔하고, 유전 성향을 보인다.

(4) 불안장애의 치료

SSRIs는 불안장애에서 일차 선택되는 약이다. Benzodiazepines 같은 항불안제는 우울증, 기분저하장애, 공황장애, 광장공포증, 강박장애, 범불안장애, 섭식장애, 그리고 인격장애 등에서 불안증상을 치료하기 위해서 사용된다. 임신 중 불안증상에도 BZDs 같은 항불안제가 치료에 사용될 수 있다. 항우울제는 불안장애에도 효과 있다. 강박장애는 약물이나 탈감작 요법 같은 정신치료에 잘 반응한다. 공황장애와 강박장애에서 fluoxetine, sertraline, escitalopram, paroxetine, 그리고 citalopram 등이 주로 처방된다. 그 밖의 항우울제로는 삼환계항우울제, imipramine 그리고 clomipramine, 그리고 모노아민 산화제 억제제(monoamine oxidase inhibitors, MAOIs)가 있다. 불안장애에서 가장 많이 처방되는 MAOIs는 phenelzine 이다.

Clonazepam은 사회 공포증과 범불안장애, lorazepam은 공황 장애, 그리고 alprazolam은 공황장애와 범불안장애에 효과 있다. 임신 중 clonazepam은 임신, 진통, 또는 분만 동안 나타나는 산과 합병증과 관련이 적은 것으로 보고 있다. Clonazepam을 복용하던 임산부에서 신생아 독성이나 금단 증상에 대한 증거들이 없다. 다른 선택으로 베타 차단제, 심리 치료, 그리고 인지 행동 치료가 있다.

(5) 마취 시 주의 사항(불안장애)

불안장애 환자의 마취에서 관심사는 마취 전 산소 투여와 문헌에 나타난 약물의 부작용과 상호작용이다.

불안장애 환자에게 얼굴 마스크를 이용한 마취전산소투여는 환자에게 견디기 힘든 고통을 줄 수 있다. 대안으로 마스크를 분리하여 Y자 튜브를 입에 물게 한 후 외부 공기가 들어가는 것을 막기 위해서 코집게하고 숨 쉬게 하는 방법을 사용할 수 있다.

항불안제는 마취제처럼 신경친화제(neurotropic

drug)이다. 따라서 마취 계획을 세울 때 그 효과를 함께 고려해야 한다. SSRIs는 최근 나온 항우울제로서 미국의 식품의약품국(Food and Drug Administration, FDA)에서는 임신 중 사용에 대해 카테고리 C로 분류하고 있다. 기형을 유발한다는 결정적인 증거가 없지만, 임신초기에 paroxetine과 fluoxetine이 사용된 경우 심혈관계 기형과 관련 있다고 한다. SSRIs은 시토크롬 P450 체계를 억제하고 국소마취제의 대사에 영향을 미치므로 약물 사용에서 주의가 필요하다. SSRIs와 마취제는 상호작용이 특별히 없기 때문에 수술전후 시기에 보통 안전하며 약물 중단이 금단 증상으로 나타날 수 있다. 또한 약물이 최대 용량 이상으로 투여되는 상황에서는 세로토닌 증후군이 나타날 수 있으니 주의해야 한다. 혼돈, 환각, 발한, 근경직, 경련, 혈압과 맥박의 변화가 이 증후군의 주요 특징이다.

TCAs는 부작용이 항무스카린 성질과 관련 있다. 비교적 흔한 부작용이며 입마름과 코마름, 흐릿한 시야, 하부 위장관 운동 감소 또는 변비, 요저류, 기억력 장애, 체온 상승 등이 나타난다. 다른 부작용으로는 졸음, 불안, 무딘 감정(무관심·쾌감상실), 혼돈, 초조, 어지럼증, 정좌불능, 과민증, 식욕 및 체중의 변화, 발한, 성기능 장애, 근경련, 허약, 오심, 구토, 저혈압, 빈맥, 부정맥 등이 있다.

신경마비성 악성 증후군(NMS)은 신경 이완제의 사용으로 발생할 수 있다. 4가지 주요 증상은 고열, 의식변화, 다양한 자율신경 증상, 그리고 심한 추체외로 증상이다. 그러나 최근에는 증상들이 모두 나타나지 않는 경우가 많은데 이는 조기 진단이 빨라졌기 때문이다. NMS는 특징이 악성고열증과 비슷하다. 하지만 카페인-할로세인 구축 검사에서 악성고열증 환자는 양성 반응을 보이나, NMS는 반응으로 결정할 수 없다. 병태생리적으로 말초 교감신경계에서의 과잉활동이 주요 기전일 수 있다. NMS가 의심되면 모든 신경 이완제를 즉시 중단해야 한다. 탈수가 나타나며 경미할 경우 수액 보충

만으로 호전될 수 있다. 해열제는 효과 없으며, 합병증으로 호흡부전, 횡문근융해, 신부전, 그리고 파종성혈관내 응고병증이 나타나면 예후가 좋지 않다.

MAOIs 복용하는 환자에게 meperidine의 사용은 금기이다.

3) 약물 남용 관련 장애

(1) 개요

임신 중 약물 남용은 10~25%이며 출생전후기 이환율과 사망률을 높인다. 약물의 작용 기전상 특정 합병증을 예측할 수 있으나 산과적 영향에 대해서는 확실하지 않다. 임산부의 약물 남용에 대해서는 2002~2003 약물남용 및 건강에 대한 정부조사 보고서에서 충격을 준바 있다. 15~44세 임산부의 4.3%, 18%, 9.8%에서 불법 약물, 담배, 그리고 술을 복용하고 있었다. 임산부에서 약물 남용은 성매개감염 질환, 태반 조기박리, 그리고 HIV 감염 등의 합병증을 증가시킬 수 있다. 영아에서는 저체중출생아, 조산, 기형 발생, 태아 의존성과 금단 증상, 그리고 신경행동학적 문제 등이 증가하였다. 또한 신경행동학적으로 영아에서 단기 및 장기적으로 문제 있다는 증거가 있다.

담배와 알코올은 임신 중에 가장 많이 남용되는 약물이다. Ethanol은 신경행동학적으로 태아에게 심각한 영향을 주는 기형유발물질이다. Cocaine은 자연유산, 조산, 급속 분만, 사산, 양수태변, 그리고 태반조기박리와 관련 있다. 임신 중 heroin은 저체중출생아, 유산, 조숙, 소두증 그리고 태내발육지연과 관련 있다. Marijuana는 과학적으로 태아 기형과의 연관성을 찾지 못하였다. 하지만 약물 남용자 대부분은 다른 약물에 대해 중독되기 쉽기 때문에 marijuana 사용자 또한 고위험 환자로 볼 수 있다. 흡연은 자연유산, 조기양막파열, 조산, 분만전후기 태아 사망, 저체중출생아 그리고 학습 및 행동의 장애와 관련 있다. 임신 중 여성에 대해 약물남용 여부

를 확인하고 HIV 상담 및 검사 등을 시행해야 한다.

(2) 알코올 남용

장기 알코올 남용은 수술 후 감염, 중환자실 재원 기간의 증가, 그리고 입원 기간의 증가가 3~5배 정도 높다. 면역반응이 변화하여 감염률이 증가될 수 있으며, 수술 전후의 이환율과 사망률을 높인다. 만성 알코올 중독자에서 알코올 중단은 생명을 위협하는 합병증을 보일 수 있다. 수술 전 처치로 benzodiazepine 또는 clonidine 복합 처방이 예방적으로 도움된다. 알코올 중단으로 정신병 증상이 나타나면 haloperidol이 선택 약물이다. 마취에서 유의해야 할 점은 흡인 위험을 줄이기 위하여 빠른 마취유도를 시행하는 것이다.

(3) Cocaine 관련 장애

Cocaine은 심혈관계에 후유증을 남긴다. 혈장 카테콜라민 수치가 cocaine 노출에 의해 증가한다. 심혈관계 효과는 progesterone에 의한 알파-수용체 감작으로 나타날 수 있다. Cocaine 사용자에서 편두통, 고혈압, 뇌졸중, 그리고 심근경색의 위험이 증가하며, ephedrine 같은 간접작용 승압제가 투여되면 위험을 더욱 키울 수 있다.

임산부에서 cocaine은 조기양막파열, 조기 진통, 태반 박리, 임신나이에 비해 작은 아이, 저체중아(<2,500 g)와 극저체중아(750~1,500 g)와 관련 있고, 비뇨생식기, 심장, 그리고 사지 기형 같은 선천성 장애가 나타날 수 있다.

(4) 아편유사제 관련 장애

아편유사제 의존성 임산부에서는 태아 및 신생아에게 미치는 악영향을 줄이고 임산부의 건강을 유지하기 위하여 조심스러운 치료가 필요하다. 아편유사제 유지 요법이 치료로 선택될 수 있다. 동반된 정신 질환과 기타 약물의 사용 여부에 따라서 치료를 결정해야만 한다.

(5) 약물 의존 임산부의 마취 시 주의사항

복용 약물과 임상 증상을 무시하더라도, 화학적으로 의존성 있는 환자에서 마취의 영향을 정확히 예견하는 일은 항상 어렵다. Cocaine과 amphetamine 남용자는 고혈압, 부정맥, 그리고 심근허혈의 위험이 높아지고, cocaine에 의한 알파 수용체의 효과 증가 및 베타 수용체의 효과 차단으로 propranolol에 의해 과장된 고혈압 상태를 보일 수 있다. Cocaine 중독 임산부에서는 혈압하강제로 hydralazine, labetalol, 그리고 nitroglycerin이 적합하다. 모든 흡입마취제는 cocaine과 amphetamine의 부정맥 효과를 더 크게 만들 수 있다.

아편유사제 중독 임산부에서 마취시 고려해야 할 사항은 급성 금단 증상을 피하기 위하여 아편유사제의 치료를 유지시키는 것이다. 같은 이유로 길항제 사용은 금기이다. 만약 금단 증상이 발생하면, clonidine 또는 doxepin으로 치료 할 수 있다. 알코올 남용 임산부에서 주요 관심사는 급성 금단증상과 진전 섬망증이다. 경우에 따라서는 ethanol의 혈관 내 투여를 고려해 볼 수 있다.

약물남용 임산부에서 전신 마취의 영향을 예측하는 일은 불가능하며, 약물 남용의 정도와 노출된 약물의 조합에 달려있다. Marijuana와 ethanol은 흡입마취제에 의한 심근억제 효과를 증가시킨다. 부위 마취가 절대 금기는 아니지만, 감염과 응고장애의 가능성에 대해서 생각해야 한다.

4) 정신분열증과 기타 정신병 장애

정신병 장애는 활성기에 정보 처리 및 논리 사고 능력의 심각한 손상을 가지면서 특징적인 사고 장애를 보이는 질환이며, 결과적으로 현실 감각에 대해 심각한 손상이 나타난다. 주요 원발성정신장애에는 정신분열증, 분열정동장애, 단기정신병장애, 망상장애가 있다. 특징적인 증상과 지속시간, 중증 정도, 정동 요소, 그리고 지적인 영역의 타협 정도에 따라 감별진단과 분류가 이루어진다. 정신분열증에서는 지각 장애, 환청, 또는 비정상적인 망상들이 일관되게 출현한다. 만약 증상에서 정동 요소가 중요하게 관련 되어 있으면 분열정동장애를 의심할 수 있다. 망상 장애는 망상적인 특정 믿음이 고정되어 있고, 단기정신병장애는 지속시간이 제한적이어서 급성기 이후에는 후유증 없이 해결된 양상을 보인다. 음성 증상(사회 교류의 부재, 무감각)은 정신분열증에서 주로 나타난다.

인구 집단의 1~2% 정도에서 정신분열증이 발생하며, 25~35세 여성에서 가장 높게 발병하고 있어서 여성의 주요 출산 연령대하고 겹치고 있다. 많은 산과적 합병증(예: 저출생체중아)과 신생아의 나쁜 상태들(예: 근육 긴장 저하, 기면, 진전, 추체외로 증상)하고 관련 있다.

정신분열증과 정신병 장애 치료에는 전통적인 1세대 항정신성 약물들(예: promethazine, chlorpromazine, prochlorperazine, haloperidol, perphenazine, trifluoperazine, loxapine, thioridazine, flupenthioxol, fluphenazine)과 2세대 항정신성 약물들(예: clozipine, risperidone, olanzapine, quetiapine, ziprasidone, aripiprazole, paliperidone)이 사용된다. 임신 동안 사용되는 항정신병 약물들이 출생 결함이나 다른 유해한 결과들을 일으

킨다는 증거는 미미하다(표 15-8-1).

정신분열증과 양극성 장애를 앓고 있는 여성에서 증상 약물에 의해 조절되고 있으면 부위 마취가 적당할 수 있다. Kudoh 등에 따르면 ketamine, propofol, 그리고 fentanyl로 정맥 마취는 sevoflurane 기본의 마취에 비해 수술 후 정신병 증상이 적게 발생한다고 하였다.

4. 임신 중 정신과 약물의 위험

미국식품의약국은 위험도 분류 체계를 개발하여 약물의 위험도를 A, B, C, D, X의 5개 카테고리로 분류하였다: 카테고리 A는 임신 중 사용해도 안전한 약물, 카테고리 D는 위험에 대한 증거가 있는 약물, 그리고 카테고리 X는 임신 중 사용을 명백히 금지시킨 약물이다. 카테고리 C는 인체 연구가 없거나 정보가 부족해서 잠재 위험을 배제할 수 없는 약물들을 포함한다. 카테고리 B는 A와 C 사이이며 중간 정도 위험도 약물이다. 정신작용제 대부분은 카테고리 C에 속해있다. 카테고리 A에 속하는 정신작용제는 없다. 이 분류 체계를 어느 정도 신뢰 할 수 있겠으나 항상 그런 것은 아니기 때문에 주의가 필요하다. 때에 따라서는 전문가의 자문과 다른 출

표 15-8-1 임신 중 정신병약물의 사용과 예후

약물	소견
1차 정신병약	선천성장애비율, 출산전후 사망률, 출생체중, 또는 지능에서 차이 없음
Haloperidol	선천성 장애 비율 증가 없음
Olanzapine, Risperidone, Quetiapine, Clozapine	정신병약에 노출있는 여성에서 선천성장애비율이 증가하지 않지만 저체중출산의 위험은 약간 증가
Risperidone	선천성 장애 또는 다른 부작용의 증가 없음
1차, 2차 정신병약	1차 정신병약은 대조 군에 비해 출생체중이 작고 임신나이보다 작은 영아의 출산이 높았고, 2차 정신병약은 임신나이보다 큰 영아의 빈도가 높았고, 출생체중은 1차 약물에 비해 더 높음.
1차, 2차 정신병약	장애의 위험 약간 증가(승산비, 1.52)

처의 자료들을 참고해야 한다.

1) 기형발생의 위험

임신기간 약물치료는 기형발생 여부가 주요 관심사다. 임신 중 그리고 수유 중에 SSRIs 복용은 주요 기형하고 관련 없어 보인다. 그러나 작은 부작용 몇 가지가 보고 된 게 있다. 출생 전 항우울제 복용은 우울증상의 존재 여부와 상관없이 임신나이에 비해 작은 아이 그리고 조기분만의 위험이 높아지는 것으로 알려져 있다. 이는 출생시 임신나이에 대한 예측인자가 우울증보다는 투약 상태에 의한다는 사실을 의미한다.

기형은 약제에 의해 장기의 기형이 발생한 결과이다. 주요 장기의 발달은 임신 첫 12주 동안에 이루어진다. 모든 계통은 기형발생이 나타나는 중요 시기가 있다. 신경관은 임신 첫 4주에 결함이 나타나고, 심혈관은 4~9주에 결함이 발생한다. 대부분의 항우울증약은 선천적인

기형이 출생전 노출에 의해 증가되는지 여부에 대하여 분명히 밝혀진 바가 없다. Fluoxetine과 citalopram은 낮은 생식기계 기형 위험에 대해 비교적 잘 알려져 있다. 심혈관 기형과 분만전후 합병증이 높아서 D로 분류가 되고 있는 paroxetine을 제외하면 SSRIs와 SNRIs 대부분이 카테고리 C로 분류되어있다. TCAs는 태아에서 항콜린성 효과가 있어서 카테고리 D로 분류되지만 약물과 주요 선천적 기형발생 사이에는 관련성이 적다. TCAs 중 desipramine과 nortryptyline은 항콜린성 효과가 가장 적어서 선택하기 좋은 약물이다. MAOIs는 고혈압 위기가 일어날 수 있고, 선천성 기형의 위험이 있어서 임신 중에는 사용을 피하는 것이 좋다. Bupropion은 심혈관 기형의 위험이 증가할 수 있어서 논란이 되지만, 임신 중에 절대 금기인 것은 아니다. 항우울제의 기형 발생에 대해서는 표 15-8-2에 제시되어 있다.

표 15-8-2 항우울제와 기형

선택세로토닌재흡수억제제들(SSRIs)		
약물	잠재적 위험들	임신 중 약물 선택
Fluoxetine (Prozac, Sarafem)	신생아 폐동맥 고혈압증(임신 후반기)	선택 가능
Citalopram (Celexa)	신생아 폐동맥 고혈압증(임신 후반기), 심장중격결손, 두개골유합증, 선천복벽탈장	선택 가능
Paroxetine (Paxil)	태아 심장애(임신 1분기), 신생아 폐동맥 고혈압증(임신 후반기), 무뇌증, 두개골유합증, 선천복벽탈장	금기
Sertraline (Zoloft)	신생아 폐동맥 고혈압증(임신 후반기), 심장중격결손, 선천복벽탈장	선택 가능
삼환계 항우울제들(TCAs)		
Amitriptyline	사지기형(초창기 연구)	선택 가능
Nortriptyline (Pamelor)	사지기형(초창기 연구)	선택 가능
모노아민 산화효소 억제제들(MAOIs) 및 기타		
Phenelzine (Nardil)	심한 혈압 상승	가급적 피해야 함
Bupropion (Wellbutrin)	확인된 위험 없음	선택 가능

2) 유산의 위험

항우울제는 유산 위험을 높이지 않는다. 임신 제1삼분기에 SSRIs를 사용하면 자연 유산이 증가할 수 있다는 연구가 있지만, 통계적으로 의미 있는 차이를 보여주는 것이 아니었고 정동장애에 대해 이차로 발생하는 합병증으로 설명 가능하다.

3) 신생아의 독성 또는 출생전후기 증후군의 위험

태아가 항우울제에 노출된 경우 신생아 시기에 몇 가지 증상을 나타낼 수 있다. 신체 및 행동의 증상은 발생이 낮거나 일시적일 수 있다. TCAs의 금단 증상으로 과민성, 소변 정체, 비기계적 장 폐쇄가 주 증상이고 유병기간이 짧고 경하다. 단지 clomipramine에서 금단 발작이 보고되고 있다. 호흡장애, 짧은 임신나이, 신경과민, 수유 문제, 그리고 낮은 Apgar 점수 등이 SSRIs 노출과 관련 있다고 보고하는 연구도 있다. 하지만 매우 적은 Apgar 점수의 폭을 보더라도 그 관련성에 대해 논란이 있다. 이런 연구들은 대부분 출산전후기에서 정동장애의 영향을 고려하지 않고 있다. 임상적으로 중요한 SSRIs 금단 증상은 분만 무렵 paroxetine에 노출되었던 신생아에서 호흡 부전 및 저혈당증이 나타나는 것이다. 독특한 증후군의 특성상 논란이 있으나 오래 지속되지 않으며 임상경과가 양성이다.

신생아 독성을 줄이기 위하여 항우울증약의 용량을 줄이는 것은 문제가 될 수 있다. 오히려 중요한 시기에 우울증의 재발 위험을 높이게 될 뿐이다. 출생전후기 증후군에 대하여 미국식품의약국에서 경고한 것과 상관없이, 태아가 항우울제에 분만전에 노출되었다고 해서 인지 및 언어 발달을 포함한 장기 신경행동학적 후유증이나 산과적 부작용 또는 신생아 후유증들이 증가한다는 명백한 임상 증거가 아직 없다. 하지만, 임신 동안 우울증상을 보이는 임산부에서 태어난 아이는 발달지연을 보일 수 있다는 증거가 있을 뿐이다.

참고문헌

Akman C, Uguz F, Kaya N. Postpartum-onset major depression is associated with personality disorders. Compr Psychiatry 2007; 48: 343-7.

Altshuler LL, Cohen LS, Moline ML, et al. Treatment of depression in women: a summary of the expert consensus guidelines. J Psychiatr Pract 2001; 7: 185-208.

Bijl RV, Ravelli A, van Zessen G. Prevalence of psychiatric disorder in the general population: results of The Netherlands Mental Health Survey and Incidence Study (NEMESIS). Soc Psychiatry Psychiatr Epidemiol 1998; 33: 587-595.

Blake LD, Lucas DN, Aziz K, et al. Lithium toxicity and the parturient: case report and literature review. Int J Obstet Anesth 2008; 17: 164-9.

Deave T, Heron J, Evans J, Emond A. The impact of maternal depression in pregnancy on early child development. BJOG 2008; 115: 1043-51.

Ellfolk M, Malm H. Risks associated with in utero and lactation exposure to selective serotonin reuptake inhibitors (SSRIs). Reprod Toxicol 2010; 30: 249-60.

Glantz JC, Woods JR Jr. Obstetrical issues in substance abuse. Pediatr Ann 1991; 20: 531-9.

Hans SL. Demographic and psychosocial characteristics of substance-abusing pregnant women. Clin Perinatol 1999; 26: 55-74.

Ishikawa T, Kawahara S, Saito T, et al. [Anesthesia for electroconvulsive therapy during pregnancy-a case report]. Masui 2001; 50: 991-7.

Keifer RB, Stirt JA. Preoxygenation. Anesthesiology 1995; 83: 429.

Kuczkowski KM. Anesthetic implications of drug abuse in pregnancy. J Clin Anesth 2003; 15: 382-94.

Kudoh A, Katagai H, Takazawa T. Antidepressant treatment for chronic depressed patients should not be discontinued prior to anesthesia. Can J Anaesth 2002; 49: 132-6.

Marcus SM, Flynn HA, Blow FC, et al. Depressive symptoms among pregnant women screened in obstetrics settings. J Womens Health (Larchmt) 2003; 12: 373-80.

Meshberg-Cohen S, Svikis D. Panic disorder, trait anxiety, and alcohol use in pregnant and nonpregnant women. Compr Psychiatry 2007; 48: 504-10.

Newham JJ, Thomas SH, MacRitchie K, et al. Birth weight of infants after maternal exposure to typical and atypical antipsychotics: prospective comparison study. Br J Psychiatry 2008; 192: 333-7.

Nisijima K, Shioda K, Iwamura T. Neuroleptic malignant syndrome and serotonin syndrome. Prog Brain Res 2007; 162: 81-104.

Oberlander TF, Warburton W, Misri S, et al. Neonatal outcomes after pre-natal exposure to selective serotonin reuptake inhibitor antidepressants and maternal depression using population-based linked health data. Arch Gen Psychiatry 2006; 63: 898-906.

Pearson KH, Nonacs RM, Viguera AC, et al. Birth outcomes following prenatal exposure to antidepressants. J Clin Psychiatry 2007; 68: 1284-9.

Reis M, Kallen B. Maternal use of antipsychotics in early pregnancy and delivery outcome. J Clin Psychopharmacol 2008; 28: 279-88.

Rubinchik SM, Kablinger AS, Gardner JS. Medications for panic disorder and generalized anxiety disorder during pregnancy. Prim Care Companion J Clin Psychiatry 2005; 7: 100-5.

Sharma V. Management of bipolar II disorder during pregnancy and the postpartum period-Motherisk Update. 2008. Can J Clin Pharmacol 2009; 16: e33-e41.

Sloan DM, Kornstein SG. Gender differences in depression and response to antidepressant treatment. Psychiatr Clin North Am 2003; 26: 581-94.

Sonawalla SB, Fava M. Severe depression: is there a best approach? CNS Drugs 2001; 15: 765-76.

Suri R, Altshuler L, Hellemann G, et al. Effects of antenatal depression and antidepressant treatment on gestational age at birth and risk of preterm birth. Am J Psychiatry 2007; 164: 1206-13.

Uguz F, Gezginc K, Zeytinci IE, et al. Obsessive-compulsive disorder in pregnant women during the third trimester of pregnancy. Compr Psychiatry 2007; 48: 441-5.

색전성 질환

16-1 양수색전증

양수색전증은 분만하는 과정 중 혹은 출산 직후 발생하는 예측 불가능한 임신 합병증 중 하나이다. 1926년 Meyer에 의해 처음으로 기술되었던 양수색전증은 초기에는 양수에 있던 태아물질이 임산부의 폐혈관을 기계적으로 막으면서 생기는 병이라고 생각하였다. 그 후 1941년에 Steiner와 Luschbaugh는 분만 도중 갑작스러운 쇼크로 사망한 32명의 임산부의 증례를 보고하고 이 중 8명의 부검 결과를 분석하여 폐혈관에서 태아의 것으로 추정되는 편평상피가 존재함을 밝히면서 체계적인 조직학적 소견 및 임상적 특징들을 발표하였다. 현재는 임산부 혈액으로 들어간 태아의 항원물질에 대한 비정상적인 면역학적 반응으로 나타나는 하나의 증후군으로 보고 있다.

양수색전증은 매우 드물게 발생하지만 일단 발생하면 치사율이 매우 높은 질환으로 빈도는 약 8,000~80,000 분만당 1건 정도 발생된다고 보고되고 있으며, 일단 발병하면 치사율이 61~86%로 증상 발현 첫 1시간 이내에 약 50%가 사망하는 것으로 알려져 있다. 우리나라에서는 1989년부터 1998년까지 만 10년 동안 전국 20개 대학병원의 분만 통계를 대상으로 조사한 결과 총 분만 건수 381,042건 중에서 양수색전증인 경우가 17건으로 약 22,400분만 당 1건의 발생 빈도를 보여 외국 발표와 비슷한 결과를 보였다. 이상의 양수색전증 17건 중 11건에서 임산부가 사망하여 64.7%의 사망률을 보였고, 분만 진통 중에 14건이 발생했다. 또한 분만 후에 3건이 발생하여 분만 진통 중의 발생 빈도가 상대적으로 높았음을 보여주었고, 13건에서 임상적 증상으로 진단하였으며 나머지 4건은 부검을 통해 진단되었다고 보고하였다. 통계청 자료에 따르면 2009년부터 2014년까지 최근 6년 동안 우리나라에서 발생한 모성 사망비는 출생아 10만 명당 2011년에 17.2명으로 증가하였다가 2014년도에는 11명으로 다시 감소하였다. 이 중 출혈 등 직접적 원인에 의한 사망 비율이 최근 조금씩 증가하는 추세이지만 색전증의 빈도는 매년 비슷하며 전체 모성 사망의 20~29%를 차지하고 있다(표 16-1-1).

1. 병태 생리

"양수색전증"이란 병명으로만 본다면 마치 폐색전증처럼 양수가 폐혈관을 물리적으로 막음으로써 모든 증상이 발현되는 것으로 오해할 수 있다. 실제로 과거에는 양수가 모체 혈액으로 들어가서 색전(embolization)을 형성하고, 모체의 폐 혈관을 막아서 급성폐심장증(acute cor pulmonale), 저산소증 및 심혈관계 허탈(cardiovascular collapse)을 유발시켜 양수색전증을 일으킨다고 생각하였다. 그래서 양수색전증이 의심되는 임산부가 사망했을 때 임산부의 폐혈액에서 태아로부터 유래된 편평세포(squamous cells), 솜털(lanugo hair), 태지의 지방(vernix caseosa), 또는 태아 장관에서 분비된 점액 및 담즙 등을 확인하여 양수색전증을 확진하고자 부검을 시도하였다. 또는 폐동맥 도관을 통해 이러한 태아 조직과 세포를 얻고자 하였으며, 이러한 조직 혹은 세포가 임산부의 폐혈관에서 발견되면 양수색전증이라

표 16-8-1 우리나라 모성사망에 대한 통계청 자료

	2009년	2010년	2011년	2012년	2013년	2014년
출생아수(명)	444,849	470,171	471,265	484,550	436,455	435,435
모성사망자 수(명)	60	74	81	48	50	48
모성사망비(출생아 10만명 당)	13.5	15.7	17.2	9.9	11.5	11.0
평균 출산 연령(년)	31.0	31.3	31.4	31.6	31.8	32.0
고령(35세 이상) 임산부비(%)	15.4	17.1	18.0	18.7	20.2	32.0
고령 모성사망비(3년 평균)			36.0			23.1
사망 원인별						
간접 산과적 사망	15(25%)	29(39%)	25(31%)	17(35%)	12(24%)	9(19%)
직접 산과적 사망	45(75%)	45(61%)	56(69%)	31(65%)	38(76%)	39(81%)
고혈압성 장애	2(3%)	3(4%)	5(6%)	4(8%)	2(4%)	4(8%)
자궁무력증 등	4(7%)	7(10%)	5(6%)	2(4%)	4(8%)	7(8%)
분만 후 출혈	11(18%)	4(5%)	3(4%)	4(8%)	5(10%)	10(21%)
산과적 색전증	12(20%)	18(24%)	22(27%)	14(29%)	11(22%)	11(23%)
색전증에 의한 모성사망비	2.7	3.8	4.7	2.9	2.5	2.5

확진할 수 있다고 생각하였다. 그러나 후속되는 연구들에서 임산부의 폐혈관에서 발견되는 태아 세포는 단순히 양수의 일부가 임산부의 손상된 혈관을 통해 전신 순환계로 침투한 것을 입증하는 것일 뿐, 임산부의 폐혈관에서 태아 세포가 발견되었다고 해서 양수색전증으로 확진할 수 없다는 보고들이 많이 있었다. 태아 세포가 일반 임산부에게서 발견되기도 하고, 양수색전증과 무관하게 마취로 인한 사망 시에도 발견되었다는 보고들이 있기 때문이다. 이렇듯 양수색전증의 원인과 발생 기전은 아직까지 명확하게 이해되고 있지 않다. 양수색전증이 발생하게 되는 최초의 원인은 임산부의 전신 혈관으로 양수 유입이 일어나는 것인데, 이러한 양수 유입은 분만하는 과정에서 자궁하부 혹은 내경부(endocervical) 등에서 혈관 손상이 있을 때 발생하는 것으로 알려져 있다.

양수색전증을 일으키는 호발 인자로 격렬한 산통, 외상, 다산 경험, 자궁수축제 oxytocin 사용, 고령 등이 거론되고는 있지만 아직까지 이들에 대한 과학적인 근거는 부족하다. 과거에는 질식 분만, 강한 자궁 수축 및 oxytocin의 사용 등이 양수를 모체 혈액 순환으로 주입시키는 주요한 원인으로 지목되었으나, 여러 연구자들에 의해 반론이 제기되었다. Oxytocin의 사용과 양수색전증 발생 빈도 사이에 상관관계가 없음을 보고하였으며, 자궁의 강한 수축 현상은 양수색전증의 원인이 아니라 호흡 부전에 따른 자궁 근육의 hypoxic-catecholamine 반응의 결과라고 설명하였다.

결국 양수색전증은 어떠한 원인이든지 임산부 혈액으로 침투한 태아의 세포가 임산부에게 이물질로 인식되어 비정상적으로 과도한 면역반응이 나타나는 것으로 설명할 수 있다. 양수색전증에 대한 연구를 많이 했던 Clark 등에 의하면 양수색전증으로 진단된 총 46건의 임상증례들을 후향적으로 면밀하게 조사한 결과 이들에서 나타나는 임상 증상들은 양수의 물리적 색전 폐색에 의한 것이 아닌, 폐혈성속이나 anaphylaxis와 유사한 기전으로 발생하는 것이라 보고하였다. 따라서 "amniotic fluid embolism"이란 병명은 잘못된 것이며, 이를 "anaphylactoid syndrome of pregnancy"로 명명하여야 한다고 주장하였다. 양수색전증이 단지 폐색전에 의한 것이라면 좌심실 부전, 응고장애에 대한 명확한 설명 및 근거가 부족하며, 양수색전증 증상인 심혈관계 허탈, 좌심실 기능부전, 응고장애 및 파종혈관내응고(disseminated intravascular coagulation, DIC) 등

의 임상 양상들은 폐혈증 및 anaphylaxis와 동일한 경로를 통해 발생되기 때문에 폐색전에 의한 질환보다는 anaphylaxis에 가깝다고 주장하였다(그림 16-1-1). 액성 물질에 의한 면역학적 기전이 보다 각광을 받는 이유는 여자 태아보다는 남자 태아일 경우, 그리고 약제에 대한 allergy가 있는 임산부의 경우에 양수색전증의 발생 빈도가 높게 나타나는 현상때문이다. 하지만 그의 주장으로부터 20년이 흐른 지금까지도 양수색전증이라는 병명은 바뀌지 않고 여전히 사용되고 있다. 잘못된 용어라도 "중풍", "뇌졸중" 같은 병명이 이미 사람들의 입에 회자되어 계속 사용되는 이유와 같을 것이다.

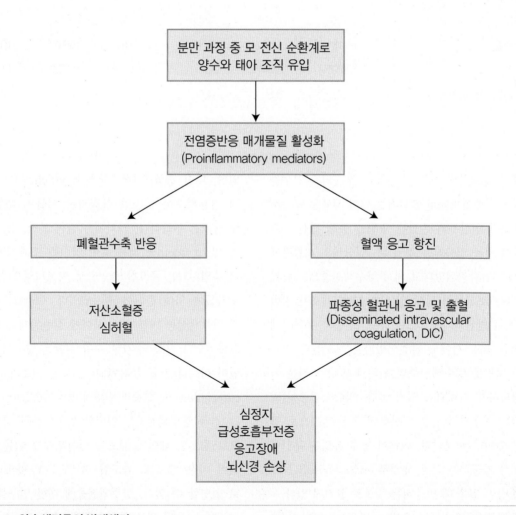

그림 16-1-1. 양수색전증의 병태생리

2. 임상 증상 및 진단

양수색전증은 분만 과정과 연관되어 있는 질병이라서 진통 및 질식 분만 중, 또는 분만 직후에 주로 발생하지만, 드물게 분만 48시간 이후나 제왕절개술, 양수 천자술, 태반 제거 및 임신 1, 2기 기간의 유산과 관련되어 발생하기도 한다. 양수색전증은 환자의 80~100%에서 저산소증, 저혈압 및 혈액응고 장애 등의 전형적인 임상 증상을 보이고(표 16-1-2), 증상 발현 1시간 이내 치사율이 50%에 이를 정도로, 급격한 진행을 보이는 치명적인 질환이다. 다른 임상 소견들로는 의식변화, 초조(agitation), 태아가사(fetal distress) 등이 발생할 수 있다.

위와 같은 임상 증상이 나타나는 것은 초기에 액성 물질과 면역학적 기전에 의해 폐혈관 수축이 일어나고, 이로 인해 심한 저산소증, 호흡성 산증, 우심실 부전이 초래되기 때문이다. 이차적으로 좌심실 부전과 폐부종을 동반한 심혈관계 허탈이 발생하며, 마지막에 발작, 혼수 등을 동반한 신경학적 기능 저하와 혈액응고장애가 초래된다. 양수색전증 환자의 80% 이상에서 동반되는 혈액응고장애는 보통 초기 증상 발현 후 4시간 이내에 발생하며, 적절한 치료가 수반되지 않으면 계속되는 출혈과 응고 장애로 심각한 결과를 초래할 수 있다. 조기 진단과 처치를 하여 임산부가 사망에 이르지 않더라도, 심각한 신경학적 기능 장애가 발생할 수 있고, 장기간 중환자실에 체류하게 되어 감염의 위험과 다른 합병증이 동반될 수 있다.

양수색전증은 임상 경과에 따라 크게 두가지 형태로 나눌 수 있는데 저혈압, 저산소증이 주가 되는 심혈관계 허탈 형태와 자궁내 출혈과 혈액응고 장애가 주가 되는 DIC 형태가 있다. 이 중 심혈관계 허탈형 양수색전증은 초기 심각한 저혈압과 저산소증이 급격하게 진행하여 평균 37분이라는 매우 짧은 시간 안에 심정지가 발생할 정도로 그 경과가 매우 빠른 것이 특징이다. DIC형태의 양수색전증은 초기 증상이 주로 자궁내 출혈이며 증상 발현에서 심정지까지 걸리는 시간은 평균 102분이라고 한다. 혈장내 섬유소원의 급격한 감소를 볼 수 있다.

과거에는 양수색전증으로 진단을 내리기 위해서는 임산부의 폐혈액이나 폐조직에서 태아로부터 유래된 편평세포나 솜털, 조직 파편을 발견하는 것이 필수라고 생각하였다. 그러나 이러한 세포와 조직들은 양수색전증 이외의 다른 질환을 가진 임산부와 심지어 건강한 임산부의 폐혈액에서도 발견된 경우가 꽤 보고되었다. 또한 양수색전증은 단순한 폐색전증과는 그 임상양상이 많이 다르기 때문에 단순히 조직학적 소견만으로 양수색전증의 진단을 내릴 수는 없다. 따라서 근래에는 양수색전증의 전형적인 임상 증상과 징후를 보이는 경우, 다른 산과질환들을 모두 배제한 후에 비로소 양수색전증으로 진단하게 된다.

이와 같이 양수색전증의 진단은 현재까지 어떤 정형화된 방법도 없으며, 확진할 수 있는 특별한 진단 방법도 없다. 그러므로 임산부가 양수색전증의 초기에 나타나는 전형적인 임상 양상을 보일 경우(표 16-1-2) 양수색전증을 의심하고 적극적인 처치 및 대증 치료를 시행하는 것이 사망률을 낮출 수 있는 방법이다.

양수색전증을 임상 증상과 징후만으로 다른 산과 질환과 감별진단 한다는 것은 매우 어렵고 힘

표 16-1-2 **양수색전증에서 자주 나타나는 임상증상 및 징후들**

	증상 및 징후
심폐기능 이상	저혈압 저산소증 부정맥 폐부종 증상
혈액기능 이상	응고 장애 출혈 DIC
신경기능 이상	경련 의식저하

들 수도 있다. 감별해야 할 질환으로, 폐혈관색전증(pulmonary thromboembolism), 공기 색전증(venous air embolism), 폐혈성쇽(septic shock), 급성심근경색(acute myocardial infarction), 산후 심근병증(peripartum cardiomyopathy), 자간전증(preeclampsia), 자간증(eclampsia), 흡인성폐렴(aspiration of gastric content) 등을 들 수 있다(표 16-1-3).

양수색전증의 진단을 위해 임산부 혈청에서 발견되는 생체표식자들을 이용하고 있다. 현재 임상에서 사용되고 있는 생체표식자들을 표 16-1-4에 정리하였다. Kobayashi 등은 양수색전증을 진단하기 위하여 TKH-2를 이용하여 ELISA로 sialyl Tn의 농도를 측정하였고, 그 결과 양수색전증 임산부에서 sialyl Tn

의 농도가 상당히 증가되어 있었다고 보고하였다. 또한 Kanayama 등은 양수색전증 임산부의 혈액에서 태변의 특징적 성분인 zinc coproporphyrin (ZnCP-1)이 유의하게 증가되어 있다고 보고하였으며, Benson 등은 양수색전증이 anaphylaxis와 매우 밀접한 관련성이 있기 때문에 비만세포(mast cell)의 탈과립자의 표식자로 tryptase 농도를 이용할 수 있다는 주장도 제기하였다. 최근 Kanayama 등은 양수색전증이 발생한 환자에서 DIC로 인해 C1 esterase inhibitor의 활동이 감소됨을 발견하고 이를 진단 및 치료에 이용할 수 있을 것이라고 주장하였다.

양수색전증이 의심될 경우, 즉각적으로 동맥혈 가스 분석, 혈소판과 일반 혈액검사 프로트롬빈 시간, 부분 트롬보플라스틴 시간, 섬유소원, 섬유소 분리산물, 흉부

표 16-1-3 양수색전증의 감별 진단

감별 진단	증상 및 징후			
	호흡곤란	저혈압	혈액응고 장애	경련
Pulmonary thromboembolism	O	O		
Venous air embolism	O	O		
Septic or hypovolemic shock		O	O	
Myocardial infarction		O		
Peripartum cardiomyopathy	O	O		
Uterine rupture		O		
Supine hypotensive syndrome		O		
Preeclampsia / eclampsia			O	O
Local anesthetic toxicity				O
Placetal abruption		O	O	
Cerebral vascular accident	O			O
Aspiration of gastric contents	O			

From Viscomi CM, Clark SL; Amniotic fluid embolism. In: Obstetric anesthesia. 2nd ed. Edited by Norris MC: Philadelphia, Lippincott Williams & Wilkins. 1999, pp 579-91.

표 16-1-4 양수색전증 진단에 사용되는 생체표식자

생체표식자	특징
Zinc coproporphyrin	태아의 소변과 대변의 조성 물질 증가 시 양수색전증 의심
Sialyl Tn 항원	태변과 양수에서 발견되는 태아 항원
Complements	C3 또는 C4의 감소 혈액응고인자의 활성화 의미
Interleukin-8	증가 시 양수색전증 의심
Tryptase	Mast cell degranulation marker 증가 시 양수색전증 의심

방사선 촬영, 12 리드 심전도, 심장초음파 등을 시행하여 진단에 도움을 받을 수 있지만, 실제 임상에서 저산소증과 심각한 저혈압이 발생된 상황에서 이러한 검사를 시행하는 것이 불가능할 수 있다. 그러므로 의심되는 증상 발현 시에 맥박산소계측기, 혈압 측정을 지속적으로 시행하고 환자 증상을 파악하여 신속히 대처하여 치료, 처치하는 것이 보다 바람직한 방법일 수 있다.

3. 치료

양수색전증은 갑자기 발병하며, 급격한 진행과 심각한 기능 장애를 초래하고 높은 치사율을 보이는 산과질환으로, 현재까지는 예방과 예측이 불가능한 질환으로 알려져 있다. 그러므로 저혈압, 저산소증, 출혈 등의 증상이 나타날 때 양수색전증의 가능성을 염두에 두는 것이 중요하다. 즉각적인 치료와 적극적인 보존요법만이 치사율과 신경 장애 발생을 낮출 수 있는 방법이기 때문이다.

양수색전증의 임상 증상은 크게 저산소증, 심혈관계 허탈, 혈액응고장애로 나누어지므로 이에 맞추어 치료를

해야 한다. 저산소증을 보일 경우 적극적인 산소 공급이 이루어져야 하므로 필요하다면 기관내 삽관과 고농도 산소 투여, 호기말양압 등을 이용하여 기도 확보와 함께 적절한 산소 공급이 이루어지도록 한다. 비침습적이며 지속적인 산소 포화도 감시를 위해 맥박산소계측기를 사용하는 것이 좋다. 만약 심정지가 갑자기 발생할 경우 즉각적으로 심폐소생술을 실시하여야 함은 매우 중요하다.

심각한 저혈압과 심혈관계 허탈을 치료하기 위해서 적절한 수액 요법과 적극적인 약물 요법을 병용되어야 한다. 혈액량과 심박출량을 적절히 유지하기 위해서는 충분한 양의 정질액과 교질액의 투여가 요구되지만, 폐부종 혹은 좌심실 부전이 발생할 경우에는 수액의 주입량과 시간당 소변 배출량을 주위 깊게 관찰하면서 수액 주입량을 결정한다. 저혈압과 심혈관계 허탈을 보일 경우에 약물 요법을 사용하여 동맥 혈압을 유지하며 중요 장기로 공급되는 혈액량을 유지하여야 하는데, ephedrine, dopamine, dobutamine, digoxin 등을 사용하여 일정 이상의 수축기 혈압을 유지하고 요 배출량을 0.5 ml/kg/h 이상이 되게 하며, 동맥혈 산소 분압(PaO_2)이 최소한 60 mmHg 이상 유지되도록 해야 한다. 양수색전증은 저혈압, 저산소증 발생에서 심정지까지 걸리는 시간이 매우 짧으므로 즉각적인 수액 공급과 함께 적극적인 약물요법이 필수적이다.

혈액응고장애는 혈액검사를 자주 반복적으로 검사하여 환자 개개인에 맞게 치료를 시행하여야 한다. 농축적혈구, 신선냉동혈장, 혈소판 농축액 및 동결침전제제를 투여하여 혈액응고장애를 교정하고, 손실되는 혈액량을 최소화하고 부족 혈액량을 보충해주어야 한다.

4. 결론

분만 관련 합병증 중에서 양수색전증은 매우 드물게

발생하지만, 예측과 예방이 불가능하고, 일단 발병하면 치사율이 매우 높으며 생존하더라도 심각한 신경학적 후유 장애가 발생할 수 있는 질환이다. 그러나 초기 임상 증상이 나타날 때 양수색전증을 조기에 의심하고 산소공급과 혈역학적 보조, 혈액응고장애의 치료를 처음부터 적극적으로 시행한다면 사망률과 유병률을 낮출 수 있을 것이다.

참고문헌

조용균: 양수색전증. 대한산부인과학회지 1999; 42: 2421-5.

김지영, 양정인, 유희석, 오기석, 주희재: 분만 후 자궁경부혈관에서 증명된 양수색전증의 1예. 대한산부인과학회지 1997; 40: 1528-31.

Attwood HD: The histological diagnosis of amniotic-fluid embolism. J Pathol Bacteriol 1958; 76: 211-5.

Aurangzeb I, George L, Raoof S: Amniotic fluid embolism. Crit Care Clin 2004; 20: 643-50.

Balinger KJ, Lam MC, Hon HH, Stawicki SP, Anasti JN: Amniotic fluid embolism: despit progress, challenges remain. Curr Opin Obstet Gynecol 2015; 27: 398-405.

Bastien JU, Graves JR, Bailey S: Atypical presentation of amniotic fluid embolism. Anesth Analg 1998; 87: 124-6.

Benson MD, Lindberg RE: Amniotic fluid embolism, anaphylaxis, and tryptase. Am J Obstet Gynecol 1996; 175: 737.

Clark SL: Amniotic fluid embolism Obstet & Gynecol 2014; 123: 347-48.

Clark SL, Hankins GD, Dudley DA, Dildy GA, Porter TF: Amniotic fluid embolism: analysis of the national registry. Am J Obstet Gynecol 1995; 172: 1158-69.

Clark SL, Pavlova Z, Greenspoon J, Horenstein J, Phelan JP: Squamous cells in the maternal pulmonary circulation. Am J Obstet Gynecol 1986; 154: 104-6.

Dudney TM, Elliott CG: Pulmonary embolism from amniotic fluid, fat, and air. Prog Cardiovasc Dis 1994; 36: 447-74.

Hankins GDV, Clark SL: Amniotic fluid embolism. Fetal and Maternal Medicine Review 1997; 9: 35-47.

Hogberg U, Jolesson I: Amniotic fluid embolism in Sweden, 1951 - 1980. Gynecol Obstet Invest 1985; 20: 130-7.

Joelsson UHI: Amniotic fluid embolism in Sweden, 1951-1980. Gynecol Obstet Invest 1985; 20: 130-7.

Kanayama N, Tamura N: Amniotic fluid embolism: Pathophysiology and new strategies for management. J Obstet Gynaecol Res 2014; 40: 1507-17.

Kanayama N, Yamazaki T, Naruse H, Sumimoto K, Horiuchi K, Terao T: Determining zinc coproporphyrin in maternal plasma-a new method for diagnosing amniotic fluid embolism. Clin Chem 1992; 38: 526-9.

Kobayashi H, Ohi H, Terao T: A simple, noninvasive, sensitive method for diagnosis of amniotic fluid embolism by monoclonal antibody TKH-2 that recognizes NeuAca 2-6GalNAc. Am J Obstet Gynecol 1993; 168: 848-853.

Liban E, Raz S: A clinicopathologic study of fourteen cases of amniotic fluid embolism. Am J Clin Pathol 1969; 51: 477-86.

Meyer JR: Embolis pulmonar-caseosa. Braz J Med Biol Res 1926; 2: 301-4.

Morgan M: Amniotic fluid embolism. Anaesthesia 1979; 34: 20-32.

Paul RH, Koh KS, Bernstein SG: Changes in fetal heart rate-uterine contraction patterns associated with eclampsia. Am J Obstet Gynecol 1978; 130: 165-9.

Steiner PE, Luschbaugh CC: Maternal pulmonary embolism by amniotic fluid. JAMA 1941; 117: 1245-54.

Viscomi CM, Clark SL; Amniotic fluid embolism. In: Obstetric anesthesia. 2nd ed. Edited by Norris MC: Philadelphia, Lippincott Williams & Wilkins. 1999, pp 579-91.

색전성 질환

16-2 폐혈전색전증

폐혈전색전증의 원인이 되는 정맥혈전색전증은 임산부의 이환과 사망의 주된 원인 중 하나로, 약 10,000명당 5~20명 정도에서 발생한다. 임산부 100,000명당 1.1명이 정맥혈전색전증으로 사망하며 이는 임산부 사망의 10% 정도를 차지한다. 임신 중 발생하는 정맥혈전색전증의 약 20%에서 폐색전증을 일으키는 것으로 보고되며, 특히 임신과 관련하여 발생하는 정맥혈전색전증과 패색전증의 약 1/3과 1/2이 분만 후 수일 이내 발생하는 것으로 알려져 있다. 임상양상은 색전의 크기와 환자의 선행 건강상태에 달려 있으며 심할 경우 급성 흉통과 호흡곤란을 동반한 심혈관계 허탈이 나타날 수 있다. 임신 중 나타나는 과다응고는 임신 제 1분기부터 나타나며, 유산이나 분만 시 출혈의 위험으로부터 임산부를 보호하기 위한 기전으로 작용하지만 동시에 정맥혈전색전증의 위험도를 증가시키기도 한다. 그러므로 마취통증의학과의사는 임산부의 혈액응고 체계의 변화에 대한 생리학적 이해와 더불어 혈전색전증의 발생 가능성을 염두에 두고 이에 대한 예방과 진단 및 치료에 대한 숙지가 필요하겠다.

1. 임신과 연관된 위험인자

임신은 혈전색전증의 발생 위험을 5~6배 증가시키며 이는 1) 정맥정체, 2) 임신으로 인한 과다응고 상태, 3) 질식분만이나 제왕절개와 관련된 혈관손상 등 세 가지 요인에 의한다.

1) 정맥정체

임신 중에는 임산부의 혈액량과 심박출량이 50% 정도 증가하며, 자궁의 크기와 자궁으로의 혈류도 증가하여 분만시기에는 700~900 ml/min까지 증가하며 이는 임산부의 심박출량 중 10~12%에 해당하는 양이다. 원래는 골반 장기였던 자궁이 분만기에는 복강 장기가 되며 이때의 자궁은 요관뿐만 아니라 하대정맥을 압박한다. 이로 인해 압박 부위로부터 원위부인 골반이나 하지에서는 정맥정체가 발생한다.

2) 임신으로 인한 과다응고 상태

임산부는 호르몬에 의해 유도되는 정맥확장과 정맥환류의 감소, 자궁에 의한 기계적 압박 그리고 임산부의 운동량 감소로 인해 폐혈전색전증의 발생 가능성이 증가한다. 혈관손상과 더불어 위의 요인들은 특히 분만 후에 더 중요하게 작용하겠지만, 폐혈전색전증의 발생 위험은 2, 3분기만큼 첫 1분기에도 높은데 이는 응고인자 증가와 연관이 있다. 정상적으로 임신 동안에는 VII, VIII, X 혈액 응고인자 및 von Willebrand 인자의 농도가 증가하며 섬유소원의 경우 정상치의 3배까지 증가하나 II, V 혈액 응고인자는 상대적으로 변화가 없다. 활동성의 비결합 형태인 유리단백질 S는 임신 중에 결합 단백질인 보체 성분 C4b의 증가로 인해 감소한다. 플라스미노겐활성억제제 수치는 5배까지 증가한다. 이와 같은 변화들은 수정과 함께 시작되며 분만 후 8주까지는 기존의 수치로 완전하게 돌아가지 않을 수 있으며 이는 분만 후 혈전증 발생의 위험도 증가와 관련이 있다. 임신 기간 동안 발생하는 혈액 응고인자의 변화들은 분만 동안 발생하는 과다 출혈에 대한 방어기전으로 작용한다. 개발도상국에서는 여전히 출혈이 임산부 사망의 가장 큰 원인이지만 출혈이 성공적으로 처치되고 예방되는 서유럽과 미국에서는 혈전색전증이 가장 큰 임산부 사망 원인이다.

3) 혈관손상

질식분만이나 태반박리는 모두 혈관손상을 일으키며 이는 일련의 생리적 변화를 일으켜 응고활성화를 가속화시킬 수 있다. 그리고 이렇게 증가된 응고 활성화는 산욕기 동안 폐혈전색전증의 발생 위험을 높이는 역할을 한다. 질식분만에 비해 제왕절개술은 폐혈전색전증의 발생 위험이 5~8배 증가하는 것으로 알려져 있으며 질식분만을 시행한 경우보다 난관결찰술을 함께 시행한 경우도 혈전색전증의 발생 위험이 더 증가한다.

4) 산과적 상황

자간전증이나 다태임신의 경우 혈전색전증의 발생 위험이 7~8배, 2~3배씩 각각 증가하는 것으로 알려져 있으며, 이 두 상황은 모두 침상안정, 정맥정체의 증가, 제왕절개와 그로 인한 혈관손상 가능성 증가 등과 같은 혈전색전증의 발생 위험 증가 요인과 관련이 있다.

5) 임산부의 동반질환

혈전색전증의 과거력은 임신 중 폐혈전색전증의 발생 위험을 증가시킨다. 혈전색전증의 과거력을 가진 여성은 임신초기 D-이합체와 thrombin/antithrombin complex의 수치가 정상인에 비해 증가한다. 흡연, 비만, 항인지질항체증후군(antiphospholipid antibody syndrome), S단백결핍증, C단백결핍증, 안티트롬빈III 결핍증, hyperhomocysteinemia, 프로트롬빈 유전자 돌연변이, 응고인자 V Leiden 돌연변이 등은 혈전색전증의 발생 위험을 증가시킨다.

2. 병태생리

폐혈전색전증의 양상과 예후는 1) 색전의 크기와 개수, 2) 환자의 심폐기능, 3) 혈전의 분절(fragmentation)과 용해 속도, 4) 색전을 재형성할 수 있는 원인의 유무 등 몇 가지 인자에 의해 영향을 받는다. 폐색전이 발생하면 폐혈관의 광범위한 폐색이나 폐부종에 의한 호흡부전이 나타나며, 거대 색전이 직접적으로 혈관을 막으면 폐고혈압이 발생하기도 한다. 특히 기저질환으로 심폐질환이 있거나 재발성 폐색전증이 있는 경우 작은 색전도 심한 폐고혈압을 일으킬 수 있다. 폐혈전색전증은 우심실 과부하를 일으키고 정상 모세혈관의 안정적 구조를 손상시켜 정수압 증가로 폐부종이 발생할 수 있다.

3. 진단

임산부에서 폐혈전색전증이 의심될 경우 우선적으로 고려해야 할 영상 진단 술기는 환기-관류 폐스캔, 폐혈관 컴퓨터단층촬영술, 양측 압박 초음파검사 등이 있으며, 흉부사진은 다른 질환의 감별을 원할 경우 필요하다.

1) 임상증상과 징후

호흡곤란과 빈호흡이 가장 흔한 증상 및 징후이다. 이 밖에 급작스런 흉막통증, 기침, 객혈, 숨참 등의 증상이 일반적으로 나타난다. 이런 증상은 임산부에서 흔하게 나타나므로 폐혈전색전증의 진단이 늦어지기도 하고 때로는 과잉 진단이 내려지기도 한다. 폐혈전색전증이 진행될수록 호흡곤란은 심해지고 혈역학적 허탈, 실신, 청색증, 빈맥 등이 나타나며 중심정맥압 상승 등 우심실 부전 때 나타나는 징후들이 나타난다. 심전도상에는 동성빈맥, 심방세동, 심방조동, 심방조기수축 또는 심실조기수축 등의 리듬 이상과 ST분절 이상 또는 T파 역전 등이 가장 흔히 나타난다. 흉부 방사선 사진상 폐색된 혈관이 공급하는 폐부분의 혈관 음영이 감소한다. 대부분의 환자가 저산소증을 보이지만 동맥혈가스분석 결과가 정상이라 하더라도 폐혈전색전증을 배제할 수는 없다. 40세 이하의 환자 중 1/3은 동맥혈 산소분압이 80 mmHg 이상인 반면, 급성 폐혈전색전증 환자의 86%이상에서는 폐포-동맥혈 산소분압차가 20 mmHg 이상으로 나타나므로 폐포-동맥혈 산소분압차가 보다 더 유용한 지표로 사용될 수 있다. 중증 폐색전증이라 하더라도 진단을 지지할만한 특이적인 증상이나 징후, 혈액검사소견은 없는 것으로 알려져 있다.

2) D-이량체(Dimer)

폐혈전색전증이 의심되는 환자에서 가장 많이 시행되는 검사인 D-이량체는 임신 중에는 그 효용이 받아들여지지 않는데 이는 정상임신 동안에도 D-이량체가 비정상적으로 증가하기 때문이다.

3) 하지 압박 초음파 검사

하지의 심부정맥혈전을 찾아내기 위해 시행하는 검사로 심부정맥혈전(deep vein thrombosis)을 확인하는 것은 폐혈전색전증을 진단하는 근거가 된다. 폐혈전색전증 환자중에서 심부정맥혈전이 이미 폐로 이동하였거나 초음파검사가 부적절한 골반정맥 내에 혈전이 위치한 경우 초음파로 보이지 않기도 한다. 비록 진단적 가치가 높지는 않으나 검사와 관련하여 태아나 임산부에게 어떠한 해도 가하지 않으며 만약 진단 될 시 적절한 치료가 가능하다. 만약 폐혈전색전증이 의심되는 환자에서 초음파상 음성 소견을 보이고 흉부 방사선 사진상 정상소견이며 천식과 같은 폐질환 과거력이 없다면 환기/관류 폐스캔을 시행해야 한다. 만약 흉부 방사선 사진상 이상소견을 보이고 폐질환을 가진 환자라면 폐혈관 컴퓨터단층촬영법을 시행해야 한다.

4) 환기/관류 폐스캔

환기/관류 폐스캔은 비록 최근에는 그 사용이 줄었지만 여전히 사용중인 진단 기법으로 관류스캔은 감마선을 배출하는 방사선 핵종으로 표지된 작은 과립알부민 응집물을 정맥 주사하여 폐 모세혈관에서 검출하는 검사이다(그림 16-2-1). 관류스캔의 결손은 폐혈류가 감

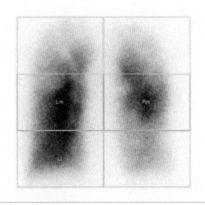

그림 16-2-1. 폐 관류스캔
59.9 대 40.1로 오른쪽 폐의 혈류가 감소했으며, 특히 오른쪽 하엽의 혈류가 왼쪽 하엽 20.1%에 비하여 9.2%로 감소되어있다. 오른쪽 폐야 특히 하엽의 폐 혈전색전증이 의심된다.

소되었거나 혈류의 차단이 있음을 의미하며 폐혈전증의 가능성을 제시한다. 하지만 폐렴, 국소적 기관지 수축을 포함한 많은 상황에서 관류 손실이 발생할 수 있기 때문에 확진 검사로 이용되지는 않는다. 관류스캔에 더불어 Xenon-133이나 technetium-99m을 흡입하여 시행하는 환기스캔이 함께 시행된다. 관류스캔에서 결손이 나타나고 환기스캔에서는 정상인 경우 높은 폐혈전색전증 가능성을 시사하지만 환기/관류 폐스캔 소견이 정상일지라도 폐색전증을 배제시킬 수는 없다. 실제로, 폐색전증이 의심되는 비임산부의 2/3에서 환기/관류스캔을 통해 진단되지 못했거나 추가적인 검사를 필요로 했으며 임산부의 1/4에서 환기/관류스캔을 통해 진단되지 못했다고 보고되고 있다. 환기/관류스캔을 위한 방사선 동위원소 사용에 의해 태아에게 노출되는 방사선 피폭량은 매우 적다.

5) 폐혈관 컴퓨터단층촬영술

폐혈관 컴퓨터단층촬영은 높은 민감도(약 94%)와 특이도(약 100%)를 가진 비임산부에서의 폐색전증 진단의 표준검사이다. 하지만 임산부에서 사용의 안전성은 아직 확립되지 않았다. 환기/관류 스캔과 다르게 혈관을 직접 볼 수 있으며 증상을 유발하는 다른 원인까지도 진단이 가능하다. 또한 태아에게 노출되는 방사선 양이 환기/관류스캔 검사의 약 절반 정도로 낮다. 하지만 이 검사 시 임산부가 높은 양의 방사선에 피폭된다는 것이다. 유방조직에 노출되는 방사선양은 약 35 mGy/breast이다. 방사선 노출로 인한 발암효과는 정확하지 않지만 임산부의 유방조직은 방사선에 매우 민감한 조직이라 그 영향이 더 클 수 있다. 게다가 검사 시행 시 임산부와 태아는 정맥으로 투여되는 요오드화한 조영제에 노출된다. 이로 인한 위험에 대한 자료는 제한적이긴 하지만 임신 중 이 검사를 시행한 경우엔 분만 후 신생아 갑상선기능저하증에 대해 검사해야 한다.

6) 자기공명혈관조영술

자기공명혈관조영술은 중심(central) 폐색전증 진단에는 민감도가 높지만, 세분절(subsegmental) 폐색전증 진단에는 그보다 덜 정확하다. 폐색전증이 의심되는 비임산부 141명을 대상으로 한 연구에서 혈관조영술을 시행하기 전에 자기공명혈관조영술을 시행했는데 1/3에서 색전이 존재하였다. 자기공명혈관조영술의 민감도는 세분절, 분절, 중심 폐색전에 대해 각각 40, 84, 100%를 보였다. 하지만 gagolinium 조영제는 임산부에서 사용이 금기이며, 아직까지 임산부를 대상으로 한 자기공명혈관조영술의 폐색전증에 대한 연구는 없다.

7) 폐혈관조영술

심장의 오른쪽으로 카테터를 삽입해 시행하는 검사로 폐색전증에 대한 가장 확실한 검사이긴 하지만 침습적이며 동시에 시간이 오래 걸리고 불편하며, 조영제 알레르기와 신부전의 가능성이 있다. 검사 관련 사망률은 200명당 1명꼴이다. 과거에는 폐혈전색전증에 대한 표준검사였으나 현재는 잘 시행된 폐혈관 컴퓨터단층촬영술이 폐혈관조영술 만큼 정확하며, 방사선 피폭량도 폐혈관 컴퓨터단층촬영법이 더 적은 것으로 알려져 있다.

4. 치료 및 예방

치료의 궁극적 목적은 혈역학적 안정성을 확보하고 혈전 용해나 색전 제거 등 적극적 치료를 시행하며, 추가적으로 폐혈전색전증이 생기지 않도록 예방하는 것이다.

1) 일차적 치료

일차적인 치료의 목표는 산소를 적절히 투여하여 저산소혈증을 피하고, 심근 수축촉진제를 투여하여 혈역학적 안정성을 확보하는 것이다. 수축력 촉진과 폐혈관 확장효과가 있는 약물은 폐혈전색전증에 의해 발생하는 우심실 부전이나 심인성 쇼크 치료에 효과적이다. 과다한 혈전으로 인해 혈역학적 허탈이 발생한 경우 혈전용해제를 투여하는 등 적극적인 치료가 필요하다.

2) 예방적 치료

(1) Warfarin

장기적으로 투여하는 항응고제인 warfarin은 비임산부에서는 선호되는 반면 태아에게는 해로울 수 있다. 수정 후 4~8주 사이의 기관형성기에 복용한 warfarin은 14.6~56%의 유산 발생률 증가와 30%의 선천성기형에 관여하는 것으로 알려져 있다. 임신 말기 태반을 통한 warfarin의 이동은 태아출혈, 사산을 일으킬 수 있고 장기적 후유증으로 14%에서 신경학적 이상과 4%에서 낮은 지능지수가 관련 있다. 하지만 모유로 분비되는 양은 무시할 정도로 적어 신생아 모유 수유는 안전하다고 여겨진다.

(2) Heparin

임산부에서 선호되는 항응고제는 헤파린제재이다. 비분획 헤파린(unfractionted heparin)이나 저분자량 헤파린(low-molecular weight heparin) 모두 태반을 통과하지 않으며 임신 중 안전한 것으로 알려져 있다. 임신 중 항응고치료에 있어서 고려해야 할 점은 임산부의 혈액량이 40~50% 증가한다는 것과 분포용적의 증가이다. 신사구체여과율의 증가로 헤파린 제재의 신배출이 증가한다. 게다가 헤파린제재의 단백결합 또한 증가한다. 임신 중에는 비분획 heparin과 저분자량 heparin

의 반감기가 더 짧아지고 최고혈장농도는 더 낮아지기 때문에 이로 인해 그 요구량과 요구횟수가 증가한다. 비분획 heparin의 단점으로는 비경구투여로를 이용해야 한다는 점과 출혈의 위험, 골밀도의 감소, 헤파린유도혈소판감소증(heparin-induced thrombocytopenia, HIT) 등이 있다. 비록 HIT의 발생 가능성은 비임산부보다는 낮을 수 있겠으나 실제의 위험도는 확실히 알 수 없다. 임신 중 사용과 관련해서는 비교연구가 거의 없지만 비임산부에서는 저분자량 heparin이 비분획 heparin에 비해 부작용이 더 적은 것으로 알려져 있다. 비분획 heparin의 경우 피하주사 시 정맥 주사에 비해 생체내 이용률(bioavailability)이 감소하나 저분자량 heparin의 경우 피하주사 시 생체 내 이용률이 비분획 heparin에 비해 향상된다. 저분자량 heparin은 출혈이 더 적고, 항응고반응을 보다 더 잘 예측할 수 있으며, HIT의 발생가능성이 더 낮고, 반감기는 더 길며 골손실이 적다는 장점이 있다. 단점으로는 긴 반감기로 인해 분만 시 그 작용시간이 문제가 될 수 있다. 임신 말기에는 저분자량 heparin을 비분획 heparin으로 바꾸는 것을 권하고 있는데 척추 마취가 계획된 경우 특히 중요하다. 제왕절개술이 계획된 경우, 저분자량 heparin은 12시간 전에 투여를 중지하고 비분획 heparin은 4~6시간 전에 투여를 중지할 것을 권하고 있다.

(3) 하대정맥 필터

하대정맥 필터는 항응고제 투여 중 출혈이 있거나 출혈의 가능성이 많아 항응고요법이 금기인 임산부에 사용된다. 하대정맥 필터는 출산 1~2주 이내에 발생한 정맥 혈전색전증 같이 항응고제 사용이 일시적 금기인 임산부에게 합리적인 접근방법이다. 하지만 heparin만 단독 투여받던 환자에서의 일률적인 거치는 추가적인 득이 없는 것으로 알려져 있으며, heparin 치료가 실패하여 골반이나 다리에서 기원한 재발성 폐색전증을 막지 못했거나, 혹은 드물게 heparin 치료를 했음에도 불구하고 색전이 만들어진 경우에는 하대정맥 필터의 거치가 필요할 수 있다. 또한 대량의 색전이 발생한 환자에서 혈전용해제를 사용할 수 없는 경우에도 사용할 수 있다. 목정맥이나 대퇴정맥을 통해 삽입하며 제거할 수 있는(retrievable) 필터를 이용해 단기간 사용할 목적으로 거치할 수도 있다. 항응고제 투여를 안전하게 시작할 수 있을 때 필터를 제거한다.

(4) 압박 스타킹 사용과 간헐적 공기 다리압박 및 조기 운동

이들은 정맥 혈류의 속도를 증가시킴으로 혈류의 정체를 개선시켜 동통, 부종, 응고로의 진행을 감소시킨다.

3) 적극적 치료

(1) 혈전용해제

스트렙토키나아제, 유로키나아제, 재조합형 조직 프라스미노겐 활성제(recombinant tissue plasminogen activator, rt-PA) 등이 사용된다. 하지만 임신 중에 혈전용해제 사용에 대한 연구는 상대적으로 매우 적다. 혈전용해제는 태반 벽을 통과하지 못하므로 인공 심장판막의 혈전과 같이 생명을 위협하는 혈전색전증의 경우 사용할 수 있다. Heparin과 비교했을 때 폐혈전에 대해 혈전용해제가 더 빠른 용해력과 폐 고혈압의 개선을 보인다. 한 보고에 따르며 임신 중 조직플라스미노겐활성인자의 사용이 비임산부 치료 시 발생하는 합병증의 빈도가 유사하였고 분만후 신생아에게 영구적 장애를 발생시키지 않는다고 하였다. 이 연구에 따르면 임신 중이라도 필요한 상황이라면 조직플라스미노겐활성인자의 사용을 지연시키지 말 것을 권하고 있다.

(2) 색전제거술

혈전용해제와 필터의 사용으로 수술적 색전제거술의 시행은 줄어들게 되었다. 임신 중 응급 색전제거술에 대한 보고는 많지 않으며 이 제한적 보고들에서조차도 색전제거술의 임산부에 대한 위험성이 아주 높지 않음에도 불구하고 사산율은 20~40%였다고 밝히고 있다.

4) 임신 중 정맥혈전색전증에 대한 관리

비임산부에서의 정맥혈전색전증은 입원치료를 필요로 하지 않을 수 있겠으나 큰 혈전이 발생할 수 있는 임산부에서는 보통 입원치료가 필요하다. 비록 폐혈전색전증에 대한 초기치료 시 저분자량 heparin이 종종 사용되고 있지만 아직까지 이에 대한 충분한 연구가 이루어지지 않은 상태이다. 저분자량 heparin에 비해 비분획 heparin은 투여중지 수 시간 이내에 항응고효과를 역전시킬 수 있다는 장점이 있다. 이는 분만이나 수술, 혈전용해술이 필요할 경우 중요하게 작용할 수 있다. 환자가 안정화되면 정맥으로 투여되던 비분획 heparin을 저분자량 heparin으로 전환시킨 후 귀가시킬 수 있다.

(1) 분만 중 항응고관리

임신 마지막 달 혹은 분만이 임박해 있으면 그보다 더 일찍 저분자량 heparin을 비분획 heparin으로 전환할 수 있다. 예방적 또는 치료적 용량의 항응고제 치료를 계속하면서 분만까지 온 경우에도 과다한 출혈의 위험이 없었다는 보고도 있지만, 항응고제를 지속적으로 사용한 임산부는 경막외마취나 척추마취 시 혈종형성의 위험이 있어 항응고제 사용을 제한하는 요인이 된다. 분만이나 제왕절개술이 예정되어 있는 임산부의 경우 24시간 전에 비분획 heparin 또는 저분자량 heparin을 끊어야 한다. 인공판막치환술을 받은 임산부나 최근에 정맥혈전증이 있는 고위험임산부의 경우에는 저분자량 heparin을 반감기가 짧은 비분획 heparin으로 전환하고 4~6시간 전에 끊어야 한다. 치료적 목적의 저분자량 heparin을 받는 경우에는 24시간 전에, 예방적 용량의 저분자량 heparin을 받는 경우에는 12시간 전에 끊어야 한다. 치료적 용량의 비분획 heparin은 활성 부분 트롬빈 시간(activated partial thromboplastin time, aPTT)의 시간을 정상치의 1.5~2.5배를 유지하도록 사용하며 예방적 목적의 비분획 heparin은 임신 1, 2, 3기에 각각 5000, 7500, 10000 IU을 하루에 두 번 피하주사(S.C) 한다. 비임산부에서 하루 10000 IU 이하의 비분획 heparin의 사용은 일반적으로 척추마취의 금기사항이 아니다. 표 16-2-1은 예방적 및 치료적 용량의 저분자량 heparin 사용을 나타내고 있다. 임신관련 혈전증예방에 대한 하지공기압박장치의 사용 연구가 충분히 이루어지지 않은 상태이지만 이전 연구결과를 토대로 판단했을 때 항응고제를 일시적으로 중단한 임산부에서의 분만 중 혹은 제왕절개술 전 사용이 권장된다고 할 수 있다.

(2) 제왕절개술과 혈전예방

현재까지 시행된 제왕절개술과 혈전예방에 대한 무작위 연구들은 그 수가 많지 않고 더군다나 많은 제한점을 가지고 있다. 하지만 그럼에도 최소 한 개 이상의 위험인자를 가지고 있는 환자들에서는 하지공기압박장치나 비분획 heparin, 저분자량 heparin으로의 혈전예방이 필요할 수 있다고 주장한다. 만약 심부정맥혈전증

이나 폐혈전정맥증의 위험인자를 여러 개 가지고 있는 고위험 환자의 경우 하지공기압박장치와 함께 비분획 heparin이나 저분자량 heparin 둘 중 하나를 같이 사용하여 혈전을 예방하기를 권고하고 있다. 명백한 것은 임신 중 혈전예방을 해오던 환자라면 분만 후에도 혈전예방이 필요하다는 것이다.

(3) 분만 후 항응고관리

출혈 합병증을 최소화하기 위해서는 항응고제의 사용 재개를 질식 분만의 경우 분만 12시간 후, 제왕절개의 경우 분만 24시간 후, 경막카테터 제거 12시간 후로 미루기를 권하고 있으며 최근에는 비임산부를 대상으로 한 권고안이지만 비분획 heparin은 사용 시 최소 1시간 전에, 저분자량 heparin은 사용 시 최소 2시간 전에 경막카테터 제거를 제시하기도 한다. 환자가 보행이 가능하거나 항응고제 투여를 재개할 때까지는 하지공기압박장치를 계속 사용해야 한다. 2주 이상 지나야 분만 후 출혈의 위험성이 줄어들며 이런 환자에서 6주 이상 항응고제 치료가 필요할 경우 수유에 안전한 warfarin으로 대체할 수 있다. 임신 중 정맥혈전색전증을 경험한 임산부의 경우 분만 후 최소 3~6개월간은 warfarin을 유지해야 한다. 혈전성향증이 있거나 혈전증의 기왕력이 있으면서 항응고제는 투약하지 않는 사람의 경우 estrogen 함유 피임약은 금기이다. 하지만 프로게스틴 단독 함유 피임약은 혈전의 발생 위험성을 올리지 않는 것으로 현재까지는 알려져 있기에 이는 일반적으로 사용된다.

표 16-2-1 **저분자량 헤파린 용량**

예방적 용량	50 kg 이하 - 하루에 20 mg (S.C) 50~90 kg - 하루에 40 mg (S.C) 90 kg 이상 - 12시간 마다 40 mg (S.C)
치료적 용량	12시간 마다 1 mg/kg (S.C)

16-2

참고문헌

Bagaria SJ, Bagaria VB: Strategies for diagnosis and prevention of venous thromboembolism during pregnancy. J Pregnancy 2011; 2011: 206858.

Chan WS, Ray JG, Murray S, Coady GE, Coates G, Ginsberg JS: Suspected pulmonary embolism in pregnancy. Arch Intern Med 2002; 162: 1170-5.

Chestnut DH. Obstetric Anesthesia : Principles and Practice. 3rd ed. Elsevier Mosby. 2004, pp 691-95

Cunninghan FG, Leveno KJ, Bloom SL, Hauth JC, Rouse DJ, Spong CY. Williams Obstetrics. 23rd ed. Mc Graw-Hill Inc. 2010, pp 1024-32.

Dresang LT, Fontaine P, Leeman L, King VJ: Venous thromboembolism during pregnancy. Am Fam Physician 2008; 77: 1709-16.

Hiralal Konar. DC Dutta's Textbook of Obstetrics. 7th ed. JP Medical Ltd. 2013, pp 441.

Horlocker TT: Regional anaesthesia in the patient receiving antithrombotic and antiplatelet therapy. Br J Anaesth 2011; 107 Suppl 1: i96-106.

James AH: Venous thromboembolism in pregnancy. Arterioscler Thromb Vasc Biol 2009; 29: 326-31.

Leonhardt G, Gaul C, Nietsch HH, Buerke M, Schleussner E: Thrombolytic therapy in pregnancy. J Thromb Thrombolysis 2006; 21: 271-6.

Moradi M: Pulmonary thromboembolism in pregnancy: Diagnostic imaging and related consideration. J Res Med Sci 2013; 18: 255-9.

Oudkerk M, van Beek EJ, Wielopolski P, van Ooijen PM, Brouwers-Kuyper EM, Bongaerts AH, et al: Comparison of contrast-enhanced magnetic resonance angiography and conventional pulmonary angiography for the diagnosis of pulmonary embolism: A prospective study. Lancet 2002; 359: 1643-7.

Quiroz R, Kucher N, Zou KH, Kipfmueller F, Costello P, Goldhaber SZ,et al: Clinical validity of a negative computed tomography scan in patients with suspected pulmonary embolism: a systematic review. JAMA 2005; 293: 2012-7.

Scarsbrook AF, Gleeson FV: Investigating suspected pulmonary embolism in pregnancy. BMJ 2007; 334: 418-9.

Winer-Muram HT, Boone JM, Brown HL, Jennings SG, Mabie WC, Lombardo GT. Pulmonary embolism in pregnant patients: fetal radiation dose with helical CT. Radiology 2002; 224: 487-92.

색전성 질환
16-3 공기색전증

정맥 공기색전증은 제왕절개술 중 발생하는 색전 관련 사고 중 가장 흔한 것으로 40~97%에서 발생한다. 하지만 심각한 결과로 이어지는 경우는 상대적으로 드물어 임산부 사망의 1% 정도를 차지하는 것으로 알려져 있다. 제왕절개술을 시행 받는 임산부에서 흔히 볼 수 있는 흉통과 호흡곤란의 원인으로서 정맥 공기색전증은 임상적으로 간과되는 경향이 있다. 정맥 공기색전증은 제왕절개술뿐만 아니라 질식분만 시에도 발생할 수 있다.

정맥 공기색전증의 위험인자는 모든 분만 시에 존재한다. 이에 해당하는 것들로는 수술실 내 공기, 개방된 정맥이나 자궁 정맥굴, 수술부위와 심장 간의 압력차이(자궁을 복벽 밖으로 들어내어 복구하는 경우나 트렌델렌버그 체위 등)가 있으며 압력차이는 과체중 환자에서 더 잘 일어나는 것으로 알려져 있다. 제왕절개술 시 발생하는 공기색전증은 보통 첫 절개부터 자궁절개선의 봉합 기간 동안에 일어나며 또한 자궁을 복강내로 다시 집어넣을 때도 발생할 수 있다. 다른 위험인자로는 출혈과 전신마취가 있으며 이 두 인자는 종종 저혈량에 의해 수술부위와 심장간의 압력차이를 더 높인다. 또한 음압뿐만 아니라 가스의 양압 주입도 심각한 공기색전의 위험요인이 된다. 태반을 분리시키기 위해 자궁 내에 가스를 주입한다든가 여러 복강경시술을 위해 가스를 이용하는 것 모두 공기색전증의 위험요인이 된다. 전신마취 시 사용하는 아산화질소는 급속하게 색전 내로 유입되어 그 크기를 증가시켜 정맥 공기색전증을 더 악화시킨다.

1. 병태생리

공기색전증에 의한 사망률을 결정하는 두 가지 주요 요인은 유입된 공기의 양과 유입 속도이다. 사고로 우연히 정맥을 통해 공기가 유입된 증례보고를 토대로 추정했을 때, 성인에서의 치사량은 200~300 ml, 또는 3~5 ml/kg이었고 심장에 더 가까운 정맥을 통해 유입될수록 더 적은 양으로도 치명적일 수가 있다. 공기의 유입 속도가 중요한 이유는 폐순환과 폐포환기-관류가 정맥 내 공기를 제거하는 역할을 하기 때문이다. 실험에 따르면 공기 유입이 천천히 일어나는 경우 개에서 1,400 ml의 공기주입을 몇 시간에 걸쳐서 견딜 수 있는 것으로 알려져 있다. 5 cmH$_2$O의 압력 차에서 14 게이지 바늘의 경우 초당 100 ml의 공기를 유입시킬 수 있는 것으로 알려져 있으며 이는 즉각적으로 중재하지 않을 시 쉽게 치사량을 넘어설 수 있는 속도이다. 유입된 공기의 양과 유입 속도 외에 호흡방식도 증상발현 범위에 영향을 미친다. 자발호흡의 경우 호흡주기 동안 흉곽에 음압이 걸림으로써 공기의 유입을 촉진시킨다.

동물실험을 통해 공기색전증이 미세혈관의 투과율을 높일 수 있다는 것과 우심실의 공기색전이 폐혈관으로부터 endothelin 1의 배출을 유도해 폐고혈압을 발생시킬 수 있음이 확인되었다. 순환계에서의 와류로 인해 형성된 미세기포가 혈소판의 응집과 혈소판활성억제제의 방출을 유도한다. 이로 인해 전신염증반응증후군이 일어날 수 있다. 이러한 반응들로 인해 폐모세혈관손상이 일어나 폐부종이 발생할 수 있으며 독성활성

산소 발생 증가도 폐손상에 관여한다. 메칠프레드니손(methylprednisolone)과 같은 steroid 고용량 사용으로 폐부종을 감소시키는 것에 대해선 논란이 있다.

만약 5 ml/kg 이상으로 공기색전이 많을 경우 우심실 유출로의 완전폐쇄를 일으킬 수 있고 이로 인해 우심실부전이 일어나 즉각적인 심혈관계 허탈이 발생할 수 있다. 그 양이 더 많아질 경우 현저한 우심실 유출로 폐쇄와 더불어 심박출량의 심각한 저하와 저혈압, 심근허혈, 뇌허혈, 심지어 사망에 이를 수 있다. 폐순환으로 들어간 공기색전은 폐혈관수축을 일으키고 염증매개물질을 유리하며 기관지수축과 환기관류불균형을 일으킬 수 있다.

2. 임상증상과 징후

발생 가능한 증상으로는 흉통, 호흡곤란, 불안 등이며 징후로는 빈맥, 청색증과 wheel-mill murmur 등이 있다. 특히 전신마취를 받는 환자에서 급성 심혈관계 허탈이 나타날 수도 있다. 비교적 드물지만 정맥 혈전색전증과 달리 공기색전증은 파종성혈관 내 응고 양상을 나타낼 수도 있다.

심혈관계 증상으로는 빈맥성부정맥이 흔하며 심전도상에는 ST-T 변화와 함께 right heart strain pattern이 나타난다. 심박출량이 불안정해지면 혈압이 감소한다. 충만압의 증가와 심박출량의 감소로 폐동맥압이 증가한다. 중심정맥압은 우심실부전에 의해 증가하고 경정맥확장이 나타날 수 있다. 저혈압이 심해지면 쇼크(shock)로 이어진다. 혈역학적 허탈은 공기색전증의 주요 사망원인으로 약 5 ml/kg 이상의 공기유입 시 공기 또는 공기와 혈액이 혼합된 기포가 우심실이나 폐유출로에 박히는 소위 air-lock을 형성하게 되고 이와 함께 반사적인 폐동맥의 수축이 발생하여 급성폐심장증(acute cor pulmonale)이 발생되며, 우심실이 증가된 후부하로 인하여 이차적으로 보상을 못하는 우심실의 대상부전(decompensation) 상태가 발생하게 된다. 한편 폐모세동맥 내로 유입된 공기방울은 폐혈류를 직접 방해하고 혈관수축을 일으키며 복귀 정맥혈량을 감소시킨다. 그리하여 좌심실은 전부하의 급격한 감소로 인하여 좌심실 충만이 충분치 못하게 되어 심박출량의 감소와 함께 좌심실부전, 전기기계적 해리(electromechanical dissociation)와 심정지가 오게 된다.

호흡기계 증상으로는 호흡곤란, 지속되는 기침, 가쁜 호흡, 현기증, 흉통 등이 있다. 호흡경련은 흉곽 내 압력의 감소를 더 심화시켜 공기유입을 더 촉진시킨다. 징후로는 수포음과 쌕쌕거림, 빈호흡이 있다. 전신마취로 조절호흡을 할 경우 호기말 이산화탄소 감소, 과탄산혈증과 함께 산소포화도와 산소분압의 감소가 나타나고, 기도압은 증가한다.

신경학적 증상은 두 가지 기전에 의해 발생할 수 있다. 심박출량의 감소로 인한 심혈관계 허탈은 뇌관류의 감소로 이어진다. 의식수준의 변화 및 심할 경우 뇌충혈과 뇌부종으로 혼수(coma)까지 이어질 수 있다.

드물게 공기가 동맥순환으로 유입되는 동맥색전증이 발생할 수 있다. 정맥으로는 비교적 많은 양의 공기가 유입되어도 견뎌낼 수 있으나, 동맥측으로 유입된 공기는 소량이어도 치사율이 높다. 동맥색전증이 발생되는 경로로는 체내 공기여과기 역할을 하는 폐모세혈관에서 공기가 걸러지지 못하고 유입되거나, 폐의 생리적인 동정맥연결(arteriovenous anastomosis)을 통하여, 또는 직접 동맥혈류 내로 공기가 유입되는 경우로써 심장 내 우좌션트가 있거나, 심방압이 증가되는 경우에 정상인의 25~30%가 가지고 있는 난원공개존증(patent foramen ovale)을 통하여 또는 심방간의 결손을 통하여 유입될 수 있다(paradoxical air embolism). 이 결과로 중풍(stroke)이나 심근경색 또는 허혈이 발생할 수 있다.

3. 공기색전증의 발견

일반적으로 감시장치는 비침습적이고 민감하고 사용하기 편한 것이 좋으며 환자의 내과적 질환이나 시행되는 수술에 맞게 선택되어야 한다. 전신마취를 받는 환자에서 공기색전증이 발생한 경우 호기말이산화탄소농도가 감소하거나 호기말질소농도가 증가할 수 있으며 이 중 호기말질소농도가 더 민감한 것으로 알려져 있다. 진단에 전흉부도플러초음파나 0.2 ml의 색전도 확인할 수 있는 경식도심장초음파(Transesophageal echocardiography)가 사용될 수 있다. 공기색전증은 환자가 다음의 감시장치들에서 변화를 보일 때 의심해야 한다.

1) 경식도심장초음파(Transesophageal echocardiography)

공기색전증 진단에 있어서 현재 사용하는 장비 중 가장 민감도가 높은 감시 장치로서 0.02 ml/kg의 소량의 공기가 체내에 빠른 속도로 유입될 때 이를 감별해낼 수 있으며 정맥 미세색전(venous microemboli)뿐만 아니라 동맥의 모순동맥색전증(paradoxical arterial embolization)도 발견해 낼 수 있다. 민감도가 높은 장비로서 심혈관우회술 이탈 시 잔존 공기를 발견하는데도 사용되지만 장비가 고가이며, 침습적이고, 성대 손상의 위험, 이 장비에 숙련된 전문가가 필요하다는 점이 단점이다.

2) Precordial doppler ultrasound

비침습적인 감시 장치 중 가장 민감하며 0.05 ml/kg의 소량의 공기도 발견해 낼 수 있다. 도플러 프로브의 설치위치는 복장뼈 경계(sternal border)의 좌측 혹은 우측 제 2~4 늑간 사이 또는 우측 견갑골과 척추 사이이다. 공기색전증 발생 초기에는 우측심장을 관통하는 정상혈류로부터 세탁기 소음 같은 소리를 들을 수 있으며 색전이 커지면 전형적인 드럼을 치는 듯한 소리나 mill-wheel murmur가 들리는데 이는 심혈관계 허탈을 의미하며 이는 식도청진기나 앞가슴(precordial) 청진기로도 들을 수 있다.

3) 경두개 뇌혈류 초음파

경두개 뇌혈류 초음파는 난원공개존증 발견에 있어 높은 민감도를 가지고 있으며 고위험시술을 받는 환자에서 선별도구로 사용되고 있다. 발살바조작을 함께 시행하면 더 높은 민감도를 보이는 것으로 알려져 있다. 경두개 뇌혈류 초음파의 민감도는 91.3%, 특이도는 93.8%이다.

4) 폐동맥카테터

폐동맥카테터는 앞가슴도플러(precordial doppler)에 비해 비교적 낮은 민감도를 가지고 있으면서 동시에 다른 동반질환을 갖지 않은 환자에게 사용하기에는 너무 높은 침습도를 갖는 검사이다. 공기색전증을 초기에 발견할 수 있고, 공기색전증 발생에도 수술을 지속할 수 있는 장점은 있으나 폐동맥카테터의 내경이 작아 공기를 제거하는데 어려움이 있어 공기색전증을 대비해 일상적으로 사용하는 데에는 논란이 있으며, 이보다는 오히려 심박출량 측정이나 혼합정맥혈 산소포화도를 감시하는 장치로서 의미가 있다.

5) 호기말질소농도

모든 마취기계 감시장치에서 일률적으로 사용할 수 없다는 단점도 있지만 가스분석방법을 통한 공기색전증 진단에는 가장 민감도가 높은 검사로 공기색전증 시 호기말이산화탄소농도 보다 30~90초 전에 먼저 변화를 나타낸다. 다량의 공기색전증 시 유용하지만 공기유입이 천천히 일어나는 경우 민감도가 감소하므로 그 사용이 제한된다. 또한 마취 시 아산화질소를 사용하는 경우에도 유용하지 못하다.

6) 호기말이산화탄소농도

미국마취과학회 지침에서 제시한 수술 중 표준 감시 장치인 호기말 이산화탄소분압 측정술(capnography)은 어느 수술에나 쉽게 사용할 수 있는 실용적인 감시 장치이며 공기색전증 고위험군에서 빼놓을 수 없는 중요한 장비이다. 호기말 이산화탄소분압 2 mmHg 이상의 변화는 공기색전증을 의심하게 하므로 고위험환자에서는 감시용 화면에서 호기말 이산화탄소 분압이 환자의 기저선(baseline)보다 2~3 mmHg 이하로 감소하면 경고음이 울리게 하여 포착하기 어려운 이산화탄소 분압감소를 놓치지 않도록 하는 것도 좋은 방법이다. 그러나 경식도 초음파나 앞가슴도플러보다 민감도가 낮으며 저혈압의 경우 그 의미가 감소된다. 또한 자발호흡 환자에서도 상기도폐쇄, 구강호흡, 호흡횟수의 변동 등으로 인해 신뢰도가 감소한다.

7) 산소포화도

수술 중에는 흡입산소농도를 높게 유지하므로 공기색전증에 의한 산소포화도의 변화는 비교적 나중에 관찰되므로 경피혈중산소분압감시장치는 공기색전증 진단에 있어 민감도가 낮은 장비라 할 수 있겠다.

8) 마취통증의학과의사의 감시관리

전반적인 마취관리의 일부로서 공기색전증 발생이 우려되는 수술과정 중 적시에 공기색전증 발생가능성을 인지하고 이를 수술부위에서 직접 확인하는 것이 중요하다. 즉 공기색전증이 많이 발생하는 고위험군에서 공기색전증이 특히 많이 일어나는 수술과정 시 수술 부위의 국소 정맥압이 대기압보다 낮은 경우 출혈이 없게 되므로 공기색전증에 경계심을 갖는 것이 감시장치 못지 않게 아주 중요하다.

4. 예방

1) 환자체위

두개술 시 취하는 머리올림자세(head-up position)가 공기색전증의 빈도를 증가시킬 수 있으므로 하지를 올려주거나 수술대의 굽힘기능을 이용하여 수술부위와 우심방 간의 압력 차를 감소시키는데 도움을 줄 수 있다. 제왕절개술 시 환자체위와 공기색전증의 발생빈도에 대해서는 연구마다 다르다. 전통적으로 자궁절개술 시에 심장으로 들어오는 정맥혈량 개선을 위해 취하는 15° left lateral tilting position에서는 자궁이 심장보다 높게 되어 공기색전증이 잘 조장된다. 이 효과를 제거하기 위하여 여러 연구가 시행되었는데 5° 역트렌델렌버그자세(reverse Trendelenburg position)를 취한 경우 공기색전증의 빈도가 44%에서 1%로 감소되었다는 보고가 있는가 하면 또 다른 연구에서는 5~10° 역트렌델렌버그자세가 수술 중 발생빈도에 영향을 주지 못하였다는 보고도 있다

마취통증의학과의사는 다양한 체위에서 생리적 변화를 미리 예측할 수 있어야 하겠고 공기가 유입될 가능성이 있는 정맥과 우심방사이의 압력차를 최소화하려는 노력이 필요하겠다. 중심정맥관을 삽입 혹은 제거 시 일률적으로 트렌델렌버그자세나 하지거상 체위를 취하는 것

이 권장된다.

2) 수액보충

낮은 중심정맥압을 가진 환자에서 공기색전증의 빈도가 증가한다는 보고가 있으며 이는 우심방과 수술부위의 압력 차가 더 조장됨을 의미한다. 그렇기 때문에 충분한 수액보충은 공기색전증의 빈도를 감소시킬 수 있다. 10~15 mmHg으로 우심방압을 유지하도록 권장된다.

3) 호기말양압

공기색전증 감소를 위해 호기말 양압을 적용하는 것에 대해서는 아직 논란이 많다. 일부 연구에서는 동물모델과 사람에서 공기색전증 발생감소에 효과가 있다고 하나, 난원공개존증이 있는 환자에서는 오히려 모순성 색전증의 위험을 증가시킬 가능성이 있으므로 이를 모든 환자에게 공기색전증을 감소시키는 목적으로 적용하기보다는 개별적인 환자 상황에 맞게 사용하는 것이 좋다.

4) 아산화질소

아산화질소의 사용이 공기색전증의 발생빈도를 증가시키는 것은 아니나 여러 연구에서 공기색전증이 있을 때 아산화질소 사용이 보다 더 적은 양의 색전으로도 더 심각한 혈역학적 불안정을 일으킬 수 있다는 것이 확인되었다. 이런 현상은 아산화질소의 용해도가 질소의 혈액 용해도보다 34배가 높아 유입된 공기의 크기를 급속히 증가시킬 수 있으며, 잠재성 공기색전증(latent air embolism)을 전격성 공기색전증으로도 악화시킬 수 있기 때문이다. 공기색전증이 진단되어 100% 산소로 치료받은 환자에서 언제부터 아산화질소를 사용할 수 있는지에 대한 것 역시 명확하지 않다. 몇몇 연구에서는 비교적 짧은 시간인 60분 정도 산소투여 후에는 아산화질소

를 사용할 수 있다고 제안하는 반면, 다른 연구에서는 2시간 이상의 100% 산소투여 후에도 아산화질소 사용은 문제가 될 수 있다고 한다.

5. 관리

초기치료의 목표는 공기가 유입되는 근원을 찾아 추가적인 발생을 막고, 색전의 크기와 공기색전증에 의한 영향을 최소화하는 것이다. 이에 해당하는 방법들로는 수술부위를 심장보다 낮게 위치시키기, 자궁을 복구할 시 복강 밖으로 들어내지 않고 복강내의 제자리에서 시행하기, 수술부위를 생리식염수로 덮기, 정질액이나 교질액으로 정상혈장량 유지시키기, 전신마취 시 아산화질소 사용하지 않기 등이 있다. 또한 지지적 요법으로 산소, 심장수축촉진제, 혈관수축제, 통증조절 등이 있다. 심폐소생술과 보조환기를 통해 색전들을 원위부 폐혈관과 모세혈관으로 흩어지게 할 수 있다. 가능한 한 좌측와위를 취함으로써 폐동맥유출로에서 공기폐색 역할을 하고 있는 색전들을 이동시킬 수 있으며, 여러 개의 구멍을 가진 카테터를 우심방에 거치함으로써 색전을 제거할 수 있다. 모순색전증에 의한 신경학적 증상이나 심장증상이 발생한 환자는 고압산소치료가 도움이 될 수 있다.

1) 추가적인 공기유입의 예방

일단 다량의 공기색전증이 발생하면 먼저 공기유입원인을 알아내고 더 이상의 공기가 유입되지 않도록 개방된 정맥굴을 생리식염수로 덮은 후 수술부위를 심장보다 낮게 유지한다. 요추수술이나 복강경 수술과 같이 수술부위가 심장보다 아래쪽인 경우 reverse Trendelenburg 자세가 공기유입을 막는데 효과적일 것이다. 두개수술의 경우 비록 두부하강위(head-down position)가 지속되는 공기유입은 막을 수 있지만 중심정맥로를 거치하는데 있어 여의치 않거나 혹은 경우에 따라 뇌부종을 악화시킬 수도 있다. 이 상태에서 좌측으로 체위를 기울이는 부분적 좌측와위(left lateral decubitus position)를 취하는 경우 심장내 공기를 폐혈류로 내보내는데 도움이 되며 더 이상 공기가 뇌로 도달하지 않게 하는 방법으로 권유되나, 이를 지지하는 증거들은 부족하며 실제 동물연구에서는 장점이 별로 없다는 연구도 있다.

2) 고유량산소의 적용

공기색전증에 의해 혈역학적으로 불안정할 시 산소공급을 최대화시키기 위해 아산화질소의 사용을 중단하고 100% 산소를 공급해야 한다. 이는 질소의 배출을 돕는 것뿐만 아니라 색전의 크기를 감소시키는 역할도 한다.

3) 색전폐쇄의 감소

공기색전에 의한 우심장의 폐쇄를 완화시키기 위해 환자를 부분적으로 좌측와위 시키는 방법(Durant maneuver)과 혈역학적으로 불안정하면 간단히 트렌델렌버그체위를 취하는 방법이 도움이 될 수 있다고 알려져 있지만 최근 동물 연구에서는 불안정한 혈역학적 기능을 해결하는데 trendelenburg 체위가 큰 이득이 없다고 밝혀졌다. 인간에 대한 연구는 아직까지 없다.

4) 심폐소생술과 흉부압박

다량의 공기색전증에 의한 심정지시 즉각적인 심폐소생술과 제세동요법 그리고 흉부압박이 효과적이라고 알려져 있다. 동물연구에 따르면 비록 심정지가 없어도 closed-chest massage는 심장을 압박함으로써 공기가 폐유출로에서 빠져나와 폐혈류를 통하여 배출되도록 도

와준다고 한다. 이는 좌측와위를 취하거나 또는 심장내 공기를 흡인하는 것만큼 효과가 큰 것으로 알려져 있다. 그러므로 중단 없이 시행하는 것이 중요하다.

5) 우심실에서 공기색전 흡인

즉각적이긴 하나 성공률이 높지 않다. Multi-lumen catheter와 Swan-Ganz는 각각의 성공률이 6%, 16%로 효과적이지 않은 것으로 알려져 있다. 가장 성공률이 높은 장비로는 Buneigin-Albin multiorifice catheter 이며 성공률은 30~60%로 보고되고 있다. 흉부방사선 사진이나 카테터 끝에 부착된 심전도 감시하에 자쪽피부 정맥(basilic vein), 쇄골하정맥, 내경정맥 등으로 카테터를 집어넣어 상대정맥-우심방 합류점보다 2 cm 멀리 거치시켜 사용한다. 하지만 현재로서는 급성 공기색전증에서 공기흡인을 위한 카테터의 응급사용을 지지하는 연구가 부족한 상태이다.

6) 혈역학적인 지지

임상적으로 공기색전증은 우심실의 과부하를 일으키고 이로 인해 우심실부전이 발생하면 좌심실 출력의 현저한 감소로 이어진다. 심근관류를 최적화 해주고 가능한 한 유입된 색전을 줄이며 우심실 수축촉진 처치를 제공해야 한다.

7) 고압산소치료

고압산소치료는 공기색전증의 결정적이고 확실한 치료로서 환자가 신경계 및 심장 증상이 있을 때 매우 유용하며 적어도 색전증 후 5시간 이전에 시행되어야 후유증 없이 완전한 회복을 기대할 수 있다. 고압요법은 공기방울의 크기를 감소시키고 조직의 산소화를 증가시키는 효과가 있다.

8) 임상적인 권고

공기색전에 대한 가장 이상적인 관리는 예방이라 할 수 있다. 현저한 공기색전증이 진단된 환자에서조차 가장 큰 위험요인은 지속되는 공기유입이다. 그렇기 때문에 수술부위와 우심방 사이의 압력차를 줄이기 위한 체위변경이나 수술 부위에 대한 생리 식염수 세척, 충분한 정맥혈량 보충과 적절한 호기말 양압환기의 적용과 같은 예방요법이 중요하다.

공기색전증은 일상적으로 시행되고 있는 수술과 중재적 시술에서 생각보다 많이 발생하고 있다. 산부인과적 수술과 처치 역시 공기색전증으로부터 안전하지 못하고 분만 중, 분만 후 특히 제왕절개 시 흔하게 발생할 수 있다. 비록 공기색전증이 치명적인 결과로 발전되는 경우는 드물지만 임상에서 잠재적으로 많이 일어나므로 공기색전증의 발생위험이 높은 고위험 임산부를 관리할 때는 호기말이산화탄소농도측정과 precordial doppler의 설치가 추천되며 발생 가능성에 대해 특별한 주의가 요구된다. 공기색전증 발생 위험임산부로는 전치태반(placenta previa)이나 태반 조기박리(placental abruption)와 같이 출혈에 의한 저혈량증으로 중심정맥압이 낮은 임산부, 장시간 공복을 하였거나 분만이 지연되어 탈진한 임산부 또는 임신성 고혈압, 자간전증과 같이 위축된 혈액량을 가진 임산부의 경우 공기색전증 발생위험이 높다. 공기색전증은 예방이 가능한 합병증이므로 이를 위하여 체위나 체내 수분보충 등에 중점을 두어야 하며 발생 시 빠른 진단과 치료를 요한다. 그러나 아직 예방 및 치료방법을 평가하는 전향적 연구가 많이 부족하며 고위험 임산부에서의 일반적인 관리지침 설정과 함께 다양한 수술방법이나 체위변화의 효과에 대해서 많은 연구가 필요한 실정이다. 현재로서는 공기색전증의 증상과 징후를 나타내는 환자에서 강한 의심을 가지고 환자관리를 하는 것이 심각한 합병증을 막는 최선의 방법으로 여겨진다.

참고문헌

Chang JL, Albin MS, Bunegin L, Hung TK. Analysis and comparison of venous air embolism detection methods. Neurosurgery 1980; 7: 135-41.

Dolak JA. Embolic complications in the parturient. Revista Mexicana de Anestesiología 2006; 29: S55-S7.

Fong J, Gadalla F, Druzin M. Venous emboli occurring caesarean section: the effect of patient position. Can J Anaesth 1991; 38: 191-5.

Fong J, Gadalla F, Pierri MK, Druzin M. Are Doppler-detected venous emboli during cesarean section air emboli? Anesth Analg 1990; 71: 254-7.

Handler JS, Bromage PR. Venous air embolism during cesarean delivery. Reg Anesth 1990; 15: 170-3.

Kaiser RT. Air embolism death of a pregnant woman secondary to orogenital sex. Acad Emerg Med 1994; 1: 555-8.

Kostash MA, Mensink F. Lethal air embolism during cesarean delivery for placenta previa. Anesthesiology 2002; 96: 753-4.

Lew TW, Tay DH, Thomas E. Venous air embolism during cesarean section: more common than previously thought. Anesth Analg 1993; 77: 448-52.

Lowenwirt IP, Chi DS, Handwerker SM. Nonfatal venous air embolism during cesarean section: a case report and review of the literature. Obstet Gynecol Surv 1994; 49: 72-6.

Mirski MA, Lele AV, Fitzsimmons L, Toung TJ. Diagnosis and treatment of vascular air embolism. Anesthesiology 2007; 106: 164-77.

Munson ES, Merrick HC. Effect of nitrous oxide on venous air embolism. Anesthesiology 1966; 27: 783-7.

Volk O, Schnitker W, Brass P, Klass O, Bosse M, Boerner U, et al. Detection of air embolism by a re-usable Doppler probe integrated in a central venous line--application in-vivo. Anaesthesist 2002; 51: 716-20.

Presson RG, Jr., Kirk KR, Haselby KA, Wagner WW, Jr. Effect of ventilation with soluble and diffusible gases on the size of air emboli. J Appl Physiol (1985) 1991; 70: 1068-74.

Chapter 17

조기진통

전 세계적으로 출산 10명 중 1명은 조기분만에 속하는데, 미국은 11%(2013년), 우리나라는 점점 증가하는 경향을 보여 2012년에는 15.24%가 조기분만 되고 있어 미국보다 빈도가 높다. 조기분만은 신생아의 주산기 이환율과 치사율을 높이는 주된 원인이며, 생존한 신생아의 경우 신체적·지적 장애 등 장기적인 후유증을 지니게 되고 이로 인한 경제적 비용 역시 증가하게 된다.

마취통증의학과의사는 조기진통이 있는 임산부에서 자궁수축 억제치료가 실패하여 분만을 진행하게 될 때 정상 분만과 마찬가지로 경막외진통을 시행하게 된다. 그러나 조기분만은 둔위분만이나 다태임신의 빈도가 높아 제왕절개술을 실시하게 되는 경우가 많고, 태아 억제 등으로 응급제왕절개술을 시행하여야 하는 경우가 많으므로 조기분만에 대한 지식이 있어야 한다.

조기분만을 위한 마취의 일차적 목표는 임산부의 안전이고, 이차적 목표는 미숙아의 안전이다. 조기분만 임산부는 대부분 자궁수축억제제를 투여받고 있는데, 이 약들은 자궁근육을 이완시키지만 심장 과민성을 증가시킬 수 있는 등 부작용이 있다. 그러므로 여러 종류의 자궁수축억제제의 작용기전, 부작용 및 마취제와의 상호작용을 이해하는 것이 중요하다. 주산기 관리팀은 전신마취 시 신생아에게 노출되는 마취제나 산과적 치료제가 야기할 수 있는 부작용에 대하여 적절한 처치와 치료를 할 준비가 되어 있어야 한다.

1. 정의

조기분만은 20주부터 36주 6일(259일) 사이의 출산이다. 또한 조기분만된 신생아나 영아의 예후는 임신 주수보다는 출생 시 체중과 더 관련이 있어 임신 기간과는 상관없이 출산 후 계측한 체중을 기준으로도 분류할 수 있다(표 17-1).

2. 신생아 사망률과 이환율

신생아 사망률과 이환율은 임신 기간과 밀접한 관계

가 있어서 출생 시 태아의 임신 주수가 증가할수록 낮다. 또한 출생체중과도 관계가 있는데 신생아의 체중이 증가할수록 사망률과 이환율이 낮다. 주산기 사망률과 이환율은 임신 주수 24주에서 26주 사이에 현저히 감소하는 것으로 알려져 있으며, 신생아 생존률은 임신 주수 30주 이상 시는 90%, 32주 이상 시의 신생아 생존률은 만삭아와 비슷하다. 주산기의학과 신생아 집중치료의 발달에도 불구하고 출생 직후 체중이 501~750 g인 출생아는 여전히 높은 사망률을 보여서 55%에 달하고, 체중이 증가할수록 생존율은 올라가서 1251~1500 g에서는 96%로 증가한다.

한국의 영아사망률은 6.2%(1999)인데 영아사망의 사인 분포 중 58%가 미숙아와 관련된 주산기 질환이다. 조기분만 시 영아의 합병증인 뇌실내출혈 (intraventricular hemorrhage, IVH), 동맥관개존증과 괴사성소장대장염(necrotizing enterocolitis, NEC)은 임신 32주 후부터는 적었고 임신 주수가 증가할수록 장기적으로 심한 발달 및 행동장애 등이 감소하였다. 신생아 이환율과 사망률은 출생체중보다는 임신기간, 즉 성숙도에 영향을 받는다. 그러므로 태아의 정확한 임신 주수를 확인하는 것이 중요하다.

3. 조기분만의 원인 및 위험인자

1) 병태생리

조기분만은 임산부나 태아의 시상하부-뇌하수체-부신축의 조기활성화, 감염이나 염증에 대해 비정상적으로 과장된 반응, 탈락막(decidua) 출혈, 병적 자궁팽만 등에 의한다. 이러한 과정들은 조기분만이나 조기양막파열이 임상적으로 진단되기 오래 전부터 시작될 수 있고 태아막과 자궁경부간질(cervical stroma)을 약화시키는 단백분해효소와 자궁수축제의 형성을 포함하는 최종 공통경로에 연관된다.

정상 분만은 해부학적, 생리적, 생화학적 변화를 초래하는데 더 큰 자궁 수축력, 자궁경부의 숙성, 막·탈락막 활성화를 초래한다. 성숙된 태아의 시상하부가 더 많은 corticotrophine releasing hormone을 분비해 태아 부신을 자극해 부신겉질자극호르몬과 cortisol 생성을 증가시킨다.

2) 조기진통의 원인

(1) 자연적인 조기산통(45%)과 만삭 전 조기양막파열(30%): 조기분만의 원인 중 75%를 차지하는데 기전은 아직 확실치 않다. 자연적인 진통과 관계된다고 생각되는 원인은 자궁팽창, 임산부-태아 스트레스, 조기 자궁경부 변화와 감염 등 이고 위험인자는 생식기계 감염, 다태임신, 임신 제2, 3분기 출혈, 자궁경부무력증, 이전의 조기분만 기왕력, 태아기형 및 임산부의 감염 등이다. 조기양막파수는 임신주수 37주 이전 진통이 있기 전에 양막파열이 일어나는 것으로 자궁내감염이 주원인으로 생각된다.

(2) 임산부나 태아의 적응증에 의한 조기분만: 조기분만 원인의 25%가 이에 속하며 임산부가 산과적·내과적 합병증을 갖고 있거나 태아의 안전이 위협받을 때 등으로 전치태반, 자간전증, 태아절박가사, 자궁내성장지연, 태반조기박리, 태아기형, 자궁내태아사망 등이 원인이다.

표 17-1. **조기분만의 정의**

임신나이 (주)		출생 체중 (g)
Term	$39^{0/7}$~$40^{6/7}$	Low birth weight (LBW) < 2500
Early term	$37^{0/7}$~$38^{6/7}$	Very low birth weight (VLBW) < 1500
Preterm infant	≤ $36^{6/7}$	Extremely low birth weight (ELBW) < 1000
Late preterm	$34^{0/7}$~$36^{6/7}$	
Early preterm	≤ $33^{6/7}$	
Moderately preterm	32~$33^{6/7}$	
Very preterm	≤ 32	
Extremely preterm	≤ 28	

(3) 기타 요인들

절박유산(임신 초기 질 출혈), 유전적 요인(조기분만의 재발, 가족력, 인종적 차이 등), 양막과 양수의 감염에 의한 융모양막염, 생활습관과 관련된 요인(흡연, 과체중, 불법약물 복용, 경제적 수준, 임신시기의 나이, 결혼을 안 한 경우, 정신적 육체적 스트레스 등) 등이 있다.

4. 조기분만의 예측 및 진단

1) 조기분만 위험 임산부의 예측 및 조기 발견

조기분만의 위험성이 있는 임산부를 예측해서 효과적으로 치료를 할 수 있다면 임산부나 태아에 좋은 결과를 기대할 수 있다. 조기분만 진단법으로는 휴대용 자궁수축검사기나 임산부의 타액에서 estriol을 측정하는 방법이 있지만 임상적으로는 유용하지 않다. 또한 자궁경부 및 질 분비물에서 태아의 태아섬유결합소(fetal fibronectin, fFN)를 측정하는 검사가 있는데 조기분만의 강력한 예측인자로 알려져 있고 이 수치가 증가하면 조기분만의 위험이 증가한다. 질식초음파로 자궁경부 길이 측정법은 조기분만 진단의 가장 좋은 방법 중 하나로, 증상이 있거나 또는 무증상인 임산부에서 자궁경부 길이가 짧으면 조기분만 위험도가 증가한다.

2) 진단

양막파열이 없는 임산부에서 조기진통의 임상적 진단은 미국산부인과학회(ACOG, 2012)에 따르면 임신기간 37주 이전(임신 $20^{0/7} \sim 36^{6/7}$주)의 임산부에서 자궁경부확장 및 자궁경부소실 등 자궁경부의 변화를 동반하는 규칙적 자궁수축이 있는 경우로 정의하였다. 초기의

조기산통시는 가진통과 진성 진통의 구별이 어려워 잘못 진단할 수 있어 주의가 필요하다.

5. 예방

조기분만의 빈도를 감소시키고 태아의 예후를 향상시키기 위한 예방책은 아직까지 확실하지 않다. 지금까지 알려진 치료는 자궁 수축 감지 및 억제, 항생제 투여, progesterone 투여, 예방적 자궁경부 원형 결찰, 자궁경부 페사리, 임산부 영양 보충, 임산부 스트레스 감소 등이 있지만 이러한 단순 치료로는 예방 효과가 만족스럽지 못하다.

6. 치료

미숙아의 생존율을 높이기 위해서 신속한 진단과 빠른 치료로 조기 진통을 성공적으로 멈추는 것이 중요하다. 조기진통을 완전히 정지시키는 치료법은 아직 없고 현재 알려진 치료법으로는 1~7일 정도 분만을 늦출 수 있다. 자궁수축억제제 투여는 아직 논란이 많은데 이것이 조기분만을 감소시키고 신생아 예후를 좋게 한다는 확실한 근거는 없다. 현재 태아의 예후를 향상시킨다고 여겨지는 치료는 태아의 폐와 다른 장기의 성숙을 촉진시키기 위해 임산부에게 corticosteroid를 투여를 하고 태아의 신경보호(neuroprotection)를 위해 magnesium sulfate를 투여하는 것이다.

1) corticosteroid 치료

조기분만의 위험성이 있는 임산부에게 태아의 폐성

숙을 촉진시키기 위하여 corticosteroid를 투여하면 미숙아의 이환율과 사망률을 줄일 수 있다. 분만 전 이 약을 투여 받은 미숙아는 신생아호흡억제증후군, IVH, NEC의 빈도가 적고 이 약을 사용하지 않은 신생아에 비해 사망률이 낮다. 현재 임신주수 24~34주 사이의 임산부에서 7일 이내에 조기분만의 위험성이 있을 때 단일 주기의 steroid를 투여하는 것을 추천한다.

부작용으로 투여 48~72시간 후 일시적인 감소된 태아심음변이성, 태아호흡과 신체움직임의 감소가 나타날 수 있다. 임산부의 사망, 융모양막염, 산욕기 감염의 위험을 증가시키지는 않고, 일시적인 고혈당증을 유발할 수 있는데 특히 당뇨환자에서는 더 심할 수 있고 5일 동안 지속된다.

2) 항생제

양막파열의 증거가 없는 임산부에게 조기분만을 예방할 목적으로 항생제를 투여하는 것은 무의미하므로 추천되지 않는다. 그러나 만삭 전 조기 양막파열 임산부에게서는 항생제치료가 임신을 연장시키고 임산부와 태아의 이환율을 감소시킨다.

3) 신경보호를 위한 황산마그네슘

태아 신경보호 효과가 있다고 알려져 있으며, 최근 ACOG(2010)에 의하면 32주 이전 조기분만이 예측되면 분만 직전 황산마그네슘을 투여하면 생존아에서 뇌성마비의 중증도와 발생률을 감소시킨다고 하였다.

4) 자궁수축억제제

임신을 연장시키기에는 위약보다 효과가 있지만 신생아 이환율과 사망률을 감소시킨다는 근거는 없었다. 조기진통 시 자궁 수축을 일시적으로 없애는 것일 뿐 조기진통의 원인을 완전히 제거하지는 못하며, 분만을 48시간에서 7일까지 늦추는데 효과적이다. 자궁수축억제제 치료의 중요한 목표는 진단 즉시 자궁수축억제제를 투여하여 약 48시간 동안 임신기간을 연장시켜 태아의 폐성숙을 촉진하기 위해 corticosteroid 투여, 중증의 신생아를 치료할 팀과 시설을 갖춘 3차병원으로 임산부의 이송, 신생아의 연쇄구균 감염예방을 위한 항생제를 투여하여 신생아의 예후를 좋게 하는 것이다. 또한 임신 중 복강 내 수술의 경우 조기진통을 유발할 수 있는데, 자궁수축억제제를 투여하면 임신을 유지하는데 유리하다.

자궁수축억제제투여의 기준은 ① 태아의 생존가능성이 있는 시기(임신 20주)부터 임신 34주 전 ② 태아 상태가 안정적일 때 ③ 명백한 감염의 임상 징후가 없을 때이다. 마취통증의학과의사는 자궁수축억제제치료가 실패하여 분만통증을 완화시키거나, 제왕절개술을 위하여 마취를 하여야 하는 경우, 복벽경유나 자궁목원형묶음, 자궁경부결찰을 할 때 및 태아 소생술이 필요할 때에 자궁수축억제제를 투여받고 있는 환자를 접하게 된다.

(1) β-아드레날린성 수용체 작용제(beta-adrenergic receptor agonists)

과거에는 ritodrine과 terbutaline을 주로 사용 했지만 임산부에게 부작용이 적으면서 효과가 비슷한 약들의 출현으로 점점 사용이 감소되고 있다. Ritodrine은 미국에서는 2003년 이후 시판되지 않고 있으나 국내에서는 아직까지 사용하고 있다. 미국에서는 terbutaline은 사용하고 있지만 임산부의 심장 부작용에 의한 사망가능성 때문에 미국 FDA에서 주의하도록 권고하고 있다.

① 작용기전

모든 β-아드레날린성 수용체 작용제는 자궁벽 평활근의 β2-아드레날린성 수용체에 주로 작용하지만 β1-수용체에 대한 작용도 일부 가지고 있다.

Ritodrine과 terbutaline은 비교적 β2-수용체에 선택적으로 작용하고, β2-수용체를 자극하여 자궁근층에서 자궁평활근을 이완시키고 혈관확장을 일으킨다. β1-수용체는 주로 심장과 지방조직에 위치하는데 β1-수용체의 자극은 임산부 심박수와 심박출량을 증가시켜 임상적으로 중요한 심혈관계부작용을 나타낸다.

β-아드레날린성 수용체 작용제는 자궁근층 세포 외막에 있는 β2-수용체와 상호작용하여 adenyl cyclase를 활성화시켜서 adenosine triphosphate (ATP)를 cyclic adenosine monophosphate (cAMP)로 전환하여 세포 내 cAMP 농도를 증가시킨다. 증가된 cAMP는 세포 내 칼슘 농도를 감소시켜서 myosin light chain kinase (MLCK)작용을 억제시켜 액틴과 미오신사이의 상호작용을 방해하여 자궁근의 이완을 일으킨다.

② 치료 요법

치료 전 임산부의 혈압, 맥박수 및 호흡 등 기준 생체징후와 체중을 측정하고 중증의 심혈관질환이나 폐질환을 가진 환자는 제외한다. 약물의 지속 투여 시에는 자궁근층의 β2-수용체의 하향조절이나 탈감작이 일어날 수 있으므로 간헐적 정주를 하기도 한다. Terbutaline의 장기적인 지속적 투여는 조기분만을 예방하지도 못했고 신생아 예후를 개선시키지도 않는다.

Ritodrine이나 terbutaline은 태반을 통과하고 변형되지 않은 상태로 혹은 접합체(conjugate)상태로 신장에서 배설된다. 이 약제는 정주 시 10분내에 최고 농도에 도달하고 반감기는 ritodrine의 경우 2시간, terbutaline은의 경우 3~4시간이다. β-아드레날린성 작용제는 종류에 따라 효과는 비슷하고 분만을 48시간 정도 지연시킬 수 있지만 조기분만에 미치는 영향은 아직도 논쟁의 대상이다. 정주, 피하주사 및 경구투여가 가능하지만 경구투여는 효과가 별로 없다.

β-아드레날린성 작용제를 투여할 때에는 수액 주입량, 소변배출량, 숨가쁨, 흉통, 빈맥 등 임산부에게 나타나는 증상을 주의 깊게 관찰하여야 한다. 고혈당증과 저칼륨혈증이 자주 일어나므로 혈당과 칼륨농도를 4~6시간마다 측정한다. 심한 저칼륨혈증은 부정맥의 위험을 막기 위하여 교정해야 하고 심한 고혈당도 insulin으로 치료한다.

③ 임산부에 대한 부작용

특이적으로 β2-수용체만을 자극하는 약은 아직 개발되지 않았고, 어느 정도 β1-수용체에 대한 작용도 일부 갖고 있으므로 심혈관계, 폐부종, 대사장애 등 부작용을 일으킬 수 있다(표 17-2).

④ 태아에 대한 부작용

대부분의 β-아드레날린성 작용제는 태반을 빠르게 통과하여 태아 심근의 β1-수용체에 대한 직접적인 자극으로 태아의 심박수가 증가할 수 있고 박동 대 박동 변이도의 증가도 생길 수 있다. 또한 임산부의 지속적인 고혈당증으로 태아에게 고인슐린혈증을 일으켜 신생아가 저혈당증을 일으킬 수 있다. 그러나 장기간에 걸친 보고에 따르면 태아의 심장에 대한 부작용은 없다고 하였다.

⑤ 금기증

심장병, 조절이 잘 안 된 갑상선기능항진증, 당뇨병 환자에서는 주의 깊게 사용하여야 한다. 과다출혈의 위험이 있는 임산부에서는 이 약이 임산부에서 빈맥과 저혈압을 일으킬 수 있으므로 실제 출혈이 있을 때 이 증상이 약 때문인지 임산부의 보상작용인지 구분해야 한다.

⑥ 마취 시 주의점

부위마취 또는 전신마취를 시행해야 하는 경우 임산부의 빈맥이 진정된 후 실시하는 것이 이상적이다. Terbutaline의 혈역학적 효과는 약물을 중단한 후 15~30분이 경과하면 소실되므로 보통 15분 정도 후에는 심박수가 떨어진다. 그러나 이 약제를 투여한 후 태아나 임산부가 급박한 상황일 때 전신마취나 부위마취를

표 17-2. β-아드레날린성 수용체 작용제의 부작용

β1	β2
심장 　일회박출량 ↑ 　심박수 ↑ 　부정맥	평활근 이완 　자궁수축력 ↓ 　혈관확장 → 저혈압 　세기관지 이완 　마비성 장폐색증
신장 　신혈류량 ↑	신장 　레닌과 알도스테론 분비 ↑ 　소변배출량 ↓
대사 　지질분해 ↑ → 유리지방산 ↑ 　저칼륨혈증	대사 　간 글리코겐분해 ↑ 　고혈당증 　고인슐린혈증 　골격근 글리코겐분해 ↑ 　젖산산증

지연시키는 것에 대한 근거는 충분치 않다. 그러므로 분만의 진행정도, 비정상적 태위, 태아 상태가 위급할 때는 응급으로 마취를 하게 된다. 이 약제 사용 중 마취 시 문제점은 빈맥과 저혈압인데 특히 척추마취 시 저혈압이 더 심할 수 있다. 그러나 Chestnut 등은 ritodrine을 투여받은 임신한 양에서 lidocaine을 경막외강으로 투여 시 임산부저혈압이 악화되지 않았는데 이는 ritodrine의 심근 수축력과 심박수변동작용으로 심박출량이 유지되기 때문이라 추정하였다.

부위마취 중 자주 발생하는 저혈압을 치료하기 위해 투여하는 α1-아드레날린성 작용제인 phenylephrine은 terbutaline 투여로 인해 감소된 전신혈관저항에 반대로 작용하여 혈압을 올리고 반사적인 서맥을 일으켜 terbutaline에 의한 빈맥을 감소시켜 유익하다.

이 약을 투여받는 환자는 폐부종이 생길 위험성이 있으므로 부위마취나 전신마취 유도 전 또는 마취 중에 다량의 수액투여를 피하고 저혈압이 생기면 수액보다는 혈관수축제 또는 혈압상승제의 적정투여가 중요하다.

전신마취 시 이 약을 투여받은 환자는 atopine, glycopyrrolate, pancuronium과 같이 환자에게 빈맥을 일으킬 수 있는 약은 피한다. 이 약을 끊은 후 전신마취를 할 때 이 치료의 잔류효과로 나타나는 빈맥은 마취 깊이나 수액 상태를 평가하기 어렵게 만들 수 있으므로 주의한다. 마취의 깊이를 측정할 수 있는 뇌파감시장치를 달고 혈액소실에 대한 정보를 얻기 위해 산과팀과 긴밀히 소통해야 한다. 또한 카테콜아민 유발 심실부정맥을 일으키지 않는 흡입마취제(sevoflurane, isoflurane)를 선택한다. 과환기는 자궁혈관저항을 증가시키고 호흡성알칼리증을 일으키고, 이는 칼륨을 세포 내 구획으로 이동시켜 저칼륨혈증을 악화시키므로 피한다.

어떤 보고에서는 비임산부에서 terbutaline의 전투여는 succinylcholine에 의해 유도된 신경근 차단의 발현시간과 회복을 짧게 한다고 하였는데 이러한 환자에게 전신마취를 진행하는 경우에는 신경근 기능의 감시를 시행하는 것이 권장된다.

(2) 황산마그네슘(Magnesium sulfate)

자간전증 치료제로 사용되는 약으로 아직도 자궁수축억제제로 많이 사용되는 약이지만 효과는 확실하지 않다. β-아드레날린성 수용체 작용제와 비교하여 부작용은 적으면서 자궁수축억제효과는 비슷한 것으로 알려져 있다. 따라서 당뇨병, 갑상선항진증 또는 심장질환을 가지고 있는 임산부에서 선호될 수 있다.

① 작용기전

정확한 기전은 확실하지치 않다. 여러 가지 가설이 있는데 adenyl cyclase의 활성화에 의하여 magnesium sulfate이 cAMP를 증가시켜서 MLCK (myosin light chain kinase) 활성도를 억제시켜 자궁수축시 필요한 actin과 myosin의 상호작용에 필요한 세포 내 유리 칼슘농도를 낮추이 칼슘의 경쟁적 길항제로 작용하여 자궁근수축력을 억제시키는 것으로 알려져 있다. 또한 magnesium sulfate은 골격근의 신경근 이음부에서 acetylcholine의 방출을 감소시켜 acetylcholine과 수용체의 상호작용에 의한 막전위를 감소시키며 acetylcholine에 대한 종판의 감수성을 감소시킨다.

② 치료 요법

정상 임산부의 혈중 magnesium sulfate 농도는 1.8~3 mg/dL이며 자궁수축 억제를 위해서는 5~8 mg/dL 정도의 혈중농도가 필요하다. 그 이상의 농도는 필요치 않으며 독작용이 나타나는 것을 감시하기 위하여 투여하는 동안 환자의 심부건 반사, 정신상태와 호흡수를 감시한다. 이 약의 투여법은 표 17-3에 기술하였다.

③ 임산부에 대한 작용

Magnesium sulfate은 말초혈관을 이완시킨다. 심혈관계 부작용은 β-아드레날린성 작용제보다 적어서 임산부의 빈맥 및 평균동맥압의 감소 등이 일시적으로 경미하게 나타날 수 있다. 폐부종이 보고되나 원인은 확실치 않다. 45% 이상 임산부에서 안면홍조, 오심, 두통, 무력감 등을 호소한다. 어지럼증, 안구진탕, 구강건조, 기면, 일시적 저혈압, 흉통, 두근거림을 보이고 75% 이

표 17-3 황산마그네슘의 투여 방법

부하용량	황산마그네슘 4~6 g 정맥투여, 15~20분간
유지용량	황산마그네슘 2 g/h 지속정맥투여
적정 혈중농도 및 확인	황산마그네슘의 투여 시작 후 4~6시간 4-7 mEq/L

상의 환자에서 시야흐림, 복시 등이 발생한다.

Magnesium sulfate은 대부분 신장에서 배설되므로 신기능이 감소된 환자에서는 magnesium sulfate 배설이 줄어들어 높은 magnesium sulfate혈증에 의한 심폐기능 이상이 있을 수 있으므로 주의 해서 투여해야 하고, 혈중 농도를 잘 감시해야 한다. 건강한 임산부에서 적절한 용량을 투여 시 독작용은 드물다. 임산부의 혈중 magnesium sulfate이 증가하면 칼슘의 요중 배설이 증가하여 혈중 칼슘농도는 감소하고 혈중 인과 부갑상선호르몬농도가 증가한다.

④ 태아에 대한 부작용

이 약은 태반을 빨리 통과하여 임산부에게 투여한 후 1시간 내에 태아의 혈중농도가 증가하여 임산부와 태아 혈장약물농도가 2시간 이내에 평형에 도달한다. 약의 태아 혈중농도는 임산부에게 투여된 약의 총량과 주입 기간에 비례하므로 임산부의 혈중 농도가 높으면 태아의 혈중농도도 증가되어 출생 후 호흡억제 및 운동억제가 나타날 수 있다.

⑤ 마취 시 주의점

황산마그네슘의 투여가 전신마취나 부위마취를 시행하는데 금기가 되지는 않는다. 경막외마취 시는 황산마그네슘의 혈관이완작용성질 때문에 저혈압의 발생이 증가되므로, 마취 전 황산마그네슘을 끊어야 한다는 주장도 있다. 그러나 Vincent 등은 임신한 양에서 경막외 lidocaine으로 마취 시 황산마그네슘은 평균

동맥압은 감소시키지만 자궁혈류나 태아 산소화는 감소시키지 않는다고 하였다. 이 연구에서 고마그네슘혈증은 혈압이 정상인 임산부에서는 치료할 수 있는 수준의 저혈압을 일으킨다고 하였다. Magnesium sulfate은 신경근 이음부에서 acetylcholine의 방출을 감소시키고 acetylcholine에 대한 종판의 감수성과 근막의 흥분성을 감소시킨다. 이런 기전으로 이 약은 탈분극성 근이완제에 의한 차단에 대항작용이 있다는 연구도 있지만 탈분극성과 비탈분극성 근이완제 작용을 모두 강화시킨다. 그러나 조기분만 시 전신마취 유도 및 기관내삽관을 위해 사용하는 신경근차단제의 용량을 줄여야 되는 근거는 없다. 고마그네슘황산염혈증 임산부에서 전신마취 시 succinylcholine 투여 전 비탈분극성 근이완제의 전투여하지 말아야 한다. 황산마그네슘과 의한 상승작용을 일으키는 범위가 다양하고 썩시닐콜린에 의한 차단에 대항작용을 한다는 주장도 있지만, 표준용량(예: succinylcholine 1 mg/kg)을 투여하는 것을 권장한다. 그러나 마취유지 중 근이완제 유지용량은 감소시켜야 하고 근이완감시를 통해 추가용량을 주의 깊게 적정 투여하고 수술이 끝나면 신경근 기능의 회복을 확인한 후 발관한다. 근이완 역전을 위해 neostigmine을 사용하는 경우 신경근 기능의 회복이 지연될 수 있다.

황산마그네슘을 투여 받는 환자는 진정상태를 자주 보인다. 그러나 이 약을 투여 받은 환자에서 수술 후 진통제 필요량은 감소되지 않는다.

(3) 시클로옥시게나아제 억제제
(Cyclooxygenase inhibitors)

Prostaglandin $F_2\alpha$와 $E_2\alpha$는 자궁에 대하여 강력한 흥분작용을 가지며 임신 중에 혈액 및 양수에서 저농도로 발견된다. 비특이적 시클로옥시게나아제 억제제인 indomethacin은 이러한 종류의 자궁수축억제제 중 대표적인 약물로 아라키돈산으로부터 prostaglandin E, F의 전구체인 prostaglandin G생성을 억제시킨다.

Prostaglandin은 자궁수축의 마지막 경로의 전달물질로 분만진통 시 생성되어 세포 내 칼슘농도를 증가시키고, MLCK 활성화 증가와 간극연결 형성을 촉진하여 자궁수축을 유발시킨다. 여러 종류의 자궁수축억제제를 비교한 연구에서 조기분만 억제와 부작용 측면에서 좋은 결과를 얻어 indomethacin은 임신 32주전 조기분만 시 1차 치료약으로 권고된다. 임산부에서 심각한 부작용은 드물고 혈압과 맥박수를 거의 변화시키지 않으므로 심장질환이나 갑상선항진증을 가진 환자에서 사용이 추천된다. 부작용으로 오심, 식도역류 및 위염 등 위장관계 부작용이 생길 수 있으며, 간질신장염, 혈소판 기능장애 혹은 산후출혈을 일으킨다는 보고가 있다. Indomethacin은 임산부의 부작용위험이 적지만, 태아에게 발생할 수 있는 심각한 부작용 때문에 임상적인 사용이 제한되고 있다. Indomethacin은 투여 후 태반을 바로 통과하는데 48시간 이상 투여 시 태아의 조기 동맥관폐쇄나 협착과 양수과소증 같은 심각한 부작용이 있다. 그러므로 이 약은 임신 32주 후부터는 추천되지 않고 치료기간이 48시간을 초과하는 경우에는 매주 태아의 심장초음파를 시행하는 것을 고려해야 한다. 이 약의 금기로는 약물에 의한 천식 유발, 혈액응고장애, 간장애, 신장애 및 소화성궤양 등이다.

이 약은 가역적으로 시클로옥시게나아제를 억제하므로 혈소판에 대한 효과는 일시적이므로 척추나 경막외 혈종을 일으키지 않는다 하였다. 그러므로 이 약을 최근에 투여받은 환자에서 부위마취 시 출혈의 위험성만 단독으로 평가하기 위해서 혈소판이나 혈액응고기능을 검사할 필요는 없고, 이러한 검사를 위하여 부위마취를 지연시킬 필요가 없다.

(4) 칼슘통로차단제(Calcium Channel Blockers)

Nifedipine이 자궁수축억제제로 많이 연구되었는데 이 약의 기전은 전압-의존 칼슘 통로(voltage-dependent channel)를 차단하여 세포막을 통한 칼슘이온 유입을 방해하여 평활근의 이완을 일으키는 것이다. 칼슘통로차단제는 magnesium sulfate과 비슷한 효능을 갖고 있다고 알려져 있으며, 분만지연, 신생아 호흡곤란증후군 발생률 등 신생아 예후에 있어서 β-아드레날린 작용제에 비해 우수한 결과를 보인 보고들이 있다. 부작용은 β-아드레날린 작용제보다 적은 것으로 알려져 있는데, 말초혈관의 확장을 일으키므로 저혈압이 가장 흔한 부작용이며 이로 인해 압력수용기의 활성화를 일으켜 말초 교감신경계 작용을 증가시켜 임산부에게 빈맥을 일으킬 수 있다. 그 외에 안면홍조, 두통, 오심, 현기증 등이 동반될 수 있다. Nifedipine은 태반을 통과하는 것으로 알려져 있고 조기산통을 억제하기 위해 경구 투여 시 태아에서의 대사 관련 부작용은 잘 알려져 있지 않다. 인간을 대상으로 한 임상적 연구에서는 단기간의 nifedipine 투여는 자궁태반혈류나 태아순환에는 불리한 영향을 주지 않아서 안심할만하다고 하였다. 분만 시 제대에서 태아의 산/염기상태는 저산소증이나 산증을 보이지 않았다. 좌심실부전증이나 울혈성심부전증을 동반한 임산부에서는 주의를 요하는 것으로 되어 있다.

Nifedipine은 다른 계통의 약보다 심혈관계 효과가 비교적 적은 편이지만 할로겐화 흡입마취제와 같이 사용 시 혈관이완, 저혈압, 심근 수축력억제와 전도장애를 일으킬 수 있으므로 주의한다. 또한 nifedipine과 magnesium sulfate을 같이 사용 시 magnesium sulfate의 신경근 차단작용을 상승시켜 호흡억제가 나타날 수 있으므로 주의한다. 이런 경우 임산부기도를 유지하고 칼슘 정주를 한다.

또한 환자에게 이 약을 사용했을 때 분만 후 자궁근육무력증이 나타날 경우 oxytocin, 15-메틸 prostaglandin F$_2$α에 효과가 없으므로 산후출혈의 위험이 증가한다.

(5) 옥시토신 수용체 길항제(Oxytocin receptor antagonist)

Oxytocin에 의해 유발된 자궁수축에 대한 경쟁적 길항제로 작용하는 약으로 아토시반이 있다. Oxytocin 유사물질로 자궁수축을 억제하며 미국 FDA에서는 임신 28주 전에 사용 시 태아 및 신생아의 부작용과 자궁이완 효과의 의구심으로 사용규제를 하였지만 국내 및 유럽에서는 널리 사용되고 있다.

기전은 oxytocin 수용체 길항제로 자궁근층과 탈락막의 oxytocin 수용체에서 oxytocin과 경쟁적으로 결합하여 세포 내 유리칼슘을 증가시켜 자궁근층 수축을 막는다. Oxytocin에 대한 자궁근의 감수성은 변화시키지 않는 장점이 있으므로 분만 후 자궁 이완증이나 그에 따른 산후출혈의 위험을 감소시킨다.

β-아드레날린성 수용체 작용제와 nifedipine과 비슷한 자궁수축 억제효과가 있다고 보고한 연구도 있지만, 조기분만을 감소시키고 신생아의 예후를 더 개선시키지는 않는다는 상반된 연구 결과도 보고되고 있다. 그러나 태반통과가 적고 분만 시 임산부혈액 소실량을 증가시키지 않는다. 마취제와의 상호작용에 대한 근거는 없지만 이 약의 혈역학적 면을 볼 때 심각한 부작용은 없을 것으로 생각된다.

(6) 산화질소공여자(Nitric oxide donor)

니트로글리세린이 이에 속하며 강력한 평활근이완제로 자궁은 물론 장 및 혈관에도 영향을 미쳐서 부작용으로 저혈압이 흔하다. 조기분만 시 이 약의 사용에 대해서는 아직 충분한 근거가 부족하다.

7. 미숙아의 특징

과거에 미숙아는 만삭아에 비해 약물감수성이 증가

하여 마취제 및 진통제의 억제 효과에 더 취약하다고 알고 있는데 이유로는 ① 약물과 결합하는 단백질양의 감소와 단백질-약물 친화력이 감소되어 있고, ② 빌리루빈치가 높기 때문에 단백질 결합 시 약물과 경쟁해야 하고, ③ 불완전한 혈액-뇌 장벽으로 중추신경계로 약물의 접근이 쉽고, ④ 약물의 대사 및 배설 능력이 떨어지고, ⑤ 진통과 분만 시 태아산증의 빈도가 높기 때문으로 알려져 있다.

그러나 임신 기간에 걸친 lidocaine이나 bupivacaine 같은 국소마취제가 임산부와 태아에 미치는 영향에 대한 일부 연구에서 미숙아는 과거에 알고 있었던 것보다 국소마취제의 억제 효과에 더 취약하지 않다고 보고하였다. 이는 인간은 임신 초기인 14주에 이미 여러 약을 산화시킬 수 있는 시토크롬 P-450 시스템을 간에 갖고 있기 때문이다. 그러나 산증이 있는 조기분만 태아에서는 ① 태아에서 혈장 내 단백질결합능력의 감소로 유리약물증가, ② 임산부-태아의 수소이온차가 증가되어 태아 쪽 순환계서 약염기(예: 아마이드 국소마취제, 아편제제)의 이온포착 증가, ③ 높은 혈액-뇌 장벽의 투과성, ④ 국소마취제의 심근억제 효과에 대한 감수성 증가에 의해 부작용을 증가시킬 수 있다.

미숙아의 절반은 출생 시 기관내삽관을 즉시 실시해야하고 초극저체중아(ELBW)는 호흡억제증후군등의 위험을 감소시키기 위하여 즉시 표면활성제(surfactant)를 투여해야 한다. 또한 미숙아는 비교적 큰 체표면적과 열 생성 능력이 부족하여 열 소실이 빨리 일어난다. 그러므로 출생 직후 저체온을 막기 위하여 인큐베이터에 넣거나 복사열 가온기에 넣는다. 저체온증은 저혈당과 산증을 일으켜 26주 이내 극미숙아에서는 치사율을 높인다.

미숙아는 호흡기질환으로 호흡억제증후군, 기관지폐형성이상이 동반되며 무호흡이 주된 증상이다. 분만 즉시 호흡, 심박수 및 산소화 정도를 지속적으로 주의 깊게 감시한다. 미숙아에게 기관 내 삽관이나 마스크를 통한 산소 공급 시 고산소혈증을 예방하고 조직과 장기에 효과적으로 산소를 공급하기 위하여는 산소포화도를 90%(오른손에서 측정)로 유지한다.

심혈관계합병증으로는 동맥관개존증과 전신적 저혈압이 있다. 증상이 있는 동맥관개존증은 극저체중아의 30%에서 나타난다. 출생 직후 전신적 저혈압은 미숙아의 유병율과 치사율을 높인다.

신경계 합병증으로 취약한 종자바탕질(germinal matrix)로 인해 IVH가 잘 생기는데 체중이 적을수록 빈도가 증가하여 중증의 IVH가 극저체중아의 12~15%에서 나타난다. 또한 미숙아에서는 저혈당증과 고혈당증이 잘 나타나기 때문에 혈당의 감시가 필요하다. NEC는 극저체중아의 10%에서 나타나며, 패혈증이 극저체중아의 20%에서 발생한다. 초극저체중아가 신생아감염에 걸린 적이 있는 경우 감염증이 없었던 신생아보다 신경발달예후가 더 나쁘고 성장도 나쁘다.

그 외에 미숙아망막병, 천식, 섭식문제, 시각상실 및 청력소실, 위식도역류, 성인 고혈압, 당조절손상, 신경발달 장애 등의 위험 등이 있다. 그러므로 분만 시 숙련된 소아과의사팀이 분만실에 대기하여야 한다.

8. 마취관리

만삭아 분만 시 마취 방법에 따른 예후에 대한 근거는 밝혀진 것이 별로 없다. 미숙아분만 시는 일반적으로 만삭아보다 마취제에 의한 억제 효과에 더 취약하다고 알려져 있어 부위마취가 더 안전하다고 가정할 수 있다. 그러나 조기분만인 경우는 응급인 경우가 많아서 부위마취보다 마취유도가 빠른 전신마취를 많이 시행하게 된다. 조기분만 시 마취관리는 만삭아의 분만 시 마취관리와 크게 다르지 않다. 그러나 조기분만을 하게 되는 환자는 제왕절개술의 위험이 더 크므로 마취통증의학과의사는 갑작스런 태아심박수의 불안정으로 인한 응급

상황을 생각하여 조기에 무통분만을 위한 경막외 카테터를 거치하는 것을 염두에 두어야 하는데, 환자 개개인의 특성에 맞춰 결정해야 한다. 또한 경막외 카테터를 통한 약의 주입여부, 금식 및 환자의 보행여부에 대해서는 자주 재평가하고 산과팀과 논의해서 결정한다. 응급제왕절개술의 가능성은 높지만 경막외약물 투여가 필요치 않을 때는 경막외 카테터만 꽂아두고 약물 주입은 하지 않는 경우도 있다.

1) 질식분만 시 마취관리

음부신경차단이나 회음부의 국소마취제 침윤만 시행하는 경우에는 분만 시 골반저부근육의 이완이 충분치 않으므로 경막외마취나 척추-경막외병용마취와 같은 부위마취를 무통분만이나 질식분만 시 시행할 수 있다. 미숙아의 질식분만 시 경막외진통의 장점은 표 17-4에 기술되어 있다.

질식분만이 기대될 때 경막외진통의 장점은 ① 자궁경부 확대 전 부적절한 만출력의 억제 ② 태아 머리 외상을 일으킬 수 있는 급속분만예방 ③ 골반저부를 이완시켜 태아머리를 잘 조절 유도하는 용이한 분만(특히 둔위시 중요)을 할 수 있다는 것이다. 질식 분만이 긴박하다면 일회성 척추마취보다 척추경막외병용마취가 더 선호된다. 두 방법 모두 통증완화가 빠르고 회음부 이완을

최대로 줄 수 있지만, 특히 응급제왕절개수술을 진행하게 되는 경우 척추경막외병용마취는 경막외 카테터를 통해 추가약물을 주입할 수 있어서 외과적 수술을 위한 마취로 빨리 바꿀 수 있는 장점이 있어 전신마취의 부작용으로 인한 환자의 위험을 감소시킬 수 있기 때문이다.

부위마취를 이용한 진통법은 임산부의 혈중 카테콜아민 농도를 감소시키고, 저혈압만 발생되지 않는다면 자궁태반 관류를 증가시킨다. 부위마취가 미숙아에 미치는 효과에 대한 연구는 거의 없다. 조기분만 환자에서 분만과정 중 경막외진통법의 개시를 결정하기 어려운 이유는 ① 자궁 수축이 있는 환자가 확실히 분만과정 중에 있는지 불확실하고, ② 조기분만으로 확진된 상태라도 자궁수축억제제의 사용여부와는 관계없이 분만진통의 잠복기가 자주 연장되어 있고, ③ 일단 활동성 진통이 시작되면 임산부는 분만이 임박한 상태라 분만이 빨리 진행될 수 있기 때문이다.

2) 제왕절개술의 마취관리

조기분만의 원인인 다태임신, 둔위 등은 제왕절개수술이 흔하므로 자연적으로 미숙아는 마취약제에 노출되는 경우가 많다. 제왕절개수술 시 이상적인 마취방법은 없다. 마취방법 및 약물의 선택은 분만 적응증, 분만의 절박성정도, 임산부의 선호도, 마취통증의학과의사의

표 17-4 미숙아의 질식분만시 경막외진통의 장점

1. 임산부가 협조적으로 명령에 따라 push를 조절할 수 있다.
2. 겸자분만이나 진공분만 등 수술적 분만을 시행할 수 있다.
3. 급속분만을 감소시킬 수 있다.
4. β-아드레날린성 수용체 작용제나 magnesium sulfate 투여 및 전신마취 시 발생할 수 있는 폐부종의 위험을 감소시킬 수 있다.
5. 약물에 의한 태아의 억제가 적다.
6. 통증이 있는 분만 시 스트레스로 인한 대사성산증과 카테콜아민 분비 증가를 예방할 수 있어 임산부의 안정된 심혈관계 반응이 안정적이다.
7. 응급제왕절개수술이 필요한 경우 삽입된 카테터를 통해 약을 주입하여 마취 시간을 단축시킬 수 있고, 수술을 빨리 시작할 수 있다.

지식 및 기술과 경험에 따른다.

Butwick 등이 조기분만으로 제왕절개수술을 받은 임산부의 마취방법을 조사한 바에 따르면 82.4%는 부위마취, 17.6%는 전신마취를 받은 것으로 보고하였는데, 이는 만삭아를 제왕절개수술로 분만한 경우 93%에서 부위마취가 시행된 결과와 차이가 있었다. 이는 만삭아보다 미숙아가 분만 시 전신마취 약제에 노출되는 위험이 더 높다는 것을 의미한다. 조기분만 임산부의 제왕절개술은 분만 당시 임신주수가 적을수록, 응급제왕절개수술 적응증인 경우, 고혈압과 관계된 질환이 있는 경우, 백인종이 아닌 경우 등 전신마취를 많이 시행한 것으로 보고하였다.

(1) 부위마취

마취 방법의 선택은 응급 여부에 따른다. 무통분만을 위하여 경막외 카테터가 거치된 상태라면 약을 증량하여 T4까지 마취범위를 높여 실시할 수 있다. 심한 태아억제 시는 작용발현이 빠르고 짧은 혈장 반감기를 갖는 3% 2-chloroprocaine을 사용하여 실시할 수 있는데 사전수액공급과 소량의 승압제 투여로 임산부의 혈압을 정상범위에서 유지할 수 있도록 세심한 관리가 중요하다.

Rolbin 등은 조기분만을 위한 제왕절개수술 시 경막외마취가 시행된 경우 전신마취를 시행한 경우보다 미숙아의 1분과 5분 아프가점수가 높았다고 보고하였다. 그러나 Laudenbach 등은 27~32주 사이 미숙아를 대상으로 마취방법에 따른 사망률을 비교한 논문에서 임신주수나 미숙아의 특성과 상관없이 전신마취(10.1%)와 경막외마취(7.7%)보다 척추마취(12.2%) 시 영아사망률이 높았다고 하였다. 임신주수 자체가 lidocaine에 대한 태아의 약역학 및 약동학에 영향을 주지는 않지만 질식상태의 태아는 마취약제에 의한 위험이 증가할 수 있어서 국소마취제의 선택이 미숙아의 예후에 영향을 미칠 수 있다.

Morishima 등은 조기분만을 계획한 어미양의 제대를 부분적으로 폐쇄하여 질식상태를 만든 후 어미양에게 임상적으로 허용된 용량의 lidocaine을 혈관 내로 투여하였는데, 분만된 미숙아 양은 어미양에게 투여된 리토카인에 의해 심혈관계의 적응반응을 소실한다고 하였다. 그러나 이 연구는 다른 마취제와의 비교 결과는 없었고, 또한 부위마취와 관련된 임산부의 카테콜아민 농도 감소 및 미숙아의 분만 시 외상을 줄일 수 있는 분만 등 장점을 고려하지 않은 결과이다.

Bupivacaine은 임산부에서 비교적 높은 단백질결합력(96%)을 갖고 있기 때문에 태아독성 가능성이 적고, 미숙아에서 질식에 대한 보상반응도 lidocaine과 비슷한 결과를 보인다. Santos 등은 질식상태의 미숙아양에서 bupivacaine은 주요장기로의 혈류의 보상적인 증가를 감소시켰지만 태아맥박수, 혈압 및 산/염기 상태에는 영향을 미치지 않았기 때문에 lidocaine과 비교 시 태아의 결과가 상대적으로 심각하지 않다고 하였다.

Ropivacaine과 bupivacaine은 거의 비슷한 해리 상수(각각 pKB 8.0, 8.2)를 가졌지만 단백결합력은 ropivacaine(92%)이 bupivacaine(96%)보다 약간 적기 때문에 실제적으로 bupivacaine보다 낮은 지질용해도를 가진다. 이러한 차이가 임산부와 태아의 혈중 약물유리농도에 영향을 미치므로 임산부와 태아에서 ropivacaine이 bupivacaine보다 혈중농도가 더 높다. 저산소증에 대한 태아의 보상반응에 대한 ropivacaine의 효과를 평가한 논문은 없다.

2-chloroprocaine은 임산부나 태아 혈장에서 빨리 가수분해되어 대사되고, 산증 태아에서도 태반통과가 증가되지 않으므로 조기분만 임산부 및 억제된 미숙아분만 시 우수한 마취제이지만 우리나라에서는 시판되지 않고 있다.

일반적으로 제왕절개수술을 위한 마취는 임산부의 안전성, 출혈감소와 수술 후 통증관리의 이점으로 부위마취가 전신마취보다 장점이 많지만, 척추마취 교감신경 차단으로 인해 임산부에게 발생한 저혈압이 자궁태반 관류를 저하시켜 급성태아억제를 일으킬 수 있다는 단점이 있다. 특히 태아곤란이나 태반 기능부전인 경우는 태아의 유병률이나 사망률을 증가시킨다. 만삭아에서도 전신마취와 비교 시 부위마취, 특히 척추마취 시 태아 산혈증의 위험성이 더 증가했다.

이러한 위험을 감소시키기 위해서는 부위마취 시 마취제투여를 적정화하여 5분 간격으로 분할용량을 투여하고, 교감신경차단에 의한 저혈압에 대비하기 위하여 환자의 혈관내용적을 유지하고, 하대동정맥압박을 막기 위해 적절한 체위유지, 교감신경차단을 적게 하기 위하여 감각차단 부위를 낮추는 동시에 수술의 적절한 환경을 제공하기 위하여 국소마취제에 마약제제를 첨가한다. 또한 저혈압 발생시 정주 용액투여와 ephedrine이나 phenylephrine으로 치료하는데 임산부가 빈맥이 있다면 phenylephrine(25~100 µg)으로 혈압을 올리는 것이 추천된다.

(2) 전신마취

일반적으로 조기분만 임산부의 제왕절개수술 시 전신마취는 마취약제의 종류나 용량 모두 만삭아 분만 시와 같다. 대부분의 마취약제는 태반을 통과하므로 태아가의 마취약제에 노출되는 것을 줄이기 위하여 마취유도부터 분만하는 시간을 최소화해야 한다.

마취유도제로 ketamine이 적합하고 기관 내 삽관을 위하여 succinylcholine을 사용한 후, 수술 중 근이완을 위하여 비탈분극성 근이완제를 투여할 수 있다. 자궁수축억제제제인 황산마그네슘은 비탈분극성은 물론 탈분극성 근이완제와 상호작용을 일으키므로 근이완제를 사용할 때 주의를 요한다. 임산부의 과호흡은 태반관류를 감소시키고 임산부의 산소유리곡선을 좌측으로 이동시켜 태아에 산증을 초래하므로 피한다. 또한 자궁 근이완의 예방을 위해 태아가 분만된 후에는 흡입마취제는 중지한다. 또한 신생아의 마취제 노출로 인한 억제를 치료할 소아과 의사 등 주산기 팀이 함께 대기해야 한다.

마취통증의학과의사들은 마취방법과는 상관없이 제왕절개수술시는 임산부에게 보조적 산소 투여가 꼭 필요하다고 생각하는데, 태아나 신생아의 고산소혈증은 산소 자유라디칼을 생성시켜 신경세포 손상을 일으킬 수 있다. 그러나 보조적 산소투여가 신생아의 예후에 영향을 미치는지에 대해서는 명확하지 않다.

동물실험에서 propofol, thiopental sodium, ketamine, 흡입마취제와 같은 마취약제가 미성숙한 뇌에 노출 시 발달단계의 태아 뇌에서 심한 뇌세포의 세포자멸사를 유발할 수 있어 나중에 기능적 학습장애를 일으킬 수 있다는 보고가 있다. 그러나 이 연구는 동물을 대상으로 하였고, 마취제 노출기간이 일반적인 제왕절개수술의 기간보다 훨씬 길었으므로, 인간에서도 임상적으로 중요한 뇌 세포자멸사를 초래하는지는 더 연구하여 밝혀져야 한다.

참고문헌

김영주,윤보현,이준호,조금준. 조산. In: 산과학. 제5판. Edited by대한산부인과학회 교과서편찬위원회: 서울, 군자 출판사. 2015, pp 561-90.

대한산부인과학회: 산부인과학 지침과 개요. 셋째판. 서울, 군자출판사. 2012, pp 257-266.

Butwick AJ, El-Sayed YY, Blumenfeld YJ, Osmundson SS, Weiniger CF. Mode of anaesthesia for preterm Caesarean delivery: secondary analysis from the Maternal-Fetal Medicine Units Network Caesarean Registry. Br J Anaesth 2015; 115: 267-74.

Chestnut DH, Pollack KL, Thompson CS, DeBruyn CS, Weiner CP. Does ritodrine worsen maternal hypotension during epidural anesthesia in gravid ewes? Anesthesiology 1990; 72: 315-21.

Cunningham FG, Leveno KJ, Bloom SL, Spong CY, Dashe JS, Hoffman BL, et.al. Williams obstetrics. 24th ed. New York, McGraw-Hill Education. 2014, pp 829-861.

Datta S. Anesthetic and obstetric management of high-risk pregnancy. 2nd ed. St. Louis, Mosby. 1996, pp 412-35.

Laudenbach V, Mercier FJ, Roze JC, Larroque B, Ancel PY, Kaminski M, et al . Anaesthesia mode for caesarean section and mortality in very preterm infants: An epidemiologic study in the EPIPAGE cohort. Int J Obstet Anesth 2009; 18:142-9.

Morishima HO, Pedersen H, Santos AC, Schapiro HM, Finster M, Arthur GR, et al: Adverse effects of maternally administered lidocaine on the asphyxiated preterm fetal lamb. Anesthesiology 1989; 71: 110-5.

Muir HA. The premature fetus. In: Obstetric anesthesia. 2nd ed. Edited by Norris MC: Philadelphia, Lippincott Williams & Wilkins. 1999, pp641-52.

Pancaro C. Preterm labor and delivery. In: Shnider and Levinson's Anesthesia for obstetrics. 5th ed. Edited by Suresh MS, Segal BS, Preston RL, Fernando R, Mason CL: Baltimore, Lippincott Williams & Wilkins. 2013, pp 278-302.

Rolbin SH, Cohen MM, Levinton CM, Kelly EN, Farine D. The premature infant: anesthesia for cesarean delivery. Anesth Analg 1994; 78: 912-7.

Santos AC, Yun EM, Bobby PD, Noble G, Arthur GR, Finster M. The effects of bupivacaine, L-nitro-L-arginine-methyl ester, and phenylephrine on cardiovascular adaptations to asphyxia in the preterm lamb. Anesth Analg 1997; 85:1299-306.

Vincent RD Jr, Chestnut DH, Sipes SL, Weiner CP, DeBruyn CS, Bleuer S A. Magnesium sulfate decreases maternal blood pressure but not uterine blood flow during epidural anesthesia in gravid ewes. Anesthesiology 1991; 74:77-82.

Walton JR, Grobman WA. Preterm labor and delivery. In: Chestnut's Obstetric Anesthesia. 5th ed. Edited by Chestnut DH, Wong CA, Tsen LC, Ngan Kee WD, Beilin Y, Mhyre JM, et al.: Philadelphia, Elsevier Saunders. 2014, pp 787-808.

Wong CA. Anaesthesia for preterm Caesarean delivery is it different from term deliveries? Br J Anaesth 2015; 115: 166-8.

Chapter 18

다태임신

인공 수정에 의한 다수의 배아 이식 같은 보조 생식술의 발달로 인하여 최근 삼십 여 년 동안 다태임신 및 출산이 증가하고 있다. 둘 이상의 태아를 가지는 다태임신은 단태임신에 비해 조산, 비정상 태위, 임신성 고혈압, 제왕절개술의 빈도가 증가하며 태아 및 모체의 합병증도 증가한다. 다태임신 발생률의 증가는 산부인과 분야에서 일하고 있는 모든 마취통증의학과의사들에게 임신에 의해 초래된 독특한 산과 마취의 과제를 충분히 이해하고 있을 필요성을 강조하고 있다. 이 장에서는 다태임신이 태아와 임산부에게 미치는 영향, 다태아의 질식분만과 이를 위한 마취관리, 그리고 제왕절개술의 마취관리에 대해서 기술하고자 한다.

1. 다태임신의 원인

1) 태반의 형성

다태 임신에서 태반의 형성은 (1) 이양막이융모막(diamniotic dichorionic membrane), (2) 단일양막이융모막(monoamniotic dichorionic membrane), (3) 단일양막단일융모막(monoamniotic monochorionic membrane)이 될 수 있다. 모든 이란성 쌍태아의 발생에 있어서, 태반은 이양막이융모막이다. 이양막이융모막 태반은 또한 수정후 2~3일이내 일란성 쌍태(diamniotic dichorionic monozygotic twin)가 발생하면 나타나게 된다. 융모막은 이미 분화되었으나 양막이 형성되기 전에(수정 후 3일에서 8일 사이) 분할이 일어나면 2배자는 각각의 양막을 가지게 되며 이 양막은 하나의 융모막으로 덮히게 되어 이양막 단일융모막 일란성 쌍태(diamniotic monochorionic monozygotic twin)가 된다. 양막이 형성된 후(수정 후 약 8일에서 13일 사이) 분할이 일어나면 하나의 양막강 속에 2배자가 있게

되어 단일양막 단일융모막 일란성 쌍태(monoamniotic monochorionic monozygotic twin)가 생긴다(그림 18-1). 분할이 늦게 일어나 배반(embryonic disk)이 형성 된 후(수정 후 13일에서 15일 사이)에 분할이 일어나면 불완전한 분할이 되어 융합쌍태(conjoined twin)가 형성된다. 융모막의 성질(Chorionicity)은 임신 제1삼분기 혹은 2기에 초음파로 가장 잘 측정된다.

태반의 종류는 혈관 상호결합의 가능성을 결정해 준다. 혈관 상호결합은 거의 모든 단일 융모막 태반에서 나타나지만, 이융모막 태반에서는 드물게 발생한다. 혈관 상호문합은 쌍태아간수혈증후군(twin-to-twin transfusion syndrome)과 또 다른 위험성(예, 탯줄 사고(cord accident))로 자궁 내 태아사망을 증가시킨다.

2) 빈도

일란성 쌍태아의 분만은 일반적으로 250명의 분만 당 약 1명 정도인 반면에, 이란성 쌍태아는 자연적으로 80명의 분만 당 1명 정도이지만, 인종에 따라 그리고 임산부의 연령에 따라 발생빈도가 다르다. 이란성 쌍태아

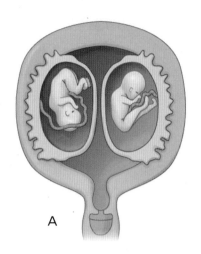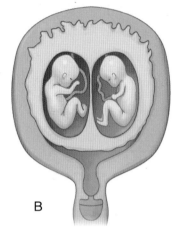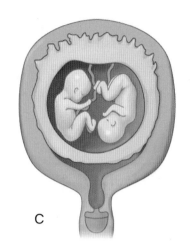

그림 18-1. 쌍태임신의 태반 형태
(A) 이양막이융모막 쌍태, (B) 이양막단일융모막 쌍태, (C) 단일양막단일융모막 쌍태

의 발생빈도는 미국에서 비히스패닉계 흑인 및 백인의 경우에 가장 빈도가 높았으며, 아시아계 미국인 및 푸에르토리카인이 중간 빈도, 그리고 원주민과 히스패닉계에서 가장 낮은 빈도를 보였다. 임산부의 연령에 따른 빈도는 20대 이하에서 1,000명의 분만 당 15명이던 것이 35~39세에서는 1,000명의 분만 당 53명이 되고 40~44세에서는 1000명의 분만 당 63명, 그 이후에는 1000명의 분만 당 227명으로 증가한다. 30세 이상의 여성들 사이에서의 지연된 출산연령과 자연적인 쌍태임신은 보조 생식기술의 증가와 더불어 1980년과 2010년 사이에 다태임신의 발생률을 3분의 1가량 상승시키는 데 크게 기여하였다.

2. 생리적 변화

다태임신은 임신에 따른 심혈관계와 호흡기계에 극심한 생리적 그리고 해부학적 변화를 가속화시키며 악화시키기도 한다. 그러나 신장과 간장 그리고 중추신경계는 단태임신에서의 생리적 변화와 유사하다. 다태임신에서 30주 이후 급격히 임산부의 체중이 증가하면서 기관내 삽관이 어렵게 되고 환기에 어려움이 올 수 있다. 임신으로 커진 자궁은 특히, 만삭이 가까워지면서 총폐용량과 기능적 잔기 용량 감소를 유발한다. 또한 커진 자궁은 위를 상방으로 밀어 올리고 이로 인해 하부 식도 괄약근의 기능이 약화되면서 위 내용물의 폐 흡인 위험성이 증가하게 된다. 쌍태임신 임산부의 혈액량은 단태임신 임산부 때보다 500 ml 정도 더 증가한다. 혈액량의 증가로 인한 혈액 희석과 산소요구량의 증가로 빈혈이 발생하기도 한다. 또한 다태임신 임산부가 심박출량이 20% 많았으며 일회박출량이 15%, 심박수는 3.5% 높았다. 단태임신보다 태아의 체중이 더 무겁고 양수의 양도 증가하므로 대동정맥압박(aortocaval compression)과 앙와위저혈압증후군(supine hypotensive syndrome)및 경막외정맥울혈(epidural venous engorgement)이 더 흔하게 발생한다. 양수 과다증이 동반된 다태임신에서 자궁의 증대로 인한 요관의 압박은 폐쇄성 신장 기능 감소를 유발하기도 한다. 또한 질식분만에서 평균 실혈량이 다태임신에서 2배 정도로 많으므로 술 후 빈혈 관리에도 유의해야 한다.

3. 다태임신의 합병증

1) 태아 합병증

다태임신에 의한 대이 합병증은 다태임신 자체와 관련된 합병증과 비정상적인 자궁태위와 관련된 합병증이 있으며 표 18-1과 같다. 유산과 기형의 빈도가 증가되며 자궁 내 태아발육 지연과 조산으로 저체중출생아(low birth weight infant)의 빈도가 증가한다. 태아의 수가 증가할수록 제대기간은 감소 하며, 모체의 임신성 고혈압, 태반박리, 자궁 내 태아 발육 지연으로 미숙아가 다태임신에서 40~50%로 늘어나고 보통 제대기간 37주 안에 30~40%가 분만한다. 조기진통 시 자궁수축 억제제를 사용할 수 있는데 임산부의 폐부종에 유의하여야 한다. 이상 태위의 빈도도 증가하여 제대탈출의 위험성이 증가된다. 단일양막성쌍태의 경우에는 태아들의 제

표 18-1 **다태임신의 태아 합병증**

유산
미숙아
이상태위
제대엉킴, 제대탈출
기형
저체중
자궁내 성장지연
쌍태아간 수혈 증후군
태아의 뇌손상
융합쌍태아
주산기 사망률 증가

대가 서로 꼬여 자궁내 태아사망률이 높다. 초자양막증(hyaline membrane disease)의 빈도가 증가하는데 35주 이전에 태어나는 쌍태아에서는 35주 이후에 태어난 단태아에 비해 초자양막증이 두배 정도 발생한다. 또한, 이란성 쌍태에 비해 일란성 쌍태에서 더 흔히 발생하며 두 태아에 동시에 발생 하기도 한다. 만일 한 명에게 오는 경우에는 둘째 아기에서 더 잘 발생 한다. 다태임신에 특이한 합병증으로 태아간의 혈관교환이 일어나서 생기는 쌍태아간수혈증후군(twin-to-twin transfusion syndrome)과 불일치 쌍태아(discordant twins)가 있다. 결합 쌍태아인 샴쌍태아(Siamese twin)는 400,000분만 중 7예의 꼴로 나타난다.

쌍태아간 수혈 증후군은 단일 융모막성태반에서 동정맥간 혈관교환이 일어나는 것으로 거의 모든 단일 융모막성 쌍태아는 혈관 결합이 존재한다. 대부분의 이러한 결합은 태아예후에 거의 영향이 없다. 깊은 동정맥 혈관 교통은 태아간 수혈의 결과를 초래하는데 쌍태아중 한 명이 공혈자가 되고 다른 태아는 수혈자가되는 상황이 된다. 공혈자 쌍태아는 자궁내 성장장애(intrauterine growth restriction)와 빈혈, 전신왜소를 보이는 반면, 과수혈된 쌍태아는 고혈압, 심장비대, 양수과다증과 과혈량증을 보이며 심부전을 일으킨다. 덧붙이자면, 불균형을 이루는 혈액량은 이차적인 피막탯줄 삽입부의 압박을 초래하고, 공여자가 수혈자보다 높은 혈압을 보이게 된다. 쌍태아간 수혈은 두 태아 모두 주산기 사망률과, 생존한 태아의 신경학적 발달에의 예후에 악영향의 위험을 높인다. 치료적인 방법으로 주기적인 양수천자와 연결된 태반혈관의 차단, 양막내 사이막 절개술, 선택적 낙태를 시도해 볼 수 있다. 선택적 태아내시경(fetoscopic)하 레이저 과응고술은 혈관문합부위를 다루는데에 있어 적합하다. 감압 양수천자술 또는 정기적인 양수감소는 쌍태아의 순환을 개선시키며, 정상적인 양수의 부피와 태아 성장을 따라 잡는 것(catch-up)을 개선 시킬 수도 있다. 정기적인 양수감소에 비해서,

양막내 사이막절개술은 단 한 번의 시술만이 필요하다는 장점이 있다. 주산기 예후를 향상시키기 위한 내시경적 레이저응고술의 사용에 대한 뒷받침되는 증거가 늘어나고 있다.

쌍태아간 수혈 증후군은 다태임신에서 태아 성장 지연을 초래할 수 있는 하나의 원인이 된다. 하나의 탯주머니 내에 양수과다증이 발생할 경우 다른 태아의 성장을 제한시킨다. 셋이나 그 이상의 다태임신의 경우 한정된 자궁 내 공간으로 인해 태아 성장 제한이 초래된다. 물론 단태임신에서 태아 성장 지연을 유발시키는 자궁태반부전이나 염색체 이상 같은 것은 다태임신 시에도 마찬가지로 태아 성장 부전의 원인이 될 수 있다. 다태임신의 태아 각각의 체중은 단태임신에 비해 체중이 적다. 대개의 체중 저하는 마지막 8~11주에 발생한다. 쌍태아인 경우 32주까지는 단태아와 평균 체중이 비슷하며 삼태아인 경우는 29주 정도까지 비슷하다. 쌍태아에서는 각 태아가 차지하는 태반의 표면적의 차이나 쌍태아간 수혈증후군이 그 원인이 된다. 삼태아 임신의 30% 정도에서 체중의 25% 이상의 불균형을 보인다. 저체중인 신생아는 정상 체중의 단태아에 비해서 Group B streptococcus 감염의 빈도가 5배 높다. 불일치 쌍태아란 다태아에서 체중의 차이가 20~25% 이상 보이는 경우를 말하며 쌍태임신 중 10%에서 보인다.

다태임신을 한 여성은 조기 진통 및 조기분만의 위험이 높다. 조기진통이 체외수정으로 쌍태임신을 한 임산부의 52%에서 나타난 것에 비하여, 자연적인 쌍태임신을 한 여성의 22% 만이 조기진통을 보였다. 쌍태임신을 한 여성의 60% 가량이 37주 이내에 분만하였으며, 삼태임신의 6.4%만이 만삭까지 도달하였다. 일반적인 침상안정, 예방적인 자궁경부결찰, 질 progesterone, 자궁수축억제술 등은 다태임신시 주산기 예후를 개선시켜주는 것 같지는 않다. 조기진통이 발생할 때, 임산부는 태아 폐 성숙을 촉진하기 위한 베타메타손의 투여를 용이하게 하기 위해서, 또는 태아 신경 보호를 위해서 magnesium sulfate을 투여하거나 둘 모두를 위해 자궁수축 억제 치료를 받게 될 것이다. magnesium sulfate 및 다른 자궁수축억제제의 부작용은 마취에의 영향을 미칠 수 있는 것과 분만 후 출혈의 위험성을 증가시킬 수 있는 것이다. 다태임신은 자궁수축 억제치료와 관련된 폐부종의 위험성을 유의하게 높인다.

비정상체위 다태임신은 비정상체위의 높은 발생률과 연관성이 있으며, 둘 또는 그 이상의 태아가 자궁강 안에서 위치되어야만 하는 필요에 의한 것이다. 이상태위는 탯줄탈출(umbilical cord prolapse)의 위험성을 증가시키는데, 그것은 첫째 아기의 분만 전 또는 후에 일어날 수 있다.

2) 태아 합병증에 의한 주산기 사망률

다태아에서 주산기 사망률은 약 9%이다. 쌍태임신시 주산기 사망률은 1000 분만당 16명으로 1000분만당 6명인 단태 임신 보다 약 3배 증가된다. 쌍태아나 삼태아의 경우 쌍태아간 수혈, 선천성 기형, 자간전증, 이상태위 및 제대의 꼬임과 같은 것과 연관이 되어있는 몸무게와 연관된 높은 특이성의 사망률을 보이며, 조기 출산의 경우가 이러한 증가의 대부분을 차지한다. 어떤 모성-태아 의학의 전문가들은 셋 또는 그 이상의 태아와 관련된 임신에서, 선택적인 다태아 제거술이 모성사망의 위험성을 감소시켜줄 뿐 아니라 주산기 유병률 및 사망률을 줄여준다고 주장하고 있지만, 여전히 이러한 문제는 논란의 소지가 많다.

미국산부인과학회(ACOG)는 이렇게 언급하고 있다:

고도의 다태임신은 의학적 및 윤리적인 딜레마를 초래한다. 만약 넷 이상의 태아를 계속 임신한다면, 모든 태아가 건강하게 생존할 가능성이 높지 않을 뿐 아니라, 임산부 또한 심각한 질병의 경험을 하게 될 것이다. 그러나, 삼태 또는 쌍태로의 태아 유산술은 또다른 태아 또는 모든 태아 사망의 중대한 위험성과 관련이 있다.

집중적인 입원환자 모니터링은 단일양막 쌍태아의 주산기 생존율을 향상시킬 수 있다. 임신 24주에 생존하고 있는 쌍태임신을 한 여성 87명의 후향성 분석에서, 입원 관찰을 위한 선별적으로 입원한 평균 임신 주수 26.5주인 43명의 여성 중에 자궁내 태아사망은 한 건도 없었다. 대조적으로, 외래에서 모니터링하고 산과적인 적응증이 있을 때에만 입원한 평균 임신 주수 30.1주의 여성의 경우에 있어서, 자궁내 태아사망률 14.8%였다. 집중적인 관리는 또한 단일 융모막 이양막 임신에 있어서도 도움이 된다. 단일 융모막성의 합병증의 장기적인 예후는 여전히 제한적인 지식의 영역일 뿐이다.

1995년부터 1997년 사이에 태어난 150,386쌍의 쌍태아와 5,240쌍의 삼태아를 조사한 예후를 조사한 연구에서, 제태 20주 또는 그 이후의 태아 사망이 쌍태아의 경우 2.6%, 삼태아의 경우 4.3%에서 발생했음을 밝혀내었다. 조사자들은 "남은 태아의 생존율에 있어서 첫 태아의 죽음의 시점과 반비례 관계에 있다"는 것을 언급하였다. 반대의 성별을 가진 쌍태아는 더욱 생존 가능성이 높은데 그것은 아마도 단일 융모막 태반이 없음을 반영하기 때문이다. 단일융모막 쌍태아에서 생존한 쌍태아의 약 40%가 쌍태아간 수혈이나 태아 사망으로 인한 중대한 신경발달의 이환을 보이게 된다. 하나의 태아 사망은 만삭이 되기 전 잘 발생한다. 태아 사망의 원인과 생존한 태아와 임산부 모두의 상태에 바탕을 두고 산과적인 처치의 결정을 해야 한다. 만약 태아사망의 원인이 모성 또는 자궁태반의 병리학적인 문제보다는 태아 자체의 비정상적인 것이 크다면, 임신의 예상되는 처치는 확립이 되어있을 것이다. 사망한 태아 조직으로부터 유발된 모성의 파종성혈관내응고(DIC)의 발생은 이론적인 합병증일 뿐이고 매우 드물게 발생한다.

다태임신은 또한 신생아 이환율 및 사망률의 증가와 연관되어 있다. 비록 생존율이 95%를 보인다 할지라도, 삼태아는 조산성의 뇌실 내 출혈 및 망막병증의 위험성이 현저하게 높다.

출산의 순서는 현대적인 산과적 실험에 있어서는 주산기 예후에 영향을 미치지는 않는 것 같다. 신경 축 마취제의 투여는 둘째 아기의 예후는 향상시켜주는 듯 하다. 경막외 진통을 받은 임산부들 사이에서, 두 쌍태아 간의 배꼽혈 pH의 측정도가 비슷함을 조사하였다는 연구가 있었던 반면에 전신마취를 받은 임산부 사이에서는, 둘째 아기가 첫째 아기보다 더 산성도를 띄는 경향이 있었다는 보고 또한 있다. 마찬가지로, 다른 연구에서는 임산부가 경막외진통을 시행받았을 때 첫째와 둘째 아기의 예후가 차이가 없었다고 발표했다. 다태임신 여성의 제왕 절개 분만을 위한 전신 마취의 실시는 더욱 드물어 지고 있다.

3) 모체 합병증

다태임신의 모체 합병증은 다양하게 나타난다. 다태임신은 혼란 유발인자의 데이터 보정을 했음에도 모성 유병율 및 사망률을 상승시킨다(표 18-2). ACOG에서는" 다태임신을 한 여성은 자간전증, 조산, 양막조기파수, 태반 조기박리, 신우신염, 분만 후 출혈과 같은 것들을 포함한 입원을 요하는 합병증의 가능성이 거의 6배 높다"고 언급하였다. 모성합병증의 빈도는 태아 숫자가 증가할수록 증가하게 된다. 거의 모든 삼태임신에서 산전 혹은 산후 모성합병증이 연관되어 있다. 과

표 18-2 **다태임신의 모체 합병증**

입덧, 빈혈
조기진통
자간전증, 자간증
자궁무력증
태반조기박리
기구사용이나 수술적 분만 증가
정맥 혈전색전증
파종혈관내응고
산후출혈

도한 복부팽만과 이로 인한 횡격막의 상방 이동이 호흡곤란을 일으킬 수 있으며, 조기 분만을 시도해야 하는 경우가 발생한다. 또한 제왕절개술의 빈도가 높아지므로 모체의 이환율과 사망률이 증가된다. 태반 조기박리는 쌍태임신에서 두 배 정도 증가하나 전체적인 발생률은 매우 낮으며, 전치태반의 발생빈도는 단태 임신과 차이가 없다. 산전정맥혈전색전증(antenatal venous thromboblism)은 쌍태임신에서 3배 정도 더 많이 나타난다. 분만 후 태반 잔여물이 자궁 내에 남아서 손으로 제거해야 하는 경우가 쌍태임신에서 단태 임신에 비해 의의 있게 높으며 이로 인한 분만 후 출혈 위험이 3배 정도 높다. 태아의 자궁 내 사망이 일어나면 모체의 소비성 응고장애가 일어난다.

보조적인 생식기술의 사용에 따른 다태임신은 자간전증의 발생빈도와 심각도를 증가시킨다. 자간전증이 있을 경우 사태아 임신환자의 70% 가량에서 34주에 즉각적인 분만을 시도해야 한다. 임신성 고혈압은 단태 임신에서 평균 발병률이 5% 인것에 비해 쌍태임신에서는 20~40%가 나타나서 4배 이상의 발병률을 보이며 조기에 더 심하게 나타난다. 삼태임신의 경우는 빈도가 더 높다.

다태임신에서 출산시 출혈량은 단태임신에 비해 약 500 ml가량 더 많다. 자궁 팽창의 증가는 자궁 무력증과 출산 후 출혈의 위험성을 증가시킨다. 무력증의 대부분은 기본적인 약물적 치료에 반응을 보인다(예를 들어, oxytocin, methylergonovine, 15-methyl prostaglandin F2a (carboprost)). 지속적인 자궁 무력증은 자궁 부목봉합(brace suture) 또는 응급 자궁절제술이 필요할 수도 있다.

4. 산과적 관리

쌍태임신 그 자체는 질식분만이 금기는 아니다. 하지만, 다태임신은 제왕절개수술의 빈도를 증가시킨다. 대부분의 산과의들은 삼태아 이상의 모든 환자들에 있어 제왕절개를 선호한다. 쌍태아의 경우 재태 38주, 삼태아 이상의 경우 재태 35주에 분만하는 것이 가장 낮은 주산기 사망률을 보인다고 한다.

삼태아 이상의 분만은 비정상 태위가 흔하고 제대탈출, 태반조기박리의 위험성으로 제왕절개술이 이루어지는 반면, 쌍태아의 경우 명확한 기준이 없다. 쌍태임신 태아의 태위는 두 명 모두가 두위인 경우가 30~50%, 첫째 아기는 두위이고 둘째 아기는 두위가 아닌 경우가 25~40%, 그리고 첫째 아기가 두위가 아닌 경우가 10~30% 정도이다. 여러 보고에 의하면 첫째 아기가 둔위나 횡위가 아니면 쌍태임신에서 선택적 제왕절개술은 신생아의 유병률이나 사망률 및 모성사망률을 줄이는데 도움이 되지 않는다고 한다. 쌍태임신에서 분만을 하는 방법은 두 명을 모두 질식분만하는 경우, 두 명을 모두 제왕절개술로 분만하는 경우 그리고 첫째 아기는 질식분만을 하고 둘째 아기는 제왕절개술을 하는 방법이 있다. 쌍태임신 자체가 질식분만의 금기 사항은 아니다. 쌍태임신에 대한 메타분석에서 첫째 아기를 질식분만하는 것이 제왕절개를 하는 것보다 더 유병률이 적었으며, 둘째 아기에 있어서도 두 경우의 분만에 있어 유의한 신생아기 유병률의 차이를 보이지 않았다. 대부분의 산과의들은 두 태아 모두 두정위일 경우 질식분만을 시도하려 한다. 비슷한 맥락으로 다수의 산과의들은 첫째 아기가 둔위이거나 어깨태위를 가진 경우 제왕절개를 선택한다. 최근의 연구 결과에도 불구하고 여전히 첫째 아기가 둔위 태위이며 둘째 아기는 둔위가 아닐 경우에 있어 이상적인 접근법에 대한 의견이 분분한 실정이다. 안전한 분만을 위해서는 여러 가지의 준비가 필요하다(표 18-3).

표 18-3 다태임신의 분만을 위한 필요사항

수혈에 대한 준비를 한다.

굵은 내경의 정맥로를 확보한다(최소한 18 G).

분만을 위한 경험 있는 팀을 구성한다.

산과의는 두정위와 둔위 태아의 질식분만을 할 수 있어야 한다.

마취통증의학과의사는 진통과 분만 시 응급 상황에 즉시 대처할수 있어야 한다.

신생아 심폐 소생술 팀이 분만 시에 있어야 한다.

초음파검사가 시행되어야 한다.

초음파로 태아의 체중, 태위, 태반의 상태를 파악해야 한다.

첫째아 분만 후 둘째아의 태위, 태아 심박수를 확인한다.

지속적인 태아 심박수를 관찰한다.

외부에서 감시장치를 하거나 첫째아가 진행되는 상황이면 첫째아는 internal scalp electrode로 하고 둘째아는 외부 감시를 한다.

응급 상황에서 제왕절개술이 가능한 장소에서 분만을 시도한다.

제대 동맥과 정맥혈의 가스 분석을 실시한다.

태반을 병리 검사 의뢰한다.

Nitroglycerin을 사용 가능하도록 준비해 놓는다.

1) 첫째 아기의 분만

첫째 아기의 분만 방법은 임신주수와 태위에 의해서 결정된다. 단태임신시 둔위일 경우 계획적 질식 분만을 시도하지 않는 산과의는, 첫째 아기가 둔위일 경우에 계획적 질식 분만을 시도 할 가능성이 낮다. 다만, 첫째 아기가 두위가 아니고 둘째 아기가 두위일 경우 진통과 분만 중에 드물게 태아 턱사이의 고착 상태(interlocking)가 일어날 수 있는데, 비록 고착 쌍태아 상황이 발생할 확률은 매우 낮지만 발생하면 높은 사망률을 보이기 때문에, 첫째 아기가 두위가 아닌 경우에는 안전한 분만을 위해 제왕절개술을 선택한다. 첫째 아기를 제왕절개해야하는 다른 적응증 으로는 1) 부조화로운 태아성장 (둘째 아기가 첫째 아기보다 특히 큰 경우) 2) 태아간 수혈 증후군 3) 선별된 선천성 기형 4) 자궁태반 부전의 증거

등이 있다. 계획적 질식 분만시에는 지속적 태아심박수(FHR) 모니터링이 두 태아 모두에게 시행되어야 한다. 양막절개를 시행한 이후에는 첫째 아기의 두개부에 심전도 전극을 위치시키고, 둘째 아기에는 도플러 초음파로 모니터링하기도 한다.

의도하지 않은 두부포착이 있는 경우, 두부를 아래로 구부리고, 잠긴 쌍태(locked twin)의 경우 두 태아 모두 응급 제왕절개 분만이 불가피 할 수 있다. 산과의는 보조자가 몸밖으로 나온 첫째 아기의 몸을 보조하는 동안에 제왕절개 분만을 진행한다. 산과의는 머리를 부드럽게 잡아당기면서 아이의 몸통을 질 내부로 이동시킨다. 이러한 과정은 아기와 임산부 모두에게 큰 손상 없이 수행될 수 있다.

2) 둘째 아기 이상의 분만

첫째 아기를 질식분만 한 후 산과의사는 둘째 아기의 분만 방법을 결정하여야 하며(이때 마취통증의학과 의사와 긴밀한 의견 교환이 필요하다.) 만약 둘째 아기가 두위이고 아두가 자궁 경부에 잘 위치하였다면 산과의사는 진통을 지켜보면서 자연적인 질식분만을 시도할 수 있다. 드문 경우에 둘째 아기가 두위이지만 아두가 자궁경부에 위치하지 않으면 자궁내족회전술(internal podalic version)과 완전둔위분만(total breech extraction)을 시행할 수 있다. 첫째 아기가 둘째 아기보다 큰 경우에는 첫째 아기 분만 시에 골반과 자궁경관의 개대 (cervical dilatation)가 둘째 아기를 분만하기에 충분 하다 생각하고 질식분만을 시도한다.

둘째 아기가 두위가 아닌 경우 에 몇가지 옵션이 있는데, 1) 외부두부회전술(external cephalic version)을 하고 진통의 진행을 기다리든지 2) 자궁내 족회전술을 시행하여 완전둔위분만을 시도하거나 3) 제왕절개분만을 시행하여야 한다. 실시간 초음파는 외부 두부 회전술의 시행을 용이하게 한다. 이 시술은 약 70%의 경우

에서 성공적으로 수행된다. 이러한 성공 가능성은 출산경력, 재태연령이나 출생시 몸무게와는 관련이 없다. 이런 과정에서 경막외마취가 임산부의 통증을 조절하고 자궁의 수축과 경관퇴축을 늦추어 주어 경막외마취를 받지 않은 임산부에 비해 외부 두부회전술의 성공률을 높여 주고, 산과적 조작과 자궁내 회전술등의 산과적 처치를 매우 용이하게 해 준다는 연구도 있다. 그리고 응급 수술이 필요한 경우에 최소한의 시간으로 수술이 가능하게 마취를 할 수 있다. 경막외마취는 둘째 아기의 주산기 발병률과 사망률을 증가시키지 않는다. 그러나 첫째 아기 분만과 둘째 아기 분만 사이의 기간을 길게 할 수 있으며 이로 인해 둘째 아기의 제왕절개술 빈도가 증가할 수 있다. 경막외마취법의 장점은 다음과 같다(표 20-4).

둘째 아기의 분만에 있어서 자궁내 족회전술과 완전 둔위분만이 동시에 발생하는 상황이 적절하다고 고려할 수 있다. 실제로도, 완전둔위분만이 외부두부회전술보다 분만시에 더욱 선호될 수도 있다. 첫째 아기의 질식 분만이후에, 둘째 아기가 제왕절개가 필요한 경우는 약 10%에 지나지 않는다. 둘째 아기의 응급제왕절개의 예상지표는 비정상태위, 안심할 수 없는 태아심박수기록, 두부골반 불균형과 제대탈출 등이 있다. 쌍태임신에서 활발한 분만2기에 임산부가 완전둔위분만을 시행하여 첫째 아기를 질식분만한 후 서로 맞물리지 않은 둘째 아기를 제왕절개로 분만이 필요한 경우는 없었다. 연구자들은 모든 환자들에 있어서 분만을 시도하기 전에 경막외 카테터를 거치시키고 테스트를 해야 하며, 모든 쌍태아의 분만은 수술실 내에서 마취통증의학과의사 입실하에 진행되어야 한다는 것을 명시해주고 있다. 산과의는 둘째 아기가 첫째 아기보다 작은 경우에만 둘째 아기의 완전 둔위분만을 선택하여야 한다. 분만 전 초음파 검사는 산과의에게 두 태아 모두의 두부 크기와 몸무게를 측정 가능하게 해 준다. 만약 둘째 아기가 첫째 아기보다 크지 않고 자궁경부의 수축이 시작되지 않았다면, 아마도 골반이나 자궁경부의 확장이 둘째 아기를 질식분만하

는데 적절할 것이다.

과거에는 첫째 아기 분만 후 15~30분 이내에 둘째 아기를 분만하는 것이 선호되었다. 이는 분만과정 중에 태아심박수 감시 장치가 사용되기 전의 자료를 바탕으로 실행된 것이다. 쌍태아 간의 분만간격 사이에의 연관성을 입증하는 보고에서 둘째 아기의 제대혈 혈액가스와 pH를 측정하였는데, 연구자들은 필수적인 태아심박수 기록을 바탕으로, 73%의 둘째 아기가 안심할 수 있는 태아심박수 기록을 보여서 30분 이내에 수술적인 분만이 필요하지 않았다고 주장하였다. 어떤 후향적 연구에서는 4,110개의 쌍태아 임신에서 쌍태아 간의 분만간격은 쌍태아의 단기 부작용에 관하여 독립적인 위험요소임을 암시해주고 있으며, 단 둘째 아기의 지속적인 태아심박수 모니터링은 필수적임을 강조하였다.

5. 마취관리

1) 진통의 관리와 질식분만을 위한 마취관리

경막외 진통은 필요에 따라 가장 적합한 진통효과 및 유연성을 제공한다. 분만 시 임산부의 상태가 급격히 변화되어 마취가 필요할 수 있으므로 마취통증의학과의사는 항상 분만의 진행 에 대하여 주의를 기울여야 한다. 다태임신 환자의 제왕절개 분만이 더 큰 위험이 있음을 감안할 때, 마취통증의학과의사는 최적의 경막외마취수기를 목표로 해야 한다. 만일 경막외차단을 시행하는 중에 카테터의 위치나 차단의 효과에 대해서 의심이 가면 제거 후 다시 정확하게 시술해야 한다.

다태임신환자는 부위마취 중 대동정맥압박과 이에 따른 저혈압의 위험성이 매우 높으므로 부위마취 중이나 마취 후에 환자의 자세를 측와위로 유지하는 것이 중요하다. 이들 임산부에서는 분만 후 자궁무력증과 이로 인

한 출혈이 올 가능성이 높으므로 굵은 내경의 정맥로를 확보하는 것이 중요하다.

다태아 임산부의 질식분만은 즉시 응급 제왕절개수술이 가능한 장소에서 이루어져야 한다. 첫째 아기의 분만이 가까워지면 진통효과를 최적화 하기 위해서 차단의 강도를 높인다. 진통 초기에 사용하던 국소마취제의 농도보다 더 높은 농도를 사용하여 감각차단 부위를 T8에서 T6 정도로 높인다. 이는 둘째 아기에게 자궁내 족회전술이나 완전둔위분만을 가능하도록 효과적인 마취를 하는 것이며, 필요하면 제왕절개술을 위한 마취로 바로 진행시킬 수 있도록 해준다(경막외마취의 응급상황이 연장되는 것에 대비하여 사용되는 ropivacaine 혹은 bupivacaine 주사를 준비해야 한다).

다태임신을 한 환자에서의 질식분만시에 전에 경막외 진통을 하지 않았다면 척추경막외병용마취(combined spinal-epidural anesthesia, CSE)가 선호된다. 필요한 질식분만을 위해서 일회성 척추마취는 선호되지 않는데, 이는 급속한 상황변화에 대처할 수 없기 때문이다. 하지만, 척추마취는 경막외 진통을 시도하지 않은 환자가 질식분만이 임박했을 때 적절 할 수 있다.

2) 첫째 아기 질식분만 후 제왕절개술

첫째 아기를 질식분만한 후 둘째 아기를 제왕절개술을 하는 경우가 있다. 경막외 진통법과 연관된 유연성으로, 특히 산과 의사가 첫째 아기를 질식분만하고 둘째 아기를 제왕절개술을 계획하고 있다면 경막외마취는 매우 유용하다. 대개는 둘째 아기의 질식분만을 시도하던 중 응급상태로 제왕절개술을 택하는 경우이지만 계획적으로 시도되기도 한다(표 18-4). 첫째 아기가 분만되는 시점에서 마취통증의학과의사는 둘째 아기의 심박수를 관찰하고 산과의사와 의견을 소통하며, 산과의가 우려를 표명하는 첫 시점에서 마취통증의학과의사는 비미립성 제산제를 투여한다. 마취통증의학과의사는 국소마취제

표 18-4 이상 태위시 분만시도 중 경막외진통법의 장점

적절한 통증 경감
조기 자궁수축 제한
골반 벽 또는 회음부 이완
응급 제왕절개시 적절한 마취 공급 가능

를 주사하여 수술적 감각 차단을 약 T4정도로 경막외마취의 강도와 높이를 높게 조절하여서 수술에 대비한다. 긴박한 태아절박가사(fetal distress)가 발생된 상황에서 경막외마취로 마취를 빠른 시간 내에 적절한 마취를 유도할 수 없는 경우에는 즉시 전신마취를 선택한다. 일반적으로 이러한 문제는 (1) 경막외마취의 높이와 강도가 첫째 아기를 분만했을 때 적절하며, (2) 마취통증의학과의사가 태아심박수와 산과의를 면밀히 관찰하면서 수술실에 상주하는 경우 예방할 수 있다.

만약, 산과의가 둘째 아기를 자궁내족회전술(internal podalic version)과 완전둔위분만(total breech extraction)을 시행을 선택했다면, 자궁과 경부가 수축되기 시작하기 전인 첫째 아기를 분만하고 난 직후에 그러한 시술을 하는 것이 바람직하다. 통증조절과 골격근 이완이 경막외 진통으로 이루어지는데, 둘째 아기의 자궁내 회전술과 완전둔위분만을 용이하게 한다. 어떠한 경우에는, 둘째 아기의 자궁내 족회전술과 완전둔위분만을 용이하게 하기 위해서 약물적인 자궁 이완이 필요할 수 있다. 설하(400~800 μg) 또는 정맥내(100~250 μg) 니트로글리세린 투여는 자궁내 족 회전술을 위해 적절한 근이완을 가져온다. 정맥내 혹은 피하 터뷰탈린 250 μg 또한 자궁근 이완에 사용될 수 있다. 만약 이러한 시도가 성공적이지 못하다면, 고농도의 할로겐화 휘발성마취제의 투여로 인해 이뤄지는 빠른전신마취유도(RSI)가 필요할 수 있다.

표 18-5 둘째 아기를 제왕절개술 해야 하는 경우

태아 하강 실패
지속적인 이상태위
측위
견갑위
제대탈출
첫째아와 둘째아 사이의 분만간격 증가
태반조기박리
경관퇴축
자궁무력증
태아 심박수의 이상
외부 두부회전술의 실패
자궁내 산과적 처치의 실패
지연 분만

3) 선택적 제왕절개술을 위한 마취관리

다태아의 출산을 위해 계획된 제왕절개술을 위한 마취로 전신마취, 척추마취 혹은 경막외마취를 안전하게 선택 할 수 있다. 척추마취는 많은 마취통증의학과의사들에 의해 선호되고 있으며, 경막외마취의 선호는 단계적인 교감 신경차단에 바탕을 두고 있고, 그것이 심한 저혈압의 유발가능성을 감소시켜준다는 생각 때문이다. 오랫동안 다태임신은 부위마취를 위한 약물주입 동안에 혈역학적 불안정성의 위험도가 단태임신에 비해 높다고 여겨져 왔다. 다태임산부와 단태임산부의 척추마취를 통한 제왕절개 분만시 저혈압 발생률과 승압제 요구량을 비교하였는데 두 군 임산부 간 및 태아 간 예후의 유의한 차이점이 없었다는 보고가 있다. 일반적으로 삼태아

이상의 다태임신의 분만을 위해서는 제왕절개술을 시행한다. 쌍태임신에서도 태아나 임산부의 상태에 따라 선택적 제왕절개술을 시행한다(표 18-6). 선택적 제왕절개술을 위한 척추마취나 경막외마취는 수술 중 임산부가 깨어 있다는 점과 신생아 억제가 최소화되고 전신마취 시 동반되는 기관내삽관의 실패, 위내용물의 흡인 혹은 수술 중 각성 등 여러 가지 합병증을 피할 수 있다는 장점이 있다. 다태임신인 경우 척추마취는 작용 발현시간이 빠르고 차단의 부위가 더 상방으로 확산되므로 임산부 에게 저혈압이 발생할 위험이 증가하며 자궁에 저관류 상태를 유발한다. 다태임신 자궁으로 인한 정맥혈 환류의 차단, 뇌척수액 양의 감소, 그리고 progesterone 의 농도의 증가가 저혈압을 증가시키는 기전으로 생각된다.

상완동맥과 오금동맥(popliteal artery) 간의 혈압 비교는 정상적인 상완동맥압을 보일 때 자궁태반관류저하로 인한 감춰져 있는 앙와위 저혈압을 발견하는 것을 가능하게 해준다. 만약 저혈압 또는 감춰져 있는 앙와위 저혈압이 발견된다면, 추가적인 자궁 좌측변위 또는 다른쪽으로의 변위가 그러한 문제점을 해결할 수도 있다. 또한 안정되지 않은 태아심박수기록이 있으면 태아에게 추가적인 적절한 처치 및 자궁태반 환류의 최적화를 위한 신속한 투약이라는 노력이 필수적일 수 있다.

다태임신을 한 임산부가 단태임신을 한 임산부에 비해 척추마취시 머리쪽으로 더 많이 신경차단이 퍼져나간다는 보고가 있는 반면, 경막외마취시 고도의 다태임산

표 18-6 쌍태임신에서 선택적 제왕절개술을 시행하는 경우

첫째 아기가 둔위이고 둘째 아기가 두정위로서 고착쌍태아가 될 수 있는 쌍태임신
단일양막 쌍태임신
결합 쌍태아
신생아 이환율을 증가시킬 위험이 있는 선천적 질환이 있는 쌍태임신
분만을 지연시킨 둘째 아기의 분만:
     첫째 아기를 분만 한 후 의도적으로 둘째 아기를 지연 분만하는 경우

부와 단태임산부간에 투약후 감각 차단의 정도가 다르지 않다는 보고 또한 있다. 어떠한 경우에서건 차이점이 존재한다 하더라도 임상적인 의의는 거의 없을 것 같다.

제왕절개술을 위한 경막외마취 시에 일반 임산부에 비해서 쌍태아 임산부의 제대정맥과 동맥의 lidocaine 농도가 35~53%로 높았다는 보고가 있으며, 태아와 임산부에서의 lidocaine의 농도비가 쌍태아에서 단태아에 비해 최소한 18%가 높았다고 한다. 이는 쌍태아 임신에서 임산부의 혈장용량이 증가하고 심박출량이 증가하며, 혈장단백질의 총량은 감소하므로 lidocaine의 자유형의 양이 증가하게 되는 것이 원인으로 생각된다. 이러한 발견에 있어 그 임상적인 타당성은 불분명하다.

전신마취를 적용할 때는 다태임신에서 산소소모량이 늘어나고 폐의 기능잔기용량(functional residual capacity)이 줄어들어서 무호흡사이에 저산소증 위험이 높으므로 마취 유도 전에 산소흡입을 충분히 하여 적절한 탈질소화가 이루어져야 한다.

둘 또는 그 이상의 태아의 존재는 자궁절개와 분만까지의 시간이 길어지는 경우가 있는데 이는 제대혈의 산증을 유발하게 되며 신생아의 억제의 원인이 된다. 신생아 억제는 전신마취 보다는 부위마취에 있어 발생이 적다. 어떤 경우에는 개인 신생아 구조술을 즉시 적용할 수 있어야 한다.

참고문헌

Behforouz N, Dounas M, Benhamou D. Epidural anaesthesia for caesarean delivery in triple and quadruple pregnancies. Acta Anaesthesiol Scand 1998; 42: 1088-91.

Jawan B, Lee JH, Chong ZK, Chang CS. Spread of spinal anaesthesia for caesarean section in singleton and twin pregnancies. Br J Anaesth 1993; 70: 639-41.

Johnson CD, Zhang J. Survival of other fetuses after a fetal death in twin or triplet pregnancies. Obstet Gynecol 2002; 99: 698-703.

Wen SW, Fung Kee Fung K, Oppenheimer L, Demissie K, Yang Q, Walker M. Neonatal morbidity in second twin according to gestational age at birth and mode of delivery. Am J Obstet Gynecol 2004; 191: 773-7.

Vallejo MC, Ramanathan S. Plasma lidocaine concentrations are higher in twin compared to singleton newborns following epidural anesthesia for Cesarean delivery. Can J Anaesth 2002; 49: 701-5.

Yang Q, Wen SW, Chen Y, Krewski D, Fung Kee Fung K, Walker M. Neonatal death and morbidity in vertex-nonvertex second twins according to mode of delivery and birth weight. Am J Obstet Gynecol 2005; 192: 840-7.

Lee YM, Cleary-Goldman J, Thaker HM, Simpson LL. Antenatal sonographic prediction of twin chorionicity. Am J Obstet Gynecol 2006; 195: 863-7.

Gabbe SG, Niebyl JR, Simpson JL, Landon MB, Galan HL, Jauniaux ERM, et al. Obstetrics: Normal and Problem Pregnancies. 6th ed., Saunders Elsevier. 2012.

McAuliffe F, Kametas N, Costello J, Rafferty GF, Greenough A, Nicolaides K. Respiratory function in singleton and twin pregnancy. BJOG 2002; 109: 765-9.

Kametas NA, McAuliffe F, Krampl E, Chambers J, Nicolaides KH. Maternal cardiac function in twin pregnancy. Obstet Gynecol 2003; 102: 806-15.

Bermudez C, Becerra CH, Bornick PW, Allen MH, Arroyo J, Quintero RA. Placental types and twin-twin transfusion syndrome. Am J Obstet Gynecol 2002; 187: 489-94.

Lopriore E, Nagel HT, Vandenbussche FP, Walther FJ. Long-term neurodevelopmental outcome in twin-to-twin transfusion syndrome. Am J Obstet Gynecol 2003; 189: 1314-9.

Habli M, Lim FY, Crombleholme T. Twin-to-twin transfusion syndrome: a comprehensive update. Clin Perinatol 2009; 36: 391-416, x.

Moise KJ, Jr., Dorman K, Lamvu G, Saade GR, Fisk NM, Dickinson JE, et al. A randomized trial of amnioreduction versus septostomy in the treatment of twin-twin transfusion syndrome. Am J Obstet Gynecol 2005; 193: 701-7.

Crombleholme TM, Shera D, Lee H, Johnson M, D'Alton M, Porter F, et al. A prospective, randomized, multicenter trial of amnioreduction vs selective fetoscopic laser photocoagulation for the treatment of severe twin-twin transfusion syndrome. Am J Obstet Gynecol 2007; 197: 396 e1-9.

Nassar AH, Usta IM, Rechdan JB, Harb TS, Adra AM, Abu-Musa AA. Pregnancy outcome in spontaneous twins versus twins who were conceived through in vitro fertilization. Am J Obstet Gynecol 2003; 189: 513-8.

American College of Obstetricians and Gynecologists, Committee on Practice B-O. ACOG practice bulletin no. 127: Management of preterm labor. Obstet Gynecol 2012; 119: 1308-17.

American College of Obstetricians and Gynecologists, Committee on Practice B-O, Society for Maternal-Fetal M, Committee AJE. ACOG Practice Bulletin #56: Multiple gestation: complicated twin, triplet, and high-order multifetal pregnancy. Obstet Gynecol 2004; 104: 869-83.

Heyborne KD, Porreco RP, Garite TJ, Phair K, Abril D, Obstetrix/Pediatrix Research Study G. Improved perinatal survival of monoamniotic twins with intensive inpatient monitoring. Am J Obstet Gynecol 2005; 192: 96-101.

Simoes T, Amaral N, Lerman R, Ribeiro F, Dias E, Blickstein I. Prospective risk of intrauterine death of monochorionic-diamniotic twins. Am J Obstet Gynecol 2006; 195: 134-9.

Chauhan SP, Scardo JA, Hayes E, Abuhamad AZ, Berghella V. Twins: prevalence, problems, and preterm births. Am J Obstet Gynecol 2010; 203: 305-15.

Hillman SC, Morris RK, Kilby MD. Co-twin prognosis after single fetal death: a systematic review and meta-analysis. Obstet Gynecol 2011; 118: 928-40.

Kaufman GE, Malone FD, Harvey-Wilkes KB, Chelmow D, Penzias AS, D'Alton ME. Neonatal morbidity and mortality associated with triplet pregnancy. Obstet Gynecol 1998; 91: 342-8.

Marino T, Goudas LC, Steinbok V, Craigo SD, Yarnell RW. The anesthetic management of triplet cesarean delivery: a retrospective case series of maternal outcomes. Anesth Analg 2001; 93: 991-5.

Lynch A, McDuffie R, Jr., Murphy J, Faber K, Orleans M. Preeclampsia in multiple gestation: the role of assisted reproductive technologies. Obstet Gynecol 2002; 99: 445-51.

Arabin B, Kyvernitakis I. Vaginal delivery of the second nonvertex twin: avoiding a poor outcome when the presenting part is not engaged. Obstet Gynecol 2011; 118: 950-4.

Barrett JF, Hannah ME, Hutton EK, Willan AR, Allen AC, Armson BA, et al. A randomized trial of planned cesarean or vaginal delivery for twin pregnancy. N Engl J Med 2013; 369: 1295-305.

Vendittelli F, Riviere O, Crenn-Hebert C, Riethmuller D, Schaal JP, Dreyfus M, et al. Is a planned cesarean necessary in twin pregnancies? Acta Obstet Gynecol Scand 2011; 90: 1147-56.

Rossi AC, Mullin PM, Chmait RH. Neonatal outcomes of twins according to birth order, presentation and mode of delivery: a systematic review and meta-analysis. BJOG 2011; 118: 523-32.

Fox NS, Silverstein M, Bender S, Klauser CK, Saltzman DH, Rebarber A. Active second-stage management in twin pregnancies undergoing planned vaginal delivery in a U.S. population. Obstet Gynecol 2010; 115: 229-33.

Leung TY, Tam WH, Leung TN, Lok IH, Lau TK. Effect of twin-to-twin delivery interval on umbilical cord blood gas in the second twins. BJOG 2002; 109: 63-7.

Stein W, Misselwitz B, Schmidt S. Twin-to-twin delivery time interval: influencing factors and effect on short-term outcome of the second twin. Acta Obstet Gynecol Scand 2008; 87: 346-53.

Dufour P, Vinatier D, Vanderstichele S, Ducloy AS, Depret S, Monnier JC. Intravenous nitroglycerin for internal podalic version of the second twin in transverse lie. Obstet Gynecol 1998; 92: 416-9.

Ngan Kee WD, Khaw KS, Ng FF, Karmakar MK, Critchley LA, Gin T. A prospective comparison of vasopressor requirement and hemodynamic changes during spinal anesthesia for cesarean delivery in patients with multiple gestation versus singleton pregnancy. Anesth Analg 2007; 104: 407-11.

Chapter 19

응급상황에서의 마취관리

산과의 응급상황에서는 임산부와 태아 또는 신생아의 안위를 꼭 생각해야 한다. 이는 곧, 임산부가 모두 마취의 도움을 신속히 받아 안전하게 분만이 진행되어야 한다는 것을 의미 할 것이다. 또한 기본적으로 임산부를 태아보다 우선순위에 두고 관리를 해야만 하는 경우가 있다는 것도 염두에 두어야 한다.

응급상황에서는 기본적 치료를 위해서 심폐소생시의 기본 소생술을 기준으로 하며 가능한 환자의 모든 정보를 얻는 것이 가장 중요하다. 예로는 활력징후가 진정이 되었는지, 쇼크상태는 아닌지, 대량출혈이 발생하였는데 정맥로는 적절히 확보되었는지 검사실(혈액은행)과의 상호관계는 어떤지, 산소는 필요한지 등의 임산부에 관한 평가와 태아에 대한 평가가 있어야 한다.

태아가 관계된 응급상황으로는 탯줄탈출(umbilical cord prolapse), 다태임신(multiple gestations), 난산과 이상태위(dystocia and abnormal fetal presentation) 등이 해당되며, 임산부의 안위가 관계된 응급상황으로는 자궁근육무력증(uterine atony), 자궁내번(uterine inversion), 유착태반(placenta accreta)의 경우가 있으며, 태아와 임산부에 모두 위험한 경우는 전치태반(placenta previa), 태반조기박리(abruptio placenta), 자궁파열(uterine rupture), 외상 등으로 분만 전후의 과다 출혈과 관계가 있다.

임산부나 태아, 신생아에 대한 기본 평가가 꼭 필요하고 이에 따른 규격화된 관리 체계에 따라 관계된 진료 부서의 협조와 공조가 중요하다. 본문 에서는 모든 것을 다 언급 할 수는 없고, 긴박한 상황에서 마취통증의학과의사, 산부인과의사, 간호사, 검사실이 팀을 이루어 일사분란하게 움직이게 될 때를 언급하고자 한다.

1. 탯줄탈출(Umbilical cord prolapse)

탯줄이 자궁경부를 지나 질이나 음부로 내려오는 것으로 태아질식을 야기하므로 응급 분만을 필요로 한다. 발생빈도는 0.1~0.6%이며, 위험인자는 비정상 태위, 미숙아, 저체중, 양수과다, 과도하게 긴 탯줄 등이다. 가장 심각한 합병증은 탯줄이 외부에 노출되어 혈관수축을 일으켜 출생 전후에 태아의 저산소 뇌병증(hypoxic encephalopathy)을 일으키는 것이고 이는 태아 사망률을 증가시키는 것으로 알려져 있다. 진단은 태아 심박음의 관찰이나 질검사 중 탯줄을 직접 보거나 촉진을 하게 되는 경우이다. 양막이 터지지 않은 상태는 즉각적으로 산과의사가 탯줄을 자궁내로 밀어 넣고 동시에 태아의 머리가 나오지 않게 하여 탯줄의 압박을 피하고, 이러한 방법이 실패할 때는 즉각적 제왕절개술을 준비 실시해야 하므로 초응급으로 마취가 제공 되어야 한다. 전신마취가 주를 이루며 규정 금식시간이 지켜지는 경우가 드물어 위내용물의 폐흡인의 예방으로 제산제의 투여, 반지연골의 압박과 더불어 빠른연속마취유도(rapid sequence induction)를 시행하여 합병증을 최소로 하는 것이 관건이 된다.

때로 경막외 카테터가 거치된 경우에는 부위마취도 가능하며 임산부의 상태를 고려하여 선택 결정한다.

2. 자궁근육무력증(Uterine atony)

산후출혈의 가장 높은 빈도를 야기하는 원인이다. 분만후 24시간 이내의 산후출혈 중 자궁근육무력증에 의한 출혈은 전체 임신의 4~6%이며 주산기 자궁적출술의 가장 흔한 원인이다. 위험인자로는 지연분만(prolonged labor), 거대아나 다태아로 인한 자궁의 과대팽만, 감염, 경산부, 흡입마취제나 자궁이완제의 과다사용 등이다. 진단과 시간에 따른 적절한 치료가 주산기와 관련된 사망률을 감소시키는데 큰 역할을 한다. 진단은 질식분만의 경우는 실혈량이 500 ml 미만, 제왕절개술시의 경우는 1000 ml 미만인 것을 기준으로 하며 분만후 자궁수축의 부족으로 출혈이 증가하게 되는 것에 주의를 요한다. 치료는 실혈량의 보충과 oxytocin, prostaglandin, ergot 유도제와 같은 자궁수축제를 우선 투여하고 색전술(embolization)을 시행할 수 도 있으나 시술 후에도 계속적인 출혈이 있으면 전신 마취하에 응급자궁적출술을 시행한다. 일반적으로 대량 출혈시 2개 이상의 큰정맥로를 통해서 수액과 성분 혈액의 투여가 이루어져야 하므로 검사실과 혈액은행을 포함한 산부인과와 마취과의 상호협조가 중요하다.

3. 자궁파열(Uterine rupture)

자궁 파열은 산과 영역에서 생명 절박 상태 중의 하나로 높은 임산부 사망률과 주산기 사망률을 동반한다. 빈도는 전체 분만의 0.1%이며 제왕절개술 이후의 질식분만(vaginal birth cesarean section, VBAC) 시도 일 때는 0.4~1.0%로 증가하며, 임신한 자궁막이 완전히 분리되어 태아, 태반, 탯줄의 돌출로 인한 치명적 결과를 가져올수 있다. 위험인자로는 제왕절개술의 전력, 자궁의 수술력, 선천성자궁기형, 유도분만과 분만시의 과도한 약물사용과 조작, 외상 등이 있다. 전형적인 임상 증후로는 태아 서맥, 자궁수축의 중지 및 분만진행의 중지, 복통, 질출혈 등이 있으나 가장 민감한 것은 태아 심박 감시이며 진통이 없어지는 것이다.

자궁파열에 의한 하복부의 심한 통증, 산통중지, 태아절박가사, 질출혈, 저혈압 등이 초래될 경우 적절한 수액, 혈액의 투여와 더불어 제왕절개술이나 산후개복술을 초응급으로 시행해야 한다.

4. 자궁내번(Uterine inversion)

자궁내번은 자궁 안쪽의 일부가 경부를 통해 질 밖으로 나오는 것을 말 하며 발생 빈도는 0.04%이고 정확한 원인을 모르나 분만의 3차시기에 악화 될 수 있다. 위험인자는 자궁이완증, 자궁기저부의 부적절한 압력, 과도한 탯줄견인 등이며 내번된 시간에 따라 급성, 아급성, 만성으로 구분하는데, 급성은 분만 24시간이내, 아급성은 24시간에서 4주까지, 만성은 4주 이후에 생기는 것을 말한다. 정도에 따라 불완전(incomplete), 완전(complete), 탈출(prolapse)로 구분할 수 있는데, 불완전은 자궁기저부가 경부까지 내려온 것이고 완전은 외경부까지 내려온 것이고 탈출은 자궁기저부가 질입구까지 나온 것이다. 출혈과 저혈압이 발생하며 이에 대한 대처로 Johnson 방법, 자궁이완을 일으키는 약제로 β-작용제나 흡입마취제를 이용해 치료할 수도 있다. 치료가 적절히 되지 않으면 외과적 시술이 필요하게 되며 전신마취가 시행되어야 한다.

5. 전치태반(Placenta previa)과 유착태반
(placenta accreta)

전치태반은 태반의 위치가 자궁의 아래쪽 또는 자궁경관에 위치하는 경우를 의미하며 빈도는 0.5~0.9%이고 위험인자는 고령임산부, 다임산부, 전력의 전치태반 수술이나 감염에 의한 자궁의 흉터 등이다. 유착태반은 유착의 정도에 따라 유착태반(accreta), 함입태반(increta), 천공태반(percreta)으로 구분되고 유착태반의 빈도는 모든 임신의 0.04%까지 보고 되고 있다. 잔류태반(retained placenta)은 분만후 일부의 태반조직이 남아 있는 것으로 유착 태반의 치료에 준한다.

전치태반은 임신 7개월 후에 진통없이 자궁출혈을 보일 때 의심 진단 되고 확진은 초음파로 한다. 만약 출혈이 광범위 하지 않고 태아가 미숙아이면 임신을 유지하는 산과적 처치를 하나 출혈이 광범위하고 태아가 성숙했다면 즉각적인 분만이 필요하므로 응급으로 제왕절개술이 제공 되어야 한다.

전치태반과 유착태반의 가장 중한 합병증으로 대량실혈이 올 수 있으므로 이에 대한 만반의 준비가 필요하다. 2개 이상의 큰정맥로 확보와 동맥압의 실시간 감시를 시행하며 혈액응고 기전의 이상 유무를 계속적으로 시행하는 것을 원칙으로 한다. 대량출혈 임산부의 평균 실혈량은 3L 정도이며 평균 농축적혈구(packed RBC) 수혈량은 10 단위 정도로 추정 보고되고 있다. 대량실혈의 치료는 수액의 사용을 줄이고 농축적혈구, 신선동결혈장(FFP)을 1:1로, 축혈소판(platelet plasmapheresis)제제를 농축적혈구 4~6 packs 수혈시 사용하는 방법(damage control resuscitation)이 추천되고 있다. 이것은 혈액 응고장애와 산증의 발생을 감소시킨다. 양수색전증의 논란이 있지만 혈구회수술(cell salvage technique)이 도움이 되기도 한다.

6. 태반조기박리(Placenta Abruption)

태반조기박리는 임신 20주 이후에 자궁벽에서 태반이 일부 또는 전부 박리 되는 것으로 빈도는 0.4~1%까지 발생하며, 발생하게되면 임산부사망률은 2~10%로 높은 편이며 태아 사망률은 50%까지 높게 보고되고 있다. 위험인자는 고령임산부, 융모양막염(chorioamnionitis), 코카인 사용, 알코올 과다 사용, 고혈압, 외상, 흡연 등이다. 합병증으로는 신기능부전과 파종성혈관내응고(disseminated intravascular coagulation, DIC), 뇌하수체전엽의 괴사(Sheehan's syndrome)가 있으며, 총 실혈량이 2 L 이상으로 심각해지면 임산부가 저혈량증 상태(hypovolemia)가 되며, 실혈 정도에 따라 태아 운동성의 변화로 저산소증이 서서히 오는 경우도 생겨 태아서맥이 유발되어 태아 사망이 발생할 수 있다. 신속하게 유도분만이 필요할 수 있고 태아가사상태가 되면 응급 제왕절개술이 시행되어야 한다.

어떠한 이유로든 임산부의 대량실혈은 곧 응고기전의 와해를 유발시키므로 검사소견을 면밀히 검토 하면서 산과의사와 더불어 팀을 이루어 출혈임산부를 관리하는 대처항목(protocal)에 따라 신속히 대응해야 한다. 산과적 대량 실혈의 성공적 마취관리는 수술 전에 관여하는 마취통증의학과의사팀과 산과의사팀, 간호팀, 시술영상의학과팀, 신생아소아과팀, 혈액은행간의 소통과 협조가 중요하다. 마취통증의학과의사는 마취의 전반적 관리와 함께 필요시 동맥관이나 중심정맥으로 카테터 거치를 하여 침습적 환자 감시를 실시하고 2개 이상의 굵은 정맥로를 통해서 실혈량도 신속히 보충해야 한다. 혈액응고 이상의 교정을 위해 신선동결 혈장(FFP), 동결침전 제제, 축혈소판 제제 등의 혈액성분 제제를 이용해야 하며, 부위마취도 가능하나 실혈의 정도와 자궁적출술의 고려에 따라 전신마취를 고려해야 한다. 전신마취

시 유도제는 혈역학적 변화가 적은 ketamine (0.5 mg/kg) 또는 etomidate (0.3 mg/kg)를 사용한다. 또한 위 내용물의 폐흡인을 예방해야 하므로 제산제의 투여나 기관내 삽관시 반지연골을 압박하면서 빠른연속마취유도 (Rapid sequence induction)를 해야 한다.

7. 난산과 이상태위(Dystocia and abnormal fetal presentation)

비효과적 자궁수축, 비정상태위에 의해 임산부나 태아가 긴박한 상태에 이르면 즉각적인 분만이 필요할 수 있다. 일차기능장해성 진통(primary dysfunctional labor), 둔위태위(breech presentation), 안면태위(face presentation), 어깨태위(shoulder presentation) 등이 있고 상황에 따라 부위마취와 전신마취 중 임산부와 태아에 가장 유리하다고 판단되는 방법을 선택해야 한다.

엉덩이 태위는 가장 빈도가 높고 탯줄탈출(10%)이나 신생아 사망률의 빈도를 5배 이상 증가시킨다. 어깨태위가 산후출혈과 가장 관계가 많으며 즉각적 분만이 필요한데 Mc Rovert's position를 취하고 상복부 압박과 외음절개술(episiotomy)등이 도움이 된다. 만약 분만이 늦어지거나 저산소증(hypoxia)이 오면 태아의 뇌손상이 올 수 있다. 부위마취를 시행하는 경우는 부위마취로 인해 유발되는 저혈압에 적절히 대처하는 것이 중요하며 전신마취를 진행하는 경우에는 여러번 언급 되어지는 폐흡인에 대한 가능성을 항상 염두에 두고 적절히 대처해야 한다.

8. 외상(Trauma)

외상에 따른 합병증의 빈도는 모든 임신 중 발생할 수 있는 합병증 중 7%를 차지하며, 비산과적 임산부 사망률의 주된 원인으로 이 빈도는 46%에 달한다. 미국에서 보고된 바에 따르면 교통사고 49%, 추락사 25%, 협박, 강간(assults)이 18%, 총상 4%, 화상 1%의 순서로 보고된다. 위험인자는 어린임산부, 약물중독, 알코올 사용과 가정내사고 등이 있다. 미국산부인과학회(American Congress of Obstetricians and Gynecologists, ACOG)에서는 외상을 골반골절(pelvic Fracture), 창상, 둔상 (blunt abdominal trauma)으로 구분하고 각 외상에 따라 관계되는 진료과와 상호협조를 하여 정확한 진단과 처치를 해야 한다고 조언하고 있다. 외상 치료의 원칙은 비임산부와 같다. 또한 치료의 대상이 한사람이 아닌 두사람이 해당되고, 임산부나 태아 중 한 부분사람을 소생시키는데 실패할 수 있다. 항상 태아보다는 임산부를 우선적으로 치료의 원칙에 둔다는 것을 강조하기도 한다. 영상 촬영시는 태아가 방산선에 노출되는 것을 방지하기 위해 복부에 보호장구를 댄 후 촬영을 진행해야하고 테타누스(tetanus) 예방주사와 항생제는 꼭 맞추어야 하며 설파계(sulfa 계), tetracycline 계 항생제는 사용하지 않는다. 가장 중요한 것은 태반박리 여부와 임신주수, 태아 생명력(viability)을 초음파로 확인하는 것이 필요하다. 이상의 여러 상황을 잘 관찰하여 적절한 시기에 진단과 치료가 제공해야 하고 상황에 따라 분만을 위하여 부위마취와 전신마취가 제공되어야 한다.

9. 이외의 응급상항

1) 조기진통과 분만(Preterm labor and delivery)

37주 이전에 진통이 오는 것을 의미하며 모든 분만의 10%정도 되며 신생아 사망률의 85%에 해당된다. 하지만 원인 규명은 50% 이하에서 되고 있다. 치료는 진통용해(tocolysis)방법인데, 일반적으로 magnesium sulfate 또는 terbutaline을 사용해서 분만을 연장시키는 것이다. 그러나, 갑상선질환, 심질환, 태아기형, 치료되지 않은 당뇨 등이 있으면 진통용해를 시키시 않는다.

2) 양막의 조기파수(Premature rupture of membrane)

흔한 산과 응급상황이며 질을 통해 양수가 새어나온 것을 통해 진단할 수 있고 초음파를 통해 양수의 양을 측정해서 양수의 양에 따라 분만을 진행할 것인지 임신을 연장시킬 것인지 선택한다. 태아의 긴박가사상태가 오면 응급 제왕절개술을 하게 되며 상황에 따라 전신마취나 부위마취를 시행한다.

3) 자궁외 임신(Ectopic pregnancy)과 복강 내 임신 (abdominal pregnancy)

자궁외 임신은 꼭 외과적 적출술이 필요하며 진단은 복부초음파나 질초음파로 하며 쇼크가 일어나지 않도록 주의하며 대량실혈 시 적절한 수액 및 수혈 요법을 실시한다. 복강 내 임신은 희귀한 경우에 해당되고 진단이 내려지기까지 오래 걸릴 수도 있으나, 태반박리를 완전히 진행하지 못하는 경우에는 탯줄을 완전히 묶는 것으로 수술이 종결될 수 있다.

4) 잔류태반(Retained placenta)

태반은 30분 이내에 다 반출이 되나 이후까지 나오지 않으면 자궁근육 무력증이나 감염이 발생하게 된다. 일반적으로는 손조직으로 제거하니 이러한 방법으로 완전히 제거되지 않으면 전신마취하에 제거하거나 자궁적출술을 시행해야 한다.

10. 결론

2013년에 ACOG (American Congress of Obstetricians and Gynecologists)와 NPMS (National Partnership for Maternal Safty)에서 임산부 안전증진(Improve Maternal Safty)의 일원으로 산과응급을 관리하기 위해서 적절한 최신장비와 규격화된 규정(protocols)을 만들고 제공하여 각 진료과 간의 긴밀한 소통과 협조가 중요하다고 강조했다.

참고문헌

ACOG committee opinion. Placenta accreta. Int J Gyne Obste. 2002; 77: 77-8.

Bateman BT, Berman MF, Riley LE, Leffert LR.. The epidemiology of postpartum hemorrhage in a large nationwide sample of deliveries. Anesth Analg. 2010; 110: 1368-73.

Butwick AJ, Carvalho B, El-Sayed YY.. Risk factors for obstetric morbidity in patients with uterine atony undergoing cesarean delivery. Br J Anaeth 2014; 113(4): 661-8.

Chames MC. Pearlman. Trauma during pregnancy: outcomes and clinical management. Clin Obste Gyne 2008; 51: 398-408.

Daniel M. Avery. Obstetric emergencies, Amer J Clin Med 2009; 6: 42-7.

Fadi GM, Sreedhar G. Obstetric emergencies. Seminar Perinatology. 2009; 33: 97-103.

Ducloy-Bouthors AS, Susen S, Wong CA, Butwick A, Vallet B, Lockhart E. Medical advances in the treatment of postpartum hemorrhage. Anesth Analg. 2014; 119: 1140-7.

Kacmar RM1, Mhyre JM, Scavone BM, Fuller AJ, Toledo P. The use of postpartum hemorrhage protocols in united states academic obstetric anesthesia units. Anesth Analg 2014; 119: 906-10.

Khalil A, Raafat A, Calleja-Agius J, Bell R, O'Brien P. Cardiac arrest associated with uterine invenstion during caresars section. J Obst Gyne 2006; 26: 696-7.

Marshall NB, Catling S.. Cardiac arrest due to uterine invension during caesarean section, Int J Obstet Anesth 2010; 19: 231-4.

Murphy DJ. Uterine rupture. Curr Opin Obstet Gyne 2006; 18: 135-40.

Prick BW, Jansen AJ, Steegers EA, Hop WC, Essink-Bot ML, Uyl-de Groot CA, et, al. Transfusion policy after sever postpartum hemorrhage: A ramdomised noninferiority trial. BJOG. 2014; 121(8): 1002-14.

Wanderer JP1, Leffert LR, Mhyre JM, Kuklina EV, Callaghan WM, Bateman BT. Epidemiology of obstetric-related ICU admissions in Maryland; 1999-2008. Crit Care Med 2013; 41: 1844-52.

19

5부

소생술

Chapter 20

임산부 소생술

임산부에게 심정지는 매우 드물게 발생하지만, 이는 가장 도전을 받는 임상적 상황이다. 임산부 사망은 임신 중과 분만 또는 임신 중절 후 42일까지 임신 자체나 임신 치료와 관련이 있거나, 그 원인들이 더욱 악화되어 일어난 임산부의 죽음으로 정의한다. 최근 미국 자료에 의하면 임산부의 심정지는 분만 12,000당 1명 정도 발생하지만, 일반 환자의 심정지보다 생존률이 더 높아 거의 60%에서 생존하여 병원에서 퇴원하였다는 보고도 있다. 따라서 임산부의 심정지에 대한 적절한 준비와 훈련이 필요할 것으로 사료된다.

임산부의 심폐소생술은 일반 성인의 심폐소생술의 이론과 수기가 거의 유사하게 적용되지만, 임신에 따른 생리적 변화를 고려하여 적절하고 신속하게 심폐소생술을 실시하여야 임산부와 태아의 생명을 모두 구할 수 있을 것이다.

임산부 소생술에 대한 최근의 포괄적인 정보, 지침, 권고 사항을 2015년 미국심장학회(American Heart Association)에서 자세히 제시하고 있다. 여기에서는 임산부의 심정지 원인, 임산부 소생술 시 고려해야 할 생리적 변화, 임산부 소생술의 관리 및 소생술 시 응급 분만에 대하여 기술하고자 한다.

1. 임산부 심정지의 원인

임산부에서 심정지가 발생했을 때 그 원인을 진단하고 치료하는 것이 중요하다. 임산부를 사망에 이르게 할 수 있는 흔한 원인들이 표 20-1에 기술되어 있다. 그 중 임산부 심정지의 가장 빈번한 원인은 출혈, 심장부전, 양수색전증, 패혈증, 마취관련 합병증 순으로 알려져 있다. 이 장에서는 마취와 관련된 원인들에 대하여 간단히 기술하고자 한다.

마취와 관련된 임산부 사망은 과거에 비해 현저히 감소하였지만, 전체 임산부 사망의 1~4% 정도를 차지하고 있다. 전신마취로 인한 사망 비율은 감소하였지만 부위마취로 인한 비율은 증가하고 있다. 그러나 마취와 관련된 사망 원인 중 상당 부분은 피할 수 있고, 가역적으로 치료가 가능하다.

임산부에서 부위마취나 통증차단 시 발생한 고위신경축차단(high neuraxial block)으로 인한 호흡근 마비나 저혈압이 적절히 치료되지 않으면 심정지가 발생될 수 있다. 임신 시 구강 인두의 점막이 붓고 여리며, 위내용물의 산도가 증가하고 하부식도괄약근의 긴장도가 감소되어 있다. 그로 인해 전신마취 유도 시 기도 확보에 실패하거나 폐로 위내용물이 흡인될 경우에 저환기나 기도 폐쇄로 심정지가 발생할 수 있다. 또한 매우 드물지만, 척수 내나 정맥 내로 아편양제가 주입되면 호흡 저하로 심정지가 발생할 수도 있다. 뿐만 아니라 임산부에서 국소마취제로 인한 전신독작용으로 심정지가 발생할 수 있다. 임산부는 국소마취제에 대한 감수성이 증가되고, 국소마취제에 의한 심장독작용 시 일반적인 치료제에 내성을 가지고 있다. 임산부에서 국소마취제에 의한

표 20-1. 임산부에서 심정지와 사망의 흔한 원인들

원인별(A-H)	질환별
Anesthetic complications Accidents/trauma	고위척추차단, 저혈압, 기도 확보 실패, 호흡 저하, 폐 흡인, 국소마취제 전신독작용 외상, 자살
Bleeding	응고장애, 자궁근무력증, 유착태반, 태반조기박리, 전치태반, 잔류수태조직, 자궁파열, 외과적 출혈, 수혈 반응
Cardiovascular	심근경색증, 대동맥박리, 심근병증, 부정맥, 판막증, 선천성심장질환
Drugs	oxytocin, magnesium sulfate, 아편양제, insulin, 약물 오용, 아나필락시스
Embolic causes	양수색전증, 폐색전증, 공기색전증, 뇌혈관 문제
Fever	감염, 패혈증
General (H's and T's)	-hypoxia, hypovolemia, hydrogen ion (acidosis), hypothermia, hypo-/hyperkalemia -toxins, tamponade (cardiac), tension pneumothorax, thrombosis (pulmonary), thrombosis (coronary)
Hypertension	자간전증, 자간증, 두개내출혈, HELLP증후군

심장독작용이 의심된다면, 표준적인 소생 치료 방법과 더불어 lipid emulsion을 비임산부의 경우와 동일한 용법으로 투여하여야 한다(표 20-2).

2. 임산부 소생술시 고려해야 할 생리적 변화

임신동안 심박출량이 30~50%까지 증가하고, 전신 혈관저항이 감소되며, 평균동맥압이 감소한다. 특히 자궁에 의한 하대정맥 압박으로 인해 정맥 환류가 저해되어 심박출량이 감소되고, 복부대동맥 압박으로 하지나 자궁으로 가는 혈류가 감소된다. 이러한 대동정맥압박으로 인한 앙와위저혈압증후군(supine hypotension syndrome)은 임신 20주 후에 발생하게 되는데, 환자를 좌측 15~30° 측와위를 취하면 심박출량이 20~30% 정도 증가한다. 따라서 임산부 소생술 시 혈액 순환을 유지하기 위해서 흉부압박 시 손으로 자궁을 좌측으로 지

표 20-2. 국소마취제에 의한 전신독작용 시 lipid emulsion 투여 지침

프로토콜	용량	주의점
초기 용량	1.5 ml/kg IBW	20% lipid emulsion 사용
유지 용량	분당 0.25 ml/kg IBW	자발호흡이 돌아오더라도 적어도 10분 이상 투여
자발순환이 돌아오지 않을 때 투여 용량	1.5 ml/kg IBW 재투여하고 분당 0.5 ml/kg IBW 유지용량 증가	첫 30분간의 최대용량은 10 ml/kg

IBW: ideal body weight

속적으로 밀거나, 30°정도 환자를 좌측으로 기울인 상태에서 이루어져야 한다. 흉부압박 시에는 임산부를 앙와위 상태에서 손으로 자궁을 좌측으로 미는 것이 임산부를 좌측으로 기울이는 것보다 더 효과적이라는 보고가 있다.

임신 말기에는 산소소모량이 20~30%까지 증가하고, 기능적잔기용량이 10~25% 정도 감소한다. 또한 환기량 증가로 인한 호흡성알카리증으로 $PaCO_2$는 28~32 mmHg, 혈장 bicarbonate는 18~21 mEq/L 정도가 된다. 임산부는 산소소모량 증가와 기능적잔기용량 감소로 인해 산소 예비용량이 적어, 호흡이 감소하거나 정지되면 일반인보다 짧은 시간 내에 저산소증에 빠질 수 있다. 또한 P50(혈색소의 산소포화도가 50%일 때의 산소분압) 증가(27~30 mmHg)로 인한 산소혈색소해리곡선의 우측 이동으로 임산부에서 산소를 포화시키기 위해서는 더 높은 분압(분당 15 L 이상)으로 산소를 투여하여야 한다. 따라서 임산부 소생술의 초기에 신속한 산소 공급과 기도 확보가 중요하다.

임산부는 상기도의 점막이 부어 있고 여리기 때문에, 기관내 삽관시 기도가 잘 보이지 않거나 출혈이 발생할 수 있으므로, 기관내 튜브는 보통 사용하는 것보다 내경이 0.5~1.0 mm 더 작은 것을 사용하는 것이 좋다.

임산부는 복압이 높고 위의 소화 운동이 저하되어 있으며, 위식도괄약근의 기능도 저하되어 있어 위식도역류가 발생할 가능성이 높다. 따라서 기관내 삽관이 이루어지기 전에 실시하는 양압환기는 폐 흡인의 발생 가능성을 높이므로, 과도한 양압환기를 피하고 필요에 따라 윤상연골누르기(cricoid pressure)를 실시하여 빠른 시간 내에 기관내 삽관을 하는 것이 바람직하다.

임산부에서 신사구체여과율 증가, 단백질 결합률 감소, 혈장량 증가 등으로 약동학과 약력학의 변화가 생길 수 있지만, 임산부 심정지 시 사용하는 약물의 적응증과 용량에 있어서는 비임산부의 경우와 동일하게 사용하는 것을 추천하고 있다.

3. 임산부 소생술의 관리

임산부에서 심폐소생술의 술기는 일반 성인의 경우와 거의 유사하지만, 임신에 따른 독특한 생리적 변화에 의해 아래에 열거한 관점들에 중점을 두고 실시하여야 한다. 임산부 심폐소생술에 있어서 1) 즉각적으로 산소 공급과 기도 관리를 실시하고, 2) 자궁에 의한 대동정맥의 압박을 해소하기 위해 자궁을 좌측으로 이동시키며, 3) 지속적으로 자궁을 좌측으로 민 상태에서 효과적인 흉부압박을 실시하고, 4) magnesium sulfate 중독과 같은 가역적인 원인을 발견하여 치료하고, 5) 효과적인 소생술을 실시하고 나아가 임산부와 태아의 생명을 살리기 위한 제왕절개술을 초기에 실시하는 것을 고려해야 한다.

1) 기본소생술(Basic life support, BLS)

임산부 심정지는 기본소생술의 치료 지침에 따라 실시해야 한다(그림 20-1). 구조자는 심정지 임산부를 단단한 등판에 앙와위로 위치시키고, 흉부압박을 실시하고 적절하게 기도를 관리한다. 필요에 따라 제세동을 실시하고, 자궁이 배꼽의 위치 상부에서 만져지는 경우에는 손으로 자궁을 좌측으로 위치시키는 것을 동시에 실시하여야 한다.

(1) 흉부압박(Chaest compression)

효과적인 흉부압박을 하기 위해서는 환자를 단단한 등판 위에 앙와위로 위치시키고, 구조자의 손을 가슴 중간에 위치시켜 적어도 흉부 5 cm 이상의 깊이로 분당 100회 이상 압박을 실시하여야 한다. 각 압박당 가슴이 완전히 올라오도록 하여야 하며, 압박 사이에 중단을 최소화하여야 하며, 압박과 환기의 비율은 30:2로 실시해야 한다. 압박 사이의 중단은 기도 유지기의 삽입이나

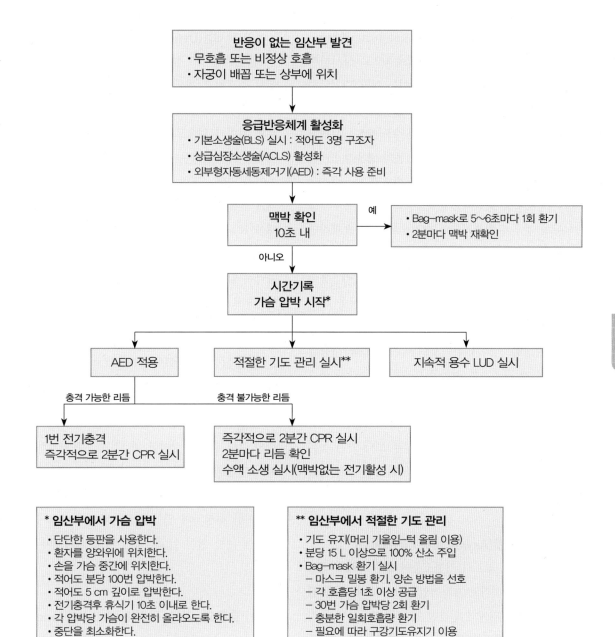

그림 20-1. 임산부 심정지 시 기본소생술(basic life support, BLS) 알고리즘.

Modified from Jeejeebhoy FM, Zelop CM, Lipman S, Carvalho B, Joglar J, Mhyre JM, et al. Cardiac arrest in pregnancy: A scientific statement from the American Heart Association. Circulation 2015; 132: 1747-73.
'ACLS:advanced cardiovascular life support; AED:automated external defibrillator; CPR:cardiopulmonary resuscitation; LUD:left uterine displacement.'

제세동의 적용을 제외하고는 10초 이내로 최소화해야 한다.

임산부에서 앙와위는 대동정맥압박을 초래할 수 있기 때문에, 대동정맥압박을 해소시키기 위해 소생술 동안 용수자궁좌측이동(manual left uterine displacement, manual LUD)을 지속적으로 실시하여야 한다. 단지 환자를 좌측으로 기울이는 것만으로는 하대정맥압박이 해소되지 않기 때문에, 앙와위에서 흉부압박을 실시하는 경우보다 덜 효과적일 수도 있다. 선택적인 제왕절개수술에서 용수자궁좌측이동의 경우가 15° 좌측기울임의 경우보다 저혈압의 발생 빈도와 ephedrine 사용량이 감소됨을 보고하고 있다. 앙와위에서 용수자궁좌측이동의 경우가 좌측기울임의 경우보다 더 효과적인 흉부압박을 실시할 수 있고, 나아가 기도 관리와 제세동의 적용을 더 용이하게 하는 장점도 가지고 있다. 용수자궁좌측이동은 임산부의 우측에서 손으로 자궁을 좌측과 위쪽으로 밀거나, 환자의 좌측에서 양손으로 자궁을 에워싸서 자궁을 좌측과 위쪽으로 미는 방법을 사용할 수 있다. 이 때 구조자는 자궁을 아래쪽으로 밀면 하대정맥압박이 증가할 수 있으므로 주의해야 한다.

임산부에서 흉부압박 시 구조자의 손의 위치는 비임산부에서 흉부의 중간(흉골의 아래 부분)보다 약간 높은 위치에 놓는 것을 추천하고 있지만, 과학적인 증거 자료는 없다.

(2) 기도와 호흡(Airway and breathing)

임산부는 비임산부보다 저산소증이 매우 빠르게 발생하기 때문에, 즉각적이고 효과적인 기도 확보와 호흡 관리가 필수적이다. 위에서 언급한 것처럼 임산부에서 적절한 산소포화를 얻기 위해서는 높은 분압의 산소가 투여되어야 한다. 분당 15 L로 100% 산소를 이용한 bag-mask 환기가 가장 빠른 환기 방법이다. 양손을 이용한 bag-mask 환기가 한손을 이용한 환기보다 더 효과적이다. 마스크 환기가 적절히 이루어지지 않는다면, 기도를 다시 개방하거나 마스크가 얼굴에 밀착이 잘 되도록 해야 하고, 필요에 따라 구강기도유지기(oral airway)를 사용하여야 한다. 과환기는 흉부압박을 중지시킬 수 있으므로 압박과 환기의 비율을 30:2로 실시한다.

(3) 제세동(Defibrillation)

임산부에서도 심실세동 또는 맥박이 없는 심실빈맥에서 즉각적인 제세동의 적용은 아주 중요하다. 임신에 따른 경흉부저항(transthoracic impedance)이 비임산부와 차이가 없으므로, 임산부에서 심정지 시 요구되는 제세동 에네지량은 비임산부에서 권장하는 에네지량과 차이가 없다. 또한 임산부에게 실시한 제세동으로 태아에게 유해한 정도의 에네지가 전달되지 않는 것 같으며, 태아 모니터로 인한 전기 회로가 형성되지 않는 것 같다. 또한 제세동으로 인한 태아 부작용의 증거는 없다. 따라서 임산부 심정지에서 제세동이 적용되는 경우에 즉각적으로 제세동을 실시하여야 한나.

2) 상급심장소생술(Advanced cardiovascular life support, ACLS)

상급심장소생술은 기본소생술을 계속 실시하면서 향상된 기도 관리를 실시한 뒤, 정맥로를 확보하고 필요에 따라 약물을 투여하는 과정이다. 산과팀과 신생아팀이 도착하면 필요에 따라 응급 제왕절개술을 준비해야 한다. 또한 심정지의 원인이 고려되어야 하고 상급심장소생술에 대한 처치 알고리즘에 따라 실시해야 한다(그림 20-2).

(1) 호흡과 기도 관리(Breathing and airway management)

임산부는 비임산부에 비해 산소예비량이 적고 대사요구량이 많기 때문에, 초기에 환기 보조를 실시하여야 한다. 임산부에서는 삽관이 어려울 수 있다고 예견해야 하고, 삽관으로 인한 흉부압박의 중지를 최소화하고 경험이 있는 시술자에 의해 삽관이 실시돼야 한다. 장기간의 삽관 시도는 탈산소화, 흉부압박의 단절, 기도 손상 및 출혈을 야기시킬 수 있으므로 피해야 한다. 기관내튜브는 내경 6.0~7.0 mm를 사용하기를 추천하고 있다.

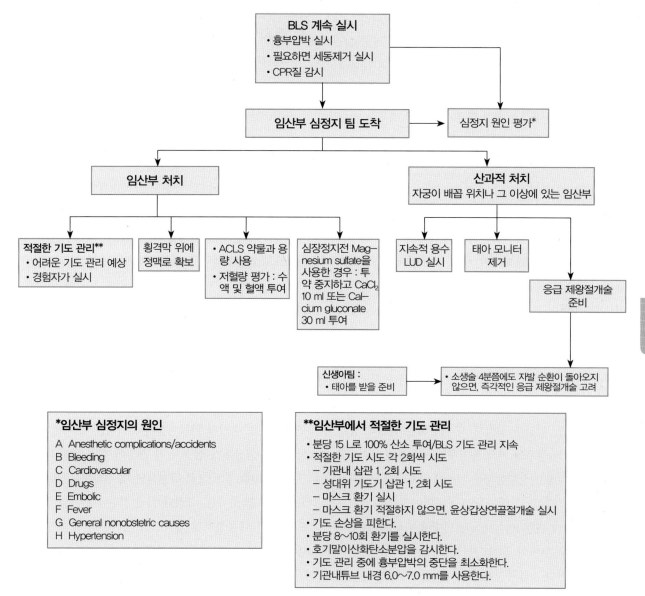

그림 20-2. 임산부 심정지 시 상급심장소생술(advanced cardiovascular life support, ACLS) 알고리즘.

Modified from Jeejeebhoy FM, Zelop CM, Lipman S, Carvalho B, Joglar J, Mhyre JM, et al. Cardiac arrest in pregnancy. A scientific statement from the American Heart Association. Circulation 2015; 132: 1747-7
BLS:basic life support; CPR:cardiopulmonary resuscitation; LUD:left uterine displacement

기관내삽관이 2번 실패하면 후두마스크(supraglottic airway device)를 사용하여야 한다. 기관내삽관이나 후두마스크로 기도 확보가 실패하고 마스크 환기가 불가능하다면, 응급으로 침습적인 기도 유지(예: 경피적 윤상

갑상연골절개술)를 실시하여야 한다.

임산부에서는 위내용물이 역류하여 폐로 흡인될 위험성이 높다. 그러나 흉부압박, 산소화, 대동맥정맥압박의 해소가 위내용물의 역류를 억제시키는 방법(예, 윤상

연골압박하 빠른 기관내삽관)보다 우선되어야 한다. 또한 임산부 심정지에서 윤상연골압박의 사용을 지지하는 연구 자료는 없다. 윤상연골압박이 폐로 흡인의 예방에 효과적이지 못하고, 오히려 환기와 기관내삽관을 방해할 수도 있다. 기관내삽관 전에 역류가 일어난 경우는 가슴압박 동안 구강인두내의 위내용물을 흡인하여 제거하면 된다.

호기말이산화탄소분압 측정은 기관내삽관이 적절하게 위치하고 있는지, 흉부압박이 적절하게 실시되고 있는지, 자발 순환이 돌아오는지를 평가하기 위해 소생술 동안 지속적으로 사용되어야 한다. 호기말이산화탄소분압의 수치가 증가하거나 10 mmHg 이상으로 유지된다면, 흉부압박이 적절하게 실시되거나 자발 순환이 돌아왔다고 판단할 수 있다.

(2) 약물(Drug)

임산부에서 생리적 변화는 약물의 약리학에 영향을 줄 수 있지만, 임산부 심정지 시 사용하는 약물과 용량은 비임산부의 경우와 거의 동일하게 사용하면 된다. 또한 임산부 심정지 상황에서는 약물에 의한 태아 부작용은 염려하지 말고 그 약물을 사용하여야 한다. 전기충격에 반응하지 않는 심실세동과 빈맥에서 amiodarone 300 mg IV 투여와 필요 시 150 mg IV 반복 투여가 효과적이다. 심정지시 주로 사용하는 승압제인 epinephrine (1 mg IV/IO 3~5분 간격)과 vasopressin (40 U IV/IO)에 대하여 임산부 심정지 시 서로 비교한 자료는 없다. 그러나 임산부 심정지에서는 vasopressin은 자궁 수축을 유도할 수 있기 때문에, epinephrine이 더 선호되고 있다.

4. 주사망기 제왕절개술(Perimortem cesarean delivery, PMCD)

PMCD는 임산부 심정지 시 소생술을 시행하면서 태아를 분만하는 것으로 정의하는데, 대부분의 경우 제왕절개술로 이루어진다. 임산부에서 소생술을 시행하는 동안 손으로 자궁을 미는 것만으로 하대정맥의 압박을 완전히 해소시키지는 못하기 때문에, PMCD를 실시하여 자궁을 비우면 심박출량을 60~80%까지 증가시킬 수 있으므로 임산부의 생존율을 향상시킬 수 있다.

2010년까지 PMCD를 실시한 증례 분석에 의하면, PMCD로 31.9%에서 임산부가 완전히 생존하였고, 또한 임산부의 생존에 악영향을 준 경우는 한 증례도 없었다고 한다. PMCD의 목적은 대동정맥의 압박을 해소함으로써 소생술을 용이하게 하고, 나아가 태아에게 적절하지 않은 소생술 시행으로 발생한 저산소증으로 인한 영구적인 신경 손상의 위험성을 감소시키는 데에 있다. 일반적으로 임산부가 심정지 시 자궁이 배꼽 위까지 있는 것(임신 20주 정도)으로 확인되면, 소생술팀은 PMCD를 고려해야 할 것이다. 그러나 임신 기간에 관계없이 자궁으로 인한 대동정맥의 압박으로 임산부의 혈액 순환에 방해를 준다면 PMCD를 고려해야 한다.

심폐소생술을 실시하여도 자발적인 혈액 순환이 돌아오지 않는다면, 심정지 후 5분 이내에 태아를 분만할 목적으로 심정지 후 4분쯤에는 PMCD를 실시하기를 강력히 권장하고 있다. 또한 임산부의 생명이 거의 가망이 없다면(예, 심각한 외상 또는 장기간 맥박이 없는 경우), 태아를 살리기 위해서라도 즉각적으로 PMCD를 실시해야 한다.

PMCD를 실시한 한 자료에 의하면, 심정지가 일어난 후 PMCD를 실시하기까지의 시간은 생존 임산부는 7~10분과 비생존 임산부는 13~23분으로, 생존 태아는 11~14분과 비생존 태아는 13~22분으로 보고하고 있다.

즉 빨리 PMCD를 실시할수록 임산부나 태아에게 더 좋은 결과를 낳을 수 있을 것이다. 따라서 PMCD를 언제 시행할지 결정하는 것이 임산부와 태아의 소생을 위해서 중요한데, 소생술을 시행하는 도중 반응이 없어 PMCD를 결정하고 준비하면 이미 때는 늦을 것이다. PMCD가 필요할 것으로 판단되면 심폐소생술을 실시할 때 미리 산과의사와 연락을 취하여 혹시나 필요한 PMCD 준비를 시키는 것이 중요하다.

PMCD를 실시한다면 임산부를 수술방으로 옮기는 데 시간을 소비하지 말고, 메스 하나면 충분하니 다른 수술 장비를 기다려서는 안된다. 또한 무균 소독을 하기 위해 시간을 낭비하지 말고, 태아가 나올 때까지 자궁을 좌측으로 밀면서 흉부압박을 계속하여야 한다.

임산부 소생술의 술기는 일반 성인의 소생술과 크게 다르지 않으나, 임신에 따른 생리적 변화를 이해하는 것이 매우 중요하다. 근래에 임신과 관련하여 심각한 합병증을 가진 경우가 증가하는 경향이 있기 때문에, 임산부 심정지는 아주 드물지만 그 발생 빈도는 증가하는 것으로 보인다. 임산부 소생술이 태아 소생술의 가장 효과적인 방법이다. 따라서 임산부 소생술 시 임산부와 태아에게 좋은 결과를 얻기 위해서, 임산부 소생술에 대한 다각적 팀의 구성, 빠른 대응, 사전 훈련이 필수적일 것이다.

참고문헌

Vanden Hoek TL, Morrison LJ, Shuster M, Donnino M, Sinz E, Lavonas EJ, et al. Part 12: cardiac arrest in special situations: 2010 American Heart Association Guidelines for Cardiopulmonary Resuscitation and Emergency Cardiovascular Care. Circulation 2010; 122: S829-61.

Jeejeebhoy FM, Zelop CM, Lipman S, Carvalho B, Joglar J, Mhyre JM, et al. Cardiac arrest in pregnancy. A scientific statement from the American Heart Association. Circulation 2015; 132: 1747-73.

Mhyre JM, Tsen LC, Einav S, Kuklina EV, Leffert LR, Bateman BT. Cardiac arrest during hospitalization for delivery in the United States, 1998-2011. Anesthesiology 2014; 120: 810-8.

Lipman S, Cohen S, Einav S, Jeejeebhoy F, Mhyre JM, Morrison LJ, et al. The Society for Obstetric Anesthesia and Perinatology consensus statement on the management of cardiac arrest in pregnancy. Anesth Analg 2014; 118: 1003-16.

Einav S, kaufman S, Sela HY. Maternal cardiac arrest and perimortem caesarean delivery: Evidence or expert-based? Resuscitation 2012; 83: 1191-200.

Chapter 21

신생아 소생술

신생아는 자궁 내 환경에서 자궁 외 환경으로의 변화에 적응하여야 한다. 이 적응 과정에서 가장 어려운 점은 출생 전 폐액으로 채워진 폐가 공기로 채워지면서, 가스 교환을 태반에 의지하다가 신생아의 폐와 심장에 의한 독립생활로 바뀌어야 하는 것이다. 따라서 신생아의 소생술, 특히 분만장에서 소생술은 폐에서의 가스교환을 원활하게 하여 자궁 외 생활로 전이되는 과정을 원활하게 하는데 중점을 두게 된다. 만삭아 및 후기 미숙아의 4~10%가 이 첫 호흡에 대한 도움으로 양압환기가 필요하며 흉부압박 및 약물과 같은 집중적인 심폐소생술이 필요한 경우는 1% 이하 정도이다. 성인에서의 심폐소생술과의 차이점은 성인 심폐소생술은 흉부압박의 중요성이 강조되는 반면에 신생아 소생술에서는 호흡의 유지를 통한 가스 교환의 중요성이 강조된다는 것이다.

1. 신생아 심폐소생술 개관

신생아 소생술의 전체적인 개관은 그림 21-1에 나타난 것과 같다. 신생아 소생술의 큰 흐름으로 보면 첫 60초 내("The Golden Minute")에 기본적인 환자의 상태를 파악해서 필요하면 즉시 양압환기(positive pressure ventilation, PPV)가 시작되어야 하며, 그 후 매 15 내지 30초마다 환자의 상태를 평가하여 어떤 행위를 할지 결정을 한 후, 결정된 행위를 하는 형태로 진행된다. 매 순환 주기에서 환자의 상태를 평가하는데 중요한 요소는 호흡, 심박수이며 양압환기 및 산소가 필요할 때에는 산소포화도 모니터링을 하고, 가능하면 심전도 모니터링까지 적용한다. 신생아 소생술 각 단계에서 환자의 상태를 가장 민감하게 반영하는 요소는 심박수이다. 흔히 분만장에서 사용하는 Apgar 점수는 심폐소생술을 결정하는 요소가 아니다.

2. 심폐소생술 준비

모든 분만 시 적어도 신생아 소생술의 첫 단계와 양압환기를 제대로 할 수 있는 의료인이 있어야 하며, 만일 심각한 주산기 위험인자가 있을 경우 흉부압박, 기도삽관, 제대정맥관 삽입 등이 가능한 추가적인 의료 인력이 반드시 필요하다. 분만장에서 심폐소생술이 예견되는 경우는 물론, 평소에도 일상적으로 심폐소생술에 관련된 기구는 분만 전에 제대로 작동되는지 확인되어야 하며 심폐소생술 전용 카트에 질서정연하게 정리한 다음 각 서랍마다 이름표를 붙여서 찾기 쉽게 정리하고 점검된 상태로 준비되어 있어야 한다. 항상 신생아 침상과 신생아 환자를 닦을 방포는 미리 덥혀진 상태로 준비되어 있어야 한다. 심폐소생술에 필요한 기구는 그림 21-2와 같다.

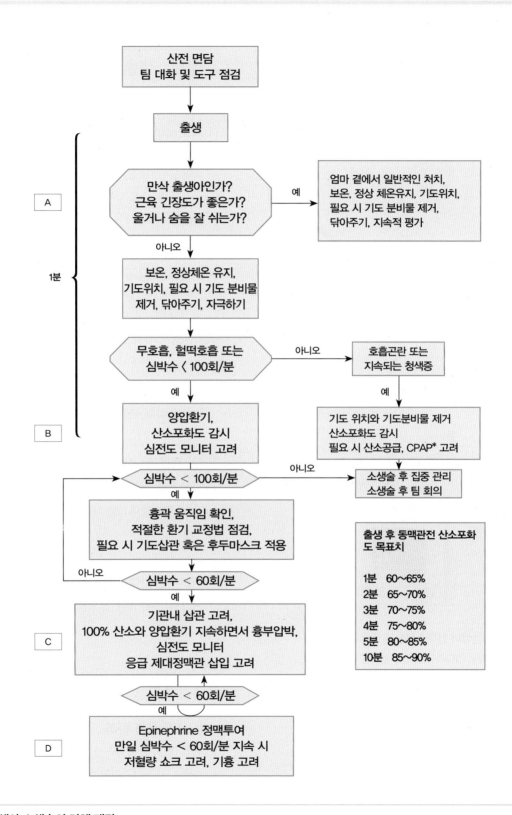

그림 21-1. 신생아 소생술의 전체 개관

*CPAP: 지속적인 기도 양압 A: 기도(Airway), B: 호흡(Breathing), C: 순환(Circulation), D: 약물(Drug)

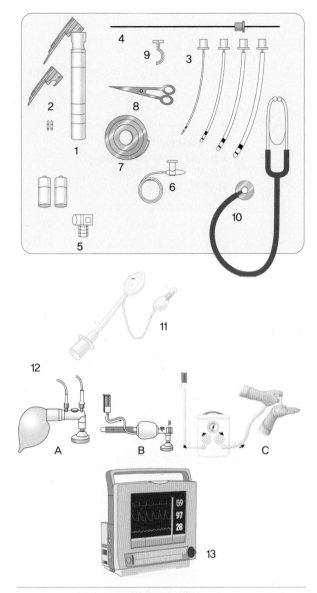

그림 21-2. 신생아 심폐소생술에 필요한 기구

1. 후두경(여분의 배터리와 bulb가 있어야 한다.)
2. 후두경 날
3. 기관내관(직경 2.5, 3.0, 3.5, 4.0mm)
4. 소침(선택사항)
5. 이산화탄소 흡입측정기
6. 흡입카테터(10F, 5F, 6F, 8F)
7. 테이프 1/2 or 3/4 inch
8. 가위
9. 경구기도유지기
10. 청진기(신생아용)
11. 후두마스크 size-1
12. 양압환기도구(A: flow-inflating bag, B: self-inflating bag, C: T-piece resuscitator)
13. 산소포화도 측정기(심전도 모니터)

3. 심폐소생술 단계

1) 산전면담 및 소생술팀 사전회의

소생술팀 사전회의(debriefing)를 통해 성공적 팀워크와 소통의 중요성을 인지하여 성공적인 소생술이 될 수 있도록 한다.

2) 심폐소생술이 필요한지 결정

위 사항을 결정하기 위해서는 이래 세 가지 질문에 대한 답을 구하는 데에서 시작하여여야 한다.

(1) 만삭아인가?

만약에 미숙아인 경우는 심폐소생술 필요 가능성이 높다.

(2) 숨을 잘 쉬고 잘 우는가?

신생아가 잘 우는 경우는 호흡을 잘하고 있다고 볼 수 있다. 헐떡호흡(gasping)을 하는 경우는 호흡을 하지 않는 경우로 취급하여여야 한다.

(3) 근 긴장도는 좋은가?

건강한 만삭아인 경우는 사지를 굴곡된 자세로 유지하며 활동적이다.

3) 초기 조치

(1) 따뜻하게 하라.

미리 덥혀진 radiant warmer 밑에 환자를 덮지 않은 상태로 눕혀 놓거나 모자를 씌우고 미숙아인 경우 플라스틱 랩으로 몸을 감싼다. 고체온증(38도 이상)이 되는 것은 피해야 한다.

(2) 고개를 약간 신전된 상태로 유지한다.

과도한 신전이나 굴전은 공기의 유입에 지장을 준다.

(3) 필요한 경우에 기도 내의 이물질을 제거한다.

기도가 이물질로 막혀있다고 판단되는 등, 필요한 경우 망울주입기(bulb syringe)나 카테터(suction catheter)로 입과 코의 이물질을 제거한다.

(4) 아기의 피부를 닦아주고 필요한 경우에 호흡을 자극한다.

자극을 주기 위해 흔들거나 때리지 않는다. 호흡을 자극해 준다.

(5) 제대 관리

만삭아 그리고 미숙아에서 즉각적인 소생술을 필요로 하지 않는 경우에는 최소 30~60초 이상의 지연성 제대 결찰을 권유한다.

4) 기도확보

(1) 태변이 착색되어 있지 않는 경우

기도가 막혀있거나 양압환기가 필요한 경우에만 망울주입기(bulb syringe) 또는 카테터(suction catheter)로 입 다음 코의 이물질을 순서대로 제거하면 된다. 너무 과도하게 하여 서맥이 생기지 않도록 해야 한다. 그리고 반드시 입을 먼저하고 코를 나중에 시행하여 코를 흡입할 때 입에 있는 이물질이 폐로 흡인되지 않도록 하는 것이 중요하다.

(2) 태변이 착색되어 있으나 활동성이 양호한 경우

먼저 신생아가 얼마나 활동성이 있는가의 평가 기준은 환자의 자발 호흡이 원활하고 근 긴장도가 좋으며 심박수가 분당 100회 이상인 경우로 한다.

초기 처치를 시행하고, 필요한 경우 망울주입기

(bulb syringe)나 큰 구경의 카테터를 이용하여 입이나 코에 있는 태변만 제거해 주면 된다.

(3) 태변이 착색되어 있고 환자의 활동성이 떨어져 있는 경우

신생아의 활동성이 떨어져 있는 경우, Radiant warmer에서 즉각적인 초기 처치를 시행하고, 자발 호흡이 원활하지 않거나 심박수가 100회/분 미만일 때에는 즉시 양압환기를 시행한다. 신생아의 호흡이 시작되기 전에 기도 삽관을 하여 직접 태변을 제거하는 것은 더 이상 추천되지 않는다.

5) 심박동수 체크

출생 직후 심박동수 체크는 소생술의 필요 여부 결정을 위해서 사용되며, 신생아 소생술 각 단계에서 환자의 상태를 가장 민감하게 반영하는 요소이다. 과거에는 전 흉부 청진 및 산소포화도 모니터링을 통해서 심박동수를 체크하였으나, 최근에는 심폐소생술 동안 심박동수의 정확한 측정을 위해 심전도 모니터링을 권유한다.

6) 산소투여

(1) 산소 포화도 모니터링 시작

소생술이 필요하다고 예견되면 산소포화도 모니터링을 시작하여야 한다. 오른손, 즉 동맥관전 포화도를 측정하면서 목표 산소포화도(그림 21-1)에 따라 산소농도를 조절한다.

(2) 산소투여

35주 이상의 신생아에서는 21%의 산소 농도(room air)를 소생술 시작 시 사용하고, 35주 미만의 미숙아에서는 낮은 산소 농도(21~30%)로 시작해야만 한다.

4. 양압환기 단계

심폐소생술의 첫 단계 후에 호흡이 없거나 심박수가 분당 100회 미만인 환자에서 즉각적으로 시행하는 단계이다. 다시 한번 강조하자면 폐의 환기는 신생아 심폐소생술에서 가장 중요하면서 효과적인 조치임을 잊지 말아야 한다.

1) 양압환기요법에 필요한 기구

양압환기요법에 필요한 기구 중 bag은 self-inflating bag, flow-inflating bag, T-piece resuscitator가 있으며, 통상적으로 제일 많이 쓰는 bag은 self-inflating bag이며 흔히 AMBU라고 한다. 이 bag의 크기는 250 ml 정도 되는 것을 이용하여야 한다. 이 때 사용되는 산소 농도는 100%에 가까운 산소 농도를 만들기 위해서 reservior를 연결하여 사용한다.

그 다음으로 필요한 마스크는 얼굴에 따라 그 크기가 다양하여야 한다. 일단 환자의 턱, 입, 코를 덮어 얼굴을 밀폐할 수 있는 적당한 크기의 마스크를 써야 하며, 눈까지 덮는 큰 사이즈는 사용하지 않는다.

2) 양압환기 방법

양압환기는 분당 40~60회 정도의 속도로 시행해야 한다. 미숙아에서 양압환기의 경우 필요 시 flow-inflating bag 또는 T-piece resuscitator를 이용해서 호기말양압(positive expiratory end pressure, PEEP)을 대략 5 cm H_2O 주는 CPAP이 효과적일 수 있다.

3) 양압환기 평가

양압환기가 효과적으로 되면 심박수가 증가되고 신생아의 피부 색깔과 근 긴장도가 좋아지며 호흡음을 들을 수 있게 되고 흉곽이 오르내리는 것을 볼 수 있다.

4) 양압환기의 자세 및 시술자 주의 사항

양압환기를 하는 시술자는 마스크의 위치가 적당한지와 마스크와 얼굴 사이에 밀폐가 제대로 되어 새지 않는지 백에 가하는 압력이 흉곽운동을 일으킬 정도로 충분한 지를 살펴보아야 하며 양압환기 주기는 분당 40~60회로 한다. 과도하게 흉곽운동이 되는 것은 폐에 압력 손상을 줄 수 있으므로 피해야 한다.

5) 양압환기가 효과적으로 안 되는 경우

첫째, 마스크와 얼굴 사이에 밀폐가 부적절한 경우, 둘째 기도가 막혔을 경우, 셋째 bag에 충분한 압력을 가하지 못하였을 경우가 있다. 각각의 경우에 기도를 다시 유지하고 마스크의 위치와 밀폐 정도를 확인한 다음, 흉곽이 오르내리는 지를 확인하면서 백에 가하는 압력을 늘려 보아야 한다. 이런 조치로도 여의치 못한 경우는 기도 삽관을 시행하여야 한다.

6) 양압환기 지속시

마스크를 이용한 양압환기 시에는 위장에 들어간 공기가 위장을 부풀게 하여 양압환기의 효과를 감소시키므로 경구 위장관을 삽입해야 한다.

7) 양압환기 중단

양압환기를 효과적으로 30초 동안 시행 후에 심박수가 분당 60회 미만이면 다음 심폐소생술 단계로 넘어가야 하며, 만약 분당 60회 이상이면 계속해서 양압환기를 하면서 매 30초마다 환자의 상태를 평가한다. 신생아는 피부 색깔이 분홍색이 되고 근 긴장도가 좋아지면서 자발 호흡이 조금씩 회복되기 시작한다. 심박수가 분당 100회 이상이 되면 충분한 자발 호흡이 보일 때까지 양압환기의 횟수를 점차로 줄이면서 양압환기를 중지할 수 있다.

8) 지속성 양압환기(CPAP) 적용

자발적으로 호흡이 가능하고 심박수가 분당 100회 이상이나 호흡곤란을 가진 미숙아에서 CPAP 적용을 한다.

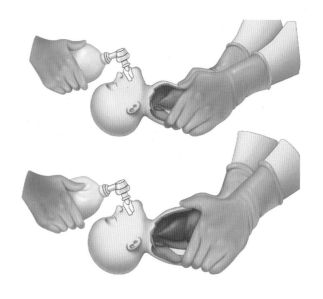

5. 흉부압박

흉부압박은 적절한 양압환기를 30초간 시행한 후에도 심박수가 분당 60회 미만일 경우에 취해야 하는 단계로, 양압환기와 함께 시행한다. 이때는 최소한 두 사람 이상의 인력이 필요하며, 기도 삽관을 시행하여 안정된 기도 확보를 고려해야 할 단계이다. 그리고 심장압박을 시작할 때에는 100% 산소를 제공해야 한다.

1) 흉부압박의 위치 및 깊이

흉골 하부 1/3 지점을 압박하는데 양쪽 젖꼭지를 연결하는 가상선 아래 부분과 xiphoid 위쪽 부분 사이를 압박하면 된다. 그리고 깊이는 흉곽의 전후 직경의 약 1/3 깊이까지 눌러질 수 있는 정도의 힘을 주어서 압박한다(그림 21-3).

2) 흉부압박 방법

압박 방법 2-thumb technique으로 양손의 엄지로 흉곽을 압박하고 양손으로 흉곽을 감싸면서 나머지 손가

그림 21-3. 신생아 소생술 시 흉부압박의 위치 및 깊이

락으로 척추를 지탱하는 방법을 사용한다. 제대 정맥 도관 삽입 등을 할 경우 환자의 머리 쪽에서 이를 시행하며, 과거에 사용했던 두 손가락법(2-finger technique)은 더 이상 권장하지 않는다.

흉곽을 압박하는 손가락은 직하방으로 흉골 하부 1/3 지점을 눌러서 흉골과 척추 사이에서 심장이 눌려질 수 있도록 하여야 한다.

3) 흉부압박과 양압환기의 조율

매 2초 주기마다 흉부압박 3회, 양압환기 1회가 이루어지도록 시행하여야 한다.

즉 1분에 흉부압박 90회, 호흡 30회 정도로 시행한다. 이 흉부압박과 양압환기의 리듬을 조율하기 위해 시술자는 다음과 같은 구령을 붙여가며 시행하는 것이 편리하다.

"하나하고 둘하고 셋하고 숨쉬기…"

이것이 2초 동안에 이루어질 수 있도록 연습을 해야

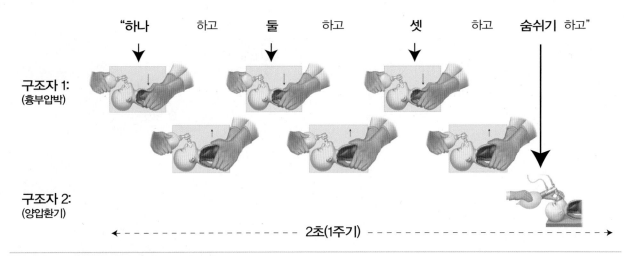

"하나 하고   둘 하고   셋 하고   숨쉬기 하고"

구조자 1:
(흉부압박)

구조자 2:
(양압환기)

2초(1주기)

그림 21-4. **흉부압박과 양압환기의 시행 주기**

한다(그림 21-4).

그러나 만약 심장원인의 심정지시에는 15:2와 같이 좀더 높은 비율로 흉부압박을 한다.

4) 흉부압박의 중지

잘 조율된 흉부압박과 양압환기를 60초간 시행한 후 심박수를 평가하여 심박수가 분당 60회 이상이면 흉부압박을 중지할 수 있으며 이후 양압환기의 빈도를 증가시켜 분당 40~60회로 시행하고 심박수가 분당 100회 이상으로 안정되면서 피부 색깔이 분홍색이 되고 자발 호흡이 회복되면 심폐소생술 두 번째 단계에서 했던 것과 같이 양압환기를 중지하면 된다. 그리고 고농도의 산소에 의한 피해를 막기 위해 심박수가 회복되자마자 100% 산소 공급은 줄여야 한다.

5) 흉부압박과 양압환기를 시행 후에도 환자가 호전을 보이지 않는 경우

흉부압박과 양압환기를 60초간 시행 후에도 심박수가 분당 60회 미만인 경우, 환기 적절성 여부, 백을 누르는 압력, 흉부압박의 위치와 깊이를 점검하여야 한다.

조율된 흉부압박과 적절한 양압환기(기도 삽관)를 60초간 시행한 후에도 심박수가 분당 60회 미만이면 제대도관술을 시행하고 epinephrine 투여 또는 저혈량을 교정하는 심폐소생술의 다음 단계로 넘어가야 한다.

6. 약물

심폐소생술과 관련된 약물의 투여는 조율된 60초간의 적절한 양압환기와 흉부압박에도 환자의 심박수가 분당 60회 이상으로 회복되지 못할 경우 시행된다.

1) 제대 정맥 도관술 시행하기

약을 투여할 수 있는 경로를 확보하기 위해 제대 정맥 도관술을 시행한다. 3.5 Fr 혹은 5 Fr 정도의 도관에 미리 생리식염수를 채운 다음, 제대 정맥을 확인한 후 제대와 피부가 만나는 지점보다 약 2~4 cm 정도만 더 밀어 넣고 거치시킨다. 약을 투여한 후에는 0.5~1 ml

생리식염수를 주입하여 도관에 남아있는 약이 환자의 체내로 주입될 수 있게 하여야 한다.

2) Epinephrine

일차적으로 투여할 수 있는 약은 epinephrine이며 희석 배수는 1 : 10,000으로 0.1~0.3 ml/kg의 용량을 제대도관으로 줄 수 있다. 가능한 빠른 속도로 주입하여야 한다. 만약에 제대도관술이 시행되어 있지 않은 경우에는 기도 삽관된 튜브에 0.5~1 ml/kg 용량을 줄 수 있으나, 제대도관을 통해 정주하는 것이 선호된다.

3) Epinephrine 투여 후의 조치

Epinephrine 투여 후에 양압환기와 흉부압박을 60초간 시행한 후 심박수가 분당 60회 이상으로 증가하게 되는 경우는 심폐소생술의 세 번째 단계와 같은 조치를 시행하면 된다. 그러나 60초 후에도 심박수가 분당 60회 미만인 경우, 양압환기와 흉부압박을 심폐소생술 세 번째 단계에서와 같이 매 2초마다 3 : 1 비율로 계속해서 시행하면서 epinephrine을 매 3~5분마다 다시 투여할 수 있다. 이러한 심폐소생술에 잘 반응하지 않고 혈액 소실의 증거가 있거나, 의심되는 경우(창백, 관류 저하, 미약한 맥박) 제대도관을 통해 10 ml/kg의 생리식염수 또는 혈액을 약 5~10분의 주입속도로 천천히 투여해 주어야 한다.

7. 기도삽관

기도 삽관은 심폐소생술 시 흉부 압박이 시작되기전에 적절한 기도 유지를 위해 시행되는 것이 필요하다.

표 21-1. 기도내관(Endotracheal tube) 크기

내관크기 (mm)	몸무게 (g)	재태연령 (주)
2.5	< 1,000	< 28
3.0	1,000~2,000	28~34
3.5	> 2,000	> 34

1) 준비하여야 할 기도내관(Endotracheal tube) 크기

신생아의 몸무게에 따라 적절한 크기의 기도내관이 필요하다. 표 21-1과 같이 준비한다.

2) 기도 삽관 방법

기도 삽관 전에 마스크를 통한 양압환기를 시행하여 적절하게 혈중 산소 분압을 올려주어야 한다. 기도 삽관 중에도 환자에게 100% 산소를 공급 해줘야 하며 기도 삽관 시행 시간은 30초 내로 제한해야만 저산소증을 최소화할 수 있다. 기도 삽관을 시행하다 환자의 상태가 나빠지는 경우는 즉각적으로 기도 삽관을 중지하고 양압환기를 백과 마스크를 이용해 재개하여야 하며, 환자의 상태가 회복되면 다시 기도 삽관을 시행할 수 있다.

기도 삽관 시 환자의 자세는 기도를 일직선으로 하기 위해 고개가 약간 신전된 자세로 만들어야 한다. 후두경은 무조건 왼손으로 잡아야 하며 후두경 날(blade)은 구강 내에서 혀의 오른편으로 넣어 혀를 왼쪽으로 밀면서 후두경 날(blade)이 정중앙에 있도록 하며 그 끝은 후두개(epiglottis)와 후두덮개계곡(vallecula) 사이에 들어가도록 한 후 직상방으로 후두경을 들어 올려 기도가 시야에 들어오도록 한다. 또는 후두개를 후두경 날로 직접 들어올릴 수도 있다. 이때 후두경을 지렛대처럼 사용하지 않도록 한다. 이때는 기도가 보이지 않고 식도가 보이는 경우는 후두경을 약간씩 입 밖으로 빼내면서 기도가 보이면 후두경을 직상방으로 들어 시야 확보를 한다. 만약 기도나 식도도 보이지 않고 혀의 후방부만 보이면 후두경을 너무 얕게 집어넣은 것이기 때문에 약간씩 깊게 넣으면서 기도가 보일 때까지 넣어야 한다. 이렇게 기도의 시야가 확보된 상태에서 준비된 기도내관(endotracheal tube)이 기도 내로 끝까지 들어가는지 확인하면서 집어넣어야 한다.

3) 기도내관(Endotracheal tube) 삽입 깊이

기도내관을 기도 내로 넣을 때 코중격(nasal septum)과 귀의 tragus 사이의 길이(nosal-tragus length, NTL)를 재어 1 cm을 더하거나, 표 21-2와 같이 환자의 몸무게 또는 재태주수에 따라 기도내관 끝에서 환자의 입술까지 측정한 길이를 맞추면 된다.

이렇게 깊이를 맞춘 후에 기도내관과 환자의 입술을 같이 잡아 소침(stylet)을 제거할 때나 테이프를 붙일 때 기도내관 삽입 깊이가 바뀌지 않도록 주의한다.

4) 기도내관의 위치 확인

표 21-2. 기도내관 삽입 길이(입술에 닿는 지점)

재태연령(주)	내관깊이(cm)	몸무게(g)
23~24	5.5	500~600
25~26	6.0	700~800
27~29	6.5	900~1,000
30~32	7.0	1,100~1,400
33~34	7.5	1,500~1,800
35~37	8.0	1,900~2,400
38~40	8.5	2,500~3,100
41~43	9.0	3,200~4,200

기도 삽관이 제대로 된 경우에 기도내관의 끝은 성대와 기관의 기관용골(carina) 중간 위치에 있어야 한다. 이 위치에서 양압환기를 시행하였을 때, 양쪽 흉곽이 고루 움직이고 양쪽 액와부를 청진했을 때 폐음이 잘 들리고 위장 부분에서는 소리가 들리지 않으며 기도내관에 수증기 김이 왔다갔다하는 것이 보이게 된다. 그러나 기도 삽관이 제대로 되었는지 확인할 수 있는 가장 좋은 방법은 기도 삽관 후 환자의 심박수가 오르는 것을 확인하거나 기도내관에 이산화탄소 흡입 측정기를 연결하여 확인하는 것이다. 그리고 흉부단순영상을 찍어 기도내관의 끝이 양쪽 쇄골을 연결하는 가상의 선에 위치하는지를 확인할 수 있다.

5) 후두마스크

후두마스크 size-1은 신생아에서 사용할 수 있으며 마스크를 통한 양압환기나 기도 삽관이 어려운 경우에 시도할 수 있다. 그러나 태변흡인을 하거나 기도 내로 약물을 주입할 수는 없다. 그리고 출생 체중 2 kg 이상의 환자들에게 사용할 수 있으며 장기간의 기계 환기 목적으로는 사용할 수 없다.

8. 심폐소생술의 특수한 상황

1) 양압환기를 효율적으로 하였음에도 폐의 환기가 원활하지 못할 경우

기도폐쇄가 있거나 폐기능이 떨어진 경우가 가능하다. 기도폐쇄의 경우는 태변이 인후부나 기도를 막는 경우, 비강폐쇄(choanal atresia)가 있는 경우, 피에르로빈증후군(Pierre Robin syndrome) 같은 인후부 기도의 기형, 후두격막(laryngeal web) 같은 희귀한 기형 등이 있다. 폐기능이 나쁜 경우로는 기흉, 선천흉수(congenital pleural effusion), 선천횡격막 탈장(congenital diaphragmatic hernia), 폐저형성증(pulmonary hypoplasia), 초미숙아(extreme immaturity), 선천폐렴(congenital pneumonia)이 있다.

2) 양압환기에도 청색증을 보이거나 서맥을 보일 경우

이 경우에는 선천성 심장병을 시사할 수 있는 소견이어서 흉부 X선 사진을 촬영해 볼 수 있으나 반드시 유념해야 할 것은 청색증과 서맥의 주요한 원인은 불충분한 환기라는 것을 잊어서는 안된다.

3) 피부색깔이나 심박수가 회복되었으나 자발 호흡이 불충분한 경우

이 경우에는 뇌손상이나 심한 산혈증, 선천성 신경근질환(congenital neuromuscular disorder)을 의심해 보아야 하며 병력상 분만 4시간 이내 아편유사제를 투여한 적이 있는지 확인하여야 한다. 아편유사제가 임산부에게 투여된 경우에는 naloxone을 0.1 mg/kg 용량으로 정주해줘야 한다. 그러나 이때 임산부가 아편유사제 중독인 경우는 naloxone을 투여로 경련을 유발할 수 있기 때문에 투여하면 안 된다.

9. 치료적 저체온증(Therapeutic hypothermia)

재태주수 36주 이상의 환자에서 중등도 이상의 저산소성 허혈성뇌병변이 의심되면 생후 6시간 이내에 치료적 저체온증을 시작해야 한다.

10. 심폐소생술의 윤리적 고려

신생아 심폐소생술은 대리자로서 부모의 역할이 중요하며 부모에게 설명하고 동의서를 얻은 후에 모든 조치의 결정이 이루어져야 한다. 이때 주의해야 할 것은 결정 내릴 충분한 정보를 얻기 전에 심폐소생술을 중지하거나 시행하겠다는 너무나 확고한 약속을 하는 것은 의료진으로서 피해야 한다. 항시 완벽하고 신뢰할만한 정보에 바탕을 두고 부모에게 설명한 후 동의서를 얻어야 한다. 이 신뢰할만한 정보는 출생 후에나 얻어지며 때로는 출생 후 몇 시간 지나야 얻어지는 경우가 있다는 것을 잊어서는 안 된다.

1) 심폐소생술을 시행하지 않는 것이 윤리적일 수 있는 상황

재태주수 22주 이하와 같은 극소 초미숙아에서 생명 증거가 분명하지 않을 때, 무뇌증(anencephaly), 치명적인 유전질환 또는 기형을 가진 경우는 심폐소생술을 시행하지 않을 수 있으나 부모의 의사를 존중하여야 하며 주수 판정이나 출생체중도 불확실한 정보가 될 수 있음을 알아야 한다. 또한 부모와 산과 · 신생아 의사의 충분한 논의 및 합의가 필요하며 이는 환자에 따른 개별화된 결정이 필요하다.

2) 부모 의사에 반하여 신생아에게 심폐소생술을 해야 하는 경우

의사는 윤리적인 책무뿐 아니라 법적인 책임을 가지고 있다. 부모의 의사가 신생아 입장에서 최선의 입장을 고려한 것이 아니라면 의사는 부모 의사에 반하여 심폐소생술을 시행하는 것이 적절할 수 있다. 이때 반드시 의무 기록에는 부모와의 대화 내용, 심폐소생술을 시행할 수밖에 없었던 신생아 상태를 기록에 남겨야 한다. 가능하면 심폐소생술을 시행하기 전에 합리적 치료 방침을 신생아 부모와 도출할 수 없을 때 병원 윤리위원회나 변호사에게 법률 자문을 구하는 것이 좋으나 시간 여유가 없을 때는 일단 심폐소생술을 시행하는 것이 적절하다 할 수 있다.

3) 생존 가능성이나 심각한 장애 가능성의 정도를 확신할 수 없을 경우

일단 심폐소생술을 시행하고 생명유지를 시킨 다음 환자를 평가하고 부모와 함께 환자의 상태를 같이 논의하는 시간을 가진 다음 이 토론의 결과에 따라 그 다음의 치료 방침을 결정하면 된다.

4) 적절하게 시행된 심폐소생술에도 반응을 보이지 않을 경우

적절한 심폐소생술을 시행하면서 10분 아프가 점수가 0점인 경우 심폐소생술을 중지할 수 있다. 그러나 심폐소생술의 지속 여부는 환자마다 개별화하여 결정해야 하며 심폐소생술이 적절히 이루어졌는지, 저체온증 치료 등의 신생아 집중치료를 받을 수 있는지, 분만 전 상황, 부모의 의견 등을 반영해 결정해야 한다.

참고문헌

Perlman JM, Wyllie J, Kattwinkel J, Wyckoff MH, Aziz K, Guinsburg R et al. Part 7: neonatal resuscitation: 2015 International Consensus on Cardiopulmonary Resuscitation and Emergency Cardiovascular Care Science With Treatment Recommendations. *Circulation*. 2015;132(suppl1):S204-S241.

Wyllie J, Perlman JM, Kattwinkel J, Wyckoff MH, Aziz K, Guinsburg R et al. Part 7: neonatal resuscitation: 2015 International Consensus on Cardiopulmonary Resuscitation and Emergency Cardiovascular Care Science With Treatment Recommendations. *Resuscitation*. 2015. In press.

American Academy of Pediatrics. Statement of endorsement: timing of umbilical cord clamping after birth. *Pediatrics*. 2013;131:e1323.

Chettri S, Adhisivam B, Bhat BV. Endotracheal suction for nonvigorous neonates born through meconium stained amniotic fluid: a randomized controlled trial. *J Pediatr*. 2015;166:1208-1213.e1.

Textbook of neonatal resuscitation. 7th ed, Weiner GM editor, American Academy of Pediatrics, 2016

6부

비산과적 수술 및 난임, 불임 시술의 마취관리

Chapter 22

임신 중 비산과적 수술

임신기간 중 시행되는 비산과적 수술의 빈도는 대략 0.3%에서 2.4%이다. 미국에서는 약 7만 5천명 정도의 임산부가 매년 임신 중에 마취와 수술을 경험한다. 임신 중 수술은 어느 시기에도 필요할 수 있다. 임신 중 시행되는 수술 중에서 임신과 관련된 수술에는 자궁목무력증, 난소낭종의 합병증이 가장 흔하고 태아 수술도 증가하는 추세이다. 임신과 관련되지 않은 수술에는 급성 복부질환, 외상, 그리고 유방암과 같은 악성 종양 제거 수술 등이 있다. 드물게 생명을 위협하는 심장 혹은 신경외과 문제를 해결해야 하는 수술이 필요하기도 하다.

임산부의 비산과적 수술을 관리하는 마취과 의사는 임산부의 안전뿐만 아니라 임신의 유지와 태아의 안전에도 많은 주의를 기울여야 한다.

1. 임산부 안전

임산부는 임신 기간에 커다란 생리적 변화를 겪게 되는데 이러한 변화는 임신으로 인한 자궁 비대에 따른 기계적인 효과, 임신으로 인한 호르몬 농도의 변화, 증가된 대사, 태반순환의 혈역학적 변화 등에 의한다. 그러므로 임산부의 임신 중 수술시 이러한 생리적 변화를 고려한 마취관리를 해야 한다.

1) 호흡기계 변화

임신 중에는 progesterone 등 호르몬에 의한 영향으로 분시환기량(minute ventilation)이 50% 증가한다. 호흡횟수의 증가는 미미하며 주로 일회호흡량(tidal volume, TV) 증가에 기인한다. 임산부에서 가장 중요한 호흡 역동학의 변화는 기능잔기용량(functional residual capacity)의 감소인데 만삭에 20% 정도 감소한다. 이러한 폐포환기량의 증가와 기능잔기용량의 감소로 마취제가 빠르게 흡수되고 배출되게 된다. 이러한 기능잔기용량의 감소는 산소소모량의 증가(만삭에 20~50% 증가)와 더불어 임산부에서 쉽게 저산소증이 초래되는 원인이다. 마취 전 100% 산소흡입(preoxygenation)을 시행하여 저산소증의 발생을 예방할 수 있다. 또한 임산부에서는 코인두(nasopharynx), 입인두(oropharynx), 후두, 기도점막의 미세혈관확장과 부종이 심해지기 때문에 출혈과 기도 손상을 쉽게 일으킬 수 있어 많은 주의가 필요하다. 기도부종, 큰 가슴, 비만 등으로 기관내삽관이 어려운 경우가 종종 있으며 환기가 잘 안 될 수 있다.

2) 심혈관계 변화

임신 중 심박출량은 30~50% 증가한다. 이는 일회심박출량증가(30~40%)와 심박수의 증가(15%)에 기인한다. 혈압은 전신혈관저항의 감소로 혈압이 떨어지며 주로 estrogen과 progesterone의 혈관 확장 효과이다. 확장기 혈압이 수축기 혈압보다 더 감소한다. 만삭 시 앙와위로 취하면 심한 혈압의 저하를 보이는데 이러한 앙와위저혈압증후군(supine hypotension syndrome)은 임산부의 10~15%에서 보이며 이는 비대한 임신자궁이 하대정맥과 대동맥을 눌러 발생하게 된다. 임산부가 앙아위로 누울 때 쇼크 증상(저혈압, 창백, 발한, 오심, 구토)을 보이면 왼쪽 옆으로 누이거나 우측 둔부 밑에 쐐기를 거치하여 좌측으로 자궁을 전위(left uterine displacement)해 증상을 완화하여야 한다.

3) 혈액계 변화

임신 시 혈액량은 45%까지 증가하는데 혈장량과 적혈구량이 각각 55%와 30% 증가하여 희석성빈혈이 발생한다. 임신기간 중 심박출량 증가, 동맥혈산소분압 증가, 산소혈색소해리곡선의 우측이동, 자궁혈관 이완, 혈액희석에 의한 주요 장기 혈류량이 증가하는 등 생리적 빈혈은 잘 견디는데 중대한 출혈 발생 시 환자의 예비력이 감소된다. 임신 중에는 백혈구증가증이 나타나는데 특히 다형핵백혈구(polymorphonuclear cell)가 증가하며 감염의 지표로 쓰이는 백혈구 수를 신뢰할 수 없게 된다. 임신 중에는 혈액응고계가 모두 항진되는데 특히 섬유소원(fibrinogen)과 factor VII이 가장 많이 증가한다. 혈소판은 생산과 소모가 모두 증가하여 혈소판 교체(platelet turnover)가 빨라진다. 이러한 혈액응고계의 항진으로 과응고 상태가 유발되어 임신중 수술 환자는 수술 후 심부정맥혈전증(deep vein thrombosis)과 혈전색전증(thromboembolism)의 합병증 위험이 높다.

4) 위장관계와 간담도계 변화

식도와 장의 운동성이 감소하며 위식도조임근(gatroesophageal sphincter)의 압력이 감소하여 임산부에서 위식도역류(gastroesophageal reflux)와 흡인성폐렴의 위험이 있다. 아편유사제는 하부식도괄약근압을 낮추고 위식도 역류를 악화시키며 위배출시간을 지연시킬 수 있어 많은 주의가 필요하다.

간 기능은 임신에 의한 큰 변화는 없다. Serum transaminase, lactic dehydrogenase가 약간 증가하나 정상 범위 내에 있으며 알부민은 혈장량의 증가로 약간 감소하여 혈장교질삼투압이 감소한다.

5) 신장계 변화

Progesterone의 증가와 임신자궁에 의한 물리적 영향으로 신배(renal calyces), 요관(ureters) 등이 확장되고 요정체가 일어나 요도감염이 쉽게 일어난다. 심박출량의 증가와 신혈관 이완으로 신혈류량이 증가하고 사구체 여과율이 50% 증가하여 혈액요소질소(blood urea nitrogen, BUN)와 크레아티닌이 감소한다. 그러므로 임산부에서 BUN, 크레아티닌이 약간이라도 증가되어 있는 것은 신기능이 크게 감소되어 있는 것을 나타낸다.

6) 뇌신경계 변화

임신 중에는 마취제에 대한 민감도가 증가한다. 흡입마취제의 최소폐포농도(minimum alveolar concentration, MAC)가 30~40% 감소하고 정맥마취에 대한 감수성도 유사하게 증가하여 thiopental 용량도 17~35% 감소한다. 국소마취제 요구량도 30% 감소한다. 이러한 마취요구량의 감소는 주로 progesterone 효과에 의한 것이다. Progesterone은 진정효과가 있으며 만삭에는 20배까지 증가한다. 임신 중 국소마취제 용량의 감소는 progesterone에 의한 신경민감도(neurosensitivity)의 증가 외에 임신에 의한 신체적 변화가 크게 기여한다. 임신자궁에 의해 하대정맥이 눌려 측부 순환으로 경막외혈관이 확대되고 경막외 혈류량이 증가한다. 또한 뇌척수액의 용적이 감소되고 경막외강 압이 증가하여 경막외 및 척추마취를 할 때 국소마취제 이동이 두부쪽으로 촉진되어 신경차단 부위가 더 확대된다.

2. 태아 안전

임신 중 수술이 필요할 때 임산부의 안전과 동시에 수술 및 마취가 태아에 미치는 영향을 고려하여 태아의 안전을 위하여 마취를 관리해야 한다. 마취제의 기형유발성, 마취의 직접적 또는 자궁태반혈류에 대한 간접적인 효과로 인한 태아 영향, 유산이나 조산의 가능성 등을 고려하여야 한다.

1) 기형유발

기형유발은 출생 전 치료에 의하여 출생 후 기능이나 형태의 중대한 변화를 초래하는 것을 말하며, 마취제에 의한 포유동물의 해로운 영향은 세포운동성의 가역적감소, DNA 합성의 지연, 세포분화의 억제 등이 포함된다. 어떤 물질의 기형유발 가능성에는 많은 요소가 작용하게 되는데 기형유발물질의 용량, 노출 시간, 노출 시 배아의 발생 시기, 개체의 감수성 등에 의해 다양한 양상을 보이게 된다.

기형유발의 양상은 사망, 구조적 이상, 성장저하, 기능적 결함 등으로 나타난다. 사망은 그 시기에 따라 유산, 태아 사망, 사산으로 나타나며 동물의 경우 태아 흡수(fetal resorption)로 나타난다. 구조적 이상은 그 정도가 심한 경우 사망을 초래하는데 선천적 이상이 발견되지 않는 사망이 생기기도 한다. 성장저하는 기형유발의 양상으로 나타나며 여러 인자가 작용하는데 태반 혈류부전이나 유전적·환경적 요인 등이 작용한다. 기능적

결함에는 행동과 학습 이상이 포함된다. 노출되는 임신 시기에 따라 이상이 초래되는 장기나 조직이 달라지며 결함의 종류나 그 정도에 차이가 난다. 대부분의 구조적 결함은 기관발생 시기인 마지막 생리의 첫날부터 31일에서 71일 사이에 노출되면 발생한다. 이와 달리 기능적 결함은 임신 후기 노출에도 발생할 수 있는데 중추 신경계가 이 때까지 계속 성장하기 때문이다.

생리 이상에 의한 요인: 임신 중 수술이 이루어질 때 기형유발은 마취제 노출에 의해서 뿐만 아니라 임산부의 생리 변화에 의한 저산소증, 과탄산혈증, 스트레스, 체온과 당대사의 이상에 의해 직접 유발될 수 있고, 다른 물질에 의해 촉진될 수 있다. 동물 실험에서 심한 저혈당증과 저산소증에 장시간 노출되면 기형이 유발된다는 보고가 있으나, 사람에서 짧은 시간 노출에 의한 기형유발의 증거는 부족하다. 고산지대의 임산부에서 만성 저산소증이 저체중 신생아의 원인이 되기는 하나 선천적 결함의 증거는 없다. 동물과 사람에서 고체온은 기형유발의 원인이 되나 저체온증은 기형유발의 원인은 아니다. 임신 상반기 임산부가 고열을 자주 경험하면 선천적 기형 특히 중추신경계의 기형이 초래된다. 태아의 체온은 임산부보다 0.5℃에서 0℃ 높다는 것을 명심하여야 한다.

진단 과정에서의 요인: 진단을 위해 사용되고 있는 이온화 방사선은 사람에게 기형을 유발하는 요소로 용량관련효과(dose-related risk)를 보이며 암 질환, 유전적 질환, 선척적 기형, 태아 사망을 일으킨다. 방사선에 의한 영향은 deterministic 또는 stochastic 효과에 의한다. Deterministic 효과는 용량에 연관되어 어떤 일정한 농도 이상에서 효과를 보이며 임신 소실, 성장저하, 지적 저하, 장기 이상 등의 증상을 나타낸다. 반면 stochastic 효과는 최소 적정 레벨의 농도가 아닌 노출에 의해 기형이 유발되는 결과를 나타낸다. 이 때 고농도 노출이 좀 더 나쁜 결과를 초래한다. 신생아의 소아암의 위험은 stochastic 효과로 태아가 자궁내에서 이

온화 방사선에 노출되면 위험이 증가한다. 방사선 노출에 의한 영향의 종류와 정도는 자궁의 방사선 노출과 태아의 임신 주기에 따라 달라진다.

이온화 contrast media를 임상용량으로 정맥 내 주입하면 태반을 통과하여 태아에게 주입되어 신생아 갑상선 저하증을 초래할 수 있다. 그러나 진단을 위하여 임신 중 iodide를 함유한 radiopaque contrast media 의 사용은 허용된다.

임신 중 진단적 목적의 초음파검사는 태아에게 독성이 없는 것으로 알려져 있다. 초음파는 태아의 체온을 상승시키며 고열은 기형유발의 요소가 된다.

전신 약제: 다양한 향정신성약물(neurotropic agent)같은 전신 약제를 고용량으로 투여하였을 때 확실한 기형이 유발되었다는 동물 실험 보고가 있다. 태아에서 중추신경계기형 뿐만 아니라 골격계기형, 성장 저하 등의 양상을 보였다. 고용량의 아편유사제의 호흡 억제와 섭생저하에 의해 기형이 유발될 수 있으므로 이러한 기형의 결과가 아편유사제 자체에 의한 것인지는 의문이다. 임산부에서 많이 복용되고 있는 신경안정제나 항불안제에 대한 연구는 아편유사제에 비해 덜 이루어지고 있다. 동물실험에서 barbiturate, phenothiazepine, 삼환계항우울제에 의한 구조적, 또는 행동학적 기형발생이 보고되었다.

사람에서 마취 유도제로 사용되는 barbiturate, ketamine, benzodiazepine의 임상적 용량에 의한 기형유발 보고는 없다. 아편유사제에 의해 기형이 유발되었다는 보고도 없는데 morphine이나 methadone을 복용한 임산부에서 선천적 기형의 발생이 더 증가하지 않았다. 장기간 신경안정제를 복용한 임산부에서 태아의 기형유발의 가능성에 대한 연구 보고가 있으나, 대부분의 연구가 후향적 연구이며 연구 방법에 대한 다양한 오류가 있다. 임신 제1삼분기에 diazepam을 복용한 임산부에서 구개열영아와의 관련성이 있다는 보고 이후 임신 중 benzodiazepine 치료는 논란 중이다. 그러나 임신 제1삼분기에 diazepam을 복용한 임산부 854명의 전향적 연구에서 benzodiazepine 복용으로 인해 위험성이 증가함을 증명하지 못하였다. 현재 diazepam이 기형유발물질이라는 증거는 없으나 장기 요법을 시작 하기 전에 유익유해 비율을 고려하여야 할 것이다. 마취 중 일회성으로 사용한 benzodiazepine이 태아에 해롭다는 증거는 없다.

국소마취제: Procaine, lidocaine, bupivacaine은 hamster fibroblast 배양에 가역적인 세포독성 영향을 미친다. 그러나 쥐에서 lidocaine 주입이 형태적, 행동학적 기형유발의 증거는 없으며 사람에게 임상에서 사용되는 국소마취제와 연관된 기형유발의 증거는 없다. 임산부의 cocaine 남용은 생식계에 해로운 영향을 미치며 신생아의 비정상적 행동과 비뇨생식기와 위장관에 선천적 기형이 발생한다는 보고가 있다. 임산부의 cocaine 남용은 태반박리의 빈도가 증가하는 위험이 있다.

근이완제: 근이완제의 기형유발요인에 대한 동물 생체 연구는 근이완제 주입에 의한 호흡 저하와 이에 따른 기계환기의 필요성 및 동물 실험에서의 매우 적은 양을 사용하는 이유로 연구에 어려움이 있다. 많은 용량의 D-tubocurarine, pancuronium, atracurium, vecuronium의 태아 생식기 독성 효과를 알아 보는 연구에서 용량에 비례하는 독성을 나타냈으나 임상적으로 사용하는 용량의 30배 이상을 사용하였을 때 독성을 보였다. 이와 같은 결과는 적은 용량을 사용한 이전의 실험에서 독성을 확인하지 못한 결과와 일치한다. 태아의 혈중 근이완제의 농도는 모체의 10~20%에 불과하므로 수술을 위하여 기관발생시기에 투여한 근이완제의 넓은 안전역을 알 수 있다. 임신 후기 투여한 경우의 부작용에 대한 보고는 확실치 않다. 근이완제에 의해 오랜 시간 동안 정상 근육활동이 이루어 지지 않은 병아리의 경우, 중추와 사지의 이상이 초래되었다는 보고가 있으나 다른 동물에서 이와 같은 보고는 없었다. 강직경련을 치료하기 위하여 임신 55일부터 19일 동안 장기적으

로 D-tubocurarine을 투여한 임산부에서 계속된 관절 굴곡을 보이는 관절구축증태아의 탄생이 보고된 예는 있다. 이 경우에도 환자는 저산소증에 노출되었고 다른 여러 약물을 투여 받아 원인 규명에 어려움이 있다. 임신 후반기 근이완제를 투여 받은 많은 임산부의 신생아에게 서 부작용이 생기는 경우는 없었다.

흡입마취제: 특별한 상황에서 휘발성흡입마취제가 병아리나 작은 설치류에 기형을 유발한다는 보고가 있다. 쥐의 임신 8~9일(임신 21일 중 결정적 시기)에 12시간 동안 0.8%의 halothane에 자궁이 노출된 경우 근골격계 이상이 나타나기도 하나 태아 소실의 증가는 보이지 않았다. Halothane의 마취하 농도에 장시간 노출 시 쥐에서 태아의 성장저하를 보이나 선천적 기형의 빈도는 증가하지 않았다. Isoflurane은 부작용을 보이지 않았다. 마취제에 많이 노출될수록 생식기에 보다 심각한 결과가 초래된다.

흡입마취제가 사람에게 기형유발을 일으키는 영향은 직업적으로 마취제에 노출되는 경우와 임신 중 수술을 받기 위해 마취제에 노출된 경우에서 볼 수 있다. 수술실과 치과수술 근무와 관련하여 자연 유산이나 선천적 기형 발생과 같은 여성의 생산 위험(reproductive hazard)에 대한 역학조사를 시행하였는데 이는 미량의 마취제, 주로 아산화질소에 대한 노출 영향에 대한 조사로 결과적으로 부적합한 대조군, 임상 데이터의 부적합, 다양한 환경적 요소 등으로 명확한 결과를 도출해내지는 못하였다. 그 중 마취제에 직업상 노출로 인한 가장 확실한 위험 연관성은 자연 유산에 대한 것으로 위험 비율이 1.3이었다. 선천적 기형의 경우는 1.2로 통계적 의의가 모호했다. 이 같은 위험 비율은 bias나 조절되지 않은 다양한 요소들에 의해서도 생길 수 있는 정도이다. 예로 하루에 1~2잔의 술을 먹는 임산부의 제2삼분기 유산의 상대 위험 비율은 1.98이며 매일 3잔 이상 마시는 임산부의 경우 위험률은 3.53으로 증가한다. 담배의 경우 자연 유산의 상대적 위험률이 1.8이다. 최근

의 연구에서도 수술실 근무로 마취제에 노출되는 경우의 생식기계 위험도 증가에 대한 증거를 제시하지 못하였다. 임신의 결과가 수술실 근무와 별 상관 관계가 없었다. 마취과 여의사를 대상으로 10년간 전향적 연구에서도 다른 과 여의사에 비해 차이가 없었다. 이와 같은 연구가 임신 초기의 유산 빈도 증가에 대한 결과를 간과하였을지 몰라도 수술실에서의 마취제 노출이 생식기, 임신의 결과에 악영향을 일으킴을 통계적으로 제시하지 못하고 있다. 치과의 경우처럼 아산화질소에 많이 노출되는 경우 생식에 위험이 증가할 수 있다. Cohen 등은 치과에서 보조하는 이나 심하게 노출된 치과의 부인의 자연 유산율이 2배가 높다는 것을 보고하였다. 마취제에 노출이 많은 조수에서 그렇지 않은 조수에 비해 출산 결함이 높다는 보고도 있다. 그러나 마취제에 노출되지 않는 치과의와 노출이 많은 조수의 경우에서는 비슷한 결과를 보여 이 같은 결과의 타당성에 의문이 든다. 더욱이 용량에 비례한 결과를 보이지 않았다. 또 다른 연구에서 마취제의 배출을 제대로 갖추지 않은 환경에서 일주일에 5시간이상 일하는 여성 조수에서 수정률이 감소한다는 보고도 있다. 그러나 이 경우 개체수가 19명으로 결론을 도출해내기는 부족하다. 게다가 아산화질소에 장시간 노출되는 것이 선천적 기형의 빈도를 증가한다는 결론을 증명하지 못하고 있다. 1963년 Smith는 18,493명의 임산부의 산과기록을 조사하여, 임신 중 수술을 받은 77명(0.36%) 중 10명이 제1삼분기에 시행되었고 태아 사망률은 충수염 농양과 자궁경부이완을 위한 수술에서 11.2%로 가장 낮은 생존율을 보고하였다.

결론적으로 마취와 수술이 유산, 태아의 성장지연, 주산기 사망의 빈도를 높이기는 하지만 수술의 종류, 수술 부위나 임산부의 선행조건 등 많은 다른 요소들이 이에 관련된다. 임신 중 마취가 선천적 기형의 증가를 가져온다는 증거는 없으며 마취의 종류와 이 같은 결과에 대한 연관에 대한 증거도 없다.

행동기형학: 기형유발은 겉으로 알 수 있는 형태의

변화 없이 행동이상을 보이는 행동기형을 초래하기도 한다. 사람에서 자궁내 4개월에서 출생 후 2개월에 거쳐 이루어지는 중추신경계의 말이집형성(myelination)기간이 이러한 영향에 가장 민감하다. 쥐에서 halothane에 노출 시 출생 후 학습행동에 이상이 초래되고 중추신경계가 변성되며 뇌의 무게가 감소되었다는 연구가 있다. 쥐에서 태아의 신경계는 임신 제2삼분기에 이러한 halothane의 영향을 많이 받는다. 임산부에게 투여된 barbiturate, meperidine, promethazine 등의 전신 약제가 태어나는 자손에 행동의 변화를 초래하나 lidocaine은 영향을 주지 않았다. 사람에서 분만시기에 투여한 진통제에 의해 일시적이고 용량에 비례하는 영아의 행동저하를 보고하였다. 근래 사용되는 마취제는 GABA receptor의 상승작용(benzodiazepine, 휘발성흡입마취제, barbiturate)이나 NMDA receptor의 길항작용(아산화질소, ketamine)에 의하여 효과를 나타낸다. 이러한 작용을 하는 마취제를 뇌성장기간(synaptogenesis)동안 투여하면 뇌의 광범위한 신경세포자멸사(neuronal apoptosis)를 유발하게 된다. 임산부에 전신마취제 투여가 태아에게 미치는 영향은 동물 실험 결과와 일치하지 않는다. 수술은 마취제의 투여뿐만 아니라 저산소증, 스트레스, 저혈당증 등 임산부의 생리에도 많은 변화를 가져올 수 있어 신경계 발달 과정의 결정적 시기에 이러한 것에 노출되면 세포자멸이 초래될 수 있다. 또한 쥐 실험과 같은 동물 실험은 많은 양의 마취제에 장시간 노출하여 결과를 관찰하므로 다른 결과를 가져올 수 있다. Hayashi 등은 ketamine의 일회 주입은 별 변화를 가져오지 않았으나 몇 시간에 걸친 반복된 주입에 의해 신경세포의 변성을 보였다고 하였다. 또한 통증에 의한 자극이 장시간 행동의 양상을 변화시킬 수 있다. 동물 종 사이에서의 차이도 중요하다. 양의 태아에서는 전신마취제에 의한 조직적·기능적 변화가 일어나지 않았다. 아직까지는 사람에서의 결과를 추론할 수 있는 동물 실험 결과가 충분치 않다.

2) 마취에 의한 태아 영향

마취는 태아에게 기형유발을 일으키는 등 직접적 영향 뿐만 아니라 임산부에게 영향을 주어 간접적으로 태아 안전에 영향을 미친다.

마취를 시행하는 동안 휘발성흡입마취제에 의해 태아의 보호보상기전(protective compensatory mechanism)이 작용하지 않을 수 있어 태아절박가사(fetal distress) 징후가 발생하게 되면 휘발성흡입마취제의 사용을 중지해야 한다. 반면 고농도의 흡입마취제는 자궁 근육조직의 이완을 초래하여 자궁의 과다긴장증(hypertonicity)을 방지하여 태아에게 이로울 수 있다.

아편유사제나 마취 유도제와 같은 정맥마취제는 태아 심박수의 변이성을 감소시킬 수 있으나 모체에 저혈압 등의 문제가 발생하지 않는 한 별 문제는 아니다. 많은 양의 아편유사제는 태아의 서맥을 초래할 수 있는데 atropine으로 회복시킬 수 있다. 임산부에게 심질환 마취와 같이 많은 양의 아편유사제가 필요한 경우 안전하게 사용할 수 있다.

근이완제와 길항제는 태아에게 심각한 문제를 초래하지는 않으나 anticholinesterase 약물을 빠르게 주입하면 acetylcholine 방출을 자극해 자궁긴장도를 항진하여 조기 분만을 촉진할 수 있다. 그러므로 천천히 투여하여야 한다. 또한 많은 양의 atropine은 태반을 통과하여 태아의 심박수변이성이 소멸된다. Glycopyrrolate가 태반을 적게 통과하므로 사용이 추천된다.

임산부 수술에서 저혈압을 유도하기 위하여 sodium nitroprusside가 사용되는데 nitroprusside는 빠른 내성이 일어나지 않고 총 용량을 제한하면 시안화염 독성의 가능성도 낮아 태아에게 안전하다.

임산부의 수술 시 마취에 의한 자궁태반혈류에 대한 간접적인 효과로 태아의 자궁내 질식(asphyxia)의 위험이 있으므로 정상적인 모체 산소화와 혈역학을 유지하여야 한다. 이를 위하여 수술중 임산부의 산소화, 이산화탄소 농도, 혈압, 자궁근 긴장도 등을 잘 유지하여야 한다. 태아의 산소화(oxygenation)는 임산부의 동맥혈산소분압, 산소운반능력, 산소친화도, 자궁태반관류 등에 영향을 받으므로 정상 범위를 유지하는 것이 중요하다. 임산부의 심각한 저산소증은 태아의 저산소증, 산증 등을 유발하여 심한 경우 태아 사망에 이르게 된다. 임산부에서 기관내삽관의 어려움, 식도내삽관, 폐흡인, 고위부위마취, 국소마취제의 전신 독성 등으로 저산소혈증이 초래 될 수 있다. 임산부에서는 과호흡으로 $PaCO_2$의 감소와 pH가 증가하여 태아에 영향을 미칠 수 있다. 호흡성 또는 대사성 알카리증은 제대동맥의 수축과 모체의 산소혈색소해리곡선의 좌측 이동을 유발하여 모체-태아 산소 전달이 방해된다. 임산부 수술 시 양압기계호흡 사용으로 인한 과호흡은 자궁혈류를 감소시켜 태아의 산증을 유발할 수 있어 과호흡을 피하여 정상 $PaCO_2$를 유지하여야 한다. 임산부 수술 시 혈압의 저하는 임산부뿐만 아니라 자궁태반혈류에 영향을 초래하여 태아에게도 심각한 결과를 가져올 수 있어 수술 중 적정 수준의 혈압을 유지하는 것이 중요하다. 임산부 수술 시 저혈압은 여러 요인으로 발생할 수 있는데 깊은 전신마취, 고위척추경막외마취, 대동정맥압 압박, 출혈, 혈량 저혈증 등이 있다. 임산부의 저혈압 치료는 ephedrine이 많이 사용되어 왔으나 phenylpephrine이 임산부 혈압 유지에 효과가 있으며 특히 부분마취하 제왕절개술 시 좋은 결과가 보고되고 있다.

3) 조기 출산의 예방

임신 중 수술로 인한 조기 분만과 유산의 위험이 증가한다. 수술의 종류, 자궁조작, 임산부의 선행 조건 등의 영향은 불분명하다. 흡입마취제가 자궁근의 활동을 저하시켜 이론적으로 복부 수술에 이로울 수 있으나 마취제의 선택이나 마취방법에 따른 조기 분만에 대한 뚜렷한 증거는 없다. 조기 분만 예방을 위한 자궁수축억제제의 사전 사용에 대한 증거는 없다. 자궁수축력 측정을 수술 중과 수술 후 며칠 동안 시행하여 필요한 경우 자궁수축억제제를 바로 사용하는 것이 바람직하다. 또한 수술 후 강력한 진통제의 사용으로 인해 자궁수축을 감지 못 할 수 있는 환자에게 보다 세심한 주의가 필요하다.

Oxytocin receptor antagonist인 새로운 자궁수축억제제인 Atosiban은 자궁근에서 선택적으로 calcium influx를 방해하여 자궁근의 수축을 억제한다. Magnesium sulfate는 임신 중 가장 많이 사용되는 자궁수축억제제이며 항경련제로 태아의 신경보호제이다.

3. 수술 및 마취관리

1) 외과적 접근

임신 중에는 원칙적으로 예정수술을 시행하지 않는 것이 안전하다. 특히 기관발생시기인 제1삼분기에는 더욱 주의가 필요하다. 제2삼분기에는 조기 분만의 위험이 낮으므로 수술을 하기에 적합하다. 복부 응급, 악성 종양, 신경 및 심장 상태에 따른 위급 수술이 임신 중 수술의 적응이다.

임산부의 수술 중에 심각한 문제가 발생하면 태아의 위험성은 이차적인 문제이며 임산부의 생명을 보존하는 것이 일차적인 목적이 된다.

수술과 동시에 제왕절개 분만을 고려해야 하는 경우가 발생하는데 임신 시기, 분만을 지연할 때 발생할 수 있는 임산부의 위험성, 복강내 패혈증 유무 등이 고려되어야 한다.

가장 흔한 복부 응급인 충수염은 질병의 상태가 악화될수록 모성이환율과 태아의 주산기 사망률이 증가한다. 임신 중 충수염은 진단상의 어려움으로 수술이 지연되어 비임산부에 비해 천공이 더욱 빈번하다.

임신 중 급성 복부 질환의 진단은 매우 어렵다. 복부 질환 때 나타나는 오심, 구토, 변비, 복부 팽만과 같은 증상은 정상적인 임신 상태에서도 볼 수 있는 증상으로 감별을 위하여 세심히 관찰하여야 한다. 복부 압통이 있는 경우에도 자궁수축으로 인한 통증과 구별해야 한다. 해부학적 위치도 자궁이 커짐에 따라 변하고 다양한 양상을 보인다.

백혈구 수치는 정상 임신에도 증가하는 양상을 보이므로 진단을 어렵게 한다.

시술과 절개 방법의 선택은 임신시기, 외과적 질환의 양상, 진단의 확실성, 외과의의 경험 등에 의해 영향을 받는다. 요즈음 복강경이 임신 중에 진단과 치료 목적으로 점점 그 사용이 늘고 있다.

(1) 복강경

복강경 수술은 입원 기간의 감소, 술후 통증 감소, 정상적 소화 기능 등 정상 활동으로 빠른 회복 등의 장점이 있다. 그러나 임신 중 복강경 시술은 자궁이나 태아에 직접적인 손상을 줄 수 있으며 이산화탄소의 흡수에 의한 태아 산증을 가져올 수 있다. 또한 복압이 증가함에 따라 임산부의 심박출량이 감소하여 이에 따른 자궁 태반 관류가 감소될 수 있다.

복강경 수술에 의한 위험을 피하기 위하여 세심한 외과적 및 마취과적인 주의가 필요하다. 능숙한 외과의의 기술과 경험이 필요하고 마취과 의사는 수술과 관련되어 나타나는 순환호흡기계의 변화를 잘 감지하여야 한다.

(2) 전기충격요법

정신과 질환이 임신 중 임산부의 유병률과 사망률의 주요 원인이다. 심한 정신과 질환은 임신 중에도 그 치료가 계속되어야 하는데 전기충격요법이 대표적인 예이다. 다른 질환과 마찬가지로 임신 중 치료로 인한 위험성과 이득을 잘 고려하여 결정하여야 한다.

(3) Direct current cardioversion (DC)

임신 중 DC가 필요로 하는 경우가 생길 수 있다. 임신중 어느 시기에도 안전하게 시행할 수 있다. 태아에게 전달되는 current는 미미하다. 시행되는 동안 태아의 심장박동감시가 시행되어야 하며 대동맥의 압박을 피하기 위하여 자궁을 좌외전 하여야 한다. 진정으로 인한 위 내용물의 폐흡인 위험은 전신마취를 위한 기도삽관 시행의 위험과 마찬가지이다.

(4) 임산부의 심폐소생술

임산부에서의 심폐소생술은 비임산부와 다른 면이 있다. 심폐소생술의 기본소생술과 전문심장소생술(advanced cardiovascular life support, ACLS) 시행에서 임신으로 인한 해부학적·생리학적 변화로 인해 몇 가지 다른 점을 고려해야 한다. 소생술시 자궁의 좌외전을 시행해야 하며 횡격막의 상방이동으로 심압박에서 손의 위치가 흉골에서 1~2cm 위에 놓고 시행하여야 한다. 사후 제왕절개 분만은 임신 후반기 임산부 소생술에서 중요하다. 심폐소생술을 시행하는 동안 자궁절개는 임산부의 생존 기회를 높이는 것이 일차적 목적이나 태아의 생존율을 높이기 위하여 시행할 수도 있다. 자궁절개는 일차적 소생술이 실패한 경우 심정지 4분 내 시작하여 5분 이내 태아 분만을 목표로 한다. 가역적인 원인으로 인한 심정지의 경우는 비임산부와 같다. 그 외 임신으로 인한 양수색전, 자간증, 태반 박리, 출혈 등이 임신중 심정지의 원인이다.

2) 수술 중 태아 감시

경복부초음파를 이용한 지속적인 태아 심박수 감시는 임신 18~20주부터 가능하나 18~22주 사이에는 기술적 문제로 사용이 제한된다. 경복부 감시는 복부 수술이나 임산부가 매우 비만한 경우에는 사용이 불가능하여 수술중 경질 초음파의 사용이 선택되기도 한다.

태아 심박수변이성(variability)은 태아의 참살이의 좋은 지표로 임신 25~27주부터 관찰할 수 있다. 사용되는 마취제나 다른 약제에 의한 태아 심박수 변화나 심박수변이성의 변화를 태아 저산소증에 의한 변화와 감별할 수 있어야 한다. 지속되는 태아의 서맥은 태아의 위험을 알리는 특징적인 징후이다.

수술 중 사용하는 태아 심박수 감시는 그 변화를 판독할 수 있는 사람이 있어야 한다. 또한 태아의 상태가 지속적으로 안심할 수 없는 상태에 놓일 경우에 대비하여 응급제왕절개를 포함한 다음 계획을 세워놓아야 한다. 수술 중 태아 심박수를 감시하여 임산부의 상태를 개선하여 태아의 위급 상태를 완화할 수 있다. 임산부의 저산소증에 의한 태아 심박수의 변이성의 감소는 임산부의 산소화를 개선하여 해결할 수 있다. 태아 심박수 변화의 원인이 불분명한 경우 임산부의 자세, 혈압, 산소화, 산염기 상태를 확인하고 외과의나 견인기에 의한 태반 혈류의 방해가 없는지 살펴야 한다.

3) 마취관리

임산부의 불안을 감소시키기 위하여 마취 전투약제를 사용할 수 있다. 임신 18~20주 이후 위산 흡인의 위험이 증가하므로 항히스타민제, metoclopramide나 sodium citrate 같은 알갱이가 없는 맑은 제산제 같은 약제를 사용할 수 있다.

마취는 임산부의 적응증이나 수술 부위, 수술의 종류에 따라 결정된다. 전신마취가 저체중과 관련이 있다는 후향적 의료 분석 결과가 있기는 하나 특정한 마취방법에 따라 태아의 상태가 차이를 보인다는 연구는 없다. 그러나 가능하다면 동물 실험이나 임상실험에서 기형유발의 증거가 없는 국소마취나 부위마취를 선택할 수 있다. 더욱이 국소마취나 부위마취는 임산부의 호흡기계의 문제 발생이 적기 때문에 자궁결찰이나 비뇨기과 수술, 하지에 국한된 수술에 적절한 마취방법이다. 복부 수술은 보통 상복부까지 절개가 이루어 지므로 전신마취가 주로 이루어진다. 기도가 확보되지 않은 경우 흡인의 위험성이 증가하므로 전신마취가 적합하지 않다.

임신 18~20주부터 임산부를 이동할 때 옆으로 뉘여야 하며 수술대에 누일 때도 자궁을 좌측으로 전위하여 자세를 취하여야 한다.

임산부의 수술 중 감시는 비침습적 또는 필요 시 침습적 혈압측정 외에 심전도, 맥박 산소측정, 호기말이산화탄소압 측정, 체온 측정, 신경자극기 등을 시행한다. 태아 맥박수나 자궁 활동성은 수술 전후에 측정한다. 수술 중 태아 심박수 감시는 사용이 가능한 경우 측정하며 수술의 종류나 수술 부위, 임신 주기에 따라 결정한다.

기관내삽관을 시행하는 전신마취는 임신 18~20주부터 마취 유도 전에 반드시 마취 전 산소를 투여하여 탈질소화를 시행한다. 윤상연골을 누르면서 시행하는 빠른연속마취유도(Rapid sequence induction)가 오랫동안 권장되어 왔으나 선택수술을 받는 금식한 임산부에서의 필요성에 대해 근래에 논란이 있다. 임신과 관련되어 thiopental, propofol, morphine, fentanyl, succinylcholine과 비탈극성 근이완제 등이 안전하게 사용되고 있다. 임신 중 전신마취방법으로 고농도의 산소, 근이완제, 아편유사제, 휘발성흡입마취제 등이 주로 사용되고 있다. 임산부에게 아산화질소의 사용 금지는 과학적 근거가 없으며 특히 임신 6주 후 사용은 안전하다. 오히려 아산화질소를 사용하지 않아 불충분한 마취 상태가 되거나 아산화질소 대신으로 고농도의 휘발성흡입마취제를 사용하여 임산부의 저혈압을 초래하여 태아가 위험할 수 있다. 따라서 50% 이하의 농도를 사용하거나 장시간 수술 시 사용을 피하는 방법 등으로 아산화질소를 사용할 수 있다. 과다호흡은 피하여야 하며 혈중 이산화탄소 농도는 임신 중 정상 범위 내로 유지하여야 한다. 임산부의 저혈압 예방을 확신할 수는 없으나 500 ml의 정질액을 척추나 경막외 마취전 주입한다. 콜로이드 용액이 정질액보다 더 효과가 있는 지는 의문이 있다. 저혈압 발생시 승압제 사용을 포함한 적극적인 치료가 이루어져야 한다. 고위부위마취나 국소마취제에 의한 전신 독성 발생에 많은 주의를 기울여야 한다. 마취방법에 상관 없이 저산소혈증, 저혈압, 산증, 과호흡 등은 마취관리 중 철저히 피하여야 할 사항이다.

마취 후 회복시기에 태아 심박수와 자궁의 활동성을 감시하여야 한다. 충분한 통증 관리를 위하여 아편유사제의 전신 투여나 척수강내투여, acetaminophen, 신경차단 등을 시행한다. 비스테로이드성소염진통제는 제2삼분기까지는 사용할 수 있다. 정맥혈전증에 대한 예방관리를 하여야 하는데 특히 환자가 침대에 계속 누워 있는 경우 세심한 관리가 필요하다.

참고문헌

Anand KJ. Anesthetic neurotoxicity in newborns: Should we change clinical practice? Anesthesiology 2007; 107: 2-4

Brodsky JB, Cohen EN, Brown BW, et al. Surgery during pregnancy and fetal outcome. Am J Obstet Gynecol 1980; 138: 1165-7.

Chan MT, Mainland P, Gin T. Minimum alveolar concentration of halothane and enflurane are decreased in early pregnancy. Anesthesiology 1996; 85: 782-786.

Cheek TG, Baired E. Anesthesia for nonobstetric surgery: maternal and fetal considerations. Clin Obstet Gynecol 2009; 52: 535-45.

Chunilal SD, Bates SM. Venous thromboembolism in pregnancy: diagnosis, management and prevention. Thromb Haemost 2009; 101: 428-38

Cohen EN, Bellville JW, Brown BW Jr. Anesthesia, pregnancy, and miscar-riage: a study of operating room nurses and anesthetists. Anesthesiology 1971; 35: 343-7.

Cohen EN, Brown BW, Wu ML, et al. Occupational disease in dentistry and chronic exposure to trace anesthetic gases. JADA 1980; 101: 21-31.

Dolovich LR, Addis A, Vaillancourt JM, et al. Benzodiazepine use in preg-nancy and major malformations or oral cleft: meta-analysis of cohort and case-control stydies. BMJ 1998; 317: 839-43.

Haring OM, Effects of prenatal hypoxia on the cardiovascular system in the rat. Arch Pathol 1965; 80: 351-6.

Hirabayashi Y, Shimizu R, Fukuda H, et al. Effects of the pregnanat uterus on the extradural venous plexus in the supine and lateral positions, as determined by magnetic resonance imaging. Br J Anaesth 1997; 78: 317-9.

Jevtovic-Todorovic V, Hartman RE, Izumi Y, et al. Early exposure to common anesthetic agents causes widespread neurodegeneration in the developing rat brain and persistent learning deficits. J Neurosci 2003; 23: 876-82

Katz JD, Hook R, Barash PG. Fetal heart rate monitoring in pregnant patients undergoing surgery. Am J Obstet Gynecol 1976; 125: 267-269.

Levy DM, Williams OA, Magides AD, et al. Gastric emptying is delayed at 8-12 weeks' gestation. Br J Anaesth 1994; 73: 237-238.

Liu PL, Warren TM, Ostheimer GW, et al. Foetal monitoring in parturients undergoing surgery unrelated to pregnancy. Can Anaesth Soc J 1985; 32: 525-32.

Marx GF, Joshi CW, Orkin LR. Placental transmission of nitrous oxide. Anes-thesiology 1970; 32: 429-432.

Mazze RI, Källén B. Reproductive outcome after anesthesia and operation during pregnancy: a registry study of 5405 cases. Am J Obstet Gynecol 1989; 161: 1178-85.

Ngan Kee WD, Khaw KS, Ng FF. Prevention of hypotension during spi-nal anesthesia for cesarean delivery: an effective technique using combina-tion phenylephrine infusion and crystalloid cohydration. Anesthesiology 2005; 103: 744-750

Rosenberg L, Mitchell AA, Parsells JL, et al. Lack of relation of oral clefts to diazepam use during pregnancy. N Engl J Med 1983; 309: 1282-5.

Safra MJ, Oakley GP Jr. Association between cleft lip with or without cleft palate and prenatal pxposure to diazepam. Lancet 1975; 2: 478-80.

Saxen I, Saxen L. Association between maternal intake of diazepam and oral cleft lip. Lancet 1795; 2: 498.

Shankar KB, Moseley H, Kumar Y, et al. Arterial to end tidal carbon diox-ide tension difference during caesarean section anaesthesia. Anaesthesia 1986; 41: 698-702.

Ueland K, Novy MJ, Peterson EW, et al. Maternal cardiovascular dynamics IV. The influence of gestational age on the maternal cardiovascular response to posture and exercise. Am J Obstet Gynecol 1969; 104: 856-64.

22

Chapter 23

태아 수술을 위한 마취

오늘날 산전 진단 기술의 급속한 발전으로 태아의 기형과 질환을 분만 전에 정확하게 발견하고 치료할 수 있게 되었다. 이러한 발전에는 양수와 태아 혈액의 생화학적 및 세표유전학적 분석기술의 발달 뿐만 아니라 초음파, 전산화단층촬영술, 자기공명과 같은 영상기법의 발달이 매우 큰 역할을 하였다. 태아 치료는 투약, 수혈과 같은 비외과적 시술과 자궁내에서 태아의 해부학적 기형을 교정하는 외과적 수술로 나눌 수 있다. 자궁내 조작을 통해 태아의 해부학적 기형을 교정하는 외과적 수술은 고도의 지식과 기술을 요하게 되며, 여러 전문 분야에 걸친 조직적인 태아 관리 프로그램을 통해 시행된다. 대상이 되는 시술로는 자궁절개를 통해 시술되는 태아 기형의 외과적 교정, 바늘천자를 통한 혈액이나 약물 투여 및 션트술, 선천성횡격막탈장 시 태아 기관지폐쇄술을 위한 내시경 시술, 쌍태아간수혈증후군에서 태반 내 교통혈관의 레이저 시술 등이 있다. 본 장에서는 이러한 태아 수술의 적응증과 임산부의 마취관리 및 태아 감시에 대해 기술하고자 한다.

1. 태아 수술 종류

오늘날 영상 기법과 수술 장비 및 기술이 발달하면서 태아 질환을 정확하게 산전에 진단해, 분만하기 전부터 태아에게 적절한 치료를 제공하는 것이 가능해졌다. 그러나 아직까지 태아기에 진단된 대부분의 기형이 산전 시술에 부적합하여, 정상적인 임신기간을 거쳐 출산 후에 교정 및 수술을 하는 것이 태아와 임산부의 안전을 고려하여 선호되고 있다. 심각한 태아 기형은 임신의 즉각적인 중절이 필요할 수 있다(표 23-1). 태아 기형으로 난산이 예상되는 경우에는 제왕절개술을 통해 분만을 해야 하며(표 23-2), 임신을 지속함으로써 점점 진행되는 태아 기형은 조기분만을 통한 교정이나 치료를 고려할 수 있다(표 23-3). 그러나 이 경우에는 미숙아의 위험을 감수해야 한다.

현재 태아의 침습적인 시술이 적용되는 질환은 제한적이며 몇몇 전문 센터에서 시행되고 있다(표 23-4). 태

표 23-1. **선택적 유산으로 치료되고 있는 태아 기형**

무뇌증, 공뇌증, 뇌탈출증, 거대수두증
염색체 이상으로 인한 심각한 기형(예: trisomy 13, trisomy 18)
양측성신장무발생
양측성다낭수신증
불치성유전성대사증후군, 염색체이상 또는 혈액이상(예: Tay-Sachs 병)
치명적인 골이형성증(예: 열성유전불완전골형성증)

표 23-2. **제왕절개술이 필요한 태아 기형**

결합쌍태아
큰 배꼽탈장과 배벽갈림증
큰 뇌수종, 천미추기형종, 림프낭종, 척수막탈출증

표 23-3. 신생아 초기 교정을 위하여 조기분만유도가 필요한 태아 기형

폐쇄성뇌수종, 폐쇄성신수종
양막대증후군
파열된 배꼽탈장 또는 배벽갈림증
장허혈이나 장괴사를 유발한 창자꼬임과 태변장폐색증
태아 수종
자궁내 발육지연
심부전으로 인한 부정맥

아 수술은 자궁 외 생존에 필요한 폐 성숙 발달 전에 태아 사망이나 심각한 장애 또는 불가역적 손상을 일으킬 수 있는 특정한 태아 기형을 치료하기 위한 합리적 치료 방법이다. 태아 수술은 반드시 손상 위치 및 정도에 대한 정확한 진단 후, 선택적 유산의 적응이 되는 동반 기형은 제외한 상태에서, 용인할 수 있는 범위 내의 임산부의 위험, 태아 수술이 분만 후 수술과 비교하여 신생아의 예후에 현저한 개선이 예상되는 경우에만 시행되어야 하며 임산부에게 부당한 위험이 증가되지 않아야 한다. 태아 수술은 최소침습수술, 개방형 태아 수술, 그리고 자궁외분만중시술로 나눌 수 있다.

1) 최소침습수술은 태아영상유도하경피적중재술(fatal image-guided surgery for intervention or therapy, FIGS-IT)과 태아내시경 수술이 있다. 태아내시경 수술은 일반적으로 경피적으로 시행되지만 때때로 미니개복술이 필요할 수 있다. 최소침습수술은 조기진통과 조기분만의 위험이 개방형 태아 수술 보다 적으며 안전하게 질식분만이 가능하다. 그러나 만삭전 조기양막파수의 위험은 현저히 증가한다.

2) 개방형 태아 수술은 임산부의 개복술과 자궁절개술로 시행되며 수술 중 자궁 이완이 필요하다. 개방형 태아 수술은 최소침습수술에 비해 만삭전 조기양막파수(PPROM), 양수과소증, 조기진통과 분만, 자궁파열, 그리고 태아 사망률 등의 위험이 증가한다. 임신 중 비산과적 수술 시 마취와 관련된 위험뿐 아니라 폐부종, 출혈, 막분리, 융모양막염 등도 증가한다. 개방형 태아 수술 후에는 제왕절개술로 분만되며 향후 임신에서 자궁절개 부위에 자궁열개 또는 파열의 위험이 증가된다.

3) 분만 중에 자궁태반유닛에 의한 태아 순환을 유지한 상태에서 태아를 수술하는 방법을 자궁외분만중시술(ex utero intrapartum treatment, EXIT)이라 한다. 이 방법은 임신 초기에 선천성횡격막탈장을 치료하기 위해 자궁내 기도교합을 시행 받았던 태아의 안전한 분만을 위하여 고안되었다. 특히 기도폐쇄를 일으킬 수 있

표 23-4. 자궁내 태아 치료로 좋은 예후를 보이는 질환

자궁내 의학적 치료가 적용되는 태아 질환	태아 수술로 좋은 예후를 보이는 기형
폐계면활성제 결핍 빈혈 내분비의 결핍(갑상선기능저하증, 갑상선종, 선천성부신증식증) 대사장애(B12 의존 메틸말론산혈증, 비오틴 의존성 복합카르복실화 효소 결핍증) 영양결핍(자궁내 발육 지연) 부정맥 줄기세포이식으로 치료 가능한 유전적 결함	양측성폐쇄성신수종, 요관폐쇄증 횡격막탈장 선천성낭성선종양기형 천미추기형종 패쇄성뇌수종 심장기형 완전심정지 신경관결손 골기형 두개안면기형 배꼽탈장 및 배벽갈림증

는 해부학적 기형이 있는 경우에 분만 중 자궁태반순환을 통한 태아 관류와 산소화가 가능한 동안 태아기도를 확보하는데 효과적인 방법이다. 심각한 심폐질환을 동반한 태아에서 EXIT 동안 체외막형산소섭취를 시작할 수 있다.

2. 마취통증 관리

임신 중 시행하는 다른 비산과적 수술에서는 태아가 방관자이지만, 태아 수술에서는 치료의 주체이기 때문에 두 환자의 마취관리가 필요하다. 따라서 임산부와 태아의 안전을 확보하기 위해서는 임산부 관리뿐 아니라 수술과 마취가 태아의 생리적 반응에 미치는 영향, 태아 감시, 태아 진통과 마취방법, 수술 중 마취관리, 그리고 수술 후 임산부와 태아의 관리에 대한 이해가 모두 필수적이다. 태아 수술 동안 적절한 자궁이완과 태아마취가 필요하고 태아 수술 후 조기진통과 조기양막파열, 조기분만 등의 위험에 대한 적절한 감시와 치료가 필요하다.

1) 태아 생리

마취기술의 변화로 임산부의 혈역학을 조정하고 태아의 자궁내 소생술의 조기시작이 수술 중 태아 저산소혈증, 혈역학적 장애, 사망의 위험을 줄일 수 있다. 또한 임산부와 태아에게 투여된 약물의 생리학적 효과와 태아 심혈관계, 신경계, 태반의 생리학적 기능에 대한 상세한 지식이 적정한 태아 케어를 제공한다.

모든 흡입마취제는 태반을 통과하여 빠르게 뇌, 간, 신장 등의 태아 조직으로 분포하게 된다. 태아의 섭취율은 자궁혈류, 태아 혈액 내 흡입마취제의 용해도와 분포에 의해 영향을 받는다. 흡입마취제의 빠른 태반 통과에도 불구하고 흡입마취제의 태아 혈중농도는 일정기간 동안 임산부의 농도보다 낮게 유지된다. 그러나 임산부에 흡입마취제를 투여했을 때 태아에 미치는 효과는 여러 실험연구들에서 일관된 결과를 나타내고 있지 않다. 임산부의 1 MAC 이하의 얕은 마취는 수술과 같은 통증 자극에 의한 태아 반응을 효과적으로 억제시킬 수 없고 태아의 catecholamine을 증가시키고 혈관을 수축시키며, 태아 혈류를 재분포시키므로 바람직하지 않다. 만일 태아에 수술 자극이 가해지지 않는다면 임산부에게 얕은 마취가 가능하지만 태아 수술 시에는 2~3 MAC의 깊은 마취를 제공하는 것이 좋다. Fenton 등에 의하면 태아 양에서 척추마취를 하여 스트레스 반응을 억제시키면, ketamine을 전신적으로 투여하는 것에 비해 수술 동안 태아의 혈역학적 상태를 개선시키고 태아 심폐우회로 이후의 태반 기능을 촉진시킨다고 한다. 그러나 적절한 흡입마취제를 이용한 태아마취가 자궁내 조작에 따른 태아 심혈관계 안정성에 대한 스트레스 반응과 혈류 변화 등에 미치는 복잡한 영향은 잘 알려져 있지 않다. 고농도의 흡입마취제는 태아 심근을 저하시키며 태아 산증을 유발한다. 동물모델에서 흡입마취제 농도는 자궁이완을 유발하며 (> 2 MAC), 모성 심박출량의 현저한 감소와 자궁 관류를 30% 감소시킨다. 동물모델의 모체에 halothane 투여는 태반과 태아 혈관저항이 증가하고 태아 심장 후부하 증가를 유발한다. 개방형 태아 수술과 EXIT 수술의 심장초음파 자료의 후향 분석에서 고농도 desflurane 사용이 중등도–중증 좌심실의 수축 능력저하를 초래한다. 고농도의 흡입마취제 사용이 자궁이완에 유용하나 태아의 적절한 마취가 아닐 수 있다. Remifentanil은 현저하게 태반을 통과하고 태아의 움직임을 방지한다. 일부에서는 개방형 태아 수술과 EXIT 시술에서 remifentanil과 nitroglycerin을 투여하여 흡입마취제 투여를 경감한다. 최근까지 한가지 마취방법이 다른 마취방법과 비교하여 태아와 모성의 예후를 향상시킨다는 증거는 없다.

태아 산소화는 자궁과 제대혈류, 임산부의 동맥산소

함유량, 모체와 태아의 헤모글로빈 농도 등에 영향을 받는다. 또 태아의 산소화 정도는 마취방법에 따라 다른 영향을 받을 수 있다. Ramanathan 등에 의하면 임산부의 산소농도는 태아 제대정맥과 동맥의 산소 농도와 비례한다고 하였다. 태반의 산소 소모가 크고 태반 내 혈류가 고르게 분포하지 않는 이유 때문에 임산부−태아간 산소 농도 차가 크게 나타나므로 고농도의 흡입마취제와 함께 100% 산소를 공급해 주어야 한다.

태아 심박출량은 심박수에 의존적이다. 태아 심근은 성인 심근에 비해 덜 순응적이다. 수액이 투여된 폐는 심실 충만을 제한하고 추가적인 전부하에 반응하는 심박출량의 증가를 제한한다. 임신전반에 걸쳐 정상 태아 심박출량은 425~550 ml/min/kg이다. 임산부의 저혈압, 자궁긴장도의 증가, 임산부의 과호흡과 저탄소혈증 등이 자궁태반혈류 및 제대혈류를 방해한다. 태아 수술 조작은 태아의 심박출량 및 제대혈류에 영향을 주고 그에 따른 혈류의 재분포가 일어나게 된다. 제대 압박이나 태아 하대정맥과 종격의 조작은 태아 순환에 직접 영향을 미친다. 태아 혈액량은 임신 동안 증가하며 태아 혈액량의 약 2/3가 태반에 있다. 임신중기 태아 혈액량은 120~160 ml/kg이며 중기 이후 태아 혈액량은 다음의 계산식으로 추정한다.

추정혈액량(ml) = 11.2 × 재태기간 − 209.4.

정상임신에서 평균 태아 혈색소는 17주에 11 g/dl에서 40주에 15 g/dl까지 선형으로 증가한다.

태아 폐상피는 100 ml/kg/day 이상의 윤활액을 생성하여 폐성장과 발달을 촉진한다. 폐액은 기도에 존재하고 삼켜지기도 하며 양수로 흘러나오기도 한다. 응고인자는 태아 순환에 비의존적으로 생성되며 태반을 통과하지 않는다. 재태기간 동안 응고인자 농도가 증가하지만 조직손상에 반응하는 태아 응고인자형성은 감소한다.

2) 태아 감시

태아 수술 동안 수술적 조작이나 약물적 중재가 태아에게 직접적으로 부정적인 영향을 주거나 자궁태반 또는 태아태반순환과 가스 교환에 변화를 유발하여 간접적으로 영향을 미친다. 따라서 적절한 태아 감시를 시행하여 조기에 중재해야 한다. 태아감시는 심박수, 맥박산소포화도, 초음파와 혈액가스분석, 임산부와 자궁내 온도 등을 포함한다.

(1) 심박수: 태아 심전도는 태아에 표준전극을 부착하고 대조전극은 임산부의 복부에 부착시키는데 두 전극은 모두 임산부의 접지패드에 연결시킨다. 표준 태아 심박수 측정 시 심장박동측정기에 의해 생성되는 신호는 진폭이 매우 낮으며 움직임에 의한 허상에 매우 예민하여 신뢰성이 낮다. 그에 비하여 변형된 절연성심방보측선을 이용한 직접 태아 심전도 장치가 더 믿을만하다. 피복되지 않은 나전선의 원위부 말단은 태아 흉부 피하에 봉합 고정하고 절연체로 피복된 심장박동측정기로 연결되는 3개의 lead로 가는 근위부 말단은 차폐된 동측 케이블에 부착시킨다. 이 때 사용되는 심장박동측정기는 입력신호의 전력에 대한 출력신호의 전력 비율 즉, 이득률을 증가시켜 신호를 증폭시킨 것이다. 또 고정저주파통과여파기와 가변성고주파통과여파기를 추가하여 운동 허상을 충분히 제거하도록 변형시킨 것이다. 이런 변형들은 태아 심전도에서 P파, QRS파 등을 더 정확하게 파악할 수 있게 해준다. 그렇지만 이 방법은 운동 허상들을 완전히 제거할 수는 없고 태아 수술 중에만 감시가 가능하다는 단점도 가지고 있다. 진통을 하는 동안 태아 도플러나 태아 두피전극을 이용하여 태아 심박수를 관찰하여 태아 안녕을 측정하는 방법이 보편적이다. EXIT 시술에서는 태아의 두부가 노출된 후 태아 두피전극 삽입이 태아 심박수 관찰에 성공적으로 이용된다.

(2) 맥박산소계측기: 최근 태아의 발이나 손바닥을 감싸는 비침습적 신생아용 디지털 감지기가 소개되었다. 노출된 태아의 피부에 부착시키는 편평한 감지기는 빛의 투과에 의하기 보다는 반사에 의한 빛을 측정한다. 현재 태아 산소포화도 측정기와 그 탐색자(probe)가 상용화되어 손가락에 끼우는 방법과 함께 사용되고 있다. 임산부가 2~3 MAC 고농도 isoflurane으로 전신마취 시 태아의 산소포화도는 약 75% 정도로 1시간 이상 유지될 수 있는데 이는 태아의 심박출량, 관류압, 그리고 산소화가 임산부의 고농도 흡입마취제에 의한 전신마취 하에서도 잘 유지될 수 있음을 뜻한다. 맥박산소포화도의 예측치는 태아 심박수 감시보다 높은데, 동물실험에서 태아 서맥은 제대압박 등에 의한 태아 곤란 시 산소포화도에 비하여 늦게 나타나는 징후이기 때문이다. 그러나 사람의 태아 수술 시에는 분만 시 진통에서처럼 태아 서맥이 산소포화도의 감소보다 먼저 나타나기도 한다.

(3) 초음파: 간헐적으로 태아 심박동영상, 심근수축력, 심장충만, 제대혈류 상태를 평가할 수 있다. 제대동맥의 이완기혈류가 소실되거나 역전되는 경우 분만기의 이환율과 사망률의 증가와 관련된다. 그러나 초음파 탐침이 수술에 간섭이 될 수 있어 태아 흉부에 지속적으로 거치할 수 없다는 단점이 있다.

(4) 혈액검사: 혈액가스, 산도, 전해질, 혈당 등을 측정하기 위해 모세혈관이나 제대정맥에서 혈액 체취를 한다. 동물 태아 실험모델에서는 카테터를 거치하기 위해 침습적인 방법이 사용되는데 사람의 태아 수술에서는 아직 관례적으로 사용되지는 않는다. 외과적정맥절개를 통한 내경정맥로 확보는 수액과 혈액 공급 및 약물 투여를 위해 선택적으로 시행한다. 머지않아 태반혈관을 천자하여 지속적인 태아 혈압 감시와 혈액가스 분석 그리고 태아 심전도 파형분석을 통한 정보의 수집 등이 가능해질 것이다.

(5) 체온: 자궁내에서 태아는 체온조절이 불가능하며 모성의 체온에 의지한다. 전신마취 유도, 외과적 노출, 그리고 자궁절개술이 태아의 체온을 급격히 감소시킨다. 태아양 연구에서 발열을 통한 열생성이 불가능하며 태아 체온의 감소는 빈맥과 고혈압을 유발한다고 보고되었다. 최소침습수술 동안에 임산부의 체온을 감시하고 강제공기가온으로 임산부를 정상체온으로 유지하는 것이 태아의 안녕을 향상시킨다. 개방형 태아 수술에서 따뜻한 수액을 자궁내로 관류하고 모성의 중심체온과 양수체온 모두를 감시하는 것이 중요하다.

(6) 기타

또한 태아 뇌파감시, 태아 동맥혈산소포화도, PO_2 및 PCO_2의 지속적 감시, 근적외선 분광기를 이용한 혈액용적과 혈류의 감시를 위한 새로운 상비들이 개발되고 있다.

3) 태아 마취 및 진통

아직까지 태아가 통증을 인지하는 시기와 치료되지 않은 태아 통증과 스트레스 반응의 영향은 논란이 있다. 태아 마취 시 가장 강조해야 할 점은 태아 움직임을 방지하고 순환기계의 스트레스 반응을 억제하며 적절한 진통과 기억상실의 확보이다.

(1) 통증감각 발달: 압력, 체온, 진동을 인지하는 감각 신경말단은 재태 6~10주에 발달한다. 재태 10~17주에 피부의 감각침해신경이 발달하며, 태아는 약 재태 18주부터 침습적 자극에 대해 뇌하수체−부신, 교감신경계, 순환계 스트레스 반응을 보인다(catecholamines, growth hormone, glucagon, cortisol, aldosterone 등의 증가, insulin 저하). 이런 스트레스 반응은 척수, 뇌간, 기저핵에서 유발되며 대뇌피질의 인식이 관련이 없기 때문에 태아가 통증을 느낀다고 판단할 수는 없다. 태아는 재태 19주에 대뇌피질의 통증인지와 무관하게 유해자극으로부터 회피하는 반응을 보인다. 태아는 대뇌피질이 발달해서 광범위한 신경망이 나타나는 재태 24주 전까지는 통증을 인지하지 못한다.

신생아에서 마취하지 않은 상태에서의 포경수술이 6개월 후의 영아의 통증 반응을 증가시키고, 동물실험에서 태아기의 스트레스가 어린 원숭이의 호르몬 활성화에 영향을 준다는 보고가 있다. 태아기의 통증은 신경계 발달에 장기적으로 영향을 줄 수 있으며, 이는 적절한 태아 마취를 통해 예방하거나 최소화시킬 수 있을 것으로 본다. 태아와 신생아의 행동에 대한 임상 관찰, 통증지각의 발달 메커니즘에 대한 정보, 통증자극에 대한 태아와 신생아 반응에 대한 연구를 종합해 볼 때, 24~26주 이후의 태아에게 적절한 마취를 제공하는 것에 대한 생리적, 철학적 근거가 명확해지고 있다. 또한 태아 수술을 위해 전신마취에 노출된 태아가 신생아 또는 소아기에 마취에 노출되거나 또는 임신 중 비산과적 수술을 시행 받은 임산부의 태아에 비하여 더 위험하다는 증거는 아직 없으므로 태아 수술 시 적절한 마취를 제공하는 것이 하지 않은 것보다 좋다.

(2) 태아 마취: 임산부를 통한 흡입마취제의 태반전달로 적절한 태아 마취를 제공할 수 있다. 흡입마취제는 임산부의 흡입마취농도, 마취제 투여기간, 태아 농도, 태아-모체 비율 등에 따라 태반을 통과한다. 개방형 태아 수술과 제왕절개술 중 마취심도에 대한 인간 연구에서 isoflurane과 halothane의 태아-모체 비율은 0.7이다. Desflurane과 sevoflurane의 태반 통과는 유사하나 인간 태아-모체비율의 자료는 아직까지 유효하지 않다. 아산화질소는 투여 3분 후 태아-모체 비율이 0.83이다. 아편유사제와 benzodiazepine은 임산부에게 정맥 투여에 의해서 태아에게 전달되거나 초음파유도하에서 태아에게 직접적 근주 또는 제대혈관에 투여한다. 대부분의 침습적 시술은 시술전에 fentanyl 10~20 μg/kg를 태아 근주하며 태아 서맥을 방지하기위해 atropine 20 μg/kg을 예방적으로 투여하기도 한다. 태아의 움직임은 근이완제(pancuronium 0.3 mg/kg 근주, 0.25 mg/kg 정주)를 투여하여 제어할 수 있다. 태아 이완의 발현은 약물에 따라 다르지만 대부분 2~5분에 발생하여

1~2시간동안 유지된다. 태아에게 직접 약물을 주입할 경우에는 아편유사제, 항콜린성약물, 근이완제 등 필요에 따라 선별하여 혼합한 후 한꺼번에 투여한다.

신생아 뇌의 발달에 마취제가 영향을 주어 조직학적 변화가 발생할 수 있고 학습과 기억의 결함이 발생할 수 있다. 현재 신생아와 태아에서 마취제에 노출된 경우 뇌 기능에 대한 장기적인 영향은 논란이 있다. 또한 자궁내 노출(태아 수술을 위한 마취, 임신 중 비산과적 수술을 받은 태아)이 출산 후 노출(신생아 또는 소아기에 마취)에 비하여 더 위험하다는 증거도 아직 없다.

지속적인 태아 서맥, 산소포화도 감소, 제대동맥 혈류의 변화가 태아 수술 중 발생하면, 즉각적으로 다음의 조치가 시행되어야 한다. 자궁관류를 향상시키고 자궁태반 접촉이 온전한지 확인하고 제대 및 태반의 압박을 완화해야 한다. 태아가 독자생존이 가능한 재태기간이라면 자궁외 태아소생술이 시도될 수 있다.

4) 최소침습수술과 경피적수술 시 마취통증관리

양수천자, 탯줄천자, 자궁내 수혈 등 최소침습수술은 복부에 국소마취제를 침윤하고 감시하마취관리를 시행한다. 그러나 태아 수술 중 전신마취로 전환 가능성을 고려하여 임산부는 충분히 금식시키고 정맥로를 확보하고 폐흡인을 예방하기 위해 마취 전 처치제를 투여하며 전신마취에 준하는 감시장치를 준비하여 응급제왕절개술에 대비해야 한다. 임산부의 진정과 진통을 위해 아편유사제나 벤조다이아제핀, 다른 마취약제를 투여하고 의식하 진정을 시행하는 경우에는 산소를 투여한다. 깊은 진정은 폐흡인과 호흡부전을 일으킬 위험이 있다. 태아 내시경시술, 다부위 삽입 시, 임산부의 부동성이 확보되어야 하는 경우, 작은 개복술이 시행되는 경우 등에서 척추마취가 선호된다. 또한 태반의 위치에 따라 자궁 일부를 몸 밖으로 노출시켜 수술하는 경우에는 적절한 외과적 상태를 제공하고 임산부를 편안하게 해주기 위해

전신마취가 선호된다. 따라서 마취종류의 선택은 시술과정에 대한 정확한 의논을 거쳐 결정되어야 한다.

임산부의 수액투여는 일반적인 수술중 표준투여량에 의해 결정되며 양막 내 자궁세척을 위한 수액주입은 임산부의 폐부종을 유발할 수 있어 제한되어야 한다.

태아의 진정 및 진통을 위해 아편유사제나 벤조다이아제핀을 임산부에게 투여하여 태반을 통해 공급해 준다. 태반을 통한 아편유사제와 벤조다이아제핀 투여가 태아의 움직임을 완전히 없앨 수 없기 때문에 수술 중에 태아가 갑자기 움직이게 되면 바늘이나 카테터에 의한 조직 손상 또는 출혈로 인해 태아 순환에 문제가 발생할 수 있다. 태아의 움직임은 태아에게 근이완제를 직접 근주하거나 제대정맥을 통하여 투여함으로써 안전하게 방지할 수 있다. 태아의 근이완은 투여 후 약 2분 후에 나타나며 1~2시간 정도 유지가 가능하다. Remifentanil (0.1 μg/kg/min)투여가 태아 움직임 감소를 유도할 수 있다.

태아 심폐소생약물(atropine 20 μg/kg, epinephrine 10 μg/kg)을 무균적으로 준비하여 필요 시에 즉각적으로 투여할 수 있도록 한다. 일시적인 태아 서맥이 발생하는 경우 태아태반관류를 확인해보고 atropine을 투여한다. 지속적인 태아 서맥은 탯줄천자 등 제대 손상이 원인일 수 있다. 제대정맥보다는 제대동맥 천자 시에 더 흔하며 제대 손상에 따른 태아 서맥의 위험성은 재태 기간에 비례하여 증가한다. 만일 태아의 자궁 외 생존능력이 충분하다면, 지속적인 태아 서맥은 응급 제왕절개술의 적응증이 된다. 그러므로 응급제왕절개술이 결정되면 출산 후 신생아 처치(신생아 심폐소생술 포함)를 준비시켜야 한다.

5) 개방형 태아 수술 시 마취통증관리

개방형 수술 시에는 충분한 자궁이완을 제공하고 태아와 임산부를 적절히 마취하기 위하여 고농도의 흡입마취제(≥ 2MAC)를 투여한다. 최소침습수술과 다르게 충분한 자궁이완과 태아감시, 태아 수술 자극에 따른 혈역학적 감시, 태아에게 직접 약물투여 등이 필요할 수 있다. 임산부와 태아의 실혈에 대비한 수혈을 준비하고 임산부와 태아의 심폐소생술 및 응급 분만을 대비한다.

술 전에 임산부는 폐흡인 방지를 위한 전처치약물을 경구투여하고 자궁수축완화제인 indomethacin을 직장 내 투여하고 경막외 카테터를 거치해 준다. 자궁은 왼쪽으로 쏠리도록 위치시키고 폐를 탈질소화시킨 다음, 신속 기관내삽관법으로 전신마취를 유도한다. 충분한 정맥로를 확보하고, 태위와 태반의 위치를 확인하기 위해 초음파검사를 시행한다. 태아 마취, 근이완 및 심폐소생술을 위한 약물들을(fentanyl 25 mg/kg, vecuronium 0.2 mg/kg, pancuronium 0.25 mg/kg, atropine 0.02 mg/kg, epinephrine 1 μg/kg, crystalloid 10 ml/kg) 필요 시에 외과의가 투여할 수 있도록 무균적인 방법으로 준비한다. 임산부의 수혈을 위한 교차시험된 혈액을 준비하고 태아 출혈이 예측되는 수술의 경우 태아의 수혈을 위해(O(−), CMV(−), 방사선조사, 백혈구제거, 임산부 교차시험된) 혈액을 준비한다.

임산부의 피부 절개가 시작되기 전에 흡입마취제 농도를 2~3 MAC으로 증가시킨다. 모든 종류의 흡입마취제가 안전하게 사용 가능하다. 임산부의 혈압은 적절히 유지되어야 하며(평균동맥압을 65 mmHg, 기준수치 10% 이내) 필요 시에 ephedrine을 투여한다. 태아 감시는 초음파를 이용한 태아 심박수, 맥박산소포화도, 심장 초음파를 이용한 심실 크기와 수축력 평가, 태아 심전도 등이 사용된다. 자궁절개 전에 시진과 촉진을 이용하여 자궁의 수축과 긴장도를 평가하고 흡입마취제 농도를 증가시켜 완전히 이완된 것을 확인해야 한다. 자궁절개는 가능하면 태반에서 떨어진 위치에 시행하고 봉합장치를 이용하면 출혈을 방지하고 자궁내막에 양막을 잘 봉합시킬 수 있다. 만일 자궁절개 후 자궁의 긴장도가 증가하면 nitroglycerin 50~200 mcg을 정주한다. 초음파

유도 하에 fentanyl과 vecuronium을 태아에 근주한다. 수술이 진행되는 동안 태아와 자궁을 따뜻한 액체에 담아 온도와 수분을 조절한다.

태아 수술이 끝나고 자궁을 봉합하기 시작하면 magnesium sulfate 4~6 g을 정주하고 1~2 g/hr 지속 주입하여 자궁이완을 유지하면서 흡입마취제를 중지하고 fentanyl과 아산화질소를 투여한다. 이때 미리 거치한 경막외카테터를 통해 술후 통증관리를 시작한다. 이 방법은 흡입마취제를 제거해 주는 시간을 제공하고, 양수로 가득 찬 압축된 자궁 보존을 위태롭게 할 수 있는 기침반응 없이 부드럽게 환자를 깨우고 기관내튜브를 발관할 수 있게 해주며, 효과적인 술후 통증관리를 제공해 주는 장점이 있다.

술중 임산부의 수액투여는 매우 제한되는데, 이는 수액의 과부하 없이도 자주 나타나는 폐부종의 위험을 줄이기 위해서이다. 개방형 태아 수술 시 마취와 자궁이완을 위한 다른 마취방법으로는 아산화질소, fentanyl 그리고 낮은 농도의 흡입마취제를 사용하여 마취를 유지시키면서 자궁이완은 고용량의 nitroglycerin 20 μg/min을 지속주입하는 방법이 있다. 이때는 정상 중심정맥압을 유지하도록 수액을 투여하고 nitroglycerin에 의한 저혈압을 조절하기 위하여 ephedrine을 사용한다. 태아는 fentanyl 근주하여 마취를 유지한다. 이 마취방법은 비교적 성공적으로 시행할 수 있으나 임산부와 태아의 이병률을 오히려 증가시키는 경향이 있다. 자궁이완을 위해 투여한 nitroglycerin은 임산부의 비정수성 폐부종의 원인이 되는데 peroxynitrite라는 대사산물에 의한 것으로 알려져 있다. 또한 nitroglycerin은 태아의 뇌혈류에 영향을 주어 뇌실주위 출혈 또는 경색을 유발시킬 수 있다. 즉 자궁이완제는 태반을 통과하여 태아의 혈관 긴장도에 문제를 일으켜서 태아에게 나쁜 영향을 줄 수 있다. 그러므로 대부분의 경우에는 이 마취방법이 선호되지 않으나 악성고열증의 위험이 있는 환자에서 선택적으로 사용 가능하다.

마취 과정에서 태아의 생존에 절대적인 자궁태반혈류순환이 쉽게 영향을 받을 수 있다. 태반의 융모간장관류는 임산부의 저혈압 때문에 감소되는데 이는 경막외마취나 척추마취 시 그리고 임산부가 앙와위에서 대동정맥압박을 받는 경우 그리고 출혈의 결과로 나타날 수 있다. 그러나 임산부의 저혈압을 교정하기 위해 α-아드레날린성 약물을 사용하거나 ketamine(1 mg/kg 이상)을 사용하면 자궁의 긴장도를 증가시켜 태아를 위험에 빠트릴 수 있다. 심한 과호흡도 역시 자궁혈류 감소를 초래한다. 동물실험에 의하면 epinephrine과 norepinephrine 투여는 자궁혈류를 감소시켜 태아의 상태를 악화시킨다. 임산부의 극심한 고통이나 공포 또한 이와 유사한 변화를 초래할 수 있다.

임산부의 혈역학적 허탈이 발생하여 심폐소생술이 4분 이상 지속됐음에도 회복되지 않으면, 태아는 응급으로 분만해야 한다. 이때 태아 분만이 대동맥하대정맥 압박을 완화하고 임산부 소생술의 효과를 향상시키고 임산부 생존기회를 증가시킨다. 신생아 심폐소생술팀과 신생아 전문의도 준비시킨다.

6) EXIT (Exutero intrupartum treatment) 시술을 위한 마취통증관리

EXIT 시술은 태반을 통한 산소화와 조직관류가 유지되는 동안 태아의 수술과 출생 후 생존에 필요한 중재를 시행하는 것이다. EXIT는 경추 종양, 두개안면기형, 폐 종양, 선천성상부기도폐쇄, ECMO 삽입, 선천성횡격막탈장 등을 동반한 태아에서 성공적으로 시행되었다(표 23-5).

EXIT 시술을 위한 마취의 목표는 태아 수술 동안 자궁을 이완된 상태로 유지하고 태반 분리를 지연시켜 태반-태아 관류를 유지하는 것이다. 기본적으로 제왕절개술 마취를 변형한 형태로 전신마취와 경막외마취를 병용하여 시행한다. 그러나 태아가 마취되지 않으면서 자궁

표 23-5. EXIT (exutero intrapartum treatment) 시술로 분만 가능한 태아 기형

경추 종양(기형종, 갑상선종, 림프낭종, 혈관종, 낭종성임파관종, 신경아세포종)
두경부기형(심각한 소악증, 심각한 하악후퇴증)
폐 종양(기관지폐격리증, 선천성낭성선종양기형, 종격동종양, 임파관종, 기형종)
선천성상위기도폐색증(후두폐쇄증/협착증, 기도폐쇄증/협착증)
즉각적인 체외막형산소섭취(extracorporeal membrane oxygenation, ECMO) 시술을 필요로 하는 경우(심방중격이 온전한/제한된 대동맥협착, 중증 폐질환 동반한 선천성횡격막탈장, 온전한/제한된 심방중격이 있는 좌심장형성부전증)
선천성횡격막탈장 치료위해 기도폐쇄 장치를 제거하기 위함
결합쌍태아

절개에서 분만까지의 시간을 최소화해야 하는 제왕절개술 마취와 달리, 충분한 자궁이완과 수술 조작에 필요한 적절한 태아 마취와 산소화를 목표로 한다.

(1) EXIT 시술 준비

EXIT 시행 전에 다학제팀의 충분한 협의가 있어야 하며, 태아 감시, 태아 기도유지기, 심폐소생약물 & 장비(모체, 태아, 그리고 신생아), 분만 후 관리에 필요한 장비 등이 모두 수술실에 준비되어야 한다. 태아 초음파, 맥박산소포화도측정기, 호기말이산화탄소 장비가 태아 감시를 위해 준비되어야 하며, 태아 기도 확보를 위한 다양한 크기의 기관내튜브, 신생아 & 미숙아 크기 후두경, 멸균된 호흡회로와 멸균 지혈대, 정맥 카테터, 수액 & 혈액(O(−), CMV(−), 백혈구 제거, 모체 교차 시험 시행된)을 준비한다. 임산부는 경막외 카테터를 수술 후 진통을 위해 삽입하고 큰 정맥로를 확보하고 동맥압 모니터 등 침습적 모니터와 교차시험된 혈액을 준비한다.

(2) 태아분만 전 마취: 마취유도는 전신마취 하 제왕절개술과 같이 빠른 마취유도를 시행하여 기관내삽관한다(빠른연속마취유도: Rapid sequence induction). 태아 수술이 진행되는 동안 고농도의 흡입마취제(≥ 2 MAC)를 100% 산소와 함께 투여하여

자궁을 충분히 이완시키고 자궁이완이 부족한 경우 nitroglycerin(50~200 µg, 1~10 µg/kg/min)을 투여한다. 척추마취를 시행하는 경우 remifentanil(0.1 µg/kg/min)을 지속 주입하여 태아의 움직임의 감소를 기대할 수 있다. 태아 관류를 유지할 수 있도록 임산부의 혈압 관리가 필요하다. 자궁절개 전에 초음파를 이용하여 제대혈류를 확인하고 심장초음파로 태아를 감시한다. 자궁이 충분히 이완되면 봉합장치를 이용한 자궁절개를 한다. 자궁절개술 후에는 태아 손에 맥박산소측정기를 부착한다. 따뜻한 수액으로 자궁내를 관류하여 태아 체온을 유지하고 태반 분리와 제대 경련을 방지한다. EXIT 시술의 기간은 수분(기관삽관)에서 수시간(흉강 내 종양 적출, 경추 종양 절개, ECMO 삽입)까지 다양하며 2.5시간 동안 태아의 산소화와 산염기 상태를 정상으로 유지한 예도 있다.

(3) 태아 마취: 태반을 통과한 흡입마취제를 통해 마취가 유지되며 아편유사제(fentanyl 5~15 µg/kg, morphine 0.1 mg/kg)와 근이완제(rocuronium 1~3 mg/kg, pancuronium 0.1~0.3 mg/kg)를 근주한다. 태아 서맥이 발생하면 atropine 20 µg/kg 근주한다. 태아 마취제는 자궁절개전에 초음파유도하에 근주할 수 있다. 체중에 근거한 atropine, epinephrine, calcium, crystalloid 등이 멸균적으로 준비되어 응급 태아 심폐

소생술 시 투여될 수 있도록 한다. 기관내삽관을 시행하는 태아는 머리와 어깨를 부분적으로 자궁 밖으로 배출시키고, 태아 개흉술과 같이 광범위한 수술인 경우 태아를 완전히 배출시켜 모체의 흉부 또는 복부에 올려놓는다. 제대는 마르지 않도록 따뜻한 수액에 담근 상태에서 태아태반순환을 적절히 유지시키도록 한다. 태아는 수술 동안 맥박산소포화도, 초음파검사, 직접적인 시진을 통해 간헐적으로 또는 지속적으로 감시해야 하며 태아 수술이 끝나면 기관내삽관을 하고 태아의 폐를 환기시킨다. 태아 폐환기 전에는 산소포화도는 40~70%이고, 폐환기 시작 후에는 산소포화도가 90% 이상으로 증가한다. 만일 태아가 환기 시작한 후에도 산소포화도가 증가하지 않는다면 제대결찰과 태아분만 전에 ECMO 시작을 고려해야 한다. 호기말 이산화탄소 측정은 기관내튜브의 확인에 도움이 된다. 폐 계면활성제를 기관내삽관하여 투여하기도 한다.

(4) 태아분만 후 마취: 제대결찰 후 자궁이완은 더 이상 필요하지 않으며 일반적인 전신마취하 제왕절개술 마취와 같이 유지한다. 흡입마취제와 nitroglycerin을 중단하고 자궁수축을 유도한다. 흡입마취제 농도를 충분히 낮추거나 중지시키고, 70% 아산화질소와 아편유사제를 투여하고, 경막외 카테터를 통하여 국소마취제와 아편유사제를 투여한다. oxytocin을 투여하여 자궁을 수축시키고 과환기시켜 호기말 흡입마취제의 농도를 빠르게 감소시킨다. 이 방법은 자궁목무력증이나 과다출혈 등의 부작용 없이 대부분 성공적으로 시행되고 있다.

7) 태아 수술 후 관리

(1) 자궁수축완화치료

자궁은 자극이나 조작에 매우 민감한 두꺼운 근육층으로 되어있다. 자궁절개와 수술 조작은 강한 자궁수축을 유발시키는데 태아 수술 후 유산의 주원인이 된다. 자궁수축은 자궁혈류를 억제시키고 부분적으로 태반을 박리시키는데 태아 수술은 항상 조기진통의 위험을 수반한다고 할 수 있다. 실제로 최소 절개술을 이용한 태아 수술에서 큰 자궁절개에 의한 개방형 수술에서 보다 조기진통의 빈도가 적고 또 치료에 쉽게 반응하는 것이 보고되었다.

최소침습수술(제대천자술, 자궁내 수혈)은 자궁수축 완화제 투여가 대부분 필요 없다. 경피적중재술(션트 삽입술, 내시경수술)은 수술 전에 예방적인 자궁수축완화제(indomethacin)를 투여한다. 개방형 태아 수술 후에는 조기 자궁수축이 호발하며 지속적인 자궁 감시가 2~3일간 필요하다. 개방형 태아 수술 중 magnesium sulfate를 지속 주입하고 수술 후 24시간 이상 유지한다.

자궁수축은 예방이 가장 이상적이긴 하나 일단 발생하면 즉각 치료되어야 한다. 자궁이완제는 여러 종류가 있는데 술 전 indomethacin, 술 중 흡입마취제와 magnesium sulfate, 그리고 술 후 β-아드레날린성 약제, indomethacin, 칼슘차단제 등이 있다. 최근 연구에 의하면 흡입마취제는 칼슘 민감성 칼륨-통로 변형을 통해 근수축을 억제시킨다고 한다. Magnesium sulfate은 칼슘 통로에서 칼슘과 경쟁적으로 반응하고 indomethacin은 prostaglandin의 합성을 억제하고 β-아드레날린성 약제는 자궁에 직접 작용하여 adenylate cyclase를 활성화시켜 세포 내 칼슘 농도를 감소시킨다.

(2) 술후 진통

최소침습수술은 경구 아편유사제로 진통이 충분하다. 개방형 수술의 경우 수일간 경막외 진통이 필요하며 정맥 아편유사제를 이용한 자가통증조절법도 시행된다. 아편유사제 투여는 태아 심박수다양성을 감소시킬 수 있어 태아 심박수 감시에 어려움이 있다. 부적절한 통증조절은 혈중 oxytocin을 증가시켜 조기진통의 위험이 증가된다.

(3) 태아 및 임산부감시

수술 후 태아는 간헐적 초음파, 지속적인 태아 심박수 감시를 시행한다. 감시가 필요한 기간은 재태기간, 태아 상태, 태아가사에 따라 결정한다. 태아는 감염, 심부전, 두개강내 출혈, 태아 사망 등의 위험성이 있다. 임산부의 폐부종이 의심되는 경우 흉부방사선촬영을 시행하고 기도삽관, 기계환기, 혈역학적 감시, 산소투여, 앙와위 자세, 이뇨제 투여 등을 고려하여야 한다.

(4) 진행중인 태아평가

개방형 태아 수술 임산부는 만삭 전 조기양막파열, 조기진통, 감염, 자궁파열의 고위험군이다. 시술 후 수주간 태아의 안녕과 성장, 임신의 안정성 등을 지속적으로 평가해야 한다. 조기분만 가능성이 있으므로 태아 폐성숙을 촉진하는 steroid 투여가 고려될 수 있다. 개방형 수술 후에는 대부분 재태 37주에 계획된 제왕절개술 분만을 시행하나 조기진통이 발생하면 더 빨리 분만이 이루어진다. 자궁절개는 자궁 파열 기회를 증가시키고 응급 제왕절개술의 가능성을 높인다.

3. 태아 수술의 적응증

1) 양측신수종, 폐쇄성요병증

선천성폐쇄성요로병증은 1000건 임신 중 1건으로 발생한다. 폐쇄 부위가 요로이거나 양측요관인 경우 신이형성증과 폐형성부전 같은 심각한 장애를 초래한다. 이런 경우 주산기 사망률은 90%에 이르며 생존한 태아의 50%에서 신기능 장애가 발생한다. 폐쇄 부위, 기간, 성별, 발생시 재태 연령 등이 사망률에 영향을 준다.

미숙아 상태로 분만하여 자궁 밖에서 요도를 감압시키는 방법이 있지만 불완전한 태아의 폐성숙 때문에 제한적으로 시행된다.

(1) **방광양막강션트술:** 자궁내 태아 방광양막강션트술은 태아 방광내의 소변을 양막강내로 배출시켜 요도를 감압시키고 태아 신장 발육을 촉진시켜준다. 또한 정상적인 요류와 양수 용적을 회복시킴으로써 양수과소증으로 인한 폐형성부전과 제대압박의 부작용을 방지하여 폐 발달을 지속시킬 수 있다. 션트는 국소마취 상태에서 초음파유도하에 경피적으로 삽입한다. 션트의 한쪽은 방광 내에 다른쪽은 양막강 내에 위치시킨다. 이 시술의 흔한 문제점은 션트 거치의 어려움, 폐쇄, 위치 이동 등이다. 태아 합병증은 외상, 의인적 복벽 손상, 배벽갈림증(gastroschisis), 양수복강누출(amnioperitoneal leaking)등이며 모성의 합병증은 만삭전 조기양막파열, 조기진통과 분만, 그리고 감염이다. 태아 방광양막강션트술의 생존율은 40~90%이며, 이 중 50%에서 정상 신기능을 가진다고 보고되고 있다.

(2) **방광내시경수술:** 최근에는 태아 방광내시경을 이용해 태아 요도를 확인하여 산전 진단과 요도 폐쇄를 제거하는 치료가 가능해졌다. 방광내시경 이용으로 요도 폐쇄와 후방 요도 판막에 대한 초음파를 이용한 진단의 25~36%에서 진단이 달라졌다. 방광내시경을 이용한 후방요도판막 고주파 레이저 치료는 기대요법과 비교하여 생존율을 증가시켰으나, 아직 방광양막 션트술에 비해 생존율의 증가를 보이진 않았다. 핵형, 추가적인 기형의 유무, 태아 요분석으로 폐쇄의 중증도를 결정하고 자궁 내 치료 대상을 선별하고 예후를 예측할 수 있다. 조기에 발현된 경우 중증 양수감소증, 태아 소변 내 전해질, 삼투압, 단백, 그리고 $\beta2$-마이크로글로블린 농도 증가 등이 나쁜 예후 인자이다.

2) 선천성횡격막탈장

선천성횡격막탈장의 빈도는 신생아 2500명당 1명이다. 임신 초기에 복강내 장기들이 흉강으로 탈장되는 경우 태아의 폐를 압박하고 폐형성 부전, 호흡 부전, 폐 고혈압으로 신생아 유병률과 사망률을 증가시킨다. 폐계면활성제 투여, 폐 손상을 최소화하는 특화된 환기기술, 수술적 결손 봉합, ECMO 적용 등의 치료를 적용한 경우 3차 의료기관의 생존률은 60~92%이다. 폐 고혈압의 정도와 호흡 기능장애 정도가 사망률에 영향을 주며 선천성횡격막탈장의 태아 치료의 목적은 태아 폐 발달을 향상시키고 폐 형성부전의 이환을 방지하는 것이다.

(1) 개방형 수술: 선천성횡격막탈장의 동물모델의 자궁내 치료가 폐 실질의 형성 부전과 폐혈관의 변화를 역전할 수 있음이 밝혀졌다. 태아 복부붙임판을 이용한 초기 개방형 수술은 태아 복부를 확장하여 정맥관혈류장애와 복압 증가 없이 복부에 내장을 수용시킬 수 있다. 그러나 간이 탈장되어 있는 경우 탈장된 간을 교정하면 제대 순환이 원활하지 않게 되어 사망에 이르기도 한다. 늑골하 절개술과 개흉술을 병행하면 내장을 복강내로 복구시키는데 용이하고 인공부착포를 이용한 횡격막을 재건하기 쉽다. 그러나 간의 흉강내 탈장이 없는 선천성횡격막탈장에서 개방형 수술이 출생 후 교정에 비하여 생존율을 증가시키지 못한다는 전향적 연구 결과도 있다.

(2) 개방형기관폐쇄법: 선천성횡격막탈장과 동반되는 폐형성저하의 교정을 목적으로 시행된다. 태아의 폐는 100 ml/kg/day의 폐액을 생성하는데 기관이 폐쇄되면 폐액이 축적되면서 증가된 압력이 저형성 폐를 팽창시키고 탈장된 장기를 흉강 밖으로 밀어내며 이는 폐성장과 발달을 유도한다. 성장유도폐마개효과(plug the lung until it grow, PLUG)라고 부른다. 처음에는 기관폐쇄를 위하여 개방형 수술을 통해 발포제(foam plug)를 기관에 거치하였으나 이는 기관을 완전히 폐쇄시키지 못하였다. 후에 금속성헤모클립을 기관주위에 거치하였다. 그러나 개방형기관폐쇄법은 생존율이 낮아 출산 후 치료하는 방법에 비해 이점이 없었다.

(3) 최소침습기관폐쇄법: 태아 내시경을 이용하여 cuff, plug, valve, balloon으로 기도폐쇄술을 시행

한다. 최근에는 경피적 내시경 기관삽입으로 분리 가능한 풍선을 태아기도에 거치시킨다. 초기에는 출생 시까지 이 풍선을 남겨두었으나 최근에는 풍선을 만삭 전에 제거하는 것이 II형 폐포세포 기능을 향상시키고 폐계면활성제 생성 증가, 그리고 질식분만 등을 가능하게 하여 이차적인 태아 내시경 수술로 제거한다.

(4) 예후와 치료 지침: 초음파를 이용하여 태아 폐 영역-두위 비율(Lung area to head circumference ratio, LHR), 흉강내 간탈장 유무 등이 예후를 결정한다. 흉강내 간탈장과 횡격막탈장을 가진 태아를 출생 후에 치료하는 경우 LHR<0.7인 경우 생존율은 0%이고, LHR≥1.4 인 경우 72.7%이다. LHR이 재태 연령에 따라 기하급수적으로 증가하기 때문에 28주 이전에는 유용성이 낮다. 따라서 측정-예측 LHR (observed-to-expected LHR, o/e LHR)을 사용해야 하며 최근에는 폐용적을 측정하는데 태아 MRI를 이용한다. 최근 단일기관, 무작위 대조군 연구에서 LHR< 1.0이며 간 탈장을 동반한 태아에서 26~30주에 태아 내시경기도폐쇄술 시행, 38주 EXIT 시술하에 풍선 제거술을 적용하여 생존율을 유의하게 증가시킴을 보고하였다(52.6% vs 5.3%). 또한 다기관 무작위 연구가 진행되고 있다 (Tracheal Occlusion to Accelerate Lung growth trail, TOTAL, http://www.totaltrial.eu). 이는 출산후 치료와 중등도 폐 저형성증 태아에게 지연(재태 30~32주) 태아 내시경기관폐쇄술 적용과 중증 폐저형성증 태아에게 초기(재태 27~30주)에 태아 내시경기관폐쇄술을 적용한 경우를 비교한다. 이 연구는 o/e LHR criteria를 적용하고 재태 34주에 풍선폐쇄를 제거하였다.

(5) 마취관리: 최소침습적 태아내시경수술을 하는 경우 모체는 국소 또는 척추마취 시행하고 태아는 근주를 통해 마취한다. 기도폐쇄술을 받은 태아가 풍선을 분만 시까지 유지하는 경우 EXIT 방법을 이용하여 분만 동안 기관내 풍선제거술을 시행한다. 풍선이 제거되기

전까지 태아는 폐가 아니라 태반을 통한 가스교환 및 조직관류가 유지되며 태반우회로를 통해 수술 동안 기도를 안전한 상태로 확보할 수 있게 된다. EXIT 상태에서 외과의는 태아 기관지경을 이용하여 풍선에 구멍을 뚫고 기관으로부터 회수한 다음 곧바로 기관내삽관을 하여 필요에 따라 폐계면활성제를 투여한다. 폐를 산소로 환기시켜 태아의 산소포화도가 증가하는 것을 확인한 후 탯줄을 결찰하고 완전히 분만시키게 된다.

3) 선천성낭성선종양기형

선천성낭성선종양기형은 임신 25,000명 중 1명으로 발생한다. 양성비기능성폐종양으로 비교적 작은 병변은 대부분 출생 후 외과적 폐엽절제술로 치료한다. 큰 병변은 대 혈관 압박, 심장압박, 종격전위, 폐 저형성증과 태아수종을 일으키고 신생아 생존을 위협하게 된다. 초음파를 이용한 선천성낭성선종양기형의 크기와 태아 두위의 비(Congenital cystic adenomatoid malformation volume ratio, CVR)가 태아수종을 예측하고 출산 후 예후를 예측하는데 이용된다. 종양의 크기[(길이×높이×폭×0.52)/태아두위]가 0.56 미만이면 출생 후 위험성이 없으나 0.56 이상이면 33%에서 심각한 결과를 보였다. 또한 1.6 이상이면 태아수종의 고위험군이다.

(1) 치료법: 거대낭종의 경우 낭종과 양막강 사이에 션트 카테터를 거치하여 지속적인 감압을 유도하여 수종을 완화시킨 후 출생 후 최종 수술을 시행한다. 낭종이 서로 교통하지 않거나 션트의 기능장애 및 이동 등이 발생하여 션트가 효과가 없는 경우도 있으며 태아 출혈이나 융모양막염이 발생할 수 있다. 션트가 효과적이지 않은 경우 개방형 태아 폐엽절제술을 시행할 수 있다. 폐엽절제술은 수종을 치료하고 폐 성장을 촉진시킨다. 큰 낭종(CVR 1.9~3.6)을 가진 태아에서 EXIT 시술 하에 태아 흉곽절개술, 종양절제술, 출생 전 기도 확보 등이 성공적으로 시행되었다.

(2) 마취관리: 태아는 초음파유도하에 진통제와 근이완제를 근주하여 마취하며, 폐엽절제술을 시행하는 경우 출혈 위험과 태아 심폐소생술에 대한 준비도 필요하다. 임산부에게 베타메타손 투여가 태아수종을 치료하고 태아 예후를 향상시킬 수 있다. 소낭성 선종에서 베타메타손 투여가 개방형 태아 수술보다 생존율을 증가시켰다는 보고도 있다.

4) 천미부기형종

천미부기형종은 출생 27,000~40,000명 중 1명에서 발생한다. 큰 종양은 기능적으로 동정맥루로 작용하여 고박출성 심부전을 발생시킨다. 태아의 사망률은 16~63%로 다양하게 보고되고 있다. 큰 천미부기형종은 거대태반, 양수과다증, 태아수종 등을 유발하고 자궁내사망에 이르기도 한다. 또한 분만중 난산, 종양 파열과 출혈, 요폐쇄의 고위험이며 제왕절개술이 필요하다.

(1) 치료법: 30주 이전에 진단되거나 빠르게 성장하는 종양은 예후가 좋지 않아 자궁내 치료가 도움이 된다. 고주파열치료, 열응고술, 낭종 배액 등이 천미부기형종치료에 적용되나 아직 그 이점이 명확히 드러나지 않았다. 자궁내 절제도 성공적으로 시행되지만 수술시기나 적용범위는 아직 명확하지 않다.

(2) 마취관리: 자궁내 절제할 경우 태아 출혈 위험이 크므로 태아의 손, 다리, 제대정맥 등에 정맥관을 확보하고 수혈 혈액과 수액, 심폐소생약물을 빠르게 투여할 수 있도록 준비하는 것이 필요하다.

천미부기형종의 일부에서 모체에 태아수종의 비정상 순환기계와 유사한 생리학적 문제가 발생하는 모계거울증후군(maternal mirror syndrome)을 유발할 수 있다. 임산부의 말초와 폐의 부종이 증가하고 고혈압이 발생하며 과역동 상태가 된다. 모계거울증후군은 태아의 병태생리를 교정하여도 소실되지 않고 임산부의 사망을 초래할 수 있는 합병증이다.

5) 비교통성수두증

비교통성수두증을 가진 태아에서 뇌천자를 시행하여 증가된 뇌압을 감소시켜 태아 뇌발달을 촉진시키는 치료를 해왔다. 그러나 폐쇄성뇌실비대를 위한 뇌실양수션트술의 경피적 접근법은 결과가 기대에 미치지 못했을뿐만 아니라 예후를 호전시키지 못하였다. 효과적인 일방향판막 카테터의 개발과 수술법의 개선 등이 앞으로 해결해야 할 과제이다. 1989년에 40여례의 뇌실비대 태아에서 자궁내 션트술이 시행되었지만 결과가 좋지 못하였다는 보고 이후 사실상 이 방법은 세계적으로 유예되고 있는 상태이다.

6) 수막척수류

척추갈림증은 신경관의 불완전 폐쇄를 가진 모든 결함을 포함하며, 신생아 300명당 1명에서 발생하는 수막척수류가 가장 흔하다. 비록 치명적인 병변은 아니지만 수막과 척수가 피부, 근육, 또는 척수의 결손으로 인하여 체외로 돌출한 상태인 수막척수류는 평생 지속되는 질병이나 장애 즉, 하반신마비, 실금, 뇌수종, 인지장애 등을 유발할 수 있다.

(1) 치료법: 최근 실험연구에서 동반되어온 신경학적 장애는 척수가 양수에 노출되기 때문이며 척수의 본질적인 결함 때문이 아니라는 사실이 증명되었다. 수막척수류의 자궁내 태아 수술은 노출된 척수를 덮어씌움으로써 더 이상 척수가 양수로 노출되는 것을 제한시켜 주는 데 있다. 자궁내 수술은 임신중기 재태 26주 전에 시행한다. 개방형 수술을 통해 척수를 덮어주는 수술은 태아의 뇌실복강션트술의 필요를 감소시키고 하반신 운동 기능을 향상시켰다. 그러나 출산 전 복구술을 시행하는 것은 양막파열, 양수감소증, 부분 또는 완전 자궁 열개, 조기분만등의 위험성을 증가시킨다. 내시경적 자궁내 수막척수류 복구수술은 높은 모성과 태아 합병증으로 아직까지 적정한 방법으로 여겨지지 않고 있다. 또한 어떤 기술적 방법으로 재태기 어느 시기에 해주는 것이 적절한가에 대한 정보는 아직 미흡하다.

(2) 마취관리: 태아에게 진통제와 근이완제를 근주로 투여하고 태아 심폐소생술 및 응급 분만에 대한 준비가 필요하다. 시술 후 임산부의 진통과 술 후 자궁과 태아 관찰이 필요하다.

7) 쌍태아간수혈증후군

단일영양막쌍태아는 같은 태반을 공유하고 쌍태아 사이에 혈관 내 연결이 존재하여 혈류를 공유한다. 이런 영양막혈관해부를 가진 경우 대부분에서 동맥-동맥간 또는 정맥-정맥간 연결을 통해 균형을 이루고 있으나 동-정맥융모막혈관을 가진 경우 불균등한 태반혈류가 유발되어 쌍태아간 부조화가 발생하며 일방적인 혈액의 흐름이 발생한다. 출산 1000명당 1~3명에서 발생한다. 쌍태임신의 20~25%에서 단일영양막 쌍태가 발생하며 단일영양막 쌍태의 10~15%에서 쌍태아간수혈증후군이 발생한다. 대부분 임신 초기에 발현되며 임신 중기에 인지된다. 혈액을 받는 태아는 적혈구증가증, 다뇨증, 비대심장근육병증, 양수과다증 등이 나타나며, 태아수종이 발생하고 사망에 이른다. 혈액을 공급하는 쪽의 태아는 전형적인 저혈량, 소변감소증, 성장저하를 나타내고 난막제대 부착이 일어나게 된다. 두 쌍태아는 신부전과 심부전, 고박출성 태아수종의 위험이 높고 신경학적 손상으로 영구적인 장애를 가지게 될 수 있다.

(1) 치료법: 쌍태아간 수혈을 치료하기 위한 여러 종류의 접근법이 소개되었다. 1) 양수과다를 조절하고 조기 진통을 예방하기 위한 양수축소술, 2)양막강 압력의 평형을 유도하기 위한 외과적중격절제술, 3) 한 태아를 살리기 위한 다른 태아의 선택적 중절술, 4) 레이저를 이용한 쌍태아 사이 혈관문합의 광응고법 등이다. 외과적중격절제술은 쌍태아의 예후 향상이 없고 제대의 얽

힐 위험이 있어 현재 추천되지 않는다. 이 중에서 레이저 광응고법이 양수축소술에 비교하여 태아 생존율이 높고 신경학적 예후가 좋다.

(2) 마취관리: 임산부는 척추마취 또는 피부에서 자궁근막까지 국소마취제를 침윤하여 경피적으로 시행하나, 태반의 위치에 따라 융모막판을 노출시키기 위해 개복술이 필요하다. 태반의 위치는 마취방법 선택에 영향을 미치는 중요한 인자이다.

8) 쌍태아역전동맥관류

단일영양막쌍태아는 일란성 쌍태아 100례당 1례에서 그리고 세쌍둥이의 30례당 1례에서 발생한다. 역방향 관류로 인한 부적절한 혈액순환으로 무심장증, 무뇌증을 포함한 일련의 기형들이 동반된다. 생존할 수 없는 쌍태아가 다른 쌍태아로부터 동맥–동맥 관류를 통해 역행적으로 관류된다. 부적절하게 관류되는 수령 쌍태아는 무심증과 무뇌증 등의 치명적인 기형이 있으며 정상 쌍태아는 고박출성 심부전, 양수과다증으로 인한 자궁 용적 증가로 조산, 생존할 수 없는 태아의 수종 크기 증가 등의 위험이 있다. 만일 수술적 처치 없이 방치하면 정상 태아의 자궁내 사망이 35~55%에서 발생한다.

(1) 치료법: 목적은 두 쌍태아 간의 혈관교통을 중단시키는 것이다. 쌍태아간수혈증후군과 달리 경피적 접근법으로 봉합, 혈전술, 또는 고주파 응고술로 제대결찰하여 비정상적 태아를 소멸시키게 된다. 내시경적 수술이나 고주파 응고술을 이용한 제대 결찰은 비교적 시술이 쉽고 매우 효과적이다.

(2) 마취관리: 임산부는 태아 내시경 삽입부위에 국소마취를 시행하거나 척추마취를 시행하기도 한다. 시술에 적절한 시기나 치료법에 선택에 대한 근거는 아직 부족하다.

9) 양막대증후군

양막대 증후군은 태아의 특정 부위나 제대를 얽어 매거나 위축시키는 섬유성띠로 유발되는 태아 기형을 모두 포함한다. 3,000~15,000명 출생 중 1명에서 발생한다. 초음파와 MRI를 이용하여 섬유성띠를 확인하거나 정맥과 동맥의 혈류의 감소 여부를 확인할 수 있다. 태아 내시경유도하 레이저술을 이용하여 섬유성띠를 절단하여 말단의 혈류를 복구하는 것이 기능적 예후를 향상시킨다.

10) 빈혈과 자궁내 수혈

1960년에 RhD 면역글로블린 예방적 투여가 시작된 후, RhD 감작에 의한 태아빈혈의 유병률은 감소하고 있다. 그러나 다른 적혈구 항체들, 파보바이러스 B19 감염, 모체–태아 출혈, 동형의 지중해빈혈 등도 태아 빈혈을 유발할 수 있으며 1000명의 출생 중 6명에서 발생한다.

(1) 치료법: 양수 내 빌리루빈 스펙트럼 분석이 태아 빈혈을 확인하고 치료하는 시기를 결정하는데 보편적으로 이용되지만, 대부분의 치료센터에서 비침습적 중대뇌동맥 도플러 연구를 적용하고 있다. 중대뇌동맥의 최대혈류속도가 1.5배 이상 증가하는 것이 치료가 필요한 중등도–중등 태아 빈혈을 발견하는데 정확성이 입증되었다. 자궁내 수혈 시작 전에 태아 제대정맥에서 혈액을 체취 하는 것이 태아 빈혈의 중증도를 결정하는 기본이다. 수혈을 위한 제대정맥이 유효하지 않기 때문에 재태 18~20주 이전에는 자궁내 수혈을 하지 않으며 조기 치료가 필요한 경우에는 복강내 수혈이 치료법으로 선택된다.

(2) 마취관리: 자궁내 수혈은 모성의 최소 진정과 국소마취하에 시행되나 마취통증의학과의사는 언제든지 응급제왕절개술을 위한 준비도 해야 한다. 초음파유도하에 20~22게이지의 바늘을 제대정맥에 삽입하고

태반에 가까운 부위가 안정적이다. 제대동맥이 천자되면 정맥 천자에 비하여 출혈이 지연되며 경련에 의해 태아 서맥이 발생할 수 있다. 제대는 통증 수용체가 없지만 바늘이 간장내 제대정맥을 천자하는 경우 통증 수용체 자극이 발생한다. 근이완제 투여는 바늘이 위치를 벗어나거나 제대정맥이 빗나갈 위험을 줄여준다. O형 Rh(-), 방사선조사, 바이러스 스크리닝된 적혈구를 투여하며, 수혈 용적은 재태기간, 추측 태아 체중, 헌혈 혈색소와 수혈 전 혈색소 단위로 추측할 수 있다. 수혈 속도는 5~10 ml/min로 목표 혈색소는 45~55%이다. 바늘의 끝이 혈관내에 위치하는지 초음파을 이용하여 지속적으로 확인한다. 자궁내 수혈 후 태아 혈색소는 대략 0.3 g/dl/day의 속도로 감소하며 반복적인 자궁내 수혈을 1~3주 간격으로 혈색소 감소 속도를 감안하여 시행한다. 자궁내 수혈과 관련된 태아 소실률은 2%이고 일시적인 태아 서맥은 가장 흔한 합병증이다(8%). 그외 응급 제왕절개술(2%), 자궁내 감염(0.3%), 그리고 양막파열(0.1%)등의 합병증이 있다.

11) 선천성심장결손

선천성심장기형은 1000명 신생아 중 8~10명에서 발생한다. 주된 태아 심장 중재술은 대동맥 풍선성형술, 심방 중격절개술, 그리고 폐 판막성형술이다. 이런 태아 시술의 주된 목적은 협착 판막의 절개나 제한된 구멍을 넓혀주는 것이다.

가장 흔하게 시행되는 시술은 형성저하좌심장증후군이 수반된 대동맥협착의 대동맥판막성형술이다. 태아 대동맥판막성형술의 적용은 현저한 대동맥협착의 유무, 형성저하좌심장증후군 동반, 시술적인 성공 가능성과 양심실성 출생 후 예후 등을 고려한다. 임산부는 국소마취나 척추마취를 시행하고 태아 심폐소생술 약물을 준비해두어야 한다. 케뉼라삽입 전에 아편유사제와 근이완제를 태아에게 투여한다. 작은 개복술이 케뉼라

의 정렬을 맞추기 위해 시행되기도 하며 충분한 자궁이완을 확보하기 위해 전신마취가 선호되기도 한다. 태아는 서맥(17~38%), 심낭삼출액(13~14%), 심실혈전증(15~21%), 그리고 태아 사망(8~13%)등의 합병증이 보고되었다.

4. 태아 치료의 미래

태아 수술은 현재, 기술적으로는 실현 가능하다 할지라도 혁신적이고 실험적인 치료법이며 특히 수막척수탈출증과 같이 치명적이지 않은 병변의 수술에 대하여는 그 효과와 비용 면에서 논란의 여지가 남아있다. 태아 수술은 치명적이거나 심각한 발달 결과를 초래할 수 있는 태아 기형 중에 교정 가능한 질환에 대해서만 제한적으로 적용되는 치료법이다. 모든 태아 시술에서, 세심한 계획과 다학제팀의 조직화된 검토가 필요하다. 어떤 새로운 태아 수술방법이 임상에서 표준적 치료법으로 도입되려면 신중하고 책임감 있는 윤리적 체제가 뒷받침되어야 한다. 태아 치료는 반드시 임산부의 동의하에 극도로 조심스럽게 준비되고 신뢰할 수 있는 방법으로 시행되어야 한다.

태아 수술과 마취방법, 그리고 자궁이완 치료는 지금도 발전하고 있는 분야이다. 현재까지는 자궁절개를 최소화하여 조기진통을 감소시키는 내시경 수술법이 가장 진보된 수술 방법이지만, 앞으로 줄기세포이식이나 유전자 치료와 같은 새로운 치료법이 보편화될 것이다. 기술적으로는 보다 덜 침습적인 수술 방법이 개발될 것이다. 또한 태아 수술의 미래는 조기진통과 조기분만을 어떻게 효과적으로 제어하느냐에 달려있다고 할 수 있다. 임상의사들은 치료가 필요한 태아를 신중하게 감별하고 정당한 개연성이 있을 때에만 중재를 시도해야 한다.

임산부의 혈역학적 안정성, 적절한 자궁태반관류, 완

전한 자궁이완, 태아 마취와 부동성의 확보, 태아 심기능억제의 최소화 및 스트레스반응의 억제 등 적절한 임산부와 태아의 마취와 통증조절이 가능한 이상적인 마취방법의 개발을 위한 연구와 노력이 앞으로의 연구과제이다. 또한 수술의 효과에 대한 구체적인 증거와 각 병변에 대한 태아 수술의 안전성에 대한 임상연구가 여러 전문분야에 걸쳐 진행되어야 하겠다.

참고문헌

Abraham RJ, Sau A, Maxwell D. A review of the EXIT (Ex utero Intrapartum Treatment) procedure. J Obstet Gynaecol 2010; 30: 1-5.

Anand KJ. Neonatal stress responses to anesthesia and surgery. Clin Perinatol 1990; 17: 207-14.

Braun T, Brauer M, Fuchs I, Czernik C, Dudenhausen JW, Henrich W, et al. Mirror syndrome: a systematic review of fetal associated conditions, maternal presentation and perinatal outcome. Fetal Diagn Ther 2010; 27: 191-203.

Chervenak FA, McCullough LB. A comprehensive ethical framework for fetal research and its application to fetal surgery for spina bifida. Am J Obstet Gynecol 2002; 187: 10-4.

Ferschl M, Ball R, Lee H, Rollins MD. Anesthesia for in utero repair of myelomeningocele. Anesthesiology 2013; 118: 1211-23.

Garcia PJ, Olutoye OO, Ivey RT, Olutoye OA. Case scenario: anesthesia for maternal-fetal surgery: the Ex Utero Intrapartum Therapy (EXIT) procedure. Anesthesiology 2011; 114: 1446-52.

Harrison MR, Filly RA, Golbus MS, Berkowitz RL, Callen PW, Canty TG, et al. Fetal treatment 1982. N Engl J Med 1982; 307: 1651-2.

Hering R, Hoeft A, Putensen C, Tchatcheva K, Stressig R, Gembruch U, et al. Maternal haemodynamics and lung water content during percutaneous fetoscopic interventions under general anaesthesia. Br J Anaesth 2009; 102: 523-7.

Hopkins LM, Feldstein VA. The use of ultrasound in fetal surgery. Clin Perinatol 2009; 36: 255-72.

Husler MR, Wilson RD, Horii SC, Bebbington MW, Adzick NS, Johnson MP. When is fetoscopic release of amniotic bands indicated? Review of outcome of cases treated in utero and selection criteria for fetal surgery. Prenat Diagn 2009; 29: 457-63.

Izumi A, Minakami H, Sato I. Fetal heart rate decelerations precede a decrease in fetal oxygen content. Gynecol Obstet Invest 1997; 44: 26-31.

Jani JC, Nicolaides KH, Gratacos E, Vandecruys H, Deprest JA, Group FT. Fetal lung-to-head ratio in the prediction of survival in severe left-sided diaphragmatic hernia treated by fetal endoscopic tracheal occlusion (FETO). Am J Obstet Gynecol 2006; 195: 1646-50.

Jobe AH. Fetal surgery for myelomeningocele. N Engl J Med 2002; 347: 230-1.

Kafali H, Kaya T, Gursoy S, Bagcivan I, Karadas B, Sarioglu Y. The role of K(+) channels on the inhibitor effect of sevoflurane in pregnant rat myometrium. Anesth Analg 2002; 94: 174-8.

Meadow W, Cohen-Cutler S, Spelke B, Kim A, Plesac M, Weis K, et al. The prediction and cost of futility in the NICU. Acta Paediatr 2012; 101: 397-402.

Ngamprasertwong P, Vinks AA, Boat A. Update in fetal anesthesia for the ex utero intrapartum treatment (EXIT) procedure. Int Anesthesiol Clin 2012; 50: 26-40.

Partridge EA, Flake AW. Maternal-fetal surgery for structural malformations. Best Pract Res Clin Obstet Gynaecol 2012; 26: 669-82.

Ralston SJ, Craigo SD. Ultrasound-guided procedures for prenatal diagnosis and therapy. Obstet Gynecol Clin North Am 2004; 31: 101-23.

Richardson MG, Litman RS. In utero myelomeningocele repair: baby steps and giant leaps for fetal surgery. Anesthesiology 2013; 118: 1016-8.

Rosen MA, Andreae MH, Cameron AG. Nitroglycerin for fetal surgery: fetoscopy and ex utero intrapartum treatment procedure with malignant hyperthermia precautions. Anesth Analg 2003; 96: 698-700.

Rychik J. Fetal cardiovascular physiology. Pediatr Cardiol 2004; 25: 201-9.

Society for Maternal-Fetal M, Simpson LL. Twin-twin transfusion syndrome. Am J Obstet Gynecol 2013; 208: 3-18.

Sutton LN, Adzick NS, Bilaniuk LT, Johnson MP, Crombleholme TM, Flake AW. Improvement in hindbrain herniation demonstrated by serial fetal magnetic resonance imaging following fetal surgery for myelomeningocele. JAMA 1999; 282: 1826-31.

Tworetzky W, Wilkins-Haug L, Jennings RW, van der Velde ME, Marshall AC, Marx GR, et al. Balloon dilation of severe aortic stenosis in the fetus: potential for prevention of hypoplastic left heart syndrome: candidate selection, technique, and results of successful intervention. Circulation 2004; 110: 2125-31.

Van de Velde M, Jani J, De Buck F, Deprest J. Fetal pain perception and pain management. Semin Fetal Neonatal Med 2006; 11: 232-6.

Van Mieghem T, Baud D, Devlieger R, Lewi L, Ryan G, De Catte L, et al. Minimally invasive fetal therapy. Best Pract Res Clin Obstet Gynaecol 2012; 26: 711-25.

Zadra N, Giusti F, Midrio P. Ex utero intrapartum surgery (EXIT): indications and anaesthetic management. Best Pract Res Clin Anaesthesiol 2004; 18: 259-71.

23

Chapter 24

난임, 불임 시술을 위한 마취

불임(infertility)은 피임을 하지 않고 정상적으로 성생활을 하면서 1년 이내에 임신이 되지 않는 경우로 정의한다. 그러나 이는 임신이 불가능한 상태(sterility)를 의미하지는 않고 난임(subfertility)의 상태인 경우가 많다. 보통 건강한 남녀는 대부분 85~90%에서 1년 이내에 임신을 하게 되는데 나머지 10~15%의 남녀는 임신이 되지 않아 불임증으로 진단을 받고 불임 치료가 필요하게 된다. 지난 수십 년간 전체적인 불임의 발생률은 큰 변화가 없었지만, 여성들의 만혼으로 인하여 첫 임신 연령은 늦어지게 되었고, 이는 생리학적으로 가임력이 떨어지는 결과를 초래하였다. 그러나 불임을 진단하고 치료하는 방법에는 많은 변화가 있었다. 체외수정시술(in vitro fertilization, IVF)과 보조생식술(assisted reproductive technology, ART)의 발달이며, 이는 불임환자들이 적극적인 불임치료를 통하여 임신을 할 수 있도록 도와주게 되었다.

체외수정시술과 보조생식술의 여러 단계 중 마취통증의학과 의사는 난자를 채취하는 단계에 주로 관여하게 된다. 질을 통한 난자채취 시술을 받는 여성의 경우 불안감과 함께 난자를 흡입하기 위하여 바늘로 질벽과 난소막을 뚫을 때 생기는 경증에서 중등도 통증을 경험하게 되는데 성공하기 위해서는 반복된 시도가 필요하다. 따라서 환자에게 통증과 불안감을 최소화하고 환자의 협조를 증가시킬 수 있는 편안한 환경을 제공하는 것이 중요하다. 이러한 이유로 진정만 단독으로 제공하거나 진통제를 병용하는 방법 등의 다양한 마취방법을 제공할 수 있다.

1. 보조생식술(Assisted Reproductive Technology)

1992년도에 미국 질병관리본부(US Centers for Disease Control, CDC)는 불임클리닉의 성공률과 자격증을 위해 보조생식술을 정의할 필요가 생겼고, 난자와 정자를 모두 다루는 모든 불임 치료를 보조생식술로 정의하였다. 일반적으로 보조생식술이란 여성의 난소에서 외과적으로 채취한 난자를 정자와 실험실에서 결합하여 다시 여성의 체내로 넣어주거나 다른 여성에게 기증하는 것을 말한다. 자궁내 또는 인공적으로 정자를 주입하는 것처럼 단지 정자만 다루거나 난자를 채취할 목적이 아닌 단순히 난자의 생성을 자극하기 위해 약물을 투여하거나 계획된 성관계 등의 기법들은 포함하지 않는다. 따라서 체외에서 난자를 직접 조작하는 모든 기술을 총칭하는 말이다. 최초로 이루어진, 그리고 현재 가장 흔하게 이루어지는 보조생식술의 형태는 체외수정시술이다. 체외수정시술 초기에는 만성적인 난관질환으로 인한 이차적인 불임을 위한 치료로 개발되었으나 현재의 적응증은 보조생식술을 통칭하는 의미로 확장되었다. 즉 (1) 여성의 경우 : 난자의 질과 수가 부적절한 경우(난자기증 치료), 자궁이 없거나 회복될 수 없는 경우(대리모 프로그램), 심각한 동반질환이 있는 경우(배아 냉동보존) (2) 남성의 경우 : 정자가 부족한 경우 (3) 커플의 경우 : 특정 유전 질환이 있는 경우를 포함한다.

2. 체외수정시술

최초의 시험관 아기는 1978년 영국에서 과배란유도 없이 복강경을 이용하여 난자를 채취하고 체외수정을 하여 탄생했다. 그 이후 다양한 과배란유도 방법의 개발, 세포질내정자주입(intracytoplasmic sperm injection, ICSI), 착상전유전진단(preimplantation genetic diagnosis, PGD) 등과 같은 보조생식술의 발전은 보다 많은 불임 부부들이 체외수정시술을 통해서 임신할 수 있는 길을 열어 놓았다. 한국에서는 1985년 서울대학교병원에서 첫 시험관 아기가 출생하였다.

체외수정시술 과정은 일반적으로 다음과 같은 과정으로 세분화 된다(그림 24-1).

- 과배란유도(controlled ovarian stimulation, COS) 및 감시
- 난자 채취(oocyte retrieval)
- 체외수정시술
- 배아의 배양 및 평가(embryo culture and evaluation)
- 배아 이식(embryo transfer)
- 황체기 보강(luteal support)
- 임신반응검사 및 임신 제1삼분기 관리

보조생식술은 점차 정교하게 그리고 좀더 좋은 결과를 얻도록 진화되고 있고 이와 유사하게 관련 마취방법도 발달하고 있다. 마취통증의학과 의사는 복잡하고 주

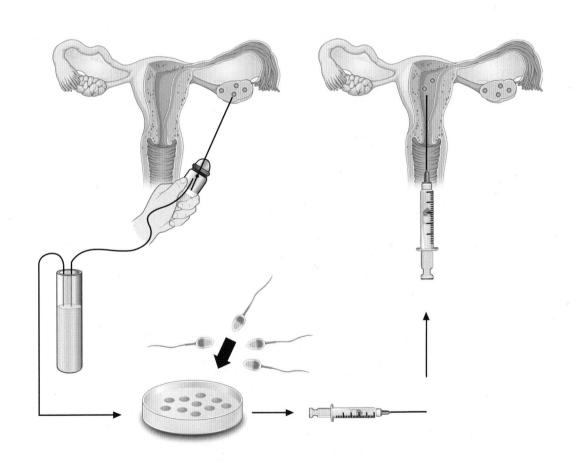

그림 24-1. **일반적인 체외수정시술 과정**

의를 요하는 주술기 환자 치료의 많은 부분에 참여할 가능성이 높다. 대부분의 환자는 상대적으로 젊고 건강하지만 불임과 관련된 스트레스와 불안, 기타 심리적인 장애를 보일 수 있다. 마취통증의학과 의사에게는 환자의 불안을 이해하고 이를 적절히 가라앉히는 것이 특히 중요하다.

혈중 prolactin이 스트레스에 의해 증가하는 것은 익히 알려져 있다. 특히 전신마취로 난자채취를 하는 경우 일시적으로 혈중 prolactin 농도가 50배까지도 증가하는 것이 보고되어 있고 결국 체외수정 결과에 영향을 줄 것으로 생각된다. 따라서 체외수정시술이 성공하기 위해서는 여러 번 반복해서 시행하는 것도 필요하지만 심리적인 스트레스를 잘 조절하는 것 역시 필요하다.

1) 과배란유도 및 감시

하나의 난자 채취만을 목표로 하는 자연 주기 시술법과는 달리, 인공적으로 호르몬을 주사하여 다수의 난포를 성숙시켜 많은 수의 난자를 얻는 과배란유도 방법의 도입으로 체외수정시술을 통한 임신률은 괄목할 만큼 높아졌다. 과배란유도를 위해서 초기에는 생식샘자극호르몬(gonadotropin)만을 사용하였다. 이 방법은 매우 간단해서 효과적이기는 하나, 우선 난포가 17 mm에 도달하여 약 15%의 과배란유도 주기에서 LH surge가 발생하는 단점이 있었으며, 이러한 현상은 우성 난포가 큰 경우에 더 흔했다. 난자의 성숙과 배란을 유도하기 위한 인간융모성생식샘자극호르몬(human chorionic gonadotropin hormone, hCG)의 투여 이전에 황체형성호르몬이 급상승되면 예상치 못한 시기에 배란이 일어날 뿐만 아니라 난포의 황체화를 유발하여 임상 결과에 악영향을 끼친다. 이러한 약점을 극복하기 위하여 근래에는 생식샘자극호르몬분비호르몬효능제(GnRH agonist) 또는 생식샘자극호르몬분비호르몬길항제(GnRH antagonist)를 병용하는 과배란유도 방법이 널

리 이용되고 있다. 이 두 가지 약제의 사용으로 예기치 못한 황체형성호르몬의 상승에 의한 조기 배란을 억제시킬 수 있을 뿐만 아니라 균등하게 성숙된 난자를 더 많이 얻을 수 있게 되었다. 생식샘자극호르몬분비호르몬효능제(GnRH agonist)를 투여하게 되면 난소의 하향조절이 일어나게 되고 이것은 뇌하수체와 난소의 억제를 유발한다. 난소의 하향조절은 미성숙 배란의 시작 또는 하나의 우세한 난포 생성을 최소화한다. 하향조절 후 난포자극호르몬(follicular stimulating hormone, FSH)과 폐경후 요중 고나도트로핀(human menopausal gonadotropin, HMG)으로 난소를 과잉자극 할 수 있다. 난포가 성숙하게 되면 인간융모성생식샘자극호르몬(hCG)으로 배란을 유도할 수 있다. 이 과정을 통해 대략 10~15개의 난모세포를 생성할 수 있으나 가끔 많게는 70개까지 생성될 수 있다.

과배란유도 과정은 다음과 같은 여러 가지 목적으로 감시한다. 첫째는 생식샘자극호르몬의 용량이 적당했는지를 알기 위해서, 둘째는 난소과잉자극증후군(Ovarian Hyperstimulation Syndrome, OHSS)의 예방을 위하여, 그리고 셋째는 hCG를 투여하는 적정시점을 결정하기 위해서이다. 감시 방법으로는 혈중 estradiol 검사와 초음파 검사를 병행하는 방법이 많이 사용되는데 초음파를 사용하여 난포의 크기 및 수를 측정하여 hCG 투여시점을 결정하고, 혈청 estradiol을 측정하여 초기 생식샘자극호르몬 투여 용량에 대한 평가를 한다.

2) 난자 채취

난자 채취는 일반적으로 적어도 두 개 이상의 지름 17~18 mm 이상인 난포와 함께 14~16 mm 크기의 다른 난포가 몇 개 존재하고 적절한 혈중 estradiol 농도를 보일 때(14 mm 이상 난포당 약 150~300 pg/ml) hCG를 투여한 후 약 36~38시간 후에 시행한다. 초기에는 복강경을 이용하여 난자 채취를 하였으나, 질식초음파를

이용한 난자 채취 방법이 더 간편하며 난자 회수율이 높다고 알려지면서 현재는 이 방법이 보편적으로 이용되고 있다.

난자 채취의 과정은 다음과 같다. 환자를 lithotomy 자세로 눕히고 정맥 마취 또는 진정을 실시한다. 시술 전 질 내부를 소독할 때 포비돈을 사용하면 난자에 독성을 유발하여 임신율을 떨어뜨리므로 포비돈으로 소독을 한 다음에는 반드시 무균 생리식염수로 질세척을 한다. 또는 무균 생리식염수만으로 여러 번 질세척하는 것만으로도 충분하다고 알려져 있다. 주로 16~17게이지 직경의 바늘을 난자 채취에 사용하며 초음파로 난소의 위치를 확인한 후 가장 큰 난포를 향해 바늘을 삽입하면서 시작한다. 난자 채취를 위해 진공흡입법(vacuum system)을 사용하는데. 지나치게 높은 압력을 사용하는 경우 난자가 팽창하여 투명대(zona pellucida)가 손상될 수 있으므로 120 mmHg 미만의 압력으로 시술하는 것이 적절하다.

난자 채취에 따른 합병증은 대개 경미한 편이다. 채취부위의 질출혈은 비교적 흔하지만(8.6%) 출혈 부위를 직접 압박하는 것만으로 지혈이 되는 경우가 대부분이고 봉합까지 필요한 경우는 드물다. 난소출혈이나 자궁, 난소, 혈관 손상으로 인한 복강 내 출혈은 매우 드물지만(0.04~0.07%) 수술적 지혈을 요하는 경우도 있다. 시술 후 감염은 드문 합병증이며(0.3~0.6%), 이는 난소의 자궁내막종이나 과거 난관염의 병력이 있는 경우 발생 위험이 더 높다. 감염된 예의 절반은 난자 채취 1~6주 후 난소나 난관 주위의 농양으로 나타난다.

3) 체외수정시술

난자 채취를 통하여 획득한 난자는 즉시 현미경으로 관찰하며, 이를 통해서 난자의 세포질, 난구세포의 형태, 핵과 극체의 유무에 따라 등급을 매긴다. 제 1극체를 방출한 난자는 성숙이 완료된 상태의 난자로 수정이 가능한 단계의 난자이며 이 시기에 수정을 유도한다.

정액은 난자 채취 전후에 채취하여 운동성과 형태가 좋은 정자를 얻기 위해 처리 과정을 거치는데, 일반적으로 swim-up 방법과 밀도구배원심분리법(density gradient centrifugation)을 가장 많이 사용한다. 두 방법 모두 활동성이 좋은 정자를 얻는 데 적합하며, 특히 밀도구배원심분리법은 정상 모양을 가진 정자만 추출하는 데 유리하므로 정액 소견이 좋지 않을 때 주로 사용한다.

분리된 정자는 수정능(capacitation)을 얻기 위해 30분에서 4시간 동안 고농도의 단백질이 첨가된 배지에서 배양을 한다. 미성숙난자가 없고 난자등급이 우수한 경우 4~6시간 후에 정자 주입 또는 미세조작기를 이용한 수정을 시행한다. 정상 정액 소견을 가진 경우에 수정을 하기 위한 정자의 수는 난자 한 개당 100,000개가 되도록 농도를 조정한다. 희소정자증(oligozoospermia), 무력정자증(asthenozoospermia), 기형정자증(teratozoospermia), 또는 희소무력정자증(oligoasthenozoospermia)과 같은 심각한 남성 인자로 인한 불임 환자의 경우에는 기존의 체외수정시술 방법으로는 수정률이 낮으므로 미세 수정을 고려한다.

흡인된 난모세포를 정자, 배양액(insemination medium), 태아혈청이 포함된 기관배양 접시에 담으면 대략 16~20시간 후에 수정과정이 일어난다.

4) 난자세포질내정자주입술(Intracytoplasmic Sperm Injection, ICSI)

이 기술은 정액에 정자가 거의 없는 남성 불임 또는 냉동 보존된 난자의 수정을 위하여 흔히 사용된다. 각각의 정자를 난자의 세포질에 직접 주입한다. 임신 성공 확률이 높지만 유전적인 문제가 있을 때 자연적으로 선별하는 정상 수정단계를 몇 단계 우회하기 때문에 유전적 이상의 위험성이 증가한다.

24

5) 배아 이식

배아 이식은 일반적으로 수정 2~3일 후(분열단계) 또는 수정 5~6일 후(포배기)에 이루어진다.

체외수정시술을 통해 얻은 배아는 난관 또는 자궁내로 이식된다. 난관으로 이식되는 경우 발달 시기에 따라 생식세포난관내이식(gamete intrafallopian transfer, GIFT), 접합자난관내이식(zygote intrafallopian transfer, ZIFT), 난관내배아 이식(tubal embryo transfer, TET), 동결배아 이식(frozen embryo transfer, FET) 등으로 세분할 수 있다.

(1) 배아 이식(In Vitro Fertilization-Embryo Transfer)

자궁내로 이식되는 대부분의 배아 이식 과정은 난자 채취 3~5일 후에 자궁경부를 통해 이루어지는데 이러한 자궁경부를 통한 배아 이식의 장점은 다음과 같다. (1) 간단함-복강경이나 마취가 필요하지 않다. (2) 낮은 비용-특히 복강경을 이용한 난관내이식에 비해 더 낮다. (3) 난관의 개방과 상관없이 진행 가능하다.

자궁경부를 통한 배아 이식의 주된 단점은 배아를 직접 난관내로 이식하는 방법(ZIFT)에 비해 임신의 성공 가능성이 조금 낮다는 것이다. 이식에 필요한 개수를 초과하는 배아는 1, 2-propanediol 또는 glycerol로 냉동 시켜 추후에 이식이 가능할 수 있도록 보관할 수 있다.

(2) 생식세포난관내이식(Gamete Intrafallopian Transfer)

GIFT 시술은 복강이나 질을 통해 난자를 획득하고 현미경으로 난자의 상태를 평가한 후 수술실 옆 검사실에서 난자를 성숙시키는 과정으로 구성되어 있다. 성숙된 난자는 세척된 배우자 또는 공여자의 정자와 함께 이식 카테터로 흡입한 후 그 내용물(생식세포: gamete)을 한쪽 또는 양측 난관의 원위부 3~6 cm에 주입하게 된

다. 이후 카테터는 현미경으로 난자가 남아있는지를 검사하게 된다. GIFT는 IVF를 포함하고 있지 않는데 그 이유는 수정이 in vivo 형태로 난관의 자연적인 환경에서 이루어지기 때문이다. GIFT 과정의 특이한 장점으로는 (1) 난자채취와 배아 이식이 복강경으로 한번의 전신 마취에서 이루어지고 (2) 체외수정이 배제되어 있으며 (3) 배아가 좀 더 적절한 발달 과정 상태에서 자궁안에 도달한다는 사실이다. 단점으로는 수정이 확실하지 않다는 것인데 면역학적 요인들로 인해 수정이 매우 중요한 쟁점인 경우 문제가 될 수 있다. 정상적으로 정자를 주입한 난자의 50~70%가 수정되는데 비해 심각한 남성 요인의 불임 또는 antisperm 항체가 있는 여성에게서는 수정되는 비율이 낮게 된다. 다른 제한점으로는 적어도 하나의 개방된 난관이 있어야 하고 복강경 수술이 필요하다는 것이다.

(3) 접합자난관내이식(Zygote Intrafallopian Transfer)

ZIFT는 전핵기이식(pronuclear stage transfer, PROST)으로도 알려져 있는데 난자채취와 체외수정으로 이루어져 있다. 정자를 주입한 후 대략 16~20시간이 지난 다음 난자를 검사해서 두 개의 뚜렷한 전핵(즉, 수정이 일어났다는 것을 의미하는 전핵기)을 관찰한 다음 환자를 복강경을 위한 마취를 시행하고 전핵기 상태의 배아들(일반적으로 4개 이하)을 난관의 원위부에 이식하게 된다(GIFT에서 언급). ZIFT의 장점으로는 수정을 확증할 수 있어서 IVF-ET나 GIFT에 비해 성공확률이 높고, 수정이 성공하지 않은 경우(대략 정자 주입 후 13%)에 불필요한 복강경 시술을 피할 수 있으며, IVF-ET에 비해 실험실 환경에 노출되는 것을 줄일 수 있고 IVF-ET에 비해 좀 더 적절한 발생단계에서 자궁내에 도달할 수 있다. 단점과 제한점으로는 불편하고 비용이 드는 두 단계가 추가되고, 복강경 수술이 필요하며, GIFT처럼 적어도 하나의 개방된 난관이 필요하다는 것이다.

3. 마취 시 고려사항

보조생식술에는 마취방법과 이산화탄소기복(복강경일 경우), 마취약제 등이 수정과 난할에 미치는 영향을 고려해야 한다. 약제에 노출되는 시간 역시 중요하다. 또한, 최근에는 보조생식술 시술은 대개 당일수술(시술)로 이루어지기 때문에 외래마취의 기본 원칙이 적용될 수 있다. 복강경을 이용한 난자채취는 점차 질식초음파 유도하 난자채취로 대체되고 있다.

1) 인구학적 특성

보조생식술을 찾는 여성의 인구학적 분포가 변화하고 있다. 대부분의 여성은 건강하고 불임문제는 남성 요인이거나 자궁내막증, 난관 이상, 다낭성난소증후군 같은 부인과적인 요인이지만 최근에는 갑상선 기능 이상이나 결핵 등의 동반질환이 불임의 원인이 되기도 한다. 잠재적인 약물 상호작용이나 기저 질환의 악화로 인해 유해결과를 예방하기 위해서는 기저 질환과 정기적인 투약의 철저한 검토가 필요하다. 난자의 냉동보관 기술의 발달로 좀더 많은 여성이 암을 동반하거나 세포독성 치료를 받고 있을 수도 있다. 게다가 만혼이 증가하고 있어서 환자들이 2형 당뇨와 고혈압 같은 전신질환을 동반할 수도 있다. 최근 비만 문제도 점차 증가하고 있고 이는 불임의 원인이기도 하다. 비만인 여성에서는 적절한 초음파 영상을 얻기 힘들고 좀 더 긴 탐색자가 필요하며 환자의 자세를 잡기도 어렵기 때문에 보조생식술도 기술적으로 어려워진다. 비만 환자는 또한 2형 당뇨와 고혈압 같은 동반질환도 더 많이 동반한다. 마취과적으로는 진정하는 동안 산소포화도가 감소하기 쉽고 기도유지가 어려울 수 있다. 이러한 이유로 척추마취가 더 적절할 수 있다. 보조생식술은 장기이식에도 불구하고 장기부전이 진행하고 있거나 일차성폐동맥고혈압 같이 임신과 분만이 치명적일 수 있는 환자에게 난자채취와 보조생식술, 대리모 등을 통해 유전적인 후손을 얻을 수 있는 수단을 제공해 줄 수 있다.

이러한 환자들을 임신 전부터 분만까지 전 과정을 관리하는 것은 마취통증의학과 의사를 포함한 다학제간 협동이 필요하다. 보조생식술을 받는 환자들은 흔히 높은 수준의 사회적 정서적인 스트레스를 가지고 있고 우울증도 역시 흔하다. 이것은 난소자극 시기에 일어나는 호르몬 조작에 의해 더 악화될 수 있다. 의학적인 시술에 대한 불안감은 흔히 재정적인 문제와 실직에 대한 염려로 인한 스트레스와 혼돈될 수 있다. 이러한 불안감을 치료하는 것은 중요하고 항불안제나 진정에 필요한 propofol 등의 용량이 더 증가할 수 있다.

2) 통증

난자채취는 체외수정시술의 핵심적인 과정이지만 가장 통증이 심한 단계로 알려져 있다. 비록 복강경을 이용한 접근보다는 질을 통한 난자채취가 덜 침습적이기는 하지만 여전히 통증을 수반한다. 난자를 흡입할 때 경험하는 통증은 바늘이 질벽을 통해 지나가는 것과 난소를 기계적으로 자극할 때 발생한다. 통증은 흔히 아주 심한 월경통과 유사하다고 기술되고 지속적이기 보다는 간헐적이라고 표현된다. 통증에 영향을 미치는 요소들로는 난포의 수, 난자채취 시술의 기간, 난소의 위치와 움직임 등이다. 난포를 여러 번 흡입하게 되면 시술이 길어지게 되고 결국 통증 점수에 영향을 미치게 된다. 난자채취 시 좋은 진통 방법은 만족할 만한 진통 효과와 빠른 발현, 빠른 회복, 투여와 감시의 편의성을 제공해야 한다. 게다가 많은 약제들이 투여 직후 짧지만 난포액에서 검출이 되기 때문에 진통방법이 난자와 배아에게 독성 효과를 갖지 않아야 한다. 체외수정술의 통증을 완화하기 위하여 사용하는 아편유사제와 benzodiazepine은 비록 난자나 난자의 분화, 착상, 임신율에 부정적인 효과를 보인다는 확실한 증거는 희박할 지라도 이들 약제의 대부분은 난포액에서 검출이 된다. 점점 더 많은 환자가 초음파를 이용한 난자채취에 진정이나 마취를 요구하고 있기 때문에 안전하고 난자에게 독성 효과가 없으면서 높은 수정률과 임신율을 보장하는 마취약제의 사용이 중요하다.

3) 체외수정시술 과정에 미치는 마취제의 효과

대부분의 난자채취 과정은 질을 통한 초음파유도하에 이루어지며 드물게 복강경 기술을 이용하기도 한다. 질을 통해 자궁 인에 태아를 이식하는 과정은 통증이 없기 때문에 일반적으로 마취를 필요로 하지 않지만 질을 통한 난자채취 방법은 통증을 동반하기 때문에 많은 경우 마취가 필요하다. Shatford 등은 질을 통한 초음파유도하 난자채취 환자 164명의 통증을 McGill pain questionnaire를 이용하여 평가하였는데 시술 직후 78%가 visual analogue scale (VAS) 5점 이하(참을 수 있을 정도의 불편함), 6%가 7점이상(상대적으로 강한 통증) 호소하였으나 시술 1시간 후에는 상당히 감소한다고 보고하였다. 이 연구에서 모든 환자는 시술 1시간 전에 아편유사제를 투여 받았고 시술 중에는 0.5% lidocaine 14 ml를 이용하여 자궁경관주위블록을 시행하였다.

대부분의 질을 통한 난자채취 과정은 propofol (지속적 또는 간헐적 주사)과 아편유사제 병용하여 환자의 자발호흡을 유지하면서 시행할 수 있다. 반대로 GIFT와 ZIFT 시술은 복강경을 이용하기 때문에 기관내삽관을 진행하는 전신마취가 필요하다.

(1) Propofol

Propofol은 항구토작용과 함께 빠른 발현과 짧은 작용시간을 갖고 있기 때문에 약동학적 특성으로 보면 난자채취 시술에 이상적이다. 하지만, 질을 통한 난자채취에 사용하는 것은 논란의 여지가 있다. Propofol은 지질용해도가 높고 분포용적이 크기 때문에 난포액에 존재하게 되고 그 농도는 투여 시간과 용량에 비례하게 된다. 수정과 배아 착상, 정상 출산 비율에 어떠한 영향을 미치는 지가 중요하다. 일부 동물 실험에서 propofol은 난할과 수정, 만삭 임신에 해로운 영향을 주는 것으로 보고되어 있으나 다른 연구들에서는 특별한 영향을 보이지 않는다고 한다. 현재 인간을 대상으로 하는 대다수의 연구에서는 배아 수정과 난할, 임신율에 해로운 영향은 없는 것으로 간주한다. 하나의 예외로는 Vincent 등이 propofol-nitrous oxide를 이용한 마취와 isoflurane-nitrous oxide를 이용한 마취를 비교한 연구에서 propofol을 사용한 군에서 낮은 임신율을 보고하였다. 보조생식술에 미치는 해로운 효과에 대한 이러한 상충하는 결과는 보조생식술에서 난포액에 약물이 축적되는 것을 제한하기 위해서 propofol에 노출되는 기간에 제한을 두는 것이 합리적이라는 것을 시사한다.

(2) Thiopental

Thiopental 역시 마취유도약제로 사용할 경우 난포액에서 발견되지만 GIFT 시술에서 마취유도를 위해 propofol (2.7 mg/kg)과 thiopental (5 mg/kg)을 비교하면 임상적인 수정율, 난할률, 착상률, 임신율 등에서 차이가 없다.

(3) Etomidate

Etomidate가 부신피질의 steroid 합성에 미치는 영향에 대해 잘 알려져 있으나 난소의 steroid 합성에도 영향을 줄 수 있다. 복강경을 이용한 난자채취에 마취유도로 사용하면 마취유도 10분 이내에 17-beta-estradiol, progesterone, 17-OH progesterone, testosterone의 혈중 농도가 감소한다. 이러한 경향은 thiopental에서는 나타나지 않는다. 이러한 효과가 임신 결과에 미치는 영향에 대해서는 대상 환자수가 너무 적어서 확실하지는 않지만 보조생식술에서는 추천되지 않는다.

(4) Methohexital

Methohexital은 propofol에 비해 임신율이 낮고, 구역이 흔하며 회복기간이 길어서 진정 목적으로 투여하는 것은 추천되지 않는다.

(5) Benzodiazepines

Midazolam이 진정 목적으로 투여하는 가장 흔한 benzodiazepine이다. 역시 난포액에서 관찰이 되지만 난자 또는 배아에 해로운 영향을 주지는 않는 것 같다. 동물실험에서 투여량을 35.0 mg/kg까지 높은 농도로 투여하여도 in vivo 수정을 방해하지는 않는다. 흔히 다른 마취약제 propofol, fentanyl, alfentanil, remifentanil 등과 병용투여하게 되는데 질을 통한 난자채취 시술을 받는 환자에서 fentanyl-propofol 병용투여만큼 효과적이고 안전하다고 알려져 있다.

(6) Ketamine

Ketamine과 midazolam을 병용하여 진정을 하는 것은 fentanyl-propofol-isoflurane을 이용한 전신마취의 안전한 대안으로 제안되었는데 태아 착상에는 큰 차이가 없었다.

(7) Alfentanil

Alfentanil의 빠른 발현과 짧은 작용시간은 매력적인 아편유사제로 생각된다. 난포액에서 검출되기는 하지만 혈중 농도에 비해 10배 낮은 농도이다. Fentanyl과 비교하면 임신 결과에 큰 차이가 없었지만 유도는 조금 더 빠르고 시술이 끝난 후에도 덜 졸려 한다.

(8) Fentanyl

난포액으로 이동하기는 하지만 생식에 해로운 효과

를 나타내지는 않는다고 알려져 있다. 동물 실험에서 많은 용량에서도 수정과 난할에 영향을 주지 않는다.

(9) Remifentanil

Remifentanil의 약동학적인 특성은 질을 통한 난자채취 시술의 진정 또는 전정맥마취에 적합하다. 전신마취에 사용되면 midazolam과 propofol을 이용한 진정과 비교하였을 때 난할과 임신율에서 큰 차이를 보이지 않는다. propofol-nitrous oxide-alfentanil 전신마취와 비교하여 감시마취관리(monitored anesthesia care, MAC)에 사용될 경우 임신율이 높다고 알려져 있다(30.6% vs. 17.9%). 국소마취제 단독과 비교하면 remifentanil을 투입하여 진정을 하는 것은 시술 조건에 우월하고 난자의 질 또는 배아 점수에 큰 차이가 없다.

(10) Morphine

동물 실험에서 인간에게 50 mg에 해당하는 동등한 용량을 투여하면 26%에서 33%의 난자가 다정자진입(polyspermy, 비정상적으로 여러 개의 정자가 하나의 난자에 수정되는 것)을 보이고 결국 염색체 이상을 나타낸다. 보조생식술에서는 morphine을 피하는 것을 고려해야 한다.

(11) Meperidine

Meperidine과 관련하여 생식과정에서 해로운 효과가 보고되지는 않았지만 보조생식술 전에 전투약으로 사용하게 되면 진정의 질이 나빠진다.

(12) Nitrous Oxide

아산화질소가 methionine synthetase를 억제하여 DNA 합성을 감소시킨다는 것은 매우 잘 알려져 있지만 수정과 보조생식술 성공에 미치는 영향에 대해서는 결론을 내리기 어렵다. 동물 실험에서는 아산화질소가 2세포기에서 배아 발달을 막지만 인간을 대상으로 한 연구에

24

서는 isoflurane을 복강경을 이용한 보조생식술에서 전신마취 목적으로 투여할 때 아산화질소의 투여 여부에 상관없이 임신 결과에 차이를 보이지 않았다.

(13) Isoflurane

동물실험에서 isoflurane은 배아 발달에 해로운 효과를 보인다. 인간을 대상으로 한 연구에서는 노출 시간이 영향을 주는 것으로 생각된다. 복강경으로 난자를 채취할 때 처음 얻어진 난자에 비해 마지막으로 얻어진 난자의 수정률이 상당히 낮다. Beilin 등에 따르면 GIFT 시술을 위해 전신마취를 할 때 isoflurane은 propofol, nitrous oxide, 또는 midazolam과 비교하여 임신율에서 차이가 없다.

(14) Enflurane

Halothane과 비교하여 착상과 임신율이 enflurane에서 더 높다.

(15) Halothane

동물실험에서 halothane에 노출된 난자의 성숙이 지연되지만 치명적인 변이가 증가하지는 않는다. 사람에서는 enflurane과 비교하여 임신 제1삼분기와 제2삼분기 시기에 유산율이 높고 착상률은 낮다. 보조생식술에서 피해야 할 몇 안 되는 마취약제 중 하나이다.

(16) Sevoflurane

Sevoflurane이 유전자독성을 나타낸다는 증거는 없지만 동물실험에서 잠재적인 분해산물인 compound A가 DNA 변이의 지표인 자매염색분체교환(sister chromatid exchange)의 유도와 연관이 있다고 알려져 있다.

(17) Desflurane

보조생식술에 desflurane을 이용한 연구는 아직 없다.

(18) Antiemetics

보조생식술은 높은 농도의 estradiol과 관련이 있고 이는 구토의 발생을 증가시킨다. 보조생식술 때 droperidol과 metoclopramide 같은 dopamine 길항제는 난소 여포 성숙을 방해하는 고프로락틴혈증을 유발하기 때문에 상용하는 것을 피해야 한다. 하지만 구역을 예방하고 흡인의 위험을 줄이기 위하여 주술기 동안 투여하여 생기는 일시적인 고프로락틴혈증의 위험성은 불확실하다. 일부 연구는 낮은 농도의 프로락틴이 임신율이 높은 것과 관련이 있다고 보고한 반면 다른 연구에서는 일시적인 고프로락틴혈증에서 난자의 질이 더 좋고 수정율이 더 높다고 되어 있다.

5-HT3 receptor antagonists는 주술기 시기에 매우 효과적인 항구토제이기 때문에 자연스럽게 보조생식술 때도 사용하고 있다. 초기 임신 시기에 5-HT3 receptor antagonists의 사용에 대한 안전한 자료가 부족하고 잠재적인 생식 결과에 대한 이해가 없음에도 불구하고 사용한다. 5-HT3 receptors는 광범위하게 체내에서 발견되는데 다양한 기능을 가지고 있다. 5-HT3 antagonist GR38032F는 현재 ondansetron으로 알려져 있는데 2상 실험에서 DBA/2 mice에게 매우 유독성을 보였다. 사망하기 전에 비정상적인 신경행동을 유발한다.

여러 나라에서 초기 임신에 항구토제가 미치는 영향을 국가적인 데이터베이스를 통해 얻고자 하였으나 여전히 자료의 크기가 작다. 태반을 통과하는 것으로 알려져 있고 태아-모체비(fetal-maternal ratio)가 0.41(0.31~0.52)로 양수에 비해 태아 조직에서 더 높은 농도가 관찰된다. 요약하면 보조생식술의 마취와 연관된 구역/구토를 위해 5-HT3 receptor antagonists를 첫번째 치료로 선택하는 것은 근거가 부족하다고 할 수 있다.

(19) Non-steroidal anti-inflammatory drugs (NSAIDs)

이미 보조생식술에서 진통목적으로 널리 사용되고는 있지만 NSAIDs의 안전성은 확실하지 않다. NSAIDs는 prostaglandin 합성을 억제하기 때문에 동물과 사람 모두에서 결국 비정상적인 착상을 유발하게 되고 높은 유산율을 보인다. 동물실험에서 선택적 또는 비선택적 cyclooxygenase-2 (COX-2) 억제제는 착상 후 유산이 증가한다. 선택적 COX-2 억제제인 meloxicam의 경우 토끼에서 배란을 억제하는 효과로 인해 비호르몬성 피임약으로 사용되기도 하므로 보조생식술을 받는 환자의 경우 반드시 피해야 하는 약제이다. 일반 인구에서도 NSAIDs는 유산율을 증가시키는 것과 관련이 있다. 보조생식술 결과를 향상시키기 위해 aspirin을 사용하는 것은 무작위 연구의 메타분석에 의하면 이점이나 유산의 위험성 모두 없다.

(20) 국소마취제

보조생식술에서 사용되는 국소마취제의 효과를 비교하는 것은 약동학적 특성이 투여하는 부위, 즉 자궁경부옆, 척수강 내, 경막외 등에 따라 다르기 때문에 어렵다. Lidocaine, chloroprocaine, bupivacaine에서 쥐의 난자를 배양하면 모두 비정상적인 수정과 배아 발달을 보인다. 하지만 bupivacaine의 유해한 효과는 높은 농도에서 보인다. Procaine과 tetracaine은 모두 다정자수정의 가능성이 높고 결국 염색체 이상으로 나타날 수 있다. Lidocaine은 쥐 배아에서 기형발생을 유발하지만 임상적으로 적절한 농도에 비해 매우 높은 농도에서 나타난다. 이러한 동물실험 결과는 인간에게 적절하지 않다. 난자를 수정 전에 세척하기 때문에 임상적으로 농도가 매우 낮아진다. 게다가 척추마취에서 난포액에 도달하는 국소마취제의 농도는 매우 낮다.

4) 마취방법이 체외수정술 결과에 미치는 영향

불임은 여성에게 불안 요인이다. 게다가 난자채취 시 통증은 체외수정시술을 매우 불편하게 만든다. 이러한 특성으로 인해 ART에서 마취통증의학과 의사의 핵심적인 역할이 필요하다. IVF에 사용되는 마취방법으로는 다음과 같다.

1) 국소 또는 부위마취 (척추마취, 경막외마취, 블록)
2) 전신마취
3) 감시마취관리 또는 진정

IVF 결과에 영향을 미치는 이러한 마취방법 중에 최근에 주목할 만한 연구는 척추마취이다. 난자채취를 위해 전신마취와 비교하여 척추마취가 IVF의 성공률이 더 높다고 알려져 있다. 신경블록(난소 블록과 자궁경부옆 블록)은 IVF의 성공에 해가 없으면서 추가적인 진통효과를 줄 수 있다. 경막외마취는 흔하게 사용되지는 않지만 독성 효과가 없는 것으로 알려져 있으므로 안전한 대안이 될 수 있다.

전신마취는 정맥, 흡입, 진정제와 진통제의 동시 투여 등으로 시도할 수 있다. 전신마취의 잠재적인 독성효과에 대한 연구들은 최종적으로 상충되는 결과를 보인다. MAC과 비교하여 전신마취는 임신율 측면에서만 통계학적으로 유의한 차이를 보였다. 이와는 반대로 다른 연구에서는 이러한 결론을 내리지 못했다. 전신마취와 진정 또는 국소마취제를 이용한 자궁경부옆블록을 비교한 연구에서는 임신율에 큰 차이를 보이지 않았다.

MAC은 난자 흡입 같이 당일 시술에 적용하기 쉽다. Remifentanil을 이용한 MAC의 경우 후향적인 연구에서 전신마취에 비해 임신율이 더 높은 것으로 보고되어 있다. Remifentanil 정맥 투여는 채취된 난자의 질과 배아 점수에 영향을 주지 않는 것으로 되어 있다. IVF 결과를 향상시키고 안전한 마취방법 중 하나라고 생각된다.

4. 체외수정술의 합병증

1) 난소과잉자극증후군(Ovarian Hyperstimulation Syndrome, OHSS)

OHSS는 IVF 과정 중 환자의 10%까지 나타날 수 있다. 특징적으로 난소가 커지는데 여러 개의 커다란 난포 또는 낭종 때문이다. 혈관 외 공간으로 급성 체액 이동이 일어나게 되어 심한 혈관내 용적 감소, 복수, 핍뇨, 전해질 불균형, 흉막유출, 혈액농축, 과응고장애, 혈전색전증 등이 나타날 수 있다. 위험인사로는 35세 이하, 불임치료 받는 중 매우 높은 estrogen 농도 등이 있다. OHSS는 저절로 좋아지는 질환으로 대부분의 경우에는 상태가 경미해서 외래에서 침상 안정과 주의 깊게 관찰하는 것으로 충분하다. 하지만 일부 환자는 신부전, 간 손상, 혈전색전증, 급성호흡곤란증후군, 파종혈관내응고 등의 심각한 형태의 OHSS를 보일 수 있다.

때때로 복수를 질을 통해 배액할 때 또는 응급 개복술, 임신 중단 등을 이유로 마취가 필요할 수 있다. 마취 관리는 기존의 저혈량 환자와 마찬가지로 추가적인 저혈압을 막기 위해 마취약제를 적정할 필요가 있다. 또한, 복압이 증가되어 있으므로 구역과 구토가 빈번할 수 있어서 빠른 마취유도가 필요할 수도 있다. 신부전 또는 전해질 불균형이 있으므로 칼륨의 농도를 측정하는 것이 중요하다.

2) 기타 합병증

보조생식술 학회에 따르면 현재 IVF의 성공률은 대략 40~45% 정도 된다. IVF 시술은 일부 태아 사망을 유발할 수 있는 주요 임신-관련 문제들과 연관되어 있다. 보조생식술 학회는 IVF 시술 과정에서 고위 다태임신을 줄이기 위하여 이식하는 배아의 수에 대한 지침을 제시했다. 이식되는 배아의 수는 모성 나이, 이전에 실패한 주기, 배아의 질, 배아를 이식하는 방식(ET 또는 ZIFT)에 따라 다르다.

다태임신 이외에 다른 합병증은 다음과 같다.
1) 유산을 동반한 조기진통
2) 자궁 외 임신
3) 질 출혈
4) 선천성 기형
5) 임신성 고혈압

5. 앞으로의 발전방향

체외수정시술의 성공적인 도입으로 불임증의 진단과 치료에 획기적인 변화가 있었고, 기존의 전통적인 치료 방법들은 더 이상 시행되지 않거나 제한적으로 시행되고 있으며, 이러한 불임증 치료의 발전은 현재에도 지속적으로 이루어지고 있다.

늦은 임신이 점차 증가하고 있지만 결론적으로는 모성의 나이가 보조생식술의 결과를 결정하는 가장 중요한 요인이다. 모성의 나이가 증가하면 난소 자극에 대한 반응이 감소하고, 채취된 난자의 수가 적고, 수정 및 배아 난할 확률이 낮아지게 된다. 게다가 이러한 불임 고려요소 이외에도 모성의 나이가 증가하면 잠재적인 동반질환이 마취통증의학과 의사에게는 또 다른 도전이 될 것이다.

많은 기술적 진보에도 불구하고 ART는 여전히 도덕적, 윤리적, 종교적인 문제를 안고 있다. 또한, 여전히 장기간의 결과 자료는 모이는 중이다. 마취통증의학과 의사는 지속적으로 주술기 환자 관리 방법을 점검하고 ART 결과에 최소한 영향을 미칠 수 있는 방법을 찾도록 노력해야 할 것이다.

참고문헌

보조생식술, 부인과학, 제5판, 대한산부인과학회, 도서출판 고려의학, 2015, 609-637.

불임증, 부인과학, 제5판, 대한산부인과학회, 도서출판 고려의학, 2015, 535-607.

American Society of Anesthesiologists Task Force on S, Analgesia by N-A. Practice guidelines for sedation and analgesia by non-anesthesiologists. Anesthesiology 2002; 96: 1004-17.

Asker C, Norstedt Wikner B, Kallen B. Use of antiemetic drugs during pregnancy in Sweden. Eur J Clin Pharmacol 2005; 61: 899-906.

Azmude A, Agha'amou S, Yousefshahi F, Berjis K, Mirmohammad'khani M, Sadaat'ahmadi F, et al. Pregnancy outcome using general anesthesia versus spinal anesthesia for in vitro fertilization. Anesth Pain Med 2013; 3: 239-42.

Beilin Y, Bodian CA, Mukherjee T, Andres LA, Vincent RD, Jr., Hock DL, et al. The use of propofol, nitrous oxide, or isoflurane does not affect the reproductive success rate following gamete intrafallopian transfer (GIFT): a multicenter pilot trial/survey. Anesthesiology 1999; 90: 36-41.

Boyers SP, Lavy G, Russell JB, DeCherney AH. A paired analysis of in vitro fertilization and cleavage rates of first- versus last-recovered preovulatory human oocytes exposed to varying intervals of 100% CO_2 pneumoperitoneum and general anesthesia. Fertil Steril 1987; 48: 969-74.

Christiaens F, Janssenswillen C, Verborgh C, Moerman I, Devroey P, Van Steirteghem A, et al. Propofol concentrations in follicular fluid during general anaesthesia for transvaginal oocyte retrieval. Hum Reprod 1999; 14: 345-8.

Coetsier T, Dhont M, De Sutter P, Merchiers E, Versichelen L, Rosseel MT. Propofol anaesthesia for ultrasound guided oocyte retrieval: accumulation of the anaesthetic agent in follicular fluid. Hum Reprod 1992; 7: 1422-4.

Daya S, Wikland M, Nilsson L, Enk L. Effect on fertilization of intra-peritoneal exposure of oocytes to carbon dioxide. Hum Reprod 1987; 2: 603-6.

Egan B, Racowsky C, Hornstein MD, Martin R, Tsen LC. Anesthetic impact of body mass index in patients undergoing assisted reproductive technologies. J Clin Anesth 2008; 20: 356-63.

Endler GC, Stout M, Magyar DM, Hayes MF, Moghissi KS, Sacco AG. Follicular fluid concentrations of thiopental and thiamylal during laparoscopy for oocyte retrieval. Fertil Steril 1987; 48: 828-33.

Hayes MF, Sacco AG, Savoy-Moore RT, Magyar DM, Endler GC, Moghissi KS. Effect of general anesthesia on fertilization and cleavage of human oocytes in vitro. Fertil Steril 1987; 48: 975-81.

Hong JY, Jee YS, Luthardt FW. Comparison of conscious sedation for oocyte retrieval between low-anxiety and high-anxiety patients. J Clin Anesth 2005; 17: 549-53.

Kauppila A, Leinonen P, Vihko R, Ylostalo P. Metoclopramide-induced hyperprolactinemia impairs ovarian follicle maturation and corpus luteum function in women. J Clin Endocrinol Metab 1982; 54: 955-60.

Kim WO, Kil HK, Koh SO, Kim JI. Effects of general and locoregional anesthesia on reproductive outcome for in vitro fertilization: a meta-analysis. J Korean Med Sci 2000; 15: 68-72.

Kwan I, Bhattacharya S, Knox F, McNeil A. Conscious sedation and analgesia for oocyte retrieval during IVF procedures: a Cochrane review. Hum Reprod 2006; 21: 1672-9.

Lewin A, Margalioth EJ, Rabinowitz R, Schenker JG. Comparative study of ultrasonically guided percutaneous aspiration with local anesthesia and laparoscopic aspiration of follicles in an in vitro fertilization program. Am J Obstet Gynecol 1985; 151: 621-5.

Magee LA, Mazzotta P, Koren G. Evidence-based view of safety and effectiveness of pharmacologic therapy for nausea and vomiting of pregnancy (NVP). Am J Obstet Gynecol 2002; 186: S256-61.

Ng EH, Chui DK, Tang OS, Ho PC. Paracervical block with and without conscious sedation: a comparison of the pain levels during egg collection and the postoperative side effects. Fertil Steril 2001; 75: 711-7.

Ramsewak SS, Kumar A, Welsby R, Mowforth A, Lenton EA, Cooke ID. Is analgesia required for transvaginal single-follicle aspiration in in vitro fertilization? A double-blind study. J In Vitro Fert Embryo Transf 1990; 7: 103-6.

Rosen MA, Roizen MF, Eger EI, 2nd, Glass RH, Martin M, Dandekar PV, et al. The effect of nitrous oxide on in vitro fertilization success rate. Anesthesiology 1987; 67: 42-4.

Schnell VL, Sacco AG, Savoy-Moore RT, Ataya KM, Moghissi KS. Effects of oocyte exposure to local anesthetics on in vitro fertilization and embryo development in the mouse. Reprod Toxicol 1992; 6: 323-7.

Shafiq N, Malhotra S, Pandhi P. Comparison of nonselective cyclo-oxygenase (COX) inhibitor and selective COX-2 inhibitors on preimplantation loss, postimplantation loss and duration of gestation: an experimental study. Contraception 2004; 69: 71-5.

Shatford LA, Brown SE, Yuzpe AA, Nisker JA, Casper RF. Assessment of experienced pain associated with transvaginal ultrasonography-guided oocyte recovery in in vitro fertilization patients. Am J Obstet Gynecol 1989; 160: 1002-6.

Soussis I, Boyd O, Paraschos T, Duffy S, Bower S, Troughton P, et al. Follicular fluid levels of midazolam, fentanyl, and alfentanil during transvaginal oocyte retrieval. Fertil Steril 1995; 64: 1003-7.

Stener-Victorin E. The pain-relieving effect of electro-acupuncture and conventional medical analgesic methods during oocyte retrieval: a systematic review of randomized controlled trials. Hum Reprod 2005; 20: 339-49.

Tanbo T, Henriksen T, Magnus O, Abyholm T. Oocyte retrieval in an IVF program. A comparison of laparoscopic and transvaginal ultrasound-guided follicular puncture. Acta Obstet Gynecol Scand 1988; 67: 243-6.

Tatone C, Francione A, Marinangeli F, Lottan M, Varrassi G, Colonna R. An evaluation of propofol toxicity on mouse oocytes and preimplantation embryos. Hum Reprod 1998; 13: 430-5.

Thompson N, Murray S, MacLennan F, Ross JA, Tunstall ME, Hamilton MP, et al. A randomised controlled trial of intravenous versus inhalational analgesia during outpatient oocyte recovery. Anaesthesia 2000; 55: 770-3.

Vincent RD, Jr., Syrop CH, Van Voorhis BJ, Chestnut DH, Sparks AE, McGrath JM, et al. An evaluation of the effect of anesthetic technique on reproductive success after laparoscopic pronuclear stage transfer. Propofol/nitrous oxide versus isoflurane/nitrous oxide. Anesthesiology 1995; 82: 352-8.

Wilhelm W, Hammadeh ME, White PF, Georg T, Fleser R, Biedler A. General anesthesia versus monitored anesthesia care with remifentanil for assisted reproductive technologies: effect on pregnancy rate. J Clin Anesth 2002; 14: 1-5.

산과마취 시행지침

미국마취과학회 산과마취팀과
미국주산기학회의 최신경향 보고서

산과마취 시행지침

-미국마취과학회 산과마취팀과 미국주산기학회의 최신경향 보고서-

시행지침이라 함은 관련 진료를 시행하는 의료진에게 권장하는 사항이나, 이러한 권장 사항은 임상적인 판단에 의해 적용 여부가 결정될 수 있다. 일부 시행지침을 따르지 않는 경우도 발생할 수 있으며, 시행지침을 따르기 위하여 현재 수행중인 진료 절차를 반드시 변경할 필요는 없다. 즉, 산과마취 시행지침 최신 경향 보고서는 절대적이고 표준이 되는 지침이라 할 수 없고, 다만 최신 지견을 바탕으로 보고되는 권장사항이라 할 수 있다.

마취 전 평가 및 준비

과거력 문진과 신체검진

• 마취를 제공하기 전 과거력 문진 및 신체 검진을 시행한다.
  – 환자의 건강 상태, 마취 기왕력, 산과 과거력, 혈압, 기도 상태, 심폐 기관 검진 이외에 미국마취과학회에서 권장하는 마취 전 평가 사항들을 포함한다.
  – 신경축 차단을 예정하고 있는 경우 시술을 시행할 환자의 등을 살펴본다.
  – 마취 및 산과적 위험인자들을 파악하여 마취과 의사와 산부인과 의사간에 협조가 이루어지도록 한다.
• 산부인과 의사, 마취과 의사, 그리고 다른 분야의 전문가들 사이에 의사소통 및 협조는 신속하고 지속적으로 이루어질 수 있도록 한다.

분만 시 혈소판 수치

• 마취과 의사가 혈소판 수치를 검사하는 것은 각 환자에 따라 결정하도록 하며, 환자 개개인의 과거력, 신체검진 결과, 임상 상황에 따라 판단한다.
  – 건강한 임산부에서 통상적으로 혈소판 수치를 검사하는 것은 권장되지 않는다.

혈액형 검사 및 항체 검사

• 건강한 임산부가 질식분만이나 제왕절개술을 시행하는 경우 혈액 교차 검사를 통상적으로 실시하는 것은 불필요하다.
• 혈액형 및 항체 검사, 혈액 교차 검사를 실시할 것인지의 여부는 임산부의 과거력, 합병증의 가능성, 각 기관의 원칙에 따라 결정한다.

마취 전 평가 시 태아 심박동 양상의 기록

• 태아 심박동 양상은 분만을 위한 신경축 차단 전, 후로 적임자에 의해 감시되어야 한다.
  – 태아 심박동의 지속적 전자기록은 모든 임상 상황에서 필요한 것은 아니며, 신경축 차단을 진행하는

동안에는 불가능할 수 있다.

폐 흡인 예방

맑은 액체

- 적정량의 맑은 액체의 경구 섭취는 합병증이 없는 건강한 임산부에서 허용된다.
- 합병증을 동반하고 있지 않은 건강한 임산부가 제왕절개 수술을 받는 경우, 마취 유도 2시간 전까지는 맑은 액체의 경구 섭취를 허락한다.
  - 경구 섭취를 허용하는 맑은 액체는 물, 과육이 포함되지 않은 과일 주스, 소다수, 맑은 차, 블랙커피, 스포츠 이온 음료를 포함한다.
  - 섭취하는 액체의 양보다 섭취하는 액체에 입자가 포함되어 있는지에 더 주의를 해야 한다.
- 분만 진통 중인 임산부가 폐 흡인의 위험인자(고도 비만, 당뇨, 어려운 기도)를 지니고 있을 때, 또는 제왕절개 수술을 받을 가능성이 높을 때에 경구 섭취는 좀 더 제한한다.

고형식

- 고형식은 분만 중인 임산부에게는 금지된다.
- 정규 스케줄로 제왕절개수술이나 산후 난관결찰 수술을 받는 환자의 경우 고형식은 최소 6시간동안 금식시키고, 지방 성분이 많이 포함된 고형식의 경우 최소 8시간동안 금식시킨다.

제산제, H₂ 수용체 차단제, metoclopramide

- 제왕절개나 산후 난관결찰수술을 시행하기 전에 비과립성 제산제 및 H_2 수용체 차단제, metoclopramide

를 적절한 시점에 투여하는 것을 권장한다.

분만 진통 및 질식 분만 시 마취관리

신경축 진통 시점 및 분만 결과

- 신경축 진통을 시행할 수 있다면, 분만 조기(자궁경부 개대가 5 cm 이하일 때)에 신경축 진통을 시행한다.
- 자궁경부개대와 상관없이 개인에 따른 신경축 차단의 제공을 고려한다
  - 신경축 진통이 제왕절개수술의 빈도를 높이지 않는다고 환자를 안심시킨다.

제왕절개 수술의 기왕력이 있는 산모가 분만을 시도하는 경우 신경축 진통

- 제왕절개 수술의 기왕력이 있는 임산부가 질식분만을 시도하는 경우 환자에게 신경축 진통을 시행한다.
- 이러한 환자군에는 분만 진통의 목적과 함께 제왕절개 수술을 진행하게 되는 경우 마취를 시행할 목적으로 가능하면 조기에 신경축 차단을 위한 카테터를 거치한다.

기저질환을 동반한 임산부에서 신경축 진통을 위한 카테터의 조기 삽입

- 다태아의 임신이나 전자간증과 같은 기저질환이 동반된 임산부나 어려운 기도가 예상되는 임산부는 조기에 신경축 진통을 위한 카테터를 삽입하여, 응급으로 제왕절개 수술이 진행되는 경우 불가피하게 전신마취를 시행하는 것을 감소시킬 수 있다.
  - 카테터를 삽입하는 것이 분만 진통의 시작이나 환자의 요청보다 선행될 수 있다.

지속적 경막외 진통

- 지속적 경막외 진통이 효과적인 분만 진통 및 분만을 위해 사용될 수 있다.
- 국소마취제가 지속적 경막외 진통을 위해 사용되는 경우, 마약성진통제는 국소마취제의 사용량을 줄이고, 진통의 질을 향상시키고, 운동신경의 차단을 최소화할 수 있다.

진통제의 농도

- 마약성진통제와 함께 국소미취제를 희석해서 사용하는 것이 운동신경의 차단을 최소화하는데 도움이 된다.

국소마취제의 투여 여부와 척수강 내 마약성진통제의 일회 투여

- 질식분만에서 일회성으로 국소마취제와 함께 마약성진통제를 함께 사용하거나, 마약성진통제를 단독으로 척수강내에 투여하는 것은 지속시간이 길지 않다는 단점이 있으나, 효과적인 진통을 일으킬 수 있다.
- 척수강 내로 투여된 진통제의 지속 시간보다 분만 시간이 길어질 것이 예상되는 경우 또는 제왕절개의 가능성이 높은 경우에는 일회성 척수강 내 투여 요법보다 카테터를 삽입하는 방법을 고려해야 한다.
- 척수강 내 마약성진통제에 국소마취제를 추가로 사용하는 것이 진통의 질과 지속 시간을 향상시킬 수 있다.

연필 끝 모양의 척수 바늘

- 연필 끝 모양의 척수 바늘이 경막 천자 후 두통을 줄일 수 있다.

척수 경막외 병용 진통 방법

- 척수강 내로 투여된 진통제의 지속 시간보다 분만 시간이 길어질 것이 예상되는 경우 또는 제왕절개의 가능성이 높은 경우에는 일회성 척수강 내 투여 요법보다 카테터를 삽입하는 방법을 고려해야 한다.
- 척수 경막외 병용 진통 방법이 효과적이고 빠른 진통에 도움이 된다.

경막외 자가진통조절

- 경막외 자가진통조절은 분만진통의 유지를 위한 효과적이고 유동적인 방법이다.
- 경막외 자가진통조절은 간헐적 경막외진통법보다 국소마취제의 사용량을 줄일 수 있다.
- 경막외 자가진통조절에서 기본 주입은 시행할 수도 있고, 시행하지 않을 수도 있다.

권장 사항: 잔류 태반의 제거

잔류 태반의 제거를 위한 마취 방법

- 잔류태반의 제거를 위해 특정 마취 방법이 추천되지는 않는다.
  - 경막외 카테터가 거치되어 있고, 혈역학적으로 안정된 환자의 경우 경막외마취를 고려해볼 수 있다.
- 신경축 차단을 시행하기 전에는 혈역학적 상태를 평가한다.
- 폐흡인에 관한 처치를 고려한다.
- 분만 직후에는 호흡저하 및 폐흡인의 가능성이 있으므로 진정, 진통제의 사용량을 조절한다.
- 혈역학적으로 불안정한 출혈이 동반되는 경우 신경축 차단보다 기관내 삽관을 시행하는 전신마취가 우선 고

자궁의 이완을 위한 nitroglycerin

- 잔류태반의 제거수술 시 자궁을 이완시키기 위해 terbutaline sulfate나 할로겐화 흡입마취제를 이용한 전신마취 대신은 nitroglycerin이 사용될 수 있다.
  - 정주 또는 설하제제의 nitroglycerin으로 처치를 개시하는 것이 자궁 이완에 충분하다.

제왕절개수술을 위한 마취관리

장비, 시설, 지원인력

- 진통 및 분만에 필요한 장비, 시설, 지원인력은 주 수술장에서 사용되는 것과 동일해야 한다.
- 기관내 삽관의 실패, 불충분한 진통 및 마취, 저혈압, 호흡 저하, 국소마취제의 전신 독성 반응, 가려움증, 구토 등의 합병증에 대처할 자원이 진통 및 분만실에 구비되어 있어야 한다.
- 신경축 차단 및 전신마취에서 회복되는 임산부를 관리하기에 적절한 장비 및 지원 인력이 있어야 한다.

전신, 경막외, 척추, 척추경막외마취

- 제왕절개수술을 위한 마취 방법은 마취요인, 산과요인, 환자요인, 태아 요인을 모두 고려하여 환자의 선호도 및 마취과의사의 판단에 의해 결정되어야 한다.
  - 마취방법과 무관하게 분만이 완료될 때까지 자궁을 왼쪽으로 이동시켜 유지해야 한다.
- 대부분의 제왕절개수술에서는 전신마취보다 신경축 차단이 선호된다.
- 척추마취가 시행되는 경우, 연필 끝 모양 바늘을 사용해서 척추마취를 시행한다.
- 응급제왕절개수술의 경우, 거치된 경막외카테터를 사용한 마취가 척추마취나 전신마취 대신 사용될 수 있다.
- 전신마취의 경우 심각한 태아 서맥, 자궁파열, 심각한 출혈, 태반박리, 제대탈출증, 조기 둔위에서 발이 자궁밖으로 나온 경우 우선적으로 고려될 수 있는 방법이다.

수액의 전투여 또는 동시투여

- 수액을 전투여 또는 동시투여는 척추마취 시 저혈압의 발생 빈도를 낮추기 위한 방법이다.
- 정해진 용량의 수액 투여를 이유로 척추마취가 지연되어서는 안된다.

Ephedrine 또는 phenylephrine

- 두 가지 약제 모두 신경축 차단 이후 저혈압을 치료하기 위해 사용되는 약제이다.
- 기저질환이 없는 임산부에서 태아의 산염기 상태를 개선시키므로 임산부의 서맥이 없는 경우 phenylephrine의 사용이 우선 고려된다.

수술 후 진통을 위한 신경축 마약성 진통제의 사용

- 제왕절개수술을 위한 신경축 차단 이후 진통을 위해서 간헐적인 비경우 마약성제제를 사용하는 것 보다 신경축 마약성 진통제를 사용하는 것을 고려한다.

분만 후 난관결찰

- 분만 후 난관결찰 전, 환자는 섭취한 음식의 종류에 따라 수술 전 6~8시간의 금식기간을 유지한다.

- 폐흡인 예방법의 시행을 고려한다.
- 수술시기와 마취방법은 마취 및 산과적 요인과 환자의 선호도에 따라 개별적으로 정해져야 한다.
- 대부분의 난관결찰 수술에서는 전신마취보다 신경축 차단을 고려한다.
  - 분만 중 아편양제제를 투여받은 환자의 경우 위 내용 배출이 지연됨을 인지한다.
  - 분만 중 진통을 위해 거치한 경막외카테터의 경우 시간이 많이 경과되었다면 이를 이용한 마취는 실패할 확률이 높다.
  - 분만 후 난관결찰 수술이 퇴원 전에 시행되어야 할 때, 제왕절개수술과 동시에 진행하는것이 분만 과정에 영향을 미치면 함께 진행하지 않는 것이 좋다.

산과 및 마취과의 응급 상황

출혈성 응급 상황에 대한 관리
- 각 기관들은 산과의 출혈성 응급상황에 대처할 자원이 구비되어 있어야 한다(표 1).
  - 응급상황에서, ABO형 단독일치혈액 또는 O형음성 혈액이 사용될 수 있다.
  - 대량 출혈의 경우, 혈액은행에 수혈할 혈액이 불출분하거나 환자가 동종혈액의 수혈을 거부하는 경우 수술중 혈액 회수요법이 시행될 수 있다.

기도관련 응급 상황에 대한 관리
- 분만장은 기도와 관련된 응급상황에 대비하여 말초산소포화도 및 호기말 이산화탄소 측정기를 비롯하여 미국마취과학회에서 제공하는 어려운 기도 관리를 위한 지침에 따르는 필요 장비 및 인력을 보유하고 있어야

한다.
  - 신경축 차단을 시행하는 동안 기본적인 기도관리 장비는 즉시 사용할 수 있도록 구비되어있어야 한다(표 2).
  - 어려운 기도관리를 위한 휴대 장비는 분만장에서 사용 가능하도록 구비해두어야 한다(표 3).
  - 어려운 기도의 기관내삽관에 대한 사전에 설계된 계획이 구비되어 있어야 한다.
  - 기관내 삽관이 실패한 경우, 기도를 유지하고 폐환기를 시키기 위해서 윤상연골에 입박을 가하며 마스크 환기를 진행할 지, 성문상부기도유지기 (후두마스크, 기관내 삽관용 후두마스크, 후두관)를 이용하여 기도를 유지할 지 결정해야 한다.
  - 폐환기가 불가능하거나 환자를 깨우는 것이 불가한 경우 수술적인 방법을 통해 기도 확보를 시행한다.

심폐소생술
- 기본소생술 및 전문소생술에 필요한 기본 장비는 필요 시 즉시 사용할 수 있도록 분만장에 구비되어 있어야 한다.
- 심정지가 발생하면, 기본적인 소생 방법을 개시한다.
  - 자궁을 좌측으로 편위시킨다.
  - 임산부가 4분 이내에 정상 순환을 회복하지 못하면, 제왕절개 수술이 시행되어야 한다.

표 1 산과의 출혈성 응급 상황에서 권장되는 사항

큰 내경의 정맥로
수액 가온기
공기 체표 가온기
혈액은행과의 협력 진료
대량 수혈 프로토콜
수액과 혈액의 급속주입 장비

표 2 분만장에서 신경축 차단시 기도관리에 필요한 사항

후두경과 후두경날
기관내 튜브와 튜브가이트소침
산소공급원
흡인기와 흡인팁
양압환기를 위한 자동 팽창 백-마스크
저혈압 및 근이완, 수면유도를 위한 약제

표 3 제왕절개수술을 위한 수술실에서 어려운 기도관리를 위해 권장되는 휴대용 장비들

다양한 종류 및 크기의 경직성 후두경날
영상후두경장비
다양한 크기의 기관내 튜브
반경직성 튜브가이드소침, 광봉, 마질겸자를 포함하는 기관내 튜브 가이드 기자재
비수술적 방법으로 폐환기를 할 수 있는 안면마스크 및 성문상부기도유지기(후두마스크, 기관내 삽관용 후두마스크, 후두관)
윤상갑상막절개술과 같이 응급으로 수술적 기도를 확보하는데 필요한 기자재

상기 목록은 권장사항이며, 각 기관 및 의료진의 필요성, 선호도, 술기 등에 따라 변경될 수 있다.

참고문헌

Practice Guidelines for Obstetric Anesthesia: An Updated Report by the American Society of Anesthesiologists Task Force on Obstetric Anesthesia and the Society for Obstetric Anesthesia and Perinatology. Anesthesiology 2016; 124: 270-300.

INDEX

ㅇ

T